TRENTINO-ALTO ADIGE
Págs. 166–165
VÊNETO E FRIÚLI
Págs. 138–165
VENEZA
Págs. 84–137
EMILIA-ROMANHA
Págs. 254–269
Ancona
ÚMBRIA
Págs. 348–363
MARCHE
Págs. 364–373
ABRUZOS, MOLISE E PUGLIA
Págs. 500–513
Pescara
L'Aquila
ROMA E LÁCIO
Campobasso
Foggia
Bari
SUL DA ITÁLIA
Nápoles
Salerno
Potenza
Taranto
BASILICATA E CALÁBRIA
Págs. 514–521
NÁPOLES E CAMPANHA
Págs. 482–499
Catanzaro
Reggio di
Messina
Palermo
Catania
Agrigento

GUIA VISUAL - FOLHA DE S.PAULO

ITÁLIA

GUIA VISUAL - FOLHA DE S.PAULO

ITÁLIA

DK

PUBLIFOLHA

Um Livro Dorling Kindersley

www.dk.com

12ª edição brasileira: 2011; 1ª reimpressão: 2011

ISBN 978-85-7914-272-7

PUBLIFOLHA

Divisão de Publicações do Grupo Folha
Al. Barão de Limeira, 401, 6° andar, CEP 01202-900, São Paulo, SP
Tel.: (11) 3224-2186/2187/2197
www.publifolha.com.br

COORDENAÇÃO DO PROJETO
PUBLIFOLHA
ASSISTÊNCIA EDITORIAL: Cláudia Ribeiro Mesquita, Cláudia Carolina Komesu
ASSISTÊNCIA DE PRODUÇÃO GRÁFICA: Soraia Pauli Scarpa

PRODUÇÃO EDITORIAL
AF COMUNICAÇÕES
EDIÇÃO: Adriana Salles Gomes, Immaculada Lopez
REPORTAGEM (BRASIL): Daniela Giuntini de Castro
TRADUÇÃO: Lilia Astiz, Marta Svartman, Rosemarie Ziegelmaier
CONSULTORIA: Cristina Adams (Vida Selvagem), Federico Mengozzi (Cultura e História), Josimar Melo (Vinhos e Restaurantes)
REVISÃO: Carla de Mello Moreira
ÍNDICE: Marcelo Ferlin Assami

PRODUÇÃO GRÁFICA
ADESIGN
DIREÇÃO DE ARTE: Carin Ades
COORDENAÇÃO: Luciana Rodrigues
ASSISTÊNCIA: Ricardo Barneschi

ATUALIZAÇÃO DA 12ª edição: Página Viva

DORLING KINDERSLEY
EDIÇÃO DE ARTE: Vanessa Courtier, Annette Jacobs
EDIÇÃO DE PROJETOS: Fiona Wild
EDIÇÃO: Francesca Machiavelli, Sophie Martin, Helen Townsend, Nicky Tyrrell
DIAGRAMAÇÃO: Jo Doran, Anthea Forlee, Paul Jackson, Marisa Renzullo
MAPAS: Lovell Johns Ltd, Dorling Kindersley Cartography
FOTOGRAFIAS: John Heseltine

Impresso na South China Printing Company, China.

A grafia deste livro segue as regras do Novo Acordo Ortográfico da Língua Portuguesa.

Foi feito o possível para garantir que as informações deste livro fossem as mais atualizadas disponíveis até o momento da impressão. No entanto, alguns dados como telefones, preços, horários de funcionamento e informações de viagem estão sujeitos a mudanças. Os editores não podem se responsabilizar por qualquer consequência do uso deste guia, nem garantir a validade das informações contidas nos sites indicados.

Os leitores interessados em fazer sugestões ou comunicar eventuais correções podem escrever para a Publifolha, Av. Barão de Limeira, 401, 6° andar, CEP 01202-900, São Paulo, SP, enviar um fax para: (11) 3224-2163 ou um e-mail para: atendimento@publifolha.com.br

Imagem principal da capa: Abadia de Montecorona, na região da Úmbria

◁ **Fértil região de vinhedos ao redor de Panzano, em Chianti, Toscana**

SUMÁRIO

***Davi*, de Bernini, em Roma**

Loja típica da Toscana, em Volterra

Gôndolas percorrem o labirinto de canais de Veneza

Basílica de São Francisco em Assis, construção iniciada em 1228

COMO USAR ESTE GUIA

Este guia o ajudará a aproveitar ao máximo a sua visita à Itália, com recomendações de especialistas e informações práticas. *Introdução à Itália* localiza o país no mapa e em seu contexto histórico e cultural. Os 15 capítulos regionais e mais *Roma, Florença e Veneza* descrevem atrações importantes com mapas e imagens. Cada seção começa com as características da arquitetura regional e das comidas típicas. *Indicações ao Turista* traz hotéis e restaurantes e *Manual de Sobrevivência* descreve do transporte a segurança, com dicas especiais para brasileiros. A maioria dos nomes foi mantida em italiano.

ROMA

A Roma central foi dividida em cinco áreas, cada uma com um capítulo próprio –que começa com uma lista das atrações descritas, cada qual com um número, que aparece no *Mapa da Área*.

As páginas sobre Roma têm marcador vermelho.

Localize-se mostra onde a atração está em relação a outras áreas do centro.

1 Mapa da Área
Para fácil localização, as atrações estão numeradas e assinaladas em um mapa. Também são mostradas no Guia de Ruas, *nas* págs. *447–57*.

Principais Atrações lista as atrações do capítulo por categoria: igrejas, museus e galerias, construções históricas, ruas e praças *(piazze)*.

2 O Mapa Rua a Rua
dá uma vista aérea do centro de cada área de interesse.

Percursos a pé são sugeridos em vermelho.

Pontos Altos são as atrações imperdíveis.

3 Informação Detalhada
Cada atração de Roma é descrita individualmente, com o endereço e as informações úteis. A legenda dos símbolos usados aparece no final do guia.

ITÁLIA ÁREA POR ÁREA

Além de Roma, Florença e Veneza, a Itália foi dividida em 15 áreas, cada uma com um capítulo. As cidades e os lugares mais interessantes estão numerados no *Mapa Ilustrado*.

1 Introdução
A paisagem, a história e a personalidade de cada região são descritas, mostrando como a área se desenvolveu ao longo dos séculos e o que oferece hoje ao turista.

Cada área da Itália pode ser rapidamente identificada por seu código de cor, mostrado no início do guia.

2 O mapa ilustrado
mostra a malha rodoviária principal e dá uma visão geral de toda a região. Os pontos de interesse são numerados e também há dicas de como circular de carro e de trem.

3 Informação Detalhada
Todas as cidades e os locais importantes, listados de acordo com a numeração do Mapa Ilustrado, são descritos individualmente. Em cada entrada há dados sobre as atrações mais importantes. No caso das cidades menores, o nome da capital da província aparece no início de cada entrada.

Quadros aprofundam assuntos específicos.

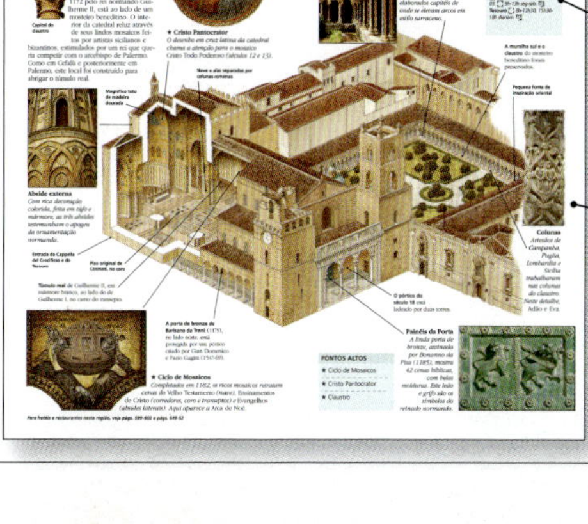

Prepare-se inclui toda a informação necessária para planejar a visita aos locais de interesse.

4 As grandes atrações da Itália *recebem duas ou mais páginas cada. Há desde a reprodução do interior de edifícios históricos até a planta colorida de museus, ajudando a encontrar as peças mais interessantes.*

INTRODUÇÃO À ITÁLIA

DESCUBRA A ITÁLIA

A Itália oferece um notável caleidoscópio de regiões e experiências para todos os turistas. Estendendo-se mil km no sentido vertical, seus limites ao norte abrangem os Alpes e a industrializada planície do Pó, e ao sul tem a ensolarada orla mediterrânea e as ilhas.

Imperador Augusto, Turim

Além de seus incomparáveis centros artísticos e culturais herdados do Renascimento, há também numerosas maravilhas naturais. As quatro páginas seguintes visam orientar os turistas sobre os destaques de cada uma dessas regiões fascinantes.

VENEZA

- **A mágica Piazza San Marco**
- **Produtos frescos no mercado de Rialto**
- **Românticos passeios de gôndola**

Veneza, a cidade das águas por excelência, precisa ser visitada. Mas lembre-se de que ela pode ficar úmida e nublada, além de ser muito cara. Praticamente não há baixa temporada; isso significa que os principais pontos turísticos como a **Piazza San Marco** *(págs. 108-9)*, a ponte e os mercados de **Rialto** *(pág. 97)*, as galerias de arte e museus em geral ficam lotados. Aproveite seu tempo passeando pelos labirintos de ruas e visitando igrejas menos conhecidas, porém adornadas com maravilhosas obras de arte.

Comece pelo **Canal Grande** *(págs. 88-91)*, com os *vaporetti* levando os passageiros pela cidade e cruzando a laguna rumo a ilhas distantes como **Murano e Burano** *(pág. 121)*. Um passeio romântico de gôndola é uma ótima maneira de descobrir as místicas ruelas e canais sossegados.

Estátua de ninfa, Vêneto

VÊNETO E FRIÚLI

- **Verona de Romeu e Julieta**
- **A esplêndida Capella degli Scrovegni em Pádua**
- **As ruínas de Aquileia**

O Nordeste da Itália passou por um desenvolvimento industrial em grande escala a partir da Segunda Guerra Mundial, mas seu esplêndido legado de arte e história merece ser conhecido. Uma viagem de carro pelas colinas repletas de vinhedos descortina villas imponentes, cidades charmosas e vinícolas de gestão familiar que produzem vintages de alta qualidade. No Vêneto, as agitadas cidades de **Verona** *(págs. 142-7)*, cenário da trágica história de Romeu e Julieta, e **Pádua**, com sua impressionante **Capella degli Scrovegni** *(págs. 156-7)*, rendem visitas memoráveis. Mais a leste fica a discreta Friúli e os vestígios da antiga cidade romana de **Aquileia** *(pág. 164)*, destruída por Átila, o Huno, em 452. A encantadora **Cividale di Friuli** *(pág. 163)* fica no sopé dos belos Alpes Julianos.

Colinas com vinhedos típicas do Vêneto

Santa Maria della Salute nas margens do Canal Grande, Veneza

TRENTINO-ALTO ADIGE

- **Esquiando nas montanhas Dolomitas**
- **Castelos medievais**
- **O "Homem de Gelo" em Bolzano**

Uma combinação de cultura pastoral alpina tradicional e legado germânico caracteriza estes antigos domínios austríacos. Velhas casas de fazenda de madeira e castelos e mosteiros medievais enfeitam as encostas das imponentes **Dolomitas** *(págs. 82-3)*, em um grande contraste com os modernos resorts que lotam de esquiadores e praticantes de snowboard no inverno. No verão, amantes da natureza e alpinistas percorrem trilhas que passam por pomares e prados floridos silvestres,

Corniglia, uma das Cinque Terre na Ligúria

a caminho de cabanas no alto das montanhas.

Para dias chuvosos, a cidade de **Bolzano** *(pág. 172)* sedia um museu excelente que exibe Ötzi, o "Homem de Gelo", uma múmia de 5 mil anos.

LOMBARDIA

- **Milão, capital da moda**
- **Os gloriosos lagos, a bordo de ferryboat**
- **Bergamo e Mantova**

Milão, a terra de Versace, Gucci e Armani, exibe arquitetura elegante como o **Duomo** gótico *(pág. 193)* e uma profusão de tesouros artísticos, a começar pela *Última Ceia*, de Leonardo da Vinci. Sedia também **La Scala** *(pág. 193)*, principal casa de ópera do país. Por perto estão os famosos lagos **Como e Maggiore** *(págs. 190-1)*, cercados por villas e servidos por ferryboats.

Bergamo *(pág. 201)* merece uma visita, assim como **Pavia** *(pág. 203)* e **Mantova** *(pág. 207)*, com maravilhosos mosteiros e palácios renascentistas.

Vitrines na Via Montenapoleone, Milão

VALE D'AOSTA E PIEMONTE

- **Turim e o Sudário**
- **Esqui olímpico**
- **Parco Nazionale del Gran Paradiso**

Capital do Piemonte, **Turim** *(págs. 220-5)* é sinônimo da indústria de automóveis Fiat e do notável Santo Sudário. Em 2006 sediou as Olimpíadas de Inverno. É renomada por sua fina gastronomia e as colinas Langhe produzem alguns dos melhores vinhos tintos da Itália, como o Barbera e o Nebbiolo. Há também queijos notáveis, assim como arrozais próximos a **Vercelli** *(pág. 228)*.

Um pouco adiante, os Alpes ocidentais atingem alturas vertiginosas, cujo ponto máximo é o nevado **Monte Bianco** *(pág. 214)*, na fronteira entre a Itália e a França.

Os selvagens vales alpinos do **Parco Nazionale del Gran Paradiso** *(págs. 216-7)* abrigam muitos animais selvagens, sobretudo cabritos monteses e camurças.

LIGÚRIA

- **Cinque Terre**
- **Resorts na Riviera Italiana**
- **A florescente cidade de Gênova**

Turistas acorrem às encantadoras aldeias da costa de **Cinque Terre** *(pág. 241)*, onde passeiam em belas trilhas que atravessam encostas de colinas em níveis. Com seu clima temperado, a Riviera Italiana é famosa por seus mercados de flores e alimentos frescos, em especial **San Remo** *(pág. 235)*. O Mar da Ligúria também atrai velejadores, que frequentam as diversas marinas pitorescas.

Capital da região, **Gênova** *(págs. 236-9)* também tem muito a oferecer ao turista, incluindo massas ao molho pesto, a casa de Cristóvão Colombo, uma beira-mar revitalizada e um dos maiores aquários da Europa.

Mosaico da basílica Sant'Apollinare Nuovo, Ravena

EMÍLIA-ROMANHA

- **Agitação praiana em Rimini**
- **Histórica Bolonha**
- **Ravena e seus mosaicos**

Com uma extensão da Costa Adriática, Emília-Romanha engloba uma boa parte da cadeia Apeninos, o que propicia uma ampla variedade de atividades ao ar livre. É imprescindível uma visita a **Bolonha** *(págs. 262-5)*, ao balneário de **Rimini** *(pág. 266)*, com sua praia extensa, e aos maravilhosos mosaicos bizantinos das igrejas de **Ravena** *(págs. 266-7)*.

Aqui a comida tem papel importante e, provavelmente, é a gastronomia da região que atrai a maioria das pessoas. A massa tortellini, o presunto curado de Parma, o queijo parmesão e o aromático vinagre balsâmico de **Modena** *(pág. 260)* têm fama mundial.

FLORENÇA E TOSCANA

- **Arte renascentista em Florença**
- **Pisa e a Torre Inclinada**
- **Vinícolas de Chianti**

Popular e sempre lotada de turistas, Florença é o berço da arte renascentista, exibindo perfeitos jardins italianos, praças magníficas e atrações esplêndidas como o **Duomo** *(págs. 280-1)* e a **Uffizi** *(págs. 286-9)*.

Na mesma área há cidades atrativas como **Pisa**, famosa por sua **Torre Inclinada** *(pág. 326)*, **Lucca** *(págs. 320-3)* e **Siena** *(págs. 338-43)*. Os campos toscanos com colinas onduladas, ciprestes e coloridas plantações de papoula na primavera são um sonho para artistas e turistas. Várias vinícolas na renomada região de **Chianti** *(págs. 250-1)* convidam os forasteiros para uma degustação.

Típico campo toscano

ÚMBRIA

- **Assis e São Francisco**
- **Cidade artística de Perúgia**
- **Cenário espetacular do Monti Sibillini**

Mais tranquila do que a Toscana, esta região inspiradora tem muito a oferecer em termos de natureza e arte românica. **Assis** *(págs. 354-5)* é destaque em qualquer programação devido à sua bela localização e à Basílica do século 13, associada às peregrinações de São Francisco. Outras cidades memoráveis são a medieval **Perúgia** *(págs. 352-3)*, **Orvieto** *(pág. 358)* com seu Duomo e a sossegada **Spoleto** *(pág. 360)*. Os **Monti Sibillini** *(pág. 362)* exibem flores silvestres no verão e as colinas de vegetação densa abrigam animais selvagens, incluindo javalis e aves canoras.

Parte externa do antigo Coliseu de Roma

MARCHE

- **A República de San Marino**
- **Resorts praianos do Adriático**
- **Renascentista Urbino**

Esta região discreta na Costa Adriática abriga a república mais antiga da Europa –**San Marino** *(pág. 368)*. Seus resorts e praias ficam cheios em meados do verão, com uma vida noturna que atrai a juventude. As cidades portuárias de **Ancona** *(pág. 372)* e **Pesaro** *(pág. 368)* têm mercados de peixe vitais para a cozinha regional à base de frutos do mar. No interior montanhoso, **Urbino** *(págs. 370-1)* sedia o glorioso Palazzo Ducale, uma joia da arquitetura do século 15.

ROMA E LÁCIO

- **Roma antiga do Coliseu e do Fórum**
- **Cidade do Vaticano e São Pedro**
- **Sítios etruscos**

A capital do país tem muitas atrações memoráveis nos estilos romano, renascentista e barroco. O antigo **Fórum** *(págs. 390-2)* e o **Coliseu** *(pág. 393)* são imperdíveis.

O estado independente da Cidade do Vaticano é um dos pontos altos, com sua profusão de tesouros artísticos, a **Capela Sistina** *(págs. 424-6)* e a magnífica **Basílica de São Pedro** *(págs. 418-9)*.

Fora da cidade, há atrações como os antiquíssimos sítios etruscos de **Cerveteri** *(pág. 466)* e **Tarquinia** *(pág. 466)*, assim como villas renomadas em **Tivoli** *(pág. 468)* e **Viterbo** *(págs. 464-5)*.

A histórica catedral de Amalfi na Campanha

NÁPOLES E CAMPANHA

- **As ruínas de Pompeia**
- **A elegante ilha de Capri**
- **A linda Costa Amalfitana**

Região de contrastes, a Campanha sedia muitas atrações importantes da Itália. **Nápoles** *(págs. 486-93)* é sinônimo de pizzas excelentes, museus maravilhosos e igrejas encantadoras, mas pode ser caótica. **Pompeia** *(págs. 494-5)*, cidade romana que foi arrasada pelo vulcão Vesúvio no ano 62, é fascinante, embora muitas relíquias daqui se encontrem no **Museo Archeologico Nazionale** *(págs. 490-1)* em Nápoles.

Uma ida de ferryboat à lendária ilha de **Capri** *(págs. 498-9)* deve incluir as formações rochosas de calcário e as grutas marinhas.

Por fim, há a divina **Costa Amalfitana** *(pág. 497)*, com encostas de colinas em níveis nos quais são plantados limoeiros, bem acima de cintilantes baías e praias.

Curiosas casas *trulli* em Alberobello, Puglia

ABRUZOS, MOLISE E PUGLIA

- **Praias de Gargano**
- **Casas *trulli* em Alberobello**
- **Parco Nazionale d'Abruzzo**

Estas regiões sulistas têm encantos para todos os gostos. Há muitas praias na península de **Gargano** *(pág. 508)*, curiosas casas *trulli* em **Alberobello** *(pág. 511)*, atrações antigas em **Trani** *(pág. 509)*, **L'Aquila** *(pág. 504)* e **Lecce** *(págs. 512-3)* –famosa por sua arquitetura barroca.

Além disso, lobos e ursos habitam as áreas selvagens do acidentado **Gran Sasso no Parco Nazionale d'Abruzzo, Lazio e Molise** *(págs. 506-7)*, perfeito para a prática de trekking em grande altitude. A vida pastoral de tempos imemoriais e trajes tradicionais persistem na aldeia montanhesa de **Scanno** *(pág. 505)*.

Templo da Concórdia no Vale dos Templos, Sicília

BASILICATA E CALÁBRIA

- **Matera: a "cidade de pedra"**
- **As estátuas de Riace**
- **Aldeias pesqueiras de Tropea**

O extremo sul da Itália recebe poucos turistas. Mas tem atrações como **Matera** *(págs. 518-9)*, sítio tombado pela Unesco como Patrimônio da Humanidade e que ganhou fama como locação do polêmico filme *Paixão de Cristo* (2004). Ao longo de muitas eras, primitivas casas de pedra foram moldadas nas encostas rochosas, resultando num conjunto surpreendente.

Duas estátuas do 5° século a.C. –Bronzes Riace–, justificam uma ida a **Reggio di Calabria** *(pág. 521)*, no Estreito de Messina. Descendo pela costa, a aldeia pesqueira de **Tropea** *(pág. 520)* assegura lindas vistas e boas praias.

SICÍLIA

- **Vulcões ativos**
- **Cefalù e Taormina**
- **Monumentais ruínas gregas**

Essencialmente mediterrânea, a Sicília tem uma variedade notável de paisagens. O **Monte Etna** *(pág. 539)* domina a visão e o interior montanhoso propicia excelentes caminhadas. Já sua série de praias fantásticas atrai os adoradores do sol.

Turistas se encantam com as maravilhas bizantinas da catedral de **Monreale** *(págs. 530-1)*, com a bela **Cefalù** *(pág. 535)*, assim como com as ruínas gregas clássicas em **Taormina** *(pág. 538)*, **Selinunte** *(pág. 534)* e **Agrigento** *(pág. 535)*.

SARDENHA

- **Resorts de celebridades**
- **Nuraghe pré-histórico**
- **Charmosa Alghero**

A Sardenha é uma ilha de contrastes. Águas azul-turquesa banham a exclusiva **Costa Esmeralda** *(pág. 548)*, cujas baías atraem iates elegantes. **Cala Gonone** *(pág. 550)* é mais tranquila, e a charmosa **Alghero** *(pág. 548)*, na costa oeste, tem um ar nitidamente espanhol.

O interior rochoso e selvagem é domínio de pastores reticentes, sendo que enigmáticos **nuraghe** *(pág. 549)* são encontrados por toda a ilha.

As águas turquesas da Costa Esmeralda, Sardenha

Itália Dentro do Mapa

No coração do mar Mediterrâneo, a Itália parece prestes a se soltar do continente, ficando ainda mais separada do resto da Europa pelos extensos Alpes ao norte. O Pó, seu maior rio, desenha um arco de leste a oeste, cortando o norte industrial, enquanto os Apeninos dividem a península de norte a sul. Com 58 milhões de habitantes, o país ocupa 116.320 km², incluindo as ilhas Sicília e Sardenha.

Vista aérea de Veneza, mostrando o Canal Grande

Fotografia de satélite do sul da Europa e do Mediterrâneo

Norte da Itália

Linhas aéreas, estradas e ferrovias ligam várias cidades europeias a Milão, Turim, Bolonha, Pisa, Florença, Verona e Veneza. Na região, os serviços de transporte são muito eficientes. Estradas e ferrovias percorrem as duas costas e cruzam o principal eixo leste-oeste desta parte do país, acompanhando os contrafortes dos Alpes. Milão, Verona e Bolonha são pontos-chave de interligação, enquanto Florença faz a conexão com o Sul.

Estradas para Florença

Boas estradas ligam Florença a Pisa, a oeste, a Roma e Siena, ao sul, e a Bolonha, ao norte.

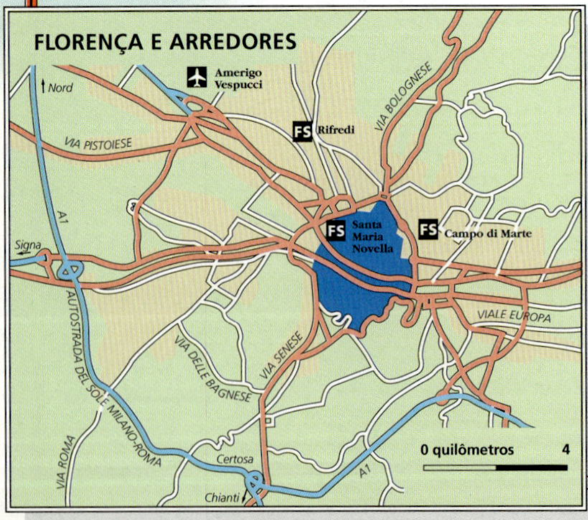

Estradas para Veneza
Veneza está ligada ao continente por uma estrada pavimentada com fácil acesso às conexões rodoviárias de Verona e Pádua.

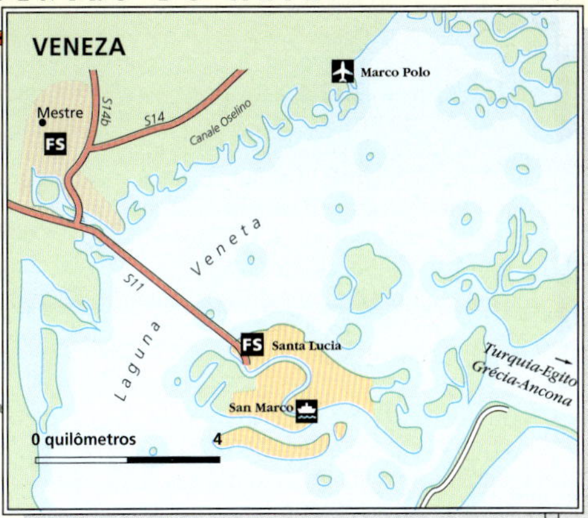

LEGENDA DO CÓDIGO DE COR

Nordeste da Itália
- Veneza
- Vêneto e Friúli
- Trentino-Alto Adige

Noroeste da Itália
- Lombardia
- Vale d'Aosta e Piemonte
- Ligúria

Centro da Itália
- Emília-Romanha
- Florença
- Toscana
- Úmbria
- Marche

Sul da Itália

Voos internacionais chegam a Roma, Nápoles e Palermo, no Sul da Itália. Na região, as conexões são geralmente mais lentas do que no Norte, especialmente no interior e nas ilhas Sicília e Sardenha, onde os ônibus geralmente são uma opção mais rápida do que os trens. As estradas costeiras e as ferrovias do continente são boas, sobretudo as que ligam Roma e Nápoles, os dois principais pontos de baldeação do Sul, que são interligados por trens de alta velocidade. Para ir de leste a oeste, cortando os Apeninos, a conexão mais rápida é feita por duas rodovias.

Sicília e Sardenha

Ferryboats circulam entre Sicília, Nápoles, Villa San Giovanni e Reggio di Calabria. Conexões mais distantes chegam a Malta e Tunísia. Ferryboats vão à Sardenha a partir de vários portos do continente, principalmente Civitavecchia, Gênova e Livorno.

LEGENDA

- Porto de ferryboat
- Aeroporto
- Fronteira internacional
- Divisa regional
- Rodovia
- Estrada principal
- Ferrovia

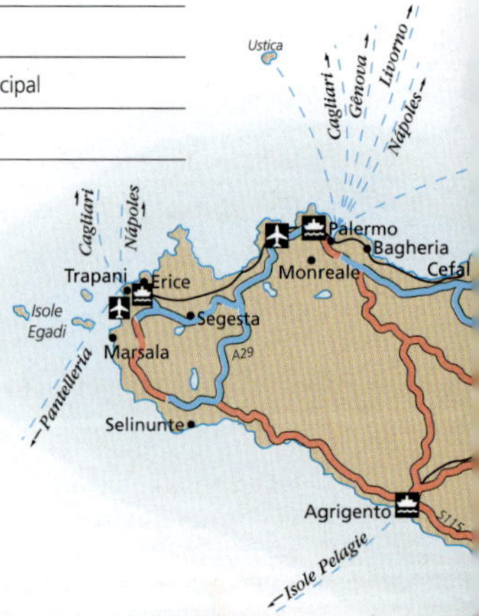

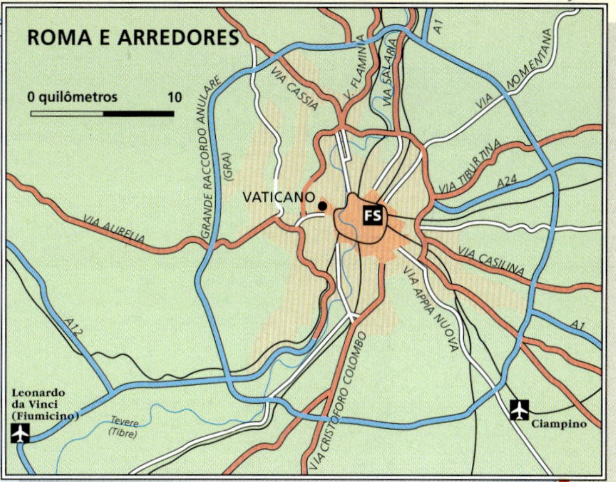

Estradas para Roma

Conexões rodoviárias ligam Nápoles, Pescara e Florença a Roma. Todas chegam ao anel rodoviário da cidade, o Grande Raccordo Anulare.

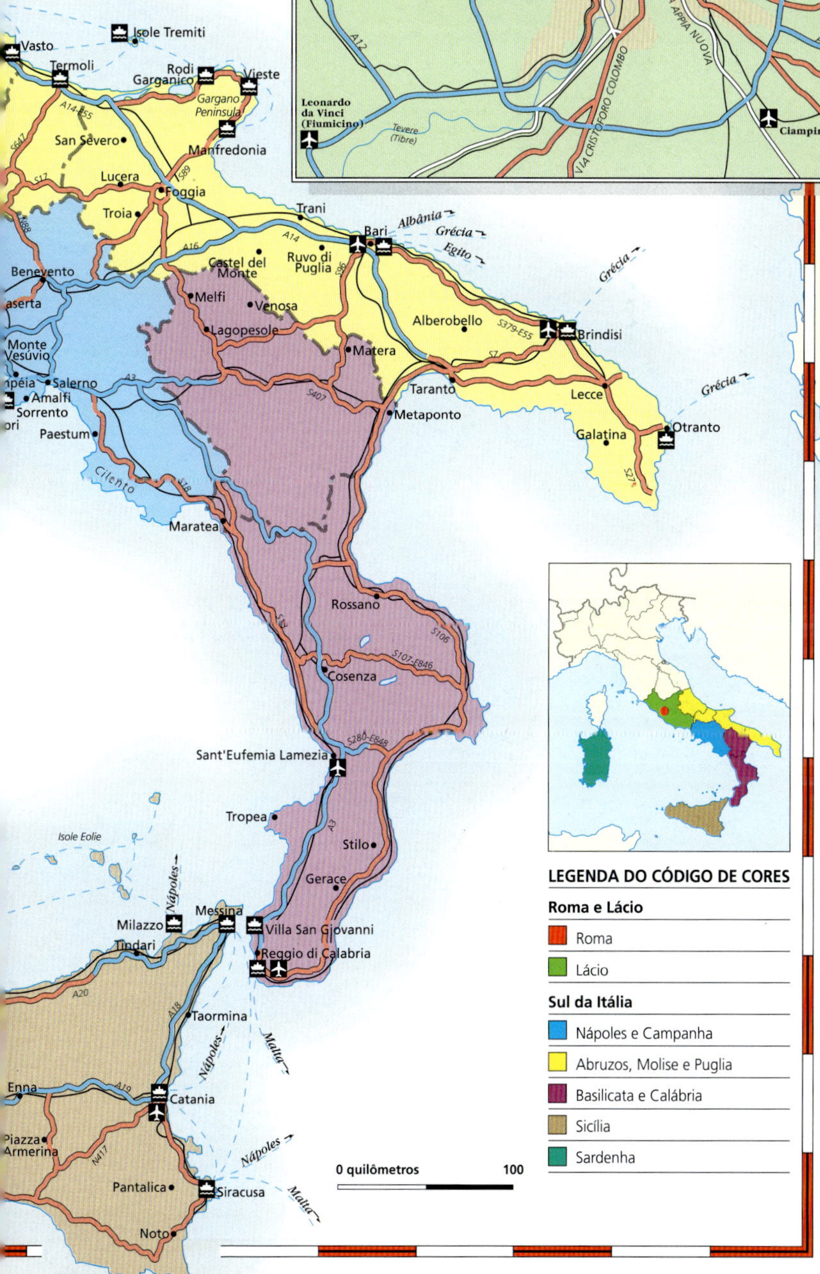

LEGENDA DO CÓDIGO DE CORES

Roma e Lácio

- Roma
- Lácio

Sul da Itália

- Nápoles e Campanha
- Abruzos, Molise e Puglia
- Basilicata e Calábria
- Sicília
- Sardenha

PRIMA DEL MEZZODÌ
AGRA
GOA
TOBOLSK
ISPAHAN
MOSKOW
COSTANTINOPOLI
CAPO DI BUONA SPERANZA
ROMA
DOPO IL MEZZODÌ
LIMA
QUEBEC
BUENOS-AIRES
RIO DE JANEIRO
PICO DI TANERIFFE
LISBONA
MADRID
PARIGI
DECLINAZIONE AUSTRALE
DECLINAZIONE BOREALE
F L F
PALAZZO
DEL
GOVERNATORE

RETRATO DA ITÁLIA

Por séculos, a Itália tem atraído quem busca o passado histórico ou o ar romântico. Afinal poucos países podem competir com sua origem clássica ou tradição artística, com suas paisagens, comida ou vinhos. A ambiguidade de sua imagem moderna também fascina: desde a Segunda Guerra Mundial a Itália ocupa um lugar de destaque entre as dez mais importantes economias industriais do mundo e, no entanto, mantém-se fiel à sua herança agrícola.

Ferrari de casamento em típico estilo italiano

Várias culturas formam a Itália. Entre os picos nevados dos Alpes, ao Norte, e a acidentada costa Sul na Sicília, convivem vários costumes e tradições. Politicamente, a Itália é um país jovem: a nação só foi unificada em 1870. Mesmo assim, suas 20 regiões mantiveram sua individualidade cultural. Os visitantes frequentemente se surpreendem com a diversidade de dialetos, pratos e arquitetura. É possível, entretanto, reconhecer uma divisão regional mais ampla. Há duas Itálias bem diferenciadas: o rico Norte industrial e o Sul mais pobre, conhecido como *Il Mezzogiorno* (Terra do Sol do Meio-Dia). A fronteira que separa os dois não é muito nítida: fica em algum lugar entre Roma e Nápoles.

O Norte é responsável pela inclusão do país na lista das nações mais industrializadas do mundo. É o motor propulsor do milagre econômico italiano, cujo sucesso se deve a marcas internacionalmente famosas, como FIAT, Pirelli, Ferragamo, Olivetti, Zanussi, Prada, Alessi e Armani. Em situação contrastante, o Sul, que outrora foi berço de alta cultura e civilização, vem sendo afetado pelo desemprego

Villa escondida entre ciprestes em uma colina da Toscana

◁ Três relógios de sol na fachada do Palazzo del Governatore, na Piazza Garibaldi, em Parma

e pelo crime organizado. Algumas de suas áreas estão entre as menos favorecidas da Europa, mas muitas cidades do Sul têm se beneficiado dos investimentos de fundos da Igreja Católica.

Conversa ao ar livre

A divisão histórica entre o Norte e o Sul é marcante na política atual. A federalista Liga Lombarda prega a separação. Seus defensores se queixam que parte dos recursos do Norte acaba no Sul. Para eles, Milão simboliza eficiência e riqueza, enquanto Nápoles personifica caos, sujeira e corrupção.

A história e a geografia contribuíram para essa divisão. O Norte está mais próximo –quanto à localização e ao espírito– da Alemanha e França, enquanto o Sul sofreu várias invasões: cartagineses e gregos nos tempos antigos, sarracenos e normandos na Idade Média, além dos Bourbon da Espanha, que dominaram a região até a metade do século 19.

TRADIÇÃO

Ao mesmo tempo, a variedade de regiões italianas se deve muito às montanhas e aos vales inacessíveis. As cidades de montanha na Toscana e na Ligúria, por exemplo, têm aparência diferente. As casas de fazenda da Puglia *(truli)* se distinguem das encontradas na região da Emília-Romanha.

No Sul da Itália a paisagem, a arquitetura, os dialetos, a comida e até a aparência das pessoas lembram mais o Leste do Mediterrâneo ou mesmo o Norte da África do que a Europa. No extremo Sul, estudos do dialeto local revelaram traços das línguas grega e albanesa antigas, preservadas em comunidades fechadas, isoladas pela geografia inóspita. Os rituais cristãos e pagãos estão estreitamente ligados; às vezes, a representação da Virgem possui grande semelhança com Deméter, a deusa grega da Terra.

Em toda a Itália, técnicas agrícolas antigas perduram e muitos meios de subsistência estão diretamente ligados à terra e às estações. As principais plantações são de beterraba (para açúcar), milho, trigo, oliveiras e vinha; comemorações de Páscoa *(pág. 62)* celebram a generosidade do solo. Embora parte da prosperidade econômica do pós-guerra seja atribuída à indústria (especialmente à produção de carros de Turim), muito se deve à expansão de negócios artesanais familiares e à exportação de seus produtos. A atividade artesanal é reconhecida como um setor independente da economia. A bem-sucedida rede internacional de lojas Prada é um bom exemplo dessa expansão. A etiqueta "Made in Italy" em

Descanso para um café, em Marina di Pisa, na Toscana

Torres medievais se destacam na paisagem de San Gimignano, na Toscana

roupas, sapatos e bolsas de couro se tornou garantia de alto padrão.

CULTURA E ARTES

Sophia Loren

As artes têm uma longa e gloriosa história no país, da qual os italianos muito se orgulham. A Itália possui mais de 100 mil monumentos (sítios arqueológicos, catedrais, igrejas, casas e estátuas), todos com significado histórico. Não causa espanto a escassez de verbas para mantê-los. Muitos museus da Itália, principalmente no Sul, estão total ou parcialmente fechados. Em Veneza, muitas igrejas ficam escondidas atrás de andaimes permanentes. Enquanto isso, em Abruzzo, outras permanecem fechadas devido a estragos causados por terremotos. Com o turismo respondendo por cerca de 12% do Produto Interno Bruto, aumentou o interesse em garantir o acesso público ao maior número possível de edifícios e acervos.

O Jubileu 2000 ajudou a conseguir grande quantia de dinheiro para a restauração de prédios e outros locais pertencentes à Igreja Católica. As artes performáticas também recebem menos atenção do que deveriam, mas há eventos culturais espetaculares. Praticamente toda cidade, independente do tamanho, tem seu próprio teatro de ópera, e o Scala de Milão apresenta espetáculos de nível mundial.

O cinema é outra arte que evoluiu muito na Itália. Os estúdios de Cine-

Fontana del Tritone, século 17, de Bernini, em Roma

Beira de estrada, perto de Positano, na Campanha

città, nos arredores de Roma, foram utilizados por diretores como Fellini, Pasolini, De Sica, Visconti, entre outros. Filmes italianos como *A Vida é Bela* e *O Quarto do Filho* foram aclamados pela crítica e pelo público, tanto dentro como fora do país. Aqui a arte pertence a todos: óperas, cinemas e galerias são frequentados por pessoas de todos os níveis sociais.

Elegância Armani

SOCIEDADE E POLÍTICA

A sociedade italiana é muito tradicional, e os italianos podem ser bastante formais. Ao cumprimentar, reserve o *ciao* (olá ou até logo) para pessoas da sua idade ou mais novas que você e o *piacere* (prazer em conhecê-lo), *buon giorno* (bom dia), *buona sera* (boa noite) e *arrivederci* (até logo) para os mais velhos. Os desconhecidos recebem um aperto de mão, mas a família e amigos, um beijo.

Para ser chique nos padrões italianos, a roupa que se usa deve dar a impressão de riqueza. Se os italianos usam roupas e acessórios semelhantes, é porque são conservadores em moda, assim como em outros aspectos da vida.

A política italiana, por sua vez, não é tão estável. Os governos do pós-guerra foram caracterizados por coalizões efêmeras e até bem pouco tempo ficaram nas mãos dos democratas-cristãos. Em 1993, a Itália passou por uma crise política, quando foi exposta uma rede de corrupção, envolvendo grande número de empresários e políticos. Embora as investigações não tenham conseguido erradicar a corrupção, elas levaram à formação de duas coalizões, centro-esquerda e centro-direita. Silvio Berlusconi, líder do novo partido Forza Italia, tornou-se ministro em 1994, mas logo se afastou, também acusado de corrupção. Em 1998, Massimo D'Alema foi o primeiro político da esquerda a se tornar ministro. Nos últimos anos o país tem alternado governos de centro-esquerda e centro-direita, dos quais alguns sobreviveram por pouco tempo.

VIDA MODERNA

Comida e futebol são os dois programas favoritos dos italianos. No país todo, muito tempo é dedicado para preparar –e saborear– as refeições.

Estátua do imperador Domiciano, jardins do Vaticano

A solução para o pesado trânsito em Roma: *scooters* e vespas.

O cardápio italiano, em especial o do Sul, é um dos mais saudáveis do mundo. O futebol é paixão nacional (vários jogadores brasileiros atuam no forte campeonato italiano).

Quanto à religião, o número de católicos praticantes está em declínio. Embora Roma seja o centro do mundo católico, muitos italianos já não se interessam pela religião e parecem só se reunir diante do altar em festas religiosas. Devido à imigração, outras religiões começam a ascender.

Passeando por um dos muitos pórticos de Bolonha

Um certo conformismo e o vínculo familiar permanecem sendo fatores-chave da sociedade italiana, apesar da taxa de natalidade baixa. Muitos avós, filhos e netos ainda vivem juntos, embora isso seja cada vez mais raro. Todas as crianças são mimadas, mas os meninos geralmente são os preferidos. O movimento feminista cresceu muito na década de 1970 e tentou mudar a atitude geral em relação às mulheres no campo profissional, principalmente nas cidades do Norte e Centro da Itália. Mesmo assim, a ideia de que os homens devem ajudar no trabalho doméstico e na educação dos filhos ainda parece estranho para a geração mais velha.

Com o milagre da recuperação econômica do pós-guerra, a Itália passou a ser uma história de sucesso. A indústria e a tecnologia se uniram ao design e os negócios se expandiram. Mesmo com os períodos de recessão recentes no mundo inteiro, as evidências de corrupção em todos os níveis da vida pública e o tumulto político, a Itália parece a mesma aos olhos dos visitantes estrangeiros. Graças à capacidade de manter viva a identidade de suas regiões e os valores tradicionais, o país parece atravessar qualquer crise sem que sua essência seja afetada.

Arte da Idade Média ao Início do Renascimento

O primeiro capítulo da história da arte italiana, do início do século 13 até o fim do século 15, corresponde a um dos períodos mais ricos da arte europeia. Pela primeira vez, desde a Antiguidade clássica, pintores e escultores criaram uma pintura convincente, na qual as figuras pareciam ganhar vida. Criações etéreas foram substituídas por outras enraizadas no mundo real, reproduzindo o que os artistas viam. A revolução na arte incluía a técnica do afresco, que oferecia aos artistas grandes superfícies para contar suas histórias.

1235 Bonaventura Berlinghieri, Peça de altar *São Francisco* (San Francesco, Pescia)

1285 Duccio di Buoninsegna, *Madonna Rucellai*, painel (Uffizi, Florença). Duccio dominou a pintura de Siena, que combinava forte movimento linear com conhecimento de anatomia

c.1305 Giotto di Bondone, *O Encontro no Portão Dourado* (Cappella degli Scrovegni, Pádua). Giotto rompeu com o ornamentado estilo bizantino para pintar a natureza e as emoções humanas. Sua maneira de trabalhar ficou conhecida como estilo florentino

1339 Ambrogio Lorenzetti, *Efeitos do Bom e do Mau Governo* (Sala dei Nove, Palazzo Pubblico, Siena)

1220	1240	1260	1280	1300	1320	1
IDADE MÉDIA				PRECURSORES DO RENASCIMENTO		
1220	1240	1260	1280	1300	1320	1

c.1259 Nicola Pisano, Púlpito (Batistério, catedral de Pisa)

c.1265 Coppo di Marcovaldo, *Madona e Menino* (Santa Monica dei Servi, Orvieto)

c.1280 Cimabue, *Madona Entronizada com Anjos e Profetas*, também conhecida como *Santa Trinità Madonna* (Uffizi, Florença)

c.1291 Pietro Cavallini, *Juízo Final*, detalhe (Santa Cecília, Trastevere, Roma)

c.1297 Giovanni Pisano, Púlpito (Sant'Andrea, Pistoia)

c.1316-18 Simone Martini, *Visão de São Martinho* (Igreja Baixa de San Francesco, Assis)

c.1336 Andrea Pisano, *Batismo de São João Batista*, painel do portão sul (Batistério, Catedral de Florença)

c.1425-52 Lorenzo Ghiberti, *Portão do Paraíso*, painel do portão leste (Batistério, catedral de Florença). Este rebuscado portão assinala a transição do estilo gótico ao estilo inicial da Renascença em Florença.

c.1435 Donatello, *Davi* (Museo del Bargello, Florença)

1357 Andrea Orcagna, *Cristo Entronizado com Madona e Santos* (Peça de altar de Strozzi, Santa Maria Novella, Florença)

c.1452-65 Piero della Francesca, detalhe de *O Sonho de Constantino* (San Francesco, Arezzo)

c.1456 Paolo Uccello, *Batalha de San Romano* (Uffizi, Florença)

c.1410 Nanni di Banco, *Quatro Mártires Coroados* (Orsanmichele, Florença)

1360	1380	1400	1420	1440	1460

INÍCIO DO RENASCIMENTO

1360	1380	1400	1420	1440	1460

1423 Gentile da Fabriano, *Adoração dos Magos* (Uffizi, Florença)

c.1440 Fra Angelico, *Anunciação* (San Marco, Florença)

c.1350 Francesco Traini, *Triunfo da Morte* (Campo Santo, Pisa)

c.1463 Piero della Francesca, *Ressurreição* (Pinacoteca, Sansepolcro)

c.1465 Fra Filippo Lippi, *Madona com Menino e Anjos* (Uffizi, Florença)

c.1470 Andrea del Verrocchio, *Davi* (Bargello, Florença)

c.1425-8 Masaccio, *O Tributo* (Cappella Brancacci, Florença)

c.1465-74 Andrea Mantegna, *Chegada do Cardeal Francesco Gonzaga* (Palazzo Ducale, Mantova)

A TÉCNICA DO AFRESCO

Afresco é a técnica de pintura sobre uma fina camada de gesso úmido, fresco (em italiano, *afresco*). As tintas penetram no gesso devido à pressão na superfície, e a cor se fixa quando o gesso seca. O pigmento reage com a cal do gesso e dá origem a cores fortes, como as do quadro *O Tributo*, de Masaccio.

***O Tributo*, de Masaccio (Cappella Brancacci, Florença)**

Arte Renascentista

O Renascimento do final do século 15 foi marcado por um aumento de realismo em muitas obras religiosas e pelo domínio técnico de artistas renomados como Rafael, Michelangelo e Leonardo da Vinci. As diferentes escolas de pintura renascentista, apesar de se valer dos modelos clássicos, produziram novos e variados estilos. A pintura florentina era conhecida pela sua claridade fria, enquanto cores sensuais e luz cálida caracterizavam as obras venezianas. Na metade do século 16, esses estilos deram lugar às imagens extravagantes e contorcidas do maneirismo.

c.1480 Andrea Mantegna, *Cristo Morto* (Brera, Milão)

1481-2 Capela Sistina –paredes com afrescos de vários artistas

c.1481-2 Pietro Perugino, *Cristo Entregando as Chaves do Céu a São Pedro*, afresco (Capela Sistina, Roma)

c.1483-88 Andrea del Verrocchio, concluído por Alessandro Leopardi, *Monumento Equestre de Bartolomeo Colleoni* (Campo dei Santi Giovanni e Paolo, Veneza)

c.1487 Giovanni Bellini, *Peça de altar de San Giobbe* (Accademia, Veneza)

c.1495 Leonardo da Vinci, *A Última Ceia* (Santa Maria delle Grazie, Milão)

c.1503-1505 Leonardo da Vinci, *Mona Lisa* (Louvre, Paris)

1505 Rafael, *Madona com Pintassilgo* (Uffizi, Florença)

1508-12 Michelangelo, *Teto da Capela Sistina* (Vaticano, Roma). Mais de 200 desenhos preliminares foram feitos para esta maravilhosa visão do poder de Deus e do despertar espiritual da humanidade

1519-26 Ticiano, *Madonna di Ca'Pesaro* (Santa Maria Gloriosa dei Frari, Veneza)

1480	1500	152
	RENASCIMENTO	
1480	1500	152

1485 Leonardo da Vinci, *Virgem das Rochas* (Louvre, Paris)

c.1485 Sandro Botticelli, *Nascimento de Vênus* (Uffizi, Florença)

c.1486 Leonardo da Vinci, *Homem Vitruviano* (Accademia, Veneza)

1499-1504 Luca Signorelli, *Condenados Entregues ao Inferno* (Cappella Nuova, catedral de Orvieto)

1501-1504 Michelangelo, *Davi* (Galleria dell'Accademia, Florença)

1505 Giovanni Bellini, *Madona e Menino com Quatro Santos* (Peça de altar de San Zaccaria, Accademia, Veneza)

c.1508 Giorgione, *A Tempestade* (Accademia, Veneza)

1509 Rafael, *A Escola de Atenas* (Stanza della Segnatura, Vaticano, Roma). A escala, a magnificência e a harmonia deste afresco representam os ideais da Alto Renascimento, que buscavam expressar valores divinos, em lugar dos humanos

1512-14 Rafael, *Anjo Libertando São Pedro da Prisão*, detalhe da *Libertação de São Pedro do Cárcere* (Stanza di Eliodoro Vaticano, Roma)

1516 Michelang *Escravo Agoniz* (Louvre, Paris)

1517 Sodoma *Casamento d Alexandre e Roxana* (Vill Farnesina, Ro

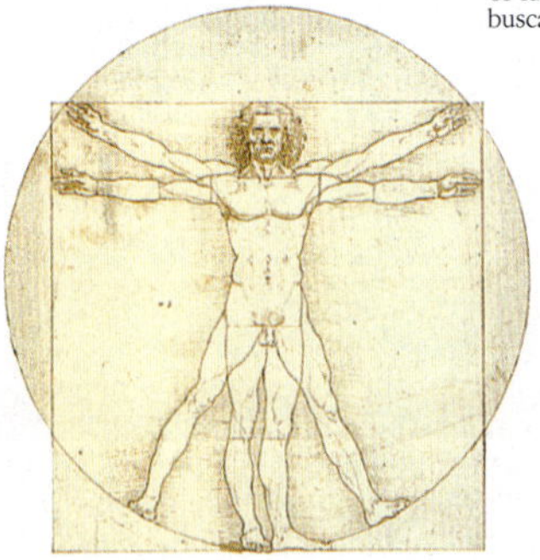

1523 Rosso Fiorentino, *Moisés Defende as Filhas de Jetro* (Uffizi, Florença)

1530–32 Giulio Romano, Afrescos de teto e parede (Sala dei Giganti, Palazzo del Tè, Mantova)

c.1532 Michelangelo, *Escravo Cabeça-Dura* (Galleria dell' Accademia, Florença)

1534-5 Paris Bordone, *Pescador Entregando o Anel ao Doge* (Accademia, Veneza)

c.1540-42 Ticiano, *Davi e Golias* (Santa Maria della Salute, Veneza)

c.1562–6 Jacopo Tintoretto, *Encontrando o Corpo de São Marcos* (Brera, Milão)

c.1550 Moretto, *Ecce Homo com Anjo* (Pinacoteca Tosio Martinengo, Brescia)

1540 | 1560

MANEIRISMO

1540 | 1560

1534-41 Michelangelo, *Juízo Final*, afresco de parede (Capela Sistina, Roma)

c.1538 Ticiano, *Papa Paulo III Farnese com seus Sobrinhos* (Museo di Capodimonte, Nápoles)

c.1534-40 Parmigianino, *Madona e Anjos ou Madona com Longo Colo* (Uffizi, Florença). Proporções atenuadas e cores contrastantes exemplificam o estilo maneirista

1538 Ticiano, *Vênus de Urbino* (Uffizi, Florença)

c.1540 Agnolo Bronzino, *Retrato de Lucrezia Panciatichi* (Uffizi, Florença). Feições e dedos alongados como neste retrato ilustram o exagerado estilo maneirista

1556 Veronese, *Triunfo de Mordoqueu* (San Sebastiano, Veneza)

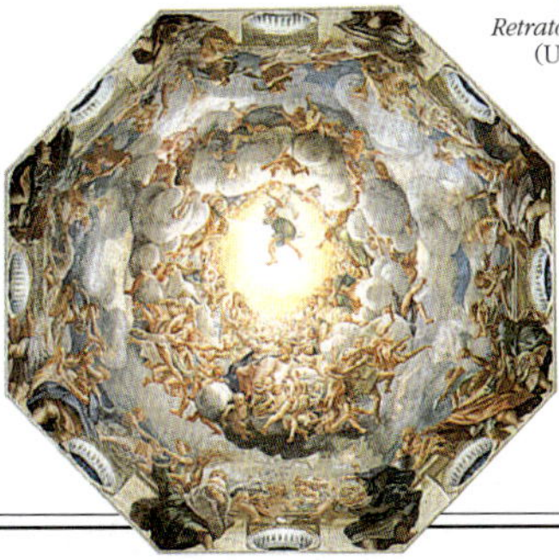

c.1526–30 Correggio, *Assunção da Virgem* (Domo da catedral de Parma). Sem ser maneirista ou renascentista, Correggio foi um mestre da ilusão, perito em fazer com que as figuras em ascensão parecessem flutuar, como neste afresco.

Arquitetura Italiana

Capitel coríntio

As construções italianas abarcam quase 3.000 anos de história e influências. As construções etruscas e romanas incorporaram muito da Grécia antiga e, nos séculos seguintes, as arquiteturas românica e gótica foram influenciadas pelo estilo normando, arábico e bizantino. Posteriormente os ideais clássicos inspiraram os renascentistas, abrindo espaço para o barroco.

A Catedral de Orvieto *apresenta uma decoração floreada e complexa, principalmente na escultura, comum a muitas catedrais góticas. A construção se estendeu do século 13 ao começo do século 17.*

Basilica di San Marco

A Basilica di San Marco *(832-1094), em Veneza, harmoniza a arquitetura clássica, românica e gótica, com predominância da inspiração bizantina* (págs. 110-3).

200	400	600	800	1000
CLÁSSICA		BIZANTINA		ROMÂNTICA
200	400	600	800	1000

O Arco de Constantino *(313), em Roma, e outros arcos triunfais foram invenção exclusivamente romana. Construídos para celebrar vitórias militares, eram adornados com baixo-relevo sobre batalhas bem-sucedidas* (pág. 380).

O arco arredondado de estilo românico surgiu na Idade Média em estruturas como a catedral de Modena. As igrejas geralmente possuíam interiores simples inspirados nas basílicas romanas

A construção de domos sobre áreas quadradas e retangulares foi um importante avanço da época Bizantina

ARQUITETURA ETRUSCA

As necrópoles (c. século 6° a.C.) encontradas na Toscana, no Lácio e na Úmbria são praticamente a única memória arquitetônica etrusca. Provavelmente pouco restou deste patrimônio porque as construções do dia a dia eram de madeira. Os estreitos laços culturais e comerciais com a Grécia sugerem que sua arquitetura tenha incorporado muito dos modelos gregos. Roma, por sua vez, inspirou-se na arquitetura etrusca e imagina-se que as primeiras edificações romanas seguiram o estilo etrusco.

Modelo de templo etrusco com pórtico grego clássico

A catedral de Monreale, *na Sicília, construída no século 12, apresenta elementos normandos combinados com uma exótica decoração arábica e bizantina* (págs. 530-1).

Tempietto de Bramante *em San Pietro in Montorio, Roma (1502-10), foi um tributo do renascimento aos templos clássicos da Roma antiga* (pág. 380).

Fachadas barrocas, *como esta acrescentada à catedral de Siracusa entre 1728 e 1754, eram geralmente acopladas em igrejas mais antigas.*

Inovações industriais *em vidro e metal foram aplicadas às edificações, como aqui na galeria Vittorio Emanuele II (1865) de Mengoni, em Milão* (pág. 194).

Os ideais clássicos da Roma e da Grécia antigas foram reintroduzidos na arquitetura italiana durante o renascimento

O patrocínio papal e o vigor da Contrarreforma estimularam o barroco, um período de esplendor, invenção e exuberância arquitetônicas

A Mole Antonelliana (1863-89), em Turim, encimada por uma agulha de granito, foi durante algum tempo a mais alta construção do mundo *(pág. 224)*

A Torre Velasca em Milão (década de 50) tem 26 andares e foi pioneira no uso de concreto armado

00	1400	1600	1800	2000
	RENASCENTISTA	BARROCA	SÉCULO 19	SÉCULO 20
00	1400	1600	1800	2000

A Catedral de Siena (1136-1382), imponente construção gótico-românica, passou por 200 anos de transformações arquitetônicas *(págs. 342-3)*

Santa Maria Novella, em Florença, tem fachada renascentista, de Alberti (1456- 70), e interior gótico

Gian Lorenzo Bernini (1598- 1680), arquiteto da Praça de São Pedro, foi figura de destaque do barroco romano

Andrea Palladio (1508-80) construiu mansões tipo *villa* e palácios neoclássicos. Seu estilo foi imitado na Europa por séculos *(pág. 80)*

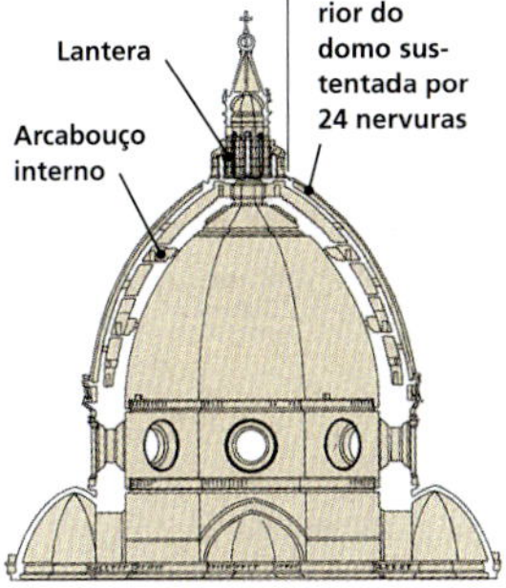

O Domo de Brunelleschi, *do domo de Florença, concluído em 1436, é uma obra-prima do design e engenharia renascentistas* (pág. 253).

A Gesù, *em Roma, foi projetada por Vignola para os jesuítas, em 1568. Sua imponente fachada e a suntuosa decoração foram protótipo para muitas outras igrejas barrocas* (pág. 381).

O edifício Pirelli, *em Milão, projetado por Ponti e Nervi no final dos anos 50, é exemplo da arquitetura moderna italiana* (pág. 185).

Santos e Símbolos na Arte Italiana

Os santos e símbolos têm importância especial na arte italiana. Eles fazem parte da linguagem visual escolhida pelos artistas para narrar aos fiéis histórias da Bíblia e da Igreja Católica. Os santos representados nas pinturas evocavam orações, e cada um oferecia auxílio a um problema especial do dia a dia. Santos padroeiros protegiam cidades específicas ou comércios e indivíduos com o mesmo nome. Até hoje, dias de santos e festas religiosas desempenham um importante papel na vida italiana.

OS EVANGELISTAS

Cada um dos quatro evangelistas –Mateus, Marcos, Lucas e João– é representado por uma criatura alada, indicando sua missão divina.

Águia (São João)

São Domingos é geralmente pintado usando o hábito de sua ordem. Outro de seus símbolos é o lírio.

São Cosme e são Damião estão sempre juntos, vestindo roupas de médico.

São Marcos, o Evangelista, leva o Evangelho com seu nome.

São João segura o livro do Evangelho com o seu nome.

São Tomás de Aquino costuma ser representado com uma estrela, pouco visível nesta pintura, sobre o hábito.

São Lourenço carrega uma folha de palmeira e a grade em que foi martirizado.

Virgem Entronizada com Menino e Santos *(c. 1450) foi pintado em gesso seco pelo frei dominicano Fra Angelico. Está exposto no Museo di San Marco, em Florença* (pág. 276).

A Virgem costuma usar um manto azul, representando a *Mater Amabilis*, Mãe Digna do Amor.

São Pedro, o Mártir, aparece com uma folha de palmeira. Outras vezes, tem um ferimento na cabeça e espada.

SÍMBOLOS

Os santos e mártires são identificados por símbolos ou atributos. Pode ser um objeto ou roupa que tenha desempenhado papel especial na história de suas vidas. Os mártires, por exemplo, são conhecidos pelos instrumentos de sua tortura ou morte. Os símbolos também podem ser animais, flores, cores, números e corpos celestes.

O cordeiro *simboliza Cristo, o Cordeiro de Deus, ou, na arte primitiva cristã, o pecador.*

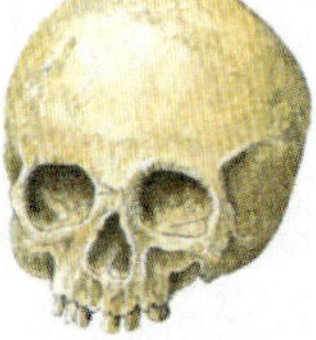

O crânio *é um "memento mori" para lembrar-nos da morte e da transitoriedade.*

Homem alado (São Mateus)

Leão alado (São Marcos)

Boi alado (São Lucas)

Pintura de Giovanni Bellini, *Madona e Menino com Quatro Santos* (pág. 119).

São Pedro, o Apóstolo, a "rocha" sobre a qual a igreja cristã foi fundada, carrega as chaves do céu.

A Madona com o Menino Jesus é o emblema do perfeito amor maternal.

Santa Catarina de Alexandria aparece aqui com um pedaço da roda sobre a qual foi martirizada.

São Jerônimo é sempre retratado como um ancião, geralmente um eremita, cuja vida foi devotada à erudição.

***Detalhe de* Madona e Menino com Quatro Anjos**, *de Giovanni Bellini. A pintura foi feita para uma peça de altar de San Zaccaria, Veneza, em 1505, até hoje em exposição.*

O anjo, mensageiro de Deus aos homens, está representado nesta cena como um músico dos céus.

Santa Luzia aparece segurando seus olhos em um recipiente. É a padroeira dos cegos e simboliza a luz.

O lírio, *a flor da Virgem, simboliza pureza, ressurreição, paz e castidade.*

A concha *frequentemente representa a peregrinação, atributo de são Roque.*

A folha de palmeira *significa, na arte cristã, o triunfo do mártir sobre a morte.*

Escritores, Poetas e Dramaturgos

A Itália tem produzido muitos escritores (em latim e italiano) aclamados mundialmente. Cada um deles oferece uma visão esclarecedora do turbulento passado do país: os poetas clássicos Virgílio, Horácio e Ovídio dão informações vívidas das inquietações e dos valores da Roma antiga, enquanto a poesia de Dante e Petrarca e os contos obscenos de Boccaccio dão vida à Florença e à Toscana medievais. Em menos de um século, esses três grandes escritores criaram uma linguagem literária nova, comparável a outras grandes obras europeias. Ainda hoje, a literatura moderna italiana chama a atenção internacional –Umberto Eco é um dos escritores mais lidos do século 20.

Primo Levi *(1919-87) fez um relato assombroso de como sobreviveu ao holocausto judaico e à Segunda Guerra Mundial em* A Trégua *e* É Isto Um Homem?

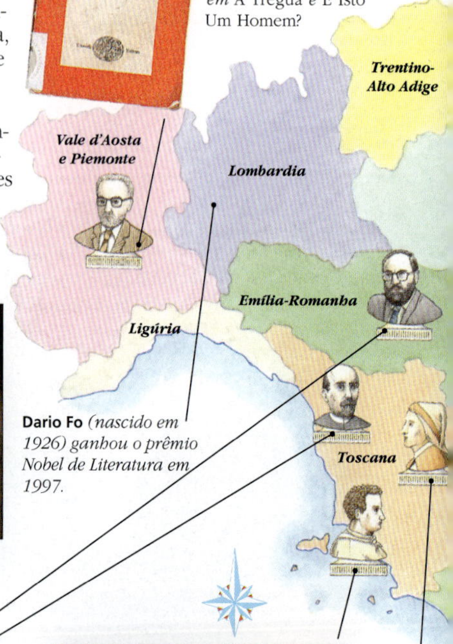

Dario Fo *(nascido em 1926) ganhou o prêmio Nobel de Literatura em 1997.*

Umberto Eco *(nascido em 1932), professor da Universidade de Bolonha, escreveu* O Nome da Rosa, *no qual explora sua paixão pela Idade Média. O romance originou um filme (acima) em 1986.*

Pinóquio, *uma das mais famosas histórias infantis, foi escrita por Carlo Collodi (1826-90) em 1883. "Collodi" era pseudônimo de Carlo Lorenzini e se referia ao local de nascimento de sua mãe.*

Giovanni Boccaccio *(1313-75) ofereceu um fascinante registro social de sua época.* O Decameron, *sua envolvente coleção de 100 contos, acontece na Florença de 1348, abatida pela peste.*

Dante *(1265-1321) conta, em* A Divina Comédia (1308-21), *uma viagem pelo Inferno, Purgatório e Paraíso, narrando os terríveis tormentos sofridos pelos condenados.*

ESCRITORES ROMANOS CLÁSSICOS

Obras em latim de filósofos, poetas, dramaturgos e políticos romanos clássicos são alguns dos pilares da cultura ocidental. Os nomes de Virgílio *(Eneida)*, Ovídio *(Metamorfoses)* e Plínio, o Velho *(História Natural)* se tornaram lendas literárias. Textos fascinantes, como *História de Roma*, de Tito Lívio, *Comentário da Guerra da Gália*, de Júlio César, *Anais*, de Tácito, *Vidas dos Doze Césares*, de *Suetônio*, e *Sátiras*, de Juvenal, permitem uma inestimável apreciação do passado distante de Roma. Muitas obras em latim sobreviveram graças aos monges medievais encarregados de copiá-las e ilustrá-las. Durante o Renascimento, as histórias de *Metamorfoses*, de Ovídio, foram usadas por muitos escritores, e os textos de Cícero marcaram a prosa. Sêneca era tido como o mestre da tragédia, e A *Comédia da Panelinha*, de Plauto, serviu de exemplo para comédias.

Detalhe de uma cópia medieval da *História Natural*

O autor veneziano *Carlo Goldoni (1707-93) reagiu contra a obra satírica de* La Commedia dell'Arte, *preferindo escrever peças mais condescendentes com a sociedade veneziana da época.*

Petrarca *(1304-74), um dos primeiros e maiores poetas líricos, produziu trabalhos nos quais despontam os primeiros indícios do humanismo.*

São Francisco de Assis *(1182-1226) foi o primeiro autor a escrever em italiano, em vez do latim formal. Além de cartas e sermões, fez poemas, inclusive o famoso* Cântico do Irmão Sol.

O escritor romano Alberto Moravia (1907-90) é conhecido como "neorrealista". Seus romances e contos focalizam os valores corruptos da sociedade da época. Suas obras mais conhecidas são *Duas Mulheres* e *Agostinho*.

O siciliano, *vencedor do Prêmio Nobel, Luigi Pirandello (1867-1936) inquietava-se com o tema da oposição entre ficção e realidade.* Seis Personagens em Busca de um Autor *é sua obra principal.*

Música e Ópera Italianas

Violino Stradivarius

Antes da unificação do país, especialmente nos séculos 17 e 18, cada uma das principais cidades italianas seguia sua tradição musical. Roma, como cidade papal, sediava apresentações musicais menos provocantes e evitava a ópera. Florença teve seus dias de glória no início do século 16 com a famosa *camerata* (grupos organizados para reviver os antigos espetáculos gregos). Veneza patrocinava música eclesiástica em grande escala, e Nápoles, no século 18, ficou conhecida por sua ópera cômica. No século 19, Milão tornou-se o centro da ópera italiana, centralizada no Scala.

PERÍODO MEDIEVAL E RENASCENTISTA

Pelos escritos de Boccaccio *(pág. 34)* e outros, sabe-se que o canto, a dança e a poesia conviviam na Itália medieval e renascentista. A Itália se concentrava na música como parte de um espetáculo e não como forma de arte pura.

Importantes nomes da época incluem Guido d'Arezzo (c.995-1050), monge que aperfeiçoou as notações musicais, e Francesco Landini (1325-97), um dos primeiros compositores cujas canções exibiam um novo conceito de lirismo. Os próximos 150 anos foram caracterizados pelo estilo *Ars Perfecta*, que culminou com o compositor Giovanni Palestrina (1525-94). Seu estilo vocal controlava excepcionalmente a dissonância e era usado nas músicas sacras. Os madrigais (poemas declamados por Petrarca e outros poetas) também eram muito populares.

O início do século 17 teve compositores italianos como Carlo Gesualdo (c.1561-1613) e Claudio Monteverdi, que desafiaram as tradições ao introduzir mais declamação e alguns elementos inusitados.

La Pietà, Veneza, onde Vivaldi se apresentou

PERÍODO BARROCO

A música de Claudio Monteverdi tentou fazer a transição entre o período renascentista e o barroco do século 17. A palavra "barroco" significa muito ornamentado, bizarro. Os madrigais de Monteverdi começaram como peças-padrão para quatro vozes mas terminaram como pequenas óperas. Isso ocorreu graças à popularidade do estilo instrumental individual e ao desenvolvimento do *basso continuo* (órgão de apoio, cravo ou alaúde, que permitia solos e duetos). Nesse momento, o início da orquestra de cordas já estava organizado.

Surgiu uma nova moda na declamação: os estados emocionais eram representados com suspiros e soluços e não apenas com descrições. *Vésperas da Virgem*, de Monteverdi, foi seguido por outros trabalhos que exploraram as possibilidades estereofônicas da Basilica di San Marco, em Veneza, ao contrastar diferentes intensidades em

PRINCIPAIS COMPOSITORES ITALIANOS AO LONGO DO TEMPO

Claudio Monteverdi *(1567-1643) consagrou-se com* Vésperas da Virgem, *de 1610. Tanto seus madrigais como sua ópera são considerados marcos da história da música.*

Antonio Vivaldi *(1678-1741) escreveu mais de 600 concertos, incluindo muitos para violino. O conjunto* As Quatro Estações *está entre as obras mais vendidas de todos os tempos.*

Gioachino Rossini *(1792-1868) se destacou pelas suas óperas cômicas como* O Barbeiro de Sevilha. *O aspecto romântico e expressivo de seus trabalhos não cômicos nem sempre foram reconhecidos.*

Apresentação de Luciano Pavarotti aproveitando as novas tecnologias

partes distintas da edificação. Na década de 1680, Arcangelo Corelli (1653-1713) voltou-se para o classicismo. Ficou famoso com o *Concerto Grosso*, contrastando o solo de cordas com o conjunto completo. Ele foi seguido por Antonio Vivaldi (1678-1741), que se dedicou a desenvolver uma forma de solo para o *Concerto Grosso*. Usou instrumentos de sopro e cordas, como violinos.

SURGIMENTO DA ÓPERA

A ópera surgiu para acompanhar a celebração de casamentos de famílias ricas italianas, no século 16. Monteverdi foi o primeiro compositor a estabelecer sua obra no repertório da ópera. Durante o século 17, Alessandro Scarlatti (1660-1725) inventou um modelo que consistia em uma abertura orquestral seguida por uma narrativa sequencial, como um recitativo, e interrompida por árias *da capo* (três partes). Temas para as obras de maior peso, como a *opera seria*, eram tirados da mitologia, enquanto a ópera ligeira, *opera buffa*, mostrava algumas cenas da Commedia dell'Arte. Gioachino Rossini ficou famoso por suas óperas cômicas, como *O Barbeiro de Sevilha*. Entre outros nomes, Vincenzo Bellini (1801-35) e Gaetano Donizetti (1797-1848) desenvolveram o *bel canto*, um estilo que enfatizava os tons requintados e rebuscados.

Os dois mais importantes compositores de ópera da última metade do século 19 foram Giuseppe Verdi e Giacomo Puccini (1858-1924). Verdi recorreu várias vezes à obra de Shakespeare e também a temas mais contemporâneos para criar a base do seu trabalho. Outros, como Puccini, voltaram-se para a nova tendência do *verismo* (com momentos de realismo). *La Bohème* é um dos mais refinados exemplos deste estilo.

Giuseppe Verdi *(1813-1901) foi o mais importante compositor de ópera do século 19. Seus primeiros trabalhos foram para o Scala. Os principais de toda sua obra foram* Rigoletto *e* Aída.

***Tosca* de Puccini, estreou em 1900**

O SÉCULO 20

No início do século 20, *La Fanciulla del West*, de Puccini, trouxe caubóis para a ópera, *Turandot* revelou o Oriente e *Tosca* inovou com tortura e assassinato. Desde o começo do século, alguns compositores têm tentado seguir a música francesa e alemã, e poucas peças italianas, como as de Ottorino Respighi (1879-1936), são apresentadas regularmente. O mais importante nome da música italiana pós-guerra foi Luciano Berio (1925-2003), que desenvolveu o Teatro Musical, uma forma de arte entre o teatro e a ópera. Nos últimos anos ele recuperou a tradição da Grande Ópera, com a elaborada produção *Un Re in Ascolto*. Apesar da importância de Berio, Luciano Pavarotti (1935-2007) merece o mérito de ter renovado o interesse internacional pela ópera. Na década de 1990, suas apresentações televisionadas ao lado de José Carreras e Plácido Domingo (os "Três Tenores"), asseguraram um enorme público para a ópera no mundo todo. O maestro Riccardo Muti, antigo diretor do La Scala, é outra estrela da ópera e da música clássica.

Interior iluminado do Teatro dell'Opera, em Roma

Design Italiano

A Itália foi muito bem-sucedida ao recriar objetos do dia a dia, buscando formas práticas sem perder o estilo. As criações do século 20 podem ser creditadas a projetos avançados de gigantes industriais, como a Olivetti, que quiseram delegar decisões importantes sobre seus produtos a designers inspirados, como Ettore Sottsass. Coube a esse gênio do design repensar a função de objetos cotidianos, aplicar novas tecnologias e tornar o resultado mais sedutor.

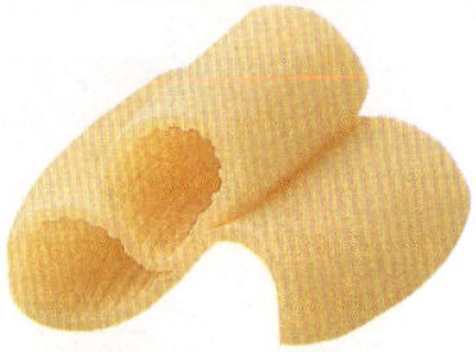

A estética aerodinâmica *do design italiano afetou até o formato das massas. Este foi criado pelo designer de carros Giorgio Giugiaro, em 1983, para Voiello.*

Polidos e esculturais, *os talheres Alessi (1988), projetados por Ettore Sottsass, combinam o máximo de utilidade com elegância e equilíbrio estético.*

A chaleira Alessi *(1985), projetada por Michael Graves, conseguiu tal popularidade no primeiro ano de produção, que vendeu 100 mil unidades.*

Uma das melhores *cafeteiras criadas até hoje, a Moka Express, de Bialetti, continua muito popular apesar de ter sido projetada em 1930.*

A cadeira Christophe Pilet, *projetada para a coleção de móveis contemporânenos de Giulio Cappelini, expressa o estilo de vida dos anos 1990.*

A mesa dobrável Cumano, *feita por Achille Castiglione para Zanotta em 1979, ainda é considerada "objeto de designer".*

A cadeira Patty Difusa, *com inusitados braços que se transformam em pernas, foi projetada por William Sawaya para Sawaya & Moroni em Milão.*

A forma aerodinâmica de Pininfarina, *criada para Ferrari Testarossa (1986), eleva o design de carros à categoria de escultura.*

Leve e compacta, *a Valentine da Olivetti revolucionou o papel das máquinas de escrever. Projetada por Ettore Sottsass em 1969, inovou também por ser portátil e poder ser usada em qualquer lugar.*

O tipógrafo italiano *Giambattista Bodoni (1740-1813) projetou esta sofisticada fonte, que é muito popular ainda hoje, 200 anos após sua criação.*

Giorgio Armani, *de Milão, é famoso pela adaptação de itens clássicos, como este casaco, ao visual moderno, elegante e confortável.*

A influente marca Prada, *de Milão, liderada por Miuccia Prada, tem design minimalista, cortante, e usa matéria-prima de vanguarda.*

A marca Artemide *é conhecida por combinar metal e vidro em muitos designs, especialmente de abajures e luminárias.*

Florença *tornou-se famosa pela fabricação de produtos artesanais de alta qualidade, especialmente acessórios para moda, como bolsas, sapatos, cintos, joias e pastas.*

Os itens clássicos da Gucci *incluem sapatos e bolsas, reverenciados pelos apreciadores da boa moda.*

A inovadora Vespa de Piaggio *(1946), de Corradino d'Ascanio, ofereceu um transporte barato, rápido e confiável em uma época em que poucos podiam ter carro. Bem-sucedida, a Vespa ainda é muito comum nas ruas da Itália.*

O FIAT 500 *(1957) tornou-se, como a Vespa, símbolo de mobilidade e democratização, expressando a rápida recuperação da Itália pós-guerra.*

Cientistas, Inventores e Exploradores

A Itália sempre fomentou o pensamento científico e novas descobertas. Já no Renascimento, destacaram-se italianos, como Galileu, que buscou uma nova compreensão do universo. Em paralelo, exploradores, como Colombo, partiram para encontrar novos mundos, uma atividade introduzida por Marco Polo no século 13. O espírito de pesquisa científica continuou até o século 20, com a invenção do rádio, além de trabalhos pioneiros no campo da física nuclear.

Guglielmo Marconi *inventou o primeiro sistema prático para enviar sinais de rádio. Em 1901, ele conseguiu captar sinais enviados da Terra Nova (Canadá) para a Inglaterra.*

Ao perceber *que a corrente elétrica fazia as pernas de um sapo se mexer, Alessandro Volta inventou a bateria elétrica, uma "pilha" de discos de metal em contato com ácido. Em 1801, ele fez uma exibição para Napoleão.*

Nascido em Gênova, *Cristóvão Colombo saiu da Espanha para o Ocidente em 1492. Ele chegou às "Índias", depois de três meses, com o auxílio de um astrolábio.*

O explorador *Américo Vespúcio disse que o Novo Mundo era uma porção separada de terra. Um panfleto errou e divulgou que ele o tinha descoberto, por isso, em 1507, a América recebeu seu nome.*

Leonardo da Vinci *foi a expressão máxima do Renascimento, tanto na ciência como nas artes. Criou seu primeiro projeto para uma máquina voadora por volta de 1488, mais de 400 anos antes do primeiro avião. Este modelo baseia-se em um de seus desenhos.*

0 quilômetros 200

O telescópio *permitiu que os astrônomos fizessem mapas lunares precisos. Domenico Cassini, professor da Universidade de Bolonha, aperfeiçoou o instrumento. Em 1665, ele traçou a linha do meridiano na igreja de San Petronio.*

A Universidade de Pádua, fundada em 1222, foi o centro do conhecimento científico do Renascimento. Galileu, inventor do telescópio, ensinou física aqui, e o atril que ele usava ainda pode ser visto.

O veneziano Marco Polo *partiu para o Oriente quando jovem, em 1271. Frequentou a corte do imperador mongol Kublai Khan durante quase duas décadas, antes de voltar para casa. Aqui ele está chegando a Ormuz, no golfo Pérsico, vindo da Índia.*

Galileu Galilei *provou que a Terra girava em torno do Sol, contrariando a doutrina da Igreja Católica. Foi condenado por heresia em 1633. Aqui ele mostra os anéis de Saturno aos senadores venezianos.*

Vencedor do Prêmio Nobel de Física, *em 1938, Enrico Fermi foi o responsável pela primeira reação nuclear em cadeia controlada. Construiu o primeiro reator nuclear do mundo para gerar energia na Universidade de Chicago, EUA.*

Plínio, o Velho, escreveu *História Natural*, um catálogo do conhecimento humano, em 77 d.C. Morreu dois anos depois, na erupção do Vesúvio, mas o livro manteve-se em dia por 1.500 anos.

Os óculos foram inventados *na Itália, no século 13. Foram registrados pela primeira vez em Veneza, até hoje um importante centro de fabricação de vidro.*

O matemático Arquimedes *nasceu por volta de 287 a.C., em Siracusa, Sicília, na época uma colônia grega. Diz a lenda que ele descobriu o Princípio da Hidrostática durante o banho.*

TEMPLA DOMVM EXPOSITIS: VICOS FORA MOENIA PONTES:
VIRGINEAM TRIVII QVOD REPARARIS AQVAM.
PRISCA LICET NAVTIS STATVAS DARE COMMODA PORTVS:
ET VATICANVM CINGERE SIXTE IVGVM;
PLVS TAMEN VRBS DEBET: NAM QVAE SQVALORE LATEBAT:
CERNITVR IN CELEBRI BIBLIOTHECA LOCO.

A HISTÓRIA DA ITÁLIA

O surgimento da Itália como unidade geográfica data da época dos etruscos, mas sua história desde então se baseou em divisão e discórdia. Antes do século 19, a península esteve unida uma só vez, sob o domínio dos romanos, que por volta do século 2° a.C. subjugaram as outras tribos italianas. Roma se tornou a capital de um enorme império, impondo sua língua, as leis e o calendário à maior parte da Europa. Mas, no século 5°, sucumbiu aos invasores germânicos.

Júlio César

Um dos legados do Império Romano foi o cristianismo e a posição do papa como chefe da Igreja Católica. O papado medieval convocou os francos para enfrentar os lombardos e, em 800, coroou o rei franco Carlos Magno imperador do Sacro Império Romano. Mas o que parecia ser o despertar de uma nova época era mesmo aparência. Durante cinco séculos, papas e imperadores lutaram pelo comando desse problemático império.

Enquanto isso, uma sucessão de invasores estrangeiros –normandos, angevinos e aragoneses– valeram-se da situação para conquistar a Sicília e o Sul. O Norte, ao contrário, assistiu ao crescimento de cidades-estado independentes, sendo Veneza a mais poderosa, pois era extremamente rica devido ao comércio com o Oriente. Outras cidades, como Gênova, Florença, Milão, Pisa e Siena, também tiveram dias de glória. O Norte tornou-se a região mais próspera e culta da Europa ocidental. Foram os artistas e eruditos de Florença do século 15 que inspiraram o Renascimento. Esses Estados pequenos e fragmentados, no entanto, não podiam competir com as grandes potências e, no século 16, foram invadidos pela Espanha e pela Áustria (o Norte).

Somente o Piemonte permaneceu independente, mas, durante a guerra entre Áustria e França, sucumbiu ao poder de Napoleão (1796). No século 19, foi ele o centro do movimento de unificação da Itália, objetivo alcançado em 1870 graças à façanha militar de Garibaldi –que havia lutado no Brasil anteriormente. (Em 1875 começou a imigração de italianos para o Brasil e hoje há cerca de 60 milhões de italianos e descendentes em terras brasileiras.) Na década de 1920, os fascistas tomaram o poder e, em 1946, a monarquia caiu e foi substituída pela república atual.

Mapa da Itália do século 16, usado por navegadores venezianos e genoveses

◁ Afresco de Melozzo da Forlì ilustrando a corte de Sisto IV (1471-84), poderoso papa do Renascimento

A Era dos Etruscos

Os etruscos foram a primeira civilização importante da Itália. Os afrescos, joias e cerâmicas encontrados em seus túmulos são prova de um povo artístico e culto. Sua origem é um mistério. A partir do século 9° a.C., espalharam-se pela Itália central, e seus principais inimigos eram os gregos, ao sul. A Etrúria nunca foi um Estado unificado, mas uma precária confederação de cidades. No século 6°, os reis etruscos dominavam Roma, cidade que depois os superou.

ITÁLIA EM 650 a.C.

- Reinos etruscos
- Colônias gregas

Cavalos Alados em Terracota
Este belo baixo-relevo de cavalos (século 4° a.C.) decorava a fachada do templo Ara della Regina, em Tarquinia.

Fígado de Carneiro em Bronze
As inscrições orientavam as previsões do futuro a partir de entranhas de animais.

A flauta dupla era uma especialidade dos etruscos. Era tocada tanto em festas como em funerais.

Túmulo dos Leopardos
Festas e orgias eram temas comuns nos afrescos que decoravam os túmulos etruscos. Estes músicos aparecem em um afresco (c.500 a.C.) de Tarquinia *(pág. 450)*.

Urna Crematória
Na tampa desta urna em terracota, um morto tem uma tábua de escrever. Os etruscos introduziram o alfabeto na região.

CRONOLOGIA

- **Século 9° a.C.** Comunidades pré-urbanas se fixam ao longo dos vales fluviais da Etrúria
- **753 a.C.** Data lendária da fundação de Roma por Rômulo
- **c.700 a.C.** Crescimento das cidades na Etrúria; primeiras inscrições etruscas
- **616 a.C.** Os etruscos governam Roma com Tarquínio, o Velho

900 a.C. — **800 a.C.** — **700 a.C.**

- **c.900 a.C.** Primórdios da Idade do Ferro italiana. Era de Villanova
- **c.800 a.C.** Os gregos se instalam na Sicília e no Sul da Itália
- **715-673 a.C.** Reinado do sábio Numa Pompílio, segundo rei de Roma

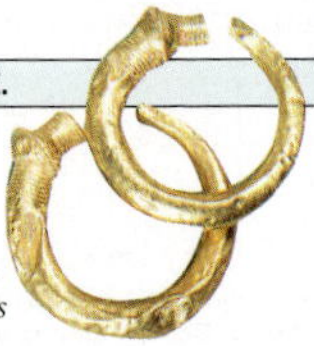

Brincos de ouro etruscos

Lutas de Boxe
Competições atléticas eram realizadas durante os funerais. Este vaso, de c.500 a.C., foi feito na Etrúria, mas imita a típica cerâmica grega de figuras negras.

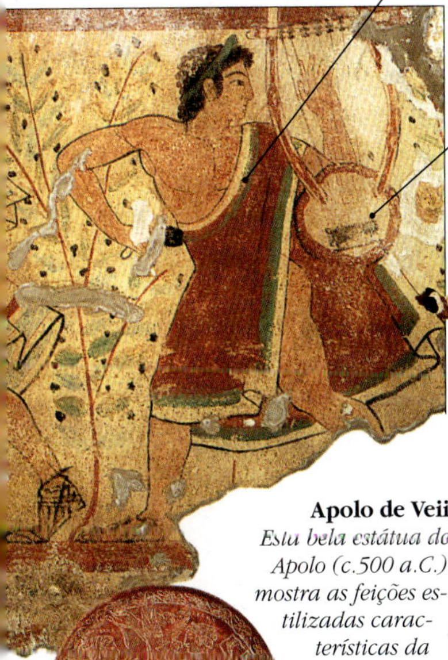

Os músicos e o dançarino foram representados com realismo, refletindo a influência da arte grega.

A lira era feita com casco de tartaruga e tocada com um plectro.

Apolo de Veii
Esta bela estátua do Apolo (c.500 a.C.) mostra as feições estilizadas características da arte etrusca.

Espelho de Bronze
Os etruscos ricos viviam com muito luxo. Os homens usavam espelhos polidos com o verso desenhado. Este mostra Helena de Troia e a deusa Afrodite.

ONDE VER A ITÁLIA ETRUSCA

Túmulos em rochas, *como este em Sovana* (pág. 346), *são comuns no Centro da Itália.*

Toscana, Lácio e Úmbria preservam muitas construções etruscas, especialmente túmulos. No Lácio, há grandes necrópoles em Cerveteri e Tarquinia *(pág. 466)*. Esta última tem, inclusive, um importante museu. Também se destacam pelo acervo de arte e artefatos etruscos Villa Giulia *(pág. 440)* e Museo Gregoriano do Vaticano *(pág. 422)*, em Roma, Museo Archeologico, em Florença, *(pág. 277)*, Museo Nazionale, em Chiusi *(pág. 332)*, e Museo Guarnacci, em Volterra *(pág. 334)*.

Templo de Netuno
Este lindo templo em Paestum (século 5° a.C.) é um legado da colonização grega do sul.

509 a.C. O último rei etrusco, Tarquínio, o Soberbo, é expulso de Roma. A República de Roma é estabelecida

450 a.C. A Lei das Doze Tábuas é o código romano

Vasilha trazida da Grécia

390 a.C. Gauleses saqueiam Roma. O Capitólio é salvo graças ao aviso dos gansos

600 a.C. — 500 a.C. — 400 a.C.

499 a.C. Batalha do lago Regillus. Os romanos derrotam a aliança entre latinos e etruscos

474 a.C. A frota etrusca perde para os gregos ao longo de Cumae, um golpe no poder naval etrusco

c.400 a.C. Gauleses começam a se fixar no vale do rio Pó

396 a.C. Veii, importante cidade estrusca, situada no atual Lácio, cai diante de Roma

Baixo-relevo de gansos capitolinos do Fórum Romano

Da República ao Império

Máscara e capacete romanos (século 1º a.C.)

Uma das muitas que habitavam a Itália antiga, a tribo dos romanos emergiu para conquistar a península e impor sua língua, os costumes e as leis às demais. O sucesso de Roma ocorreu graças a sua extraordinária destreza militar e organização civil. O Estado era uma república governada por dois cônsules eleitos a cada ano, mas, à medida que Roma crescia, o poder passou a generais como Júlio César. A república já não funcionava e os herdeiros de César tornaram-se os primeiros imperadores romanos.

Gália Cesalpina foi anexada em 202-191 a.C.

Etrúria estava sob domínio romano em 256 a.C.

Júlio César
O grande general, conquistador da Gália, voltou à Itália em 49 a.C. para derrotar Pompeu. Sua ascensão ao poder marcou o fim da República.

Inscrição Oscana
As línguas dos povos conquistados por Roma duraram séculos antes de ser substituídas pelo latim. Os oscanos viviam onde hoje é a Campanha.

O Elefante de Guerra
Em 218 a.C., o grande general cartaginês Aníbal trouxe 37 elefantes que cruzaram os Alpes e alarmaram as fileiras romanas.

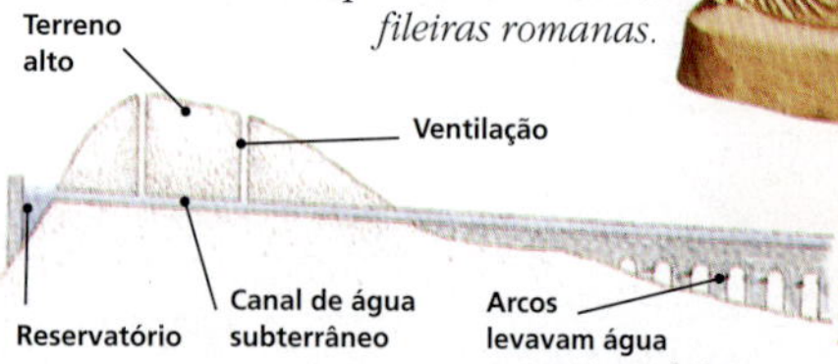

Aqueduto Romano
O talento romano para a engenharia revelou-se nos enormes aquedutos que construíram. Eles chegavam a ter 80km de comprimento, embora a maior parte do canal fosse subterrânea.

CRONOLOGIA

Via Appia

312 a.C. Construção de Via Appia e do aqueduto de Aqua Appia

308 a.C. Roma domina a etrusca Tarquinia

300 a.C.

287–212 a.C. Vida de Arquimedes, o grande matemático grego de Siracusa

275 a.C. O rei grego Pirro é derrotado pelos romanos em Beneventum

265 a.C. Roma captura a última cidade etrusca

264–241 a.C. 1ª Guerra Púnica –entre Roma e Cartago

250 a.C.

237 a.C. Romanos ocupam Córsega e Sardenha

Aníbal, líder cartaginês na 2ª Guerra Púnica

218 a.C. 2ª Guerra Púnica. Aníbal atravessa os Alpes

216 a.C. Roma perde a batalha de Cannae

200 a.C.

191 a.C. Terras gaulesas ao sul dos Alpes sob Roma

Cícero Discursa no Senado
Assuntos de Estado eram debatidos no Senado. O grande orador Cícero (106-43 a.C.) defendia a República contra a tirania.

Legionário Romano
Esta peça em bronze mostra um legionário com uniforme padrão: capacete, peitoral, saia de couro, grevas nas pernas e sandálias.

ONDE VER A ITÁLIA DA REPÚBLICA ROMANA

As construções republicanas são muito raras, sendo que a maioria foi refeita durante o Império. Em Roma, há duas exceções importantes: os templos do Fórum Boarium, do século 2° a.C. *(pág. 433)*. Porém, outro legado desta era pode ser apreciado até hoje. Numerosas estradas, como a Via Appia Antica *(pág. 441)*, e cidades foram planejadas por engenheiros romanos. Dois exemplos marcantes de cidades com plano de ruas romano são Lucca *(págs. 320-1)* e Como *(pág. 191)*.

Estas rochas *de basalto em Tharros, Sardenha* (pág. 551)*, eram de uma via romana.*

Via Appia foi estendida de Capua a Brindisi, em 190 a.C.

Sicília tornou-se a primeira província romana em 241 a.C.

ESTRADAS ROMANAS

Os romanos mantinham sua autoridade construindo estradas, que permitiam o rápido deslocamento das legiões para resolver qualquer problema. Entre as cidades construídas, havia "colônias", como Ariminum (Rimini), onde viviam cidadãos romanos, em geral, legionários veteranos.

Vista de Bolonha
O plano de ruas romano ainda pode ser apreciado em alguns centros urbanos. O traçado da antiga Via Aemilia cruza o centro de Bolonha.

- **168 a.C.** Fim da 3ª Guerra Macedônica. Romanos controlam a Grécia
- **146 a.C.** Fim da 3ª Guerra Púnica. Cartago é destruída
- **150 a.C.**
- **104 a.C.** Revolta de escravos na Sicília
- **100 a.C.**
- **89 a.C.** Guerra Social: aliados italianos de Roma recebem cidadania
- **80 a.C.** Construção do primeiro anfiteatro romano em Pompeia
- **73–71 a.C.** Espártaco lidera revolta de escravos
- **50 a.C.**
- **49 a.C.** César atravessa o rio Rubicão e afasta Pompeu de Roma
- **45 a.C.** Vigora o calendário juliano de 12 meses
- **44 a.C.** Assassinato de Júlio César. Fim da República romana
- **31 a.C.** Otávio derrota Marco Antônio na batalha de Áccio
- **30 a.C.** Suicídio de Marco Antônio e Cleópatra no Egito

Marco de distâncias da Via Aemilia

A Idade de Ouro Romana

Da era de Augusto ao reinado de Trajano, o poder de Roma cresceu, e seu império se estendeu da Grã-Bretanha ao mar Vermelho. Enquanto imperadores, como Nero, faziam suas extravagâncias, os cofres imperiais eram continuamente alimentados com impostos e saques das campanhas militares. Sob os governos de Trajano, Adriano e Marco Aurélio, no século 2°, os romanos gozaram de riqueza e conforto, com a maior parte do trabalho feita por escravos. A diversão incluía banhos, teatro e jogos. Pompeia, soterrada com a erupção do Vesúvio em 79, guarda detalhes fascinantes do cotidiano da época.

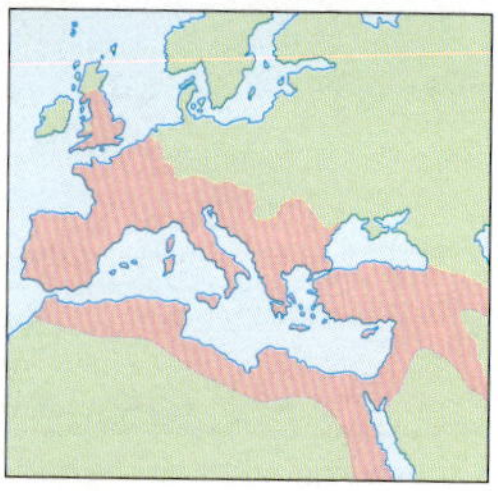

IMPÉRIO ROMANO EM 117

Extensão máxima do Império

Mosaico de Gladiadores
Eram comuns lutas sangrentas entre gladiadores, que, na maioria, eram escravos capturados nas guerras.

Coluna de Trajano
O entalhe registra as campanhas bem-sucedidas na Dácia (atual Romênia), na primeira década do século 2°.

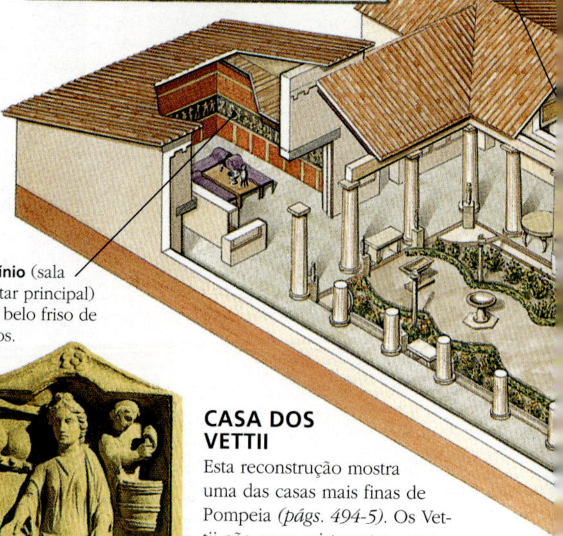

Afrescos em grinaldas e medalhões

O triclínio (sala de jantar principal) exibia belo friso de cupidos.

CASA DOS VETTII
Esta reconstrução mostra uma das casas mais finas de Pompeia *(págs. 494-5)*. Os Vettii não eram aristocratas, mas antigos escravos libertos que enriqueceram com o comércio. Os cômodos eram decorados com afrescos e esculturas.

Lojas Romanas
Muitas construções urbanas tinham pequenas lojas, como esta farmácia, abertas para a rua. À noite, eram fechadas com painéis de madeira.

CRONOLOGIA

9 a.C. Consagração de Ara Pacis *(pág. 410)* em Roma, para celebrar a paz após as guerras na Gália e Espanha

17 Tibério define a fronteira do império ao longo do Reno e do Danúbio

Panelas de bronze para cozinhar, Pompeia

79 Erupção do Vesúvio destrói Pompeia e Herculano

50 a.C. | 1 | 50

27 a.C. Augusto recebe título de príncipe e torna-se o primeiro imperador de Roma

37-41 Reinado de Calígula

43 Sob Cláudio, Roma conquista a Grã-Bretanha

67 Data histórica do martírio de são Pedro e são Paulo, em Roma

68 Nero é destituído e se suicida

80 Inauguração dos jogos no Coliseu

Augusto
Filho adotivo de Júlio César, ele foi o primeiro imperador romano. Esvaziou o poder do Senado e governou por decretos.

ONDE VER A ROMA IMPERIAL

Os dois melhores lugares para se conhecer a vida cotidiana da Roma Imperial são Pompeia *(págs. 494-5)* e Herculano. Artefatos e obras de arte de ambos os locais estão no Museo Archeologico, em Nápoles *(págs. 490-1)*. Em Roma, merecem ser visitados o Pantheon *(pág. 404)* e o Coliseu *(pág. 393)*. Em Tivoli, destacam-se Villa Adriana *(pág. 468)* e Ostia *(pág. 467)*. O país todo, porém, guarda vestígios da glória romana –desde o Arco de Augusto, em Aosta *(pág. 215)*, à Villa del Casale *(pág. 537)*, na Sicília. A maioria dos museus locais exibe várias peças da época.

O Fórum (págs. 390-1), *com seus templos e cortes de Justiça, era o centro da vida cotidiana da Roma antiga.*

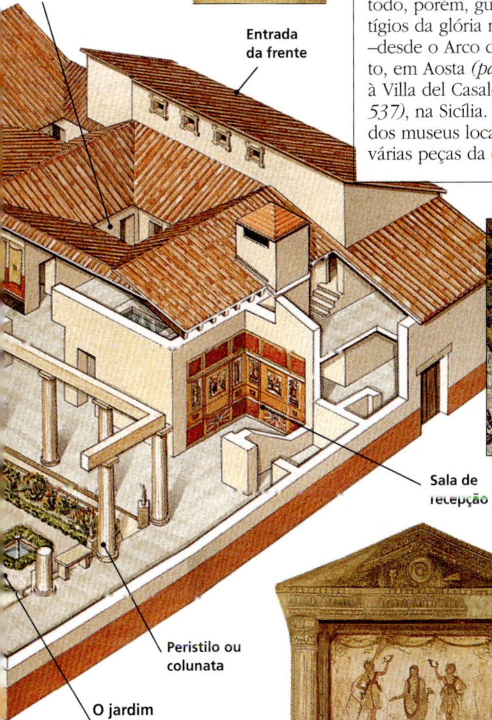

Mosaico de um Banquete
Os romanos comiam reclinados em sofás baixos. Muitos dos pratos eram servidos com garum, *um molho salgado feito de peixe seco.*

Santuário Familiar
Os ritos religiosos eram praticados em público e em privado. Este santuário da Casa dos Vettii era dedicado aos lares, *os deuses da casa.*

117 Império Romano atinge sua extensão máxima sob Trajano

161-180 Reinado de Marco Aurélio

193-211 Reinado de Sétimo Severo

212 Cidadania romana estendida para os povos de todo o Império

100 | 150 | 200

Fim do século 1° Construção do anfiteatro de Verona

125 Pantheon reconstruído por Adriano

134 Villa Adriana é concluída em Tivoli

Imperador Sétimo Severo

216 Termas de Caracalla concluídas em Roma

A Divisão do Império

Frasco com símbolo do cristianismo (séc. 4°)

A mudança definitiva na história do Império Romano ocorreu com a conversão do imperador Constantino ao cristianismo, em 312, e sua decisão de construir uma nova capital em Constantinopla (até então Bizâncio). No século 5°, o Império foi dividido em dois, leste e oeste. Roma e o Império do Ocidente não conseguiram impedir as invasões germânicas. Primeiro a Itália sucumbiu aos godos e depois aos lombardos. O Império do Oriente manteve controle nominal sobre partes da Itália a partir de sua cidadela em Ravenna, que se tornou a mais poderosa cidade do período, enquanto os grandes palácios de Roma se reduziam a ruínas.

ITÁLIA EM 600

- Territórios bizantinos
- Territórios lombardos

A Doação de Constantino
Uma lenda medieval conta como Constantino concedeu ao papa Silvestre o poder temporal sobre Roma.

O general Belisário (500-65) retomou a Itália dos godos.

Justiniano reinou de 527 a 565. Foi um grande legislador e o mais poderoso dos imperadores bizantinos.

Teodolinda dos Lombardos
A rainha converteu seu povo ao catolicismo (século 6°). Ao lado, ouro é derretido para a igreja que construiu em Monza (pág. 201).

CRONOLOGIA

270 A Muralha Aureliana é construída para proteger Roma dos germânicos

303–5 Cristãos são perseguidos em todo o Império, no reino de Diocleciano

300

312 Constantino derrota seu rival, Maxêncio, na batalha da ponte Mílvio

313 Édito de Milão concede liberdade de culto aos cristãos

c.320 Construída a primeira igreja de São Pedro, em Roma

324 O cristianismo torna-se a religião oficial

400

404 Ravenna torna-se sede do imperador do Ocidente

410 Saque de Roma pelo visigodo Alarico

476 Fim do Império Ocidental

Moeda de ouro de Teodorico

488 A Itália é invadida pelo ostrogodo Teodorico

500

535 Belisário chega à Sicília e reconquista a maioria da Itália para o Império Bizantino

547 Ig de San Vitale Ravenr

564 Lombardos invadem a Itália, estabelecendo sua capital em Pavia

Carlos Magno
O rei dos francos foi "chamado" pelo papa para subjugar os lombardos. Como recompensa foi coroado Sacro Imperador Romano em 800.

Sarracenos Cercam Messina *(843)*
No século 9º, muçulmanos da África conquistaram a Sicília. Os sarracenos chegaram até Roma, onde o papa Leão IV ergueu nova muralha para defender o Vaticano.

A CORTE DE JUSTINIANO

As igrejas bizantinas eram decoradas com belos mosaicos de vidro colorido e folhas de ouro. Este exemplar está na abside da igreja de San Vitale, concluída em 547, em Ravenna *(pág. 268)*, e mostra membros da corte.

ONDE VER OS PRIMÓRDIOS DA ITÁLIA CRISTÃ E BIZANTINA

Embora a queda do Império Romano tenha provocado guerras, fome e despovoamento, a continuidade da religião cristã preservou muitos monumentos do fim do Império e do período bizantino. Roma exibe as catacumbas *(pág. 442)* e grandes basílicas, como a de Santa Maria Maggiore *(pág. 413)*. Em Ravenna, a capital administrativa do Império Bizantino, encontram-se as igrejas de San Vitale e Sant'Apollinare *(págs. 268-9)*, com magníficos mosaicos. A Sicília, ao sul, também preservou muitas igrejas bizantinas, mas o melhor exemplo da arquitetura bizantina tardia é a Basilica di San Marco em Veneza *(págs. 110-3)*.

Stilo, *na Calábria, possui uma bela igreja bizantina, a Cattolica* (pág. 520), *que data do século 10º.*

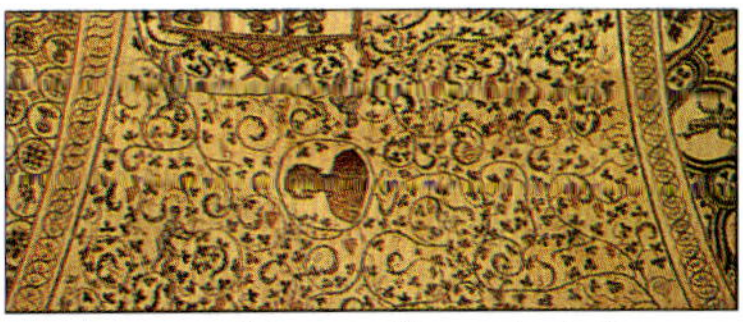

Santa Costanza *foi construída no século 4º, em Roma* (pág. 441), *como mausoléu da filha de Constantino. Mosaicos romanos decoram as abóbadas.*

c.595 Lombardos dominam dois terços da Itália

Gregório, o Grande (reino 590-604)

599 O papa Gregório negocia a paz entre os lombardos e o Império Bizantino

600

752 O rei lombardo Aistolfo toma a cidadela bizantina de Ravenna

700

754 O papa pede ajuda aos francos. O rei Pepino invade a Itália e derrota os lombardos

774 Carlos Magno conquista a Itália e toma a coroa lombarda

800 Carlos Magno é Sacro Imperador Romano em São Pedro

800

878 Sarracenos capturam a cidade de Siracusa do Império Bizantino e controlam a Sicília

900

Capacete de ouro lombardo (século 6º) no museu Bargello, em Florença (pág. 283)

Ascensão de Veneza

Enrico Dandolo, Doge de Veneza (c.1120–1205)

A Itália medieval assistiu a uma acirrada luta pelo poder entre papas e imperadores, acentuada por diferentes invasores estrangeiros. Em meio à confusão, muitas cidades do norte se liberaram dos senhores feudais. A que se tornou mais poderosa foi Veneza. Governada pelo doge e o Grande Conselho, enriqueceu com o comércio com o Oriente e enviou cruzados para combater os sarracenos na Terra Santa. Suas rivais eram Gênova e Pisa.

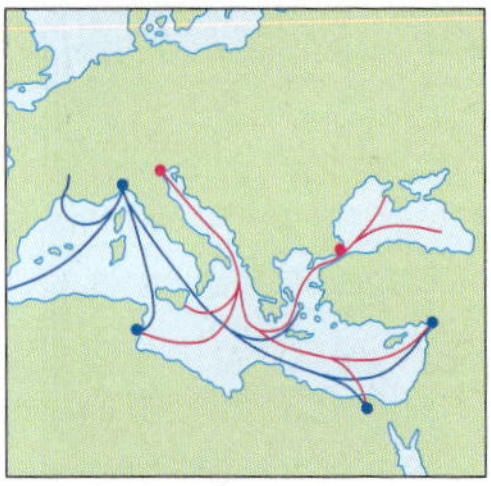

O MEDITERRÂNEO (1250)

— Rotas de comércio genovesas

— Rotas de comércio venezianas

Matilda da Toscana

Matilda, condessa da Toscana (1046-1115), apoiou o papa Gregório VII contra o imperador Henrique IV. Quando ela morreu, deixou suas terras para a Igreja.

Cobertura parcial

Velas para aumentar a velocidade

Os remos, movidos por escravos, eram o principal meio de propulsão.

Galé Veneziana

As galés utilizadas pelos venezianos, como navios de guerra e cargueiros, pareciam-se com embarcações gregas.

Basilica de San Marco

Palácio dos Doges

As colunas de San Marco e San Teodoro foram erguidas no século 12.

PARTIDA DE MARCO POLO PARA A CHINA

Veneza comercializava sedas chinesas e especiarias oriundas do Oriente Médio, mas nenhum veneziano havia ido à China antes de Nicolò, pai de Marco Polo. Este saiu com seu pai em 1271, e voltou 25 anos depois com histórias fantásticas sobre a corte de Kublai Khan.

CRONOLOGIA

1000 Pietro Orseolo II, doge de Veneza, vence os piratas dalmatenses

Séc. 11 A escola de Direito de Bolonha torna-se a primeira universidade europeia

Estudantes medievais

1139 Nápoles é incorporada ao reino da Sicília

1000 | **1050** | **1100**

1030 O duque de Nápoles dá o condado de Aversa ao normando Ranolfo

1061 Os normandos Robert Guiscard e Roger de Hauteville capturam Messina dos árabes

1063 Reconstrução de San Marco em Veneza

1073–85 Papa Gregório VII reforma a Igreja e o papado

1076 Salerno: última cidade lombarda tomada pelos normandos

1084 Normandos em Roma

1115 Morte da condessa Matilda

1130 Rogério II coroado r[...] da Sicília

São Francisco de Assis *(1181-1226) Neste quadro,* Sonho do Papa Inocêncio III, *de Giotto, pintado entre 1290 e 1295, são Francisco segura a instituição da Igreja Romana, prestes a cair. O voto de pobreza dos franciscanos reavivou a religião, reagindo à riqueza ostensiva da Igreja.*

ONDE VER OS PRIMÓRDIOS DA ITÁLIA MEDIEVAL

Castello dell' Imperatore, *Prato, construído em 1240.*

Das várias igrejas construídas no período, as mais belas são a de San Marco, em Veneza *(pág. 110)*, Sant' Antonio *(pág. 158)* em Pádua e o Duomo de Pisa *(pág. 324)*. Sua famosa Torre *(pág. 326)* também é do século 12. Entre os castelos, destacam-se o Castel del Monte em Puglia *(pág. 509)* e o Castello dell'Imperatore em Prato.

Mosteiro de Sant'Apollonia

Riva degli Schiavoni de hoje

Nicolò Polo, seu irmão Maffeo e seu filho Marco preparam-se para embarcar. O primeiro destino é Acre, no Levante.

Quarta Cruzada *Desentendimentos entre os líderes da Cruzada e o papa Inocêncio III culminaram com o saque de Constantinopla em 1204.*

Frederico II *(1194-1250) O imperador manteve uma corte de poetas e eruditos na Sicília. Tomou Jerusalém dos árabes diplomaticamente, mas esteve em guerra permanente com o papa e as cidades da Lombardia.*

1150

1155 Frederico I Barba-Roxa é imperador romano-germânico

Frederico I Barba-Roxa vestido como cruzado

1198 Frederico II torna-se rei da Sicília

1200

1204 Saque de Constantinopla

1209 Fundada a Ordem Franciscana

1216 Fundada a Ordem Dominicana

1220 Frederico II é coroado Sacro Imperador Romano

1228 Gregório IX excomunga Frederico II; há luta entre guelfos (partidários do papa) e gibelinos (partidários do imperador)

1237 Liga Lombarda derrota Frederico na batalha de Cortenuova

1250

1250 Morte de Frederico II

1260 Urbano IV chama Carlos I para liderar Nápoles e Sicília

1265 Nascimento de Dante

1271 Marco Polo parte para a China

Fim da Idade Média

Cajado do bispo de Siena

Rivalidades antigas entre o papa e o imperador se acentuaram durante o século 14 e reforçaram a disputa entre duas facções políticas, os guelfos, que apoiavam o papado, e os gibelinos, que favoreciam o poder imperial. As cidades da Lombardia e da Toscana valeram-se da situação política para aumentar o seu poder. Nesse cenário turbulento, surgiu uma nova era na pintura inspirada em artistas como Duccio e Giotto. Na mesma época, os poetas florentinos Dante e Petrarca lançaram as bases da literatura italiana.

ITÁLIA EM 1350

- Estados papais
- Sacro Império Romano
- Reino Angevino de Nápoles

PRAÇAS MEDIEVAIS

Em toda a Itália central, a praça era expressão de orgulho cívico e independência política. As cidades tentavam ofuscar suas rivais com o esplendor de suas praças. Pode-se ver isso em Perugia *(págs. 352-3)*, cujo centro ainda conserva muito da época. No século 14, a principal rival de Perugia era Siena.

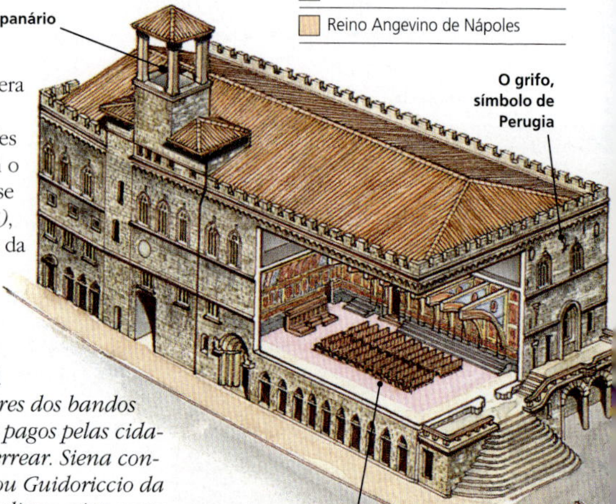

Campanário

O grifo, símbolo de Perugia

A câmara principal da prefeitura, a Sala dei Notari, está decorada com o brasão de armas dos prefeitos de Perugia.

A Fontana Maggiore, iniciada em 1275, inclui painéis de Nicola Pisano. Situada em local de destaque, revela a riqueza da cidade.

Condottieri
Eram os líderes dos bandos mercenários pagos pelas cidades para guerrear. Siena contratou Guidoriccio da Fogliano, visto neste afresco de Simone Martini (1330).

O Inferno de Dante
Um dos piores castigos está reservado aos papas corruptos, como Bonifácio VIII (que reinou de 1294-1303): ficar de cabeça para baixo em buracos em chamas.

CRONOLOGIA

1275

1282 Sicilianos se levantam contra governo francês em Palermo. Dois mil soldados franceses mortos

1282 Pedro de Aragão chega a Trapani, conquista a Sicília e é coroado rei de Palermo

1296 Começa a obra do Duomo de Florença

1298 Marco Polo volta da China para Veneza

O poeta e estudioso Petrarca

1300

1304 Nasce Petrarca

1309-43 Reinado de Roberto, o Sábio, de Nápoles

1309 Clemente V transfere o papado para Avignon

1310 Começa a obra do Palazzo Ducale, em Veneza

1313 Nasce Boccaccio

1321 Dante termina *A Divina Comédia* e morre no mesmo ano

1325

1337 Morte de Giotto

Peste Negra
A peste bubônica chegou à Itália em 1347, trazida pelos navios genoveses vindos do mar Negro. Matou um terço da população, deixando os demais em um estado de terror supersticioso.

ONDE VER A ITÁLIA DO FIM DA IDADE MÉDIA

Muitas cidades da Itália central conservam construções públicas dos séculos 13 e 14. Entre as mais marcantes, estão o Palazzo Vecchio *(pág. 291)*, em Florença, e o Palazzo Pubblico, em Siena *(pág. 340)*. Cidades menores, como Volterra *(pág. 334)* e Monteriggioni *(pág. 334)*, na Toscana, Gubbio *(pág. 352)* e Todi *(pág. 359)*, na Úmbria, e Viterbo *(págs. 464-5)*, no Lácio, preservam características medievais. O Duomo, em Orvieto *(págs. 358-9)*, é um belo exemplo de catedral gótica do século 13.

Piazza dei Priori, *em Volterra* (pág. 334)*, é uma das mais belas praças medievais da Itália.*

A catedral foi iniciada em 1350 e tinha um púlpito externo de frente para a praça.

Construção de Alexandria
Quase todas as cidades eram cercadas por fortes muralhas. Este afresco (1407), de Aretino, registrou as técnicas de construção medieval

Retorno do Papa Gregório XI a Roma *(1378)*
Por 70 anos, os papas moraram em Avignon, sob proteção dos reis franceses, enquanto nobres e republicanos lutavam em Roma.

1339 Simon Boccanegra é o primeiro doge de Gênova; Joana I de Anjou governa Nápoles

1347-9 Peste Negra

Médico medieval

1378-1415 Período do Cisma, com papas e antipapas em Roma e Avignon

1380 Frota genovesa se entrega aos venezianos em Chioggia

1350 | **1375** | **1400**

1347 Cola di Rienzo tenta restabelecer a República Romana

1354 Cola di Rienzo é morto em Roma

1378 Gregório XI volta de Avignon para Roma

1385 Gian Galeazzo Visconti torna-se governante de Milão

1406 Pisa é anexada a Florença

O Renascimento

Leonardo da Vinci (1452-1519)

A Itália do século 15 foi palco de um florescimento artístico e cultural que não encontrou paralelo em toda a Europa, a não ser nos tempos áureos de Grécia e Roma. Arquitetos passaram a se inspirar nos modelos clássicos em vez dos góticos. A pintura, com nova perspectiva e anatomia, criou uma rica geração de artistas, incluindo os mestres Leonardo da Vinci, Rafael e Michelangelo. O patrocínio para esse "renascer" da cultura veio das famílias abastadas que governavam as cidades-estado do norte, lideradas pelos Medici, de Florença. Apesar da intensa rivalidade, o Renascimento assistiu a um período de estabilidade, ainda que precária.

ITÁLIA EM 1492

- República de Florença
- Estados papais
- Possessões aragonesas

Entrega das Chaves a São Pedro
Este afresco de Perugino, na Capela Sistina (pág. 426)*, liga a autoridade papal com o Novo Testamento e com a Roma antiga, por meio dos edifícios clássicos mostrados ao fundo.*

Execução de Savonarola *(1498)*
Tendo assumido a liderança de Florença, em 1494, o monge foi enforcado e depois queimado por heresia na Piazza della Signoria.

Galeazzo Maria Sforza, filho de um governante milanês.

Piero de Medici, pai de Lorenzo, recebeu o apelido de "o Gotoso", por ter gota.

Autorretrato do artista

CRONOLOGIA

1420 Martinho V restabelece o papado em Roma

1435 Publicação de *Da Pintura*, de Alberti, que contém o primeiro sistema para o uso da perspectiva linear

1436 Brunelleschi termina o domo da catedral de Florença

1458-64 Guerra entre as Casas de Aragão e Anjou disputando o reino de Nápoles

1469 Lorenzo o Magnífico torna-se governante de Florença

1425

1450

Cosimo de' Medici

1434 Cosimo de' Medici chega ao poder em Florença

1442 Nápoles capturada por Afonso de Aragão

1444 Federico da Montefeltro torna-se duque de Urbino

1452 Nasce Leonardo da Vinci

1453 Queda de Constantinopla

Filippo Brunelleschi

A Batalha de Pavia *(1525)*
O rei francês Francisco I foi capturado nesta batalha contra o exército de Carlos V, de Habsburgo, que dominou a Itália.

PROCISSÃO DOS REIS MAGOS

Este afresco de Benozzo Gozzoli (1459) retrata membros da família Medici, entre outros, e faz referências a um importante conselho da Igreja realizado em Florença, em 1439. O quadro está no Palazzo Medici-Riccardi, Florença.

Lorenzo de' Medici (o Magnífico) assumiu o lugar de um dos três reis magos que cavalgaram até Belém.

ONDE VER A ITÁLIA RENASCENTISTA

No século 15, várias cidades testemunharam o ressurgimento da arte, mas nenhuma superou Florença *(págs. 270-313)* com seus *palazzi* e a Galeria Uffizi *(págs. 286-9)*. Veneza *(págs. 84-137)*, Urbino *(págs. 370-1)* e Mantova *(pág. 207)* também preservam grandes tesouros. Em Roma, estão a Capela Sistina e as Salas de Rafael *(págs. 424-7)*.

O **Spedale degli Innocenti** *de Brunelleschi, em Florença* (pág. 277)*, mostra a simetria clássica e a reserva da arquitetura renascentista.*

Humanismo
Acredita-se que Carpaccio tenha pintado, neste quadro Santo Agostinho, *o cardeal Bessarion (c.1395- 1472), que reavivou o interesse pela filosofia clássica.*

Papa Júlio II
Durante seu reinado (1503-13), Júlio fez do papado o maior poder da política europeia. Neste retrato de Rafael, ele aparece como um estadista velho e sagaz.

1487 Nasce Ticiano

1483 Sisto IV consagra a Capela Sistina

Rafael

1494 Itália invadida por Carlos VIII da França

1503 Giuliano della Rovere é eleito papa Júlio II e prova ser o mais poderoso papa da Renascença

1527 Saque de Roma por tropas imperiais

Maquiavel

475 | **1500**

475 Nasce ichelangelo

1483 Nasce Rafael

1498 Savonarola é executado. Maquiavel secretaria o conselho de Florença

1512 Michelangelo termina o teto da Capela Sistina

1513 Giovanni de' Medici é coroado papa Leão X

1525 Francisco I da França é capturado na batalha de Pavia

1532 *O Príncipe*, de Maquiavel, é publicado cinco anos após sua morte

A Contrarreforma

Gian Lorenzo Bernini

Depois do saque de Roma em 1527, a Itália ficou à mercê de Carlos V, Sacro Imperador Romano e rei da Espanha. O papa Clemente VII, que se opusera ao rei, acabou coroando-o imperador em Bolonha. Devido à crescente ameaça do protestantismo, uma série de reformas apoiadas pela Inquisição, conhecidas como Contrarreforma, impuseram uma rígida ortodoxia. Novas ordens religiosas, como a jesuítica, se estabeleceram para conquistar almas além-mar. O espírito missionário da época inspirou as formas exageradas do barroco.

ITÁLIA EM 1550

- Possessões espanholas
- Estados aliados da Espanha

Imperador Carlos V e Papa Clemente VII
Estes dois antigos inimigos acertaram suas diferenças e o futuro destino da Itália no Tratado de Barcelona, em 1529.

DECORAÇÃO BARROCA EM ESTUQUE

Este baixo-relevo em estuque, de Giacomo Serpotta (c.1690), no oratório de Santa Zita, em Palermo, é um magnífico exemplo da exuberância do barroco tardio. O assunto favorito do período é a batalha de Lepanto, o grande triunfo naval das forças cristãs contra os turcos (1571).

A Virgem Maria intervém a favor dos cristãos.

O centro desta engenhosa criação é uma pintura emoldurada em perspectiva.

O menino apoia sua mão sobre um capacete, símbolo dos cristãos vitoriosos.

Arquitetura Barroca
A decoração do domo da capela do Santo Sudário, de Guarino Guarini, em Turim (pág. 221), *foi concluída em 1694.*

CRONOLOGIA

1529 Carlos V é coroado Sacro Imperador Romano em San Petronio, Bolonha

1530-37 Alessandro de' Medici governa Florença

1540 Fundada a Ordem dos Jesuítas

1541 Michelangelo conclui O *Juízo Final*, na Capela Sistina

1542 A Inquisição estabelece-se em Roma

1545-63 O Concílio de Trento define a proposta da Contrarreforma

1550

Andrea Palladio

1560 San Carlo Borromeo é nomeado bispo de Milão

1564 Nasce Galileu

1571 Vitória sobre a frota turca na batalha de Lepanto

1575

1580 Morte do arquiteto Palladio

1589 Palestrina publica conjunto de hinos latinos

1600 O filó sofo Giorda no Bruno é queimado como hereg em Roma

Giovanni Pierluigi da Palestrina

Julgamento de Galileu
O grande astrônomo teve vários problemas com a Inquisição. Em 1633, ele foi convocado a Roma e forçado a negar que a Terra e os planetas giravam em torno do Sol.

Inácio de Loyola
O santo espanhol fundou a ordem dos jesuítas, aprovada pelo papa em Roma, em 1540.

Lepanto foi a última batalha marítima importante na qual as galés venezianas foram essenciais.

Querubins, um dos elementos favoritos do barroco

Turbante, símbolo dos turcos derrotados

ONDE VER A ITÁLIA BARROCA

O Êxtase de Santa Teresa, *de Bernini* (pág. 412), *tem a dramaticidade dinâmica, característica da melhor escultura barroca.*

O barroco é tradicionalmente associado com Roma e, em particular, com espaços públicos como a Piazza Navona *(págs. 398-9)* e várias igrejas de Borromini e Bernini. Entre outras cidades com belos exemplares de arquitetura barroca estão Lecce *(págs. 512-3)*, Palermo *(págs. 526-9)*, Noto *(pág. 543)*, Siracusa *(págs. 542-3)* e Turim *(págs. 220-5)*.

Revolta de Masaniello *(1647)*
O imposto sobre as frutas cobrado pelos espanhóis desencadeou essa revolta sem sucesso em Nápoles.

1626 Consagrada a nova São Pedro em Roma

1631 Ducado de Urbino absorvido pelos Estados Papais

1669 Veneza perde a Ilha de Creta para os turcos

1694 Andrea Pozzo conclui o afresco do teto da igreja de Sant'Ignazio em Roma

1678 Nasce Vivaldi

1625 | **1650** | **1675**

1633 Galileu condenado pelas autoridades papais

1642 *L'Incoronazione di Poppea* de Monteverdi

1647 Revolta de Masaniello, em Nápoles

1669 Erupção importante do monte Etna

1693 Terremoto arrasa o leste da Sicília e mata 5% da população da ilha

1674 Revolta contra o governo espanhol em Messina

Época de Paz

O poeta romântico Shelley visitou a Itália

O Tratado de Aix-la-Chapelle, em 1748, marcou o início de 50 anos de paz. Foi nessa época que a Itália, com seus tesouros artísticos e ruínas clássicas, inclusive a recém-escavada Pompeia, tornou-se o mais importante destino turístico da Europa. Os jovens lordes europeus visitavam Roma, Florença e Veneza, enquanto artistas e poetas procuravam inspiração no glorioso passado de Roma. Em 1800, Napoleão, ao conquistar e unir brevemente a Itália, ameaçou destruir a antiga ordem, mas em 1815 a tranquilidade foi restaurada.

Frota de Carlos III em Nápoles *(1753)*
Ele tentou instituir reformas políticas em Nápoles durante seu governo, de 1734 até ser rei da Espanha em 1759.

Goethe na Campanha Romana
Goethe viajou pela Itália na década de 1780. Os poetas românticos Keats, Shelley e Byron seguiram seu exemplo.

Hércules de Farnese *(pág. 491)*

O Gálata Moribundo *(pág. 386)*

GALERIA DE PAISAGENS DA ROMA ANTIGA DE PANNINI

Giovanni Pannini (1691-1765) pintou várias ruínas romanas para os estrangeiros. Esta obra detalhista é uma cena imaginária, reunindo muitas vistas conhecidas e estátuas clássicas.

Carnaval em Veneza
O pitoresco folclore do carnaval atraiu muitos turistas a Veneza, mas seus dias de glória haviam terminado. Em 1797, ela foi cedida à Áustria por Napoleão.

CRONOLOGIA

1707 Nasce o dramaturgo Carlo Goldoni

1713 Tratado de Utrecht dá Nápoles e Sardenha à Áustria, e Sicília ao Piemonte

1718 Piemonte e Sardenha unidas sob a Casa de Savoia. Sicília passa para a Áustria

1720

1725 *As Quatro Estações*, de Vivaldi

Brasão de armas dos Medici

1735 A Paz de Viena confirma Carlos III como rei das Duas Sicílias (Nápoles e Sicília)

1737 Fim da dinastia dos Medici em Florença. O Grande Ducado da Toscana passa para a Casa de Lorena austríaca

1740

1748 Primeir escavações d Pompeia

Antonio Vivaldi, o grande compositor veneziano

1700

Vista do Fórum Romano, de Piranesi
A série de gravuras Vedute di Roma *(Vistas de Roma), de Giovanni Battista Piranesi (1720-78), inspirou o interesse em fazer novas escavações nas ruínas da Roma antiga.*

ONDE VER A ITÁLIA DO SÉCULO 18

Duas das mais procuradas atrações turísticas de Roma são do século 18: a Escadaria da Piazza di Spagna *(pág. 409)* e a Fontana di Trevi *(pág. 410)*. Desse período são ainda os primeiros museus construídos com esse fim, como o Museo Pio-Clementino *(pág. 421)*, do Vaticano. A escultura neoclássica de Antonio Canova (1757-1822) ficou famosa nesse século. Seu túmulo está na Santa Maria Gloriosa dei Frari, em Veneza *(págs. 98-9)*. Das obras neoclássicas, veja o monumento ao despotismo esclarecido, o Palazzo Reale, em Caserta *(pág. 496)*.

Pauline Borghese, *irmã de Napoleão, serviu de modelo para a* Vênus, *de Antonio Canova (1805), na Villa Borghese, em Roma* (pág. 439).

Napoleão
Quando Napoleão conquistou a Itália, em 1800, foi visto como um libertador. Mas o encanto logo acabou, pois ele levou obras de arte para Paris.

Congresso de Viena *(1815)*
Ficou decidido neste encontro que a Áustria manteria a Lombardia e Veneza, dando início ao movimento de unificação italiana.

A casa de ópera, La Scala, de Milão (pág. 187)

1778 La Scala inaugurada em Milão

1796–7 Primeira invasão de Napoleão ao Norte da Itália

1800–1801 Napoleão conquista a Itália

1808 Murat torna-se rei de Nápoles

1809 Papa Pio VII exilado de Roma

1760 | **1780** | **1800**

1773 Papa desfaz Ordem dos Jesuítas

1780 José II é sucessor no trono austríaco. Pequenas reformas na Lombardia

1806 José Bonaparte torna-se rei de Nápoles

1768 Gênova vende a Córsega à França

1765–90 O rei Leopoldo, grão-duque da Toscana, introduz reformas iluministas

1796-7 Primeira invasão de Napoleão ao Norte da Itália

1815 Congresso de Viena restaura a paz na Itália, embora a Áustria mantenha Veneza

O Risorgimento

Vittorio Emanuele

A palavra "ressurgimento" descreve os cinco anos de luta pela libertação do domínio estrangeiro, que culminou com a unificação italiana em 1870. Em 1848, patriotas se levantaram contra os austríacos em Milão e Veneza, os Bourbon na Sicília e o papa em Roma, onde a república foi declarada. Garibaldi defendeu fortemente a república, mas seus levantes foram muito locais. Em 1849, o movimento estava melhor organizado, liderado por Vittorio Emanuele II. Em dois anos, todo o país foi conquistado, exceto Veneza e Roma, recuperadas na década seguinte.

ITÁLIA EM 1861

Reino da Itália

Giuseppe Mazzini *(1805-72). Exilado durante grande parte de sua vida, ele lutou com Garibaldi para unificar a Itália como uma república e não como um reino.*

As armas estavam enferrujadas e ultrapassadas.

A camisa vermelha era o símbolo dos *garibaldini*.

Estrada de Ferro
A curta linha entre Nápoles e Portici foi inaugurada em 1839. Politicamente dividida, a Itália custou a criar uma rede ferroviária eficaz.

Revolta de Messina
Em 1848, Messina se revoltou. Ferdinando II submeteu a cidade a um bombardeio, ganhando o cognome de rei Bomba.

CRONOLOGIA

1820

Na década de 1820, a sociedade secreta dos Carbonari ativa-se nos Estados Papais

1830

1831 Insurreição da Romanha e Marche contra o governo papal

1831 Mazzini funda o movimento *Giovine Italia* (Jovem Itália)

1840

1840 Primeiras conexões ferroviárias

Daniele Manin, herói do levante veneziano de 1848

1847 Crise econômica

1848 Revoluções em toda a Itália

1849 Ascensão de Vittorio Emanuele II no governo do Piemonte

1850

1849 Roma é esmagada por tropas francesas

1852 Cavour torna-se primeiro-ministro do Piemonte

Batalha de Solferino *(1859)*
Com a ajuda do exército francês, liderado por Napoleão III, os piemonteses conquistaram Milão e Lombardia dos austríacos.

ONDE VER A ITÁLIA DO *RISORGIMENTO*

Quase todas as cidades italianas homenageiam os heróis do *Risorgimento* com uma Via Garibaldi, Via Cavour, Piazza Vittorio, Via Mazzini e Via XX Settembre (data da queda de Roma, em 1870). Muitas cidades também têm museus da época, o melhor está em Turim *(pág. 223)*.

O monumento a Vittorio Emanuele (pág. 384) *é um marco romano, mas não muito querido.*

Dois barcos a vapor trouxeram os mil da cidade de Quarto, perto de Gênova.

Os esquifes foram emprestados por outros navios, aportados em Marsala.

GIUSEPPE GARIBALDI (1807-82)

foi um líder genial. Em 1860, desembarcou em Marsala com mil voluntários. Palermo se rendeu, a Sicília caiu e ele conquistou Nápoles, oferecendo metade do reino a Vittorio Emanuele. Antes, Garibaldi lutara na Guerra dos Farrapos no Brasil, onde conheceu sua mulher, Anita.

Conde Camillo di Cavour *(1810-61)*
A diplomacia de Cavour, como primeiro-ministro do Piemonte, garantiu que a Casa de Savoia governasse a nova Itália. Ele lançou o nome Risorgimento.

Giuseppe Verdi *(1813-1901)*
Compositores tais como Verdi, Donizetti e Rossini fizeram do século 19 a grande era da ópera italiana. As primeiras óperas de Verdi inspiraram o Risorgimento.

1859 Batalhas de Magenta e Solferino. O Piemonte adquire a Lombardia da Áustria e os ducados de Parma, Modena e Toscana

1861 Proclamado reino da Itália, com capital em Turim

O papa Pio IX permaneceu prisioneiro do Vaticano, quando Roma tornou-se a capital da Itália

1882 Mortes de Garibaldi e do papa Pio IX

1893 Tropas enviadas para neutralizar a insurreição na Sicília

1860 | **1870** | **1880** | **1890**

1866 Itália recebe Veneza da Áustria

1860 Garibaldi e seus 1.000 soldados capturam o reino das Duas Sicílias

1870 Roma cai ante as tropas realistas e torna-se capital do novo reinado. O Vaticano anuncia a doutrina da infalibilidade papal

1878 Morte de Vittorio Emanuele; ascensão do rei Humberto I

1890 A colônia italiana da Eritreia é estabelecida por decreto real

Itália Moderna

O fascismo sob Mussolini (1922-43) prometeu aos italianos grandeza, mas só lhes rendeu sofrimento. Mesmo assim, a Itália se tornou uma das principais economias da Europa, com um padrão de vida inimaginável na virada do século 20. Essa situação foi conseguida apesar de grandes obstáculos. Desde 1946, a república passou por muitas crises: coalizões instáveis, violência terrorista na década de 1970 e, nos anos 1990 escândalos de corrupção envolvendo vários ministros e altos funcionários do governo.

1936 A FIAT produz o primeiro "Topolino"

1900 Assassinato do rei Humberto I

1911–12 A Itália conquista a Líbia

1918 Ataque austríaco é neutralizado no rio Piave, ao norte de Veneza

1922 Os fascistas entram em Roma. Mussolini é convidado a formar o governo

1940 A Itália entra na Segunda Guerra Mundial

1943 Os aliados desembarcam na Sicília. Itália assina armistício e o novo goveno de Badoglio declara guerra à Alemanha

1960 Lançamento de *La Dolce Vita*, filme de Federico Fellini sobre a decadência da alta sociedade romana

1900 | 1910 | 1920 | 1930 | 1940 | 1950 | 196

1908 Terremoto destrói muitas cidades e vilas na Calábria e leste da Sicília. Messina é praticamente arrasada. No total, mais de 150 mil mortos

1909 Filippo Marinetti, em seu *Manifesto Futurista*, condena toda arte tradicional como sendo estática. Seu ideal de arte dinâmica é expresso em obras como o bronze *Formas Únicas de Continuidade no Espaço*, de Umberto Boccioni

1915 Itália entra na Primeira Guerra

1917 Derrota em Caporetto, na fronteira nordeste da Itália. As tropas italianas, como estes Alpini, retrocedem a posições defensivas

Década de 1920 Nos anos do pós-guerra, houve emigração contínua para os Estados Unidos. Aqui, os imigrantes se rejubilam ao chegar a Nova York, a bordo do *Giulio Cesare*

1936 A Itália conquista a Abissínia. Pacto com a Alemanha forma o "eixo" anticomunista

1943 Mussolini é aprisionado, e depois libertado pelos alemães

1946 O povo italiano opta pela república por um referendo. O partido democrata-cristão forma a primeira de uma longa série de coalizões governamentais

1957 Tratado de Roma –a Itália é um dos seis membros fundadores da Comunidade Econômica Europeia

1960 Jogos Olímpicos em Roma

1978 O primeiro-ministro Aldo Moro é sequestrado e assassinado pelas Brigadas Vermelhas

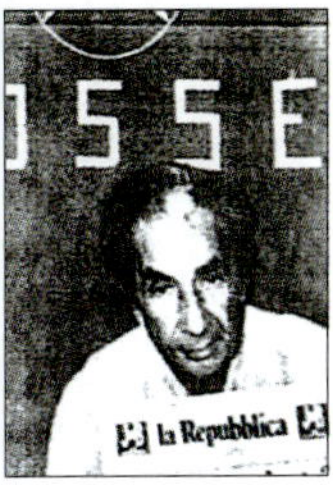

1994 O magnata da TV, Silvio Berlusconi, torna-se primeiro-ministro depois de formar o partido "Forza Italia". Supostas irregularidades financeiras forçam sua renúncia no ano seguinte

1996 Incêndio destrói o teatro Fenice de Veneza

1997 Terremoto abala Assis e danifica a Basílica de São Francisco, destruindo afrescos de Giotto

1992 O juiz Giovanni Falcone é assassinado pela Máfia na Sicília

2000 Roma celebrando o ano santo do Jubileu

1992 Escândalos expõem a corrupção geral do sistema político do pós-guerra

2002 O euro é adotado

966 O rio -rno transborda inunda -orença, -nificando -liosas -ras de -te

2006 A Itália vence a Copa do Mundo na Alemanha

1983 O primeiro-ministro Bettino Craxi é o primeiro socialista no governo

2008 Silvio Berlusconi é eleito primeiro-ministro pela terceira vez

2015 Milão sedia a Exposição Mundial

1970	1980	1990	2000	2010	2020

1970	1980	1990	2000	2010	2020

1978 Eleição do papa João Paulo II

1990 Copa do Mundo na Itália

2006 Romano Prodi assume como primeiro-ministro

2005 Eleição do papa Bento XVI

1982 Itália vence a Copa do Mundo na Espanha

2001 Silvio Berlusconi é reeleito

1999 Roberto Benigni ganha 3 Oscars por *A Vida é Bela*, que vence o brasileiro *Central do Brasil* na categoria de melhor filme estrangeiro

1969 Atentado a bomba em Milão, na Piazza Fontana –13 mortos e muitos feridos

1997 Dario Fo ganha o prêmio Nobel de literatura

CINEMA ITALIANO APÓS A SEGUNDA GUERRA MUNDIAL

Os problemas sociais do país no fim da década de 1940 inspiraram a nova era do cinema italiano, o neo realismo. Os principais expoentes incluem Roberto Rossellini, de *Roma Cidade Aberta* (1945), Vittorio de Sica, de *Ladrões de Bicicleta* (1948), Pier Paolo Pasolini e Luchino Visconti. Desde então, muitos diretores italianos vêm cultivando estilos pessoais. Os últimos filmes de Visconti, como *Morte em Veneza* (1971), apresentam beleza formal e decadência, enquanto *La Dolce Vita* (1960) e *Roma* (1972), de Federico Fellini, mostram a vida como um grotesco carnaval. A Itália também tem produzido sucessos comerciais, como os *westerns* de Sergio Leone, do fim dos anos 1960, além de *Cinema Paradiso* e *A Vida é Bela*, vencedores de Oscar.

Vittorio de Sica (1901–74)

ITÁLIA MÊS A MÊS

É impressionante como cada uma das muitas regiões italianas apresenta suas peculiaridades e surpresas. Esta diversidade, certamente, se deve ao regionalismo, preservado particularmente no Sul. Antigas tradições, costumes e estilos de vida ainda são muito respeitados, e há um grande apego à terra. Essa forte relação se reflete na riqueza da culinária e na preservação de muitas festas, especialmente, as religiosas. Eventos anuais, no campo ou na cidade, vão de festas gastronômicas e festivais de vinho a celebrações tradicionais para cada um dos santos padroeiros.

PRIMAVERA

A primavera italiana começa cedo, especialmente no Sul. As ruas e os principais locais da cidade raramente ficam lotados (exceto na Páscoa, em Roma). O tempo, entretanto, é imprevisível, sendo bastante úmido no Centro e no Norte. As especialidades da primavera, como aspargo, espinafre e rúcula, aparecem nos cardápios dos restaurantes. É uma estação de grandes comemorações, festas e feiras, especialmente na Sicília. A saudação papal da Páscoa sempre atrai multidões a Roma.

MARÇO

Mostra Vini Spumanti, *(meados mar)*, Madonna di Campiglio, Trentino-Alto Adige. O protagonista desta festa é o vinho espumante.

Sa Sartiglia, Oristano, Sardenha. Três dias de Carnaval.

Procissão da Mater Dolorosa, na ilha de Procida

Su e zo per i ponti *(dom variados)*, Veneza. Maratona pelas ruas da cidade, subindo e descendo suas várias pontes.

ABRIL

Aspargos da Toscana

Procissão da Mater Dolorosa *(Sexta-Feira Santa)*, Procida, Campanha.

Semana Santa *(Semana de Páscoa)*. As celebrações se estendem por toda a semana, do domingo de Ramos ao de Páscoa, no país inteiro.

Bênção Papal *(dom Páscoa)*, Roma. O papa faz a saudação de Páscoa do Vaticano.

Dança dos Demônios e da Morte *(dom de Páscoa)*, Prizzi, Sicília. Danças simbolizam as tentativas do mal em vencer as forças de Deus.

Scoppio del Carro *(dom Páscoa)*, Florença. Apresentação de fogos de artifício iniciada por uma pomba mecânica em frente ao Duomo.

Festa della Madonna che Scappa in Piazza *(dom de Páscoa)*, Sulmona, Abruzos. Encenação do encontro da Virgem com Cristo ressuscitado.

Festa degli Aquiloni *(1° dom após Páscoa)*, San Miniato, Toscana. Os aficionados por pipas fazem acrobacias durante este festival.

Morangos de primavera

Festa di San Marco *(25 abr)*, Veneza. Celebração do padroeiro de Veneza, com uma corrida de gôndolas pela baía.

Mostra Mercato Internazionale dell'Artigianato *(última semana)*, Florença. Importante exposição europeia de arte e artesanato.

Festa do Scoppio del Carro (explosão do carro alegórico), Florença

Sagra Musicale Lucchese *(abr-jul)*, Lucca, Toscana. Festival de música sacra nas principais igrejas românicas.

MAIO

Festa di Sant'Efisio *(1° mai)*, Cagliari, Sardenha. Desfile de trajes tradicionais da região.

Festa di San Nicola *(7-9 mai)*, Bari, Puglia. Estátua de San Nicola é levada ao mar.

Festa dei Ceri *(15 mai)*, Gubbio, Úmbria. Uma das atrações é a corrida de grupos carregando enormes velas.

Festa di San Domenico Abate *(1ª qui)*, Cocullo, Abruzos. Há uma procissão com a estátua de são Domingos coberta por cobras vivas.

Festa della Mela *(fim mai)*, Ora (Auer), Trentino-Alto Adige. Festival anual da maçã.

Dramaturgia Grega no Teatro *(mai-jun)*, Siracusa, Sicília. Festival de teatro grego.

Maggio Musicale *(mai-jun)*, Florença. É o maior festival de arte da cidade, incluindo música, teatro e dança.

Cidade acarpetada de flores para a Infiorata, em Genzano

VERÃO

O verão atrai multidões à Itália, especialmente às cidades. Os italianos mesmo fogem para a costa em agosto. As filas para as atrações turísticas podem ser longas, e os hotéis costumam ficar cheios. As festas variam, incluindo eventos religiosos, festivais de arte e folclore.

JUNHO

Festa della Fragola *(1° jun)*, Borgo San Martino, Piemonte. Apresentações musicais e folclóricas celebram a colheita do morango.
Biennale *(jun-set)*, Veneza. É a maior exposição de arte contemporânea do mundo inteiro. Só se realiza nos anos ímpares.
Infiorata *(Corpus Christi)*, Genzano, Lazio. Uma procissão com as ruas cobertas de flores.
Festa di San Giovanni *(meados jun-meados jul)*, Turim, Piemonte. Festa em homenagem ao santo padroeiro, João.
Calcio Storico *(24 jun e 2 dias em jun)*, Florença. Futebol com trajes típicos do século 16, fogos de artifício.
Festa di Sant'Andrea *(27 jun)*, Amalfi, Campanha. Fogos de artifício e procissões.
Festival dei Due Mondi *(fim jun-início jul)*, Spoleto, Úmbria. Festival internacional de teatro, música e dança.
Gioco del Ponte *(últ dom)*, Pisa. No "Desfile da Ponte", pessoas marcham usando armaduras antigas.
Estate Romana *(fim jun-meados set)*. Cinema ao ar livre, balé e concertos.

JULHO

Corsa del Palio *(2 jul)*, Siena. O mais famoso evento da Toscana *(pág. 331)*, com exposição de estandartes medievais e corrida de cavalos.
Festa della Madonna della Bruna *(1° dom)*, Matera, Basilicata. Animada procissão com clérigos e cavaleiros em trajes típicos.

Músico do Calcio de Florença

Festa dei Noiantri *(últimas 2 semanas de jul)*, Roma. Festa nas ruas de Trastevere.
Festa della Santa Maria del Carmine *(16 jul)*, Nápoles. Festa que inclui a iluminação do campanário.
Úmbria Jazz *(jul)*, Perúgia. Apresentação de jazzistas de fama mundial.
Festival Internacional de Cinema *(jul-ago)*, Taormina, Sicília.
Festival de Ópera *(jul-ago)*, Verona, Vêneto. Renomado festival do gênero *(pág. 143)*, paralelo ao **Festival de Shakespeare**, que com apresentações de música, teatro, ópera e dança.

Palio de Siena

AGOSTO

Palio Medieval *(1ª semana-fim ago)* Feltre, Vêneto. Desfile e competições de arco em estilo medieval.
Festa del Mare *(15 ago)*, Diano Marina, Ligúria. Este "Festival do Mar" orgulha-se da queima de fogos.
Corsa del Palio *(16 ago)*, Siena, Toscana. Veja julho.
Festa dei Candelieri *(14 ago)*, Sassari, Sardenha. O "Festival da Vela" se originou no século 16.
Festival de Cinema de Veneza *(fim ago-início set)*. Festival internacional no Lido.
Festival Rossini *(ago-set)*, Pèsaro, Marche. Homenagem à obra do compositor, em sua cidade natal.
Settimane Musicali di Stresa *(fim ago-início set)*, Stresa, Lombardia. Quatro semanas de concertos e recitais.

Sol, areia e mar –ingredientes essenciais para férias na Toscana

OUTONO

O ritmo do outono é menos acelerado do que o das outras estações, mas isso não quer dizer que haja menos festas e festivais. Além dos vários eventos religiosos, são muito comuns nesta época do ano os festivais de gastronomia, com uma abundância de castanhas, queijos, salsichas e cogumelos. É também a época da *vendemmia*, a colheita da uva, geralmente uma boa desculpa para os vilarejos organizarem animadas festas, onde os últimos vinhos locais são servidos livremente.

O clima *(págs. 72-3)* no fim do outono é frio e úmido no Norte. No Sul, o calor pode durar até outubro.

Anúncio para o Palio de Setembro em Asti, no Piemonte

SETEMBRO

Festa di San Sebastiano e Santa Lucia *(1º-3 set)*, Sassari, Sardenha. Inclui um concurso de poemas improvisados.
Procissão da Macchina di Santa Rosa *(3 set)*, Viterbo, Lácio. A celebração lembra quando o corpo da santa foi carregado até a igreja de Santa Rosa, em 1258.
Giostra del Saracino *(1º dom)*, Arezzo, Úmbria. Torneio de sarracenos e cavaleiros, originário do século 13.
Regata Storica *(1º dom)*, Veneza. Histórica procissão de barcos, seguida de uma pitoresca corrida de gôndolas.
Jogo de Xadrez Humano *(2ª semana)*, Marostica, perto de Vicenza. Jogo popular com pessoas vestindo trajes típicos, realizado na praça principal em anos ímpares.

Oliva, muito cultivada no país

La Notte Bianca *(meados set)*, Roma. Concertos, eventos e entrada gratuita nos museus durante a noite.
Rassegna del Chianti Classico *(2ª semana)*, Chianti, Toscana. Os personagens centrais desta festa são os vinhos do lugar.
Milagre de San Gennaro *(19 set)*, Nápoles. Encenação da liquefação do sangue do santo durante a missa no Duomo.
Palio *(3º dom)*, Asti, Piemonte. Inclui procissão medieval e tradicional corrida de cavalo sem arreios.

OUTUBRO

Amici della Musica *(out-abr)*, Florença, Toscana. Início da temporada dos concertos "Amigos da Música".
Fiera del Tartufo *(1º dom)*, Alba, Piemonte. Conjuntos de eventos ao redor do cultivo local da trufa branca.
Festa di San Francesco *(4 out)*, Assis, Úmbria. Festa em homenagem ao santo.
Festivais do vinho *(1ª semana)*, Castelli Romani, Lácio.
Sagra del Tordo *(último dom)*, Montalcino, Toscana. Inclui concurso de arqueiros com trajes típicos.
Festa dell'Uva *(data variável)*, Bolzano, Trentino-Alto Adige. Festa da uva com música ao vivo e procissão com carroças típicas.
Festival Internacional de Cinema *(data variável)*, Roma. Uma semana de projeções e eventos badalados repletos de celebridades.

Banca de castanhas no outono

NOVEMBRO

Festa dei Popoli *(nov)*, Florença, Toscana. Festival de documentários, com filmes no idioma original e legendas em italiano.
Festa della Salute *(21 nov)*, Veneza. Nesta festa, os venezianos agradecem à Virgem Maria, em memória à peste de 1630.

O jogo de xadrez humano na praça da cidade de Marostica

INVERNO

Feiras, mercados e eventos religiosos são realizados em todo o país nesta época do ano. São famosos os presépios de Natal napolitanos, montados em quase todas as igrejas. O Natal em si não é tão comemorado como outros eventos religiosos, tais como a liquefação do sangue de San Gennaro, em Nápoles, e o Carnaval de Veneza.

Roma durante uma de suas raras nevadas

DEZEMBRO

Festa di Sant'Ambrogio *(início dez)*, Milão. Abertura oficial da temporada de ópera do Scala *(pág. 187)*.
Festa della Madonna di Loreto *(10 dez)*, Loreto, Marche. Comemoração da Santa Casa da Virgem.
Mercato della Befana *(meados dez-6 jan)*, Roma. Famosa feira de Natal na Piazza Navona.
O Milagre de San Gennaro *(16 dez)*, Nápoles. Ver *Setembro*.
Feira de Natal *(meados dez)*, Nápoles. Venda de figuras de presépio e decoração.
Fiaccole di Natale *(Véspera de Natal)*, Abbadia di San Salvatore, Toscana. Cantos e procissões lembram os primeiros pastores.
Missa do Galo *(24 dez)*, em igrejas de todo o país.
Dia de Natal *(25 dez)*, Praça de São Pedro, Roma. Bênção papal a todos os fiéis.

La Befana na Piazza Navona, Roma

JANEIRO

Capodanno *(1° jan)*, em todo o país. O dia do ano-novo é celebrado com fogos de artifício e uma saraivada de balas para espantar os fantasmas do ano velho e receber o novo.
La Befana *(6 jan)*, por toda Itália, festa com presentes e doces para crianças.
Pitti Immagine Uomo, Pitti Immagine Donna, Pitti Immagine Bimbo, Fortezza da Basso, Florença. Mês de desfiles de moda internacional.
Festa di San Sebastiano *(20 jan)*, Dolceacqua, Ligúria. Uma árvore de louro, coberta por hóstias coloridas, desfila pela cidade.

Carnaval, em Viareggio

Festa d'o' Cippo di Sant'Antonio *(17 jan)*, Nápoles. Procissão de santo Antônio, protetor dos animais.
Carnevale *(um mês, até a Terça-feira de Carnaval)*, Viareggio, Toscana. Famoso Carnaval, animado por carros alegóricos temáticos.
Feira de Santa Orsa *(30-1 jan)*, Aosta, Vale d'Aosta. Exposição de arte e artesanato tradicionais.

FEVEREIRO

Carnevale *(Últ dez dias da Quaresma, terminando na Terça-feira de Carnaval)*, Veneza. Celebra a "despedida da carne". Eventos são organizados, mas qualquer um pode comprar uma máscara e assistir ao lindo desfile de fantasias.
Sagra delle Mandorle in Fiore *(1ª ou 2ª semana)*, Agrigento, Sicília. Comemora-se a floração das amendoeiras.
Bacanal del Gnoco *(data variável)*, Verona. Procissão tradicional com máscaras e carros alegóricos locais e internacionais. Nas praças da cidade, acontecem bailes de máscara.
Carnevale *(data variável)*, Mamoiada, Sardenha. Destacam-se os *mamuthones* com suas sinistras máscaras pretas.

Foliões do Carnaval de Veneza

FERIADOS

Ano-Novo (1° jan)
Dia de Reis (6 jan)
Domingo de Páscoa e Segunda-feira seguinte
Dia da Liberação (25 abr)
Dia do Trabalho (1° mai)
Dia da República (2 jun)
Ferragosto (15 ago)
Todos os Santos (1° nov)
Imaculada Conceição (8 dez)
Natal (25 dez)
Santo Estêvão (26 dez)

Calendário Esportivo

Estatueta da Copa

O futebol é, sem dúvida, o esporte mais importante da Itália, e une todo o país quando a seleção nacional joga (os *Azzurri*). Outros esportes também atraem um público fiel, havendo sempre um bom evento para assistir. Para a maioria deles, os ingressos podem ser comprados nos guichês dos clubes. Os lugares mais concorridos podem ser garantidos por agências de ingressos, mas os preços são mais altos. Cuidado com os inevitáveis cambistas, porque os ingressos podem não ser válidos.

Calcio Fiorentino *é um dos raros esportes genuinamente italianos, considerado o precursor medieval do futebol.*

A temporada de polo aquático profissional *acontece de março a julho. O time do Canottieri Napoli sempre se destaca durante o campeonato.*

A corrida de ciclismo **Giro d'Italia** *acontece em várias etapas. Mario Cipollini venceu um número recorde de fases.*

Final de futebol da Coppa Italia

Competição de Remo, Memorial d'Aloia, Úmbria

Janeiro	Fevereiro	Março	Abril	Maio	Junho

Campeonato de Atletismo

Maratona de Roma

Competição Internacional de Salto Hípico, Roma

Rúgbi *está se tornando cada vez mais popular na Itália. O país participa do Campeonato das Seis Nações em fevereiro e março, junto com Inglaterra, Escócia, País de Gales, Irlanda e França.*

O Rome Masters, *antigo Italian Open, acontece em Roma durante o mês de maio. É um dos eventos de maior prestígio mundial nas competições de tênis em quadra de saibro.*

Trecho italiano *d… Circuito Mundial em Mugello… Valentino Ross… dominou o Cam… peonato Mundi… de Motovelocid… de por mais … uma décad…*

As etapas italianas dos Campeonatos Europeus de Natação em Piscina Aberta *acontecem todos os anos, em julho. Aqui o nadador italiano Massimiliano Rosolino, medalhista olímpico, celebra uma vitória.*

Algumas das melhores *pistas de esqui da Europa ficam na Itália e, em 2006, Turim recebeu as Olimpíadas de Inverno. Acima, Alberto Tomba, que já foi campeão nestas pistas.*

O Grande Prêmio da Itália *se realiza anualmente em Monza. É a etapa italiana do Campeonato Mundial de Fórmula 1. Giancarlo Fisichella é um dos pilotos italianos mais bem-sucedidos atualmente.*

O Rali de San Remo, *realizado anualmente em outubro, tornou famoso o piloto Micky Biason e a Lancia Delta Integrale.*

Trofeo dei Templi, competição de remo, na Sicília

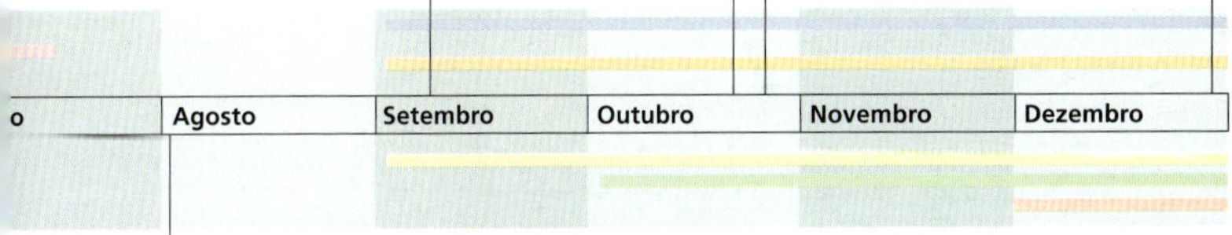

Palio de Siena ***(pág. 341)*****, ocorre de 2 de julho a 16 de agosto**

A Itália venceu a Copa do Mundo de 2006

A temporada italiana de futebol *vai de setembro a maio, quando culmina com a final da Coppa Italia, o campeonato italiano de futebol. A obsessão nacional pelo futebol se intensifica, como não podia deixar de ser, durante a Copa do Mundo, a cada quatro anos. Há muitos brasileiros jogando em times italianos.*

O Campeonato de Atletismo *tornou-se muito popular nos últimos anos. Um dos mais importantes atletas italianos foi Stefano Baldini, medalhista olímpico em 2004 e atualmente aposentado das pistas.*

LEGENDA DOS ESPORTES

- Futebol
- Polo aquático
- Rúgbi
- Basquete
- Vôlei
- Esqui

Clima da Itália

A península itálica possui um clima variado, que divide o país em três regiões. O Norte se caracteriza por invernos frios e verões quentes e chuvosos. No extenso vale do Pó, verões áridos contrastam com invernos gelado e úmidos. O restante da Itália possui um clima agradável, com verões quentes e longos e invernos suaves. Temperaturas baixas ao longo dos Apeninos pode provocar neve nos meses de inverno.

TRENTINO-ALTO ADIGE

mês	Abr	Jul	Out	Jan
°C (Média mensal de temperatura máxima)	16	28	17	5
°C (Média mensal de temperatura mínima)	4	17	5	-5
Média diária de horas de sol	6 h	8 h	4 h	2 h
Média mensal de chuva	67 mm	100 mm	83 mm	20 mm

LOMBARDIA

mês	Abr	Jul	Out	Jan
°C (máx.)	18	28	17	6
°C (mín.)	8	18	10	-1
sol	5 h	9 h	5 h	3 h
chuva	74 mm	78 mm	89 mm	64 mm

VALE D'AOSTA E PIEMONTE

mês	Abr	Jul	Out	Jan
°C (máx.)	17	26	17	7
°C (mín.)	6	15	7	-2.5
sol	5 h	9 h	4 h	3 h
chuva	95 mm	87 mm	85 mm	45 mm

LIGÚRIA

mês	Abr	Jul	Out	Jan
°C (máx.)	18	28	21	12
°C (mín.)	11.5	20	14	6.5
sol	7 h	9 h	8 h	4 h
chuva	66 mm	30 mm	74 mm	69 mm

TOSCANA

mês	Abr	Jul	Out	Jan
°C (máx.)	17	29	20	10
°C (mín.)	8	16	15	2
sol	8 h	11 h	6 h	5 h
chuva	72 mm	30 mm	90 mm	65 mm

SARDENHA

mês	Abr	Jul	Out	Jan
°C (máx.)	19	29	22	14
°C (mín.)	10	20	14	7
sol	8 h	11 h	6 h	4 h
chuva	31 mm	7 mm	48 mm	50 mm

EMÍLIA-ROMANHA

mês	Abr	Jul	Out	Jan
°C (máx.)	17	30	16	4
°C (mín.)	8.5	19	10	-1
sol	6 h	11 h	5 h	3 h
chuva	58 mm	39 mm	81 mm	46 mm

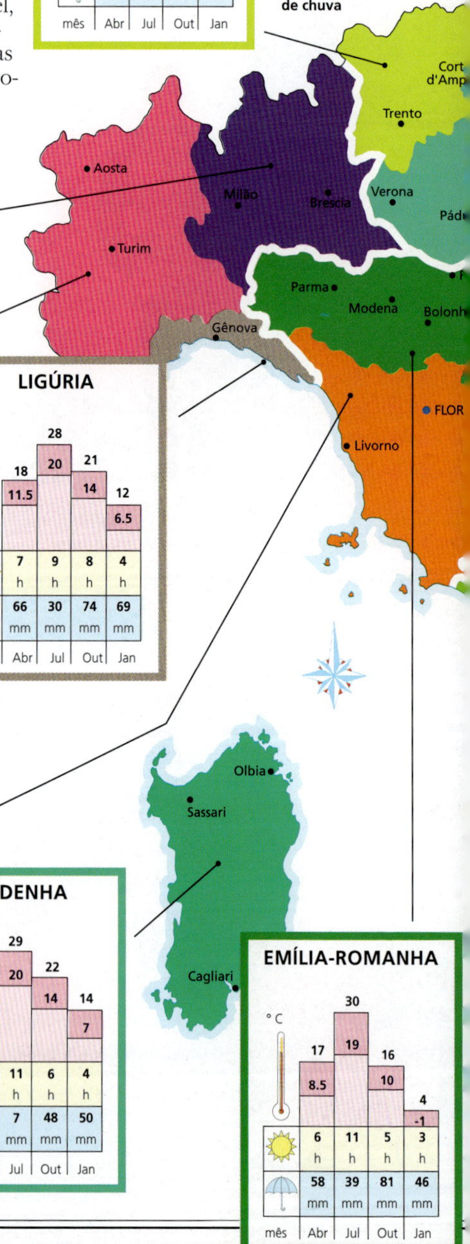

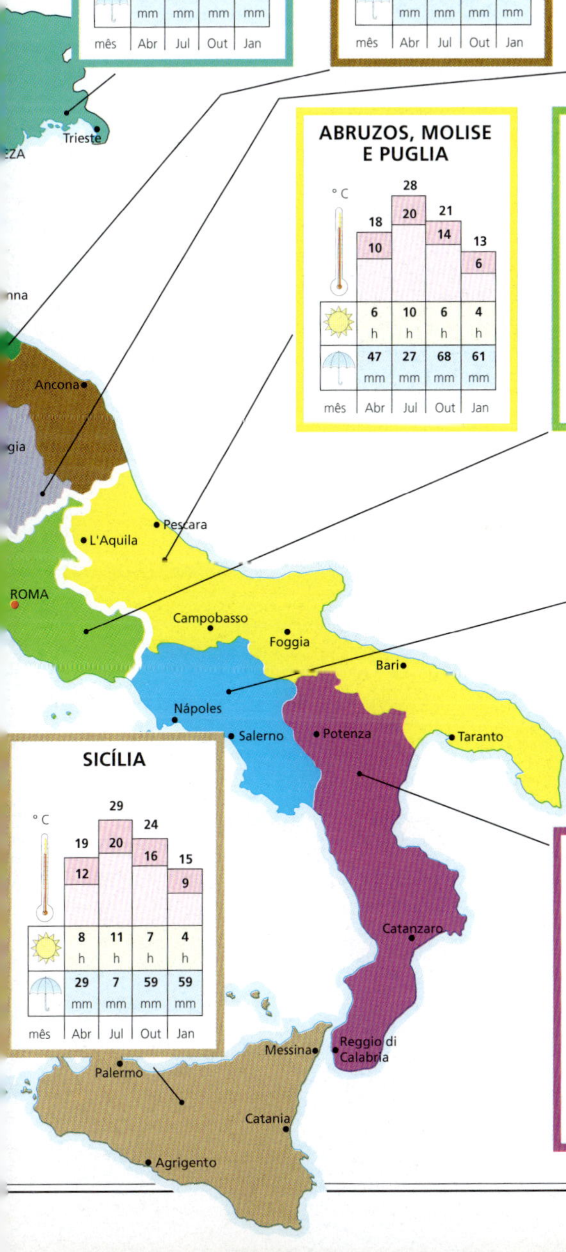

VÊNETO E FRIÚLI

mês	Abr	Jul	Out	Jan
°C	17	28	18	7
°C	7	18	9	0
☀	7 h	9 h	4 h	2 h
☂	112 mm	108 mm	134 mm	90 mm

MARCHE

mês	Abr	Jul	Out	Jan
°C	16	27	19	8.5
°C	9	20	13	3
☀	6 h	10 h	5 h	3 h
☂	56 mm	55 mm	77 mm	67 mm

ÚMBRIA

mês	Abr	Jul	Out	Jan
°C	19	29	19	8
°C	6	16	9	1
☀	5 h	10 h	6 h	3 h
☂	79 mm	44 mm	92 mm	75 mm

ABRUZOS, MOLISE E PUGLIA

mês	Abr	Jul	Out	Jan
°C	18	28	21	13
°C	10	20	14	6
☀	6 h	10 h	6 h	4 h
☂	47 mm	27 mm	68 mm	61 mm

ROMA E LÁCIO

mês	Abr	Jul	Out	Jan
°C	18	29	22	12
°C	9	19	13	4.5
☀	6 h	10 h	7 h	5 h
☂	51 mm	21 mm	95 mm	87 mm

NÁPOLES E CAMPANHA

mês	Abr	Jul	Out	Jan
°C	19	30	22	13
°C	12	21	18	7
☀	7 h	11 h	6 h	4 h
☂	58 mm	12 mm	68 mm	85 mm

SICÍLIA

mês	Abr	Jul	Out	Jan
°C	19	29	24	15
°C	12	20	16	9
☀	8 h	11 h	7 h	4 h
☂	29 mm	7 mm	59 mm	59 mm

BASILICATA E CALÁBRIA

mês	Abr	Jul	Out	Jan
°C	18	29.5	21.5	13
°C	9.5	18.5	14	6.5
☀	6 h	10 h	5 h	4 h
☂	70 mm	13 mm	86 mm	90 mm

NORDESTE DA ITÁLIA

O Nordeste da Itália em Destaque

A variedade de paisagens do Nordeste da Itália faz dele uma região de viajantes por excelência. Os majestosos Alpes Dolomíticos, pontilhados por castelos medievais e modernas estações de esqui, dominam o Norte, cobrindo Trentino-Alto Adige e o Vêneto. Na planície, destacam-se as cidades de Verona, Vicenza e Pádua, famosas pela arquitetura e os museus. No interior rural, cada *villa* (mansão imponente) concentra as atenções. Na beira do lago, ergue-se a incomparável Veneza, com seus magníficos monumentos. Mais a leste, no Friúli, há importantes ruínas romanas. O mapa ao lado destaca algumas atrações.

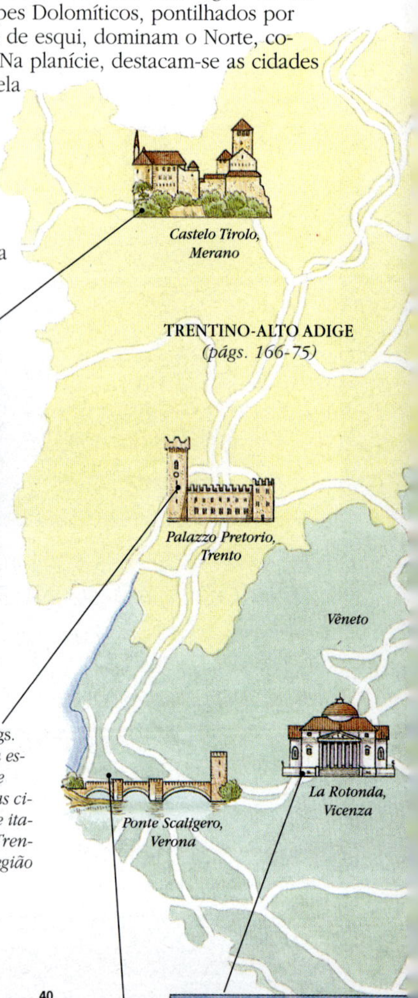

Alto Adige *é uma linda região de montanhas cobertas de neve, vales pontilhados por inesquecíveis castelos e igrejas com domos em forma de cebola em estilo tirolês* (págs. 170-1).

As Dolomitas (págs. 82-3) *formam um espetacular pano de fundo para muitas cidades do Nordeste italiano, entre elas Trento, a capital da região* (págs. 174-5).

Verona *é uma das mais lindas cidades do Vêneto, com seu Castelvecchio e a arena romana, usada hoje para apresentações de ópera* (págs. 142-7).

Vicenza, *uma cidade-modelo do Renascimento, destaca-se pelas construções do arquiteto Andrea Palladio, como La Rotonda* (págs. 150-3).

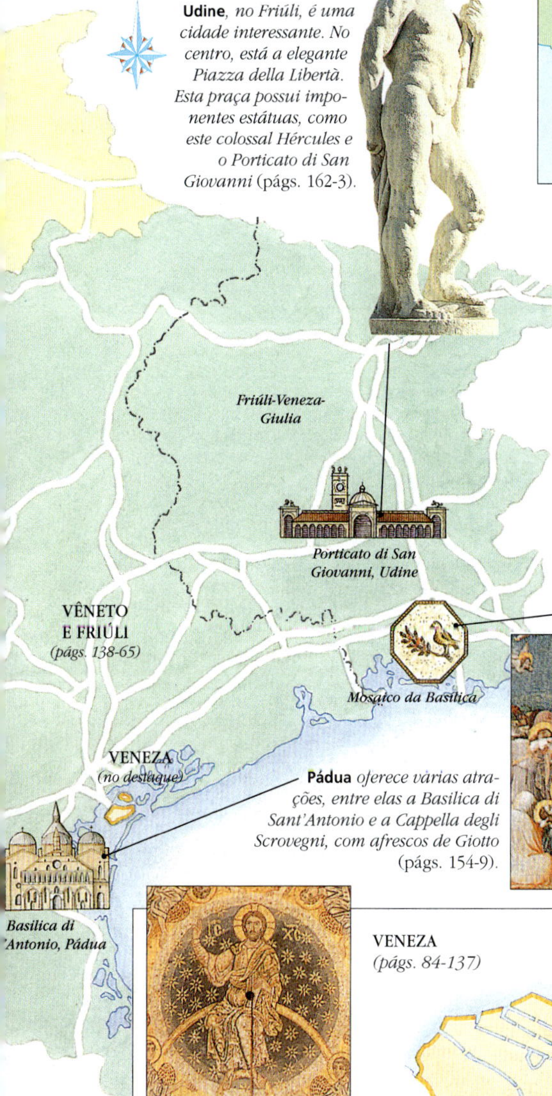

Udine, *no Friúli, é uma cidade interessante. No centro, está a elegante Piazza della Libertà. Esta praça possui imponentes estátuas, como este colossal Hércules e o Porticato di San Giovanni* (págs. 162-3).

Aquileia, *outrora uma esplêndida cidade romana, preserva muitas ruínas, como este mausoléu. A basílica guarda mosaicos cristãos primitivos* (pág. 164).

Pádua *oferece várias atrações, entre elas a Basilica di Sant'Antonio e a Cappella degli Scrovegni, com afrescos de Giotto* (págs. 154-9).

A Basilica di San Marco, *em Veneza, é um dos mais belos edifícios bizantinos da Europa, com magnífico interior dourado* (págs. 110-3).

O Palazzo Ducale é uma obra-prima da arquitetura gótica veneziana *(págs. 114-6).*

Os Sabores do Nordeste da Itália

Esta região diversificada é a área menos italiana do país. Na fronteira com os Bálcãs e o território austro-húngaro, sua cozinha reflete uma grande riqueza cultural e paisagística. Os tradicionais elos comerciais de Veneza deram um sabor de Oriente Médio a alguns pratos, a exemplo do molho agridoce *saor* e de especiarias muito difundidas como noz-moscada, açafrão e canela. Além das costumeiras massas, outros destaques são a típica polenta, feita com farinha de milho, que acompanha muitos pratos, e o risoto. A manteiga é mais usada do que o azeite de oliva. De pratos substanciosos cheios de gordura a outros mais delicados e sofisticados, esta região oferece muitas surpresas gastronômicas.

Açafrão

Delicados doces fritos em padaria de Trieste

VÊNETO E VENEZA

O Vêneto é uma das principais regiões de rizicultura da Itália. O arroz foi introduzido pelos árabes da Espanha e é ingrediente-chave de muitos pratos versáteis locais. Risotos cremosos são preparados de várias maneiras, como o *di mare* (com frutos do mar), no qual a tinta do siba dá um tom escuro ao prato. A massa favorita do Vêneto é *bigoli*, um espaguete grosso. Há abundância de legumes, incluindo abobrinha (*zucchini*), aspargos, radicchio vermelho amargo (endívia) de Treviso e outros tipos de Castelfranco. Especialidades do Vêneto incluem *cichetti* (lanches) e antepastos, como sardinhas marinadas, alcachofras fritas (*articiochi* no dialeto local) e frutos do mar em boas porções, especialmente mexilhões *(peoci)*. O caranguejo *(granceola)* é muito apreciado e a sopa de peixe local *(sopa de pesse)* é deliciosa. O carpaccio (fatias finas de carne bovina) foi criado em Veneza por Giuseppe Cipriani, do Harry's Bar. Dizem que o tradicional *tiramisù* também teve origem em Veneza, e sorbets são igualmente comuns. Foram os venezianos que introduziram o açúcar de cana na Europa e seu fraco por doces ainda é evidente nas ricas frutas confeitadas, sultanas e nozes de pinho herdados dos turcos e bizantinos.

Seleção de antepastos venezianos, a entrada perfeita

PRATOS E ESPECIALIDADES REGIONAIS

Antepasto di *frutti di mare* (com vários frutos do mar) é um favorito em Veneza, onde os ingredientes chegam frescos do Adriático. Procedentes do Lago Garda, *anguilla del pescatore* (ensopado de enguia), *lavarelli al vino bianco* (peixe ao vinho branco) e *carpione* (um tipo de truta do lago) são todos deliciosos. Outra especialidade de peixe da região é o baccalà (bacalhau) *alla veneziana*. Porco e salames estão presentes em toda a área. O ganso de Friúli é uma alternativa usual ao porco, com opções suculentas de sua carne maturada como o salame *d'oca*. Carne de caça também aparece nos menus, além de sauerkraut e goulash, enquanto as sobremesas volta e meia têm influência austríaca, a exemplo do *apfel strudel*. A região também se orgulha de seu próprio *tiramisù*, a clássica e voluptuosa sobremesa italiana.

Aspargos

Sarde in Saor *Especialidade veneziana de sardinhas fritas em um molho agridoce de cebola, com nozes de pinho.*

Entrega de legumes frescos nos canais de Veneza

FRIÚLI-VENEZIA GIULIA

Encruzilhada culinária de tradições eslavas, germânicas e latinas, antigamente esta região foi a mais pobre do Norte da Itália. Variedades de goulash húngaro e strudels austríacos aparecem com frequência nos menus locais. A área produz finos presuntos de sabor adocicado e prosciuttos (incluindo o suculento San Daniele). Ganso é um prato-chave, assim como cordeiro, que se alimenta de ervas e capins locais que lhe dão um sabor delicioso. Trieste é famosa pelos doces vienenses e o *nhoque* doce, constituído por bolinhos de ameixa salpicados de açúcar e canela. A especialidade de Friúli é o Montasio, queijo duro feito de leite de vaca.

Radicchio e pimentões empilhados em mercado de Treviso

TRENTINO E ALTO ADIGE

As fortes influências austríacas do Alto Adige se combinam com os pratos substanciosos da região montanhosa de Trentino, assim como com sabores do Sul da Itália. Pratos básicos incluem carnes maturadas como *speck* (presunto defumado) e salames, assim como sopas reconfortantes como o clássico minestrone. Bolinhos de massa – *canederli* em italiano e *knödel* no Alto Adige– são sempre deliciosos. Risotos de Trentino ganham versões doces e saborosas. Uma das melhores é a que leva cogumelos *finferli*, que têm sabor e qualidade similares aos dos *porcini* toscanos. A truta alpina é saborosa e pratos com carne de caça, especialmente veado e coelho, aparecem nas devidas estações, muitas vezes servidos com polenta. A maçã do Trentino é tenra e deliciosa.

NO MENU

Carpaccio (Veneza e Vêneto) Fatias finíssimas de carne crua em azeite de oliva extra virgem, com folhas de rúcula e lascas de queijo parmesão.

Fegato alla Veneziana Fígado bovino em um leito de cebolas.

Jota (Friuli-Venezia Giulia) Sopa de cevada e sauerkraut. Este prato barato e substancioso às vezes é misturado com brovada –nabos que ficam de molho em um tonel de madeira de prensagem de uva.

Strangolapreti (Trentino-Alto Adige) Nhoque feito de pão, espinafre ou batata, é passado na manteiga e ganha queijo. Significa "estrangulador de padre"!

Risi e bisi *Risoto macio e úmido com ervilhas frescas, às vezes com presunto e queijo parmesão.*

Polenta *Creme de milho, às vezes servido como acompanhamento para coelho ou com pancetta (bacon).*

Tiramisù *Pudim de mascarpone, biscoito champagne, café e marsala. O nome significa "me levante".*

A Arquitetura do Nordeste da Itália: Veneza e Vêneto

O contato comercial com o Oriente levou a Veneza medieval a desenvolver um estilo arquitetônico próprio: o gótico veneziano. Bastante exótico, ele misturava domos bizantinos e minaretes islâmicos com arcos ogivais e quadrifólios do gótico europeu. No século 16, Andrea Palladio deu sua interpretação da arquitetura clássica em igrejas, edifícios públicos e mansões rurais do Vêneto. O século 17 trouxe o estilo barroco, mas sua exuberância foi misturada à moderação palladiana.

Andrea Palladio (1508-80)

ARQUITETURA DE VENEZA: DO BIZANTINO AO BARROCO

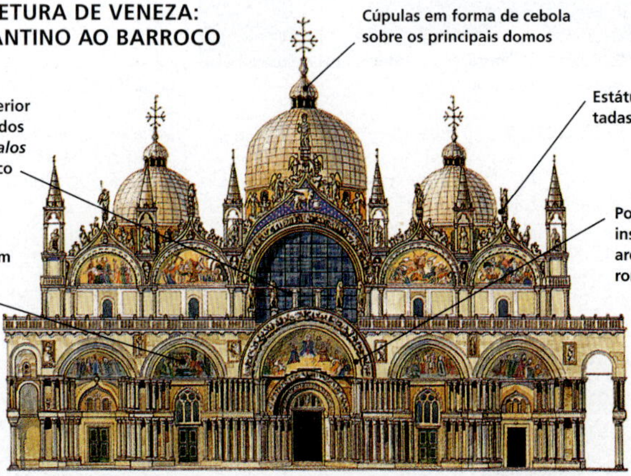

A Basilica di San Marco, *a mais bela igreja bizantina da Europa ocidental, tornou-se o santuário das relíquias de são Marcos, o Evangelista, e símbolo das aspirações venezianas* (págs. 110-3). *Foi concluída no século 11.*

O GÊNIO DE PALLADIO

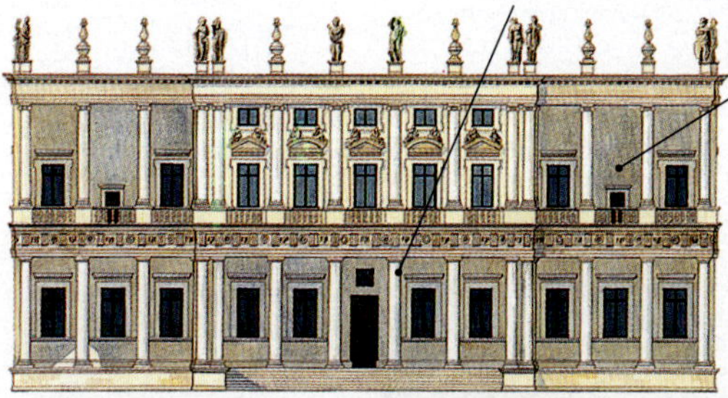

Palazzo Chiericati, *é um enorme palacete de 1550, com estilo simpl emprestado dos antigos romanos. Já foi cercado de água para refleti as estátuas de deuses clássicos que ficam no telhado* (pág. 152).

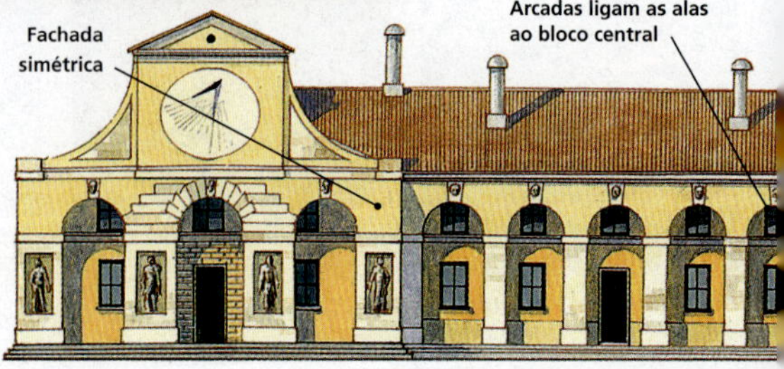

Villa Barbaro, *uma* villa *projetada por Palladio na década de 1550, foi feita em Masèr quando era moda entre os venezianos ricos adquirir propriedades rurais. Esta é típica* villa *italiana, combinando áreas de trabalho nas alas com uma elegante casa rural* (pág. 149).

ONDE VER A ARQUITETURA

Um passeio de *vaporetto* pelo Canal Grande de Veneza *(págs. 88-91)* permite ter uma boa ideia da arquitetura veneziana. Ca' d'Oro, Ca' Rezzonico e Ca' Pesaro abrigam belos museus e merecem ser visitados. A Basilica di San Marco e o Palazzo Ducale são visitas obrigatórias. No Vêneto, há muitos exemplos da arquitetura palladiana, mas o principal destaque é a Villa Barbaro *(pág. 149)*. Além disso, muitas construções de Palladio margeiam o canal de Brenta *(pág. 160)*. Muitas de suas obras também embelezam Vicenza *(págs.150-3)*. Nesta cidade, está sua famosa *villa* La Rotonda.

Tipicas janelas góticas venezianas

Ca d'Oro, *a "Casa de Ouro" do século 15, revela influência mourisca nos arremates do telhado e sinuosos arcos ogivais* (pág. 94).

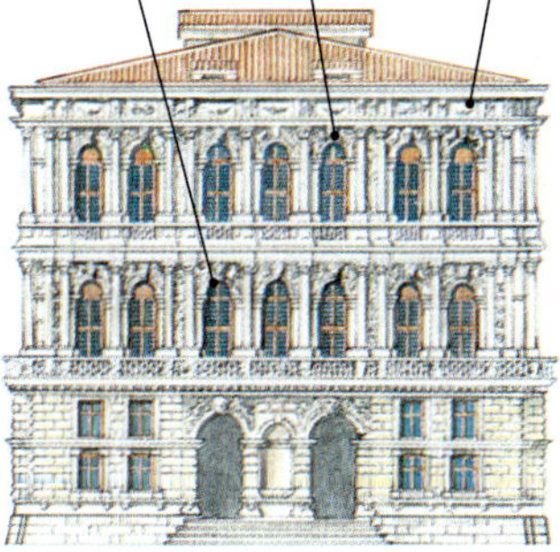

A Ca' Pesaro, *do século 17, é o próprio exemplo do barroco veneziano: colunas clássicas e ornamentos ricos mas sutis* (pág. 89).

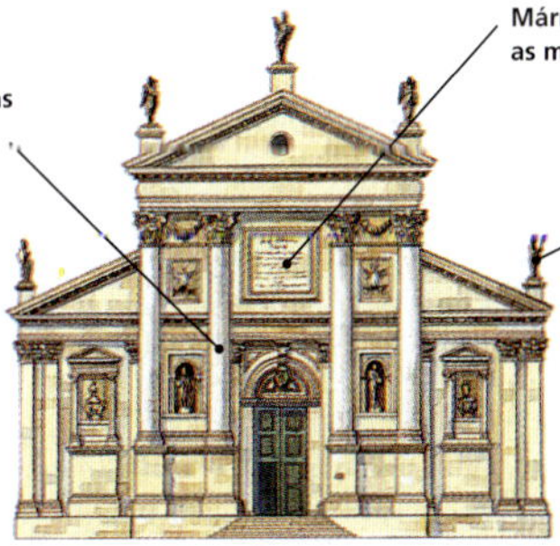

San Giorgio Maggiore, *construída entre 1559-80, está maravilhosamente situada na entrada do porto interno de Veneza. Rompeu com o estilo gótico dominante, introduzindo a simplicidade e as proporções harmoniosas da arquitetura clássica. Lembra mais um antigo templo romano do que uma igreja cristã* (págs. 120-1).

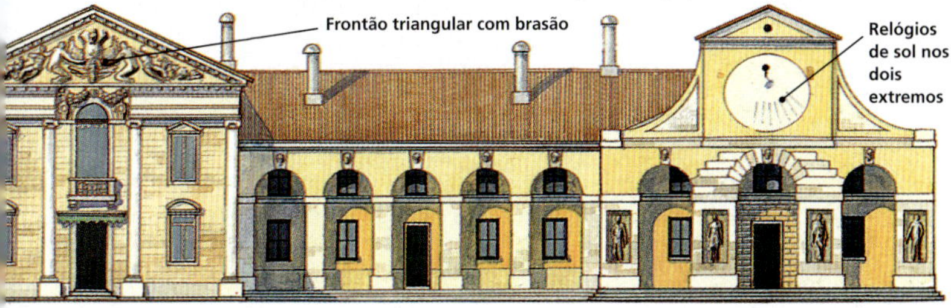

Os Alpes Dolomíticos

Os Alpes Dolomíticos, também conhecidos como Dolomitas, são as mais belas e características montanhas da Itália. Parte dos Alpes, formaram-se a partir de coral mineralizado depositado sob o mar durante o período Triássico. Ele se elevou quando a placa continental europeia colidiu com a africana há 60 milhões de anos. Diferentemente das depressões e serras erodidas por geleiras na parte principal dos Alpes, aqui as rochas sofreram os efeitos corrosivos do gelo, do sol e da chuva, criando penhascos e picos. As regiões orientais e ocidentais das Dolomitas têm características ligeiramente distintas; a seção oriental é mais imponente, em especial a bela cadeia de Catinaccio (ou Rosengarten), que adquire a cor rosa escuro ao entardecer.

Típico domo em forma de cebola

STRADA DELLE DOLOMITI

Uma das mais espetaculares estradas através das Dolomitas liga Bolzano *(pág. 172)* a Cortina d'Ampezzo *(pág. 161)*. Seguindo as inclinações do terreno, passa por alguns dos picos mais altos e por majestosas paisagens.

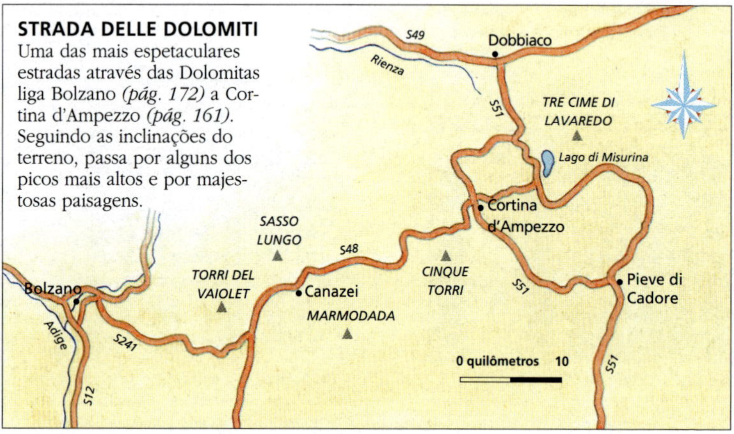

PRINCIPAIS PICOS DAS DOLOMITAS

Entre os picos das Dolomitas há vários com formas características e algumas das mais altas montanhas da cadeia. Muitos são facilmente distinguidos e ganharam nomes próprios.

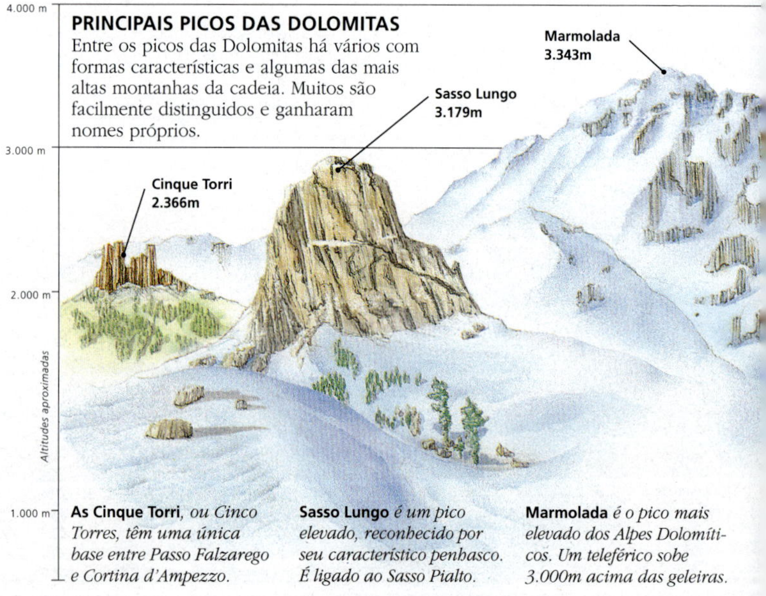

As Cinque Torri, *ou Cinco Torres, têm uma única base entre Passo Falzarego e Cortina d'Ampezzo.*

Sasso Lungo *é um pico elevado, reconhecido por seu característico penhasco. É ligado ao Sasso Pialto.*

Marmolada *é o pico mais elevado dos Alpes Dolomíticos. Um teleférico sobe 3.000m acima das geleiras.*

Lago di Misurina *é um grande e lindo lago ao lado do balneário de Misurina. Suas águas transparentes refletem as montanhas ao redor, espelhando vários picos, como o característico Tre Cime (Três Picos) di Lavaredo.*

As atividades ao ar livre *nesta área de belas paisagens incluem o esqui, no inverno, e caminhadas, passeios por trilhas e piqueniques, no verão. Nos principais balneários, os teleféricos proporcionam fácil acesso ao topo das montanhas, onde se podem apreciar cenários maravilhosos.*

As Torri del Vaiolet *são parte da linda cadeia Catinaccio, conhecidas pela cor.*

Tre Cime di Lavaredo, *ou Drei Zinnen, dominam os vales ao norte do Lago di Misurina.*

A NATUREZA DAS DOLOMITAS

As florestas e campinas da região abrigam belas e variadas espécies selvagens. Plantas alpinas, que florescem entre junho e setembro, adquiriram formas em miniatura para sobreviver aos fortes ventos.

Flora

As raízes de genciana *são usadas para fazer licor.*

O lírio laranja *cresce nos declives aquecidos pelo sol.*

A bela saxífraga *cresce em grupos sobre as rochas.*

A garra do diabo *tem inflorescências rosadas.*

Fauna

A ptármiga *muda sua plumagem de marrom manchado no verão para branco no inverno, a fim de se camuflar. Alimenta-se de pequenos frutos e brotos de plantas.*

A camurça, *um antílope montanhês visado por seu pelo macio, fica protegida nos parques nacionais, onde a caça é proibida.*

Os cervos *são numerosos, pois seus predadores naturais, lobos e linces, estão desaparecendo. Com seu apetite por árvores jovens, desafiam os guardas-florestais.*

VENEZA

No extremo Nordeste da Itália, Veneza tornou-se província bizantina independente no século 10º. Suas ligações comerciais com o Oriente –era considerada o portão de entrada para essa parte do mundo– e a vitória na Cruzada de 1204 trouxeram-lhe riqueza e poder, depois desgastados por rivais europeus e turcos. Hoje, sua principal conexão é com o Vêneto, que se estende das planícies às Dolomitas.

Veneza é uma das poucas cidades do mundo que realmente pode ser descrita como única. Construída sobre uma série de bancos de lama baixos entre as águas do Adriático sujeitas a marés e regularmente atingidas por enchentes, ela sobrevive contra todas as probabilidades. Durante a Idade Média, sob a liderança de sucessivos doges, Veneza expandiu seu poder e influência por todo o Mediterrâneo até Constantinopla (a atual Istambul). A imensa riqueza da cidade foi celebrada na arte e na arquitetura local.

As riquezas da Basilica di San Marco mostram a posição de Veneza no cenário político mundial do século 12 ao 14. Mas, depois de perder gradualmente espaço para as novas nações europeias, caiu nas mãos de Napoleão em 1797. Em 1866, Veneza finalmente juntou-se ao Reino da Itália, trazendo unidade ao país pela primeira vez em sua história. Hoje, Veneza assumiu um novo papel. Seus *palazzi* tornaram-se museus, lojas, hotéis e apartamentos, e seus conventos, centros de restauração de arte. Mesmo assim, pouco da essência veneziana mudou nos últimos 200 anos. Os sons da cidade ainda são passos de pedestres e gritos de barqueiros. Os únicos motores pertencem às barcaças que entregam suprimentos e aos ônibus aquáticos que transportam passageiros. Ao mesmo tempo, continuam a ser percorridas as mesmas ruas desgastadas. Todo ano, mais de 14 milhões de visitantes rendem-se à magia deste lugar com "ruas de água" e um passado de glórias evidente em cada esquina.

Rua movimentada na ilha de Burano, com típicas casas coloridas

◁ **Proas de gôndolas, com seus característicos *ferri*, e Santa Maria della Salute ao fundo**

Como Explorar Veneza

Veneza se divide em seis antigos distritos administrativos ou *sestieri:* Cannaregio, Castello, San Marco, Dorsoduro, San Polo e Santa Croce. Você pode ir a pé a todos eles e tomar um ônibus aquático até qualquer das ilhas. O Venice Card *(pág. 682)* serve para qualquer transporte e como entrada para a maioria dos museus, como o Ca' Rezzonico, o Palazzo Ducale e o Museo Correr.

PRINCIPAIS ATRAÇÕES

Igrejas

Basilica di San Marco págs. 110-3 18
Madonna dell'Orto 1
San Giacomo dell'Orio 6
San Giorgio Maggiore 31
San Giovanni Grisostomo 3
San Giovanni in Bragora 29
Santi Giovanni e Paolo 24
Santa Maria Formosa 26
Santa Maria Gloriosa dei Frari págs. 98-9 8
Santa Maria dei Miracoli 4
Santa Maria della Salute 17
San Nicolò dei Mendicoli 13
San Pantalon 11
San Polo 7
San Rocco 10
San Sebastiano 14
Santo Stefano 23
San Zaccaria 27

Edifícios e Monumentos

Arsenale 30
Campanário 21
Estátua de Colleoni 25
Palazzo Ducale *págs.* 114-6 19
Rialto 5
Scuola di San Giorgio degli Schiavoni 28
Torre dell'Orologio 20

Museus e Galerias

Accademia págs. 106-7 15
Ca' d'Oro 2
Ca' Rezzonico 12
Museo Correr 22
Collezione Peggy Guggenheim 16
Scuola Grande di San Rocco págs. 100-1 9

Laguna

Burano 33
Murano 32
Torcello págs. 122-3 34

LEGENDA

Rua a Rua: San Polo págs. 96-7
Rua a Rua: Dorsoduro págs. 102-3
Rua a Rua: Piazza San Marco págs. 108-9
Aeroporto internacional
Estação de trem
Embarque em ferryboat
Embarque em *vaporetto*
Travessia de *traghetto (pág. 682)*
Ancoradouro de gôndolas
Informação turística

Santa Maria della Salute, na desembocadura do Canal Grande

VEJA TAMBÉM

- ***Guia de Ruas*** págs. 126-35
- ***Onde Ficar*** págs. 558-60
- ***Onde Comer*** págs. 606-7

LOCALIZE-SE

COMO CHEGAR

A única estrada para Veneza é a S11, a partir de Mestre, que conduz até o Tronchetto e a Piazzale Roma, onde há estacionamentos e terminais de ônibus. Os trens chegam à estação Santa Lucia, no Canal Grande. Na cidade, o transporte público é feito pelos *vaporetti*, os ônibus aquáticos. O mais turístico é o nº 1, que percorre toda a extensão do Canal Grande *(págs.136-7)*.

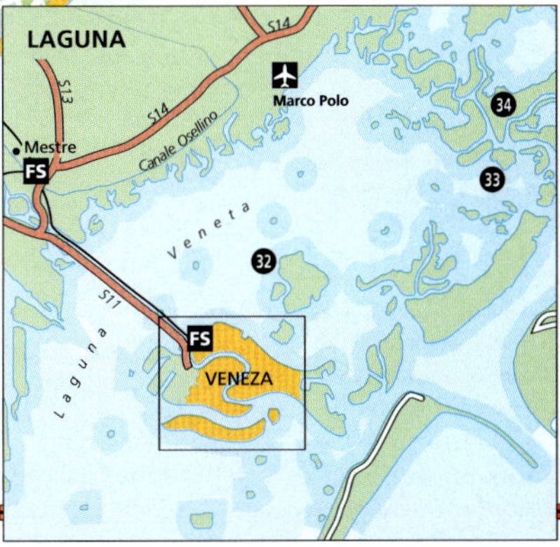

O Canal Grande: de Santa Lucia a Rialto

A melhor forma de percorrer o Canal Grande, que serpenteia pelo centro da cidade, é pegar um *vaporetto*. Várias linhas percorrem o canal *(pág. 683)*. Os palácios vistos nas suas margens foram construídos ao longo de cinco séculos e compõem uma vitrine da história da cidade. Quase todos levam o nome de alguma grande família veneziana do passado.

San Marcuola
A igreja foi reconstruída no século 18. Uma nova fachada, de frente para o canal, foi planejada, mas nunca completada.

San Geremia abriga as relíquias de santa Lúcia, antes guardadas na igreja de Santa Lucia, onde agora fica a estação de trem.

Palazzo Labia
Entre 1745 e 1750, Giambattista Tiepolo decorou o salão de bailes com cenas da vida de Cleópatra.

Fondaco dei Turchi
Entre os séculos 17 e 19 foi um armazém para mercadores turcos. Hoje abriga o Museo di Storia Naturale.

San Simeone Piccolo
Esta igreja com domo, do século 18, foi inspirada no Pantheon de Roma.

AS GÔNDOLAS DE VENEZA

A gôndola faz parte da vida veneziana desde o século 11. Com casco delgado e parte inferior achatada, é perfeitamente adaptada aos canais estreitos e rasos da cidade. Na proa, a ligeira curva para a esquerda serve para contrabalançar a força do remo, evitando que a gôndola navegue em círculos.

Em 1562, foi decretado que todas as gôndolas deveriam ser pretas para que ninguém ostentasse riqueza com elas. Em ocasiões especiais, são decoradas com flores. Hoje os passeios de gôndola são caros e em geral feitos só por turistas *(pág. 683)*, mas há os grupos de gôndolas, chamados de *traghetti*, uma forma mais barata de cruzar o Canal Grande.

Gôndolas estacionadas

Ca' d'Oro
O delicado rendilhado gótico da fachada fez desta casa um verdadeiro marco da cidade. Seu acervo (pág. 94) *tem a maquete de uma fonte de Bernini (c.1648).*

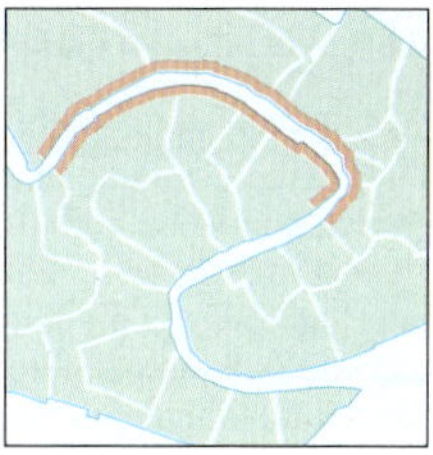

LOCALIZE-SE

Guia de Ruas de Veneza, 1, 2 e 3

Palazzo Vendramin Calergi
Este é um dos mais belos palácios do início do Renascimento na cidade. O compositor Richard Wagner (ao lado) *morreu aqui em 1883.*

Palazzo Sagredo
Graciosos arcos vêneto-bizantinos e góticos enfeitam a fachada de frente para o canal.

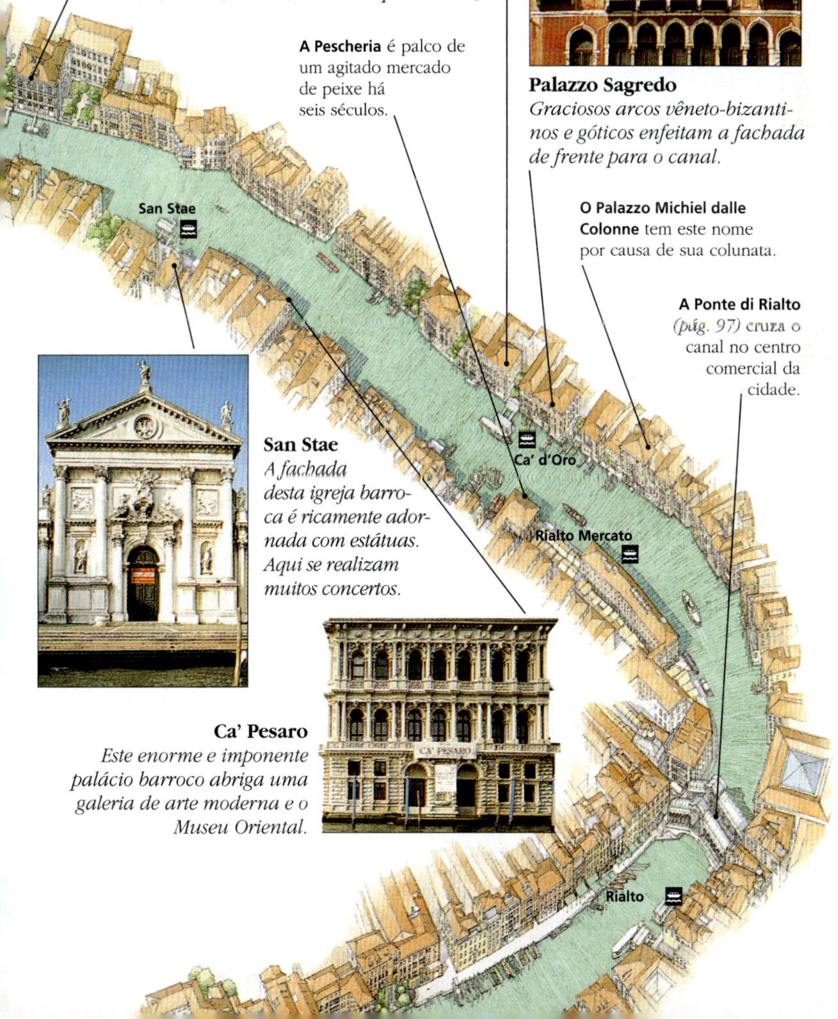

A Pescheria é palco de um agitado mercado de peixe há seis séculos.

O Palazzo Michiel dalle Colonne tem este nome por causa de sua colunata.

A Ponte di Rialto *(pág. 97)* cruza o canal no centro comercial da cidade.

San Stae
A fachada desta igreja barroca é ricamente adornada com estátuas. Aqui se realizam muitos concertos.

Ca' Pesaro
Este enorme e imponente palácio barroco abriga uma galeria de arte moderna e o Museu Oriental.

O Canal Grande: de Rialto a San Marco

Após passar pela Ponte di Rialto, o canal dobra-se em um trecho chamado La Volta (a curva). Depois, alarga-se e oferece uma vista espetacular ao se aproximar da Piazza San Marco. Apesar das fachadas desbotadas e fundações desgastadas pela maré, o canal continua a ser, nas palavras do embaixador francês em 1495, "a rua mais bela do mundo".

Palazzo Mocenigo
Em 1818, o poeta Byron ficou neste palácio do século 18.

O Palazzo Garzoni, er estilo gótico, foi refor mado e hoje é part da universidade

Ca' Rezzonico
Foi a última casa do poeta inglês Robert Browning, visto aqui com o filho Pen. Hoje sedia um museu sobre a Veneza do século 18 (pág. 103).

Palazzo Grassi
Este elegante palácio da década de 1730 foi comprado pelo magnata francês François--Henri Pinault. Hoje abriga exposições de arte.

Palazzo Capello Malipiero
Este palácio foi reconstruído em 1622. A seu lado fica o campanário de San Samuele, do século 12.

Accademia
O maior acervo de pinturas venezianas do mundo está aqui, na antiga Scuola della Carità (págs. 106-7). *Sua fachada barroca foi criada por Giorgio Massari.*

Palazzo Barbaro
Henry James escreveu Os Papéis de Aspern *aqui em 1888.*

Riva del Vin é o cais onde o vinho (vin) era descarregado. Trata-se de um dos poucos pontos das margens do Canal Grande onde se pode sentar.

O Palazzo Barzizza, reconstruído no século 17, conserva fachada do início do século 13.

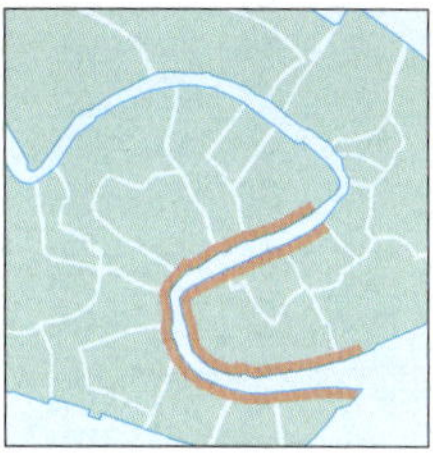

LOCALIZE-SE

Guia de Ruas de Veneza, 6 e 7

Colezzione Peggy Guggenheim
Um palacete térreo abriga este grande acervo de arte moderna (págs. 104-5).

Santa Maria della Salute
Esta pesada igreja barroca é suportada por mais de um milhão de estacas de madeira (pág. 105).

Palazzo Gritti-Pisani
A antiga residência da família Gritti é agora o luxuoso Gritti Palace Hotel (pág. 560).

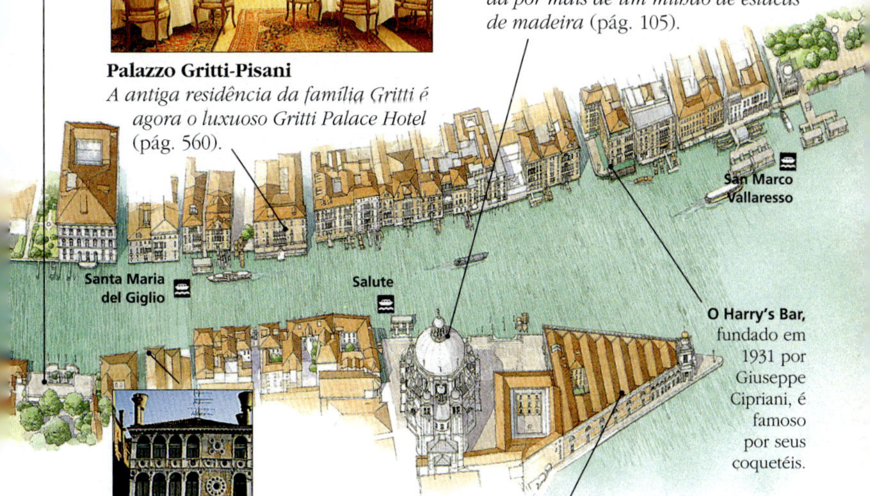

O Harry's Bar, fundado em 1931 por Giuseppe Cipriani, é famoso por seus coquetéis.

Palazzo Dario (1487)
Mármores de várias cores tornam a fachada deste palácio especial. Dizem que o lugar é amaldiçoado.

A Punta della Dogana (alfândega), construída no século 17, hoje abriga a Fundação de Arte Contemporânea François Pinault e é coroada por um globo dourado encimado por um catavento.

Madonna dell'Orto, com estátuas do século 15 de são Cristóvão e dos apóstolos na fachada

Madonna dell'Orto ❶

Campo Madonna dell'Orto. Mapa 2 F2. ***Tel*** *041 275 04 62.* *Madonna dell'Orto.* *10h-17h seg-sáb.* *1° jan, 25 dez.*

Esta bela igreja gótica, fundada em meados do século 14, foi dedicada a são Cristóvão, santo padroeiro dos viajantes, para proteger os barqueiros que transportavam passageiros para as ilhas no norte da laguna. Uma estátua do século 15 do santo, restaurada pelo projeto Veneza em Perigo, fica em cima do portal principal. Mas, no começo do século 15, o padroeiro foi mudado e a igreja, reconstruída. Foi encontrada em uma horta *(orto)* próxima uma imagem da Virgem Maria com supostos poderes miraculosos.

O interior, revestido quase totalmente com tijolos, é amplo e sem muitos objetos. À direita fica a magnífica pintura *São João Batista e Outros Santos* (c.1493), feita por Cima da Conegliano. O espaço vazio na capela em frente pertence à *Madona e Menino* de Giovanni Bellini (c.1478), roubada pela terceira vez em 1993.

Os maiores tesouros remanescentes da igreja são as obras de arte de Tintoretto, que frequentava a igreja. Seu túmulo, indicado por uma placa, fica junto com os de seus filhos, na capela à direita do coro. Seus trabalhos mais impressionantes são obras-primas que decoram o coro (1562-4). Na parede à direita está *o Juízo Final*, cujas turbulentas imagens fizeram pessoas sair correndo da igreja com medo. Em *A Adoração do Bezerro de Ouro*, na parede à esquerda, acredita-se que a figura que carrega o bezerro, a quarta a partir da esquerda, seja um retrato do artista. Dentro da capela de San Mauro, quase na ponta da nave direita, fica uma estátua da Madona de Giovanni de' Santi. Inspirada na nova patrona da igreja, foi restaurada pelo projeto Veneza em Perigo.

Ca' d'Oro ❷

Calle Ca' d'Oro. Mapa 3 A4. ***Tel*** *041 523 87 90.* *Ca' d'Oro.* *8h15-19h15 ter-dom, 8h15-14h seg.*

Em 1420, Marino Contarini, um nobre rico, encomendou a construção de um palácio que ele esperava que fosse o mais magnífico da cidade *(pág. 81)*. As intricadas esculturas do edifício foram confiadas a uma equipe de artesãos de Veneza e da Lombardia, e a fachada foi lindamente adornada com os mais elaborados e caros revestimentos da época, incluindo folhas de ouro, vermelhão e azul ultramarino. Ao longo dos anos, o palácio foi extensivamente reformado e, no século 18, estava semi-abandonado. Em 1846, foi comprado pelo príncipe russo Troubetzkoy para a famosa bailarina Maria Taglioni. Sob sua direção, o palácio sofreu uma terrível restauração, perdendo, entre outras obras, a escadaria e grande parte de suas esculturas em pedra originais. Foi finalmente resgatado pelo barão Giorgio Franchetti, um rico patrono das artes, que doou o edifício e seu acervo de arte particular para o governo em 1915.

***Retrato Duplo*, de Tullio Lombardo**

O destaque, no primeiro dos dois pisos da galeria, é o quadro *São Sebastião*, de Andrea Mantegna (1506), última obra do artista, que ocupa um nicho destacado. As principais obras no piso térreo estão distribuídas ao redor do *portego* (a galeria). Este é dominado pelo vívido *Retrato Duplo* (c.1493) do escultor Tullio Lombardo, pela pintura na lanterna *Madona e Menino* (c. 1530), de Sansovino, e por vários relevos em bronze de Andrea Briosco, de Pádua, "Il Riccio" (1470-1532). As salas que conduzem do *portego* para o lado direito exibem muitos objetos de bronze e medalhões, com algumas obras de Pisanello e Gentile Bellini. As pinturas também incluem a famosa *Madona dos Belos Olhos*, atribuída a Giovanni Bellini, *Madona e Menino*, atribuída a Alvise Vivarini (ambas do fim do século 15), e a *Anunciação* e a *Morte da Virgem* (ambas c.1504), de Carpaccio. Em uma sala à esquerda do *portego*, há pinturas não venezianas, como *Flagelação*, de Luca Signorelli (c.1480). Uma bela escadaria leva ao segundo piso, introduzido por uma sala de tapeçarias. Possui pinturas de Ticiano e Van Dyck e escultu-

A magnífica fachada gótica da Ca' d'Oro, a "Casa de Ouro"

ras de bronze de Alessandro Vittoria. O *portego* guarda afrescos de Pordenone (c.1532) vindos do claustro de Santo Stefano, e uma antessala contém afrescos danificados de Ticiano retirados do Fondaco dei Tedeschi.

Peça de altar de 1513, de Bellini, na San Giovanni Grisostomo

San Giovanni Grisostomo ❸

Campo San Giovanni Grisostomo. Mapa 3 B5. **Tel** 041 523 52 93 Rialto. 8h15-12h15,15h-19h30 diariam. durante a missa

Esta bela igreja de cor tijolo fica em um bairro perto da Ponte di Rialto. Construída entre 1479 e 1504, é um belo projeto renascentista, último trabalho de Mauro Coducci.

O interior, feito em forma de cruz grega, é escuro e reservado. Uma luz ilumina o *São Jerônimo com São Cristóvão e Santo Agostinho* (1513), de Giovanni Bellini, acima do primeiro altar à direita. Esta é provavelmente a última pintura de Bellini, executada quando ele já tinha mais de 80 anos.

Sobre o altar-mor, está o *São João Crisóstomo e Seis Santos* (1509-11), de Sebastiano del Piombo.

Santa Maria dei Miracoli ❹

Campo dei Miracoli. Mapa 3 B5. **Tel** 041 275 04 62. Rialto, Fondamente Nuove. 10h-17h30 seg-sáb. 1° jan, 25 dez.

Uma obra-prima da arquitetura do início do Renascimento italiano, a Miracoli é onde muitos venezianos gostam de se casar. Aninhada em um labirinto de ruelas e canais na parte leste do Cannaregio, é pequena e discreta.

Santa Maria dei Miracoli é decorada com mármores de várias cores, alguns belos baixos-relevos e esculturas. Foi construída entre 1481 e 1489 pelo arquiteto Pietro Lombardo e seus filhos para abrigar a *Virgem e Menino* (1408), uma pintura que eles acreditavam ter poderes miraculosos. O quadro, de Nicolò di Pietro, ainda pode ser visto acima do altar.

O interior da igreja, ornamentado com mármore rosa, branco e cinza, atinge o máximo de sua beleza quando é iluminado pelo sol fraco. É

Coluna decorativa, interior de Santa Maria dei Miracoli

coroado por um teto em abóbada cilíndrica, feito em 1528, que exibe 50 retratos de santos e profetas. A balaustrada, entre a nave e o coro, é decorada por figuras de são Francisco, do arcanjo Gabriel, da Virgem e de santa Clara –todas esculpidas por Tullio Lombardo.

O trabalho ao redor do altar-mor e os medalhões dos evangelistas na cúpula também são obras de Lombardo. Acima do portão principal fica a galeria do coro, usada pelas freiras do convento vizinho, que entravam na igreja por uma galeria superior. A Miracoli passou por uma grande restauração, financiada pela organização norte-americana Save Venice.

SANTA MARIA DEI MIRACOLI

Painéis decorados e mármore polido multicolorido compõem esta bela fachada, toda simétrica.

Estátua de santo

A lanterna superior semicircular reforça a ideia de que a igreja parece uma delicada caixa de joias.

A galeria (loggia) falsa é formada por arcos jônicos com janelas. Acredita-se que o mármore usado sobrou da construção de San Marco.

***Virgem e Menino*, de Giorgio Lascaris**

Os painéis de mármore estão presos aos tijolos por ganchos de metal. Esse método, renascentista, evita o acúmulo de umidade e água salgada atrás dos painéis.

Rua a Rua: San Polo

A ponte e os mercados do Rialto atraem muitos turistas para San Polo, tradicional região comercial de Veneza. Era aqui que banqueiros, comerciantes e mercadores faziam seus negócios. Hoje as ruas não ficam mais cheias de barracas com temperos e tecidos finos, mas os mercados e lojas de alimentação são imperdíveis. Longe da ponte, as ruas ficam mais tranquilas e levam a minúsculas praças e belas igrejas.

Os mercados do Rialto existem há séculos e são famosos pela variedade de produtos. A Pescheria vende peixe e frutos do mar frescos.

A igreja de San Cassiano, do século 17, preserva um altar esculpido (1696) e uma *Crucificação* de Tintoretto (1568).

Sant'Aponal ostenta uma fachada decorada com relevos góticos gastos. A igreja foi fundada no século 11, mas agora está desconsagrada.

San Giovanni Elemosinario é uma igreja bastante discreta. Foi reconstruída no início do século 16, mas seu campanário data do fim do século 14. No interior, há interessantes afrescos de Pordenone.

LEGENDA

– – – Percurso sugerido

0 metros 75

PONTO ALTO

★ Ponte di Rialto

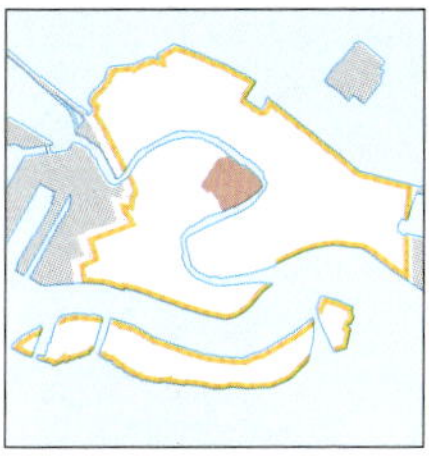

LOCALIZE-SE
Guia de Ruas de Veneza, 2, 3, 6 e 7

A movimentada Erberia vende frutas e verduras frescas

O mostrador do relógio de San Giacomo di Rialto (1410), pouco eficiente ao longo dos anos, adorna uma das igrejas mais antigas de Veneza.

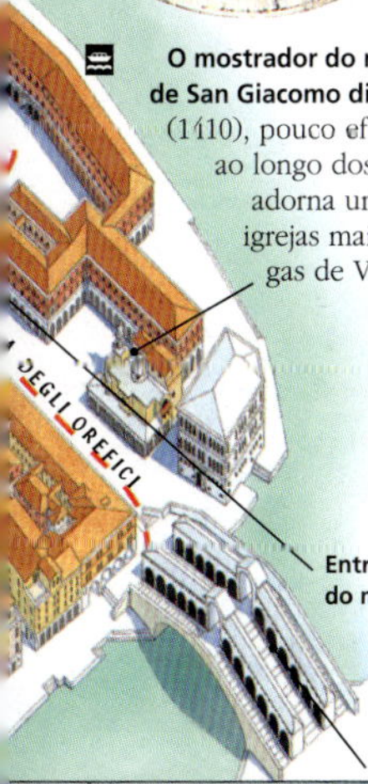

★ Ponte di Rialto
Um dos locais mais famosos de Veneza, a ponte oferece belas vistas do Canal Grande e marca o centro da cidade. ❺

Rialto ❺

Ponte di Rialto. **Mapa** 7 A1.
Rialto.

O nome vem de *rivo alto* (margem alta) e refere-se a uma das primeiras áreas habitadas de Veneza. Antigo bairro de bancos e depois de mercados, continua a ser um dos mais movimentados e agitados da cidade. Venezianos e turistas se acotovelam entre as bancas coloridas da Erberia (mercado de frutas e verduras) e da Pescheria (de peixe).

Pontes de pedra foram construídas em Veneza já no século 12. Mas apenas em 1588, após a queda, deterioração ou sabotagem das estruturas mais antigas, feitas de madeira, foi projetada uma sólida ponte de pedra para o Rialto. Concluída em 1591, a nova ponte era a única forma de cruzar o Canal Grande até 1854, quando foi feita a ponte da Accademia.

Poucos turistas deixam Veneza sem atravessar a famosa ponte. É um local maravilhoso para observar e fotografar a constante atividade dos barcos no Canal Grande.

San Giacomo dell'Orio ❻

Campo San Giacomo dell'Orio. **Mapa** 2 E5. ***Tel*** *041 275 04 62.* *Riva di Biasio ou San Stae.* *10h-17h seg-sáb.* *1° jan, 25 dez.*

Esta igreja é centro de um tranquilo bairro de Santa Croce. O nome "dell'Orio" deve ter surgido graças a um pé de louro *(alloro)* que existia perto da igreja. San Giacomo foi fundada no século 9°, reconstruída em 1225 e repetidamente reformada desde então. O resultado é uma mistura de estilos. O campanário, o piso térreo da basílica e as colunas bizantinas sobrevivem desde o século 13. O telhado em forma de quilha de navio e as colunas são góticas, e as absides, renascentistas. A sacristia exibe um belo teto pintado por Paolo Veronese, e algumas pinturas interessantes no altar.

San Polo ❼

Campo San Polo. **Mapa** 6 F1. ***Tel*** *041 275 04 62.* *San Silvestro.* *10h-17h seg-sáb.* *1° jan, 25 dez.*

Fundada no século 9°, reconstruída no século 15 e reformada em estilo neoclássico no início do século 19, a igreja de San Polo merece ser visitada. Destacam-se o belo portal gótico e o campanário do século 14 com dois leões românicos na base –um segurando uma serpente, e o outro uma cabeça humana.

No interior, siga as indicações para a *Via Crucis del Tiepolo* (1749). São 14 quadros pintados por Giandomenico Tiepolo, muitos incluindo cenas da vida veneziana. A igreja também possui pinturas de Veronese, Palma il Giovane (o Moço) e uma linda *Última Ceia*, de Tintoretto.

Leão românico na base do campanário do século 14 da San Polo

Santa Maria Gloriosa dei Frari ❽

Mais conhecida como Frari (uma derivação de *frati,* ou irmãos), esta ampla igreja gótica domina a área leste de San Polo. A primeira igreja do local foi construída por frades franciscanos entre 1250 e 1338, mas substituída por um edifício maior, concluído em meados do século 15. O amplo interior é notável por seu tamanho e qualidade de suas obras de arte, que incluem obras-primas de Ticiano e Giovanni Bellini, uma escultura de Donatello e vários túmulos grandiosos.

Monumento Foscari
O doge Foscari morreu em 1457, após um longo e difícil reinado de 34 anos.

★ Assunção da Virgem
Esta brilhante obra de Ticiano (1518) faz o olhar do visitante cruzar o coro dos monges e se fixar no altar.

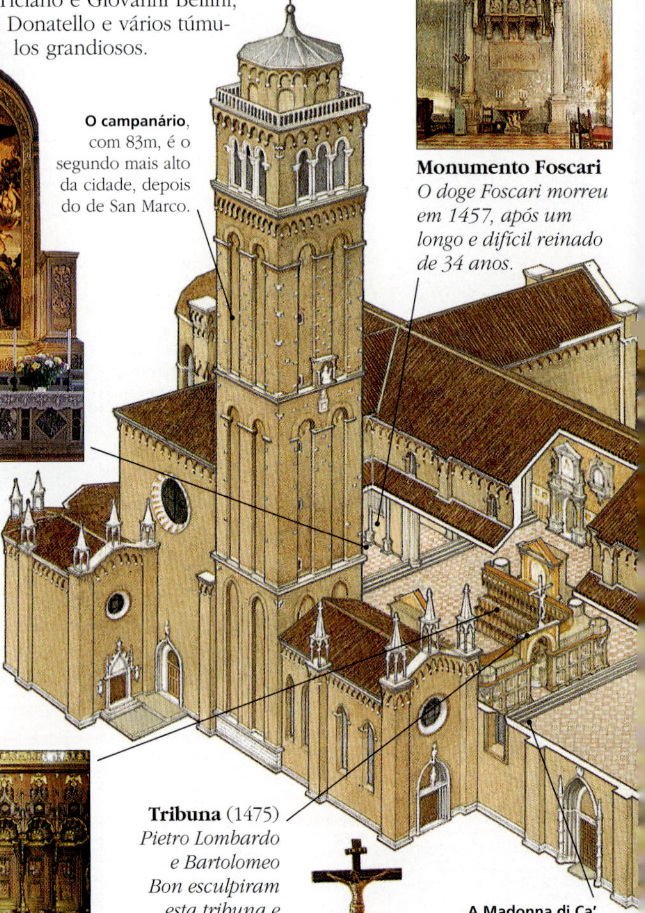

O campanário, com 83m, é o segundo mais alto da cidade, depois do de San Marco.

Tribuna (1475)
Pietro Lombardo e Bartolomeo Bon esculpiram esta tribuna e suas figuras decorativas de mármore.

A Madonna di Ca' Pesaro (1526) mostra como Ticiano dominava a luz e as cores.

★ Coro dos Monges
Consiste em três fileiras de cadeiras (1468), entalhadas com baixos-relevos de santos e cenas da vida em Veneza.

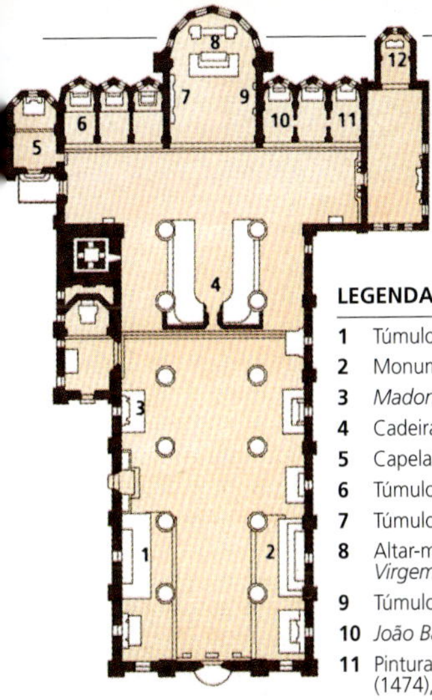

PLANTA

Em forma de cruz, o imponente interior da Frari, com 90m de comprimento, apresenta 12 atrações imperdíveis.

LEGENDA DA PLANTA

1 Túmulo de Canova
2 Monumento a Ticiano
3 *Madonna di Ca' Pesaro,* de Ticiano
4 Cadeiras do coro
5 Capela do canto
6 Túmulo de Monteverdi
7 Túmulo do doge Nicolò Tron
8 Altar-mor com a *Assunção da Virgem* (1518), de Ticiano
9 Túmulo do doge Francesco Foscari
10 *João Batista* (c.1450), de Donatello
11 Pintura de altar de B. Vivarini (1474), Capela Bernardo
12 *Madona e Menino com Santos* (1488), de Bellini

PREPARE-SE

Campo dei Frari. **Mapa** 6 D1.
Tel *041 275 04 62.*
San Tomà.
9h-18h seg-sáb, 13h-18h dom e feriados religiosos.
1° jan, 25 dez. exceto para missa frequente.

★ Madona e Menino
Uma das mais lindas pinturas renascentistas de Veneza, esta peça de altar da sacristia (1488), de Bellini, exibe cores sublimes.

O antigo monastério, que abriga os Arquivos de Estado, possui dois claustros, um no estilo de Sansovino, e o outro projetado por Palladio.

Entrada

Túmulo de Canova
Canova projetou, mas nunca construiu, uma pirâmide neoclássica de mármore como esta. Seria um monumento a Ticiano. Quando Canova morreu em 1822, seus alunos usaram projeto similar para seu túmulo.

PONTOS ALTOS

★ Coro dos Monges

★ Assunção da Virgem de Ticiano

★ Madona e Menino de Bellini

Scuola Grande di San Rocco ❾

Entrada principal da Scuola di San Rocco

Fundada em homenagem a San Rocco (são Roque), um santo que dedicou sua vida a ajudar os doentes, a *scuola* era uma irmandade de caridade. Sua construção foi iniciada em 1515 sob Bartolomeo Bon e continuada por Scarpagnino até sua morte em 1549. O trabalho foi financiado com doações de venezianos desejosos de invocar a proteção de são Roque, e a Scuola rapidamente tornou-se uma das mais ricas de Veneza. Em 1564, seus membros decidiram contratar Tintoretto para decorar as paredes e o teto. Suas pinturas mais antigas, as primeiras de mais de 50 obras que executou na Scuola, preenchem a pequena Sala dell'Albergo perto do saguão superior. Suas últimas pinturas ocupam o saguão do piso térreo, logo na entrada.

A magnífica *Crucificação* pintada por Tintoretto em 1565 para a Sala dell'Albergo, na Scuola di San Rocco

SAGUÃO DO TÉRREO

As pinturas do piso térreo foram executadas entre 1583 e 1587, quando Tintoretto já tinha mais de 60 anos de idade. No conjunto, são oito pinturas que ilustram a vida de Maria. A série começa com uma *Anunciação* e termina com uma *Assunção*.

As cenas de *Fuga para o Egito, Santa Maria Madalena* e *Santa Maria do Egito* são notáveis por sua serenidade. A última delas é uma lúcida representação da contemplação espiritual do eremita arrependido. Nas três pinturas, a paisagem é retratada com pinceladas rápidas e representam parte importante da composição.

Detalhe de *Fuga para o Egito* (1582-7), de Tintoretto

SAGUÃO SUPERIOR E SALA DELL'ALBERGO

A grande escadaria feita por Scarpagnino (1544-6), cujo lance superior é decorado com duas grandes pinturas sobre a peste de 1630, conduz ao saguão superior. Aqui temas bíblicos decoram o teto e as paredes, pintados por Tintoretto entre 1575 e 1581.

As pinturas do teto retratam cenas do Velho Testamento. As três grandes e dinâmicas pinturas quadradas do centro ilustram episódios do Livro do Exôdo: *Moisés Tira Água da Rocha*, O *Milagre da Serpente de Bronze e A Caída do Maná*. Todas são alusões aos objetivos caridosos da Scuola de aliviar a sede, a doença e a fome, respectivamente. As três pinturas são composições densas, com intenso movimento.

As grandes pinturas nas paredes do saguão apresentam episódios do Novo Testamento, ligadas às pinturas do teto. Duas das mais notáveis são *A Tentação de Cristo*, que mostra um belo e jovem satã oferecendo dois pães a Cristo, e *A Adoração dos Pastores*. Assim como *A Tentação* de Cristo, *A Adoração* é composta por duas partes. A inferior tem uma figura feminina, pastores e um boi, enquanto a superior mostra a Sagrada Família.

Os belos entalhes embaixo das pinturas foram acrescentados no século 17 pelo escultor Francesco Pianta. As figuras escolhidas são alegóricas e incluem, perto do altar, uma caricatura de Tintoretto com sua palheta e pincéis representando a Pintura. O quadro *Cristo Carregando a Cruz*, também no saguão superior,

Para hotéis e restaurantes nesta região, ver págs. 558-61 e págs. 606-9

Detalhe da *Tentação de Cristo* (1578-81), de Tintoretto

já foi atribuída a Giorgione, mas agora se acredita ser de Ticiano.

Perto da entrada da Sala dell'Albergo fica *A Anunciação* de Ticiano. A Sala dell'Albergo abriga a mais fascinante de suas obras-primas: *Crucificação* (1565). O escritor norte-americano

PREPARE-SE

Campo San Rocco.
Mapa 6 D1.
Tel *041 523 48 64.*
San Tomà. *9h30-17h30 diariam.* *1ºjan, Páscoa, 25 dez.*
www.scuolagrandesanrocco.it

Henry James comentou: "Nenhum quadro contém mais vida humana do que esta pintura; ela possui tudo, incluindo beleza". Tintoretto iniciou o ciclo de pinturas desta sala em 1564, quando recebeu a encomenda devido à sua pintura de teto *San Rocco em Glória*. Na parede em frente à *Crucificação*, estão episódios da Paixão de Cristo: *Cristo Diante de Pilatos, A Coroação com Espinhos* e *A Ascensão ao Calvário*.

LEGENDA DAS PINTURAS

SAGUÃO DO NÍVEL TÉRREO
1 A Anunciação; **2** A Adoração dos Reis Magos; **3** A Fuga para o Egito; **4** O Massacre dos Inocentes; **5** Santa Maria Madalena; **6** Santa Maria do Egito; **7** A Apresentação no Templo; **8** A Assunção.

PAREDES DO SAGUÃO SUPERIOR
9 São Roque; **10** São Sebastião; **11** A Adoração dos Pastores; **12** O Batismo de Cristo; **13** A Ressurreição; **14** A Agonia no Horto; **15** A Última Ceia; **16** A Visão de São Roque; **17** O Milagre dos Pães e Peixes; **18** A Ressurreição de Lázaro; **19** A Ascensão; **20** Cristo Cura o Paralítico; **21** A Tentação de Cristo.

TETO DO SAGUÃO SUPERIOR
22 Moisés Salvo das Águas; **23** A Coluna de Fogo; **24** Samuel e Saul; **25** A Escada de Jacó; **26** Elias em uma Carruagem de Fogo; **27** Elias Alimentado pelos Anjos; **28** Daniel Salvo pelos Anjos; **29** A Páscoa; **30** A Caída do Maná; **31** O Sacrifício de Isaac; **32** O Milagre da Serpente de Bronze; **33** Jonas Sai da Baleia; **34** Moisés Tira Água da Rocha; **35** Adão e Eva; **36** Três Crianças na Fornalha; **37** Deus Aparece para Moisés; **38** Sansão e a Queixada de Burro; **39** A Visão de Ezequiel; **40** A Visão de Jeremias; **41** Elias Distribui Pão; **42** Abraão e Melquisedeque

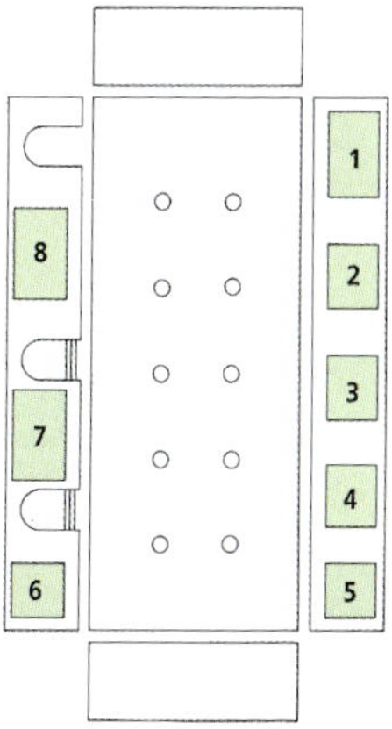

Saguão do nível térreo

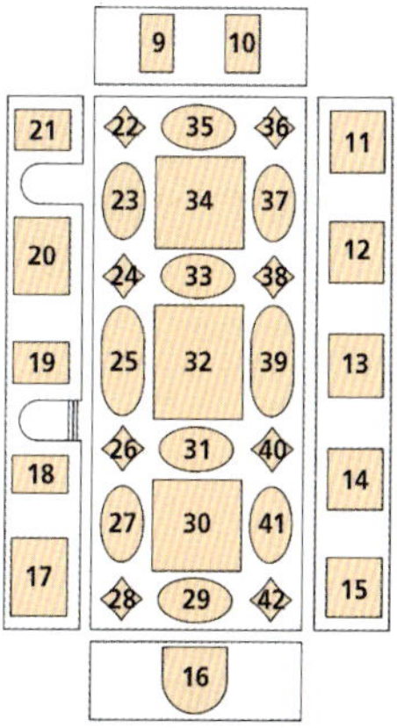

Saguão superior

San Rocco ⓾

Campo San Rocco. **Mapa** 6 D1. ***Tel*** *041 523 48 64.* *San Tomà.* *9h30-17h30 diariam.*

Dividindo a pequena praça com a famosa Scuola Grande di San Rocco, encontra-se a igreja de mesmo nome. Projetada por Bartolomeo Bon em 1489 e reconstruída em 1725, seu exterior mistura vários estilos arquitetônicos. A fachada, com conceito semelhante ao da Scuola, foi acrescentada entre 1765-71. No interior, o coro está decorado com pinturas de Tintoretto de cenas da vida de San Rocco.

San Pantalon ⓫

Campo San Pantalon. **Mapa** 6 D2. ***Tel*** *041 523 58 93.* *San Tomà, Piazzale Roma.* *seg-sáb.*

Pintura de teto épica (1680-1704) de Fumiani, San Pantalon

A característica mais marcante desta igreja do fim do século 17 é seu enorme teto pintado, escuro e assustador. Notável por seu ilusório efeito de altura, é composto por 40 cenas, e seus admiradores afirmam que é a maior, em tamanho, pintura sobre tela do mundo.

As cenas mostram o martírio e glorificação do médico são Pantaleão. O artista, Gian Antonio Fumiani, levou 24 anos (1680-1704) para completar a obra. Conta a lenda, inclusive, que ele teria morrido ao cair do andaime.

Rua a Rua: Dorsoduro

Santa Margherita

A região de Dorsoduro (que significa "coluna dura") desenvolveu-se sobre um terreno sólido e tem como centro o animado Campo Santa Margherita, o maior espaço aberto desta parte de Veneza. A praça é movimentada, principalmente de manhã, quando as barracas do mercado estão abertas, e, à noite, quando se transforma em refúgio dos estudantes da próxima Ca' Foscari, agora parte da universidade de Veneza. As ruas ao redor escondem alguns exemplos notáveis da arquitetura veneziana, especialmente a Ca' Rezzonico e a Scuola Grande dei Carmini, com decorações de Tiepolo. Os canais também merecem atenção. O rio San Barnaba é melhor apreciado da Ponte dei Pugni, perto da barcaça que vende frutas e verduras (por si só, uma atração). Ao longo do Canal Rio Terrà, há alguns agitados cafés e uma interessante loja que vende máscaras para o Carnaval.

Campo Santa Margherita: o local ideal para relaxar em um café.

O Palazzo Zenobio, construído no fim do século 17, é um colégio armênio desde 1850. Solicitando permissão, é possível visitar o salão de baile do século 18.

Scuola Grande dei Carmini possui, no teto do saguão do piso superior, nove painéis (1739-44) pintados por Tiepolo para a irmandade carmelita.

Santa Maria dei Carmini preserva um pórtico lateral gótico com relevos bizantinos.

LEGENDA

Percurso sugerido

0 metros 50

Fondamenta Gherardini corre ao lado do Rio San Barnaba, um dos canais mais bonitos na região.

Para hotéis e restaurantes nesta região, ver págs. 558-61 e págs. 606-9

★ **Ca' Rezzonico**
O salão de baile, com afrescos trompe l'oeil, *tem a largura do palácio* ⓬

LOCALIZE-SE
Guia de Ruas de Veneza, 5 e 6

Palazzo Giustinian foi a residência de Wagner em 1858.

Ca' Foscari foi concluída em 1437 pelo doge Francesco Foscari.

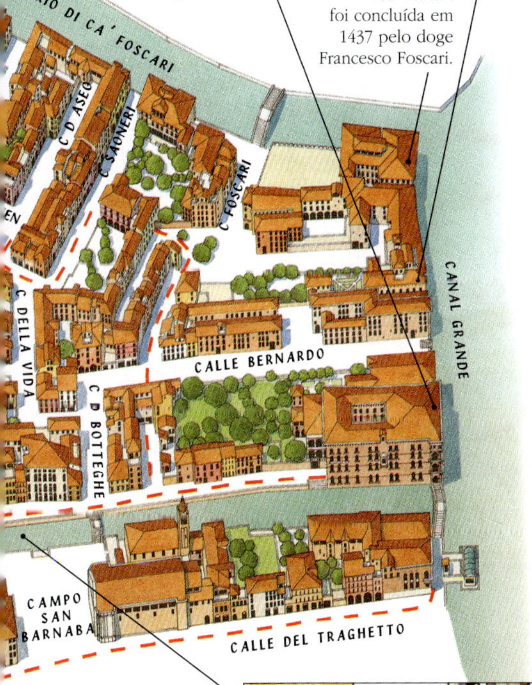

Ponte dei Pugni era tradicionalmente escolhida como local de briga entre grupos rivais, proibidas em 1705 por serem muito violentas.

San Barnaba é uma próspera comunidade, famosa por sua barraca flutuante de frutas e verduras frescas, que atrai venezianos e turistas.

PONTO ALTO

★ Ca' Rezzonico

O afresco *Novo Mundo* de Tiepolo, parte de uma série na Ca' Rezzonico

Ca' Rezzonico ⓬

Fondamenta Rezzonico 3136. **Mapa** 6 E3. ***Tel*** *041 241 01 00.* *Ca' Rezzonico.* *10h-18h qua-seg (nov-mar até 17h), últ adm: 1h antes de fechar).* *1º jan, 1º mai, 25 dez.*

Este *palazzo* abriga o museu da Veneza do século 18. Suas salas estão decoradas com afrescos, pinturas e objetos de época vindos de outros palácios e museus. Começou a ser construído por Longhena (arquiteto de La Salute, *pág. 105*) em 1667, mas os recursos da família Bon, que o encomendaram, acabaram antes do início da construção do segundo piso. Em 1712, o palácio inacabado foi comprado pela família Rezzonico de Gênova, cuja fortuna foi em grande parte gasta para concluir a obra.

Em 1888, a família Rezzonico o vendeu para o poeta Robert Browning e seu filho, Pen. Hoje o maior destaque do palácio é o salão de baile de Giorgio Massari, que ocupa toda a largura do edifício. Adornado com lustres dourados e móveis entalhados por Andrea Brustolon, tem teto com afrescos *trompe l'oeil*. Outras salas possuem afrescos de Giambattista Tiepolo, incluindo sua alegre *Alegoria Nupcial* (1758), e outro de seu filho, Giandomenico, originalmente exposto em sua *villa* em Zianigo. Há pinturas de Longhi, Guardi e de Canaletto –estas últimas muito raras em Veneza. No piso superior, há uma reconstrução de uma farmácia do século 18 e a Pinacoteca Martini.

Nave de San Nicolò dei Mendicoli, uma das mais antigas igrejas de Veneza

San Nicolò dei Mendicoli ⓭

Campo San Nicolò. **Mapa** 5 A3. ***Tel*** *041 275 03 82.* *San Basilio.* *10h-12h, 15h-17h seg-sáb.*

Contrastando com a área degradada que a cerca, esta igreja continua a ser uma das mais encantadoras e belas de Veneza. Fundada no século 7°, foi várias vezes reconstruída ao longo dos anos. O pequeno pórtico do lado norte é do século 15 e servia de abrigo para mendigos, ou *mendicanti*, de onde vem o nome da igreja.

Graças ao projeto Veneza em Perigo, na década de 1970, a igreja passou por um dos mais completos programas de restauração desde as enchentes de 1966. As inundações ficaram tão graves que o próprio padre frequentemente circulava perto da igreja em um barquinho de vime. O piso, que ficava 30cm abaixo do nível dos canais, foi reconstruído e elevado para evitar novos prejuízos com as cheias. Os telhados e paredes inferiores foram reconstruídos, e as pinturas e estátuas, restauradas.

A decoração do interior é maravilhosa, particularmente as estátuas douradas de madeira, do século 16, situadas na nave. Estas incluem a figura do próprio San Nicolò. No alto das paredes, há uma série de pinturas da vida de Cristo (c.1553) de Alvise dal Friso e de outros alunos de Veronese.

Do lado de fora, uma pequena coluna sustenta um leão de pedra, em uma versão mais modesta da Coluna de San Marco na Piazzetta.

San Sebastiano ⓮

Campo San Sebastiano. **Mapa** 5 C3. ***Tel*** *041 275 04 62.* *San Basilio.* *10h-17h seg-sáb.* *1° jan, 25 dez.*

Esta igreja possui um dos interiores mais homogêneos de Veneza. Seu esplendor foi criado por Veronese, que, de 1555 a 1560 e novamente na década de 1570, foi encarregado de decorar o teto da sacristia, o da nave, o friso, o extremo leste do coro, o altar-mor, as portas dos painéis do órgão e o coro.

As pinturas exibem cores radiantes e figuras suntuosas. As obras executadas no teto da sacristia retratam a *Coroação da Virgem* e os *Quatro Evangelistas*.

Entre as outras pinturas, destacam-se por sua beleza as três que contam a história de Ester, mulher de Xerxes I, rei da Pérsia, famosa por garantir a libertação do povo judeu.

O artista está sepultado na San Sebastiano. O túmulo de Veronese fica em frente à capela (que é belamente pavimentada), à esquerda do coro.

Accademia ⓯

Págs. 106-7.

Collezione Peggy Guggenheim ⓰

Palazzo Venier dei Leoni. **Mapa** 6 F4. ***Tel*** *041 240 54 11.* *Accademia.* *10h-18h qua-seg.* *25 dez.*

Projetado para ter quatro andares, o Palazzo Venier dei Leoni, do século 18, nunca foi além do piso térreo –de onde vem o seu apelido, *Il Palazzo Nonfinito* (o palácio inacaba-

O "palácio inacabado" que abriga a Colezzione Peggy Guggenheim

do). Em 1949, o edifício foi comprado para servir de residência para a milionária norte-americana Peggy Guggenheim (1898-1979), colecionadora, negociante e patrona das artes.

Perspicaz e alegre, Peggy cultivou a amizade e depois incentivou a carreira de muitos artistas inovadores abstratos e surrealistas. Um deles foi Max Ernst, que se tornou seu segundo marido. O acervo reúne 200 belas pinturas e esculturas, todas representativas dos mais importantes movimentos de arte moderna do século 20. A sala de jantar possui notáveis obras de arte cubistas, incluindo *O Poeta*, de Pablo Picasso. Uma de suas salas é dedicada a Jackson Pollock, "descoberto" por Guggenheim. Entre os outros artistas presentes, estão Braque, Chagall, de Chirico, Dalí, Duchamp, Léger, Kandinsky, Klee, Mondrian, Miró, Malevich, Rothko, Bacon e Magritte, cujo surreal *Império de Luz* (1953-4) mostra a cena noturna de uma casa escura em uma paisagem arborizada com um claro céu diurno. O acervo de esculturas, que inclui *Maiastra* (1912), de Constantin Brancusi, está exposto na casa e no jardim.

***Maiastra*, de Constantin Brancusi**

Talvez a peça mais provocativa seja *Angelo della Città* (Anjo da Cidadela, 1948), de Marino Marini, localizado no terraço de frente para o Canal Grande. Ela ilustra um homem montado a cavalo, ereto em todos os sentidos. Observadores envergonhados desviam o olhar para o Canal Grande.

O Guggenheim é um dos locais mais visitados de Veneza e o melhor lugar da cidade para apreciar a arte moderna. Salas claras e grandes telas são um contraste gritante com as pinturas renascentistas, que se destacam na maioria das igrejas e museus venezianos.

O jardim foi pavimentado e apresenta uma série de esculturas. As cinzas de Peggy Guggenheim também estão aqui, perto de onde foram enterrados seus cachorrinhos. Próximo do jardim, há uma loja e um restaurante em edifícios. Informações sobre exposições temporárias podem ser obtidas por telefone.

A igreja barroca de Santa Maria della Salute, na desembocadura do Canal Grande

Santa Maria della Salute ⓱

Campo della Salute. **Mapa** 7 A4.
Tel *041 274 39 28.* *Salute.*
9h-12h, 15h-17h30 diariam (a sacristia pode estar fechada nas manhãs de feriados religiosos).
sacristia.

Esta grande igreja barroca, na entrada do Canal Grande, é um dos mais imponentes marcos arquitetônicos de Veneza. O escritor norte-americano Henry James a comparou a "uma grande dama na entrada do salão de sua casa". Santa Maria Della Salute foi construída em agradecimento pela cidade ter sido salva da peste de 1630, de onde vem o nome *Salute*, que significa saúde e salvação. Todo mês de novembro, os fiéis acendem velas e vêm até aqui atravessando uma ponte de barcos formada na foz do Canal Grande para a ocasião.

Um espaço octogonal ocupa o centro da Santa Maria della Salute

Baldassare Longhena iniciou a construção da igreja em 1630, aos 32 anos, e trabalhou nela o resto da vida. A igreja só foi concluída em 1687, cinco anos após sua morte.

O interior é relativamente sóbrio, estendendo-se por grande espaço octogonal sob uma cúpula. Seis capelas saem do ambulatório. O grande coro com domo e o grandioso altar-mor dominam a visão do portão principal.

O grupo de esculturas do altar, de Giusto Le Corte, representam a *Virgem e o Menino* protegendo Veneza da peste. As melhores pinturas estão na sacristia à esquerda do altar: a antiga peça de altar *São Marcos Entronizado com São Cosme, São Damião, São Roque e São Sebastião* (1511-2) e as lindas pinturas do teto *Caim e Abel, O Sacrifício de Abraão e Isaac e Davi e Golias* (1540-9), todas elas obras de Ticiano. *As Bodas de Caná* (1551), na parede em frente à entrada, é uma importante obra de Jacopo Tintoretto.

Accademia ⓯

O acervo da Accademia oferece um quadro completo da escola veneziana: começa na era bizantina, passa pelo Renascimento e vai até o barroco e depois. A base inicial do acervo foi a Accademia di Belle Arti fundada em 1750 pelo pintor Giovanni Battista Piazzetta. Em 1807, Napoleão transferiu a coleção para este local e a enriqueceu com obras de arte retiradas de igrejas e monastérios. A Accademia está passando por uma grande restauração, o que pode resultar em mudanças na disposição das obras.

A Tempestade
Com esta paisagem enigmática (c.1507), Giorgione provavelmente pretendia retratar uma fantasia e não uma realidade.

LEGENDA DA PLANTA

- Bizantino e Gótico Internacional
- Renascimento
- Barroco, de Gênero, Paisagens
- Pintura cerimonial
- Exposições temporárias
- Espaço sem exposições

Pátio projetado por Palladio em 1561

A antiga igreja de Santa Maria della Carità

Festa na Casa de Levi (1573), de Paolo Veronese

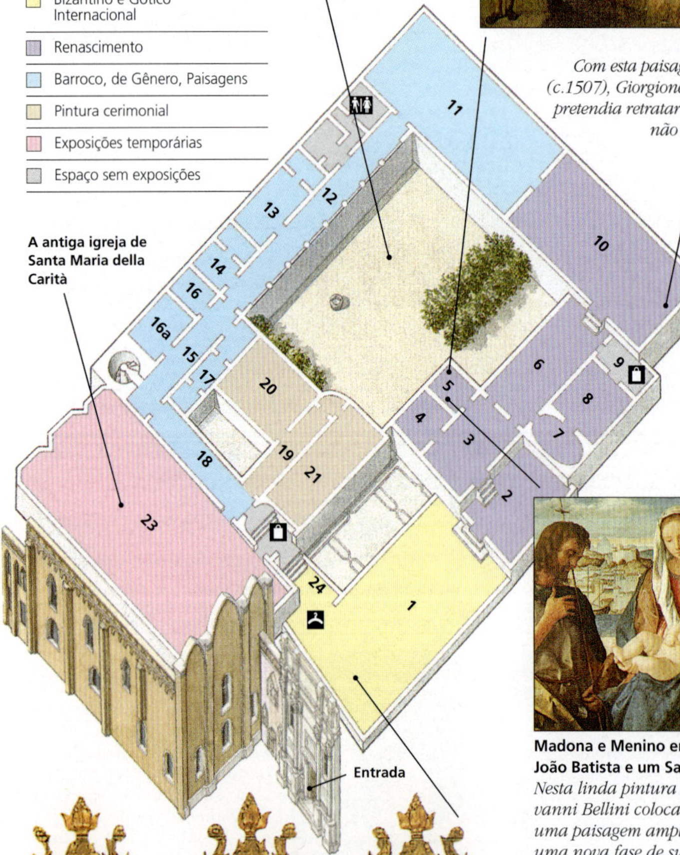

Entrada

Madona e Menino entre São João Batista e um Santo
Nesta linda pintura (c.1504), Giovanni Bellini coloca as figuras em uma paisagem ampla, marcando uma nova fase de sua obra.

Coroação da Virgem
Este políptico (1325) de Paolo Veneziano tem uma imagem central da Virgem cercada por uma série de cenas religiosas. Este detalhe mostra episódios da Vida de São Francisco.

Cura do Louco (c.1496) de Vittore Carpaccio

PREPARE-SE

Campo della Carità. **Mapa** 6 E3. ***Tel*** *041 522 22 47.* *Accademia.* *8h15-19h15 diariam, até 14h seg (última admissão 45min antes de fechar).* *1º jan, 1º mai, 25 dez.*
www.gallerieaccademia.org

BIZANTINO E GÓTICO INTERNACIONAL

A influência da arte bizantina sobre os antigos pintores venezianos pode ser observada na sala 1. Na *Coroação da Virgem*, de Paolo Veneziano (1325), as linhas são claramente góticas, mas o fundo e o painel central dourados são bizantinos típicos.

Em contraste, a *Coroação da Virgem* (1448), de Michele Giambono, revela um delicado naturalismo, típico do estilo gótico internacional.

RENASCIMENTO

O Renascimento chegou tarde à Veneza, mas no final do século 15 já transformara a cidade em um próspero centro de arte, competindo com Florença e Roma. O tema da *Sacra Conversazione*, com a Madona e vários santos retratados em composição harmoniosa, foi essencial à arte veneziana nesse século. A peça de altar de Giovanni Bellini para San Giobbe (c.1487) na sala 2 é um dos mais belos exemplos dessa proposta. Em contraste, a exuberância do final do Renascimento é exemplificada na monumental *Festa na Casa de Levi* (1573), de Paolo Veronese. A pintura ocupa uma parede inteira da sala 10. A enorme obra-prima de Tintoretto *Milagre de São Marcos Libertando um Escravo* (1548) também está aqui.

BARROCO, PINTURAS DE GÊNERO E PAISAGENS

Veneza não possuía pintores barrocos nativos, mas alguns poucos não venezianos mantiveram a escola viva na cidade durante o século 17. O mais notável foi o genovês Bernardo Strozzi (1581-1644). O artista era um grande admirador da obra de Veronese, como é possível notar em sua *Festa na Casa de Simon* (1629), na sala 11. A obra de Giambattista Tiepolo, o maior pintor veneziano do século 18, também está presente nesta sala.

Grande parte do longo corredor seguinte (12) e das salas anexas é dedicada a serenas paisagens e pinturas de gênero do século 18. Entre elas, há cenas bucólicas de Francesco Zuccarelli, obras de Marco Ricci, cenas da sociedade veneziana de Pietro Longhi e uma vista de Veneza de Canaletto (1763) –um belo exemplo de sua perspectiva.

PINTURA CERIMONIAL

As salas 20 e 21 voltam ao Renascimento, exibindo dois grandes ciclos de pintura do fim do século 16. Os detalhes destas grandes telas anedóticas fornecem uma ideia fascinante da vida e da aparência de Veneza na época.

A sala 20 abriga *As Histórias da Cruz*, de iminentes artistas venezianos. Na sala 21, as minuciosas *Cenas da Lenda de Santa Úrsula* (década de 1490), de Carpaccio, misturam realidade e imaginação ao relacionar episódios da vida da santa a cenários e costumes da Veneza do século 15.

Festa na Casa de Levi (1573), de Paolo Veronese

Rua a Rua: Piazza San Marco

O famoso leão

Em toda sua longa história, a Piazza San Marco testemunhou cortejos, procissões, encontros políticos e incontáveis carnavais. Recebe milhares de turistas todo ano, que vêm visitar duas das mais importantes atrações da cidade, a Basilica di San Marco e o Palazzo Ducale. Estes magníficos edifícios complementam outros pontos de interesse, como o Campanário, o Museo Correr, a Torre dell'Orologio e os jardins do Giardinetti Reali. Além disso, há concertos ao ar livre, muitas lojas simpáticas e elegantes cafés, especialmente o Quadri e o Florian's.

Torre dell'Orologio
A torre do relógio, com mecanismo escondido, vem do Renascimento. 20

Tradicionalmente, as **gôndolas** ficam ancoradas no Bacino Orseolo, assim nomeado em homenagem ao doge Pietro Orseolo.

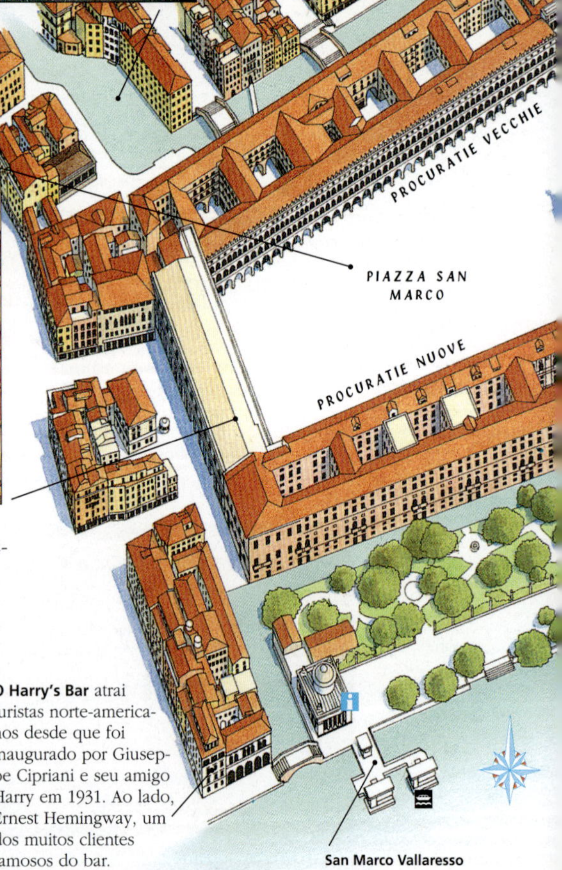

A Piazza foi descrita por Napoleão como a "mais elegante sala de estar da Europa".

Museo Correr
A Pietà (1455-60) de *Giovanni Bellini é uma das muitas obras-primas expostas nas galerias do Correr.* 22

O Harry's Bar atrai turistas norte-americanos desde que foi inaugurado por Giuseppe Cipriani e seu amigo Harry em 1931. Ao lado, Ernest Hemingway, um dos muitos clientes famosos do bar.

Para hotéis e restaurantes nesta região, ver págs. 558-61 e págs. 606-9

★ Basilica di San Marco
Neste mosaico do século 13 da fachada, o corpo do santo está sendo levado para a basílica. ⓲

Campanário
O atual campanário substituiu o que desmoronou em 1902. ㉑

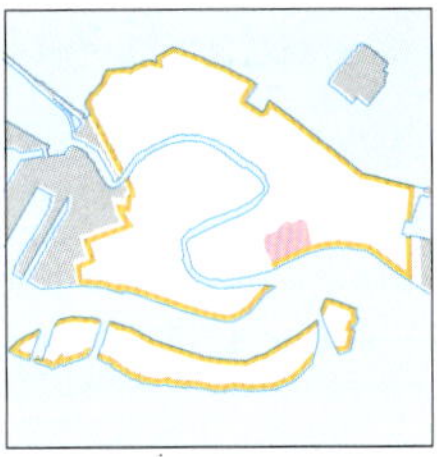

LOCALIZE-SE
Guia de Ruas de Veneza, 7

A Ponte dei Sospiri (1600) foi construída para unir o Palazzo Ducale e a prisão local. Conta-se que seu nome vem dos suspiros dos prisioneiros levados a julgamento.

Ponte della Paglia

★ Palazzo Ducale (ou Palácio dos Doges)
Outrora casa dos governantes e sede do governo, é um triunfo da arquitetura gótica. ⓳

A Libreria Sansoviniana (1588) possui linda abóbada na escadaria, decorada com afrescos e estuque dourado. Ela abriga a biblioteca de San Marco.

0 metros 75

San Marco Giardinetti

A Zecca, projetada por Sansovino e construída a partir de 1537, foi a casa da moeda até 1870. Ela deu nome ao *zecchino*, o ducado veneziano.

PONTOS ALTOS

★ Basilica di San Marco

★ Palazzo Ducale

Basilica di San Marco ⓲

A famosa basílica de Veneza mistura os estilos arquitetônicos e decorativos de Oriente e Ocidente para criar uma das mais grandiosas construções da Europa. O exterior deve seu esplendor quase oriental aos incontáveis tesouros adquiridos pela República em seus domínios estrangeiros. Entre eles, há muitas colunas, baixos-relevos, mármores de várias cores e as cópias dos belos cavalos de bronze, trazidos de Constantinopla em 1204 –os originais estão no interior. Mosaicos de distintas épocas adornam os cinco portões e o portal principal é emoldurado por belos entalhes românicos feitos entre 1240 e 1265.

São Marcos e Anjos
As estátuas que coroam o arco central foram adicionadas no início do século 15.

O Domo de Pentecostes mostra a vinda do Espírito Santo como uma pomba. Provavelmente, foi o primeiro domo decorado com mosaicos.

★ Cavalos de San Marco
Os cavalos são réplicas dos originais em bronze dourado, agora protegidos no museu da basílica.

Estes elegantes arcos lembram os do piso inferior, criando um padrão de repetição.

Entalhes românicos adornam os arcos do portal principal.

Entrada

PONTOS ALTOS

★ Mosaicos da Fachada

★ Cavalos de San Marco

★ Mosaicos da Fachada
Um mosaico do século 17 mostra como o corpo de são Marcos teria sido roubado de Alexandria, na frente de guardas muçulmanos –escondido entre carne de porco.

Para hotéis e restaurantes nesta região, ver págs. 558-61 e págs. 606-9

Baldacchino
As belas colunas de alabastro do dossel do altar, ou baldacchino, *são decoradas com cenas do Novo Testamento.*

O Domo da Ascensão possui um magnífico mosaico do século 13 com Cristo cercado pelos doze apóstolos, a Virgem Maria e os anjos.

O corpo de são Marcos teria sumido no incêndio de 976 e reaparecido quando a nova igreja foi consagrada em 1094. Seus restos estão no altar.

O piso de mosaico mostra lindas figuras de animais, como aves, algumas alegóricas.

Tesouro de San Marco

Os Tetrarcas
Acredita-se que este belo conjunto esculpido em mármore (século 4°, egípcio) represente Diocleciano, Maximiano, Valeriano e Constantino. Juntos, eram os Tetrarcas nomeados por Diocleciano para ajudá-lo a governar o Império Romano.

PREPARE-SE

Piazza San Marco. **Mapa** 7 B2. ***Tel*** *041 270 83 11.* *San Marco.* **Basílica, Museu e Tesouro** *9h45-17h seg-sáb, 14h-16h dom e feriados.* *visita à basílica restrita durante celebrações.* **Pala d'Oro** *9h45-17h diariam (até 16h out-mar).* *tesouro.* **www.**basilicasanmarco.it

A CONSTRUÇÃO DA BASÍLICA

Em forma de cruz grega e coroada com cinco enormes domos, esta San Marco é a terceira igreja erguida no local. A primeira, que guardava o corpo de são Marcos no século 9°, foi destruída por um incêndio. A segunda foi demolida em favor de uma igreja que refletisse o crescente poder de Veneza. O projeto atual foi inspirado na Igreja dos Apóstolos de Constantinopla e concluído –e decorado– ao longo de séculos. A partir de 1075, os navios que voltavam do exterior eram obrigados por lei a trazer um presente precioso para enfeitar "a casa de são Marcos". Os mosaicos do interior, que ocupam 4.240m^2, são, na maioria, dos séculos 12 e 13. Alguns foram substituídos mais tarde por obras de Ticiano e Tintoretto. Até 1807, San Marco era a capela particular do doge, usada para cerimônias oficiais. Depois, sucedeu San Pietro di Castello como catedral de Veneza.

Entalhe do século 13 de um coletor de uvas, no portal principal

Como Explorar a Basilica di San Marco

O magnífico interior da basílica guarda fascinantes mosaicos, que começam no nártex –o átrio– e culminam nos brilhantes painéis dos domos de Pentecostes e da Ascensão. A cúpula do Gênesis, no átrio, exibe uma incrível *Criação do Mundo*, descrita em círculos concêntricos. O piso também segue padrões com mosaicos em mármore e vidro. Do átrio, uma escadaria conduz ao Museo Marciano, onde estão os famosos cavalos de bronze dourado. Outros tesouros incluem: a Pala d'Oro, grande painel incrustado de joias, situado atrás do altar-mor; o ícone de Nicopeia; e preciosas peças de prata, ouro e cristal no Tesouro.

Madonna di Nicopeia
Este ícone bizantino, roubado em 1204, é muito reverenciado.

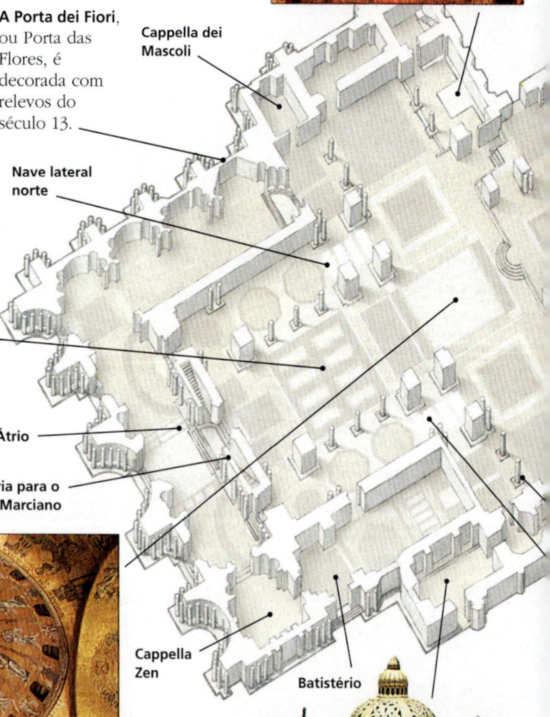

★ Domo de Pentecostes
Mostrando os apóstolos atingidos por línguas de fogo, este domo foi luxuosamente decorado no século 12.

★ Domo da Ascensão
Um mosaico de Cristo glorificado decora o enorme domo central. Esta obra-prima foi criada por artesãos venezianos do século 13, muito influenciados pela arte e arquitetura bizantinas.

★ Tesouro
O Tesouro da basílica reúne preciosos objetos da Itália e de Constantinopla, como esta arca de prata dourada do século 11.

★ Pala d'Oro
A peça de altar, criada no século 10° por ourives medievais, é formada por 250 painéis como este.

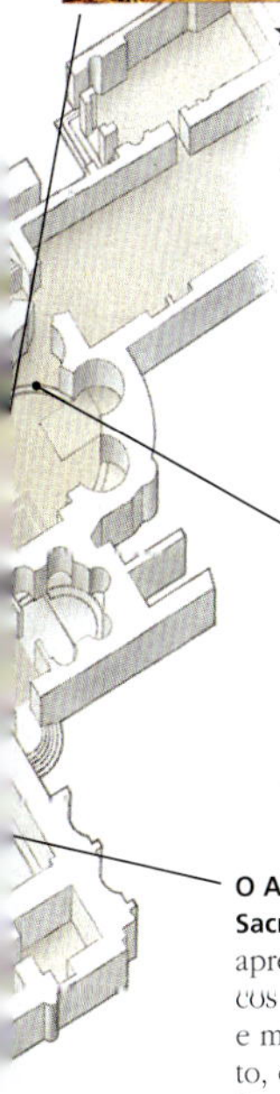

A porta da sacristia tem belos painéis de bronze de Sansovino, inclusive retratos seus com Ticiano e Aretino.

O Altar dos Sacramentos apresentam mosaicos com parábolas e milagres de Cristo, elaborados no fim do século 12 ou início do 13.

As colunas da fachada interna parecem ser vestígios da primeira basílica.

Nave lateral sul

PONTOS ALTOS

- ★ Tesouro
- ★ Domos de Ascensão e de Pentecostes
- ★ Pala d'Oro

MOSAICOS

Revestindo os domos, as paredes e o piso da basílica, há mais de 4 mil metros quadrados de reluzentes mosaicos dourados. Os mais antigos, do século 12, são obras de artistas do Oriente. Suas delicadas técnicas foram logo adotadas por artesãos venezianos. Pouco a pouco, estes assumiram a decoração da basílica, combinando inspiração bizantina com influências ocidentais. Durante o século 16, muitos esboços de Ticiano, Tintoretto, Veronese e outros artistas eminentes foram reproduzidos em mosaicos.

Entre os mais deslumbrantes mosaicos, destacam-se os que decoram o Domo da Ascensão, do século 13, no centro da basílica, e o Domo de Pentecostes, do século 12, acima da nave.

PALA D'ORO

Depois da Cappella di San Clemente, fica a entrada para o mais valioso bem de San Marco: a Pala d'Oro. Esta peça de altar coberta de joias fica atrás do altar-mor. São 250 pinturas esmaltadas sobre folhas de ouro com uma moldura gótica de prata dourada. Originalmente encomendada em Bizâncio em 976, a peça de altar foi sendo mais enfeitada ao longo dos séculos. Napoleão roubou algumas das pedras preciosas em 1797, mas a tela ainda brilha com pérolas, rubis, safiras e ametistas.

MUSEO MARCIANO

Aqui estão expostos os famosos cavalos dourados de bronze. Eles foram roubados do Hipódromo (antiga pista de corrida de cavalos) de Constantinopla (atual Istambul) em 1204, mas sua origem, romana ou helênica, continua a ser um mistério. Também podem ser vistos mosaicos, manuscritos medievais e tapeçarias antigas. Para chegar ao museu, siga a indicação Loggia dei Cavalli, na escadaria que sai do átrio e conduz ao piso superior. Os cavalos estão numa sala no final do museu. A galeria oferece uma linda vista.

BATISTÉRIO E CAPELAS

Obatistério (fechado ao público) foi acrescentado por ordem do doge Andrea Dandolo (1343-54), sepultado aqui, com Sansovino, que projetou a pia batismal. A anexa Cappella Zen (também fechada) tornou-se uma capela funerária em 1504 para o cardeal Zen, em troca de uma doação para o Estado. No transepto esquerdo, a Cappella dei Mascoli está adornada com cenas da vida da Virgem. A terceira capela abriga o ícone Madona de Nicopeia. Trazido em 1204, já esteve em um campo de batalha protegendo o exército bizantino.

***Noé e o Dilúvio*, mosaicos do século 13 no átrio da basílica**

Palazzo Ducale (ou Palácio dos Doges) ⑲

Marte, de Sansovino

O Palazzo Ducale, ou Palácio dos Doges, foi fundado no século 9º e era a residência oficial dos governantes de Veneza (os doges). Sua atual aparência externa é resultado de intervenções do século 14 e início do 15. Para criar sua eterna obra-prima gótica, os venezianos romperam com a tradição e ergueram o corpo principal do palácio – feito em mármore rosa de Verona– sobre um arabesco aparente de galerias e arcadas construídas com pedra branca da Ístria (na Croácia).

★ Escadaria dos Gigantes

Feita no século 15, é coroada pelas estátuas de Marte *e* Netuno, *de Sansovino, símbolos do poder de Veneza.*

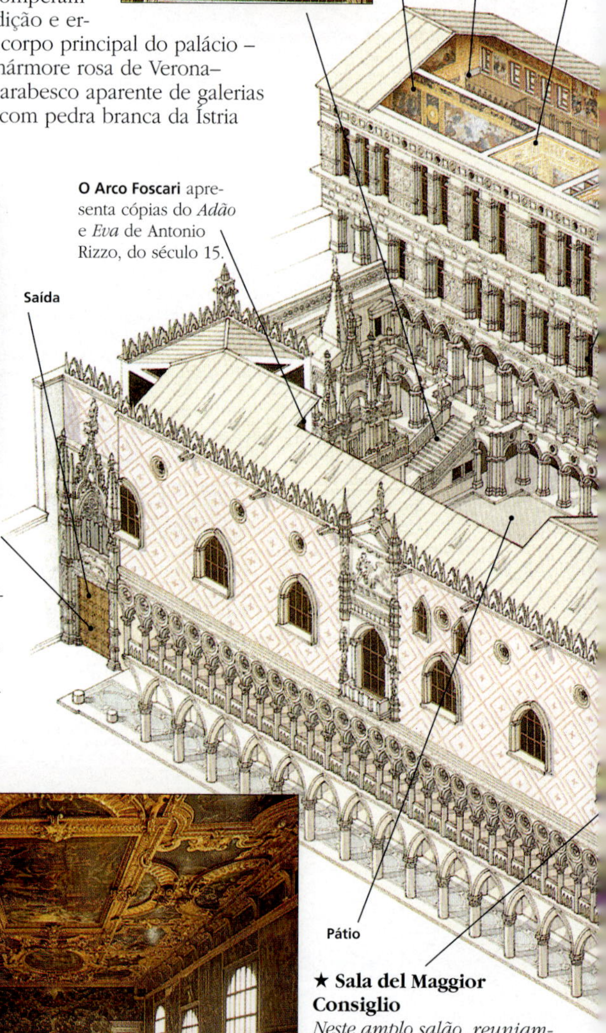

O Arco Foscari apresenta cópias do *Adão* e *Eva* de Antonio Rizzo, do século 15.

★ Porta della Carta

Este portão gótico do século 15 já foi a principal entrada do palácio. A partir dele, uma passagem abobadada conduz ao Arco Foscari e ao pátio interno.

★ Sala del Maggior Consiglio

Neste amplo salão, reuniam-se os membros do Grande Conselho de Veneza. O Paraíso *(1590), de Tintoretto, cobre a parede do fundo.*

Sala dello Scudo
As paredes desta sala, parte dos aposentos privativos do doge, são cobertas por mapas-múndi. No centro da sala, há dois globos gigantes do século 18.

PREPARE-SE

Piazzetta. **Mapa** 7 C2. ***Tel*** *041 271 59 11.* San Marco. 9h-19h diariam (nov-mar: 9h-17h diariam; última admissão: 1h antes de fechar). 1º jan, 25 dez. restrito. **www.**museicivicivenezianі.it

Câmara de Tortura
Aqui eram feitos os interrogatórios. Os suspeitos eram pendurados pelos pulsos com uma corda no centro da sala.

Embriaguez de Noé
Esta escultura do início do século 15, situada no canto do palácio, simboliza a fraqueza do homem.

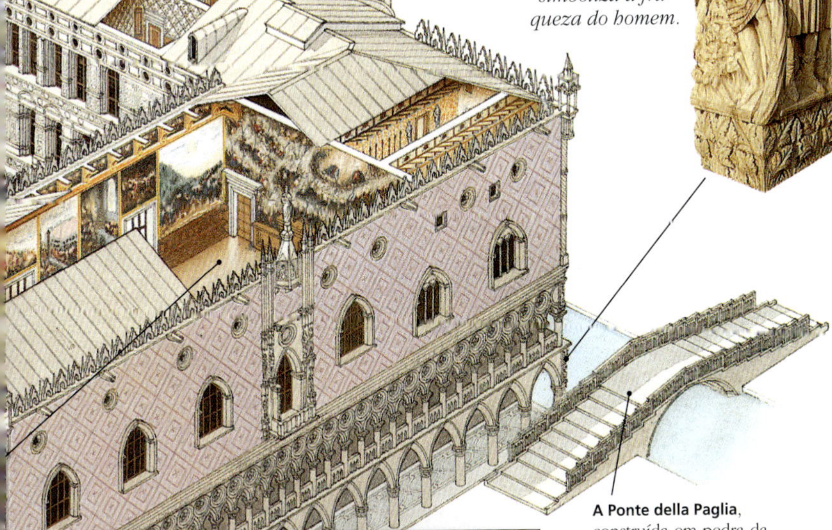

Sala delle Quattro Porte

Sala del Consiglio dei Dieci

Sala della Bussola

Ponte dos Suspiros

A Ponte della Paglia, construída em pedra da Ístria, exibe uma bela balaustrada de colunas com pinhas esculpidas.

Entrada principal

Galeria
Cada arco do piso térreo sustenta dois arcos da galeria, de onde se têm belas vistas da laguna.

PONTOS ALTOS

★ Sala del Maggior Consiglio

★ Porta della Carta

★ Escadaria dos Gigantes

Como Explorar o Palazzo Ducale

Ao visitar o palácio, os visitantes conhecerão uma série de câmaras e salas ricamente decoradas, distribuídas em três pisos, culminando na Ponte dos Suspiros e na prisão. Um prisioneiro famoso foi Casanova, que realizou uma fuga audaciosa do Palazzo por um buraco no teto.

***Paraíso*, de Jacopo e Domenico Tintoretto, uma das maiores pinturas do mundo, na Sala del Maggior Consiglio**

SCALA D'ORO E PÁTIO

Uma passagem pela Porta del Frumento conduz ao pátio do palácio. A bilheteria e a entrada do palácio ficam à esquerda. No topo da Escadaria dos Gigantes, de Antonio Rizzo, do século 15, o novo doge era coroado com a *zogia*, o barrete ducal. A Scala d'Oro ("Escada de Ouro"), de Jacopo Sansovino, conduz aos pisos superiores do palácio. Seu nome é proveniente da elaborada abóbada de estuque dourada, criada por Alessandro Vittoria (1554-8).

SALA DELLE QUATTRO PORTE PARA A SALA DEL SENATO

O segundo lance de escadas da Scala d'Oro leva à Sala delle Quattro Porte, com teto projetado por Palladio e afrescos de Tintoretto. As paredes da sala vizinha, o Anticollegio, são decoradas com cenas mitológicas de Tintoretto e o magistral *Rapto de Europa* (1580), de Veronese –situada em frente à janela, e uma das mais impressionantes pinturas do palácio. Na vizinha Sala del Collegio, o doge e seus conselheiros recebiam embaixadores e discutiam questões de Estado. No teto, há 11 magníficas pinturas de Veronese (c. 1577). Na sala seguinte, a Sala del Senato, o doge e cerca de 200 senadores discutiam as relações exteriores. As pinturas do teto e das paredes são de Tintoretto e seus discípulos.

***A bocca di leone* recebia as denúncias**

SALA DEL CONSIGLIO DEI DIECI PARA A ARMERIA

A Sala del Consiglio dei Dieci era o local onde se reunia o poderoso Conselho dos Dez, estabelecido em 1310 com o objetivo de garantir a segurança do Estado. Duas belas obras de Veronese adornam o teto: *Velhice e Juventude* e *Juno Oferecendo a Coroa Ducal a Veneza* (ambas de 1553-4). Na Sala della Bussola, os infratores aguardavam sua sentença perante o Conselho dos Dez. A *bocca di leone* (boca de leão) da sala era usada para fazer denúncias secretas. A porta de madeira conduz à Sala dos Inquisidores do Estado e, daqui, se chega à câmara de tortura e à prisão. O arsenal, um dos mais belos acervos do gênero da Europa, ocupa as salas seguintes.

***Dialética* (c.1577), de Veronese, na Sala del Collegio do Palazzo Ducale**

SALA DEL MAGGIOR CONSIGLIO

A Scala dei Censori conduz ao segundo piso, passando pela Sala del Guariento e pelas esculturas *Adão* e *Eva* de Antonio Rizzo (década de 1480), até a magnífica Sala del Maggior Consiglio. Nesta ampla câmara aconteciam as reuniões do Grande Conselho e os grandiosos banquetes de Estado. Em meados do século 16, o Grande Conselho possuía cerca de 2.000 membros. Qualquer nobre veneziano com mais de 25 anos tinha o direito de integrá-lo, a menos que fosse casado com uma plebeia.

A imensa *Paraíso* de Tintoretto (1587-90) ocupa a parede leste. Medindo 7,45m por 24,65m, é uma das maiores pinturas do mundo.

O roteiro segue até chegar à Ponte dos Suspiros, que leva o visitante às impressionantes prisões.

Para hotéis e restaurantes nesta região, ver págs. 558-61 e págs. 606-9

Torre dell'Orologio ⓴

Piazza San Marco. **Mapa** 7 B2. ***Tel*** *041 520 90 70.* *San Marco.* *10h-16h (ligar antes para agendar)*

Esta rebuscada torre do relógio foi construída no fim do século 15 e fica no lado norte da Piazza San Marco. Acredita-se que Mauro Coducci tenha trabalhado em seu projeto. O mostrador do relógio, esmaltado em dourado e azul, tem representações das fases da lua e dos signos do zodíaco, e foi projetado pensando em marinheiros. Diz a lenda que, quando o relógio foi concluído, os dois inventores do complexo mecanismo tiveram seus olhos arrancados para que não o copiassem.

No nível superior, está o leão alado de são Marcos sobre um fundo azul salpicado de estrelas. No topo, duas enormes figuras de bronze tocam o sino de hora em hora.

Relógio, Torre dell'Orologio

Campanário ㉑

Piazza San Marco. **Mapa** 7 B2. ***Tel*** *041 522 40 64.* *San Marco.* *nov-mar: 9h30-15h45 diariam (até 16h45 sáb-dom); abr-out: 9h-19h30 diariam.*

Do topo do campanário de San Marco, bem acima da *piazza*, podem ser apreciadas sublimes vistas da cidade, da laguna e, se a visibilidade permitir, dos picos dos Alpes. Foi aqui que Galileu fez uma demonstração de seu telescópio ao doge Leonardo Donà em 1609. Para fazê-lo, ele teria escalado a rampa interna. Hoje o acesso é bem menos cansativo –sobe-se de elevador. A primeira torre, concluída em 1173, foi construída para ser um farol e ajudar os navegadores da laguna. Assumiu um papel bem diferente na Idade Média, quando infratores eram aprisionados –e às vezes abandonados à morte– em uma gaiola pendurada perto de seu topo. Com exceção de várias reformas no século 16, a torre permaneceu inalterada até julho de 1902, quando ela desmoronou. As únicas perdas foram a Loggetta, na base da torre, e o gato do zelador. Chegaram muitas doações para sua reconstrução, e, no ano seguinte, colocou-se a pedra fundamental de um novo campanário *"dov' era e com'era"* ("onde era e como era"). A nova torre foi inaugurada em 25 de abril, dia da Festa de São Marcos, em 1912. Uma reforma para reforçar as fundações do Campanário está em curso e deve ser concluída em 2012.

Museo Correr ㉒

Procuratie Nuove. Entrada pela Ala Napoleonica. **Mapa** 7 B2. ***Tel*** *041 240 52 11.* *San Marco.* *abr-out: 9h-19h; nov-mar: 9h-17h (últ adm: 1 hora antes fechar).* *1º jan, 25 dez.* *(inclui adm. à Libreria Sansoviniana e ao Museo Archeologico).*

Teodoro Correr doou seu enorme acervo de obras de arte à Veneza em 1830, formando o núcleo do belo museu cívico da cidade. As primeiras salas formam um pano de fundo neoclássico para antigas esculturas de Antonio Canova (1757-1822). O resto do andar dedica-se à história da República de Veneza, com mapas, moedas, armaduras e objetos relacionados aos doges. No segundo piso há uma coleção de quadros, cujo acervo só é superado pelo da Accademia.

***Retrato de Jovem com Chapéu Vermelho*, de Carpaccio, Museo Correr**

As obras expostas cronologicamente, traçam a evolução da pintura veneziana e mostram a influência recebida de artistas de Ferrara, Pádua e Flandres.

De todo o acervo, as pinturas mais famosas são as de Carpaccio: *Retrato de um Jovem com Chapéu Vermelho* (c.1490) e *Duas Damas Venezianas* (c.1507). Por estar usando vestidos um pouco curtos, estas figuras ficaram conhecidas como *As Cortesãs*, provavelmente um grande equívoco.

O Museo del Risorgimento, no mesmo piso, evoca a história de Veneza até a unificação com a Itália em 1866.

O teto de Santo Stefano, construído em forma de quilha de navio

Santo Stefano ㉓

Campo Santo Stefano. **Mapa** 6 F2. ***Tel*** *041 275 04 62.* *Accademia ou Sant'Angelo.* *10h-17h seg-sáb.* *1º jan, 25 dez.*

Desconsagrada seis vezes devido ao sangue derramado em seu interior, Santo Stefano é hoje um local sereno e uma das mais belas igrejas de Veneza. Construída no século 14, e alterada no 15, preserva um portal entalhado de Bartolomeo Bon e um campanário de típico declive veneziano. Em seu interior destacam-se o esplêndido teto em forma de quilha de navio, vigas entalhadas e a sacristia repleta de valiosas pinturas.

Santi Giovanni e Paolo ㉔

Chamada pelos venezianos de San Zanipolo, esta igreja devotada aos santos João e Paulo disputa com a Frari *(págs. 98-9)* o status de mais importante igreja gótica da cidade. Construída pelos dominicanos no século 14, é notável por sua amplidão e austeridade arquitetônica. Conhecida como o Pantheon de Veneza, abriga monumentos dedicados a 25 doges. Entre eles, há belas obras de arte executadas pela família Lombardi e por outros escultores.

Nave da igreja
Em forma de cruz e abobadado, o interior apresenta vigas de madeira e colunas de pedra.

Esta estátua de bronze homenageia o doge Sebastiano Venier, Comandante da Esquadra em Lepanto.

★ Túmulo de Nicolò Marcello
Este magnífico monumento renascentista foi esculpido para o doge Nicolò Marcello (morto em 1474) por Pietro Lombardo.

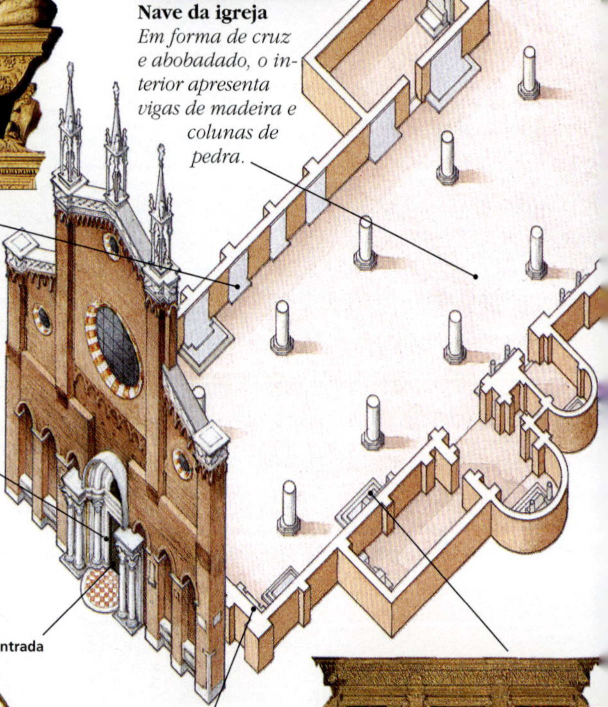

O portão, decorado com relevos bizantinos e entalhes de Bartolomeo Bon, é uma das mais antigas obras arquitetônicas renascentistas de Veneza.

★ Túmulo de Pietro Mocenigo
O soberbo túmulo deste doge lembra sua ações militares. A obra é de Pietro Lombardo, feita em 1481.

★ Políptico de Bellini
Esta pintura (c.1465) mostra são Vicente Ferrer, um sacerdote espanhol, ao lado de são Sebastião e são Cristóvão.

PREPARE-SE

Campo Santi Giovanni e Paolo (também sinalizada como San Zanipolo). **Mapa** 3 C5. ***Tel*** *041 523 59 13.* *Fondamente Nuove, Ospedale Civile.* *9h-18h diariam (desde 13h dom e feriados religiosos).* *manhã dom (para missa).*

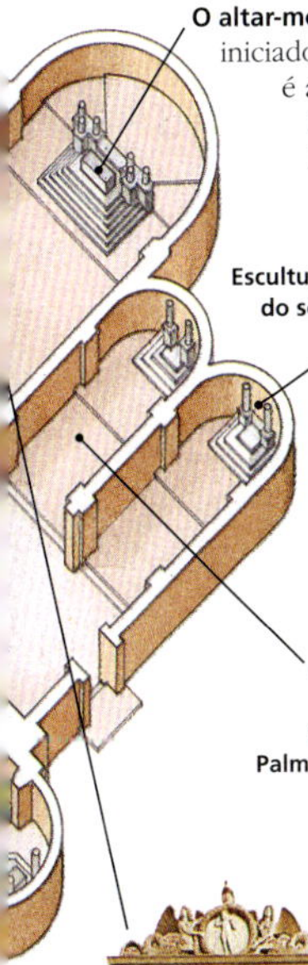

O altar-mor barroco, iniciado em 1619, é atribuído a Baldassare Longhena.

Esculturas de altar, do século 16, de Vittoria

Afrescos do século 16 atribuídos a Palma il Giovane

★ Túmulo de Andrea Vendramin

A obra-prima de Lombardo (1476-8) tem a forma de um arco triunfal romano.

PONTOS ALTOS

★ Túmulos dos Doges

★ Políptico de Bellini

Estátua de Colleoni (25)

Campo Santi Giovanni e Paolo. **Mapa** 3 C5. *Ospedale Civile.*

Bartolomeo Colleoni, o famoso *condottiere* (comandante de mercenários), deixou sua fortuna para a República sob a condição de que sua estátua fosse colocada em frente à Basilica di San Marco. Colocar uma primeira estátua neste local seria criar um precedente para futuros homenageados. O Senado, então, decidiu pôr a figura de Colleoni em frente à Scuola di San Marco. Um destaque da escultura do início do Renascimento, a estátua equestre do orgulhoso guerreiro (1481-8) foi elaborada pelo florentino Andrea Verrocchio, mas moldada em bronze, após sua morte, por Alessandro Leopardi. A obra transmite forte sensação de poder e movimento, o que a iguala às obras de Donatello.

Santa Maria Formosa (26)

Campo Santa Maria Formosa. **Mapa** 7 C1. ***Tel*** *041 275 04 62.* *Rialto.* *10h-17h seg-sáb.* *1º jan. 25 dez.*

Projetada por Mauro Coducci em 1492, esta igreja é incomum por ter duas fachadas principais, uma voltada para o campo e a outra para o canal. O campanário, acrescentado em 1688, chama a atenção pela face grotesca em sua base. No seu interior, destacam-se duas pinturas: um tríptico (1473), de Bartolomeo Vivarini, e *Santa Bárbara* (c.1510), de Palma il Vecchio.

Santa Bárbara **(c.1510), de Palma il Vecchio, em Santa Maria Formosa**

San Zaccaria (27)

Campo San Zaccaria. **Mapa** 8 D2. ***Tel*** *041 522 12 57.* *San Zaccaria.* *10h-12h, 16h-18h seg-sáb, 16h-18h dom, feriados.* *capela e cripta.*

Localizada em uma calma praça bem perto da Riva degli Schiavoni, a igreja de San Zaccaria é uma bem-sucedida mistura dos estilos gótico *flamboyant* e renascentista clássico. Fundada no século 9º, teve sua fachada reconstruída mais tarde por Antonio Gambello em estilo gótico. Quando Gambello morreu em 1481, Mauro Coducci completou a parte superior, acrescentando muitos de seus painéis renascentistas.

Entre as obras do seu interior, destaca-se a serena e suntuosamente colorida *Madona e Menino com Quatro Santos* (1505), de Giovanni Bellini, na nave lateral norte.

Uma porta na nave direita conduz à Capela de Sao Atanásio, que, por sua vez, leva à capela de San Tarasio. Esta possui afrescos na abóboda (1442) do florentino Andrea del Castagno e polípticos (1443-4) de Antonio Vivarini e Giovanni d'Alemagna.

Painel renascentista de Coducci, na fachada de San Zaccaria

Scuola di San Giorgio degli Schiavoni ㉘

Fondamenta Furlani. **Mapa** 8 E1. ***Tel*** *041 522 88 28.* *San Zaccaria.* *9h15-18h seg; 9h15-13h, 14h45-18h ter-dom.* *1º jan, 1º mai, 25 dez e feriados.*

No interior desta pequena joia, estão algumas das mais belas pinturas de Vittore Carpaccio. Elas foram encomendadas pelos Schiavoni, a comunidade eslavo-dalmatense de Veneza.

A Scuola foi fundada em 1451 e reconstruída em 1551. E quase não mudou desde então. O primoroso friso, executado entre 1502 e 1508, mostra cenas das vidas dos santos padroeiros: são Jorge, são Trifônio e são Jerônimo. Cada episódio retratado é notável por seu colorido vivo, os detalhes minuciosos e o registro histórico da vida veneziana. Entre eles, destacam-se *São Jorge Matando o Dragão, São Jerônimo Conduzindo o Leão Domado ao Mosteiro* e *A Visão de São Jerônimo.*

San Giovanni in Bragora ㉙

Campo Bandiera e Moro. **Mapa** 8 E2. ***Tel*** *041 520 59 06.* *Arsenale.* *9h-12hseg-sáb.*

A igreja atual é ssencialmente gótica (1475-9), apesar de as importantes obras de arte de seu interior mostrarem a transição do estilo gótico até o início do Renascimento. A peça de altar *Madona e Menino com Santos* (1478), de Bartolomeo Vivarini, é inconfundivelmente gótica. Em contraste, há o grande *Batismo de Cristo* (1492-5), de Cima da Conegliano, que adorna o altar-mor.

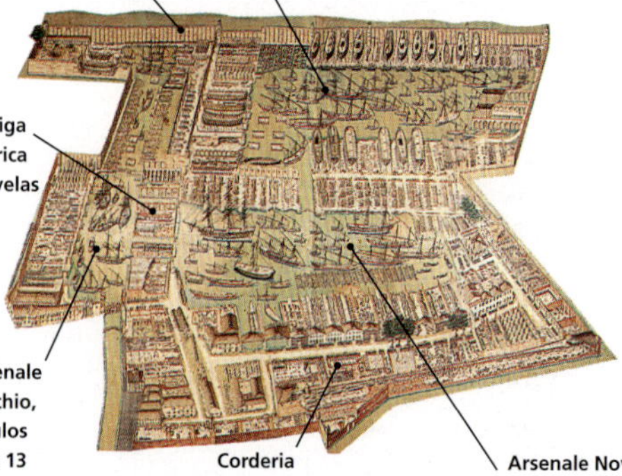

Gravura do século 18, Arsenale

Arsenale ㉚

Mapa 8 F1. *Arsenale.* **Museo Storico Navale** Campo San Biagio. **Mapa** 8 F3. ***Tel*** *041 520 02 76.* *8h45-13h30 seg-sex, 8h45-13h sáb.* *feriados.*

O Arsenale foi fundado no século 12 e quatro séculos depois era o maior estaleiro do mundo, capaz de fazer uma galera completa em 24 horas, usando sistema semelhante ao da linha de montagem.

Cercado por muralhas, era uma cidade dentro de outra. Hoje tem grande parte das instalações em desuso. Seu imponente portão, as torres duplas e os leões de guarda – tudo do século 15– podem ser vistos do campo ou da ponte, do lado de fora. O portão foi feito por Gambello e é citado como a primeira construção renascentista de Veneza.

Virando a esquina, no Campo San Biagio, encontra-se o **Museo Storico Navale.** O museu conta a história naval veneziana do auge do Arsenale até os dias de hoje. Entre as exposições há frisos de galeões famosos e a réplica do *Bucintoro*, a barca cerimonial do doge.

San Giorgio Maggiore ㉛

Mapa 8 D4. ***Tel*** *041 522 78 27.* *San Giorgio.* *9h30-12h30, 14h30-18h (até 17h no inverno).* *(Campanário)* **Fondazione Cini** ***Tel*** *041 271 02 29.* *seg-sex com hora marcada; 10h-16h sáb e dom (até 17h mai-set).*

Como um palco montado na água, defronte à Piazzetta, fica a ilhota de San Giorgio Maggiore. A igreja e o monas-

São Jorge Matando o Dragão **(1502-8), de Carpaccio, Scuola di San Giorgio degli Schiavoni**

Para hotéis e restaurantes nesta região, ver págs. 558-61 e págs. 606-9

tério, construídos entre 1559-80, estão entre as mais grandiosas obras arquitetônicas de Andrea Palladio. A fachada da igreja e seu interior amplo e sereno, de proporções perfeitas e beleza simples, são tipicamente paladianos *(págs. 80-1)*. Tais qualidades também fazem parte da igreja de Il Redentore, construída por Palladio, entre 1577-92, na ilha vizinha de Giudecca.

Nas paredes do coro de San Giorgio Maggiore, há duas pinturas de Tintoretto: *A Última Ceia e Colheita do Maná* (ambas de 1594). Na Capela dos Mortos, está sua última obra, *A Descida da Cruz* (1592-4), concluída pelo filho Domenico.

O topo do campanário oferece lindas vistas da cidade e da laguna. Embaixo, podem-se ver os claustros do monastério, hoje parte da **Fondazione Cini**, um centro cultural usado para exposições.

O exterior com colunatas da Basilica dei Santi Maria e Donato, em Murano

San Giorgio Maggiore, de Palladio

Murano ㉜

LN, 41 e 42 de Fondamente Nuove; DM da Ferrovia e da Piazzale Roma.

Murano é formada por um conjunto de ilhotas, ligadas por pontes. É o centro da indústria de vidraria desde 1291, quando as fornalhas e os artesãos foram transferidos da cidade para cá por causa do risco de incêndio e dos efeitos desagradáveis da fumaça. Algumas das casas construídas sobre a água datam desta época.

Museo Vetrario

Palazzo Giustinian, Fondamenta Giustinian. **Tel** 041 73 95 86. *10h-18h (nov-mar: até 17h) qui-ter.* *1º jan, 1º mai e 25 dez.*

Nos séculos 15 e 16, Murano era o principal centro produtor de vidro da Europa, e hoje a maioria dos turistas vem até aqui apenas por causa dos vidros. O Museo Vetrario no Palazzo Giustinian abriga um belo acervo de objetos antigos. O mais valioso é a taça de casamento Barovier (1470-80), cor azul-escura e com trabalho esmaltado de Angelo Barovier.

Copo de vidro veneziano

Basilica dei Santi Maria e Donato

Fondamenta Giustinian. **Tel** 041 73 90 56. *8h30-18h diariam.*

Destaque arquitetônico de Murano, apresentando uma bela abside com colunatas. Apesar de algumas desastradas restaurações no século 19, esta igreja do século 12 ainda conserva muito de sua beleza original. Observe o teto gótico em forma de quilha de navio, a abside com seu mosaico de *Madona* e o lindo piso em mosaico medieval, datado de 1140.

Burano ㉝

LN da Fondamente Nuove; LN de San Zaccaria via Lido e Punta Sabbioni.

Burano é a mais colorida ilha da laguna e pode ser reconhecida de longe pelas torres inclinadas de sua igreja. Em contraste com a sombria Torcello, a ilha é densamente povoada, e seus canais são margeados por casas coloridas.

A principal rua é a Via Baldassare Galuppi, batizada em homenagem ao compositor nascido em Burano. Aqui se encontram barracas vendendo rendas e tecidos tradicionais e restaurantes tipo *trattoria* ao ar livre, que servem peixe fresco.

Museo del Merletto

Piazza Baldassare Galuppi. **Tel** 041 73 00 34. *abr-out: 10h-17h qua-seg; nov-mar: 10h-16h.* *1º jan, 1º mai, 25 dez*

Burano é habitada tradicionalmente por pescadores e rendeiras. Pescadores ainda podem ser vistos limpando seus barcos ou consertando redes, mas as rendeiras já são raras. No século 16, a renda local era a mais procurada da Europa. Era tão delicada que ficou conhecida como *punto in aria* (pontos no ar). Após um colapso no século 18, a indústria reviveu e uma escola de renda foi criada em 1872. Hoje é difícil encontrar a autêntica renda de Burano, mas pode-se ver como é feita na escola, que agora é um museu que exibe belos exemplares de rendado antigo.

Casas pintadas com cores vivas em uma rua de Burano

Torcello 34

Estabelecida entre os séculos 5º e 6º, a ilha de Torcello possui a construção mais antiga da laguna, a catedral de Santa Maria dell'Assunta. Fundada em 639, ela preserva esplêndidos mosaicos antigos. A vizinha igreja de Santa Fosca, com estilo bizantino puro, é outra indicação da antiga glória de Torcello. Antes de ser ofuscada por Veneza, a ilha chegou a ter 20 mil habitantes.

★ Mosaico da Abside
A Madona sobre o fundo de ouro, do século 13, é um dos mais belos mosaicos de Veneza.

★ Mosaico do Juízo Final
Este mosaico do século 12 é ricamente decorado e cobre todo o muro oeste da igreja.

Púlpito
A atual basílica data de 1008, mas inclui obras mais antigas. Há partes do púlpito, por exemplo, do século 7º.

O sarcófago romano abaixo do altar parece conter os restos mortais de são Heliodoro.

★ Iconostasis
Pavões, leões e flores foram esculpidos nos primorosos painéis bizantinos de mármore, vistos na tribuna.

Colunas da Nave
Duas fileiras de finas colunas de mármore, 18 no total, separam as três naves. Seus capitéis belamente esculpidos datam do século 11.

Últimos Canais de Torcello
A obstrução de vários canais e a malária precipitaram o declínio de Torcello. Um dos canais remanescentes vai do ponto de embarque do vaporetto *à basílica.*

PREPARE-SE

LN de Fondamente Nuove depois T de Burano. **Santa Maria & Campanile.** ***Tel*** *041 296 06 30.* *10h30-18h diariam (nov-fev: 10h-17h diariam). O campanário fecha 30 minutos antes* *só catedral.* *só campanário.* **Santa Fosca** *só para missas.* **Museo dell' Estuario** ***Tel*** *041 73 07 61.* *mar-out: 10h30-17h30 ter-dom; nov-fev: 10h-17h ter-dom.* *feriados.*

Santa Fosca
Construída nos séculos 11 e 12 na forma de cruz grega, esta igreja possui um interior bizantino sereno e uma abside central pentagonal.

O altar foi reconstruído em 1939. Acima dele há um relevo em madeira, do século 15, retratando *Santa Fosca Dormindo.*

O domo central e as seções transversais são sustentados por colunas de mármore grego com capitéis coríntios.

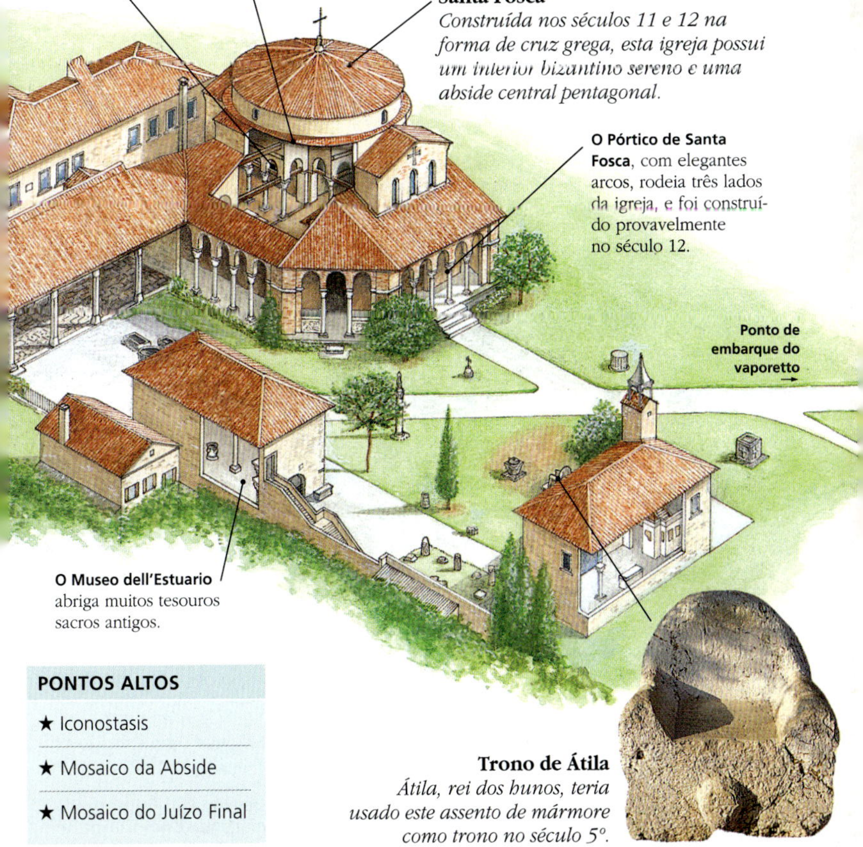

O Pórtico de Santa Fosca, com elegantes arcos, rodeia três lados da igreja, e foi construído provavelmente no século 12.

O Museo dell'Estuario abriga muitos tesouros sacros antigos.

Trono de Átila
Átila, rei dos hunos, teria usado este assento de mármore como trono no século 5°.

PONTOS ALTOS

- ★ Iconostasis
- ★ Mosaico da Abside
- ★ Mosaico do Juízo Final

Compras em Veneza

As belas vitrines que se alinham pelas ruas estreitas de Veneza são uma atração irresistível para qualquer turista. Há uma profusão de lojas ultramodernas de designers de moda, mas a cidade mantém sua forte tradição artesanal. Exímios artesãos em oficinas minúsculas abertas ao público criam objetos altamente originais de vidro, madeira, couro e papel-machê. Mãos hábeis transformam bastões de vidro coloridos em curiosas miniaturas de animais e flores delicadas, ao passo que moldes de gesso modelam máscaras ornamentais. Há numerosos estabelecimentos de design de interiores com elegantes utensílios de cozinha e tecidos para revestimento. Belas butiques que oferecem móveis antigos e acessórios se concentram no centro da cidade.

ONDE COMPRAR

A cintilante Mercerie, que sai da Piazza San Marco e vai até Rialto, é a principal rua de compras de Veneza desde a Idade Média e, assim como a avenida Calle Larga XXII Marzo que é polo de moda, continua atraindo multidões. Em ziguezague, a Frezzeria é repleta de lojas incomuns. Do outro lado do Grande Canal, as ruas estreitas a sudoeste de Rialto, em direção ao Campo San Polo, têm muitas lojas mais baratas. A agitada Lista di Spagna, perto da estação, e a Strada Nova em direção a Rialto suprem as necessidades cotidianas dos locais.

As ilhas de Murano e Burano são o destino para compras de vidro e renda tradicionais.

ALIMENTOS E MERCADOS

Uma das atrações de Veneza é explorar os mercados e lojas de alimentos da cidade. Barracas de frutas e legumes se espalham a oeste da ponte de Rialto e ao longo do Grande Canal. A Pescheria, ou mercado de peixes, ocupa a parte mais distante. Vinho, azeite de oliva, vinagre e grappa em garrafas decorativas, assim como massas secas em diversos formatos, cores e sabores são ótimas compras.

A loja de queijos **Aliani** oferece ótima seleção de produtos para piquenique, enquanto a **Drogheria Mascari** tem uma fina variedade de frutas secas, café e bebidas alcoólicas. A **Rizzo**, do outro lado da ponte, produz massas excelentes.

VIDRO

A ilha de Murano é ideal para observar especialistas soprando vidro. No entanto, para criações contemporâneas em vidro volte para Veneza, nas cercanias da San Marco, onde o showroom da **Venini** exibe travessas estupendas e vasos enormes, e a **L'Isola** tem copos coloridos assinados por Carlo Moretti.

A arte de produzir contas continua viva graças às irmãs **Marina** e **Susanna Sent** que criam colares irresistíveis. Na **Antichità**, você encontra contas antigas do mundo inteiro e pode criar seus próprios colares.

MODA E ACESSÓRIOS

A **Promod**, perto da San Marco, tem moda jovem a preços razoáveis. Nas redondezas fica a megastore da **Benetton**, com suas características roupas coloridas e, do lado oposto, a **Max Mara** tem lindas roupas femininas. Outros nomes de ponta do mundo da moda –**Armani**, **Roberto Cavalli**, **Missoni** e **Gucci**– também têm lojas sofisticadas ao redor da Piazza San Marco.

Próxima a San Lio, a sapataria **Giovanna Zanella** exibe inusitados sapatos e sandálias, e até adornos para gôndolas.

MÁSCARAS E FANTASIAS

Máscaras de Carnaval produzidas em larga escala são encontradas por toda a cidade, mas um exemplar genuíno é um grande suvenir. Com seus desenhos surpreendentes, o **Laboratorio Artigiano Maschere** revive a arte de produzir máscaras tradicionais. Perto do Campo San Polo, a **Tragicomica** vende máscaras e fantasias, inclusive de personagens da Commedia dell'Arte. Isto você também encontra na **Leon d'Oro**, que produz marionetes. No fim da Calle Larga XXII Marzo fica a **La Ricerca**, que possui as belas máscaras de couro dos irmãos De Marchi. Dorsoduro também tem várias oficinas de renome: a **Mondonovo** tem uma incrível seleção de máscaras e algumas até apareceram no filme *De Olhos Bem Fechados*, de Stanley Kubrick.

JOIAS

A **Nardi**, nas arcadas da Piazza San Marco, produz um lindo broche com a cabeça de um mouro, entre outras peças. A curta distância fica a reluzente loja da **Bulgari**, ao passo que a **Cartier**, com sua bela coleção de relógios, fica próxima, na Mercerie. Lojas na ponte de Rialto vendem peças mais baratas, a exemplo de pulseiras e correntes cujo preço é determinado pelo peso do ouro. Sob as arcadas do antigo bairro de ourives do outro lado da ponte, encontra-se **Attombri**, dois irmãos que criam joias incomuns a partir de contas de vidro *Murano* antigas.

TECIDOS E DESIGN DE INTERIORES

Veneza é famosa por suntuosas sedas, veludos e brocados, muitos dos quais ainda são vendidos na **Trois**, perto do hotel Gritti Palace. No Grande Canal, em Sant'Angelo, a **Rubelli** é o paraíso dos tecidos, com ampla variedade de padronagens e tecidos para revestimento. Mais simples, porém de qualidade, são as roupas de cama e mesa e os acessórios de banho da **TSL**, que tem várias lojas na cidade.

Para itens de cozinha, a **Epicentro** é praticamente imbatível. Já a **Marchiol**, escondida em uma ruela em Castello, é ideal para luminárias e tudo o que se refira a iluminação.

LIVROS E PRESENTES

Nos Giardinetti Reali e anexa ao Departamento de Turismo, a **Veneza Pavilion Bookshop** tem inúmeros livros sobre diversos aspectos da cidade. Por perto, a nova **Libreria Mondadori** oferece uma boa seção de livros em inglês e a **Mare di Carta** tem livros e revistas náuticos.

Alberto Valese-Ebru usa uma técnica diferenciada de marmorização de tecidos e papéis. Por perto, **Paolo Olbi** tem uma ampla variedade de papéis e livros de arte. Do lado oposto do Grande Canal, em San Tomà, **Daniela Porto** vende velhos mapas e molduras, que funcionam como ótimos presentes, e a **Signor Blum**, no Campo San Barnaba, tem charmosos objetos e brinquedos artesanais de madeira entalhada e pintada.

AGENDA

ALIMENTOS E MERCADOS

Aliani (Casa del Parmigiano)
Erberia Rialto, San Polo 214/8. **Mapa** 3 A5.
Tel *041 520 6525.*

Drogheria Mascari
Ruga Rialto, Calle dei Spezeri, San Polo 381.
Mapa 3 A5.
Tel *041 522 9762.*

Rizzo
Salizzada S. Giovanni Grisostomo, Cannaregio 5778.
Mapa 3 B5.
Tel *041 522 2824.*

VIDRO

Antichità Claudia Zaggia
Calle Toletta, Dorsoduro 1195. **Mapa** 6 D3.
Tel *041 522 31 59.*

L'Isola – Carlo Moretti
Campo San Moisè, San Marco 1468.
Mapa 7 A3.
Tel *041 523 1973.*

Marina e Susanna Sent
Fondamenta Serenella 20, Murano. **Mapa** 4 D3.
Tel *041 527 4665.*

Venini
Piazzetta dei Leoncini, San Marco 314.
Mapa 7 B2.
Tel *041 522 4045.*

MODA E ACESSÓRIOS

Armani
Calle Goldoni, San Marco 4412.
Mapa 7 A2.
Tel *041 523 4758.*

Benetton
Via II Aprile, San Marco 5051. **Mapa** 7 B2.
Tel *041 296 0493.*

Giovanna Zanella
Calle Carminati, Castello 5641. **Mapa** 7 B1.
Tel *041 523 5500.*

Gucci
Calle Larga XXII Marzo, San Marco 2102.
Mapa 7 A3.
Tel *041 241 3968.*

Max Mara
Campo San Salvador, San Marco 5033. **Mapa** 7 A1.
Tel *041 522 6688.*

Missoni
Calle Vallaresso, San Marco 1312. **Mapa** 7 B3.
Tel *041 520 5733.*

Promod
Campo S. Bartolomeo, San Marco 5377. **Mapa** 7 B1.
Tel *041 241 0668.*

Roberto Cavalli
Calle Villaresso, San Marco 1314. **Mapa** 7 B3.
Tel *041 520 5733.*

MÁSCARAS E FANTASIAS

Laboratorio Artigiano Maschere
Barbaria delle Tole, Castello 6657. **Mapa** 4 D5. **Tel** *041 522 3110.*

Leon d'Oro
Frezzeria, San Marco 1770.
Mapa 7 A2.
Tel *041 520 3375.*

Mondonovo
Rio Terrà Canal, Dorsoduro 3063. **Mapa** 6 D3.
Tel *041 528 7344.*

La Ricerca
Ponte delle Ostreghe, San Marco 2431.
Mapa 7 A3.
Tel *041 522 8250.*

Tragicomica
Calle dei Nomboli, San Polo 2800.
Mapa 6 F1.
Tel *041 721 102.*

JOIAS

Attombri
Sottoportego degli Orefici, San Polo 74.
Mapa 3 A5.
Tel *041 521 2524.*

Bulgari
Calle Larga XXII Marzo, San Marco 2282.
Mapa 7 A3.
Tel *041 241 0553.*

Cartier
Mercerie San Zulian, San Marco 606.
Mapa 7 B2.
Tel *041 522 2071.*

Nardi
Procuratie Nuove, Piazza San Marco, San Marco 69/71.
Mapa 7 B2.
Tel *041 522 5733.*

TECIDOS E DESIGN DE INTERIORES

Epicentro
Frezzeria, San Marco 1728/A. **Mapa** 7 B2.
Tel *041 523 34 92.*

Marchiol
Ruga Giuffa, Castello 4920.
Mapa 7 C1.
Tel *041 522 5131.*

Rubelli
Campiello del Teatro, San Marco 3877.
Mapa 6 F2.
Tel *041 523 6110.*

Trois
Campo San Maurizio, San Marco 2666.
Mapa 6 F3.
Tel *041 522 2905.*

TSL Tessile San Leonardo
Rio Terrà San Leonardo, Cannaregio 1318.
Mapa 2 D3.
Tel *041 718 524.*

LIVROS E PRESENTES

Alberto Valese-Ebru
Campiello Santo Stefano, San Marco 3471.
Mapa 6 F3.
Tel *041 523 8830.*

Daniela Porto
Rio Terrà dei Nomboli, San Polo 2753. **Mapa** 6 E1.
Tel *041 523 1368.*

Libreria Mondadori
Salizzada San Moisè,San Marco 1345. **Mapa** 7 A3.
Tel *041 522 2193.*

Mare di Carta
Fondamenta dei Tolentini, Santa Croce 222. **Mapa** 5 C1. **Tel** *041 716 304.*

Paolo Olbi
Calle della Mandola, San Marco 3653.
Mapa 6 F2.
Tel *041 528 5025.*

Signor Blum
Campo San Barnaba, Dorsoduro 2840.
Mapa 6 D3.
Tel *041 522 6367.*

Venice Pavilion Bookshop
Palazzetto Selva, Giardinetti Reali, San Marco 2. **Mapa** 7 B3.
Tel *041 522 5150.*

GUIA DE RUAS DE VENEZA

Todas as referências a mapas feitas na apresentação de atrações, restaurantes e hotéis de Veneza remetem às páginas seguintes. O esquema abaixo mostra que áreas da cidade constam do Guia de Ruas. O primeiro número da referência indica o mapa a ser consultado (1-8). A letra e o número que aparecem em seguida se referem ao quadrante do mapa. Em todos os mapas deste guia, foi usado o idioma italiano padrão, mas, em Veneza, você perceberá que muitas placas estão em dialeto local. Na maioria das vezes, há apenas uma ligeira variação na grafia (como em Sotoportico/ Sotoportego), mas alguns nomes parecem completamente diferentes. Por exemplo, a igreja de Santi Giovanni e Paolo *(mapa 3)* é frequentemente indicada como "San Zanipolo". Em seguida ao Guia de Ruas, há um mapa com as rotas de *vaporetto*.

COMO DECIFRAR O NOME DAS RUAS

As palavras rua *(calle)*, canal *(rio)* e praça *(campo)* logo se tornam familiares, mas os venezianos possuem um rico vocabulário para o labirinto de ruelas que forma a cidade. As dicas a seguir podem ajudar:

Fondamenta é a rua que margeia um canal e geralmente tem o mesmo nome dele.

Rio Terra é um canal preenchido. Uma *piscina* é similar, mas geralmente forma uma praça.

Sotoportico ou Sotoportego significa passagem coberta.

Salizada é uma rua principal (antigamente pavimentada).

Riva é a grande *fondamenta* e em geral dá para a laguna.

Ruga é uma rua comercial.

Corte significa pátio.

Muitas ruas e canais em Veneza têm mais de um nome –*o* significa "ou".

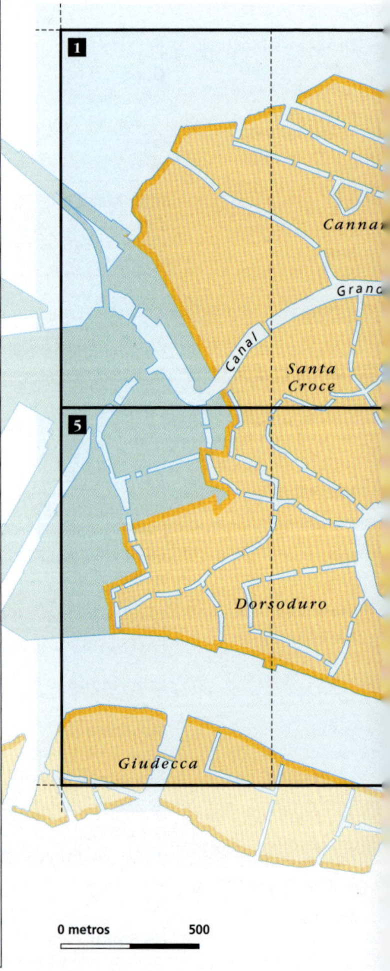

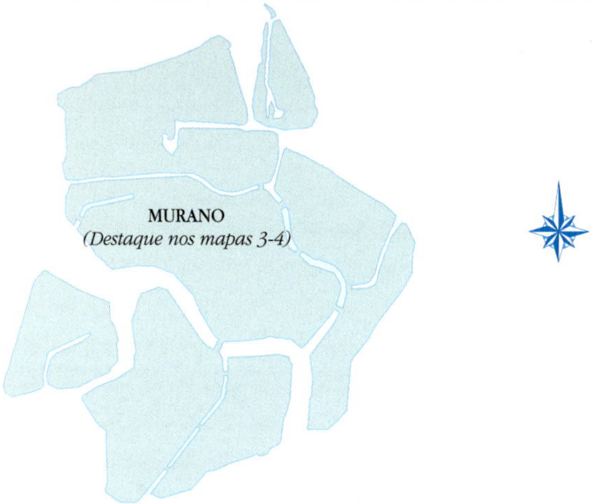

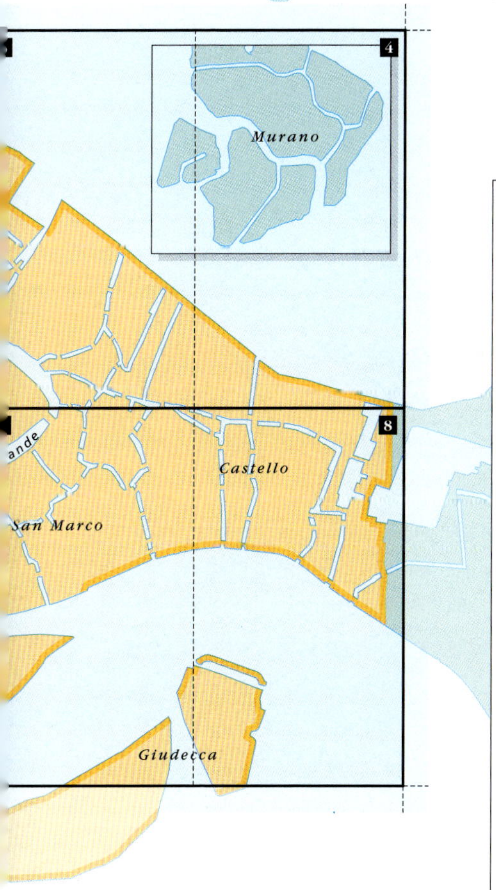

LEGENDA DO GUIA DE RUAS

- Atração principal
- Ponto de interesse
- Estação de trem
- Embarque em ferryboat
- Embarque em vaporetto
- Travessia em traghetto
- Ancoradouro de gôndolas
- Ponto principal de ônibus
- Informação turística
- Hospital com pronto-socorro
- Estacionamento
- Delegacia de polícia
- Igreja
- Sinagoga
- Correio
- Ferrovia

ESCALA DOS MAPAS

0 metros 150

ESCALA DO DESTAQUE-MURANO

0 metros 300

1
A
B
C
1
2
3
4
5
Canale delle
Canale Colambola
FONDAMENTA DI SACCA SAN GIROLAMO
SACCA DI SAN GIROLAMO
CALLE LARGA DEI PENITENTI
FONDAMENTA CASE NUOVE
CALLE FERAU
CALLE DEL FORNER
CPLO DELLE COOPERATIVE
Ponte dei Tre Archi
Canale di Cannaregio
FONDAMENTA DI SAN GIOBBE
CALLE TINTORIA
C.D. PORPORA
CALLE DELLE BECCARIE
CPLO D. BECCARIE
C.D. MAGAZEN
CALLE D. CANNE
C.D. SCARLATTO
C.D. COLORI
CALLE D. TINTOR
CALLE BISCOTELLA
CALLE DELLA CERERIA
Rio di San Giobbe
San Giobbe
CAMPO SAN GIOBBE
Crea
FMTA SAVORGNAN
CALLE D. MADONNINA
CALLE BUSELLO
CALLE CENDON
CALLE SECONDA
Rio della Crea
PONTE DELLA LIBERTA
CALLE PRIULI DETTA DEI CAVALLETTI
CALLE CARMELITANI
CALLE PESARO
Scalzi
FMTA D. SCALZI
Ponte degli Scalzi
Stazione Ferrovie dello Stato Santa Lucia
FONDAMENTA SANTA LUCIA
Ferrovia
FONDAMENTA SAN SIMEON PICCOLO
CALLE TRAGHETTO DI SANTA LUCIA
CALLE BERGAMASCHI
Can d. Santa Chiara
FONDAMENTA DI SANTA CHIARA
Piazzale Roma
Ponte della Costituzione
C. VOLTO
FONDAMENTA CROCE
FONDAMENTA DEI TOLENTINI
GIARDINO EX PAPADOPOLI
CORTE CASE NUOVE
5

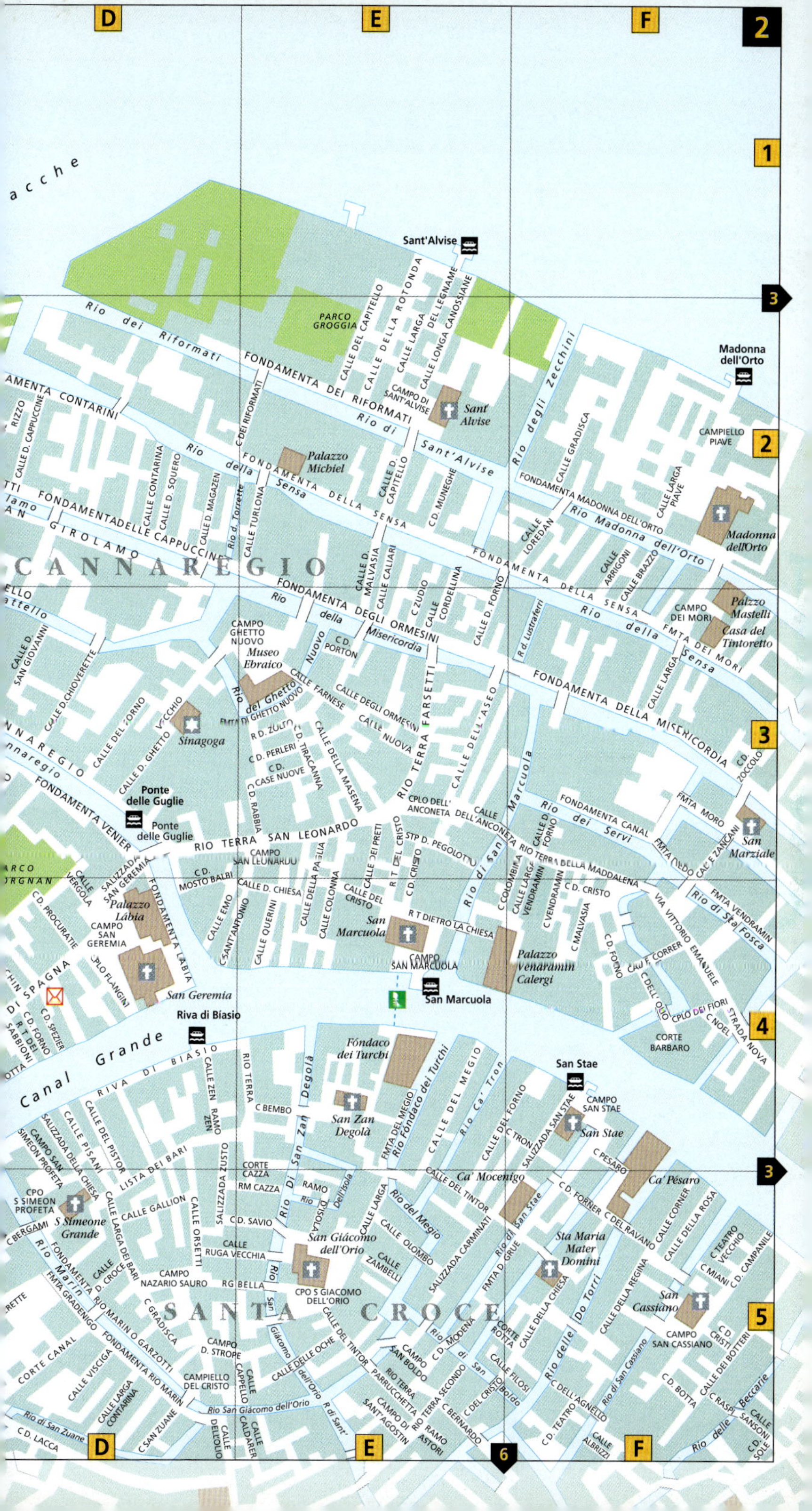

D
E
F
2
1
2
3
4
5
3
3
6
CANNAREGIO
SANTA CROCE
Canal Grande
Sant'Alvise
Madonna dell'Orto
PARCO GROGGIA
Sant' Alvise
Palazzo Michiel
Madonna dell'Orto
Palzzo Mastelli
Casa del Tintoretto
Museo Ebraico
Sinagoga
Ponte delle Guglie
San Marziale
Palazzo Làbia
San Geremia
Riva di Biasio
San Marcuola
Palazzo Venàramin Calergi
Fóndaco dei Turchi
San Zan Degolà
San Stae
Ca' Pésaro
Ca' Mocenigo
Sta Maria Mater Domini
San Giácomo dell'Orio
San Simeone Grande
San Cassiano
FONDAMENTA DEI RIFORMATI
FONDAMENTA DELLA SENSA
FONDAMENTA DEGLI ORMESINI
FONDAMENTA DELLA MISERICORDIA
RIO TERRA SAN LEONARDO
STRADA NOVA
VIA VITTORIO EMANUELE
CAMPO SAN CASSIANO
CAMPO SAN STAE
CAMPO SAN MARCUOLA
CORTE BARBARO
CAMPO NAZARIO SAURO

3
A
B
C
1
2
3
4
5
2
7
Canale degli Angeli
Canale delle Fondamente Nuove
Sacca della Misericordia
Fondamenta Gasparo Contarini
R d. Muti
Corte d. Muti
Corte Vecchia
Fondamenta dell'Abbazia
Santa Maria della Misericórdia
C Eclpo d. Trevisan
Calle Larga Lezze
Rio della Misericordia
Fmta Trapolin
Rio di Noale
Calle Lunga Santa Caterina
C della Masena
Fondamente Nuove
C Marco Foscarini
Calle d. Cadene
C dei Legnami
Sal dei Specchieri
Oratorio dei Crociferi
Campo Sant'Antonio
Gesuiti
Campo dei Gesuiti
Fondamente Nuove
Fondamenta Santa Caterina
Rio di Santa Caterina
Fondamenta Zen
Calle della Racchetta
Rio della Racchetta
Corte Sq Vecchio
Fmta Sant'Andrea
Calle Zanardi
Rio di Ca' Dolce
C d. Sartori
Sal Seriman
Calle dei Volti
Calle Venier
Fmta dei Sartori
Rio dei Gesuiti
Calle d. Magazen
C della Pietà
Ramo Donà
C d. Croci
Calle d. Vida
Calle Larga dei Botteri
Cplo d. Pietà
Corte Carità
Calle dei Cordoni
Calle del Fumo
C Larga Berlendis
Calle Salamon
Fmta San Felice
Rio di San Felice
Calle Larga Doge Priuli
Fmta d. Chiesa
Calle d. Forno
Calle Zotti
Rio di Santa Sofia
Calle Corrente
C degli Albanesi
Ramo Albanesi
Ruga do Pozzi
Calle d. Squero
Sal L Borgato
Calle del Remer
Rio Terra Barba Fruttariol
Calle dei Tagliapietra
C d. Volto
C Moro
Calle Stella
Rio della Panada
Calle dello Squero
San Lazzaro dei Mendicanti
Campo S Felice
C S Felice
Calle d. Pistor
Calle delle Vele
Calle Priuli
Calle del Forno
C del Verde
Calle Bembo
Rt d. Franceschi
C Larga d. Proverbi
Rio Terra d. S. Apostoli
Calle d. Forno
C d. Madonna
C d. Posta
C Varisco
Calle del Traghetto
Rio dei Santi Apostoli
Calle Bondi
Campiello Widman
Rio Terra dei Biri
Corte d. Paludo
Rio dei Mendicanti
Fondamenta dei Mendicanti
Strada Nova
Ca' d'Oro
C d. Ca' d'Oro
C del Duca
C d. Oca
Calle Dragan
Salizzada del Pistor
Santi Apostoli
Cplo d. Cason
C Comello
Calle Widman
Calle Gabriella
Ospedale Civile
Ca' d'Oro
Campo Santa Sofia
Campo dei Santi Apostoli
Canal Grande
Fmta dell'Olio
Pescheria
Campo d. Pescheria
C Beccarie
Ruga C Primo d.
Calle d. Bo
Ruga d. Speziali
Calle San Mattio
Calle Arco
Rg Vecchia S Giovanni
Campo Rialto Nuovo
Ruga degli Orefici
Rialto Mercato
Fabbriche Nuove
Erboria
San Giacomo di Rialto
Calle d. Magazen
Rio Terra Bagatin
Salizzada San Canciano
Rio San Giovanni Crisostomo
Sal San Giovanni Crisostomo
C Modena
C Aseo
San Giovanni Crisostomo
Corte 2ª d Milion
C d. Forno
Cplo Santa Maria Nova
Campo S Maria Nova
Santa Maria dei Miràcoli
Fmta Piovan
C Larga G Gallina
C della Testa
Scuola di S Marco
Santi Giovanni e Paolo
Bartolomeo Colleoni
C Castelli
Calle delle Erbe
R di San Lio
Rio di San Marina
Calle d. Dose
Campo San Marina
C Scaletta
C d. Cavallo
Calle Bressana
C d. Madonna
Calle d. Carrozze
Fmta Felzi
Fondamente Nuove

D
E
F
4
1
2
3
4
5
MURANO
CAMPO SPORTIVO
STRADA COM.D. CIMITERO
CALLE SAN BERNARDO
CALLE DELL'ARTIGIAN
CALLE BRUSSA
CALLE DEL CONVENTO
CALLE VOLPI
FONDAMENTA SEBASTIANO SANTI
Canale di San Donato
FMTA SAN LORENZO
FONDAMENTA LORENZO RADI
FONDAMENTA SEBASTIANO VENIER
VIA BAROVIER
CALLE DEL CRISTO
CAMPO SAN BERNARDO
CAMPO SAN SALVADOR
CALLE CONTERIE
SS Maria e Donato
FONDAMENTA
Ponte San Donato
Canale degli Angeli
Venier
Canale Serenella
CALLE VIVARINI
RAMO DA MULA
FMTA DA MULA
CALLE DEL MISTRO
FONDAMENTA CAVOUR
Museo dell'Arte Vetraria
FONDAMENTA GIUSTINIAN
FONDAMENTA ANDREA NAVAGERO
Museo
Canal Grande di Murano
Ponte Vivarini
Palazzo da Mula
FMTA ANTONIO COLLEONI
CALLE S GIACZMO
Canale Ondello
San Pietro Martire
CPO STO STEFANO
Serenella
STRADA VICINALE ORTI
CPLO TURELLA
FMTA SAN GIOVANNI DEI BATTUTI
Navagero
C PARADISO
FONDAMENTA
CALLE SAN CIPRIANO
C BERTOLINI
Rio dei Vetrai
FONDAMENTA DEI VETRAI
FONDAMENTA DANIELE MANIN
CPLO BIGAGLIA
CALLE DELL'OLIO
VIALE GARIBALDI
VIA BRIATI
CALLE BERTOLINI
CALLE MIOTTI
FMTA PIAVE
Faro
FONDAMENTA SERENELLA
Canale dei Marani
Colonna
Canale delle Fondamente Nuove
Ospedale Civile
FONDAMENTE NUOVE
CALLE DELLE CAPPUCCINE
CALLE D. MOSCHETTE
Rio di Santa Giustina
FONDAMENTA DI SANTA GIUSTINA
Celestia
FMTA CASE NUOVE
CALLE DEGLI ORTI
C SAGREDO
daletto
RIA DELLE TOLE
CALLE SAN FRANCESCO
San Francesco della Vigna
8

5
SANTA CROCE
PIAZZALE ROMA
GIARDINO EX PAPADOPOLI
San Nicolò da Tolentino
Canale Scomenzera
Canale di Santa Chiara
Canale di Santa Maria Maggiore
Rio delle Burchielle
Rio Terra dei Pensieri
Rio della Cazziola
Rio Nuovo
Rio del Malcanton
Rio del Tintor
Rio Briati
Rio dei Carmini
Rio dell'Arziere
Rio delle Terese
Rio di San Nicolò
Rio dell'Angelo Raffaele
Rio di San Sebastiano
Rio dell'Avogaria
San Nicolò dei Mendicoli
Santa Maria dei Carmini
Collegio Armeno
DORSODURO
Angelo Raffaele
San Sebastiano
Stazione Marittima
BANCHINA DEL PORTO COMMERCIALE
BANCHINA DI SAN BASEGIO
FMTA ZATTERE PONTE LUNGO
San Basilio
Canale di Fusina
Sacca Fisola
FONDAMENTA BEATA GIULIANA
CALLE DELLA SCUOLA
CALLE DELLA SACCA
CALLE LARGA DEI LAVRANERI
Canale dei Lavraneri
Mulino Stucky
Rio di San Biagio
CAMPO DELLA CHIESA
GIUDECCA
CAMPIELLO PRIULI
Rio delle Convertite
FMTA SAN GERARDO SAGREDO
Can Sacca Fisola
San Biagio

D
E
F
2
6
SAN POLO
Santa Maria Gloriosa dei Frari
Scuola di San Rocco
San Rocco
San Giovanni Evangelista
San Polo
San Aponàl
San Silvestro
Canal Grande
Palazzi Grimani
Museo Goldoni
Sant'Angelo
San Tomà
Palazzi Contarini
Palazzi Mocenigo
Museo Fortuny
S Pantalon
Rio di Ca' Foscari
Palazzi Foscari
Palazzo Grassi
San Samuele
Ca' Rezzónico
Ca' Rezzonico
SAN MARCO
Santo Stéfano
Campo Santo Stefano
Santa Maria Zobenigo
Ponte dei Pugni
San Bárnaba
Rio Malpaga
Accademia
Ponte dell'Accademia
Palazzo Cini
Collezione Peggy Guggenheim
Palazzo Dario
San Trovaso
Squero di San Trovaso
Santa Maria della Visitazione
Gesuati
Ponte Lungo
Zattere
Fondamenta Zattere ai Gesuati
Fondamenta Zattere allo Spirito Santo
Canale della Giudecca
Sant' Eufemia
Palanca
1
2
3
4
5
7

7
A
B
C
1
2
3
4
5
6
SAN MARCO
GIUDECCA
Bacino di San Marco
Ponte di Rialto
Fóndaco dei Tedeschi
Rialto
San Bartolomeo
Santa Maria della Fava
S Maria Formosa
CAMPO S MARIA FORMOSA
Fondazione Querini Stampalia
Palazzi Dandolo Sarsetti
San Salvatore
Palazzo Loredan
San Zulián
Museo Guidi
CAMPO MANIN
Palazzo Contarini del Bóvolo
Museo Diocesano
Basilica San Marco
Torre dell'Orologio
Palazzo Ducale
Ponte dei Sospiri
PIAZZA SAN MARCO
Campanile
San Fantin
Hotel Danieli
Ponte del Vin
La Fenice
Museo Corrér
Museo Archeologico
Ponte della Paglia
San Zac
Zecca
Colonne di San Marco e San Teodoro
Libreria Sansoviniana
GIARDINETTI REALI
San Moisè
Ridotto
Harry's Bar
San Marco
Santa Maria del Gíglio
Salute
Punta della Dogana
Santa Maria della Salute
Zitelle
Le Zitelle
FONDAMENTA DELLE ZITELLE
FONDAMENTA SAN GIOVANNI
CAMPO NANI E BARBARO
FONDAMENTA ZATTERE AI SALONI
CALLE LARGA XXII MARZO
MERCERIA
PROCURATIE VECCHIE
PROCURATIE NUOVE
CAMPO DELLA SALUTE
FMTA DOGANA ALLA SALUTE
Rio di San Salvador
Rio della Fava
Rio di Santa Maria Formosa
Rio del Palazzo
Rio dei Giardinetti
Rio San Moisè
Rio della Salute
Rio e Bacino Orseolo

8
D
E
F
4
1
2
3
4
5
San Lorenzo
San Francesco della Vigna
Scuola di S Giorgio d. Schiavoni
San Giorgio dei Greci
La Pietà
San Giovanni in Brágora
San Martino
Museo Stórico Navale
ARSENALE
Canale delle Galeazze
Arsenale Vecchio
Dársena Grande
Rio di San Francesco
Rio della Celestia
Rio di Santa Ternità
Rio delle Gorne
Rio di San Martino
Rio dei Greci
Rio della Pietà
Rio Ca' di Dio
Rio dell'Arsenale
Rio della Tana
Rio di San Lorenzo
RIVA DEGLI SCHIAVONI
RIVA CA' DI DIO
RIVA SAN BIAGIO
RIVA DEI SETTE MARTIRI
VIA GIUSEPPE GARIBALDI
CAMPO DELLA TANA
CAMPO SAN BIAGIO
CAMPO ARSENALE
CAMPO BANDIERA E MORO
CAMPO SAN LORENZO
CAMPO S GIUSTINA
CAMPO DELLA CONFRATERNITA
CAMPO S TERNITA
SALIZZADA SANTA GIUSTINA
SALIZZADA SANT'ANTONIN
CALLE DEI FURLANI
CALLE DEL LION
CORTE NUOVA
Arsenale
Canale di San Marco
San Giorgio Maggiore
CAMPO SAN GIORGIO
SAN GIORGIO MAGGIORE
Teatro Verde

Linhas de *Vaporetto* em Veneza

Linhas de *Vaporetto*

A rede ACTV mantém serviços regulares pela cidade e para a maioria das ilhas. Algumas linhas são circulares, outras estendem os percursos na alta estação. Mais detalhes sobre os diferentes tipos de vaporetto *e sobre como usá-los estão nas* páginas 682-3.

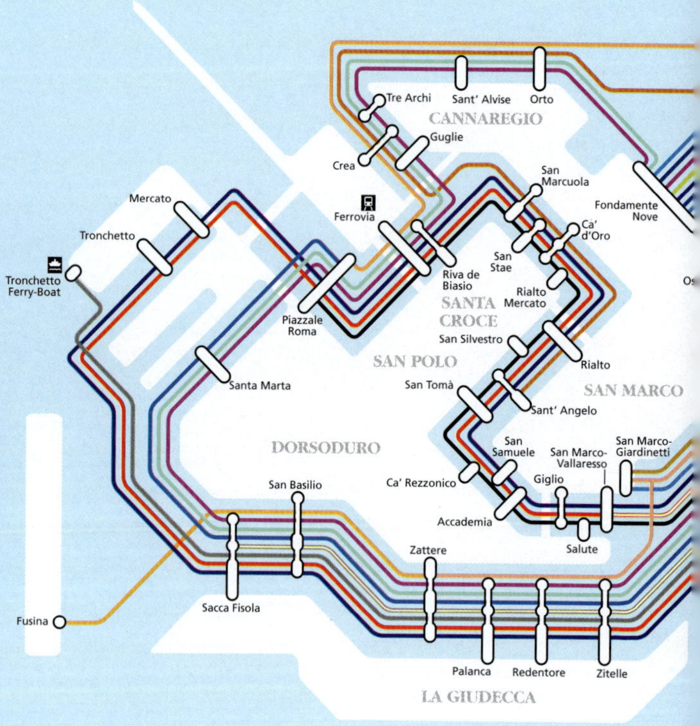

LEGENDA

Aeroporto	Linha terminal B	Linha central 1
Estação de trem	Linha terminal O	Linha central 2 (semissazonal
Balsa para carros	Linha terminal R	Linha central 5 (sazonal)
Parada de ônibus aquático	Linha terminal C (sazonal)	Linha central 8 (sazonal)
Linha terminal A	Linha terminal F	Linha central 13

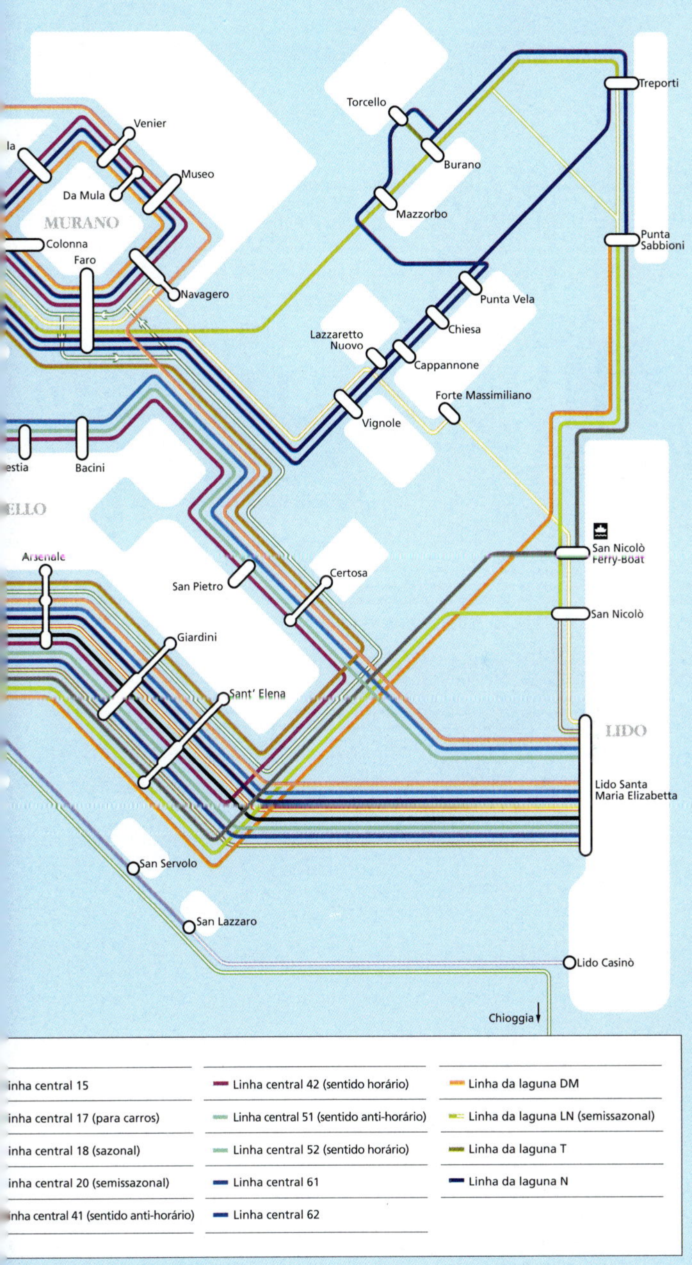

la
Venier
Da Mula
Museo
MURANO
Colonna
Faro
Navagero
Torcello
Burano
Mazzorbo
Treporti
Punta Sabbioni
Punta Vela
Chiesa
Lazzaretto Nuovo
Cappannone
Forte Massimiliano
Vignole
estia
Bacini
ELLO
Arsenale
San Pietro
Certosa
San Nicolò Ferry-Boat
San Nicolò
Giardini
Sant' Elena
LIDO
Lido Santa Maria Elizabetta
San Servolo
San Lazzaro
Lido Casinò
Chioggia
inha central 15
inha central 17 (para carros)
inha central 18 (sazonal)
inha central 20 (semissazonal)
inha central 41 (sentido anti-horário)
Linha central 42 (sentido horário)
Linha central 51 (sentido anti-horário)
Linha central 52 (sentido horário)
Linha central 61
Linha central 62
Linha da laguna DM
Linha da laguna LN (semissazonal)
Linha da laguna T
Linha da laguna N

VÊNETO E FRIÚLI

O Vêneto é uma região de grandes contrastes, onde a beleza natural das Dolomitas, do lago Garda (o maior do país) e dos montes Eugâneos convive com maravilhas feitas pelo homem, como as cidades de Verona, Vicenza e Pádua. A vizinha região de Friúli-Veneza Giulia, que inclui a cidade romana de Aquileia e o porto de Trieste, tem, ao norte, os Alpes Cárnicos e, a leste, a fronteira com a Eslovênia.

No extremo Nordeste da Itália, os romanos construíram postos de fronteira, que hoje sobrevivem como as cidades de Vicenza, Pádua, Verona e Treviso. Estrategicamente localizados no eixo das estradas do império, os núcleos prosperaram sob o governo romano, mas sofreram com as invasões germânicas do século 5°.

A região voltou a ter prosperidade sob o império veneziano. Suas cidades medievais ficavam em importantes rotas comerciais, como a Serenissima –estrada que ligava as promissoras cidades portuárias de Veneza e Gênova e o Passo di Brennero, passagem usada pelos mercadores que cruzavam os Alpes, vindos do Norte da Europa. As riquezas provenientes da agricultura, do comércio e da guerra tornaram as cidades mais belas: foram construídos vários palácios e edifícios públicos renascentistas, muitos projetados pelo grande arquiteto do Vêneto, Andrea Palladio. Cada *palazzo* e *villa* tornou-se símbolo da vida ociosa outrora desfrutada pelos aristocratas locais.

Hoje, o Vêneto é um exportador de vinho, produtor têxtil e centro agrícola em ascensão. Friúli, por sua vez, é um importante polo de desenvolvimento tecnológico, ao mesmo tempo que se mantém, em grande parte, como produtor agrícola. Ambas as regiões possuem uma grande variedade de atrações e são bastante procuradas por turistas.

Sossegada *passeggiata* em uma das ruas antigas de Verona

◁ **Ponte renascentista construída por Palladio em Bassano del Grappa, no Vêneto**

Como Explorar o Vêneto e Friúli

A paisagem sem relevos da planície do Vêneto é compensada, de forma radical, pelas espetaculares montanhas Dolomitas, que formam a fronteira noroeste da região. Nas proximidades está Friúli, região mais ao nordeste da Itália, aninhada entre a Áustria, ao norte, e a Eslovênia, a leste. Tanto o Vêneto como Friúli são limitadas ao sul pelo mar Adriático. Suas praias e seus portos contrastam com o interior cheio de colinas, belos balneários e cidades antigas.

Verona vista do Teatro Romano

VEJA TAMBÉM

- ***Onde Ficar*** págs. 560-3
- ***Onde Comer*** págs. 608-10

COMO CIRCULAR

Uma extensa rede ferroviária e bons serviços de ônibus garantem um transporte fácil e ágil pela região. Mesmo sem carro, o turista pode explorar bem a área, apesar de apenas ônibus operarem ao redor do lago Garda. Para quem estiver dirigindo, há boas rodovias ligando as principais cidades.

Ponte em Cividale del Friuli

Um chalé de montanha em Cortina d'Ampezzo

PRINCIPAIS ATRAÇÕES

Aquileia 19
Asolo 4
Bassano del Grappa 3
Belluno 12
Canal da Brenta 9
Castelfranco Veneto 5
Cividale del Friuli 17
Conegliano 11
Cortina d'Ampezzo 13
Gorizia 18
Lago Garda 2
Montes Eugâneos 8
Pádua (Padova) págs.154-9 7
Pordenone 15
Tolmezzo 14
Treviso 10
Trieste 20
Udine 16
VENEZA págs. 85-137
Verona págs. 142-7 1
Vicenza págs. 150-3 6

Verona ❶

Estátua de Scaligeri em Castelvecchio

Vibrante centro comercial, segunda maior cidade da região do Vêneto (depois de Veneza) e uma das mais prósperas do Norte da Itália. Assim é Verona. Seu centro histórico preserva magníficas ruínas romanas, superadas apenas pelas de Roma, e belos *palazzi* construídos pelos governantes medievais da cidade com *rosso di Verona*, o calcário rosa local. Verona possui dois pontos de destaque: a grande Arena do século 1°, que ainda é palco de importantes eventos, e a Piazza Erbe, com seu mercado colorido. Outra grande atração é a igreja de San Zeno Maggiore *(págs. 146-7)*, que apresenta um portão com painéis de bronze medievais bastante incomuns: foram esculpidos com belas cenas da Bíblia e da vida de são Zeno.

Verona vista do Museo Archeologico

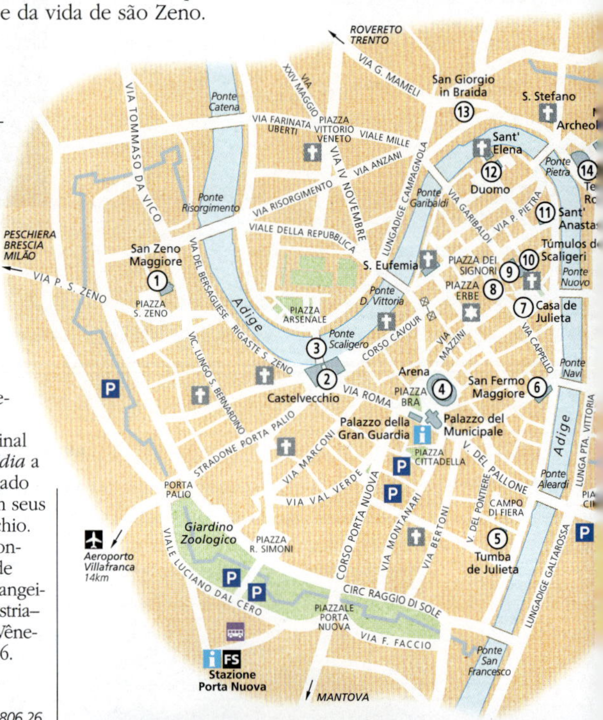

Governantes de Verona

Em 1263, os Scaligeri iniciaram em Verona seu governo de 124 anos. Apesar de usar táticas cruéis para subir ao poder, a família Scaligeri trouxe paz a uma cidade devastada por lutas civis e rivalidades entre famílias poderosas. Os Scaligeri revelaram-se governantes relativamente justos e cultos –o poeta Dante foi recebido em sua corte em 1301 e dedicou a parte final da épica *A Divina Comédia* a Cangrande I. Hoje, o legado da família permanece em seus túmulos e em Castelvecchio.

Em 1387, Verona foi conquistada pelo visconde de Milão e uma série de estrangeiros –Veneza, França e Áustria– a governaram até que o Vêneto uniu-se à Itália em 1866.

Castelvecchio

Corso Castelvecchio 2. ***Tel*** *045 806 26 11.* *8h30-19h30 ter-dom, 13h30-19h30 seg (última admissão: 18h30).* *1° jan, 25-26 dez.*

Este imponente castelo, construído por Cangrande II entre 1355 e 1375, abriga atualmente uma das mais belas galerias de arte do Vêneto.

A primeira seção contém várias peças do final do período romano e do começo do cristianismo, entre elas, peças de prata, broches do século 5°, um copo com um retrato de Cristo

A enorme arena romana de Verona, vista da Piazza Brà

Ponte Scaligero, parte do antigo sistema de defesa de Castelvecchio

pintado em ouro e os sarcófagos de mármore esculpidos de são Sérgio e são Baco (1179).

A seção de arte medieval e do início do Renascimento mostra vividamente a influência da arte do norte sobre os pintores locais. Percebe-se a ênfase dada ao realismo brutal, em oposição ao idealismo sereno. A parte do Renascimento tardio inclui um belo conjunto de Madonas do século 15.

PRINCIPAIS ATRAÇÕES

Arena ④
Casa de Julieta ⑦
Castelvecchio ②
Duomo ⑫
Giardino Giusti ⑯
Museo Archeologico ⑮
Piazza Erbe ⑧
Piazza dei Signori ⑨
Ponte Scaligero ③
Sant'Anastasia ⑪
San Fermo Maggiore ⑥
San Giorgio in Braida ⑬
San Zeno Maggiore (págs. 146-7) ①
Teatro Romano ⑭
Tumba de Julieta ⑤
Túmulos dos Scaligeri ⑩

Legenda dos símbolos *no final do guia*

Joias, armaduras, espadas, escudos, o quadro *Deposição* (1565), de Veronese, e um retrato atribuído a Ticiano ou a Lorenzo Lotto fazem parte do acervo nas outras seções.

No exterior, uma passarela oferece vistas do rio Adige, a **Ponte Scaligero**, medieval, e a estátua equestre de Cangrande I, do século 14, que adornava seu túmulo *(pág. 144)*.

Ponte Scaligero

A ponte medieval foi construída por Cangrande II entre 1354 e 1376. Tamanha é a afeição dos veroneses pela ponte que ela foi reconstruída depois que os alemães a explodiram em 1945, operação em que foi preciso dragar o rio para salvaguardar a alvenaria. A ponte liga o Castelvecchio ao Arsenal, na margem norte, construído pelos austríacos entre 1840 e 1861 e atualmente circundado por jardins.

Arena

Piazza Brà. ***Tel*** *045 800 51 51.* *8h30-19h30 ter-dom, 13h30-19h30 seg (última admissão: 18h30).* *11° jan, 25-26 dez; jun-ago: a partir do meio da tarde em dias de espetáculo.* *restrito.*

Concluído no ano 30, é o terceiro maior anfiteatro romano do mundo, depois do Coliseu de Roma e do anfiteatro de Santa Maria Capua Vetere, perto de Nápoles. O interior, praticamente intacto, abrigava quase toda a população da Verona romana. Visitantes vinham de todo o Vêneto para assistir a combates de gladiadores. Desde então a Arena foi palco de execuções, feiras, touradas e óperas.

PREPARE-SE

261.000. Villafranca 14km a sudoeste. Piazalle 25 Aprile. Via degli Alpini 9 (045 806 86 80). diariam. Ingresso válido para outras igrejas. abr: Festival do Vinho, Vinltaly; jun-ago: Estate Teatrale Veronese; nov: Feira Internacional de Cavalos. **www**.tourism.verona.it

San Fermo Maggiore

Stradone San Fermo. ***Tel*** *045 59 28 13.* *diariam (nov-fev: ter-dom).*

San Fermo Maggiore não é apenas uma igreja, mas duas: a superior e a inferior. Olhando a fachada, nota-se que a abside com elementos góticos está em cima de uma robusta base românica. A igreja de baixo, cuja construção foi iniciada em 1065 por monges beneditinos no local de um santuário, preserva afrescos sobre as arcadas.

A igreja de cima, de 1313, é mais imponente e tem um lindo telhado em forma de quilha de navio. Seu interior possui muitos afrescos medievais, incluindo a parte dos *Anjos Músicos*, do século 14, de Stefano da Zevio. Perto, ficam o mausoléu Brenzoni (c.1440), de Giovanni di Bartolo, e o afresco *Anunciação* (1426), de Pisanello (1377-1455).

Abside do século 11 da igreja inferior de San Fermo Maggiore

Como Explorar Verona

Desde a época do Império Romano, a Piazza Erbe, construída no local do antigo fórum romano, é o centro de Verona. Muitos dos belos *palazzi*, igrejas e monumentos da cidade são quase tão antigos quanto a praça, vários construídos durante a Idade Média.

A fonte, colocada no século 14 no centro da Piazza Erbe

Piazza Erbe

A Piazza Erbe guarda esse nome do antigo mercado de ervas da cidade. Hoje, as barracas, protegidas por guarda-sóis, vendem de sanduíches de pernil temperado com ervas a saborosas frutas recém-colhidas e cogumelos selvagens.

No extremo norte da praça, fica o **Palazzo Maffei** (1668), em estilo barroco. Em frente ao palácio, no alto de uma coluna, está o **Leão de Veneza**, que marca a conquista de Verona pelo império de Veneza em 1405. No lado oeste, fica a **Casa dei Mercanti**, um edifício em grande parte do século 17, mas construído em 1301. Em frente, nas paredes acima dos cafés, podem ser vistos alguns afrescos.

A **fonte** no meio da *piazza* é frequentemente escondida pelas barracas do mercado, mas a estátua em seu centro vem dos tempos romanos. Ela serve como um lembrete de que esta praça é usada como mercado há mais de 2.000 anos.

Piazza dei Signori

Torre dei Lamberti

Tel *045 927 30 27.* *8h30-19h30 diariam (mar-out até 20h30).*

No centro desta praça, fica uma estátua do século 19 de **Dante**, que parece olhar fixamente o **Palazzo del Capitano**, outrora a casa dos chefes militares de Verona. A seu lado, está o **Palazzo della Ragione** (Palácio da Razão), o Tribunal de Justiça. Igualmente imponentes, ambos foram construídos no século 14.

O pátio do Tribunal de Justiça possui uma bela escadaria de pedra, acrescentada entre 1446-50. Quem sobe a **Torre dei Lamberti**, de 84m, no lado oeste do pátio, pode apreciar belas vistas dos Alpes.

Atrás da estátua de Dante, fica a **Loggia del Consiglio** (1493), a Câmara do Conselho, encimada por estátuas de personalidades romanas nascidas em Verona, como Plínio o Velho, e Vitrúvio.

A praça é ligada à Piazza Erbe pelo Arco della Costa (Arco da Costela), assim batizado devido à costela de uma baleia que foi pendurada no arco muito tempo atrás.

Fachada renascentista da Loggia del Consiglio, na Piazza dei Signori

Túmulos dos Scaligeri

Via Arche Scaligeri.

Ao lado da entrada da minúscula igreja românica de **Santa Maria Antica**, que foi a igreja paroquial da poderosa família Scaligeri, há uma série de bizarros túmulos dos antigos governantes de Verona.

Na entrada da igreja, está o imponente túmulo de Cangrande I (morto em 1329), encimado por uma estátua equestre do governante, uma cópia da original, que está em Castelvecchio *(pág. 143)*.

Os túmulos dos Scaligeri estão ao lado da igreja, atrás de uma grade de ferro batido, onde se pode ver um emblema com uma escada. É o emblema do nome original da família, *della Scala*, que significa "dos degraus". Aqui estão os túmulos de Mastino II (morto em 1351) e de Cansignorio (morto em 1375), ambos decorados com minúsculas agulhas góticas. Outros túmulos da família, mais simples, estão próximos ao muro da igreja.

Túmulo Scalig do século 1

Sant'Anastasia

Piazza Sant'Anastasia.

Tel *045 59 28 13.* *diariam.* *nov-fev: seg.*

Afrescos desbotados do século 15 e cenas esculpidas sobre a vida de são Pedro adornam o portal gótico desta grandiosa igreja, cuja construção foi iniciada em 1290. No interior, há duas impressionantes pias de água benta, sustentadas por figuras de mendigos, conhecidas como *i gobbi* (os corcundas). Cada uma delas foi esculpida com um século de diferença: a mais antiga (à esquerda) data de 1495.

A sacristia, perto da nave lateral norte, possui o belo afresco *São Jorge e a Princesa* (1433-8), de Pisanello.

A suposta Casa de Julieta

ROMEU E JULIETA

A trágica história de Romeu e Julieta, dois jovens amantes de famílias rivais, foi escrita por Luigi da Porto de Vicenza na década de 1520 e inspirou incontáveis poemas, filmes, balés e peças de teatro.

No n° 23 da Via Cappello fica a **Casa de Julieta**, em cuja sacada Romeu teria subido para encontrar a amada; na verdade, é uma estalagem do século 13. A degradada **Casa de Romeu** fica algumas ruas mais à frente, na Via Arche Scaligeri.

A chamada **Tumba de Julieta** é exibida numa cripta sob o claustro de San Francesco al Corso, na Via del Pontiere, em um cenário bastante impressionante.

Tanto a **Casa de Julieta** como a **Tumba de Julieta** abrem todos os dias (às segundas após as 12h). Cobra-se ingresso.

Duomo

Piazza Duomo. ***Tel*** *045 59 56 27.* *diariam* *nov-fev: seg.*

A construção da catedral de Verona foi iniciada em 1139. Sua fachada exibe um magnífico portal românico, entalhado por Nicolò, um dos dois mestres carpinteiros responsáveis pela fachada de San Zeno *(págs. 146-7)*. Aqui ele esculpiu as figuras de Oliver e Rolando, com suas espadas. Os dois eram cavaleiros de Carlos Magno, cujas proezas foram muito celebradas na poesia medieval. Ao seu lado, aparecem evangelistas e santos com olhos bem abertos. Ao sul, há um segundo portal românico, onde foram esculpidos *Jonas e a Baleia* e várias cariátides.

O destaque do interior é a linda *Assunção* (1535-40), de Ticiano, e, do lado externo, o claustro românico, onde podem ser vistas ruínas de igrejas mais antigas. O batistério do século 8°, ou *San Giovanni in Fonte* (São João da Fonte), foi construído por pedreiros romanos. A pia batismal de mármore foi esculpida em 1200.

A imponente fachada da catedral de Verona, Santa Maria Matricolare

Teatro Romano
Museo Archeologico

Regaste Redentore 2. ***Tel*** *045 800 03 60.* *13h30-19h30 seg, 8h30-19h30 ter-dom, o dia todo nos feriados.* *1° jan, 25 e 26 dez. O teatro fecha de tarde nos dias de espetáculo.*

Este teatro romano é do século 1° a. C. Pouco resta do palco original, mas grande parte da área semicircular da plateia está intacta. O local oferece linda vista da cidade. Em primeiro plano, vê-se a única ponte romana que restou, reconstruída após a Segunda Guerra Mundial.

Um elevador leva os visitantes do Teatro Romano ao monastério no alto dos rochedos, onde fica agora um interessante museu arqueológico.

Os objetos expostos ao redor do claustro e nas antigas celas dos monges incluem mosaicos, cerâmicas, vidraria e lápides. Há também um belo busto de bronze do primeiro imperador romano, Augusto (63 a.C.-14 d.C.), que em 31 a.C derrotou seus opositores, inclusive Marco Antônio e Cleópatra, para governar o império sozinho.

Estátuas dão o tom no Giardino Giusti, jardim renascentista

Giardino Giusti

Via Giardino Giusti 2. ***Tel*** *045 803 40 29.* *9h-20h diariam (até o por do sol out-mar).* *25 dez.*

Este belo jardim renascentista foi projetado em 1580 e, como outros jardins do período, combina o natural e o artificial: o jardim clássico, na parte baixa, com cercas vivas podadas em forma de caixas, trilhas de seixos e plantas em vasos contrasta com o bosque natural acima.

O escritor inglês John Evelyn visitou Verona em 1661 e considerou este o mais belo jardim da Europa.

San Giorgio in Braida

Lungadige San Giorgio. ***Tel*** *045 834 02 32.* *diariam.* *durante missa.*

Esta bela igreja renascentista, com domo, teve sua construção iniciada em cerca de 1530 por Michele Sanmicheli. O altar inclui o famoso *Martírio de São Jorge* (1566), de Veronese, e sobre o portão oeste, está o *Batismo de Cristo*, atribuído a Tintoretto (1518-94).

Verona: San Zeno Maggiore

Detalhe da fachada

Construída entre 1120-38 para abrigar o santuário do padroeiro de Verona, San Zeno é a mais ornamentada igreja românica do Norte da Itália. Sua fachada exibe uma imponente rosácea, relevos em mármore e a graciosa entrada oeste. O principal destaque, entretanto, cabe aos fascinantes painéis de bronze do portão, dos séculos 11 e 12. Acredita-se que a torre ao norte da igreja cubra o túmulo do rei Pepino da Itália (777-810).

Teto da Nave
A nave possui um magnífico teto em forma de quilha de navio (parece o interior de um navio virado). Ele foi feito em 1386, na época da reconstrução da abside.

Peça de Altar de Mantegna
A auréola da Madona nesta peça de altar de Andrea Mantegna, Virgem e Menino com Santos *(1457-59), evoca a forma da rosácea da igreja.*

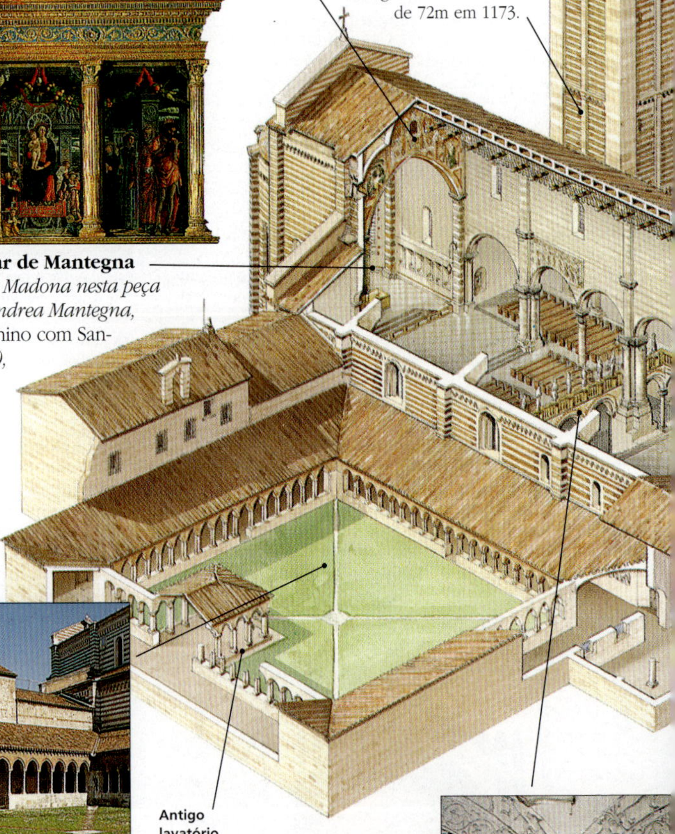

A torre do sino começou a ser erguida em 1045 e atingiu sua atual altura de 72m em 1173.

Antigo lavatório

★ Claustro (1293-1313)
Os arcos são românicos arredondados de um lado e góticos ogivais do outro.

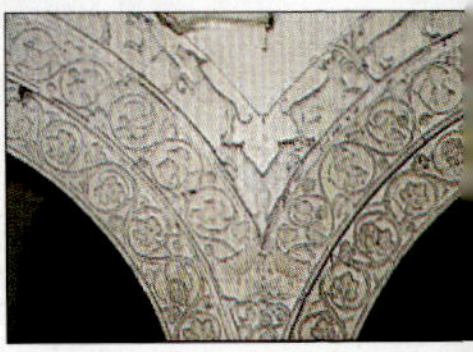

Cripta
A cripta abobadada guarda o túmulo de são Zeno, nomeado oitavo bispo de Verona em 362 e morto em 380.

Para hotéis e restaurantes nesta região, ver págs. 561-4 e págs. 609-13

Nave e Altar-Mor
A planta da igreja é baseada em uma antiga basílica romana, o Salão da Justiça. O altar-mor está no santuário elevado, onde ficaria o trono do juiz.

PREPARE-SE

P. San Zeno. **Tel** 045 59 28 13. 8h30-18h seg-sáb, 13h-18h dom (nov-fev: 10h-13h, 13h30-17h ter-sáb, 13h-17h dom). para missa. horários variam. **www**.chieseverona.it

PAINÉIS DE BRONZE DO PORTÃO

Os 48 painéis de bronze do portão oeste são simples mas intensos. Eles mostram histórias bíblicas e cenas da vida de são Zeno. Os da esquerda datam de 1030 e são remanescentes de uma igreja que existiu antes no local. Os da direita foram feitos após o terremoto de 1137. Três artesãos participaram da criação dos painéis, ligados por molduras. Nas figuras, chamam atenção os olhos enormes e chapéus, armaduras e peças arquitetônicas em estilo otomano. Entre as cenas retratadas, destacam-se *Adão e Eva, Salomé Dançando para a Cabeça de João Batista* e a impressionante *Descida ao Limbo*. Algumas cenas não estão claras.

Descida ao Limbo | **Cristo Glorificado** | **Cabeça Humana**

O trabalho listrado de alvenaria é típico dos edifícios românicos de Verona. Fileiras de tijolo rosa se alternam com calcário cor marfim.

A rosácea, do início do século 12, simboliza a Roda da Fortuna: as figuras no aro mostram a ascensão e queda da sorte humana.

O pórtico românico é um dos mais belos deste estilo no Norte da Itália. Desde 1138, ele protege os baixos-relevos bíblicos, acima do portão oeste, contra o desgaste da natureza.

Estes painéis de mármore, esculpidos em 1140, ilustram eventos da vida de Cristo (à esquerda dos portões) e cenas do Livro do Gênesis (à direita).

★ Portão Oeste
Cada um dos portões de madeira possui 24 placas de bronze, pregadas de tal forma que parecem ser de metal sólido. Acima delas, um baixo-relevo multicolorido mostra são Zeno, com o povo de Verona, derrotando o diabo.

PONTOS ALTOS

★ Portão Oeste

★ Claustro

Lago Garda ❷

O maior dos lagos italianos, o Garda limita três regiões: Trentino, ao norte; Lombardia, a oeste e sul; e o Vêneto, ao sul e a leste. O terreno plano que envolve a parte sul do lago vai se transformando gradualmente em direção ao norte, até chegar aos imponentes penhascos rochosos, às vezes rodeados por pinheiros, que envolvem as margens do extremo norte. As inúmeras instalações esportivas, as variadas atrações da região e a esplêndida paisagem de montanhas cobertas de neve trazem muitos visitantes para o lago durante o verão.

PREPARE-SE

Brescia, Verona e Trento. *Viale Marconi 8, Sirmione (030 91 61 14).* FS *Peschiera del Garda e Desenzano del Garda.* *todas as cidades.* **Il Vittoriale** Gardone. *ter-dom (jardins diariam).* **Rocca Scaligera**, *Sirmione.* ***Tel*** *030 91 64 68.* *ter-dom.*

Extremo da Península Sirmione
Depois da cidade, há uma trilha que segue a margem da península, passando por fontes sulfurosas quentes.

Em Riva, uma fortaleza do século12 toma conta da paisagem. Quem gosta de windsurfe procura este balneário por causa dos fortes ventos locais.

As ruas de Malcesine amontoam-se abaixo de um imponente castelo medieval. Um teleférico sobe ao cume do monte Baldo (1.745m), oferecendo amplas vistas.

Gardone é conhecida por seu parque de plantas exóticas e pela il Vittoriale, a villa Art Déco do poeta Gabriele d'Annunzio, repleta de curiosidades.

A República de Saló foi estabelecida aqui por Mussolini em 1943. A cidade é elegante, com casas pintadas em tons pastéis. Sua catedral exibe uma peça de altar de Veneziano do século 14.

O lago recebeu o nome desta antiga cidade.

Bardolino emprestou o nome ao famoso vinho tinto.

Peschiera preserva o porto e a fortaleza construídos pelos austríacos na década de 1860, durante as guerras da Independência.

Dos hidrofólios, *catamarãs e barcos a vapor que percorrem o lago observamos mansões tipo* villa *e jardins não avistados da estrada.*

Sirmione
Um fascinante castelo medieval, o Rocca Scaligera, domina a cidade de Sirmione. No extremo da península, há ruínas romanas.

LEGENDA

- ••• Rota de barcos a vapor
- ••• Ferryboat de carros
- centro naútico
- Informações turísticas
- Vista panorâmica

Para hotéis e restaurantes nesta região, ver págs. 561-4 e págs. 609-13

Ponte de madeira do século 16, projeto de Palladio, Bassano del Grappa

Bassano del Grappa ❸

Vicenza. 39.000. FS
Largo Corona d'Italia 35 (0424 52 43 51). qui e manhã sáb.

Esta tranquila cidade fica na base do monte Grappa. O rio Brenta, que cruza a cidade, é atravessado pela graciosa Ponte degli Alpini, projetada em 1569 por Palladio. Ela foi construída em madeira, mais flexível, para aguentar as águas do degelo na primavera.

A cidade é famosa por seus artigos de maiólica (cerâmica vitrificada decorada), alguns expostos no **Palazzo Sturm.** Bassano é também conhecida pelo digestivo predileto dos italianos –a *grappa*– aguardente feita com os resíduos (graspo) da fabricação do vinho. Mais informações sobre a bebida estão disponíveis no **Museo degli Alpini.**

Palazzo Sturm
Via Ferracina. ***Tel*** *0424 52 49 33.*
ter-dom.

Museo degli Alpini
Via Angarano 3. ***Tel*** *0424 50 36 50.*
ter-dom.

Asolo ❹

Treviso. 2.000. *Piazza Garibaldi 73 (0423 52 90 46). sáb.*
www.asolo.it

Com bela localização, Asolo fica entre os contrafortes cobertos de ciprestes das Dolomitas. Esta minúscula cidade fortificada foi governada pela rainha Catarina Cornaro (1454-1510), a esposa veneziana do rei de Chipre, envenenado por ela para que Veneza herdasse a ilha. O poeta e cardeal Pietro Bembo cunhou o verbo *asolare* para descrever a triste vida que ela levava no exílio aqui. Entre os que se apaixonaram pelas ruas estreitas e casas grandiosas, está o poeta inglês Robert Browning, que batizou um livro de poemas de *Asolando* (1889), em sua homenagem.

Arredores: Em Maser, 10km a leste da cidade, fica a magnífica **Villa Barbaro** *(págs. 76-7)*. Projetada por Palladio em cerca de 1555, com colaboração de Veronese, a construção faz uma boa combinação de simetria e luz. Suas amplas salas exibem suntuosos afrescos *trompe l'oeil*.

Villa Barbaro
Masèr. ***Tel*** *0423 92 30 04.*
mar-out: ter, sáb, dom e feriados; nov-fev: sáb, dom e feriados.
25 dez, 1º jan, dom Páscoa.

Castelfranco Veneto ❺

Treviso. 30.000. FS
Via Francesco M Preti 66 (0423 49 14 16). manhã ter e manhã sex.

O núcleo histórico desta cidade foi fortificado em 1199 pelos governantes de Treviso como defesa contra a vizinha Pádua. E as muralhas ainda estão em pé. Na **Casa di Giorgione**, onde teria nascido o pintor Giorgione (1478-1511), de quem pouco se sabe, há um museu dedicado a sua vida. Giorgione inovou ao usar paisagens para transmitir sentimentos, acrescentando figuras para intensificar as sensações. Um exemplo é a misteriosa e melancólica *A Tempestade* *(pág. 106)*, seu quadro mais famoso. Outras das poucas obras atribuídas a ele, *Madona e Menino com São Líbero e São Francisco* (1504), estão expostas na cidade, no **Duomo**.

Arredores: A cerca de 8km a nordeste da cidade, na aldeia de Fanzolo, fica a **Villa Emo** (c.1555). Projetada por Palladio, a mansão é um exemplo perfeito de sua obra: um cubo ladeado por duas alas simétricas. No interior, há luxuosos afrescos de Zelotti.

Casa di Giorgione
Piazzetta del Duomo. ***Tel*** *0423 72 50 22.* *ter-dom* *feriados*

Villa Emo Via Stazione 5, Fanzolo. ***Tel*** *0423 47 63 34.*
mai-out: diariam (somente à tarde seg-sáb); nov-abr: diariam.
25-26 dez, 31 dez, 1º jan.

Afresco (c.1561) de Veronese decora a Villa Barbaro, perto de Asolo

Rua a Rua: Vicenza ❻

No nº 21 da Contrà Porti

Vicenza é conhecida como a cidade adotiva de Andrea Palladio (1508-80), que começou como um simples pedreiro e se tornou o mais influente arquiteto da época. A evolução de seu estilo é visível em todos os lugares da cidade. No centro, está a basílica que ele adaptou para ser a prefeitura. Perto daqui, está o Teatro Olímpico e, por toda parte, há palácios que ele criou para os ricos de Vicenza.

Loggia del Capitaniato
Esta arcada coberta foi projetada por Palladio em 1571.

Contrà Porti possui alguns dos mais elegantes *palazzi* de Vicenza.

Palazzo Valmarana Braga
Este imponente projeto de Palladio de 1566 foi decorado com pilastras gigantes e cenas esculpidas. Só foi concluído em 1680, cem anos após a morte do arquiteto.

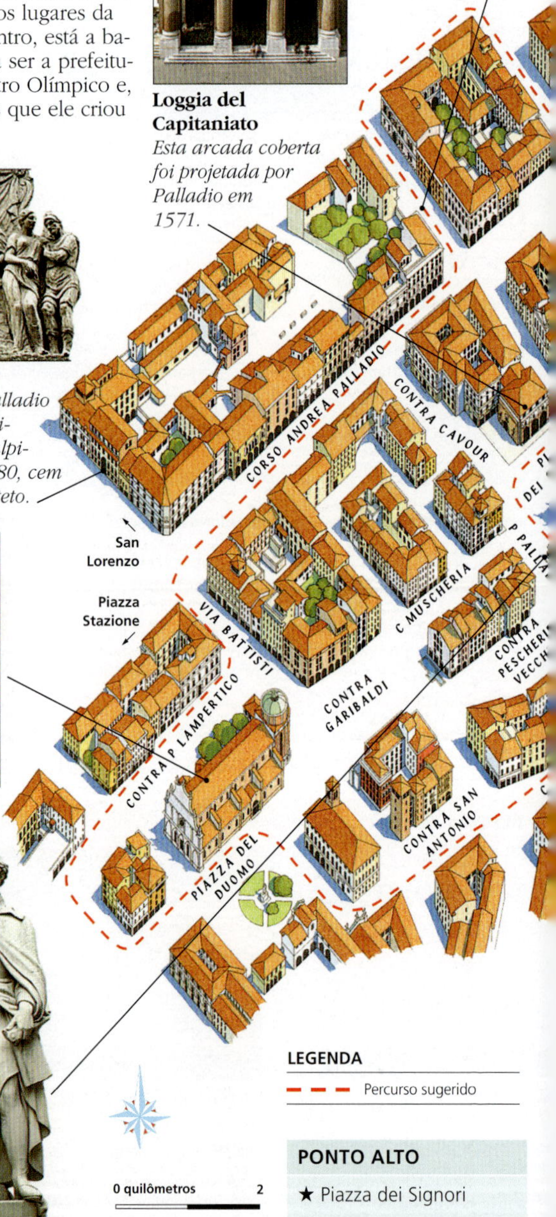

Duomo
A catedral foi reconstruída após um bombardeio durante a Segunda Guerra ter poupado apenas a fachada e o coro.

Andrea Palladio
Este memorial ao cidadão mais famoso de Vicenza costuma ficar escondido no meio do mercado.

LEGENDA

– – – Percurso sugerido

PONTO ALTO

★ Piazza dei Signori

Para hotéis e restaurantes nesta região, ver págs. 561-4 e págs. 609-13

PREPARE-SE

116.000. FS Piazza Stazione. Piazza dei Signori 8 (0444 54 41 22). ter e qui. mai-jun: temporada de concertos; set-out: temporada de teatro; fim jun-meados jul: Concerti in Villa **www**.vicenzae.org

Um grande saguão é tudo que restou do Palazzo della Ragione, do século 15.

Torre di Piazza, construída no século 12, tem 82m de altura.

★ Piazza dei Signori
Elegantes obras de Palladio ocupam esta praça, incluindo as duas majestosas fileiras de colunas da "Basilica" do século 16, construídas ao redor do Palazzo della Ragione.

O Quartiere delle Barche possui vários belos palácios construídos no século 14 em estilo gótico veneziano.

Ponte San Michele
Esta elegante ponte de pedra, construída em 1620, proporciona belas vistas da cidade.

Na Piazza delle Erbe, a praça do mercado, destaca-se a torre de prisão do século 13.

Casa Pigafetta
Nesta linda casa do século 15, nasceu Antonio Pigafetta. Em 1519, ele partiu para circunavegar o globo com Fernão de Magalhães.

***Leão de São Marcos*, ou de Veneza, olha para a Piazza dei Signori**

Piazza dei Signori

Basílica ***Tel*** *0444 32 36 81.*
só exposições.

Esta praça no centro de Vicenza é dominada pelo Palazzo della Ragione, chamado de **Basilica**. Seu telhado verde, coberto de cobre, tem a forma de um barco virado, com uma balaustrada cercada por estátuas de deuses gregos e romanos. As colunatas foram projetadas por Palladio em 1549, para sustentar a prefeitura da cidade, do século 15, que começara a ceder. Esta foi a primeira encomenda de uma obra pública a Palladio e um grande sucesso. Ao lado, fica a Torre di Piazza, do século 12.

A **Loggia del Capitaniato**, a noroeste, foi construída por Palladio em 1571 –as salas superiores abrigam a câmara da cidade.

Contrà Porti

Contrà (uma abreviatura de *contrada*, ou bairro) significa rua no dialeto de Vicenza. De um lado da Contrà, há uma série de belos edifícios góticos com janelas pintadas e sacadas ornamentadas, que evocam Veneza e lembram que Vicenza foi parte do império veneziano.

Elegantes *palazzi* paladianos ficam nesta rua. O Palazzo Porto Barbarano (n° 11), o Palazzo Thiene (n° 12) e o Palazzo Iseppo da Porto (n° 21) ilustram as variações do estilo de Palladio –todos compartilham elementos clássicos, mas cada um é único. Um detalhe curioso é que o Palazzo Thiene parece ser de pedra, mas na verdade foi construído com um tijolo leve e barato, inteligentemente trabalhado para parecer pedra.

Como Explorar Vicenza

Vicenza, a grande cidade palladiana e uma das mais ricas do Vêneto, é famosa no mundo inteiro por sua esplêndida e variada arquitetura. Oferece também, aos visitantes, muitas opções elegantes de lojas e cafés.

Afresco de Brusazorzi no teto do grande saguão de entrada do Museo Civico

Museo Civico

Piazza Matteotti 37-39. ***Tel*** *0444 32 13 48.* *ter-dom.* *1º jan, 25 dez.*

Este museu fica no **Palazzo Chiericati** *(pág. 80)*, de Palladio, construído em 1550. No saguão de entrada, destaca-se um afresco de Domenico Brusazorzi de um cocheiro nu representando o Sol, que parece voar sobre o saguão de entrada. No piso superior, há excelentes obras. Entre as peças de altar góticas, trazidas de igrejas locais, está a *Crucificação* (1468-70), de Hans Memling, painel central de um tríptico, cujas laterais estão em Nova York. Em outras salas, estão expostas obras do artista local Bartolomeo Montagna (c.1450-1523).

Santa Corona

Contrà Santa Corona. ***Tel*** *0444 32 19 24.* *fechado para reforma.*

Esta grande igreja gótica foi construída em 1261 para guardar um espinho, doado por Luís IX da França, que seria da coroa usada por Cristo. Entre as pinturas, destacam-se o *Batismo de Cristo* (c.1500), de Giovanni Bellini, e a *Adoração dos Magos* (1573), de Paolo Veronese. Na Cappella Porto, está o túmulo de Luigi da Porto (morto em 1529), autor do romance *Romeu e Julieta*, base da famosa peça de Shakespeare.

Teatro Olimpico

P. Matteotti 11. ***Tel*** *0444 22 28 00.* *9h-16h30 ter-dom (até 19h jul-ago; últ adm: 16h30)* *durante apresentações, 1º jan, 25 dez.*

É o mais antigo teatro fechado preservado na Europa. Foi construído em grande parte com madeira e estuque, e pintado de forma a parecer mármore. Palladio iniciou o projeto em 1579, mas morreu no ano seguinte. Seu aluno Vincenzo Scamozzi assumiu o projeto, concluindo o teatro a tempo para a estreia da tragédia de Sófocles, *Édipo-Rei*, em 3 de março de 1585.

Afrescos do Odeon
Os deuses do Olimpo, que dão nome ao teatro, decoram o Odeon, uma sala usada para recitais de música.

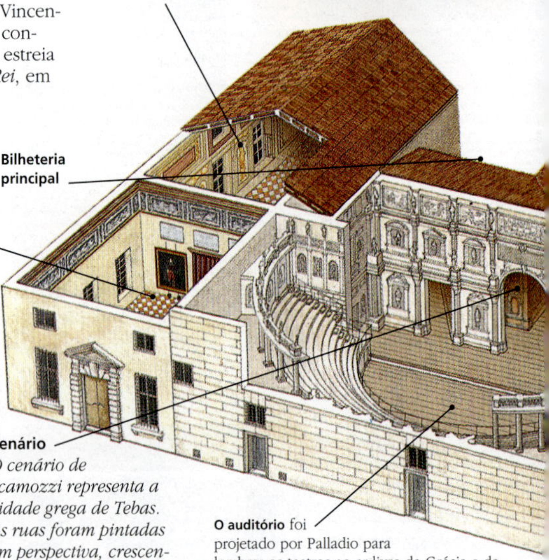

A Anteodeon exibe afrescos que ilustram a apresentação inaugural do teatro, além de lampiões a óleo do cenário original.

Bilheteria principal

Cenário
O cenário de Scamozzi representa a cidade grega de Tebas. As ruas foram pintadas em perspectiva, crescendo em ângulo agudo para dar a ilusão de comprimento.

O auditório foi projetado por Palladio para lembrar os teatros ao ar livre da Grécia e da Roma antigas, como a Arena de Verona *(pág. 143)*, com um semicírculo de bancos de "pedra" e um teto pintado como um céu.

San Lorenzo
Piazza San Lorenzo. *diariam.*

O portal desta igreja é um magnífico exemplo de escultura gótica em pedra. Foi decorado com figuras da Virgem e Menino e de são Francisco e santa Clara. No interior, há belos túmulos e afrescos. O claustro, ao norte da igreja, é um aconchegante refúgio, repleto de flores e tranquilidade.

Monte Berico
Basilica di Monte Berico.
Tel *0444 32 64 64.* *diariam (dom somente à tarde).*

Para este monte, coberto de ciprestes, ao sul de Vicenza, vinham os moradores ricos da cidade, no verão, aproveitar o ar fresco e o charme das propriedades rurais. Hoje, sombrias *portici*, ou colunatas, com capelas, acompanham a larga alameda que liga o centro de Vicenza à basílica no topo da colina. A basílica com domo, construída no século 15 e ampliada no século 18, é dedicada à Virgem que apareceu aqui durante a peste de 1426 a 1428 para anunciar que Vicenza seria poupada. Seu interior exibe o comovente afresco *Pietà* (1500), de Bartolomeo Montagna. No claustro, está exposto um acervo de fósseis; e, no refeitório, a bela pintura, *A Ceia de São Gregório o Grande* (1572), de Veronese.

La Rotonda (1550-2), a obra mais famosa de Palladio

As estátuas da fachada de figuras com trajes imponentes representam os patronos que financiaram a construção do palácio.

O pátio que dá acesso ao teatro está decorado com esculturas antigas. Elas foram doadas por membros da Academia Olímpica, o grupo era dito que construiu o teatro.

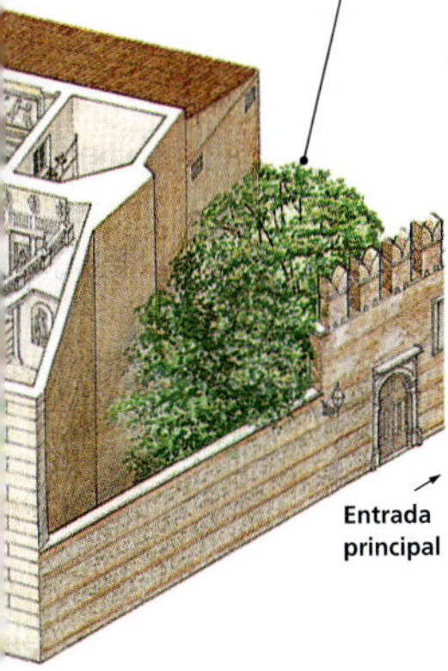

Entrada principal

Basilica di Monte Berico, uma igreja barroca no topo da colina

Villa Valmarana ai Nani
Via dei Nani 8. **Tel** *0444 32 18 03.* *10h-12h, 15h-18h ter-dom (8 nov-7 mar: 10h-12h, 14h-16h30 somente sáb-dom).*

A muralha da Villa Valmarana, construída em 1688 por Antonio Muttoni, é decorada com figuras de anões (*nani*), que dão o nome à *villa*.

No interior, as paredes são recobertas com afrescos de Tiepolo, nos quais os deuses do monte Olimpo pairam sobre nuvens, observando cenas dos épicos de Homero e Virgílio. Na Foresteria (casa de hóspedes), ao lado da sede, afrescos pintados pelo filho de Tiepolo, Giandomenico, ilustram a vida dos camponeses e as estações do ano.

Pode-se chegar à *villa* após uma agradável caminhada de dez minutos a partir da basílica no monte Berico. Desça a colina pela Via Massimo d'Azeglio até o convento de muros altos à direita, onde a estrada termina, depois siga a Via San Bastiano.

La Rotonda
Via Rotonda 45. **Tel** *0444 32 17 93.*
Villa *meados mar-4 nov: qua.*
Jardim *ter-dom.*

Esta *villa* simétrica, conhecida como Villa Capra Valmarana, é a mansão mais famosa de Palladio (*págs. 80-1*) e um resumo de sua arquitetura. O projeto, que inclui um domo que se eleva acima de um cubo, é simples e recebeu reconhecimento imediato por sua perfeita harmonia com a paisagem ao redor. O telhado de terracota cria um agradável contraste com as paredes brancas e o gramado verde do terreno. Construída entre 1550-2, o projeto da *villa* foi copiado em cidades distantes, como Londres, São Petersburgo e Nova Délhi. Quem assistiu ao *Don Giovanni* (1979), de Joseph Losey, vai gostar de ver as locações usadas no filme.

Para chegar a La Rotonda, pode-se pegar um ônibus da cidade ou ir a pé –siga a trilha que passa pela Villa Valmarana ai Nani.

Rua a Rua: Pádua ❼

Antiga cidade universitária, Pádua (ou Padova) apresenta ilustre história acadêmica, além de preservar grande riqueza artística e arquitetônica. A magnífica Cappella degli Scrovegni *(págs. 156-7)*, mais ao norte do centro, é uma das suas grandes atrações. Situada perto da estação de trem, é famosa pelos afrescos líricos de Giottoforma, formando parte do complexo que inclui a igreja Eremitani e os museus. Destaca-se, também, a Basilica di Sant'Antonio, no centro-sul da cidade –um dos mais populares pontos de peregrinação do país.

Palazzo del Capitanio
Construído entre 1599 e 1605 para o comandante da milícia local, este palácio tem um relógio astronômico (1344) na sua torre.

A Piazza dei Signori é limitada por belas arcadas que abrigam pequenas lojas, cafés e velhos bares de vinhos.

A Corte Capitaniato, uma faculdade de artes do século 14 (hoje aberta para concertos), exibe um retrato de Petrarca, entre outros afrescos.

Loggia della Gran Guardia
Este belo edifício renascentista, de 1523, abrigava o Conselho de Nobres. Atualmente, é usado como centro de conferências.

★ Duomo e Batistério
O batistério do século 12, ao lado do Duomo, exibe um dos mais completos ciclos de afrescos medievais remanescentes na Itália, pintados por Giusto de' Menabuoi em 1378.

O Palazzo del Monte di Pietà, em estilo medieval, está rodeado por arcadas e estátuas do século 16.

LEGENDA

– – – Percurso sugerido

0 metros 75

PONTO ALTO

★ Duomo e Batistério

Para hotéis e restaurantes nesta região, ver págs. 561-4 e págs. 609-13

Caffè Pedrocchi
Parecendo um templo clássico, o Caffè Pedrocchi é um famoso ponto de encontro estudantil e intelectual desde sua inauguração, em1831.

PREPARE-SE

220.000. FS Piazzale della Stazione 13 A (049 875 20 77). Piazza Boschetti. seg-sáb no P. delle Erbe. jun-set: Festival Cultural. **www**.turismopadova.it

Uma estátua feminina (1973) de bronze, feita por Emilio Greco, marca o centro desta praça, em grande parte exclusiva a pedestres.

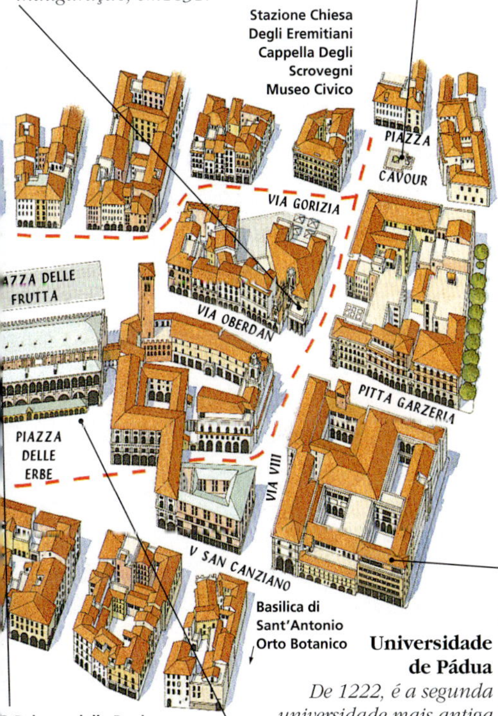

Palazzo della Ragione, o Tribunal de Justiça medieval, guarda magníficos afrescos.

Universidade de Pádua
De 1222, é a segunda universidade mais antiga da Itália. Elena Piscopia foi a primeira mulher a se formar, em 1678.

Piazza delle Erbe
Excelentes vistas da praça e do mercado são oferecidas pela galeria (do século 15) que acompanha o Palazzo della Ragione (do século 13).

Duomo e Batistério

Piazza Duomo. **Batistério** ***Tel*** *049 65 69 14.* *10h-18h diariam.* *Páscoa, 25 dez.*

O Duomo foi construído em 1552 no local onde existiu uma catedral do século 14. Parte do projeto foi de autoria de Michelangelo. Ao lado da catedral, há um batistério com domo (c.1200) e deslumbrante interior. Ele foi totalmente decorado com afrescos pintados por Giusto de' Menabuoi, de cerca de 1378. As pinturas ilustram episódios bíblicos, incluindo a *Criação do Mundo* e os *Milagres, Paixão, Crucificação* e *Ressurreição de Cristo.*

Palazzo della Ragione

Piazza delle Erbe (entrada pela prefeitura). ***Tel*** *049 820 50 06.* *9h-19h ter-dom (nov-fev até 18h).* *1° jan, 1° mai, 25-26 dez.*

O "Palácio da Razão", foi construído em 1218 para sediar o Tribunal de Justiça e a Câmara do Conselho de Pádua. O saguão principal foi originalmente decorado com afrescos de Giotto, destruídos por um incêndio em 1420. A construção impressiona pelo tamanho. É o maior salão medieval sem divisões da Europa, com 80m de comprimento, 27m de largura e 27m de altura. Afrescos pintados entre 1420 e 1425 por Nicola Miretto cobrem suas paredes: 333 painéis, ilustrando os meses do ano, com deuses, signos do zodíaco e atividades de cada estação. No extremo do saguão existe uma cópia de 1466 da enorme estátua de *Gattamelata* (pág. 158), de Donatello.

Caffè Pedrocchi

Via VIII Febbraio 15. ***Tel*** *049 878 12 31.* *diariam.* *ago.* **Museu** *ter-dom.*

Quando foi inaugurado em 1831, o Pedrocchi ficou famoso por nunca fechar as suas portas. Hoje as pessoas vêm aqui para comer, beber, conversar, jogar cartas ou passar o tempo. As salas superiores, decoradas em estilos mourisco e egípcio, entre outros, abrigam um museu sobre a história da Itália.

Pádua: Cappella degli Scrovegni

Enrico Scrovegni construiu esta capela em 1303, na esperança de salvar seu pai morto, um agiota, do fogo eterno do inferno, descrito pelo poeta Dante. O interior da capela é inteiramente coberto com lindos afrescos de cenas da vida de Cristo, pintados por Giotto entre 1303 e 1305. Estas obras de grande força narrativa exerceram marcante influência sobre o desenvolvimento da arte europeia.

Natividade
O naturalismo da pose da Virgem indica uma ruptura com a estilização bizantina, assim como o uso de azul para o céu, em vez do dourado usual.

Expulsão dos Mercadores
A expressão da ira de Cristo, de covardia do mercador e de medo da criança mostram um vigor característico do estilo de Giotto.

Os Coretti
Giotto pintou estes dois painéis, chamados de "Os Coretti", como um exercício de perspectiva, criando a ilusão de um arco e uma sala.

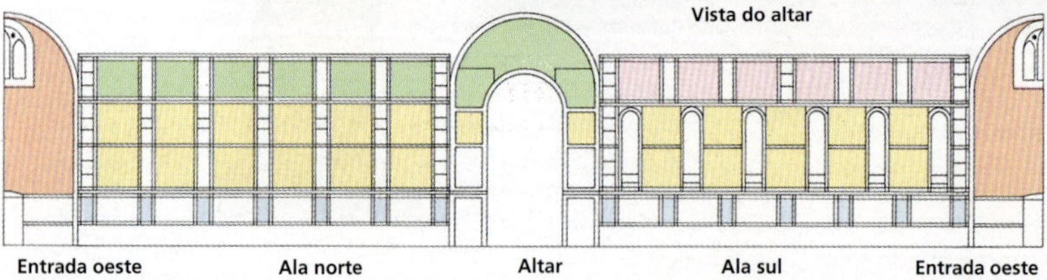

GUIA DA CAPELA

Devido ao tamanho da capela, o número de visitantes é limitado. Antes de entrar, o visitante precisa permanecer 15 minutos numa câmara de descontaminação, onde há informações multimídia e em várias línguas. O tempo de permanência na capela também é restrito a 15 minutos. É obrigatório agendar, ou por telefone (049 201 00 20), pagando com cartão de crédito, ou pela internet (www.cappelladegliscrovegni.it).

LEGENDA

- Episódios de Joaquim e Ana
- Episódios da Vida de Maria
- Episódios da Vida e Morte de Cristo
- Virtudes e Pecados
- Juízo Final

Juízo Final
Esta cena ocupa toda a parede oeste da capela. Sua composição formal aproxima-se mais da tradição bizantina que a de outros afrescos. Provavelmente, algumas partes foram pintadas por assistentes. Scrovegni aparece oferecendo uma representação da capela à Virgem (parte inferior do centro).

PREPARE-SE

Piazza Eremitani. ***Tel** 049 201 00 20.* *para Piazzale Boschetti.* *9h-19h diariam (abre algumas noites).* *feriados. É necessário reservar.*

Apresentação de Maria no Templo
Giotto pintou muitas cenas com um fundo arquitetônico, usando as leis da perspectiva para criar uma sensação tridimensional.

Vista da entrada

Injustiça
Virtudes e Pecados *foram pintados monocromaticamente. Aqui, a* Injustiça *aparece simbolizada por cenas de guerra, assassinato e roubo.*

Lamentação sobre o Cristo Morto
As figuras de Giotto expressam seu pesar de diferentes formas: algumas se agrupam; outras gesticulam.

GIOTTO

O grande artista florentino Giotto (1266-1337) é considerado o pai da arte ocidental. Sua obra, com nova noção espacial, naturalismo e narração dramática, marca uma ruptura decisiva com a tradição bizantina dos mil anos precedentes. Ele foi o primeiro mestre italiano a deixar o nome para a posteridade e, apesar de considerado um grande artista ainda em vida, poucas obras atribuídas a ele têm sua autoria realmente provada. Algumas podem ter sido pintadas por outros artistas, mas os afrescos na Cappella degli Scrovegni são indiscutivelmente de Giotto.

Como Explorar Pádua

Com muitas atrações e uma longa história, a cidade de Pádua oferece um grande complexo de museus, que ocupa um conjunto de construções monásticas do século 14, anexo à igreja dos Eremitani, uma ordem agostiniana enclausurada. Próxima está a Cappella degli Scrovegni *(págs. 156-7)*. Em Pádua, também se encontram uma das mais importantes igrejas italianas –a esplêndida Basilica di Sant'Antonio– e uma das primeiras universidades fundadas no país.

***Anjos com Armadura* (século 15), de Guariento, Museo Civico Eremitani**

Chiesa degli Eremitani e Museo Civico Eremitani

Piazza Eremitani 8. ***Tel*** *049 820 45 51.* **Museu** *ter-dom.*

A igreja Eremitani, construída entre 1276 a 1306, guarda impressionantes túmulos. Entre eles, está o túmulo renascentista de Marco Benavides (1489-1582), professor de direito da universidade de Pádua, feito pelo arquiteto florentino Ammannati (1511-92). Famosos afrescos (1454-7) de Mantegna, retratando cenas das vidas de são Tiago e de são Cristóvão, foram destruídos durante um bombardeio em 1944. Duas cenas remanescentes desta magnífica série estão na Cappella Ovetari, na parte sul do santuário: *O Martírio de São Tiago* e *O Martírio de São Cristóvão.*

O Museo Civico Eremitani possui uma coleção de moedas (que inclui alguns medalhões romanos raros e um conjunto quase completo de moedas venezianas), uma seção arqueológica e uma galeria de arte.

O rico acervo arqueológico inclui interessantes peças romanas, como túmulos, mosaicos e imponentes estátuas em tamanho natural. Entre as esculturas renascentistas em bronze, destacam-se o cômico *Sátiro Bebendo*, de Il Riccio (1470-1532). O lindo crucifixo do século 14 da Cappella degli Scrovegni está exposto na Quadreria Emo Capodilista, onde estão também obras de Giotto e pinturas do século 15 ao 18 das escolas veneziana e flamenga.

Túmulo do século 1° no acervo arqueológico

Basilica di Sant'Antonio

Piazza del Santo. ***Tel*** *049 878 97 22.*

Esta exótica igreja, com torres tipo minarete e domos bizantinos, também é conhecida como Il Santo. Começou a ser construída em 1232 para abrigar os restos mortais de santo Antônio de Pádua, pregador português que se inspirou em são Francisco de Assis. Apesar do ter rejeitado as riquezas terrenas, recebeu uma das mais luxuosas igrejas da cristandade.

A influência da arquitetura bizantina é claramente visível nos contornos da basílica: um domo central em forma de cone se eleva acima de sete domos, e a fachada combina elementos góticos e românicos.

No interior, o altar-mor apresenta magníficos relevos sobre os *Milagres de Santo Antônio* (1444-5) e estátuas de Cristo Crucificado, Virgem e santos de Pádua –todas obras de Donatello. O túmulo de santo Antônio fica no transepto norte. Ao seu redor, há grandes relevos em mármore (1505-77) retratando a vida do santo. O expressivo afresco *Cristo Crucificado*, pintado por Altichiero da Zevio (década de 1380), enfeita o transepto sul.

Basilica di Sant'Antonio e estátua de Gattamelata, de Donatello

Estátua de Gattamelata

Ao lado da entrada da basílica, fica uma das grandes obras do Renascimento italiano: a estátua do soldado mercenário Gattamelata, que prestou um grande serviço à República de Veneza. A imponente figura, produzida entre 1443-52, deu fama a seu autor, Donatello. Foi a primeira estátua equestre com dimensões tão grandes desde a época dos romanos.

Scuola del Santo e Oratorio di San Giorgio

Piazza del Santo 11. **Tel** *049 878 97 22.* *diariam.*

Cinco excelentes afrescos, incluindo as primeiras pinturas conhecidas de Ticiano, estão nestes dois prédios interligados. A Scuola del Santo guarda duas cenas da vida de santo Antônio, pintadas por Ticiano em 1511. As obras no oratório San Giorgio foram executadas por Altichiero da Zevio e Jacopo Avenzo, entre 1378-84.

Orto Botanico

Via Orto Botanico 15. **Tel** *049 827 21 19.* *diariam (nov-mar: seg-sáb, de manhã).*

O Jardim Botânico de Pádua, um dos mais antigos da Europa (1545), ainda preserva muito de sua aparência original. Em seus jardins e estufas foram cultivadas as primeiras lilases (1568), os primeiros girassóis (1568) e as primeiras batatas (1590) de toda a Itália.

Palazzo del Bo

Via VIII Febbraio 2. **Tel** *049 827 30 47.* *apenas para visitas guiadas.* *ter, qui, manhã sáb, seg, qua, tarde sex; horários variam, ligar antes.*

Este prédio histórico, o principal da universidade, abrigou originalmente a famosa Faculdade de Medicina. Entre seus frequentadores famosos, esteve Gabriele Fallopio (1523-62) –as trompas de Fallopio foram batizadas em sua homenagem.

Do pátio do século 16 saem as visitas guiadas, que passam pelo púlpito usado por Galileu para dar aulas de Física na universidade de 1592 até 1610 e pela Sala de Anatomia (1594) –a mais antiga sala de ensino médico preservada do mundo.

A Sala de Anatomia, do século 16, na antiga Faculdade de Medicina no Palazzo del Bo, Universidade de Pádua

Os montes Eugâneos, remanescentes de vulcões extintos

Montes Eugâneos 8

FS *para Terme Euganee, Montegrotto Terme.* *Viale Stazione 60, Montegrotto Terme (049 892 83 11).*

Estes montes com forma cônica são remanescentes de vulcões extintos. Elevam-se em meio às planícies da região e alguns possuem fontes termais, como em Abano Terme e Montegrotto Terme. Nestes locais, há muitos estabelecimentos oferecendo tratamentos terapêuticos, que vão de banho de lama a imersão em águas quentes sulfurosas. Esse tipo de balneário data da época dos romanos, e vestígios das termas e do teatro originais ainda são vistos na Montegrotto Terme.

Abbazia di Praglia

Via Abbazia di Praglia 16, Bresseo di Teolo. **Tel** *049 999 93 00.* *ter-dom à tarde.* *Jan, feriados religiosos.* *aceitam-se doações.*

Este monastério beneditino, em Praglia, 6km a oeste da Abano Terme, é um tranquilo refúgio nas colinas, onde monges cultivam ervas e restauram manuscritos. Eles guiam visitas a partes da abadia e da sua bela igreja renascentista (1490-1548), famosa pelo claustro. No coro e refeitório, destacam-se os bancos entalhados e, no domo da igreja e refeitório, pinturas e afrescos de Zelotti, pintor de Verona do século 16.

Casa di Petrarca

Via Valleselle 4, Arquà Petrarca. **Tel** *0429 71 82 94.* *ter-dom (seg se feriado).* *feriados*

A pitoresca cidade de Arquà Petrarca, no limite sul dos montes Eugâneos, foi batizada em homenagem a Francesco Petrarca (1304-74). O poeta medieval passou seus últimos anos aqui, em uma casa com afrescos de cenas de seus poemas líricos, com vista para as oliveiras e vinhedos. Petrarca está enterrado em um pequeno sarcófago em frente à igreja.

A Casa di Petrarca (em parte do século 14) em Arquà Petrarca

Villa Barbarigo

Valsanzibio. **Tel** *049 805 92 24.* *mar-nov 10h-13h, 14h-anoitecer diariam.*

Esta *villa* do século 18, ao norte de Arquà, possui um dos mais lindos jardins barrocos do Vêneto. Projetado por Antonio Barbarigo em 1669, combina de forma grandiosa estátuas, fontes, canteiros clássicos, lagos, alamedas de ciprestes e um labirinto.

Villa Foscari, do século 16, em Malcontenta, ao lado do canal de Brenta

Canal da Brenta 9

Pádua e Veneza. FS *Venezia Mestre, Dolo, Mira.* *para Mira, Dolo e Strà.* **Viagens pelo canal no *Il Burchiello:*** Pádua. ***Tel*** *049 820 69 10.* *25 dez-7 fev.* **www**.ilburchiello.it

Ao longo dos séculos, para evitar o assoreamento da laguna veneziana, os rios que desaguavam nela foram sendo desviados. O rio Brenta foi canalizado em dois ramos. O braço mais antigo, entre Pádua e Fusina (a oeste de Veneza), é dos anos de 1500 e se estende por 36km. Seu potencial como rota de transporte logo foi percebido e belas mansões tipo *villa* foram construídas em suas margens. Ainda hoje é possível admirar muitas destas construções –a rodovia N11 segue a maior parte do canal– e muitas delas estão abertas para visitação.

A **Villa Nazionale**, do século 18, em Strà, possui um extravagante teto com afrescos de Tiepolo. A **Barchessa Valmarana**, na bela aldeia de Mira, exibe decorações do século 18. Na aldeia de Malcontenta, fica a **Villa Foscari**, ou Villa Malcontenta, uma das mais bonitas de Palladio *(págs. 80-1)*, construída em 1560. Em seu interior, pode-se admirar magníficos afrescos de Zelotti.

Estas construções também podem ser visitadas como parte de um longo passeio guiado saindo de Pádua para Veneza (ou em direção contrária, em dias alternados). São oito horas e meia de passeio ao longo do rio, a bordo da lancha *Burchiello*. O preço do programa, entretanto, é quase proibitivo.

Barchessa Valmarana
Via Valmarana 11, Mira.
Tel *041 426 63 87.* *mar-out: 10h-16h diariam; nov-fev: sáb e dom somente grupos.*

Villa Nazionale
Via Pisani, Strà. ***Tel*** *049 50 20 74.* *ter-dom.* *1° jan, 1° mai, 25 dez.* *sex-dom (somente em italiano).*

Villa Foscari
Via dei Turisti, Malcontenta.
Tel *041 547 00 12.* *ter e manhã sáb.* *nov-mar.*

Treviso 10

81.700. FS *Via Sant'Andrea 3 (0422 54 76 32).* *ter e sáb manhã.* **www**.turismo.provincia.treviso.it

Apesar das comparações com Veneza, a cidade fortificada de Treviso tem personalidade própria. Um bom ponto de partida para passear pelas ruas –algumas com belas casas com sacadas ao lado de canais arborizados– é a rua **Calmaggiore**. Ela liga o Duomo ao Palazzo dei Trecento, prefeitura do século 13 reconstruída.

Fundado no século 12, o **Duomo** foi refeito várias vezes. Em seu interior, a *Anunciação* (1570) de Ticiano disputa a atenção com o impressionante afresco da *Adoração dos Magos* (1520) do inimigo Il Pordenone. Mais obras de Ticiano e de outros artistas renascentistas estão no **Museo Civico**.

O mercado de peixe, de origem medieval, acontece em uma ilha no meio do rio Sile, que recebe as sobras do dia.

A igreja dominicana de **San Nicoló**, próxima à muralha do século 16 que cerca a cidade, guarda túmulos e afrescos interessantes. Em uma das paredes da casa paroquial, encontra-se a primeira obra de arte onde aparece um par de óculos. Um belo túmulo (1500) feito por Antonio Rizzo é emoldurado por um afresco de pajens (c.1500), de Lorenzo Lotto.

Museo Civico
Chiesa di S. Caterina, Piazza Mario Botteri 1. ***Tel*** *0422 54 48 64.* *para reforma.*

Casas à beira de um antigo canal, na cidade medieval de Treviso

Para hotéis e restaurantes nesta região, ver págs. 561-4 e págs. 609-13

Fachada e entrada do Palazzo dei Rettori renascentista em Belluno

Conegliano ⓫

Treviso. 35.000. Via XX Settembre 61 (0438 212 30). sex.

Rodeada pelos vinhedos de onde vem o saboroso Prosecco, Conegliano atrai vinicultores do mundo inteiro, que vêm aprender o ofício na renomada escola de vinho da cidade. A central Via XX Settembre, com muitos arcos e curvas, possui belos *palazzi* dos séculos 15 ao 18, muitos no estilo gótico veneziano ou decorados com afrescos desbotados. O **Duomo** contém a única grande obra de arte da cidade, a peça de altar *Virgem e Menino com Santos* (1493), do artista local Cima da Conegliano (1460-1518).

Estátua mítica no teatro de Conegliano

Reproduções de suas obras mais famosas estão expostas na **Casa di Cima**, onde nasceu. As detalhadas paisagens do fundo de seus quadros foram inspiradas nas colinas ao redor da cidade. O mesmo cenário ainda pode ser visto dos jardins do Castelvecchio, o castelo velho.

Casa di Cima
*Via Cima. **Tel** 0438 239 61*
sáb e dom de tarde.

Belluno ⓬

36.000. Piazza Duomo 2 (0437 94 00 83). sáb.

A pitoresca Belluno, capital da província de mesmo nome, serve como ponte entre as duas diferentes partes do Vêneto –as planícies baixas ao sul e os picos das Dolomitas ao norte. Ambas as paisagens podem ser observadas desde a **Porta Rugo**, do século 12, no extremo sul da Via Mezzaterra, a rua principal da cidade velha. Ainda mais espetaculares são as vistas da torre do sino do Duomo do século 16. Perto daqui, fica o batistério, que preserva uma cobertura de pia batismal com a figura de João Batista esculpida por Andrea Brustolon (1662-1732). Obras de Brustolon também adornam as igrejas de San Pietro (na Via San Pietro) e Santo Stefano (na Piazza Santo Stefano). Ao norte da Piazza del Duomo, fica o prédio mais elegante da cidade, o **Palazzo dei Rettori** (1491) –onde moraram os governantes venezianos da cidade–, e a **Torre Civica** (século 12) –tudo o que restou do castelo medieval.

O **Museo Civico** exibe pinturas de Bartolomeo Montagna (1450-1523) e de Sebastiano Ricci (1659-1734) e uma notável seção de arqueologia. Ao norte do museu, fica a mais bela praça de Belluno, a **Piazza del Mercato**, com palácios renascentistas com arcadas e uma fonte de 1410.

Ao sul da cidade, ficam as estações de esqui do Alpe del Nevegal. No verão, um teleférico funciona em Faverghera –sobe até 1.600m da montanha e oferece impressionantes vistas da região.

Museo Civico
*Piazza Duomo 16. **Tel** 0437 94 48 36. mai-set: ter-dom; out-abr: diariam.*

Cortina d'Ampezzo ⓭

Belluno. 6.800. Piazzetta San Francesco 8 (0436 32 31). ter e sex até 12h. **www**.infodolomiti.it

Esta é a principal estação de esqui da Itália, muito frequentada pela alta sociedade de Turim e Milão e bem servida de bares e restaurantes.
No meio do impressionante cenário das Dolomitas *(págs. 82-3)*, penhascos e montanhas se destacam por todos os lados da cidade.

As instalações esportivas locais são melhores do que a média, pois a cidade sediou as Olimpíadas de Inverno de 1956. Além das pistas de esqui e esqui *cross-country*, há uma plataforma para saltos com esqui e uma pista de corrida de trenós. Não faltam também uma pista de gelo olímpica, várias piscinas, quadras de tênis, cavalos e equipamentos para equitação.

Durante os meses de verão, a cidade se torna uma excelente base para caminhadas. Informações sobre trilhas e passeios a pé guiados estão disponíveis no centro de informação turística ou, durante o verão, no vizinho Guides *(pág. 672)*.

Cortina d'Ampezzo, a mais importante estação de esqui da Itália

Panelas de cobre tradicionais, no Museo Carnico em Tolmezzo

Tolmezzo ⓮

10.000. Via della Vittoria 4 (0433 448 98). manhã seg. **www**.turismofvg.it

Tolmezzo é a capital da região de Carnia e recebeu o nome da tribo celta que habitava o local no século 4° a.C. Está cercada pelos elevados picos dos Alpes Cárnicos, incluindo o monte Amariana, a leste, com 1.906m de altura e forma piramidal. Um bom ponto de partida para conhecer a região é o **Museo delle Arti Popolari**, com trajes, artesanato e objetos agrícolas locais.

A sudoeste da cidade, uma estrada com lindas vistas sobe 14km até a estação de esqui de **Sella Chianzutan**, uma boa base para caminhadas durante o verão. Outros balneários margeiam a estrada, a oeste de Tolmezzo, até **Ampezzo**, onde uma estrada secundária vai para o norte através do desfiladeiro do rio Lumiei. Seguir esta estrada até a ponte di Buso e o **Lago di Sauris** é uma excelente introdução aos majestosos Alpes Cárnicos.

A partir deste desse ponto, a estrada fica constantemente intrafegável no inverno. No verão, entretanto, há pradarias floridas ao longo de toda a estrada até Sella di Razzo, no alto, e depois na volta até o vale **Pesarina**, via Comeglians e Ravascletto. Retornando ao sul, **Zuglio** foi a cidade romana de Forum Iulii Carnicum, que protegia a estrada local. Vale a pena visitar as ruínas da basílica, termas e fórum romanos.

Museo delle Arti Popolari
Via della Vittoria 2. ***Tel*** *0433 432 33. ter-dom (ago: diariam). 1° jan, 25 dez.*

Pordenone ⓯

49.000. FS Piazza XX Settembre (0434 52 03 81). qua e sáb de manhã. **www**.turismofvg.it

A antiga Pordenone resume-se a uma longa rua, o **Corso Vittorio Emanuele**, margeada por belas casas com arcadas de tijolo rosa, algumas com vestígios de afrescos decorativos em suas fachadas. A rua termina de forma gloriosa no **Palazzo Comunale**, do século 13, com excêntrico telhado com curvas e torres laterais imitando minaretes e uma torre de relógio do século 16. Em frente fica o **Museo d'Arte**, sediado no Palazzo Ricchieri, do século 17, onde estão expostas obras do artista local Il Pordenone (1484-1539).

Perto fica o **Duomo**, que contém a bela pintura de altar da *Madonna della Misericordia* (1515) de Il Pordenone. A torre do sino ao lado da catedral é um belo exemplo de trabalho decorativo românico em tijolo.

Museo d'Arte
Corso Vittorio Emanuele 51. ***Tel*** *0434 39 23 12. para reforma.*

Udine ⓰

99.000. FS Piazza I Maggio 7 (0432 29 59 72). sáb.

Udine surpreende pela sua arquitetura variada. No centro da cidade fica a **Piazza della Libertà**, onde a Loggia del Lionello (1448-56), construída com pedra rosa, em estilo gótico veneziano, fica ao lado do Caffè Contarena (1915), em estilo Art Déco. Em frente, a simetria renascentista do Porticato di San Giovanni é interrompida pela Torre dell'Orologio (1527), coroada por duas estátuas de bronze de mouros, que batem as horas. Observe também a fonte (1542), as duas estátuas do século 18 e a coluna que sustenta o *Leão de São Marcos*.

Para além do **Arco Bollani**, um pórtico projetado por Palladio em 1556, uma escadaria conduz a uma colina de 26 metros, de onde se tem lindas vistas da cidade. Aqui fica um antigo castelo do século 16, atualmente o **Musei Civici e Galleria di Storia e Arte Antica**, que abriga belos acervos de arte e de arqueologia.

A sudeste da Piazza Matteotti, onde é montado um pequeno mercado, no fim da Via Savorgnana, ficam o **Oratorio della Purità** e o **Duomo**, com uma torre de sino octogonal. Ambos contêm importantes pinturas e afrescos de Giambattista Tiepolo (1696-1770). Mais obras de Tiepolo podem ser vistas no **Palazzo Arcivescovile.**

Arredores: Fora de Codroipo,

Lago di Sauris, lago artificial nos Alpes Cárnicos, acima de Tolmezzo

Para hotéis e restaurantes nesta região, ver págs. 561-4 e págs. 609-13

Porticato di San Giovanni com arcadas, na Piazza della Libertà, Udine

24km a oeste, fica a imponente **Villa Manin**. Uma estrada passa pelo terreno da mansão –outrora o refúgio de Ludovico Manin, o último doge de Veneza (1725-1802). A estrada possibilita admirar a imensa casa e seus magníficos jardins mesmo quando estes estão fechados.

Musei Civici e Galleria di Storia e Arte Antica
Castello di Udine. *Tel 0432 27 15 91.* *ter-dom.* *1° jan, Páscoa, 1° mai, 25 dez.*

Palazzo Arcivescovile
Piazza Patriarcato 1. *Tel 0432 250 03.* *qua-dom.* *1° jan, Páscoa, 25 dez.*

Villa Manin
Passariano. *Tel 0432 82 12 11.* *ter-dom.* *1° jan, 25 dez.* *só para exposições.*

Cividale del Friuli ⓱

11.000. *Piazza Paolo Diacono 10 (0432 71 04 60).* *sáb.*
www.cividale.net

Um portão das muralhas medievais de Cividale conduz diretamente à rua principal da cidade e à impressionante garganta do rio Natisone, que divide a cidade em dois e é atravessado pela medieval **Ponte del Diavolo**.

Acima da margem norte do rio, fica o **Tempietto Longobardo** (Capela Lombarda), um exemplo muito raro de igreja do século 8°, decorada com relevos de santos, modelados em estuque. A história da cidade está muito bem traçada no **Museo Archeologico Nazionale**, que exibe ruínas de construções de uma cidade romana e um acervo de objetos lombardos, incluindo joias, peças de marfim e armas.

Ao lado do museu, fica o **Duomo**, reconstruído em 1453 após um incêndio, com sua linda peça de altar de prata, do século 13. O **Museo Cristiano**, perto da nave lateral sul, contém esculturas da igreja original. Destaca-se o altar doado por Ratchis, o duque lombardo de Friúli que se tornou rei da Itália (737-44), com entalhes de cenas da Vida de Cristo, incluindo uma bela *Natividade*. Há também a pia batismal de Patriarch Callisto (737-56) –uma estrutura octogonal, com teto sustentado por pilares, decorada com os símbolos dos Evangelistas.

O Leão de Veneza acima da entrada do castelo de Gorizia

Tempietto Longobardo
Piazzetta San Biagio. *diariam.*

Interior do Tempietto Longobardo, em Cividale del Friuli

Museo Archeologico Nazionale
Palazzo dei Provveditori Veneti,Piazza del Duomo 13. *Tel 0432 70 07 00.* *8h30-19h30 diariam, 9h-14h seg.* *1° jan, 25 dez.*

Museo Cristiano
Via Candotti 1. *Tel 0432 73 11 44.* *qua-dom.* *feriados.*

Gorizia ⓲

37.000. *Corso Italia 9 (0481 53 57 64).* *qui, sex.*
www.turismofvg.it

Centro de violentos conflitos durante as duas últimas guerras mundiais, Gorizia foi dividida pela metade pelo Tratado de Paris de 1947, ficando uma parte para a Itália e outra para a Iugoslávia (na área onde hoje é a Eslovênia).

Suas ruas com arcadas e casas pintadas em tons pastéis, muitas com sacadas cheias de flores, foram cuidadosamente restauradas após a Segunda Guerra Mundial. Uma visita ao moderno Museo Provinciale della Grande Guerra, no subsolo do **Museo Provinciale** dá uma boa mostra do dia a dia das guerras. Vídeos, fotos e modelos em tamanho natural de trincheiras e plataformas de armas recriam um pouco os conflitos. As salas do piso superior abrigam exposições temporárias e o acervo de arte da cidade, que inclui obras de artistas locais.

Em um morro próximo, fica o castelo, rodeado por fortificações do século 16. Daqui se têm vistas abrangentes da cidade e das montanhas ao fundo.

Arredores: A sudoeste de Gorizia, diferentes estradas, com belas vistas das paisagens rurais, passam pelos contrafortes do **Carso**, um platô de calcário que se estende até Trieste. A área é toda pontilhada por campos cercados com muros de pedra e cortada por túneis, cavernas e rios subterrâneos.

Museo Provinciale
Borgo Castello 13. *Tel 0481 53 39 26.* *ter-dom.* *25 dez.*

O belo porto de Grado, na costa sul de Aquileia

Aquileia ⑲

3.300. Piazza Capitolo 4. **Tel** *0431 910 87.* *ter.*

Hoje quase uma mera aldeia, Aquileia continua rodeada por ruínas de construções palacianas, termas, templos e mercados, que lembram seu passado triunfal durante o Império Romano.

Aqui, o imperador Augusto recebeu Herodes, rei da Judeia, em 10 a.C., e foi também nesta cidade que, em 381, a Igreja realizou um importante concílio com a presença de santo Ambrósio e são Jerônimo para decidir questões doutrinárias. Entretanto, no século 5°, a cidade foi abandonada após vários saques. Felizmente, restaram partes relevantes da antiga basílica cristã, que contém o grande tesouro da cidade: um piso ornamentado com mosaicos.

Basilica

Piazza Capitolo. **Tel** *0431 910 67.* *diariam.* *missas.* **Cripta**

Fundada em cerca de 313, a basílica ainda preserva boa parte da estrutura original, incluindo os magníficos mosaicos do piso da nave e da **Cripta degli Scavi**. Os desenhos misturam de forma surpreendente padrões geométricos, histórias bíblicas e cenas do cotidiano da cidade no século 4°. Há uma expressiva ilustração da história de Jonas, destacando-se o momento em que é engolido por um monstro marinho, enquanto golfinhos gigantes e lulas de olhos grandes rodeiam os barcos de pesca.

Museo Archeologico Nazionale

Via Roma 1. **Tel** *0431 910 16.* *8h30-19h30 diariam (seg até 14h).*

Os mosaicos da basílica revelam um artesanato tradicional que floresceu na cidade a partir do século 2°. Mais exemplos de mosaicos e esculturas em pedra da era Clássica (século 1° ao 3°) estão expostos neste museu, ao lado de peças de vidro e âmbar e uma coleção de pequenas figuras de ouro representando insetos, que adornavam o véu de uma matrona romana.

Museo Paleocristiano

Località Monastero. **Tel** *0431 911 31.* *8h30-13h45 ter-dom.* *1° jan, 1° mai, 25 dez.*

O tema central deste museu, próximo ao antigo porto de Aquileia, no outrora navegável rio Natissa, é o desenvolvimento da arte durante o início da era Cristã (século 4° ao 6°).

Arredores: O balneário de **Grado**, assim como Veneza, situa-se em um grupo de ilhas no meio da laguna Adriática, ligadas ao continente por uma longa e estreita estrada. A cidade cresceu como porto, servindo Aquileia no século 2° e usada como refúgio dos habitantes dessa cidade durante o conturbado período das invasões bárbaras. Hoje, Grado é um dos mais populares balneários costeiros do Adriático, com bons restaurantes de frutos do mar, extensa praia de areia e porto para barcos recreativos.

No centro da cidade antiga, fica o **Duomo**. Seu interior contém afrescos do século 6° na abside, com estilo similar aos das abóbadas de San Marco *(págs. 110-3)*. Perto, na igreja de **Santa Maria delle Grazie**, há mais mosaicos do século 6°.

SÍMBOLOS DA ARTE CRISTÃ PRIMITIVA

Os cristãos foram perseguidos até sua religião ser oficialmente reconhecida por Constantino, o Grande, em 313 d. C. Antes dessa data, eles criaram uma linguagem secreta de símbolos para expressar suas crenças. Muitos desses desenhos ainda podem ser vistos em mosaicos e arcas funerárias de mármore de Aquileia. Vários deles passaram a ser usados em livros e objetos de arte popular.

Parte do mosaico, do século 4°, do piso da Basilica de Aquileia

A figura alada da Vitória *segurand uma coroa de louro era um símbo clássico de triunfo e santidade. Ma tarde, passou a representar a ressu reição de Cristo e, de forma mais geral, a vitória sobre a morte.*

Trieste ⓴

218.000.
Piazza Unità d'Italia 4/b (040 347 83 12). ter-sáb.
www.turismofvg.it

Aninhada perto da Eslovênia, Trieste é uma cidade agradável com um extenso e movimentado porto, margeado por belos edifícios e banhado pelas ondas do mar Adriático.

Acquario Marino

Molo Pescheria 2. ***Tel*** *040 30 62 01.* *9h-19h ter-dom (nov-mar: 9h-13h30).*

O aquário, uma das mais populares atrações de Trieste, tem exemplos da fascinante vida marinha do Adriático.

Castello di San Giusto

Pza Cattedrale 3. ***Tel*** *040 30 93 62.* *diariam. Castelo: 9h-19h (nov-mar: até 17h); museus: 9h-13h.*

Acima do porto, no alto da colina, com uma bela vista do golfo, destaca-se um castelo construído pelos governadores venezianos de Trieste a partir de 1368. O castelo abriga dois museus contendo mosaicos romanos e coleções de armas e armaduras.

Basilica Paleocristiana

Via Madonna del Mare 11. ***Tel*** *040 436 31.* *10h-12h qui (só com hora marcada).*

Ao lado do castelo, ficam as ruínas do tribunal romano (c.100). Observe o banco e o trono de pedra dos magistrados.

Duomo

Pza Cattedrale 2. ***Tel*** *040 30 96 66.* *diariam.* *dom de manhã*

Na igreja de **San Giusto**, o *duomo* da cidade, o banco e o trono dos magistrados se transformaram em assentos para o bispo e o clero. A igreja possui dois tronos e bancos porque o prédio foi formado no século 14 pela união de duas igrejas do século 5°, que haviam sido construídas lado a lado. As duas absides são decoradas com belíssimos mosaicos do século 13 em estilo veneziano.

Castello del Miramare, na baía de Trieste

Museo di Storia ed Arte ed Orto Lapidario

Piazza della Cattedrale 15. ***Tel*** *040 31 05 00.* *12h ter-dom.* *feriados.*

O importante acervo arqueológico deste museu de história da arte oferece fascinantes evidências das ligações comerciais existentes entre Trieste e o mundo grego antigo.

Mosaicos do século 13 na abside de San Giusto, Duomo de Trieste

Arredores: Da **Villa Opicina**, ao norte de Trieste, têm-se amplas vistas da cidade, da baía e da região sul até a costa da Eslovênia. Um pouco mais à frente, em Borgo **Grotta Gigante**, fica a Grotta del Gigante, uma enorme caverna com várias formações parecidas com "tubos de órgão" e longas estalagmites.

Em Grignano, 8km a noroeste da cidade, fica o **Castello di Miramare**. A paisagem proporciona um contraste entre o branco do castelo, o verde dos jardins e o forte azul do Adriático. A construção foi realizada pelo arquiduque Maximiliano Habsburgo entre 1856 e 1860 para ser seu refúgio de verão, poucos anos antes de ser assassinado no México.

Grotta del Gigante

Borgo Grotta Gigante 42A. ***Tel*** *040 32 73 12.* *ter-dom (jul e ago: diariam).*

Castello di Miramare

Viale Miramare, Grignano. ***Tel*** *040 22 41 43.* *diariam.* *castelo.*

O cágado *escondido em seu casco representava escuridão e ignorância, ao passo que o galo, que canta ao amanhecer, significava luz e clareza.*

ICHTHUS, ou peixe, *era a abreviação de Iesous CHristos THeou Uios Soter, Jesus Cristo, Filho de Deus, Salvador, em grego antigo.*

Aves coloridas, *como pavões, simbolizavam a imortalidade e a gloriosa transformação da alma ao chegar ao paraíso.*

TRENTINO-ALTO ADIGE

Embora tenham culturas radicalmente diferentes, o italiano Trentino (assim batizado por causa de Trento, a capital regional) e o alemão Alto Adige, região que limita as partes mais altas do rio Adige (também conhecida como Südtirol, ou Tirol do Sul), dividem um mesmo cenário: os Alpes Dolomíticos, que emolduram todas as cidades e aldeias de ambas as regiões. Essas montanhas são cobertas por neve durante seis meses do ano e atapetadas por lindas plantas alpinas nos outros seis.

As montanhas desta região foram recortadas por geleira, formando uma série de amplos e profundos vales. Muitos deles são voltados para o sul e, por isso, possuem um inesperado clima quente e ensolarado, mesmo no inverno. Há séculos, viajantes sobem e descem estes vales –como foi confirmado pela extraordinária descoberta, em 1991, do corpo de um homem de 5.000 anos, encontrado em uma geleira que se derretia no Alto Adige. O cadáver congelado vestia botas de couro, acolchoadas com feno, e estava munido de um furador de gelo feito de cobre.

As trilhas abertas pelo homem durante a Era Neolítica converteram-se em importantes redes de estradas com os romanos, quando muitas cidades da região foram fundadas. Na Idade Média, o Alto Adige já estabelecera uma cultura própria muito peculiar com os condes do Tirol, cujas terras (depois tomadas pelos Habsburgo) se estendiam pelos dois lados da atual fronteira ítalo-austríaca. A nobreza tirolesa construiu os castelos que ainda margeiam os vales e desfiladeiros para proteger os viajantes de ladrões salteadores.

Outro legado bastante antigo são as hospedarias ao longo dos vales. Muitas delas seguem o típico estilo tirolês, com sacadas de madeira para aproveitar o máximo do sol no inverno e telhados com beirais para afastar a neve. Com aconchegantes lareiras, comida deliciosa e belas vistas, são a base ideal para explorar as montanhas e as pistas de esqui da região.

Esquiadores nos declives ao redor do monte Spinale, perto de Madonna di Campiglio, em Trentino

◁ Dolomitas: paisagem frequente entre Bressanone e Ortisei, no Alto Adige

Como Explorar Trentino-Alto Adige

A combinação de natureza e esportes faz de Trentino-Alto Adige uma região bastante atraente. Na parte sudoeste, elevam-se os picos de calcário característicos das Dolomitas, enquanto, no norte, encontram-se a altura característica dos Alpes e um terreno ainda mais montanhoso. Nos vales secundários do Adige, o visitante encontra lagos, rios e riachos, além de bosques, vinhedos e campos repletos de borboletas, aves e flores.

Via Ponte Aquila em Bressanone

PRINCIPAIS ATRAÇÕES

- Bolzano (Bozen) 6
- Bressanone (Brixen) 5
- Brunico (Bruneck) 4
- Canazei 8
- Castello di Avio 15
- Cavalese 9
- Cembra 11
- Madonna di Campiglio 12
- Malles Venosta (Mals im Vinschgau) 1
- Merano (Meran) 2
- Ortisei (Sankt Ulrich) 7
- Rovereto 14
- San Martino di Castrozza 10
- Trento 13
- Vipiteno (Sterzing) 3

LEGENDA

Rodovia	Ferrovia principal
Estrada principal	Ferrovia secundária
Estrada secundária	Fronteira internacional
Estrada vicinal	Fronteira regional
Percurso com paisagem	Cume

0 quilômetros 25

Castel Tirolo, acima de Merano

COMO CIRCULAR

A principal via da região é a estrada do Passo di Brennero: ela vem da Áustria ao norte, segue o rio Adige de Bolzano a Trento, e chega a Verona ao sul. Tanto a rodovia, como a estrada paralela, estão entre as mais movimentadas da Europa. As estradas do vale ficam especialmente lotadas na temporada de esqui. No inverno, podem oferecer risco; os carros devem ter pneus especiais e correntes para neve. Uma ótima rede de trens e ônibus serve toda a região.

VEJA TAMBÉM

- ***Onde Ficar*** págs. 563-5
- ***Onde Comer*** págs. 610-2

Dolomitas vistas de Madonna di Campiglio

Abbazia di Monte Maria, fundada no século 12, perto de Malles Venosta

Malles Venosta ❶

MALS IM VINSCHGAU

4.600. Via San Benedetto 1 (0473 83 11 90). qua.
www.altavenosta-vacanze.it

Situada na região elevada da fronteira, perto da Suíça e da Áustria, Malles Venosta foi um ponto de alfândega durante a Idade Média. Hoje, destaca-se por suas várias igrejas góticas, cujas agulhas e torres criam uma bela silhueta, ao lado dos picos de montanhas que se elevam por toda parte. A igreja mais antiga, do século 9°, é a minúscula **San Benedetto**, na Via San Benedetto, que apresenta estilo carolíngio e afrescos dos patronos.

Arredores: A 4km a SE, fica o **Castel Coira** (Churburg), em Sluderno (Schluderns), que exibe um excelente acervo de armas e armaduras.

Na encosta da montanha, acima da cidade de Burgusio (Burgeis), 5km ao norte de Malles fica a **Abbazia di Monte Maria** (Marienberg). Esta abadia beneditina foi construída no século 12 e ampliada entre o 18 e o 19. A cripta da igreja abriga uma notável série de afrescos do século 12.

A gloriosa cidade medieval de **Glorenza** fica a apenas 2km ao sul de Malles

Castel Coira
Churburg, Sluderno. ***Tel*** *0473 61 52 41. 20 mar-out: ter-dom (e seg se feriado). obrigatória.*

Abbazia di Monte Maria
Tel *0473 83 13 06. mai-out: seg-sáb; nov-abr: só para grupos com hora marcada. feriados.*

Merano ❷

MERAN

35.000. Corso della Libertà 45 (0473 27 20 00). ter e sex.
www.merano.eu

Muitos austríacos, alemães e italianos visitam este balneário para beber suas águas e tomar banhos terapêuticos. No Corso Libertà, rua de simpáticas lojas e hotéis, fica o **Kurhaus** ou Salão do Balneário, construído em 1914 e hoje uma sala de concertos. O **Castello Principesco** do século 15 era a casa do arquiduque Sigismundo Habsburgo e está mobiliado como na época. Jardins margeiam o rio Passirio, que corta a cidade. A Passeggiata Lungo Passirio d'Inverno (Passeio de Inverno) segue a margem norte até a Ponte Romano. A Passeggiata d'Estate (Passeio de Verão) na margem sul leva à Ponte Passirio.

Fachada Art Nouveau da Kurhaus, em Merano

Arredores: O romântico **Castel Tirolo**, do século 12, fica 4km ao norte. Pertencia aos condes do Tirol, que deram nome à região, e agora é um museu da história tirolesa.

A parte térrea do **Castel Trauttmansdorff** abriga um fascinante jardim botânico.

Castello Principesco
Via Galilei. ***Tel*** *0473 25 03 29. ter-dom, feriados. jan-fev.*

Castel Tirolo
Via Castello 24, Tirolo. ***Tel*** *0473 22 02 21. meados mar-nov: ter-dom. dez-meados mar.*

Castel Trauttmansdorff
Via S. Valentino 51a. ***Tel*** *0473 23 57 30. Abr-15 nov: diariam.*

Vipiteno ❸

STERZING

5.600. Piazza Città 3 (0472 76 53 25). diariam.
www.vipiteno.com

Cercada por vales ricos em minérios, Vipiteno tem forte personalidade tirolesa. Na Via Città Nuova, com belas mansões, ergue-se o gótico **Palazzo Comunale**, com esculturas e pinturas renascentistas, e a Torre dei Dodici, o símbolo da cidade. As esculturas de madeira do **Museo Multscher** foram feitas por Hans Multscher. O escultor bávaro morou em Vipiteno entre 1456 e 1458 para esculpir o altar da igreja que fica logo ao sul da cidade. A oeste, no belo **Val di Racines**, há cachoeiras e uma ponte natural de pedra.

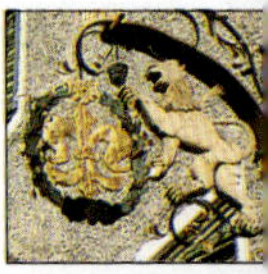

Placa em ferro bat Vipiteno

Palazzo Comunale
Via Città Nuova 21. ***Tel*** *0472 72 37 00. seg-sex. tarde sex; feriados.*

Museo Multscher
Via della Commenda.
Tel *0472 76 64 64. mai-out: ter-sáb. feriados.*

Para hotéis e restaurantes nesta região, ver págs. 565-7 e págs. 613-5

Castelo medieval que domina a cidade de Brunico

Brunico ❹

BRUNECK

13.000. FS Piazza Municipio 7 (0474 55 57 22).
qua. **www**.bruneck.com

Esta bela cidade, dominada por seu imponente **castelo** medieval, conserva fortificações do século 14 e um emaranhado de ruas estreitas que só podem ser exploradas a pé. A igreja de **Santa Úrsula**, a noroeste do Portão de Santa Úrsula, exibe uma série de notáveis relevos de altar da *Natividade*, de meados do século 15. No **Museo Etnografico di Teodone** há exposições sobre a vida rural tradicional e trajes típicos da região. Também se tem a oportunidade de visitar uma casa de fazenda e um celeiro do século 16.

Museo Etnografico di Teodone
Via Duca Diet 24, Teodone.
Tel *0474 55 20 87.* *Páscoa-out: ter-sáb, tarde dom e feriados (ago também seg).*

Bressanone ❺

BRIXEN

18.000. FS
Via Ratisbona 9 (0472 83 64 01).
seg. **www**.brixen.org

As estreitas vielas medievais de Bressanone rodeiam a catedral e o palácio dos bispos-príncipes que governaram a cidade durante longa parte de sua história. O **Duomo**, ou catedral, na Piazza del Duomo, foi reconstruído no século 18, mas conserva o claustro do século 12. Seu interior está decorado com soberbos afrescos do século 15. O Palazzo Vescovile, um palácio episcopal renascentista, abriga por sua vez o **Museo Diocesano**. Seu acervo inclui preciosos objetos da Idade Média, além do **Museo dei Presepi**, com figuras de madeira esculpidas localmente.

Detalhe, Portão de Santa Úrsula

Arredores: Em Velturno (Feldthurns), situada apenas 8km a sudoeste, fica o **Castello di Velturno**, refúgio de verão dos governantes de Bressanone. Trata-se de um prédio renascentista, conhecido por seus afrescos. A pouco mais de 3km ao norte de Bressanone fica a **Abbazia di Novacella**, um conjunto pitoresco de prédios monásticos fortificados, cujo claustro apresenta uma notável série de afrescos. Mais ao norte no vale, em **Rio di Pusteria** (Mühlbach), encontram-se as ruínas de uma barreira fortificada do século 16 a leste da cidade. A barreira conduzia os viajantes para o posto de alfândega que separava o Tirol do distrito de Görz.

Bem acima de Rio di Pusteria, na direção sudeste, surge o robusto **Castello di Rodengo** (Rodeneck). Este castelo possui maravilhosos afrescos do século 13 com cenas de batalhas, do *Juízo Final* e de episódios palacianos inspirados no livro *Iwein*, do poeta medieval Hartmann von Aue.

Museo Diocesano e
Museo dei Presepi
Piazza Palazzo Vescovile 2.
Tel *0472 83 05 05.* *10h-18h ter-dom (jul-set: 19h-24h) (Museo dei Presepi: 10h-18h ter-dom).* *24 e 25 dez.*

Castello di Velturno
Velturno. ***Tel*** *0472 85 55 25.*
mar-nov: ter-dom.

Abbazia di Novacella
Via Abbazia 1/2b, Varna. ***Tel*** *0472 83 61 89.* *seg-sáb.* *feriados, seg, jan-mar.* *somente*

Castello di Rodengo
Rodengo. ***Tel*** *0472 45 40 56.* *mai-meados out: ter-dom.*

Claustro do Duomo de Bressanone, com afrescos do século 15

Interior barroco da igreja de Sankt Ulrich em Ortisei

Bolzano ❻

BOZEN

98.000. FS *Piazza Walther 8 (0471 30 70 00).*
sáb. **www**.bolzano-bozen.it

Bolzano, a capital do Alto Adige, é a "ponte" entre a região italiana de Trentino e a região alemã de Alto Adige ou Südtirol e tem personalidade mais tirolesa. A **Piazza Walther** é dominada pelo **Duomo** gótico, do século 15, com teto multicolorido, de azulejos com padrão de mosaicos, e torre-agulha com elaborado rendilhado. A importância do vinho para a economia local fica clara na igreja, no "Portão do Vinho", que tem figuras esculpidas. No meio da Piazza Walther, encontra-se uma estátua de Walther von der Vogelweide, famoso trovador do século 13 que pode ter nascido na região. Ao norte da praça, as ruas são margeadas por casas com elaborados frontões, sacadas e balcões envidraçados. O mercado ao ar livre de Bolzano começa na Piazza Grano e segue ao longo da Via dei Portici (que tem arcadas). A rua continua até o **Museo Civico**, onde reconstituições de aposentos, esculturas em madeira e trajes contam um pouco da história local, enquanto o moderno **Museo Archeologico** abriga Ötzi, o famoso "homem do gelo" de 5.000 anos de idade. A **Chiesa dei Domenicani**, na Piazza Domenicani, destaca-se pelo afresco do *Triunfo da Morte*. Também podem ser apreciados afrescos dos século 14 no claustro.

Agulha da catedral, Bolzano

Museo Civico
Via Cassa di Risparmio 14. ***Tel*** *0471 97 46 25.* *para reforma.*

Museo Archeologico
Via Museo 43. ***Tel*** *0471 32 01 00.*
ter-dom (jul, ago e dez: diariam.
1° jan, 1° mai,

Ortisei ❼

SANKT ULRICH

4.500. *Via Rezia 1 (0471 79 63 28).* *sex.* **www**.valgardena.it

Além de principal balneário da região do Val Gardena e Alpe di Siusi, Ortisei é um centro de escultura em madeira; exemplares do artesanato local são encontrados nas lojas da cidade, no **Museo della Val Gardena** (que também se dedica à arqueologia) e na igreja de **Sankt Ulrich**.

Ao sul, fica a linda e movimentada região de **Alpe di Siusi** (Seiser Alm), conhecida pelos prados alpinos, as casas de fazenda com sacadas e as igrejas com domos em forma de cebola. A melhor forma de explorar a área é pegar o teleférico que sai de Ortisei: para nordeste outro teleférico sobe até 2.518m do Monte Seceda e trilhas levam ao grupo Odle das Dolomitas.

Museo della Val Gardena
Via Rezia 83. ***Tel*** *0471 79 75 54.*
jan-mar e meados out: seg-sex; (jul, ago: dom-sex).

Canazei ❽

1.800. *Piazza Marconi 5 (0462 60 96 00).* *sáb (jul-set).*

Localizada aos pés de alguns dos mais altos e assustadores picos da região, Canazei é uma boa base para explorar as Dolomitas. No verão, há teleféricos levando aos mirantes onde aprecia-se toda a beleza das montanhas. Os pontos mais populares são Pecol e Col dei Rossi, alcançados pelo teleférico de Belvedere que sai da Via Pareda, em Canazei. Dele veem-se: os penhascos do grupo Sella ao norte, o Sasso Lungo a oeste e o Marmolada, o mais alto dos picos dolomíticos, com 3.343m, ao sul.

Esquiadores apreciam as Dolomitas acima de Canazei

Para hotéis e restaurantes nesta região, ver págs. 565-7 e págs. 613-5

Arredores: Em **Vigo di Fassa**, 13km a sudoeste de Canazei, o **Museo Ladino** retrata os habitantes de alguns vales, que falam ladino, um dialeto reto-românico. O ladino é ensinado nas escolas locais, e a comunidade mantém as antigas tradições.

Museo Ladino
Strada de Sen Jan 5, Vigo di Fassa. ***Tel*** *0462 76 01 82.* *ter-sáb após 12h (fim jun-meados set e 20 dez-6 jan: diariam).*

Cavalese 9

3.600. *Via Fratelli Bronzetti 60 (0462 24 11 11).* *última ter mês.* **www**.visitfiemme.it

Cavalese é a principal cidade do Val di Fiemme, uma bela

Fachada com afrescos do Palazzo della Magnifica Comunità

região de campos floridos, lindos vales arborizados e construções tirolesas.

No centro da cidade fica o **Palazzo della Magnifica Comunità**. Originalmente construído no século 13, foi a sede do conselho na época medieval, que governava a área como uma região semi-autônoma. Hoje, o palácio guarda pinturas medievais de artistas locais e acervo de achados arqueológicos. A maioria dos turistas vem para cá para aproveitar as excelentes instalações do balneário e subir de teleférico até o topo do **Alpe Cermis**, montanha com 2.229m, no sul da cidade.

Arredores: A cidade vizinha, na direção leste, chama-se **Tesero** e preserva uma bela igreja de 1450. A igreja possui um bonito afresco de pintor desconhecido que retrata os transgressores do Sabá. A construção exibe um conjunto de abóbadas góticas e uma pintura moderna da *Crucificação*, na qual a aldeia aparece ao fundo.

Em **Predazzo**, cerca de 13km a leste, o **Museo Geologico e Mineralogico** explica bem a geologia local.

Palazzo della Magnifica Comunità
Piazza Cesare Battisti 2. ***Tel*** *0462 34 03 65.* *ligue para checar os horários.* **www**.mcfiemme.eu

Museo Geologico e Mineralogico
Via SS Filippo e Giacomo 1. ***Tel*** *0462 50 03 66.* *10h-12h, 17h-19h seg-sáb (meados set-fev: somente com hora marcada).*

Vinhas crescem nos declives do vale Cembra

San Martino di Castrozza 10

470. *Via Passo Rolle 165 (0439 76 88 67).* **www**.sanmartino.com

O balneário de San Martino ocupa um dos mais belos e acessíveis vales no sul das Dolomitas, o que o torna muito popular entre caminhantes e esquiadores. Teleféricos sobem ao pico do **Alpe Tognola** (2.163m), a sudoeste da cidade, e a **Cima della Rosetta** (2.609m), a leste. Ambos oferecem magníficas vistas dos picos Pale di San Martino. A visão é arrebatadora, pois os picos de rocha maciça, divididos por geleiras, elevam-se em meio a um "mar" de pradarias e bosques. Quase toda a San Martino está rodeada por florestas, de onde saiu muita madeira para a construção de navios da República de Veneza. Hoje, a floresta é área de proteção ambiental, e, por isso mesmo, não é difícil encontrar flores, cogumelos, aves e outras espécies selvagens nos arredores.

Cembra 11

2.500. *Piazza Toniolli 2 (0461 68 31 10).* *manhã qua.*

Centro produtor de vinho, Cembra fica aninhada nos declives de um lindo vale com aldeias floridas. Cerca de 6km a leste daqui ficam as **Piramidi di Segonzano**, uma série rara de pilares rochosos formados por erosão, alguns com mais de 30m de altura e cada um encimado por uma pedra. A trilha que conduz aos pilares está bem sinalizada, e quadros informativos ao longo do percurso explicam a formação das bizarras colunas, que parecem ninhos de cupins gigantes. A íngreme subida até o local é também compensada por sua localização no meio de um bosque repleto de aves. Outra compensação é a bela vista do vale Cembra e dos picos dolomíticos, a oeste.

Piramidi di Segonzano, perto de Cembra

Piramidi di Segonzano
Strada Statale 612 para Cavalese. *diariam.*

Cascate di Nardis, Madonna di Campiglio

Madonna di Campiglio ⓬

1.300. Via Pradalago 4 (0465 44 75 01). jul-ago: ter e qui. **www**.campiglio.to

Madonna di Campiglio é o principal balneário no Val Meledrio. Aninhada entre os picos de Brenta e Adamello, é a base perfeita para caminhar ou esquiar na região. Teleféricos partem da cidade em todas as direções, proporcionando fácil acesso aos picos.

Arredores:Em **Pinzolo,** 14km ao sul, há uma igreja com o bem conservado afresco da *Dança da Morte* (1539). A marcha das figuras, ricas e pobres, é sublinhada por um texto escrito em dialeto local.

Ao norte de Pinzolo, a estrada a oeste de Carisolo conduz ao movimentado mas conservado **Val Genova**. Cerca de 4km ao longo do vale, fica a **Cascate di Nardis**, uma cachoeira com uma queda de 90m. Conta-se que as duas rochas no fundo são, na verdade, dois demônios petrificados.

Trento ⓭

105.000. FS Via Manci 2 (0461 21 60 00). manhã qui.

Trento emprestou seu nome à região da qual é capital e é certamente a cidade mais interessante de Trentino. Além de uma bela catedral românica e um lindo castelo, apresenta várias ruas margeadas por mansões renascentistas. Ficou famosa na história por sediar o **Concílio de Trento** (1545-63), conselho estabelecido pela Igreja Católica para discutir reformas que trouxessem grupos dissidentes, particularmente os protestantes alemães, de volta para a Igreja. As mudanças definidas resultaram na Contrarreforma, mas apenas parte delas foi bem-sucedida.

O **Duomo**, onde ocorreram algumas reuniões do Concílio, foi construído em estilo românico no século 13. Levou três séculos para ser concluído (a obra terminou em 1515), mas os construtores mantiveram a harmonia arquitetônica, ignorando completamente os estilos em voga em cada época. O resultado é uma igreja de incomum unidade e nobreza. O Duomo fica na **Piazza Duomo**, a principal praça da cidade, construída pelos romanos para ser o mercado central ou o fórum. O nome romano da cidade, Tridentum, homenageia Netuno, que aparece segurando seu tridente no topo da fonte do século 18, que fica no meio da praça principal.

Pátio interno do Magno Palazzo

Museo Diocesano Tridentino

Piazza Duomo 18. ***Tel*** *0461 23 44 19. qua-seg. 1° jan, 25 dez.*

Este museu fica no **Palazzo Pretorio**, um imponente edifício medieval no lado leste da Piazza Duomo. Seu acervo inclui relicários antigos de marfim, tapeçarias flamengas e pinturas que ilustram o Concílio de Trento.

Castello del Buonconsiglio

Via Bernardo Clesio 5. ***Tel*** *0461 23 37 70. ter-dom. 1° jan, 1° nov, 25 dez.*

Este castelo grande, construído no século 13 e ampliado mais tarde, é parte das muralhas da cidade. Trento era um importante ponto de fronteira na estrada que ligava a Itália ao Norte da Europa e grossas muralhas ainda circundam a cidade.

A seção sul do castelo consiste no magnífico **Magno Palazzo** (1530), construído pelos bispos-príncipes governantes de Trento, aos quais o Sacro Imperador Romano concedeu amplos poderes para fortalecer a lealdade ao papa. A luxuosa decoração (que inclui afrescos de sátiros viris e ninfas de Gerolamo Romanino, 1531-2) reflete a riqueza e o luxo da época. As belas salas, agora cenário do **Museo Provinciale**, exibem pinturas, cerâmicas e esculturas em madeira do século 15, além de objetos pré-históricos, etruscos e romanos. A próxima **Torre dell'Aquila** (Torre da Águia) possui afrescos pintados no começo do século 15, que ilustram detalhadamente os *Meses do Ano:* janeiro, por exemplo,

O Palazzo Pretorio e o Duomo na praça principal de Trento

Imponente silhueta do Ossario del Castel Dante, em Rovereto

é representado por belas cenas com neve.

Arredores: Logo a oeste de Trento, uma estrada sinuosa conduz ao alto do **Monte Bondone**, pelo lado norte. Na volta passa por **Vezzano**, indo para os declives leste. Ao longo de todo o percurso, há vistas magníficas, particularmente de Vaneze e Vason. A leste de Trento, Pergine indica o início do **Val Sugana**, amplo vale com belos lagos, frequentados por turistas. Nas colinas ao norte do lago Levico, fica o balneário de **Levico Terme**, caracterizado por elegantes edifícios neoclássicos localizados em um lindo campo arborizado.

Rovereto ⓮

33.000. Corso Rosmini 6 (0464 43 03 63).

ter. **www**.visitrovereto.it

Rovereto foi centro de violentas batalhas durante a Primeira Guerra Mundial. Seu castelo veneziano, construído em 1416, foi transformado no **Museo Storico della Guerra**, que trata das várias guerras da história. Em destaques estão as seções dedicadas ao humor, à espionagem e à propaganda em tempo de guerra. Perto da entrada do museu há escadas que conduzem ao telhado do castelo, de onde se vê o **Ossario del Castel Dante**. Perto dali fica a **Campana dei Caduti** (Sino dos Mortos) –um dos maiores sinos da Itália. Foi feito com o metal de canhões derretidos no fim da Segunda Guerra Mundial e colocado em um imponente edifício que imita um templo, no alto da cidade. Todos os dias, ele toca ao pôr do sol.

Embaixo do museu da guerra, fica o **Museo Civico**, com acervos de arqueologia, arte, história natural e folclore, e o **Museo di Arte Contemporanea di Trento e Rovereto (MART)**, projetado por Mario Botta, com arte italiana do século 20.

Arredores: A um pouco mais de 8km ao norte de Rovereto, fica o **Castel Beseno**. Do século 12 ao 18, este enorme castelo –sem dúvida o maior da região– foi construído e reconstruído várias vezes para proteger a encruzilhada dos três vales. As ruínas estão sendo restauradas.

Cinco quilômetros ao sul de Rovereto, a estrada principal cruza um vale coberto por rochedos do tamanho de casas, formados por deslizamentos de terra. São conhecidos como **Ruina Dantesca**, porque são mencionados no *Inferno* de Dante (XII, 4-9). Pegadas fossilizadas de dinossauros foram descobertas aqui.

Museo Storico della Guerra
Via Castelbarco 7.
Tel *0464 43 81 00.* *ter-dom.*
1° jan, 24, 25 e 31 dez.

Museo Civico
Borgo Santa Caterina 41. ***Tel*** *0464 43 90 55.* *ter-dom.* *1° jan, 5 ago, 1° nov, 25 dez.*

MART
Corso Bettini 43. ***Tel*** *0464 43 88 87.*
ter-dom.

Castel Beseno
Besenello. ***Tel*** *0464 83 46 00.*
mar-nov: ter-dom (seg se for feriado); dez-fev: sáb, dom.

Castello di Avio

Castello di Avio ⓯

Via Castello, Sabbionara d'Avio.
Tel *0464 68 44 53.* *para Vo, depois 3km de caminhada.* *mar-set: 10h-16h, ter-dom; out-fev: ter-dom 10h 17h.*

Vários castelos pontilham o vale do Adige até o Passo di Brennero, mas poucos são tão acessíveis quanto o Castello di Avio. Fundado no século 11 e ampliado no século 13, fica na lateral do vale, oferecendo ampla vista da região. Entre os numerosos afrescos preservados, há uma rara série, na Casa delle Guardie (Casa da Guarda), ilustrando cenas de batalhas do século 13.

Extensas muralhas rodeiam o Castel Beseno, acima de Rovereto

NOROESTE DA ITÁLIA

O Noroeste da Itália em Destaque

O Noroeste da Itália apresenta três paisagens geológicas muito diferentes: as pontiagudas montanhas dos Alpes, uma extensa planície e a costa ondulada do mar Mediterrâneo. Em toda a região, trechos de natureza intacta convivem com vestígios de um rico e variado patrimônio cultural. As maiores atrações locais, no Vale d'Aosta e em Piemonte, na Ligúria e na Lombardia, aparecem assinaladas no mapa a seguir.

No Parco Nazionale del Gran Paradiso, *uma incrível reserva natural, vivem espécies raras da flora e fauna alpinas* (págs. 216-7).

A capital do Piemonte *é Turim, uma elegante e movimentada cidade de belíssima arquitetura barroca. Entre seus marcos destaca-se a Mole Antonelliana (pág. 224).*

San Remo *é um típico balneário da Riviera, com palmeiras e cassino. O domo tipo cebola da igreja ortodoxa russa dá um ar exótico à cidade* (pág. 234).

A importante Basilica di Sant'Andrea, *em Vercelli, foi uma das primeiras construções românicas a usar elementos góticos* (pág. 228).

◁ **Persianas típicas das fachadas na Ligúria, em Santa Margherita Ligure**

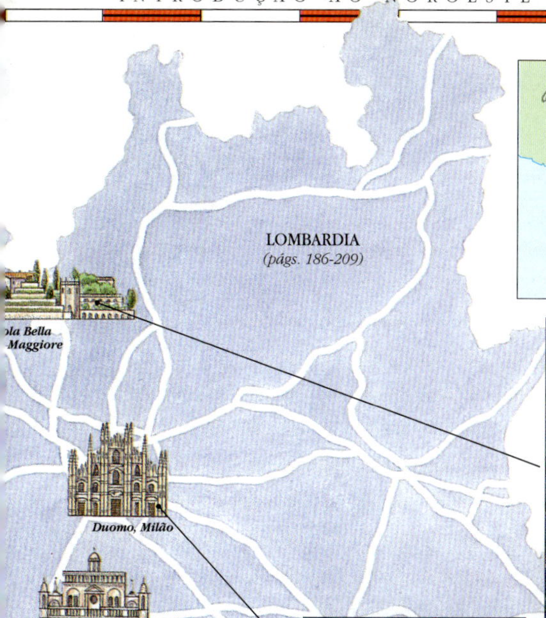

A simpática Isola Bella *fica no romântico lago Maggiore, perto do lago di Como* (págs. 190-1).

O Duomo de Milão, *com suas marcantes agulhas, é uma das muitas joias arquitetônicas da cidade* (pág. 193).

Portofino *é um dos balneários mais sofisticados da Itália. Aninhada em uma enseada, tem casas em tons pastel e um porto cheio de iates* (pág. 240).

Certosa di Pavia, *um charmoso mosteiro cartuxo, preserva uma bela igreja gótica com rica decoração interna, fachada renascentista e vários claustros* (págs. 204-5).

Os Sabores do Noroeste da Itália

Estendendo-se da Ligúria mediterrânea até os Alpes, esta área diversificada tem uma cozinha rica e substanciosa. Além do Vêneto, a Lombardia e o Piemonte são os principais produtores de arroz da Itália, e o risoto tem larga presença, sendo especialmente delicioso quando acrescido de cogumelos selvagens. As trufas brancas de Alba são o "ouro branco" do Piemonte, onde os excelentes pastos propiciam boa parte da melhor carne e dos melhores queijos do país. O clima brando da Ligúria favorece azeitonas e ervas –sobretudo o manjericão, usado no molho pesto. O cintilante Mediterrâneo tem abundância de peixes.

Manjericão fresco

As preciosas trufas aromáticas do Piemonte

LOMBARDIA

Esta é a terra de pratos preparados *alla Milanese* com bastante manteiga, do ossobuco de vitela, de sopas de legume e de carnes cozidas *(bollito misto)*. A Lombardia produz parte das melhores carnes do país, incluindo vitela, carne bovina em geral, suínos e aves, mas também é associada à *cucina povera* (cozinha dos pobres) na qual a polenta continua sendo parte importante da dieta dos camponeses. Outro alimento essencial, o arroz de grãos curtos usado no risoto, cresce abundantemente na região de Pavia. A Lombardia é uma das principais regiões de queijos da Itália, a exemplo dos famosos gorgonzola, bitto, mascarpone e grana padano.

PIEMONTE E VALE D'AOSTA

O movimento "Slow Food" surgiu no Piemonte em 1986. Sua missão é "defender a biodiversidade dos recursos alimentares, difundir o sabor e conectar-se aos produtores de uma comida excelente". Hoje o movimento tem mais de 100 mil membros espalhados por mais de 50 países. Os sabores do Piemonte são robus-

Apetitosa variedade dos melhores queijos do Noroeste da Itália

PRATOS E ESPECIALIDADES REGIONAIS

Gianduiotti

A vitela é muito popular na Lombardia e no Piemonte, ao passo que um grande favorito em Milão é o ossobuco. Outro prato clássico do Piemonte, o *vitello tonnato*, é uma deliciosa mistura de vitela assada fria e atum servida com uma maionese que leva pepinos e alcaparras. Além do pesto, outra tradição genovesa é a *buridda alla Genovese* –maravilhosa sopa ou ensopado com mexilhões, mariscos, camarões, polvo e lula. Raspas de trufa no risoto e no *fagiano tartufato* (faisão recheado com trufas brancas e gordura suína) dão um toque de luxo e, felizmente, uma pequena quantidade desta cara iguaria rende bastante. Para quem gosta de doces, outra especialidade milanesa é o panetone recheado com frutas cristalizadas.

Bagna Caôda *Mistura do Piemonte com azeite de oliva, anchovas e alho na qual se mergulham legumes crus.*

Caixotes de peixe fresco descarregados em cais da Ligúria

tos, ricos e com um toque francês, o que reflete uma história de domínio e influência da França. Os arrozais de Vercelli são a meca do arroz na Europa e o risoto de trufa, sobretudo quando leva a variedade branca de Alba, tem um sabor memorável. As montanhas são famosas pelo queijo de leite de vaca, em particular o semimacio Fontina do Valle d'Aosta, assim como pelas carnes maturadas e de caça, salames e terrines. Também são do Piemonte os melhores vinhos tintos da Itália, e os celebrados Barolo e Barbaresco muitas vezes servem para marinar pratos de carne bovina. Os nativos de Turim adoram chocolate –a cidade o produz desde o século 17. Os mais famosos são os *gianduiotti* em forma de lingote, recheados com um delicioso creme de chocolate e avelãs. Aqui também é o berço do *grissini,* palitos de massa crocantes presentes em todos os restaurantes. A tradição dos aperitivos também teve origem em Turim. São servidos em porções generosas nos bares da cidade entre 18h e 20h, sempre acompanhados de *prosecco* ou de um coquetel.

Deliciosa foccacia feita com azeite de oliva da Ligúria

LIGÚRIA

O clima mediterrâneo é perfeito para o cultivo de ervas, frutas, legumes, nozes e azeitonas. Seu azeite de oliva é de alta qualidade e entra no preparo de muitos pratos. O principal molho para massas é o pesto, feito de manjericão, nozes, azeite de oliva e uma mistura de pecorino e parmesão. Este uso de ervas aromáticas é típico da cozinha da Ligúria em geral. Peixes e frutos do mar são mais comuns do que carne e laticínios nesta região, na qual a maioria das pessoas vive na costa.

NO MENU

Agnolotti Especialidade do Piemonte, é um ravióli em forma de lua crescente recheado com carne ou legumes, servido com ragu ou molho cremoso.

Brasato al Barolo Carne bovina cozida com legumes e em vinho Barolo.

Lumache Escargots do Piemonte; os melhores provêm de Cherasco. São servidos com alho e manteiga ou com um molho de azeite de oliva, tomate e alho.

Oca alla Piemontese Ganso curtido na gordura.

Risotto alla Milanese Rico prato de arroz com aroma de açafrao; leva vinho branco, cebola e queijo parmesão.

Trenette con pesto *Talharim chato da Ligúria com molho de manjericão, alho, nozes de pinho e azeite de oliva.*

Osso Bucco *Guisado milanês à base de vitela apurada em vinho branco. O tutano é considerado uma iguaria.*

Zabaione *Sobremesa de gema de ovo, açúcar e Marsala, especialidade da região de Piemonte.*

Os Vinhos do Noroeste da Itália

Ilustração medieval da preparação do vinho

Vinhedos fazem parte da paisagem de todo o Noroeste do país desde os penhascos da Ligúria até as encostas íngremes do Vale d'Aosta. Os melhores vinhos, no entanto, estão no Piemonte, especialmente das montanhas de Langhe, a sudeste de Turim, origem dos dois melhores tintos da Itália: os potentes e já tradicionais Barolo e Barbaresco. Hoje ambos se beneficiam da modernização das técnicas e da renovação do interesse por vinhos de alta qualidade. Entre os tintos mais leves, que combinam com a cozinha local, estão o Dolcetto e o Barbera. Outra especialidade piemontesa é o vinho espumante, o preferido dos italianos nas comemorações.

Castiglione Falletto, no coração do Piemont

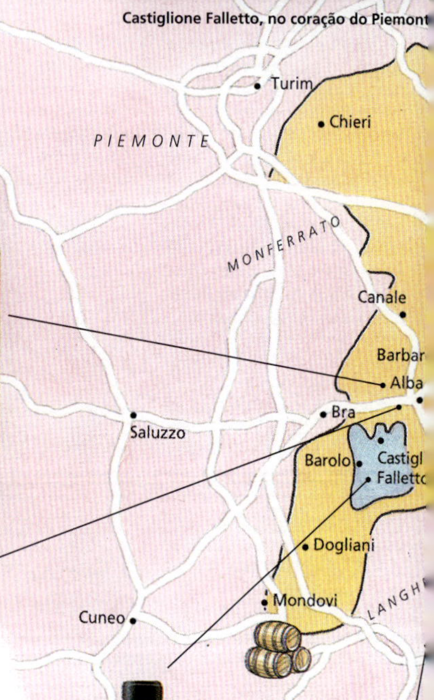

Barbera d'Alba *vem da uva Barbera, que se adapta facilmente a diferentes locais, crescendo em qualquer encosta. Por isso, os vinhos obtidos podem ser leves ou densos, fortes e de sabor marcante. Entre os bons produtores aparecem Aldo Conterno, Voerzio, Pio Cesare, Altare, Gaja, Vaira e Vietti.*

O Dolcetto *é cultivado em sete áreas diferentes. O Dolcetto d'Alba possui um buquê delicioso e intensa cor púrpura. Melhor consumido em um ou dois anos, apresenta sabor variado – de leve a robusto. Alguns Dolcetto são considerados de primeira linha, como os produzidos por Giuseppe Mascarello.*

LEGENDA

- Barolo
- Barbaresco
- Outras regiões de vinhedos

0 quilômetros 25

O Barolo, *apreciado mundialmente pela complexa variedade de sabor e pelo firme tanino, é feito com a uva Nebbiolo e pode levar até 20 anos para amadurecer. O Vigna Colonnello é o melhor Barolo de Aldo Conterno, feito só nas grandes safras, como 2006, 2005, 2004 e 1993.*

A trufa branca de Alba é própria do outono das montanhas Langhe. Apreciada por seu aroma, combina muito bem com uma taça de Barolo.

Moscato d'Asti, *produzido com a aromática uva Moscatel, é um excelente aperitivo ou digestivo. Com baixo teor alcoólico e suave sabor adocicado, pode ser levemente espumante. É ideal para suavizar o paladar depois de uma substanciosa refeição piemontesa. O vinho moscatel de Araldica é bastante versátil e fica delicioso quando servido gelado.*

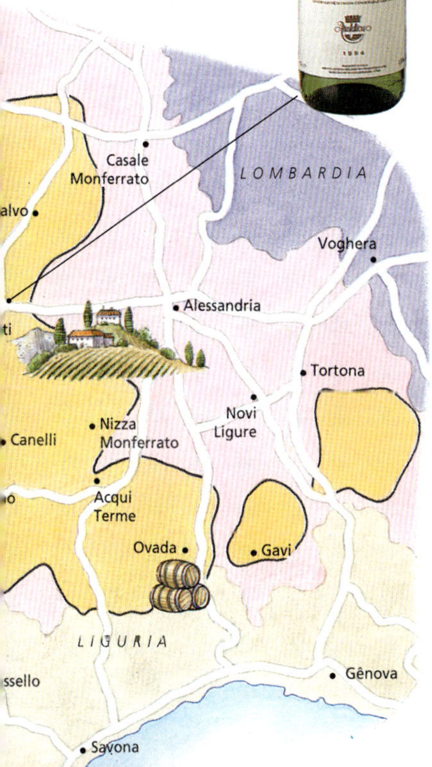

O Barolo *envelhece em tonéis de madeira por pelo menos dois anos. Pode ficar nos tradicionais* botte *(barris grandes) ou nos* barrique *(barris menores), o que empresta um forte sabor de carvalho ao vinho.*

AS UVAS DO NOROESTE

Uvas Nebbiolo

A uva Nebbiolo produz dois dos mais finos vinhos da Itália –o Barolo e o Barbaresco–, assim como outros vinhos regionais na Valtellina e ao norte de Turim. Difícil de cultivar, a Nebbiolo requer uma longa estação de crescimento para suavizar sua acidez natural. Os resultados finais são compensadores: a da região do Langhe oferece uma ampla gama de buquês e sabores e frequentemente um forte tanino. Na região de Monferrato, nascem as uvas Dolcetto e Barbera, mais fáceis de lidar. Ambas vermelhas, elas dão tintos mais leves, frutados, mas no seu auge não se diferenciam muito das Nebbiolo. Das uvas brancas, a moscatel do Piemonte é a mais antiga de todas. Famosa pelo Asti Spumante, a região reserva suas melhores uvas para produzir o vinho Moscato d'Asti.

COMO DECIFRAR O RÓTULO

O nome do vinho aparece no centro do rótulo. *Bricco* significa, em dialeto local, bom vinhedo.

Categoria oficial –neste caso, vinho de mesa da região do Langhe.

Nome e endereço do engarrafador

Boas Safras

Barolo e Barbaresco tiveram anos bons em 2006, 2005, 2004, 2003, 2000, 1998, 1997.

A Arquitetura do Noroeste da Itália

Embora as construções do Noroeste tendam a ser sólidas e imponentes devido ao clima mais severo, não apresentam uma marca arquitetônica definida como ocorre em Veneza, Florença ou Roma. Ao contrário, a região possui uma grande variedade de construções e estilos, muitos tomados emprestados ou reinterpretados de outros lugares: castelos medievais, edifícios românicos e góticos e estruturas barrocas incomuns. O Noroeste também é rico em arquitetura moderna –tanto em projetos como nos materiais–, impulsionada pelo desenvolvimento industrial local e por seu grande talento para um design inovador.

Castello Sforzesco, 1451-66 *(pág. 200)*

CARACTERÍSTICAS DA ARQUITETURA DO NOROESTE ITALIANO

Castello di Fénis, *um dos mais belos castelos do Vale d'Aosta, é uma fortaleza do século 14 com torres assimétricas, torreões e paredes em ameias. O interior exibe belos afrescos* (pág. 215).

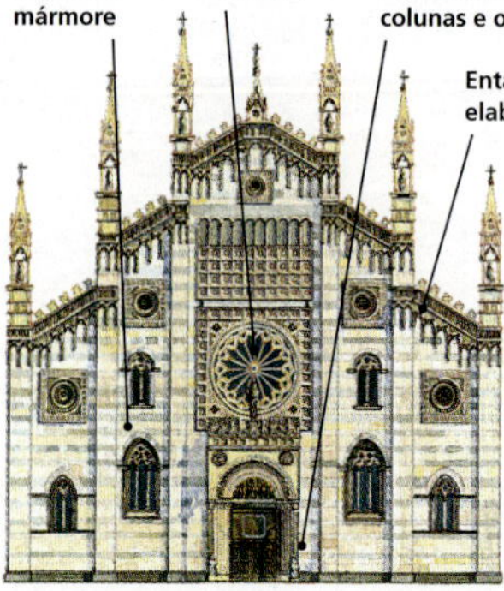

O Duomo de Monza *(anos 1390) exemplifica o estilo lombardo da arquitetura românica, com listras em mármore e entalhe* (pág. 201).

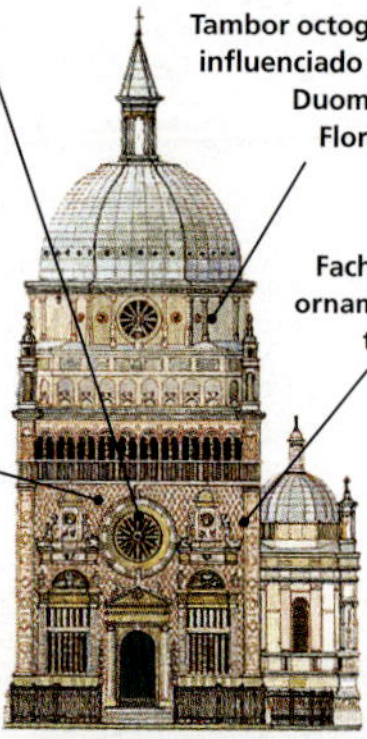

Cappella Colleoni, *Bergamo (1476), mistura ricos elementos decorativos nesta obra-prima do início da Renascença* *(pág. 201)*.

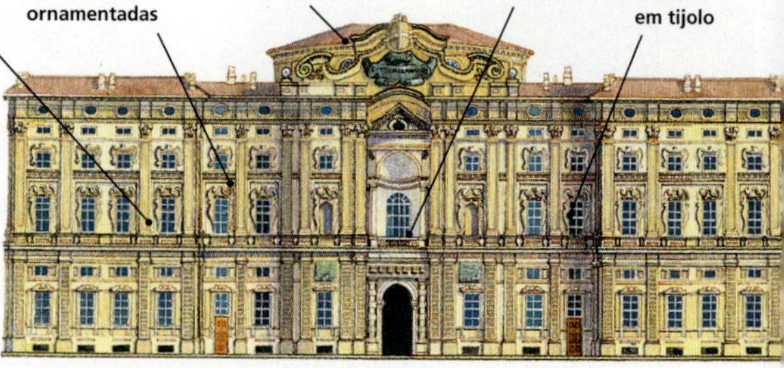

O Palazzo Carignano *talvez seja a mais bela obra da peculiar escola barroca de Turim. Realizada por Guarini (1679), a construção ostenta uma fachada de tijolos em ondulações e uma bela rotunda* (pág. 223).

ONDE VER A ARQUITETURA

Na estrada para Aosta, despontam vários castelos medievais *(pág. 214)*, enquanto igrejas de inspiração românica e gótica enfeitam a Lombardia –em Monza *(pág. 201)*, Pavia *(pág. 203)*, Milão *(págs. 192-201)* e Como *(págs. 190-1)*. Certosa di Pavia *(págs. 204-5)*, do século 15, deve ser visitada, assim como a encantadora cidade de Mântua *(pág. 207)*. Turim *(págs. 220-4)* é famosa por sua escola barroca, e Bergamo pela exuberância. A arquitetura dos dois últimos séculos está melhor representada em Milão e Turim. Gênova, por sua vez, apresenta interessantes projetos de reurbanização

Instalação de mastros (1992), de Renzo Piano, no porto de Gênova

ARQUITETURA DOS SÉCULOS 19 E 20

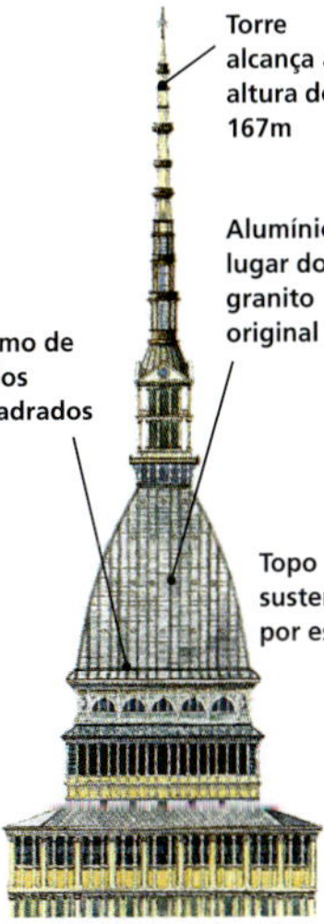

Mole Antonelliana *(1863-97), projetado por Antonelli, era o edifício mais alto do mundo na época em que foi construído* (pág. 224).

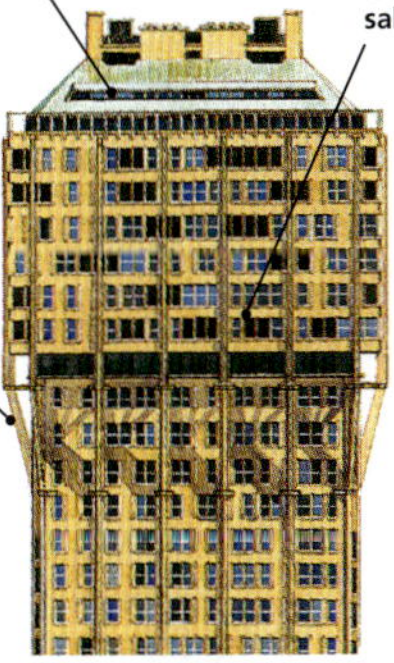

Torre Velasca, *em Milão, tem 26 andares e fica ao sul do Duomo. O projeto da década de 1950 foi influenciado pelos castelos medievais, como o de Sforzesco.*

A Galleria Vittorio Emanuele II, *projetada por Mengoni em 1865 em Milão, foi o primeiro prédio italiano a usar vidro e aço estruturalmente* (pág. 194).

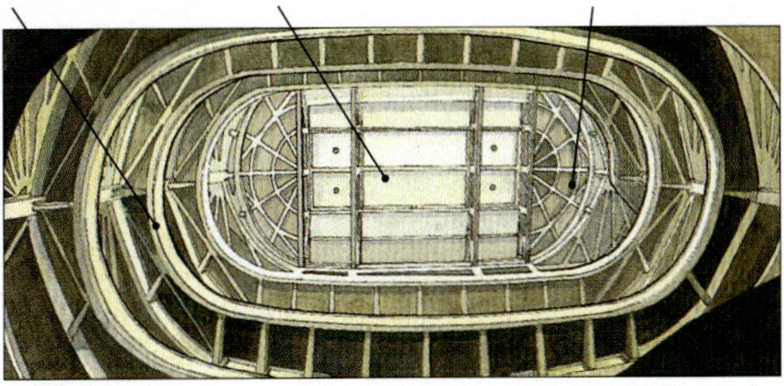

O edifício Lingotto *foi construído em Turim, entre 1915 e 1918, para ser a fábrica de carros da FIAT. Feito de materiais avançados, foi o primeiro grande edifício moderno da Itália. A estrutura de rampas até o teto é semelhante ao interior do domo barroco de San Lorenzo, em Turim.*

O prédio da Pirelli, *em Milão, feito por Ponti e Nervi em 1954, foi bastante inovador para a época.*

LOMBARDIA

A região da Lombardia estende-se dos Alpes, na fronteira com a Suíça, até a ampla planície do rio Pó, passando pelos românticos lagos di Como e Maggiore. Belas construções tipo villa *rodeiam estes lagos, e imponentes palácios e rebuscadas igrejas marcam o cenário de suas prósperas cidades. Com uma eficiente indústria moderna e agricultura em grande escala, a Lombardia tornou-se também o centro financeiro do país, com Milão despontando como capital.*

A região deve seu nome aos lombardos ou longobardos, uma tribo bárbara que invadiu a Itália no século 6°. Durante a Idade Média, a Lombardia foi parte do Sacro Império Romano, mas nem sempre permaneceu leal aos imperadores alemães. Bastante sagaz, seu povo desenvolveu um talento especial para transações monetárias e comerciais, ressentindo-se da interferência exterior em sua cômoda prosperidade.

No século 12, surgiu a Liga Lombarda (versão original do atual partido político), um grupo separatista fundado para combater o brutal imperialismo de Frederico Barba Roxa. O poder foi tomado pelas famílias mais abastadas da região, principalmente os Visconti e os Sforza de Milão, do século 14 até o início do século 16. Estas dinastias tornaram-se grandes patronos das artes, encomendando belíssimos palácios, igrejas e obras de arte, muitos existentes até hoje. Bergamo, Mântua e Cremona –sem mencionar Milão– preservam um enorme tesouro artístico. Entre os destaques estão grandes marcos da civilização europeia, como o Mosteiro de Pavia, o quadro *A Última Ceia*, de Leonardo da Vinci, e as magníficas pinturas da Pinacoteca di Brera, em Milão. Na Lombardia, nasceram Virgílio, Monteverdi, Stradivarius e Donizetti. Além desse legado, a região oferece belas paisagens lacustres (os lagos di Como e Maggiore atraíram poetas e aristocratas durante séculos) e o movimento de modernas cidades.

Passeando pela enorme Galleria Vittorio Emanuele II em Milão

◁ **Casas tranquilas à margem do lindo lago di Como, a sudoeste de Bellagio**

Como Explorar a Lombardia

A enorme planície do rio Pó atravessa grande parte da Lombardia, criando uma paisagem plana, adequada à expansão industrial local. Entretanto, apesar de sua forte presença, a planície não domina toda a região. Ao norte, permanece intacta aos pés das montanhas uma grande extensão de terra onde ficam os lagos di Como e Maggiore, além dos espetaculares vales e picos do Parco Nazionale dello Stelvio, ao redor de Bormio, Sondrio e Val Camonica. Mais ao sul, as regiões industrializadas dão espaço a enormes áreas agrícolas pontilhadas por cidades de grande beleza como Cremona, Mântua e Pavia, que oferecem uma boa variedade de atrações culturais.

Vista da Isola Bella no lago Maggiore

PRINCIPAIS ATRAÇÕES

Bergamo 5
Brescia 9
Certosa di Pavia págs. 204-5 12
Cremona 13
Lago d'Iseo 8
Lago di Como 1
Lago Maggiore 2
Lodi 10
Mântua 15
Milão (Milano) págs. 192-201 3
Monza 4
Parco Nazionale dello Stelvio 6
Pavia 11
Sabbioneta 14
Val Camonica 7

A pitoresca fachada da Cappella Colleoni em Bergamo

Legenda dos símbolos
no final do guia

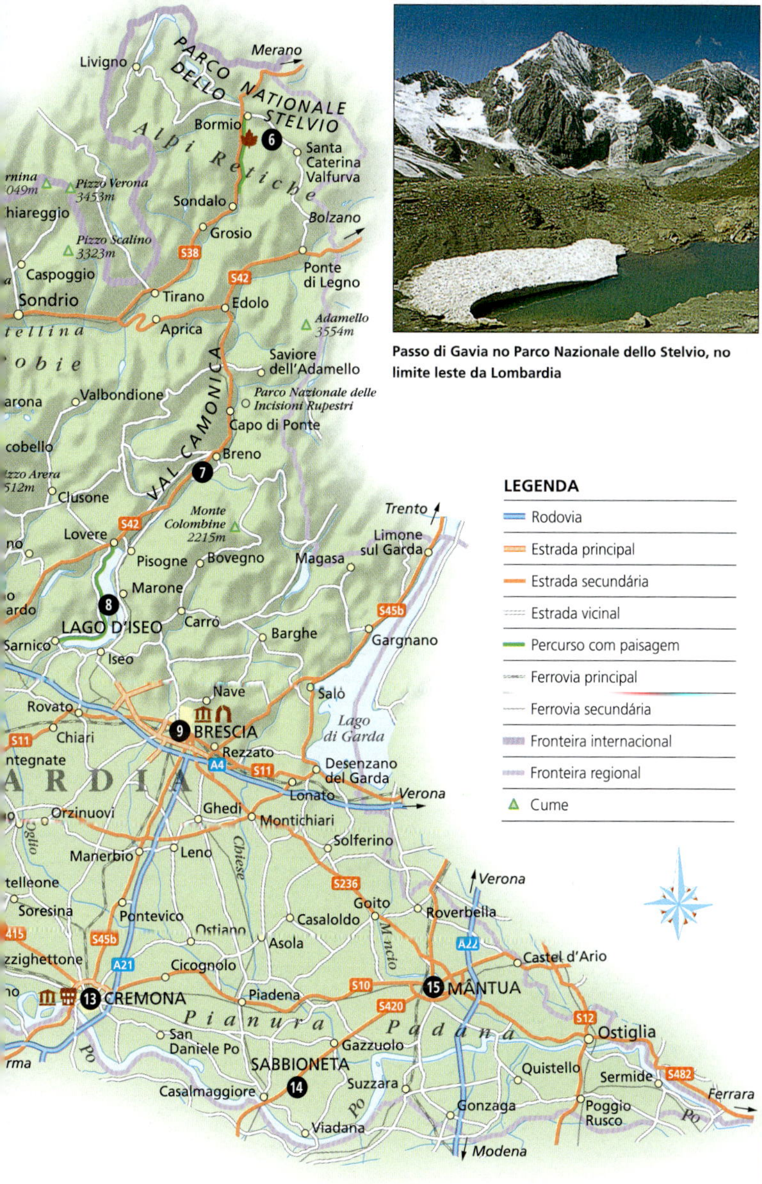

Passo di Gavia no Parco Nazionale dello Stelvio, no limite leste da Lombardia

COMO CHEGAR

Os dois aeroportos internacionais de Milão são certamente os grandes portões de entrada para o Norte da Itália. Rodovias e ferrovias cruzam, em todas as direções, a planície da Lombardia, facilitando a comunicação entre as cidades maiores. Para visitar os lagos, é melhor usar carro, pois o trem chega apenas a duas cidades, embora haja serviço de barcos e ônibus ao longo das "praias". Apesar de mais afastados, o Parco Nazionale dello Stelvio e as montanhas do Norte também oferecem boas instalações ao turista.

VEJA TAMBÉM

- ***Onde Ficar*** págs. 565-7
- ***Onde Comer*** págs. 612-4

Lago di Como ❶

Rodeado por um cenário de sonho, com montanhas e encostas acidentadas, o Lago di Como tem atraído visitantes em busca de passeios de barco, caminhadas pelas montanhas, descanso ou inspiração. O estreito norte, em especial, fica envolvido em uma calma quase misteriosa. Com forma de "y" invertido esculpida pela erosão glacial, o lago oferece lindas vistas dos Alpes e das cidades de Como e Lecco.

Vista perto do Lago di Como

O lado norte é mais selvagem e menos povoado do que o sul, oferecendo muita tranquilidade.

Menaggio é um dos vários balneários na margem esquerda do lago.

No alto de Varenna, um porto de ferryboat, destaca-se um castelo em ruínas do século 11. Em Fiumelatte, logo ao sul, há um rio espumoso, o "rio de leite".

Villa Carlotta fica aninhada entre exuberantes jardins e lindas vistas.

Cernobbio foi o balneário favorito da rainha Carolina, da Inglaterra, durante seu exílio no início do século 19.

Bellagio

No vértice dos dois braços do lago, este balneário oferece um agradável calçadão à beira d'água.

O braço sudeste do lago é também chamado de Lago di Lecco.

A estrada ao sul de Bellagio sobe a montanha e oferece extensas paisagens do lago.

Em Lecco, nasceu o romancista do século 19 Manzoni.

Como

A cidade que batizou o lago orgulha-se de um belo Duomo, que mistura os estilos renascentista e gótico e apresenta entalhes na fachada.

Para hotéis e restaurantes nesta região, ver págs. 567-71 e págs. 615-8

PREPARE-SE

FS *Como, Lecco.* *todas cidades* *P. Cavour 17, Como (031 26 97 12). Via Sauro 6, Lecco (0341 29 57 20).* **www**.lakecomo.org

Cópia de Tadoline (1834) de *Cupido e Psiquê* de Canova, na Villa Carlotta

Como Explorar o Lago di Como

No centro de **Como**, encontra-se a elegante Piazza Cavour e o belo **Duomo** do século 14 com baixos-relevos e pinturas dos séculos 15 e 16, além de túmulos trabalhados. O domo, do século 18, foi feito pelo arquiteto barroco de Turim, Juvarra. Ao lado da catedral, está a Torre del Comune e o Broletto (prefeitura), uma construção do século 13, listrada em branco, rosa e cinza. Em Tremezzo, **Villa Carlotta** é uma elegante casa de veraneio do século 18, famosa por seus jardins com todos os tipos de flores. No interior, há uma coleção de esculturas. No extremo sul do braço leste do lago, fica **Lecco**, uma pequena cidade industrial onde viveu o escritor Alessandro Manzoni (1785-1873). A casa de sua infância, **Casa Natale di Manzoni**, guarda a memória de sua vida e obra. Na Piazza Manzoni, um monumento representa cenas do seu mais famoso romance, *I Promessi Sposi (Os Noivos)* –cuja história acontece em parte na Lecco do século 17.

Villa Carlotta
Via Regina 2b, Tremezzo. ***Tel*** *0344 404 05.* *15 mar-out: 9h-18h diariam (mar e out: 9h-12h, 14h-26h30).* **www**.villacarlotta.it

Casa Natale di Manzoni
Via Regina 2B, Lecco. ***Tel*** *0341 48 12 47.* *9h-17h30 ter-dom.* *1° jan, Páscoa, 1° mai, 15 ago, 25 dez.*

Lago Maggiore ❷

Verbania. FS *Stresa, Verbania, Baveno e ilhas.* *Piazza Marconi 16, Stresa (0323 301 50).* **www**.distrettolaghi.it

O lago Maggiore, o segundo maior da Itália (só perde para o lago Garda), aninha-se contra as montanhas do Norte até chegar à Suíça alpina e é mais quente e romântico que o lago Como. Suas encostas estão cobertas por camélias, azaleias e verbenas, de onde vem o antigo nome romano do lago, Verbanus.

Uma grande estátua de cobre do cardeal Carlos Borromeo, o patrono da ilha, ergue-se em Arona, cidade onde nasceu em 1538. É possível subir até o topo da estrutura e olhar através dos olhos e orelhas da estátua. Arona também se orgulha das ruínas de seu antigo castelo e da capela de Santa Maria, dedicada à famosa família dos Borromeo.

Mais acima da costa oeste do lago, está **Stresa**, o mais importante balneário local e principal ponto de partida para visitar as ilhas.

A cidade tem grandes hotéis, belas *villas* e jardins agradáveis. Atrás de Stresa, há um teleférico que leva ao monte Mottarone, um pico coberto de neve de onde podem ser apreciadas amplas vistas das montanhas ao redor, inclusive do Monte Rosa.

Estátua de Carlos Borromeo, Arona

Perto de Stresa, as **ilhas Borromeias** são pequenas joias de beleza natural, incrementadas com jardins, grutas artificiais e obras arquitetônicas ousadas. Na **Isola Bella**, fica o **Palazzo Borromeo**, com seus esplêndidos jardins, enquanto a Isola Madre está dominada pelo jardim botânico. A única ilha que é habitada o ano inteiro é a Isola dei Pescatori, com uma população de 50. Há também a ilha privada de San Giovanni, a menor de todas, com uma *villa* que pertenceu ao regente Arturo Toscanini (1867-1957).

O lago torna-se mais calmo na direção da fronteira com a Suíça, mas continua pontilhado por belas mansões. A **Villa Taranto**, nos arredores de Verbania, abriga um dos mais exóticos jardins botânicos.

Cerca de 3km a oeste de **Cannobio**, uma cidade-mercado perto da Suíça, encontra-se um desfiladeiro com a cachoeira Orrido di Sant'Anna, que pode ser alcançada de barco.

Palazzo Borromeo
Isola Bella. *de Stresa.* ***Tel*** *0323 305 56.* *meados mar-out.* **www**.borromeoturismo.it

Villa Taranto
Via Vittorio Veneto III, Verbania, Pallanza. ***Tel*** *0323 55 66 67.* *meados mar-out: diariam.*

Palazzo Borromeo e jardins do século 17, em Isola Bella, no lago Maggiore

Milão ❸

Detalhe do Duomo

Centro da moda, dos negócios e das finanças, Milão é uma cidade intensa. Mais ativa do que atraente, ela é o coração da economia italiana. O nome da cidade veio de um composto das palavras em latim *medio* e *planum* ("meio do plano"). Situada na intersecção das rotas transalpinas, tornou-se há muito tempo um importante centro comercial, disputado por poderosas dinastias. Hoje, Milão é o local ideal para quem quer apreciar o auge do estilo italiano.

***Retrato de Uma Jovem*, de Pollaiuolo, Museo Poldi-Pezzoli**

Castello Sforzesco

Piazza Castello. ***Tel*** *02 88 46 37 00.* **Castello** *diariam.* **Musei del Castello** *9h-17h30 ter-dom.* *feriados.*

www.milanocastello.it

O primeiro castelo construído neste lugar foi encomendado pela família Visconti, mas quando terminou o seu reinado, em meados do século 15, ele foi demolido. O novo governante de Milão, Francesco Sforza, ergueu no mesmo lugar o atual palácio renascentista. A construção apresenta uma série de pátios. O mais belo deles, o Cortile della Rocchetta, é um gracioso quadrado em arcadas projetado por Bramante e Filarete. Hoje o palácio abriga uma exposição de Artes Aplicadas, Arqueologia e Moedas, além da **Musei del Castello**. Este belo acervo de móveis, antiguidades e pinturas inclui a escultura inacabada de Michelangelo conhecida como a *Pietà Rondanini*. Os quadros, que vão da Renascença ao século 18, são particularmente marcantes.

***Pietà Rondanini*, de Michelangelo (c.1564), no Castello Sforzesco**

Museo Poldi-Pezzoli

Via Alessandro Manzoni 12. ***Tel*** *02 79 48 89.* *10h-18h ter-dom.*

www.museopoldipezzoli.it

Giacomo Poldi-Pezzoli foi um nobre rico que ao morrer, em 1879, doou sua magnífica coleção de arte ao Estado. O quadro mais importante é o *Retrato de Uma Jovem*, uma obra renascentista do século 15 de Antonio Pollaiuolo. Há também trabalhos de Piero della Francesca, Botticelli e Mantegna, entre outros. Na seção de Artes Aplicadas encontram-se peças muito interessantes que vão de tapetes e rendas a vidros, esmaltes, esculturas, joias e relógios de sol.

PRINCIPAIS ATRAÇÕES

Castello Sforzesco ①
Civico Museo Archeologico ⑫
Duomo ⑥
Galleria Vittorio Emanuele II ⑤
Museo Poldi-Pezzoli ③
Palazzo Reale (Museo della Reggia) ⑦
Parco Sempione ⑬
Pinacoteca Ambrosiana ⑨
Pinacoteca di Brera págs. 198-9 ②
San Lorenzo Maggiore ⑪
San Satiro ⑧
Sant'Ambrogio ⑩
Teatro alla Scala ④

Legenda dos símbolos *no final do guia*

Para hotéis e restaurantes nesta região, ver págs. 567-71 e págs. 615-8

Teatro alla Scala

Piazza della Scala. ***Tel*** *02 887 91.* **Bilheteria** ***Tel*** *02 72 00 37 44.* **Museo Teatrale** Largo Ghiringhelli 1 (Piazza Scala) ***Tel*** *02 88 79 24 73.* *9h-12h, 13h30-17h diariam.* **www**.teatroallascala.org

O teatro neoclássico Scala, inaugurado em 1778, é uma das casas de ópera de maior prestígio no mundo. Com o maior palco da Europa, recebe produções suntuosas e os cantores mais famosos. Duas horas antes do espetáculo 140 ingressos são postos a venda; ingressos não vendidos são descontados.

O **Museo Teatrale**, ao lado do teatro, expõe cenários e figurinos de produções passadas e objetos teatrais do período romano. A ópera brasileira *O Guarani*, de Carlos Gomes, estreou aqui em 1870.

Fachada do Scala, teatro mundialmente famoso

PREPARE-SE

1.465.000. Malpensa 55km noroeste; Linate 8km leste. Stazione Centrale, Piazza Duca d'Aosta. Piazza Freud. P. del Duomo 19 (02 77 40 43 43); Stazione Centrale (02 77 40 43 19). diariam. 7 dez: Sant'Ambrogio. **www**.provincia.milano.it

Duomo

Piazza del Duomo. ***Tel*** *02 72 02 26 56. diariam.* **Batistério** *9h-17h.* **Tesouro** *9h30-13h, 14h-18h seg-sex; 9h30-11h30, 14h-17h sáb; 13h30-16h dom e feriados.* **Telhado** *nov-fev: 9h-16h15; mar-out: 9h-17h45. para telhado.* **www**.duomomilano.it

O Duomo de Milão é uma catedral gigantesca, uma das maiores igrejas góticas do mundo. Sua construção começou no século 14 sob o príncipe Gian Galeazzo Visconti, mas só foi concluída 500 anos depois.

O aspecto mais marcante do projeto é o seu telhado, com 135 agulhas e numerosas estátuas e gárgulas, de onde nos dias claros podem ser vistos os Alpes. A fachada exibe uma incrível variedade de estilos, passando pelo gótico, neoclássico e renascentista. Nas suas portas de bronze, baixos-relevos contam a vida da Virgem e a história da própria cidade. Ao redor da abside, observe o delicado trabalho de rendilhado gótico nas janelas. No interior da catedral, 52 pilares enormes dividem as naves iluminadas por todos os lados por vitrais.

Pode-se ver o símbolo da família Visconti –uma serpente engolindo um homem– no belo rendilhado das janelas da abside. Entre os muitos túmulos e estátuas, destaca-se a representação de San Bartolomeo, que aparece carregando sua própria pele

O tesouro, sob o altar, contém trabalhos medievais em ouro e prata, resquícios do batistério do século 4°.

O Duomo gótico, coroado com agulhas

Como Explorar Milão

Além dos grandes monumentos, como a catedral e o castelo, Milão oferece uma interessante variedade de museus, igrejas e edifícios cívicos, criando uma fascinante mistura do novo e antigo. Chique e movimentada, a metrópole apresenta intensa agenda cultural, programas gastronômicos, a oportunidade de comprar grifes famosas ou de simplesmente passear por suas ruas.

Domo de vidro, na Galleria Vittorio Emanuele II

Galleria Vittorio Emanuele II

As principais entradas estão na Piazza del Duomo e na Piazza della Scala.

Esta bela galeria comercial, conhecida como *il Salotto di Milano* (Sala de Visitas de Milão), foi projetada pelo arquiteto Giuseppe Mengoni em 1865. Ela teve um começo trágico, quando Mengoni caiu do andaime e morreu pouco antes da inauguração em 1877. Turistas são atraídos pelas lojas, cafés e o Savini, um dos restaurantes históricos de Milão.

A galeria tem forma de cruz, com um centro octogonal adornado com mosaicos que representam os quatro continentes (Europa, América, África e Ásia), ao lado de outros que simbolizam a Arte, a Agricultura, a Ciência e a Indústria. A característica mais marcante desta construção é o telhado de vidro, coroado por um domo central. O telhado foi a primeira estrutura na Itália a usar metal e vidro como parte da estrutura e não apenas da decoração. O piso é decorado com mosaicos com os signos do zodíaco, e pode-se ver turistas pisando nas partes genitais de Taurus, o Touro, porque dizem que traz sorte.

Palazzo Reale

Piazza del Duomo.
Tel 02 87 56 72.
Museo della Reggia.

O antigo palácio real, que por séculos foi a residência de governantes de Milão, como Visconti, hoje abriga o **Museo della Reggia**. O suntuoso interior retrata os quatro momentos históricos vividos pelo palácio, entre eles o Neoclassicismo e a Restauração. O Palazzo Reale também recebe exposições temporárias de prestígio. O edifício adjacente a oeste, Arengariofoi transformado em um museu de arte moderna, que exibe muitas obras de arte italianas do século 20.

Villa Belgiojoso Bonaparte – Museo dell'Ottocento e Galleria D'Arte Moderna

Villa Belgiojoso Bonaparte, Via Palestro 16. ***Tel*** *02 76 34 08 09.*
9h-13h, 14h-17h30 ter-sáb.
www.gam-milano.com

As coleções de arte moderna e do século 19 de Milão estão na *villa* neoclássica construída por Leopold Pollack em 1790 para Count Ludovico Barbiano di Belgiojoso. Foi residência de Napoleão Bonaparte em 1802, e mais tarde de Marshal Radetzky. A *villa* abriga uma coleção de arte italiana do século 19 que cobre os principais movimentos artísticos, as coleções Grassi e Vismara de obras italianas e estrangeiras dos séculos 19 e 20, além do museu Marino Marini. Merecem destaque as obras de Giorgio Morandi (1890-1964), Carlo Carrà (1881-1966), assim como as de Modigliani (1884-1920) e De Chirico (1888-1978). Também há obras de grandes artistas de outros países como Van Gogh, Cézanne, Gauguin, Picasso, Matisse, Klee, Mondrian e Kandinsky.

Pinacoteca Ambrosiana

Piazza Pio XI 2. ***Tel*** *02 80 69 21.*
10-17h30 ter-dom.
www.ambrosiana.it

Natureza Morta **(1920), de Giorgio Morandi, Galleria d'Arte Moderna**

Para hotéis e restaurantes nesta região, ver págs. 567-71 e págs. 615-8

Cesta de Frutas **(c. 1596) de Caravaggio, na Pinacoteca Ambrosiana**

A Ambrosiana é a sede da magnífica biblioteca do cardeal Federico Borromeo, com 30 mil manuscritos, entre eles um exemplar ilustrado do século 5° da *Ilíada*, de Homero, primeiras edições da *Divina Comédia* (1353), de Dante, e o *Codex Atlântico* (século 15), de Leonardo da Vinci. Para mostrar o máximo possível desta obra, as páginas em exposição mudam a cada três meses.

O edifício também abriga uma galeria de arte, doada por Borromeo na ocasião de sua morte em 1618. A coleção de obras do século 14 ao início do 19 confirma o gosto variado do cardeal. Entre os quadros, está o *Retrato de Um Músico*, de Leonardo da Vinci (1452-1519), o *Retrato de Uma Jovem*, atribuída a seu aluno Giovanni Ambrogio da Predis, a *Madona do Dossel* (século 15), de Botticelli, um cartão original –molde– do afresco *A Escola de Atenas* (século 16), pintado por Rafael no Vaticano, e *Cesta de Frutas*, de Caravaggio, (o primeiro quadro de natureza morta pintado na Itália). Há um bom acervo de arte veneziana, com obras de Tiepolo, Ticiano, Giorgione e Bassano e painéis de Bergognone, pintor lombardo do fim do século 15.

San Satiro

Via Speronari 3. ***Tel*** *02 87 46 83.* *7h30-11h30, 15h30-17h30 diariam.*

Esta igreja simples, cujo nome completo é Santa Maria presso San Satiro, é uma das mais belas construções renascentistas de Milão. Foi construída no lugar de um santuário do século 9°, do qual restaram somente a Cappella della Pietà (do lado esquerdo da nave) e o campanário do século 11.

O interior parece ter a forma de uma cruz grega, mas é apenas uma ilusão criada por vários efeitos de *trompe l'oeil*. A limitação de espaço levou Bramante (encarregado da construção no final do século 15) a escolher um plano em forma de T. Acima do altar, encontra-se um afresco do século 13. Um batistério octogonal com terracota encontra-se à direita da nave. A fachada da igreja foi terminada somente no século 19.

Civico Museo Archeologico

Corso Magenta 15. ***Tel*** *02 86 45 00 11.* M *1, 2 Cadorna.* *16, 19.* *18, 50, 58.* *9h-13h, 14h-17h30 ter-dom.* *(ligar antes).*

Na entrada deste museu o visitante é saudado por uma enorme pedra da Val Camonica, coberta de gravações da Idade do Bronze, e pela maquete da Milão dos tempos romanos.

A exposição começa pela sala da direita, com esculturas e objetos de argila romanos. No final desta sala fica um grande fragmento da escultura do tronco de Hércules e um piso de mosaico do século 3°. Também nesta sala ficam duas das mais importantes obras do museu: o Parabiago Patera e a Taça Diatreta. O Patera é um prato de prata com douração e relevo retratando a deusa Cibele (século 4°). A Taça Diatreta, do mesmo período, é uma peça única de vidro colorido.

O pátio contém a Torre di Ansperto, que pertenceu ao muro de Maximiliano, erguido entre os anos 1 a.C. e 5°.

O andar inferior abriga a coleção de vasos áticos ornados com figuras pretas e vermelhas, além de relíquias etruscas.

Parco Sempione

Piazza Castello-Piazza Sempione M *1 Cadorna, Cairoli, 2 Lanza, Cadorna.* *Ferrovie Nord, Cadorna.* *1, 3, 4, 12, 14, 27, 29, 30.* *43, 57, 61, 70, 94.* *mar-abr: 6h30- 21h; mai: 6h30-22h; jun-set: 6h30-23h30; out: 6h30-21h; nov-fev: 6h30 20h.*

Apesar de cobrir uma área de quase 47ha, este parque ocupa só uma parte do antigo jardim do duque Visconti, comprado pelos Sforza no século 15 para fazer uma reserva de caça de 300ha. A disposição atual foi concebida por Emilio Alemagna entre 1890-3. Durante a Segunda Guerra Mundial, foi usado para cultivar trigo, mas, reconstruído, voltou a seu esplendor. Entre as árvores ficam o monumento a Napoleão III, de Francesco Barzaghi, a construção metafísica *Mysterious Baths*, de De Chirico, a fonte de água sulfúrica e a Torre Branca, feita de tubos de aço em 1932, a partir do desenho de Gio Ponti.

Vista do Parco Sempione com o Arco della Pace ao fundo

Compras em Milão

Em Milão, uma das cidades mais ricas da Itália, compras são sinônimo de roupas de designers. Aqui as lojas das grifes mais sofisticadas são sempre elegantes e cheias de estilo, especialmente no centro da cidade, e olhar é quase tão prazeroso quanto comprar. Mas Milão também tem muitas butiques independentes de vários estilos que agradam a todos os gostos. Para quem procura presentes para levar na volta há algumas excelentes *pasticcerie* (confeitarias) que oferecem autênticas guloseimas e tradicionais confeitos locais. Outro suvenir memorável de sua visita à cidade é algum objeto de design ultramoderno.

ONDE COMPRAR

Os principais designers de moda têm lojas na área entre a Via Montenapoleone, a Via della Spiga, a Via Manzoni e a Via Sant'Andrea, o chamado "quadrilátero fashion".

Quem se interessa por design de interiores vai gostar das lojas da Via Durini, ao passo que apreciadores de antiguidades devem ir aos bairros de Brera e Navigli, onde há mercados de antiguidades mensais.

Para não perder tempo, telefone antes e pergunte o horário de funcionamento. Na segunda-feira, as lojas em geral não abrem pela manhã, e as de alimentos fecham à tarde. As lojas maiores funcionam o dia inteiro, mas às vezes fecham para almoço. O comércio fecha aos domingos, exceto perto do Natal e durante as temporadas de desfiles de moda.

DESIGNERS DE MODA

Milão é renomada como capital mundial de moda e tem lojas da maioria dos designers italianos e internacionais. Além daqueles que se espera encontrar em um polo de moda, como **Dolce e Gabbana, Giorgio Armani, Gucci, Prada** e **Hugo Boss**, há muitas lojas menores de outros designers. Para saber o que há de novo, vá a butiques multimarcas como a **Banner**, que seleciona o melhor de várias grifes. Para informar-se sobre as tendências da moda jovem, vá à **Amedeo D** ou à área do Corso di Porta Ticinese.

Designers em ascensão estão se agrupando nas áreas em torno do Corso Garibaldi e do Corso Como. Além das roupas e acessórios da última moda, a **10 Corso Como** oferece livraria, loja de discos, galeria de arte, café, restaurante e até um B&B de alta classe. Já a butique de **Gianfranco Ferrè** tem um spa em anexo.

A maioria dos designers faz moda masculina e feminina. Lojas especializadas em roupas masculinas incluem **Pal Zileri, Ermenegildo Zegna** e **Corneliani**.

MODA CASUAL

Outlets de designers vendem amostras, roupas de segunda mão e peças da última estação com descontos. Entre as pontas de estoque mais antigas de Milão encontram-se a **Salvagente** e a **DMagazine**. Muitos designers também têm outlets próprios: fãs da grife Max Mara, por exemplo, devem ir ao **Diffusione Tessile**.

As principais lojas de departamento da cidade são a **La Rinascente** e a **Coin**. A primeira oferece as marcas de designers mais famosos, enquanto a segunda vende várias marcas menos conhecidas, assim como bolsas, bijuterias e artigos para casa. Milão, porém, não tem apenas moda contemporânea sofisticada. Para moda casual a bom preço para toda a família, vá à **Oviesse**.

Muitos consumidores de moda também vão à Corso Vercelli ou garimpam nas barracas do mercado de sábado na Viale Papiniano, no fim da Piazza Sant'Agostino, que funciona das 8h30 até 17h.

ACESSÓRIOS

Bolsas, sapatos, chapéus, joias e bijuterias também merecem uma boa pesquisa. Redes como a **Furla** e a **Coccinelle** têm ampla variedade de bolsas, enquanto sapatos de salto alto são encontrados na **René Caovilla**. Já sapatos confortáveis mas diferentes estão na **Tod's** e na **Hogan**. A **Garlando** tem estilos clássicos em várias cores e tamanhos, e a **Ghigodonna** tem calçados elegantes de tamanhos maiores. A Borsalino é sinônimo de chapéus elegantes.

O "quadrilátero fashion" também conta com muitas joalherias, como a **Federico Buccellati**, a **Bulgari** e a **Pianegonda**.

GASTRONOMIA E VINHOS

Gourmands adoram Milão. Com três andares, a **Peck** oferece o que há de melhor em vinhos e alimentos na Itália. A **Enoteca Solci** é especializada em vinhos. A **Giovanni Galli Marroni** e **Canditi** tem uma abordagem diferente para guloseimas com chocolate.

Já a **High Tech** é um oásis de utensílios de cozinha, com marcas consagradas como Alessi, além de baixelas e cutelaria.

DESIGN, LIVROS E PRESENTES

Milão é o berço do design de móveis. Várias lojas de alta classe ficam na Piazza San Babila. Uma caminhada pela Via Durini o fará deparar com a **Cassina**, a **B&B** e outras. Para iluminação, vá à **Flos** e à **Artemide**. Interessados em design do século 20 devem visitar a Spazio 900.

Outras boas opções são livros sobre design e arquitetura. Para o que há de melhor no mercado, visite a livraria da **Triennale** ou a da editora Skira de catálogos de arte.

A **Fabriano**, empresa que desenvolveu a primeira fábrica de papel em 1200, tem uma loja com belos papéis de carta e itens para presente.

AGENDA

DESIGNERS DE MODA

10 Corso Como
Corso Como 10.
Tel *02 2900 2674.*
Tel *02 626 163 (B&B).*
Tel *02 2901 3581 (bar e restaurante).*
Tel *02 653 531 (galeria).*
www.10corsocomo.it

Amedeo D
Corso Vercelli 23.
Tel *02 4800 4048.*
www.amedeod.it

Banner
Via Sant'Andrea 8.
Tel *02 7600 4609.*
www.biffi.com

Corneliani
Via Montenapoleone 12.
Tel *02 777 361.*
www.corneliani.com

Dolce & Gabbana
Via della Spiga 26 (moda feminina).
Tel *02 7600 1155.*
Corso Venezia 15 (moda masculina).
Tel *02 7602 8485/ 7601 1154.*
Via della Spiga 2 (acessórios femininos).
Tel *02 795 747.*
Corso Venezia 7.
Tel *02 7600 4091.*
www.dolcegabbana.it

Ermenegildo Zegna
Via Montenapoleone 27.
Tel *02 7600 6437*
www.zegna.com

Gianfranco Ferrè
Via Sant'Andrea 15.
Tel *02 794 864.*
Tel *02 7601 7526* (spa e salão de beleza).
www.gianfrancoferre.com

Giorgio Armani
Via Sant'Andrea 9.
Tel *02 7600 3234.*
Via Manzoni 31 (megastore).
Tel *02 7231 8600.*
Via Montenapoleone 2 (Collezioni).
Tel *02 7639 0068.*
Via Montenapoleone 10 (Armani Junior).
Tel *02 783 196.*
Via Manzoni 37 (Armani Casa).
Tel *02 657 2401.*
Corso di Porta Ticinese 60 (Armani Jeans).
Tel *02 8324 1924.*
www.giorgioarmani.com

Gucci
Via Montenapoleone 5–7.
Tel *02 771 271.*
Galleria Vittorio Emanuele (acessórios).
Tel *02 859 7991.*
www.gucci.com

Hugo Boss
Via Matteotti 11. (moda masculina)
Tel *02 7639 4667.*
Corso Matteotti 8 (moda feminina).
Tel *02 7601 3266.*
www.hugoboss.com

Pal Zileri
Via Manzoni 20.
Tel *02 7639 4680.*
www.palzileri.com

Prada
Galleria Vittorio Emanuele 63–65.
Tel *02 876 979.*
Via Montenapoleone 8 (moda feminina).
Tel *02 777 1771.*
Via Montenapoleone 6 (moda masculina).
Tel *02 7602 0273.*
Via della Spiga 18 (acessórios).
Tel *02 780 465*
www.prada.com

MODA CASUAL

Coin
Piazza Cinque Giornate.
Tel *02 5519 2083.*
Piazza Cantore.
Tel *02 4399 0001.*

Diffusione Tessile
Galleria San Carlo 6.
Tel *02 7600 0829.*

DMagazine
Via Montenapoleone 26.
Corso Garibaldi 72.
Tel 02 655 1649. *02 7600 6027.*

Oviesse
Galleria Passarella 2.
Tel *02 7628 1672.*
Corso Garibaldi 72.
Tel *02 655 1649.*
Corso Buenos Aires 35.
Tel *2040 4801.*
www.oviesse.it

La Rinascente
Piazza del Duomo.
Tel *02 88 521*
www.rinascente.it

Salvagente
Via Fratelli Bronzetti 16.
Tel *02 7611 0328.*
www.salvagente.it

ACESSÓRIOS

Borsalino
Galleria Vittorio Emanuele.
Tel *02 8901 5436.*
www.borsalino.com

Bulgari
Via Montenapoleone 2.
Tel *02 777 001.*
www.bulgari.com

Coccinelle
Via Manzoni 26.
Tel *02 7602 8161.*
Corso Buenos Aires 16.
Tel *02 2040 4755.*

Federico Buccellati
Via della Spiga 2.
Tel *02 7600 3867.*
www. federicobuccellati.it

Furla
Piazza Liberty 8.
Tel *02 782 449.*
Corso Vercelli 11.
Tel *02 4801 4189.*
www.furla.com

Garlando
Via Madonnina 2.
Tel *02 874 665.*
www.alfonsogarlando.it

Ghigodonna
Viale Tunisia 2.
Tel *02 2940 8414.*

Hogan
Via Montenapoleone 23.
Tel *02 7601 1174.*
www.hogan.com

Pianegonda
Via Montenapoleone 6.
Tel *02 7600 3038.*
www.pianegonda.com

René Caovilla
Via Bagutta 28.
Tel *02 7631 9049.*
www.renecaovilla.com

Tod's
Via della Spiga 22.
Tel *02 7600 0983.*
Galleria Vittorio Emanuele.
Tel *02 877 997.*
www.todsgroup.com

GASTRONOMIA E VINHOS

Giovanni Galli Marroni e Canditi
Via Victor Hugo 2.
Tel *02 8646 4833.*

High Tech
Piazza XXV Aprile 12.
Tel *02 597 039.*

Peck
Via Spadari 9.
Tel *02 802 3161.*
www.peck.it

DESIGN, LIVROS E PRESENTES

Artemide
Corso Monforte 19.
Tel *02 7600 6930.*
www.artemide.com

B&B
Via Durini 14.
Tel *02 764 4411.*
www.bebitalia.it

Cassina
Via Durini 16.
Tel *02 7602 0745.*
www.cassina.it

Fabriano
Via Ponte Vetero 17.
Tel *02 7631 8754.*
www.cartierefabriano.it

Flos
Corso Monforte 7.
Tel *02 794 559.*
www.flos.net

Skira
Via Torino 61.
Tel *02 7208 0008.*
www.skira.it

Spazio 900
Viale Campania 51.
Tel *02 7012 5737.*
Corso Garibaldi 42.
Tel *02 7200 1775.*

Triennale
Viale Alemagna 6.
Tel *02 891 3403.*
www.triennale.it

Milão: Pinacoteca di Brera

O melhor acervo de arte de Milão encontra-se no imponente Palazzo di Brera, do século 17, onde, no século seguinte, foi fundada a Accademia di Belle Arti. O acervo foi crescendo junto com o trabalho desenvolvido na academia. E hoje o museu reúne os melhores exemplos da pintura italiana renascentista e barroca, inclusive as obras mais importantes de Piero della Francesca, Mantegna, Canaletto, Bellini, Rafael, Tintoretto, Veronese e Caravaggio. Também estão expostas obras dos mais famosos artistas modernos da Itália, do século 20.

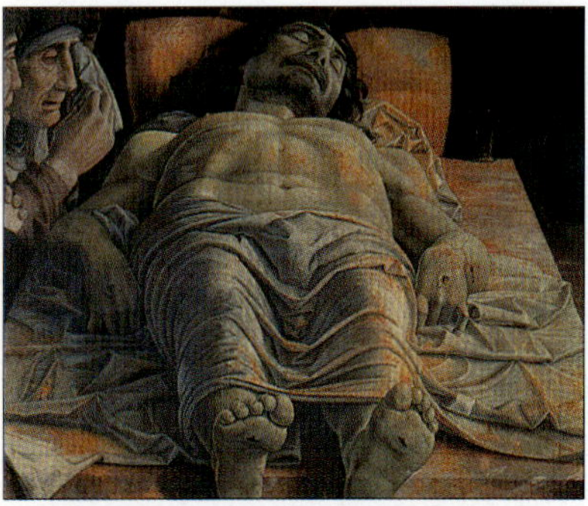

★ Cristo Morto, de Mantegna
A luz sutil e a extraordinária perspectiva fazem deste quadro (1430-1506) uma das obras-primas de Mantegna.

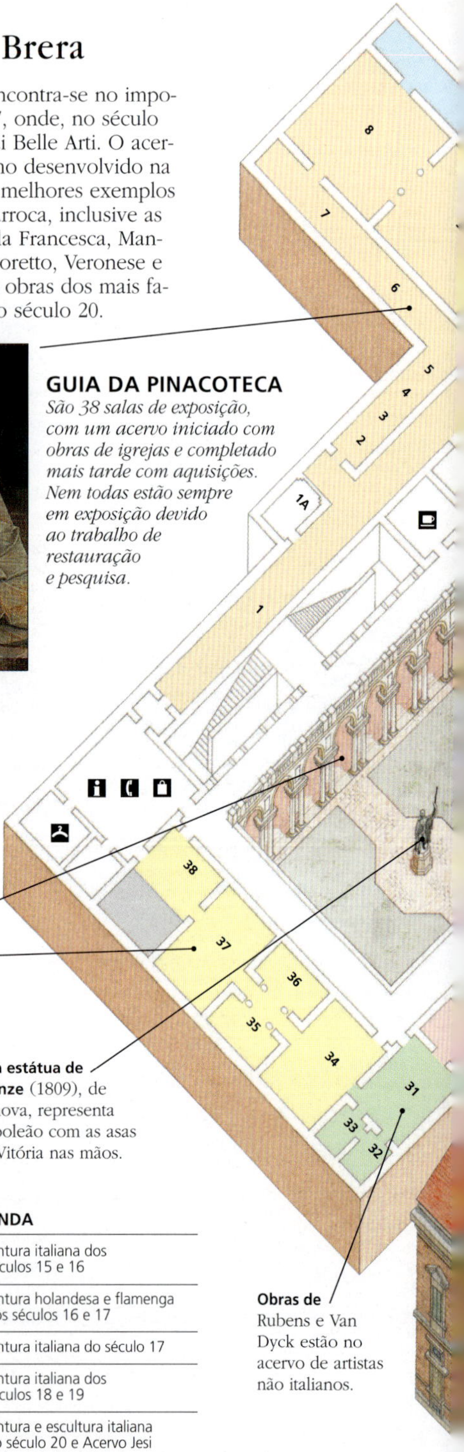

GUIA DA PINACOTECA
São 38 salas de exposição, com um acervo iniciado com obras de igrejas e completado mais tarde com aquisições. Nem todas estão sempre em exposição devido ao trabalho de restauração e pesquisa.

Uma escadaria dupla leva ao primeiro andar da Pinacoteca.

Esta estátua de bronze (1809), de Canova, representa Napoleão com as asas da Vitória nas mãos.

Obras de Rubens e Van Dyck estão no acervo de artistas não italianos.

O Beijo *(1859)*
O quadro de Francesco Hayez é uma das obras mais reproduzidas da arte italiana do século 19. Patriótica e sentimental, tornou-se símbolo do otimismo presente durante o processo de unificação da Itália.

LEGENDA

- Pintura italiana dos séculos 15 e 16
- Pintura holandesa e flamenga dos séculos 16 e 17
- Pintura italiana do século 17
- Pintura italiana dos séculos 18 e 19
- Pintura e escultura italiana do século 20 e Acervo Jesi
- Espaço sem exposição

Para hotéis e restaurantes nesta região, ver págs. 567-71 e págs. 615-8

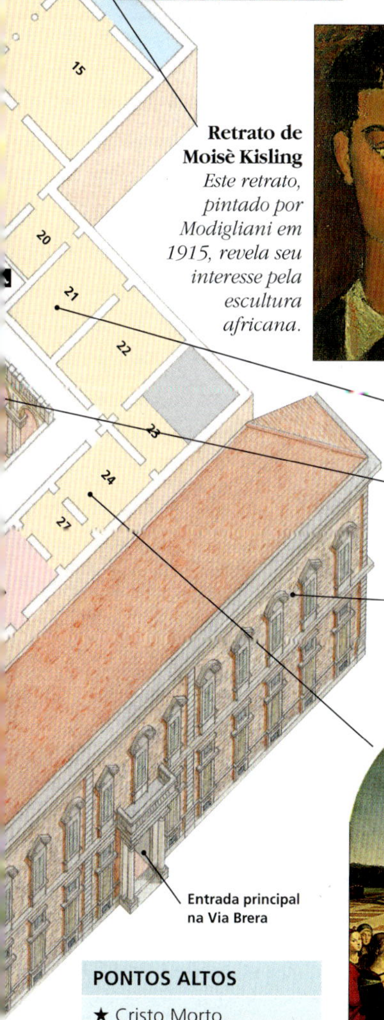

Mãe e Filho *(1917) Os quadros metafísicos de Carlo Carrà mostram um mundo de sonhos cheios de símbolos estranhos e obscuros.*

PREPARE-SE

Via Brera 28. ***Tel*** *02 72 26 31; 02 89 42 11 46.* Ⓜ *Lanza, Montenapoleone e Duomo.* 🚌 *67, 97.* 🕐 *8h30-19h15 ter-dom; (última admissão: 45min antes de fechar).* ● *1° jan, 1° mai, 25 dez.* 📷 ♿ **www**.brera.beniculturali.it

Retrato de Moisè Kisling *Este retrato, pintado por Modigliani em 1915, revela seu interesse pela escultura africana.*

Madonna della Candeletta *(c.1490) Esta pintura, bastante detalhista e rebuscada, de autoria de Carlo Crivelli, era a parte central de um políptico.*

Colunas duplas sustentam as galerias do pátio.

A fachada de pedra segue desenho regular, ligeiramente austero.

Entrada principal na Via Brera

★ O Casamento da Virgem *Esta graciosa peça de altar foi pintada por Rafael em 1504. O templo circular está assinado com o nome do artista.*

PONTOS ALTOS

★ Cristo Morto, de Mantegna

★ O Casamento da Virgem, de Rafael

Milão: Sudoeste do Centro

Alguns dos mais belos tesouros artísticos de Milão encontram-se em edifícios religiosos. Igrejas e mosteiros antigos compõem um belo conjunto arquitetônico por si só, além de preservarem ruínas e relíquias que datam da época romana. Milão também guarda uma das mais famosas imagens do mundo: a obra-prima de Leonardo, *A Última Ceia*.

Entrada de Sant'Ambrogio, ladeada por campanários diferentes

Sant'Ambrogio

Piazza Sant'Ambrogio 15.
Tel *02 86 45 08 95.* **Basílica** *7h-12h, 15h-19h diariam.* **Museu** *10h-12h, 15h-17h ter-dom.* **www**.santambrogio-basilica.it

Sant'Ambrogio, ou santo Ambrósio, é o padroeiro de Milão e foi seu bispo no século 4°. Era tão eloquente que se dizia que as abelhas voavam para dentro de sua boca atraídas pelo mel de sua língua. Esta basílica em sua homenagem começou a ser construída em 379, mas a maior parte da obra é do século 10°, em estilo românico. Um portão leva às portas de bronze da entrada, ladeada por dois campanários. Em seu interior, há um teto abobadado, com nervuras, e um púlpito. O altar do século 9°, coroado por um dossel, deslumbra por sua decoração em ouro, prata e pedras preciosas. Na capela do lado sul, mosaicos cobrem a cúpula. Na cripta está o túmulo de santo Ambrósio.

Acima do pórtico, um pequeno museu guarda peças arquitetônicas, tapeçarias e quadros relacionados com a Igreja.

San Lorenzo Maggiore

Corso di Porta Ticinese 39.
Tel *02 89 40 41 29.* *7h30-12h30, 14h30-18h45 diariam.* **Cappella Sant'Aquilino** *9h-18h30 diariam.* **www**.sanlorenzomaggiore.com

Esta igreja contém o mais importante acervo de peças romanas e cristãs primitivas de Milão. A basílica octogonal foi erguida no século 4°, sobre o que provavelmente foi um anfiteatro romano, e reconstruída nos séculos 12 e 16.

Na frente da igreja, há uma fileira de 16 colunas romanas e uma estátua do imperador Constantino. Mosaicos do século 4° adornam a Cappella di Sant'Aquilino, em estilo românico, que contém dois sarcófagos romanos. Outros elementos arquitetônicos estão na câmara sob a capela.

San Lorenzo Maggiore vista do lado nordeste

Santa Maria delle Grazie

Piazza Santa Maria delle Grazie 2.
Tel *02 92 80 03 60.* **Cenacolo** ***Tel*** *02 89 42 11 46.* *8h15-18h45 ter-dom.* *feriados.* **www**.cenacolovinciano.org

Este convento renascentista, com abside e claustro projetados por Bramante, contém uma das imagens-chave da civilização ocidental: *Cenacolo*, ou *A Última Ceia*, de Leonardo da Vinci. A imagem capta o momento em que Jesus Cristo diz aos discípulos que um deles irá traí-lo. A figura de Jesus está inacabada: Leonardo não se achou digno de completá-la.

Nesta obra, o artista rejeitou a técnica de pintar no gesso molhado e aplicou pintura à têmpera à parede seca. O resultado, repleto de sutilezas, deteriorou-se muito com o tempo e é quase impossível deter a descamação da pintura. A restauração tem sido muito difícil, mas hoje a pintura está protegida por um complexo sistema de filtragem.

A Última Ceia **(1494-7), de Leonardo da Vinci, adorna a parede do refeitório de Santa Maria delle Grazie**

Para hotéis e restaurantes nesta região, ver págs. 567-71 e págs. 615-8

ÉDITO DE MILÃO

Milão foi colonizada pelos romanos em 222 e cresceu rapidamente, tornando-se uma cidade importante na intersecção de várias rotas comerciais. À medida que o Império Romano expandiu-se e, depois, dividiu-se em dois, os imperadores começaram a negligenciar Roma em favor de uma cidade mais bem situada, Mediolanum, literalmente no meio da planície. Aqui o imperador Constantino declarou o seu édito em 313, reconhecendo o cristianismo como religião oficial do império. Diz-se que ele teria se convertido graças a uma visão, mas outra análise indica que era a única forma de unir o império.

Imperador Constantino

Monza ❹

Monza. 125.000. FS Piazza Carducci 2, (039 32 32 22). 9h-12h30, 15h-18h diariam. qui e sáb.

Hoje Monza é apenas uma cidade-satélite de Milão, famosa pelo Autódromo da Fórmula Um. Este fica em um parque nos limites da cidade, onde há uma casa de caça rococó, a Villa Reale e um campo de golfe. No passado, Monza foi uma das mais importantes cidades da Lombardia. Teodolinda, rainha lombarda do século 6°, construiu a primeira catedral de Monza.

O Duomo, com sua notável fachada verde e branca do século 14, guarda afrescos do século 15 representando a vida de Teodolinda. Atrás do altar-mor, encontra-se a coroa de ferro que teria pertencido ao imperador Constantino. Esta coroa é famosa por sua faixa de ferro, que teria sido um dos pregos da cruz de Cristo. Mais tesouros locais estão expostos no Museo Serpero da catedral. Entre eles, destacam-se a estátua de prata de uma galinha com sete pintinhos, que simbolizam as sete províncias governadas pela Lombardia, e uma relíquia que se acredita ser um dente de são João Batista.

Autodromo
Parco di Monza. ***Tel*** *039 248 21.*
diariam. *feriados.*

Duomo
Piazza Duomo.
Tel *039 389 420.*
Museo e Tesoro del Duomo
9h-13h, 14h-18h ter-dom.

Leonello d'Este **(c.1440), de Pisanello, na Accademia Carrara, Bergamo**

Bergamo ❺

118.000. FS *Via Gombito 13 (035 24 22 26).*
9h-12h30, 14h-17h30 diariam.
seg. **www**.comune.bergamo.it

A bela cidade de Bergamo, situada no alto de uma colina, deve muito de sua inspiração e do esplendor arquitetônico a Veneza, que a governou do século 15 ao 18. A cidade está dividida em duas partes: Bergamo Alta coroando a colina, com seu conjunto de construções medievais e renascentistas, e Bergamo Bassa, mais moderna na parte baixa.

A joia arquitetônica da cidade alta é a **Piazza Vecchia**, que apresenta o mais atraente conjunto de construções da região. Entre elas, destacam-se a Torre del Comune, do século 12, com um belo relógio e o sino que toca todos os dias às dez horas da noite, a Biblioteca Civica, do fim do século 16, e o atraente Palazzo della Ragione (o tribunal), do século 12, com a estátua do leão de Veneza.

As arcadas do Palazzo della Ragione levam à Piazza del Duomo, a praça do duomo neoclássico. Na praça se destaca a fachada da **Cappella Colleoni** *(pág. 184)*, capela erguida em 1476 para abrigar o túmulo de um famoso político local, Bartolomeo Colleoni. Ela está ladeada por duas obras do século 14: um batistério octogonal e um pórtico que conduz à basílica românica de Santa Maria Maggiore. Seu austero exterior contrasta com um interior barroco que abriga o túmulo de Gaetano Donizetti (1797-1848), compositor de ópera nascido na cidade.

Detalhe da Cappella Colleoni

A coleção da **Galleria dell' Accademia Carrara** é o maior destaque da parte baixa da cidade. Temporariamente abrigada no **Palazzo della Ragione** enquanto o edifício é restaurando, guarda um belo acervo de mestres venezianos e artistas locais, além de obras-primas de toda Itália, há trabalhos do século 15 de Pisanello, Crivelli, Mantegna, Giovanni Bellini e Botticelli; Ticiano, Rafael e Perugino; telas do século 18 de Tiepolo, Guardi e Canaletto. Além de Holbein, Dürer, Brueghel e Velásquez.

Palazzo della Ragione
Città Alta.
Tel *035 39 96 77.*
jun-set: 10h–21h ter-sex, 10h-23h sáb; out-mai: 9h30-17h30 ter-sex, 10h-18h sáb.

Um caminho arborizado no Parco Nazionale dello Stelvio

rochas formam um assombroso mural ao ar livre que se estende do Lago d'Iseo para além de Capo di Ponte –motivo pelo qual o vale foi declarado área de proteção cultural da Unesco. Mais de 180 mil inscrições rupestres do período Neolítico até os primórdios dos tempos romanos foram descobertas. As melhores estão no **Parco Nazionale delle Incisioni Rupestri**. A imperdível Pedra Naquane exibe quase 1.000 figuras da Idade do Gelo. O **Centro Camuno** dedica-se principalmente ao povoamento romano do vale.

Centro Camuno di Studi Preistorici
Via Marconi 7, Capo di Ponte. ***Tel*** *0364 420 91.* *para turistas.*

Parco Nazionale delle Incisioni Rupestri
Capo di Ponte. ***Tel*** *0364 421 40.* *8h30-17h30 ter-dom, nov-fev: 8h30-17h.* *1° jan, 1° mai, 25 Dez.*

Parco Nazionale dello Stelvio 6

Trento, Bolzano, Sondrio e Brescia. *de Bormio a Santa Caterina Valfurva e Madonna dei Monti.* *Via de Simoni 42, Bormio (0342 900 811).* **www**.stelviopark.it

Este é o maior parque nacional da Itália e o portão de entrada da Lombardia para as lindas e geladas montanhas Dolomitas. As geleiras estão pontilhadas por mais de 50 lagos e dominadas por picos escarpados, como Gran Zebrù, Cevedale e Ortles –a montanha mais alta do grupo, com 3.905m de altura. Para quem gosta de caminhadas, o lugar oferece trilhas com diferentes graus de dificuldade, levando a áreas remotas onde vivem cabritos monteses, marmotas, camurças e águias. O único centro povoado é em **Bormio**, que além de oferecer instalações esportivas de verão e inverno, é ponto de partida ideal para exploração dos arredores. Uma visita ao **Giardino Botanico**, a 1km do centro da cidade, pode ser uma boa introdução à flora local.

Giardino Botanico Alpino Rezia
Via Sertorelli, Loc. Rovinaccia, Bormio. ***Tel*** *0342 92 73 70.* *jun-meados set: diariam.* **www**.stelviopark.it

Val Camonica 7

Brescia. *Capo di Ponte.* *Via Briscioli, Capo di Ponte (0364 420 80).* **www**.proloco.capo-di-ponte.bs.it

Este amplo vale formado por geleiras é o cenário de uma série de figuras rupestres pré-históricas. Estes desenhos sobre

Lago d'Iseo 8

Bergamo e Brescia. *Iseo.* *Lungolago Marconi 2, Iseo (030 98 02 09).* **www**.lagodiseo.org

Em uma região vinícola, este lago glacial está rodeado por altas montanhas e cachoeiras, e exibe a pequena montanha que forma a ilha Monte Isola. Às margens do lago, há pequenas vilas pesqueiras, como Sale Marasino e Iseo. A estrada que sai de Marone, na margem leste, leva à vila de Cislano, a cerca de 5km. Aqui, podem ser admiradas as extraordinárias formações rochosas em forma de espigão. Estes pilares resultantes

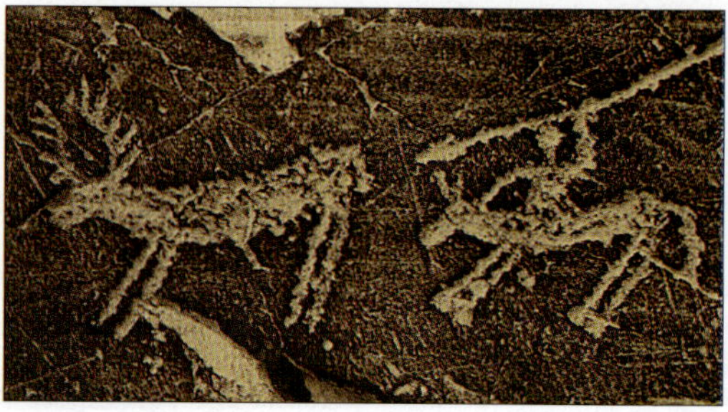

Gravuras pré-históricas de um cavaleiro montado e cervo no Val Camonica

Para hotéis e restaurantes nesta região, ver págs. 567-71 e págs. 615-8

A Ponte Coperto, com uma parte renascentista, cruza o rio Ticino em Pavia

da erosão compõem uma das belezas naturais mais fascinantes da Lombardia, conhecidas como "Fadas da Floresta".

Brescia ❾

190.000. FS Via Musei 32 (030 374 94 38). sáb.
www.provincia.brescia.it

A segunda cidade mais importante da Lombardia (depois de Milão) possui uma rica herança arquitetônica –dos templos romanos à Piazza Vittoriale da era Mussolini. Um dos pontos de maior destaque são as ruínas romanas ao redor da Piazza del Foro, que incluem o **Tempio Capitolino** –um templo com três partes, que abriga o **Museu di Santa Giulia**, a galeria de Brescia– e um teatro. A **Pinacoteca Civica Tosio Martinengo** exibe obras de Rafael e Lorenzo Lotto, e o Duomo na Piazza Paolo VI tem interior do século 11 e exterior do século 17. Uma das relíquias da catedral é o estandarte *Carroccio* –o carro de boi sagrado que serviu de símbolo à Liga Lombarda medieval. A Piazza della Loggia, praça do mercado, recebeu este nome após a construção das arcadas renascentistas em estilo clássico-romano. A igreja de San Nazaro e San Celso do século 18 na Via Bronzoni exibe uma peça de altar de Ticiano.

Tempio Capitolino
Via Musei 57a.
11h-16h ter-dom.

Museo di Santa Giulia
Via Musei 81b. **Tel** 030 297 78 34. diariam.

Pinacoteca Civica Tosio Martinengo
Via Martinengo da Barcol 4.
Tel 030 377 49 99.
10h-13h, 14h30-18h ter-dom. 1° jan, 1° mai, 1° nov, 25 dez.

Lodi ❿

Lodi. 40.000. FS Via Fanfulla 14 (0371 44 27 11). ter, qui, sáb e dom.
www.turismo.provincia.lodi.it

Esta encantadora cidade medieval exibe casas em tons pastéis com portões de ferro trabalhado, belos pátios e jardins. Na Piazza della Vittoria, uma praça com arcadas, encontra-se a catedral, erguida no século 12. Logo ao lado, fica a linda igreja da **Incoronata**. Seu interior octogonal está inteiramente decorado com pinturas murais e peças douradas. Uma das capelas do século 15 tem trabalhos de Bergognone.

Pavia ⓫

81.000. FS Palazzo del Broletto, Piazza Della Vittoria (0382 079 943). qua e sáb.
www.turismo.provincia.pv.it

Pavia já foi a capital dos lombardos e palco da coroação de Carlos Magno e Frederico Barba-Roxa. Mesmo depois de ter perdido a posição para Milão, em 1359, a cidade manteve certa importância, comprovada por suas grandes igrejas românicas, torres altas e outros monumentos.

Além do magnífico mosteiro (Certosa) *(págs. 204-5)*, a cidade ostenta a **Basilica di San Michele**, feita de arenito perto do Corso Garibaldi. O prédio foi fundado no século 7° e ampliado no século 12 depois de ser atingido por um raio. A fachada está decorada com frisos de símbolos e animais fantásticos e o interior exibe intricados entalhes nas colunas. A capela à direita do altar-mor guarda um crucifixo de prata do século 7°.

No centro da cidade, ao redor da Piazza della Vittoria, encontram-se vários monumentos antigos. Entre eles, destacam-se a prefeitura medieval, o **Broletto**, com fachada do século 16, e **Duomo**, iniciado em 1488 e trabalhado por etapas por Amadeo, Leonardo e Bramante. O domo da catedral foi acrescentado na década de 1880. A Torre Civica, do século 11, que ficava ao lado, caiu repentinamente em 1989. Também merece atenção a **Ponte Coperto**, ponte coberta que tem uma capela no meio, reconstruída depois da Segunda Guerra Mundial.

Pavia também é sede de uma das mais antigas e respeitadas universidades da Europa (1361). Ela foi construída ao redor de pátios neoclássicos, perto da Strada Nuova. Esta estrada continua ao norte até um castelo do século 14, que hoje abriga o **Museo Civico**.

A noroeste da Piazza Castello fica a igreja de San Pietro in Ciel d'Oro, do século 12. Hoje já não existe mais o teto dourado que deu nome à igreja, mas ela preserva um magnífico santuário de santo Agostinho, cujos ossos supõem-se terem sido trazidos para Pavia no século 8°. O corpo do filósofo Boécio (c.480-524) está enterrado na cripta.

Museo Civico
Castello Visconteo, Viale 11 Febbraio. **Tel** 0382 338 53.
ter-dom 10h-17h50. feriados.

O romano Tempio Capitolino, em Brescia

Certosa di Pavia ⓬

Este mosteiro, 8km ao norte de Pavia, reflete o auge da arquitetura renascentista da Lombardia. Erguido há mais de 200 anos em estilo cartusiano, exibe uma decoração magnífica. Concebido como monumento a Gian Galeazzo Visconti, o governante milanês que fundou o mosteiro em 1396, este santuário foi criado por Giovanni Antonio Amadeo e outros artesãos do século 15 que usaram técnicas inovadoras de trabalho em baixo-relevo e decoração multicolorida. O Certosa ainda é lar dos monges cartusianos, que estão sob voto de silêncio.

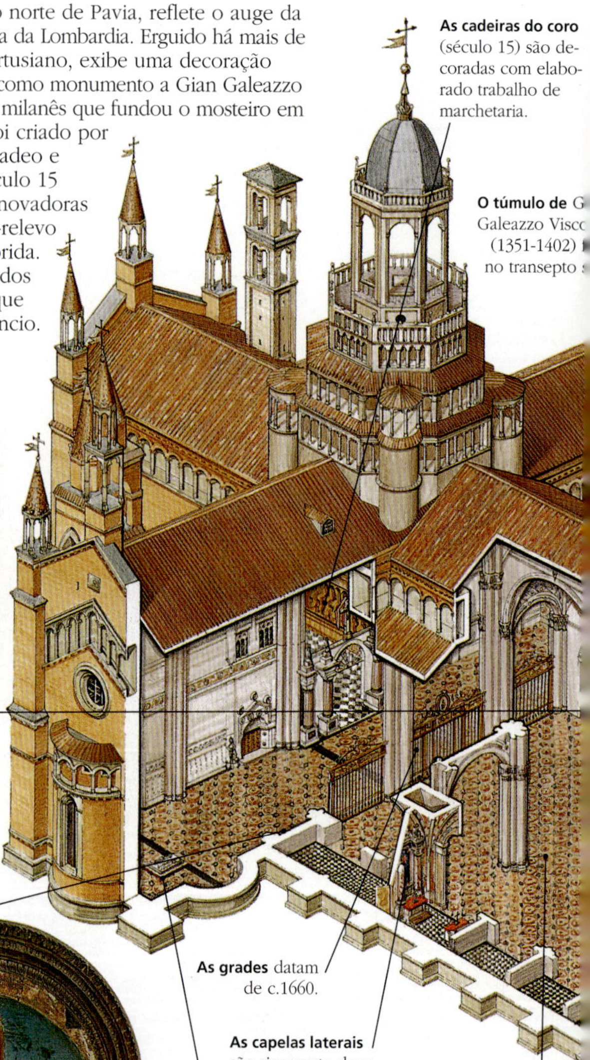

As cadeiras do coro (século 15) são decoradas com elaborado trabalho de marchetaria.

O túmulo de G Galeazzo Visc (1351-1402) no transepto

As grades datam de c.1660.

As capelas laterais são ricamente decoradas com mármore, *trompe l'oeil*, afrescos e peças de altar.

O interior da igreja é basicamente gótico.

Altar de Pietra Dura
Muitos dos altares do século 17 nas capelas do mosteiro exibem desenhos feitos com pedras semipreciosas ("pietra dura").

★ **Afrescos de Bergognone** *(c.1488-93)*
Esta imagem de Cristo é um dos muitos afrescos de Bergognone no transepto e nas capelas. Ao seu lado, há uma pintura de altar de Sant'Ambrogio.

Túmulo de Ludovico il Moro e Beatrice d'Este
Este retrato realista de Ludovico e sua jovem noiva foi começado por Cristoforo Solari em 1497, quase 11 anos antes da morte de Ludovico.

Para hotéis e restaurantes nesta região, ver págs. 567-71 e págs. 615-8

Claustro Grande
Chega-se a este enorme claustro através do "claustro pequeno". Três de suas laterais estão emolduradas por dois andares de celas onde ficavam os monges. A comida era servida por uma pequena abertura na porta.

PREPARE-SE

Viale del Monumento, Pavia. **Tel** *0382 92 56 13.* *de Pavia e Milão.* FS *Certosa. Ambas com uma caminhada de 1km.* *9h-11h, 14h30-16h30 ter-dom e feriados (mar, out: até 17h; abr, set: até 17h30; mai-ago: até 18h). Última admissão: 30mins antes de fechar.)* **Aceitam-se doações.**

A nova sacristia tem afrescos coloridos pintados no teto.

Celas dos monges

O encantador "claustro pequeno" tem arcadas, bela ornamentação em terracota e um pequeno jardim clássico.

★ Fachada Renascentista
A parte inferior da fachada do século 15 está exaustivamente decorada com estátuas e entalhes de imperadores romanos, santos (aqui são Pedro), apóstolos e profetas. A parte superior data de 1500.

Entrada principal do mosteiro

★Peça de altar de Perugino
Esta peça de altar foi pintada em 1499 com seis painéis, mas o único original preservado é o que representa Deus-Pai. *Em cada lado, exibe uma pintura de Borgognone.*

PONTOS ALTOS

- ★ Afrescos de Bergognone
- ★ Fachada Renascentista
- ★ Peça de altar de Perugino

O Duomo na Piazza del Comune, Cremona

Cremona ⓭

76.000. FS Piazza del Comune 5 (0372 232 33). qua e sáb. www.provincia.cremona.it

Cremona é um importante centro agrícola, mas ficou famosa graças à música, pois o compositor Claudio Monteverdi (1567-1643) e o fabricante de violinos Stradivarius (1644-1737) nasceram aqui.

A atração principal da cidade é a linda Piazza del Comune, onde estão o **Duomo**, em parte românico, e o campanário, considerado a mais alta torre medieval da Itália e conhecido como **Torrazzo** – ambos ligados por arcadas renascentistas. Na bela fachada da catedral, destacam-se a rosácea do século 13 e os inúmeros detalhes esculpidos, que incluem um pequeno pórtico com estátuas da Virgem e dos santos. O interior está suntuosamente decorado com afrescos do início do século 16 e quadros nas capelas laterais. Do alto do Torrazzo, há vistas magníficas. Do lado de fora da catedral, há um púlpito de onde pregadores itinerantes, inclusive são Bernardino de Siena, costumavam falar aos fiéis.

Ao lado do Duomo, encontra-se um batistério octogonal do século 12. Do outro lado da *piazza*, estão as arcadas do século 13 da **Loggia dei Militi**, onde os senhores da cidade se reuniam e hoje é um memorial de guerra.

O **Palazzo del Comune** é outro destaque da praça. Foi reconstruído no século 13 e abriga um acervo particular de violinos Stradivarius.

O **Museo Civico**, num palácio do século 16, exibe quadros, entalhes em madeira, tesouros da catedral, cerâmicas e uma seção de arqueologia. O prédio abriga ainda o **Museo Stradivariano** com desenhos, modelos e ferramentas da oficina de Stradivarius.

Nos arredores da cidade, na estrada para Casalmaggiore, na direção leste, encontra-se a igreja renascentista de **San Sigismondo** (fechada na hora do almoço). Aqui, Francesco Sforza casou-se com Bianca Visconti em 1441. Depois de 1463, a igreja foi reconstruída. O interior está ricamente decorado com quadros do século 16, peças de altar e afrescos de artistas da escola de Cremona (família Campi, Gatti e Boccaccino).

Torrazzo
Piazza del Comune.
Tel *0372 49 50 29.* *10h-13h, 14h30-18h ter-dom.*

Palazzo del Comune
Piazza del Comune. ***Tel*** *0372 20 5 02.* *9h-18h ter-sáb; 10h-18h dom.* *feriados.*

Museo Stradivariano e Museo Civico
Via Ugolani Dati 4. ***Tel*** *0372 407 770.* *9h-18h ter-sáb; 10h-18h dom.* *feriados.*

Sabbioneta ⓮

Mântua. *4.600.* de Mântua. *Piazza d'Armi 1 (0375 520 39).* *qua manhã.* *solicitar ao centro de informação turística.* **www**.sabbioneta.org

Sabbioneta foi uma tentativa de colocar na prática uma teoria da arquitetura renascentista. Vespasiano Gonzaga Colonna (1531-91) a construiu para ser uma cidade ideal dentro de muralhas hexagonais, com traçado de ruas em grade e prédios projetados para escala humana. Os melhores edifícios incluem o esplêndido Teatro All'Antica projetado por Scamozzi, o Palazzo Ducale e o Palazzo del Giardino, que podem ser visitados como parte de um *tour* pela cidade.

STRADIVARIUS E SEUS VIOLINOS

A cidade de Cremona tem sido sinônimo da arte de fazer violinos desde 1530, quando os instrumentos de Andrea Amati tornaram-se muito procurados pelas cortes reais da Europa devido a seu som, superior ao da rabeca medieval.

Gravura do século 19 de Antonio Stradivari

Mas foi Antonio Stradivari, conhecido como Stradivarius (1644-1737), um dos alunos de Niccolò, neto de Andrea Amati, que elevou o artesanato à genialidade. Ele costumava andar pelas florestas das Dolomitas à procura da madeira perfeita para seus instrumentos. Stradivarius produziu mais de 1.100 violinos na sua oficina, dos quais mais de 400 existem até hoje. Para conhecer um pouco mais da vida e trabalho de Stradivarius em Cremona, os principais pontos de visita são o Museo Stradivariano, o Museo Civico e seu túmulo nos jardins públicos da Piazza Roma.

Teto da Camera degli Sposi, de Mantegna, no Palazzo Ducale

Mântua ⑮

55.000. FS
Piazza Andrea Mantegna 6 (0376 43 24 32). qui.
www.turismo.mantova.it

Mântua (Mantova) chama atenção por suas belas praças e arquitetura aristocrática. Limitada em três lados por lagos formados pelo rio Mincio, apresenta um clima úmido. Aqui nasceu o poeta Virgílio e viveram os duques Gonzaga, por três séculos. Também foi o refúgio para o personagem Romeu, de Shakespeare, e cenário para a ópera *Rigoletto*, de Verdi. Todas estas histórias estão presentes nos nomes das ruas e nos monumentos da cidade. A ligação com o mundo teatral está destacada no **Teatro Accademico Bibiena** do século 18, na Via Accademia, que o pai de Mozart considerou o mais bonito de todos que conheceu.

Mântua apresenta três lindas praças principais: a Piazza dell'Erbe, a del Broletto, onde há uma estátua do poeta Virgílio, e a Piazza Sordello. Em um lado da Piazza Sordello, está o Duomo da cidade, que apresenta fachada do século 18 e belo interior em estuque de Giulio Romano (c.1492-1546). No outro lado da praça, impressiona a fachada do Palazzo Bonacolsi, com a torre alta da prisão. Na Piazza dell'Erbe, destaca-se a Basilica di Sant'Andrea, do século 15, projetada em grande parte por Leon Battista Alberti, um arquiteto e teórico do início do Renascimento. Hoje a basílica está rodeada por galerias comerciais. A praça também é marcada pela Rotonda di San Lorenzo, do século 11, pelo Palazzo della Ragione, construído em parte no século 13, e pela torre do relógio do século 15.

Detalhe da torre do relógio do século 15 na Piazza dell'Erbe

Palazzo Ducale

Piazza Sordello 40. ***Tel*** *0376 22 48 32.* *8h30-19h ter-dom.* *1° jan, 1° mai, 25 dez.* *0376 32 82 53 (com hora marcada).* **Camera degli Sposi** ***Tel*** *041 241 18 97 (agendar pelo* ***Tel*** *041 241 18 97 ou pelo site* **www**.ducalemantova.org*)*
www.mantovaducale.it

A grande atração da cidade é este, palácio de 500 cômodos no extremo nordeste, onde morou a família Gonzaga Além do próprio palácio, a construção engloba o Castello San Giorgio, do século 14, e a basílica. Entre os trabalhos de arte, há uma série inacabada de afrescos (século 15) de Pisanello, um grande retrato da família ducal no Salone degli Arcieri de Rubens (século 17) e, principalmente, os afrescos de Mantegna na **Camera degli Sposi** (1465-74), que retratam Lodovico Gonzaga e membros da família e da corte em toda sua magnificência *(págs. 208-9)*. A sala está decorada com imagens de pessoas, animais e paisagens fantásticas, completadas por um teto com um *trompe l'oeil* com figuras de anjos em um céu azul.

Palazzo Tè

Viale Tè. ***Tel*** *0376 32 32 66.*
tarde seg, ter-dom.
1° jan, 1° mai, 25 dez.
www.centropalazzote.it

No outro extremo da cidade, fica o Palazzo Tè, construído no início do século 16 por Giulio Romano para a família Gonzaga. Daqui, os duques partiam para cavalgadas. Neste palácio, as obras de arte competem com a arquitetura pela atenção do visitante. Na **Sala dei Giganti**, os afrescos dos *Titãs* parecem derrubar os próprios pilares da sala. A notável **Sala di Amore e Psiche** está decorada com cenas eróticas do *Asno de Ouro* de Apuleio e teria sido o cenário dos amores clandestinos de Frederico II. Outras salas estão ricamente pintadas com cavalos e os signos do zodíaco.

Fachada do século 13 do Palazzo Ducale, de frente para a Piazza Sordello

Afresco do século 15, de Mantegna, na Camera degli Sposi do Palazzo Ducale ▷

VALE D'AOSTA E PIEMONTE

O Piemonte e o Vale d'Aosta são essencialmente rurais, com exceção da esplendorosa Turim. Na direção norte, o visitante encontra os Alpes, com suas badaladas estações de esqui –como Courmayeur– e o extenso Parco Nazionale del Gran Paradiso –cheio de belezas naturais. Na direção sul, elevam-se os montes cobertos de vinhedos ao redor de Barolo e os intermináveis campos de cereais e arroz.

Como as outras regiões da Itália, o Noroeste também tem uma rica cultura. Do século 11 ao 18, o Vale d'Aosta e o Piemonte foram parte do principado de Savoia, que falava francês e sentia as influências dos dois lados dos Alpes. Ainda hoje o francês e variantes de dialeto local podem ser ouvidos em vales remotos do Piemonte e em boa parte do Vale d'Aosta.

Sob o domínio do duque Emanuel Filiberto, no século 16, a região entrou na esfera italiana. Mais tarde, ela desempenhou um papel-chave no *Risorgimento (págs. 62-3)*, o ambicioso movimento que uniu toda a Itália sob o poder do rei do Piemonte. Testemunhos dessa história podem ser encontrados nos castelos medievais do Vale d'Aosta e nos extraordinários conjuntos de capelas conhecidas como *sacri monti* (montes sagrados) construídas no sopé dos Alpes.

Nas artes, o Piemonte criou uma nova escola de pintura, vista nas obras das pequenas igrejas e nos excelentes acervos de arte da região. A arquitetura mais marcante do Noroeste encontra-se, sem dúvida, em Turim. Muitas vezes subestimada, esta cidade surpreende por seu caráter barroco e orgulha-se de possuir alguns dos melhores museus egípcios do mundo.

O Piemonte é também conhecido como centro de negócios –tendo a FIAT em Turim, a Olivetti em Ivrea e Ferrero em Alba, mas não renega as raízes agrícolas. A culinária e as bebidas são parte importante da vida da região, sendo que as montanhas no sul do Piemonte produzem excelentes vinhos tintos italianos.

Tradicional café com mesas na calçada, no centro de Turim

◁ **O castelo Châtelard, do século 13, no Vale d'Aosta**

Como Explorar o Vale d'Aosta e o Piemonte

A paisagem é dominada pela enorme planície do vale do rio Pó, coberta por extensas plantações de arroz ao redor de Vercelli e Novara e dando lugar aos majestosos Alpes a oeste. Turim, a maior cidade da região e capital do Piemonte, ergue-se à beira da planície e praticamente à sombra das montanhas. Mais a noroeste, os vales alpinos, com seus impressionantes picos, proporcionam um belo cenário para vilarejos tradicionais, cidades antigas e castelos ao redor de Aosta. Perto, a natureza deslumbra o visitante no Parco Nazionale del Gran Paradiso.

Plantações de arroz ao redor de Vercelli

PRINCIPAIS ATRAÇÕES

- Alta Val Susa 8
- Aosta 5
- Asti 23
- Avigliana 11
- Basilica di Superga 15
- Bossea Caves 25
- Ceresole Reale 7
- Colle del Gran San Bernardo 2
- Cuneo 24
- Domodossola 18
- Garessio 26
- Lake Orta 20
- Monte Bianco 1
- Monte Cervino 3
- Monte Rosa 4
- Novara 21
- *Parco Nazionale del Gran Paradiso pp216–17* 6
- Pinerolo 12
- Sacra di San Michele 10
- Santuario d'Oropa 17
- Stupinigi 14
- Susa 9
- *Turim (Torino)* págs. 220-5 13
- Venaria Reale 16
- Varallo 19
- Vercelli 22

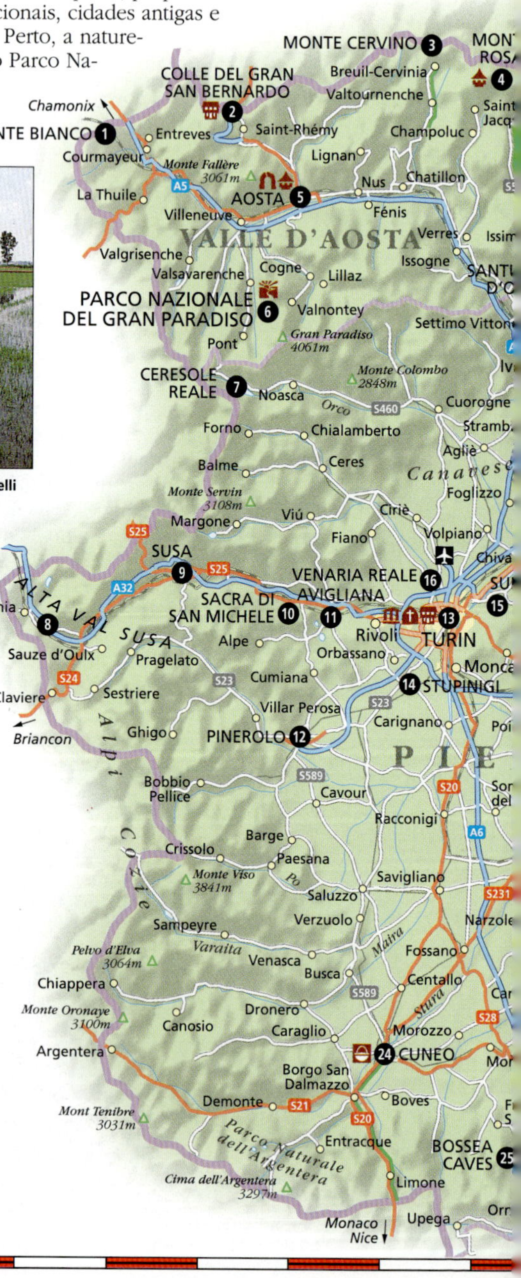

Turim, a capital do Piemonte, no vale do rio Pó

COMO CHEGAR

O Passo de Fréjus e o túnel Mont Blanc ligam a França com o Noroeste da Itália, enquanto os trens que se cruzam sob Passo di Sempione ligam a região com a Suíça. No restante da Itália existem excelentes conexões rodoviárias que passam pela planície de Turim e chegam até Aosta. Andar pela região não é difícil: há trens e ônibus que ligam as principais cidades e alguns balneários mais afastados. Entretanto, circular pelas montanhas é complicado –e a melhor opção é ir de carro.

VEJA TAMBÉM

- ***Onde Ficar*** págs. 567-70
- ***Onde Comer*** págs. 614-6

Castelo de St Pierre, Vale d'Aosta

LEGENDA

Rodovia	Ferrovia principal
Estrada principal	Ferrovia secundária
Estrada secundária	Fronteira internacional
Estrada vicinal	Fronteira regional
Percurso com paisagem	Cume

Monte Bianco ❶

Aosta. FS *Pré-St-Didier.* *Courmayeur.* *Piazzale Monte Bianco 13, Courmayeur (0165 84 20 60).* **www**.aiat-monte-bianco.com

O Monte Bianco (Mont Blanc) é a montanha mais alta dos Alpes (4.810m); domina o oeste do Vale d'Aosta e é o destaque de **Courtmayeur**, uma estação de esqui aberta o ano todo. Por uma série de teleféricos pode-se ir de Entrèves, 5km ao norte, a Chamonix. No ponto mais alto, Aiguille du Midi (3.842m), há vistas maravilhosas dos Alpes. Em Pré-St-Didier, abaixo de Courmayeur, fica o **Colle del Piccolo San Bernardo**, com pequenas geleiras, florestas e desfiladeiros.

São-bernardo

Colle del Gran San Bernardo ❷

Aosta. FS *Aosta.* *Strada Nazionale Gran San Bernardo 13, Etroubles (0165 785 59).* *diariam.* **www**.gransanbernardo.net

Esta passagem é sinônimo de resgates memoráveis realizados pelos são-bernardos treinados localmente por monges católicos desde o século 11. A **Hospedaria dos Monges**, fundada por volta de 1050 por são Bernardo de Aosta, fica logo depois da fronteira com a Suíça (é preciso trazer o passaporte), às margens de um lago. Neste local, vários cães ainda são treinados. Neste belo vale, encontram-se a cidade de Etroubles, situada no meio de uma floresta de coníferas, o povoado de St-Oyen com uma linda igreja paroquiana e o balneário de St-Rhémy-en-Bosses.

Hospedaria dos Monges
Colle San Bernardo, Suíça. ***Tel*** *00 41 277 87 12 36.* *diariam.*

Monte Cervino ❸

Aosta. FS *Breuil-Cervinia.* *Via Guido Rey 17, Breuil-Cervinia (0166 94 91 36).* **www**.montecervino.it

Com um marcante pico triangular, o monte Cervino alcança 4.478 metros de altura e é facilmente reconhecido. A seus pés espalha-se uma série de vilarejos, como Antey-St-André, Valtournanche (que emprestou seu nome ao vale) e a estação de esqui de **Breuil-Cervinia**. Um teleférico leva ao Plateau Rosa (3.480m), proporcionando lindas vistas das montanhas –um verdadeiro paraíso para caminhantes e esquiadores.

Monte Rosa ❹

Aosta. FS *Verrès.* *St-Jacques.* *Route Varasc, Champoluc Ayas (0125 30 71 13).* **www**.aiatmonterosa.com

Esta montanha, a segunda maior da Itália, desponta nos lindos vales de Gressoney e Ayas, onde se encontram as ruínas do **Castello di Graines**, construção do século 11. Mais ao alto, a cidade de Champoluc oferece uma conexão via teleférico com o impressionante **Testa Grigia**, de 3.315 metros de altitude. O vale de Gressoney continua sendo um reduto dos Walser, um grupo que fala um dialeto alemão pouco conhecido. No fundo do vale, ao norte de Pont-St-Martin, está **Issime**, cuja igreja do século 16 tem um afresco do *Juízo Final* em sua fachada.

Castello di Graines
Graines, Strada Statale 506.

CASTELOS E FORTES MEDIEVAIS DO VALE D'AOSTA

Os fragmentados feudos situados no Vale d'Aosta já eram protegidos pelas montanhas. Mas seus senhores, que governavam cruelmente seus pequenos domínios, construíram castelos para reforçar seu frágil poder. Dos vários castelos erguidos restaram 70, e muitos deles podem ser vistos por quem chega à Itália pelo túnel do Monte Bianco, principalmente no trecho da estrada que vai de Aosta a Pont-St-Martin.

Os primeiros castelos de Aosta foram projetados somente para defender e ameaçar, como a torre **Montmayer**, no alto de um enorme rochedo no vale de Valgrisenche. Nas proximidades fica a torre de **Ussel**, ainda vigilante sobre o vale.

Fénis *(pág. 184)* e **Verrès** representam, por sua vez, uma importante mudança no papel do castelo feudal. Ambas foram não apenas importantes baluartes militares, como também exemplos do luxo palaciano e do bom viver. **Issogne** seguiu a mesma linha e continua exibindo elaborados afrescos, arcadas e fontes. A decoração também foi relevante para Vittorio Emanuele II, proprietário da fortaleza **Sarre**, a qual transformou em um luxuoso pavilhão de caça. Os donos de **Châtelard**, considerado um dos melhores vinhedos da Europa, uniram aos objetivos militares a ideia de produzir um bom vinho.

Castelo do século 14 em posição estratégica, Verrès

Para hotéis e restaurantes nesta região, ver págs. 571-2 e págs. 618-22

Claustro do século 12 com 40 colunas talhadas em mármore escuro, em Sant'Orso

Aosta ❺

37.000. FS *Piazza Chanoux 2 (0165 333 52).* *ter.*
www.aiataosta.com

Situada em uma planície cercada por extraordinárias montanhas, a cidade de Aosta exibe uma cultura antiga em um cenário espetacular. Os romanos a capturaram dos gauleses salassianos em 25 a.C. e, até hoje, a cidade preserva muitas ruínas romanas construídas em honra do imperador Augusto –aliás a cidade chamava-se originalmente *Augusta Praetoria*. Na Idade Média, ela foi fortificada pela família Challant e posteriormente pelos duques de Aosta, que acrescentaram torres às antigas muralhas romanas.

A moderna Aosta é uma cidade movimentada, por conta das indústrias locais e dos turistas a caminho das montanhas. Seu centro, entretanto, preservou grandes praças e valiosos tesouros arquitetônicos que justificam o apelido de "Roma dos Alpes".

Ruínas romanas

Teatro Romano, Via Baillage.
9h-20h diariam (19h set; 18h30 out, fev; 17h30 nov-jan)
Anfiteatro, Convento di San Giuseppe, Via dell'Anfiteatro.
Tel *0165 26 21 49.* *diariam.*
Fórum Romano, Piazza Giovanni XXIII. *diariam.*

Para entrar em Aosta durante a época romana, era necessário atravessar a **ponte** a leste da cidade (mais adiante da ponte moderna) e o **Arco de Augusto**. Este arco triunfal está hoje desfigurado por um telhado acrescentado no século 18. Mais adiante, encontra-se a **Porta Pretoria**, uma fileira dupla de arcos de pedra ladeados por uma torre medieval. O portão ficava originalmente 2,5 metros mais alto do que hoje. Vale a pena dar uma olhada na fachada de 20 metros de altura do **Teatro Romano**. Um pouco mais ao norte, chega-se ao **Anfiteatro,** passando pelo convento de San Giuseppe. Na cidade antiga, ao lado da catedral, está o **Fórum Romano**, ou praça do mercado, com um enorme pórtico subterrâneo, cuja função ainda é controvertida.

Detalhe do mosaico medieval do piso da Cattedrale de Aosta

Cattedrale

Piazza Giovanni XXIII. *6h30-20h diariam (início set-Páscoa: 6h30-12h, 15h-19h).* **Museo del Tesoro** ***Tel*** *0165 404 13.* *mesmo da Catedral.* *durante as cerimônias.*

Este santuário relativamente simples dedicado a são João Batista foi construído no século 12, mas repetidamente modificado ao longo dos séculos. Seu interior é gótico, com cadeiras do coro entalhadas e piso com mosaicos. Ao lado, o **Museo del Tesoro** exibe um rico acervo de estatuetas e relicários, além de tumbas medievais.

Sant'Orso

Via Sant'Orso. *diariam.*

A leste das muralhas da cidade, encontra-se o melhor da arquitetura de Aosta: um conjunto de construções sacras chamado Sant'Orso. Sua fachada gótica é simples mas incomum, caracterizada por um portal alto e fino. O interior guarda afrescos do século 11, cripta da mesma época com o túmulo de Sant' Orso (padroeiro de Aosta) e um belo **claustro** com colunas e capitéis esculpidos.

Arredores: O castelo de **Fénis** *(pág. 214)*, 12km a leste, é um dos poucos castelos do vale de Aosta que tem o interior preservado, com belos afrescos e galerias de madeira. O castelo de **Issogne**, 38km a sudeste, também apresenta rica decoração, remodelada por volta de 1490: há belos afrescos e motivos decorativos, inclusive uma fonte octagonal com uma peça central em forma de romãzeira.

Castello di Fénis

Fénis. ***Tel*** *0165 76 42 63.* *diariam.* *1º jan, 25 dez; ter (out-fev)*

Castello di Issogne

Issogne. ***Tel*** *0125 92 93 73.* *diariam.* *1º jan, 25 dez; qua (inverno).*

Imponentes ruínas do Fórum Romano, em Aosta

Parco Nazionale del Gran Paradiso ❻

Imenso e belo, com montanhas extraordinárias e campinas verdejantes, o Gran Paradiso é o mais importante parque nacional da Itália. Criado em 1922, fazia parte da antiga reserva de caça real da Casa de Savoia. Hoje é, acima de tudo, um refúgio de verão para quem gosta de caminhadas, e recebe esquiadores durante o inverno. Naturalistas são atraídos pelas espécies selvagens e flores alpinas raras que crescem em uma paisagem natural intocada. O rei do parque é o cabrito montês, mas há também camurças, perdizes, águias-reais, borboletas raras e marmotas.

Castello di Aymavilles
O núcleo do castelo é do século 18, emoldurado por torres medievais.

Cabrito Montês
Ele vive em terrenos acima da linha das árvores. Em junho, é visto em grupos ao nascer e pôr do sol perto de Col Lauson e de Pont.

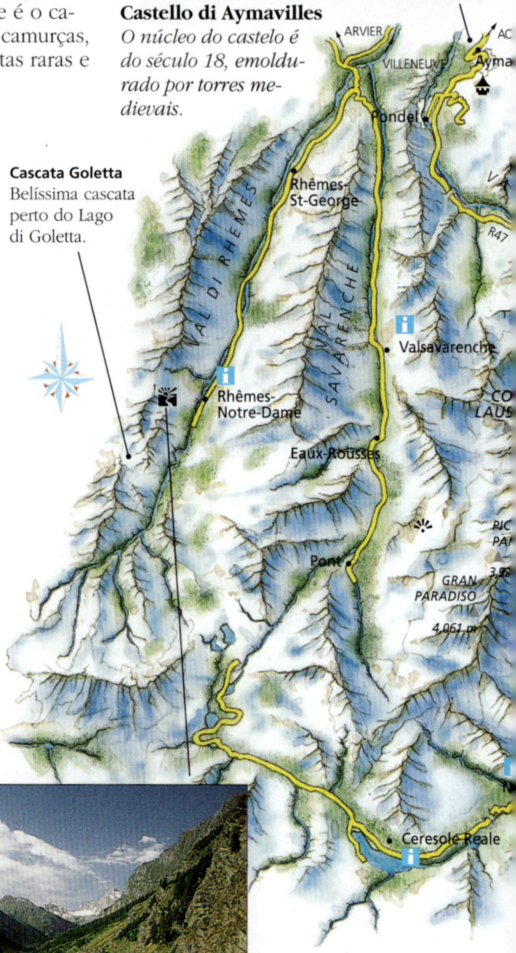

Cascata Goletta
Belíssima cascata perto do Lago di Goletta.

Val di Rhêmes-Notre-Dame
Neste amplo e calmo vale, há paisagens esplêndidas com cachoeiras e riachos que se originam na geleira acima.

Para hotéis e restaurantes nesta região, ver págs. 571-2 e págs. 618-22

Cascata di Lillaz
Esta cachoeira, situada um pouco a leste de Lillaz, fica mais bonita durante a primavera, quando há o degelo.

PREPARE-SE

Piemonte e Vale d'Aosta. *Segreteria Turistica, Cheriettes Aymavilles (0165 902 693); Centro Visitatori Parco Nazionale del Gran Paradiso, Ceresole Reale, (0124 95 31 66).* FS *Aosta e Pont Canavese.* *de Aosta ou Pont Canavese para os diferentes vales.* **Paradisia Alpine**, *Valnontey, Cogne.* ***Tel*** *0165 749 264.* *meados jun-meados set: diariam.* **www**.grand-paradis.it **www**.parks.it

Cogne é a principal base para quem quer explorar o parque. Aqui se obtêm mapas das trilhas da área.

A tranquilidade de Lillaz contrasta com a agitação de Valnontey e Cogne.

★ Paradisia Alpine
Este jardim botânico reúne variada coleção de plantas alpinas, incluindo a delicada "flor gêmea".

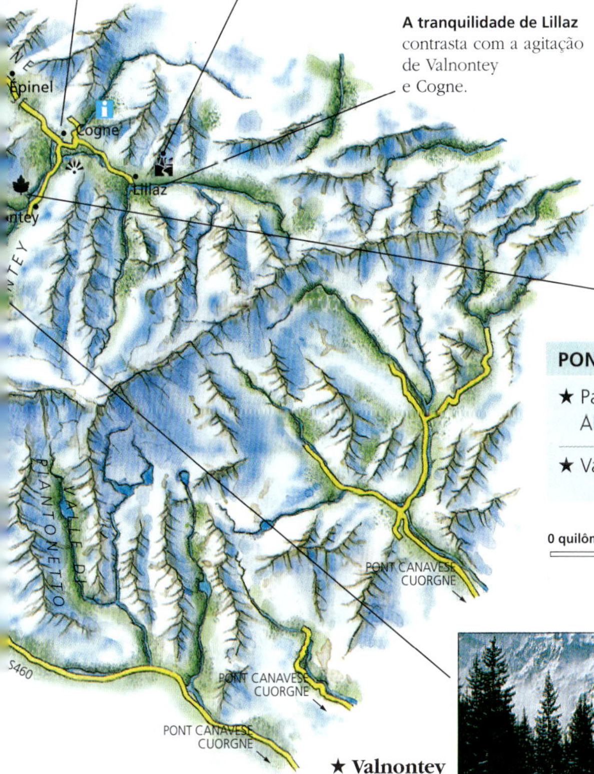

PONTOS ALTOS

★ Paradisia Alpine

★ Valnontey

0 quilômetros 5

★ Valnontey
Este belo vale, com vilarejo do mesmo nome, oferece extraordinárias vistas das geleiras e acesso a várias trilhas.

LEGENDA

- Informação turística
- Entrada principal
- Vista panorâmica

O vilarejo de Ceresole Reale, coberto pela neve do inverno

Lago Ceresole Reale ❼

Turim. para Ceresole Reale. Palazzo Comunale, Ceresole Reale (0124 95 32 00). **www**.turismotorino.org

Na parte sul do extenso Parco Nazionale del Gran Paradiso *(págs. 216-7)*, encontra-se o vilarejo Ceresole Reale. A estrada de Cuorgnè atravessa o terreno ondulado e acompanha a S460 ao longo de um desfiladeiro estreito com um riacho que desce em cascatas. Em **Noasca**, forma-se uma enorme cachoeira atrás das casas.

Ceresole Reale está situada em um vale rodeado por pradarias e florestas de lariços e emoldurado por montanhas. A serra do Gran Paradiso ao norte e a Levanna a sudoeste aparecem refletidas nas águas do espetacular lago artificial que, na verdade, é uma represa cujas águas produzem eletricidade para Turim. O vilarejo se transformou em um recanto tranquilo, que funciona como ponto de partida para caminhadas, escaladas e passeios, além de base de esquiadores no inverno.

Alta Val Susa ❽

Turim. FS Oulx. para Sauze d'Oulx. Via Louset, Sestriere (0122 75 54 44). **www**.vialattea.it

Via Lattea é o conjunto de vilarejos montanheses mais próximos de Turim e consequentemente os mais procurados para excursões de fins de semana. Locais como **Bardonecchia** e **Sauze d'Oulx** conservam as antigas construções de pedra e madeira que caracterizam a região há séculos. A pequena igreja de Bardonecchia tem um coro talhado do século 15. Estas vilas contrastam fortemente com as instalações supermodernas do **Sestriere**, construídas especialmente para acomodar esquiadores no inverno e caminhantes no verão. Um teleférico percorre parte do caminho até **Punta Colomion**, um pico que se ergue logo ao sul do vilarejo. O topo fica a 2.054 metros de altura, oferecendo lindas vistas e várias opções de caminhadas e escaladas.

Susa ❾

Turim. 7.000. FS Corso Inghilterra 39 (0122 622 470). ter. **www**.turismotorino.org

Esta atraente cidade de montanha floresceu na época dos romanos. O **Arco de Augusto**, construído no século 8º a.C., marca a aliança entre o chefe gaulês local e o imperador Augusto. Entre outras relíquias do período romano estão dois arcos de um aqueduto, partes de um anfiteatro e trechos da antiga muralha da cidade. A **Porta Savoia,** um portão romano do século 4º, foi remodelado durante a Idade Média.

Parte do extraordinário portão romano, a Porta Savoia, em Susa

Quase todo centro histórico da cidade é medieval, inclusive o castelo da condessa Adelaide e o **Duomo**, ambos do século 11. A catedral já foi muito alterada, mas ainda abriga um políptico (c.1500) atribuído a Bergognone e um precioso tríptico flamengo do século 14, representando A *Virgem e os Santos*. Ao sul da cidade fica a igreja gótica de San Francesco –as casas da área ao redor são do início da Idade Média.

Rua típica no vilarejo de Bardonecchia, em Alta Val Susa

Para hotéis e restaurantes nesta região, ver págs. 571-2 e págs. 618-22

Capitéis esculpidos na Porta dello Zodiaco, na Sacra di San Michele

Sacra di San Michele ⑩

Strada Sacra San Michele. ***Tel*** *011 93 91 30.* 🚌 *jul-ago de Avigliana e Turim (dom de tarde).* 🕐 *9h30-12h, 14h30-18h ter-dom (out-mar: 17h), telefonar para marcar visitas em grupo.* **www**.sacradisanmichele.com

Um pouco assustadora, esta abadia fica no alto da serra, no meio do caminho para o Monte Pirchiriano, a 962 metros de altitude. Esta comunidade monástica foi fundada aproximadamente no ano 1000, talvez no local de um antigo santuário. Na verdade, sua fachada lembra muito mais uma fortaleza militar do que o refúgio espiritual que foi durante 600 anos.

Em sua fase áurea de riqueza e poder, a abadia atraía peregrinos a caminho de Roma e controlava mais de cem outras abadias na Itália, França e Espanha. Por isso, foi saqueada várias vezes, apesar de fortificada. Logo, entrou em declínio e foi finalmente fechada no ano de 1662.

Ainda hoje, chega-se ao santuário subindo 154 íngremes degraus talhados na rocha, que oferecem vistas maravilhosas dos arredores até os Alpes. No alto da escadaria, conhecida como Scalone dei Morti (Escada dos Mortos), está a Porta dello Zodiaco –obra românica, esculpida com criaturas e símbolos relacionados com os signos do Zodíaco. Passando a porta, mais alguns degraus levam à igreja da abadia, erguida nos séculos 12 e 13 e com traços de uma construção ainda mais antiga. No interior, há quadros e afrescos dos séculos 15 e 16 e um tríptico do artista piemontês Defendente Ferrari. A cripta guarda túmulos dos primeiros duques e príncipes da Casa de Savoia-Carignano.

Avigliana ⑪

Turim. 👥 *11.200.* FS 🚌 ℹ *Piazza del Popolo 2 (3346 034 334).* 🛒 *qui.* **www**.comune.avigliana.to.it

Em dias de sol, esta pequena cidade situada entre dois lagos e cercada por montanhas é simplesmente linda. Ainda hoje sente-se vigiada pelas ruínas do castelo erguido em meados do século 10° para sediar os condes de Savoia –até o início do século 15, Avigliana foi um dos locais preferidos dos Savoia.

As casas medievais estão bem preservadas, especialmente as das duas *piazzas* principais, Santa Maria e Conte Rosso. Outras construções notáveis são a Casa della Porta Ferrata e a Casa dei Savoia, na via XX Settembre, do século 15. A igreja de San Giovanni (séculos 13 e 14) contém quadros do século 16 pintados por Defendente Ferrari.

Pinerolo ⑫

Turim. 👥 *36.000.* FS 🚌 ℹ *Viale Giolitti 7-9 (0121 79 55 89).* 🛒 *qua e sáb.* **www**.montagnedoc.it

Na confluência dos vales Lemina e Chisone e ao lado das montanhas, Pinerolo foi a capital da família Acaia, um braço da Casa de Savoia. Durante os séculos 14 e 15, ficou conhecida pela atmosfera cultural patrocinada pela influente família. No entanto, a cidade não tinha a estabilidade de Turim, sendo ocupada cinco vezes pelos franceses entre os séculos 15 e 18. Durante o século 17, os franceses demoliram muitos dos edifícios antigos para fazer de Pinerolo um baluarte defensivo. Entre os personagens políticos que foram presos aqui está o famoso "Homem da Máscara de Ferro". Hoje a cidade é um ativo centro comercial.

Alguns edifícios monumentais foram preservados, entre os quais destaca-se o **Duomo**, no centro da cidade. Remodelado em estilo gótico nos séculos 15 e 16, apresenta belo portal e esplêndido campanário. A Via Principi d'Acaia sobe ate o palácio dos príncipes de Acaia, do século 14, e até a igreja de **San Maurizio**, do século 15, onde estão enterrados os próprios. Ao lado, há um campanário do século 14.

Arcadas medievais circundam a Piazza Conte Rosso em Avigliana

Turim ⓭

Ao ouvir o nome Turim (Torino), a maioria das pessoas pensa em indústria e prosperidade. A cidade é um centro econômico, mas também tem excelentes museus e uma esplêndida arquitetura barroca, reforçada pelos Alpes no fundo. A fama de Turim é múltipla –estimulada tanto pelo Santo Sudário quanto pela marca FIAT de automóveis, e passando pelo futebol do Juventus. Os Jogos Olímpicos de Inverno de 2006 aconteceram aqui.

Estátua do imperador Augusto, na frente da Porta Palatina

Como Explorar Turim

Embora povoada pelos romanos (a **Porta Palatina** é uma magnífica relíquia romana do século 1°) e sede de uma universidade desde a Idade Média, Turim só se estabeleceu realmente depois de 1563, quando Emanuele Filiberto de Savoia transferiu a capital para cá. Começaram então três séculos de constante prosperidade, transformando Turim na base de poder para a unificação da Itália. De 1861 a 1865, ela foi a capital do país recém-criado. A partir daqui, seu principal poder foi o econômico. Em 1899 a família Agnelli criou a indústria de carros **FIAT** (Fabbrica Italiana Automobili Torino), que se tornou uma das maiores empresas da Europa. Após a Segunda Guerra, as fábricas de Turim atraíram milhares de italianos pobres da região Sul. Apesar das disputas trabalhistas, todos se unem em torno do Juventus, time de futebol mantido pela família.

Logomarca da FIAT

Duomo

Piazza San Giovanni.
Tel 011 436 15 40.
diariam.
A catedral, que foi construída em 1491-8 e dedicada a são João Batista, é o único exem-

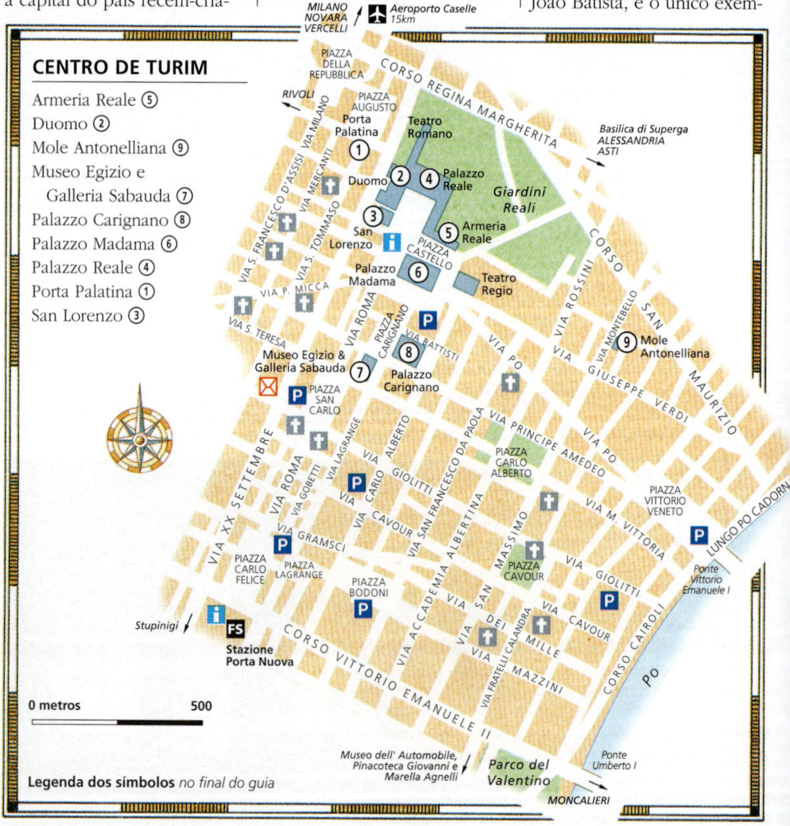

Duomo do século 15, na frente da Cappella della Sacra Sindone

plo de arquitetura renascentista de Turim. O sóbrio campanário, cuja parte superior foi projetada por Filippo Juvarra em 1720, faz belo contraste com as suntuosas edificações barrocas da cidade. Já o interior do Duomo parece pesado com o grande número de quadros e estátuas. Passando por um arco de mármore negro do lado direito da igreja, encontra-se a **Cappella della Sacra Sindone** (Capela do Santo Sudário), que na realidade está incorporada ao Palazzo Reale *(pág. 224)*. A capela é extraordinária, criada por Guarino Guarini (1624-83) com uma cúpula parecendo uma rede. A vista exterior é igualmente excêntrica.

Palazzo Madama

Piazza Castello. ***Tel*** *011 443 3501.*
10h-18h ter-sáb; 10h-20h dom.
www.palazzomadamatorino.it

O palácio original foi construído na Idade Média, incorporando parte das muralhas romanas da cidade. Aumentado e remodelado, o prédio ganhou, no século 18, uma nova fachada feita por Juvarra a pedido da viúva do rei e passou a ser chamado Palazzo Madama. Situado no centro da principal praça de Turim, ainda hoje tem uma imponente balaustrada. Seu interior, com escadaria e primeiro andar projetados por Juvarra, abriga hoje o **Museo Civico d'Arte Antica.** O enorme acervo contém tesouros variados –da era greco-romana ao século 19.

A mostra inclui o famoso quadro *Retrato de um Desconhecido*, de Antonello da Messina (século 15), entre outras pinturas e esculturas, e reproduções do belíssimo *Livro das Horas*, do duque de Berry, de c.1420, com iluminuras. Há ainda joias, peças de maiólica e vidro, além de tecidos e mobiliário.

PREPARE-SE

1.000.000. Caselle 15km N. Porta Nuova, Piazza Carlo-Felice. Porta Susa, Piazza XVIII Dicembre. Corso Vittorio Emanuele II 131. Piazza Castello (011 53 51 81), também na Stazione Porta Nuova. sáb. 24 jun: Festa di San Giovanni.
www.turismotorino.org

Fachada do Palazzo Madama, projetada por Filippo Juvarra entre 1718 e 1721

O SANTO SUDÁRIO DE TURIM

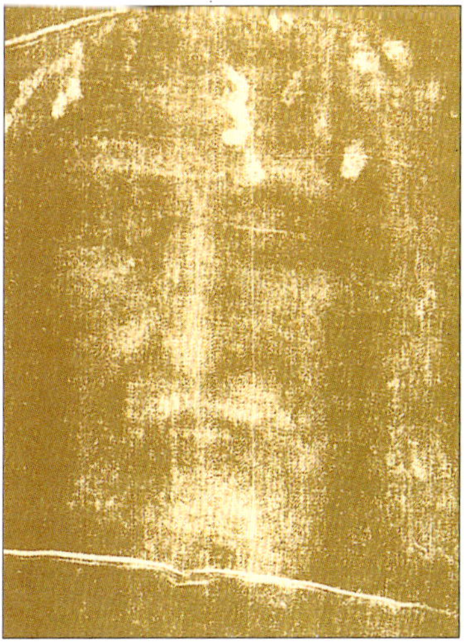

A réplica do Santo Sudário fica exposta no Duomo

A mais famosa –e controvertida– relíquia sagrada de todos os tempos está guardada no Duomo de Turim. O Santo Sudário, que teria envolvido o corpo de Cristo depois de crucificado, apresenta impressões que poderiam corresponder às marcas dos pregos da crucificação, à ferida causada pela lança e também às marcas da coroa de espinhos.

O Sudário é uma das mais famosas relíquias medievais. Sua trajetória não é clara, mas a Casa de Savoia já o possuía por volta de 1450, exibindo-a na capela Guanni desde 1694. A relíquia original está em um ataúde dentro de uma caixa de ferro, dentro de um cofre de mármore. O que está em exposição é uma réplica –em 1998, o original pôde ser visitado.

Em 1988, reacendeu-se o debate sobre a origem do Sudário quando a datação por carbono 14 mostrou que a peça é, no máximo, do século 12. Assim mesmo, o Sudário de Turim continua sendo objeto de fervorosa veneração religiosa.

Como Explorar Turim

A cidade de Turim é privilegiada por seus numerosos e interessantes museus, abrigados em esplêndidos *palazzi* e prédios cívicos. Tem um centro pequeno e agradável para passeios, com ruas largas e retas, várias lojas e alguns cafés históricos. Turim também é famosa por sua cozinha inovadora: conta com alguns dos melhores restaurantes do país.

Estátua de granito de Ramsés II (século 13 a.C.) no Museo Egizio

Museo Egizio

Via Accademia delle Scienze 6.
Tel *011 561 77 76.* *8h30-19h30 ter-dom (última admissão 18h30).* *1º jan, 25 dez.*
www.museitorino.it

Turim deve seu magnífico museu egípcio –um dos mais importantes do mundo– principalmente a Bernardo Drovetti. Nascido no Piemonte, ele foi cônsul geral da França no Egito na época das guerras napoleônicas e de volta à Itália trouxe como prêmio de guerra a base de um belo acervo de artefatos egípcios. No térreo do museu, estão expostas esculturas monumentais e templos reconstruídos. No andar superior, papiros e objetos do cotidiano. Entre as esculturas, destacam-se a de Ramsés II (século 13 a.C. ou 19ª dinastia), a de Amenofis II (um pouco anterior) e a imagem de basalto de Gemenef-Har-Bak, vizir da 26ª dinastia. Na Sala della Nubia, está a reconstrução do **Templo de Pedra de Ellessiya**, do século 15 a.C.

Pinturas de parede e de tumbas podem ser apreciadas no andar superior, junto com peças de uso diário como ferramentas para tecer, pescar e caçar. A tumba de Kha e Merit, do século 14 a.C., é particularmente fascinante, pois está completa, com os alimentos, ferramentas e ornamentos enterrados com o corpo para serem utilizados na vida após a morte. A coleção de papiros é linda e de grande interesse para os estudiosos –esses documentos têm sido vitais para a compreensão do idioma, dos costumes e da história do povo egípcio. O *Papiro dei Re* (Papiro Real), por exemplo, é uma lista de todos os faraós até a 17ª dinastia.

Detalhe de papiro do *Livro dos Mortos* da 18ª dinastia, no Museo Egizio

***São Pedro e um Doador* (século 16), de G. Ferrari, Galleria Sabauda**

Galleria Sabauda

Via Accademia delle Scienze 6.
Tel *011 440 69 03.* *8h30-14h ter, sex-dom; 14h-19h30 qua e qui.*
www.museitorino.it

O Palazzo dell'Accademia delle Scienze, onde está o museu egípcio, também é sede do principal acervo de arte da Casa de Savoia: a Galleria Sabauda. Nos andares superiores do edifício, assinado por Guarini, estão expostas belíssimas telas de mestres italianos, franceses, flamengos e holandeses.

A coleção começou a ser formada em meados do século 15 e tem se expandido desde então. As pinturas estão agrupadas de acordo com as escolas regionais. Há até uma seção de pintura piemontesa que inclui obras-primas de Gaudenzio Ferrari (c.1480-1546) e duas de Defendente Ferrari, do início do século 16. Entre os trabalhos especialmente interessantes das outras escolas italianas, está *Tobias e o Arcanjo Rafael* de Antonio Piero Pollaiuolo, do século 15, e *Ritratto di Gentiluomo* (retrato de um cavalheiro), de Bronzino. Há também obras de Mantegna, Bellini, Bronzino e Veronese.

A seção de arte holandesa e flamenga inclui *São Francisco* (século 15), de Jan Van Eyck, e *Homem Dormindo* (século 17), de Rembrandt, além de retratos de Van Dyck, como um estudo dos filhos de Carlos I e o *Príncipe Tommaso di Savoia-Carignano* (1634). Entre os trabalhos franceses expostos, veem-se paisagens do século 17 de Claude Lorrain e Poussin.

Palazzo Carignano

Via Accademia delle Scienze 5.
Tel *011 562 11 47.*
9h-19h ter-sáb, 9h-13h dom.

Fachada principal do Palazzo Carignano

Esta obra-prima de Guarini é um dos edifícios mais belos de Turim. Com fachada ondulada e rotunda decorada, o palácio barroco foi construído em 1679 para a família Carignano –um braço da Casa de Savoia e ancestral dos reis italianos–, mas só conquistou autonomia no século 19, quando o primeiro rei da Itália, Vittorio Emanuele II, nasceu aqui em 1829. Após a unificação da Itália, em 1861, a antiga residência real tornou-se sede do parlamento.

O palácio abriga o **Museo Nazionale del Risorgimento**, que relata o processo da unificação italiana pela coleção de pinturas e objetos (guardados nas salas onde a história aconteceu). Observando o acervo, o visitante conhece as figuras de Mazzini, Cavour e Garibaldi –personagens-chave do movimento do *Risorgimento* *(págs.62-3)*.

As amplas arcadas da Via Roma, em Turim

Via Roma

Atravessando o núcleo do centro histórico, a principal rua de Turim, Via Roma, sai do norte da Piazza Castello, passa pela Piazza San Carlo e vai até a Stazione Porta Nuova, ao sul. A Via Roma é caracterizada por suas nostálgicas (e sombreadas) arcadas e por lojas elegantes, interrompidas apenas por praças pavimentadas com pedras. A partir da Via Roma, espalha-se um emaranhado de ruas laterais, onde há mais lojas.

Piazza San Carlo

Esta praça reúne um conjunto arquitetônico barroco tão sofisticado que é conhecido como "a sala de visitas de Turim". Em seu extemo sul, erguem-se as igrejas gêmeas de Santa Cristina e San Carlo. Ambas foram construídas na década de 1630, mas **Santa Cristina** possui uma fachada barroca do início do século 18 com estátuas, um projeto de Juvarra.

No centro da praça, há uma estátua do duque Emanuele Filiberto. O trabalho feito por Carlo Marocchetti no século 19 tornou-se o emblema da cidade. Nas esquinas da praça, afrescos representam o Santo Sudário. A **Galleria San Federico**, na esquina noroeste, é uma galeria comercial muito elegante.

A Piazza San Carlo ficou famosa por seus cafés, frequentados pela alta sociedade. Em um desses estabelecimentos, Antonio Benedetto Carpano inventou, em 1786, a bebida hoje conhecida como vermute, ainda muito popular em todo o país.

Pinacoteca Giovanni e Marella Agnelli

Lingotto, Via Nizza 230. ***Tel*** *011 006 20 08.* *10h-19h ter-dom (última admissão 18h15).*
www.pinacoteca-agnelli.it

Localizado no topo da antiga fábrica da FIAT e redesenhado pelo arquiteto Renzo Piano, este museu exibe quadros de Modigliani e Canaletto, além de duas estátuas de Canova.

Parco del Valentino

Corso Massimo D'Azeglio.
diariam. **Borgo Medioevale** Viale Virgilio 107. ***Tel*** *011 443 17 01.* *9h-19h diariam (20h abr-out).*
Orto Botanico ***Tel*** *011 670 59 85.* *abr-set: sáb e dom.*
www.borgomedievaletorino.it

Neste parque encontra-se o **Borgo Medioevale**, um conjunto de construções que foi erguido para uma exposição no final da década de 1880. Aqui podem ser observados diferentes tipos de projetos baseados em casas e castelos característicos da região.

O **Orto Botanico**, ao lado do conjunto medieval, é marcante por sua localização e também merece uma visita.

Lado sul da elegante Piazza San Carlo, "a sala de visitas de Turim"

Turim: Símbolos da Cidade

A arquitetura de Turim reflete a transição do poder monárquico ao poder industrial. Basta observar o contraste entre a ostentação barroca dos cômodos da família real de Savoia no Palazzo Reale e a futurista Mole Antonelliana, uma estrutura alta que introduziu a era industrial moderna. Grande parte da história local no século 20 está marcada pelo automóvel. A FIAT tornou-se sinônimo de Turim. Quem quiser conhecer um pouco mais da história do design dos carros italianos deve visitar o extenso museu automobilístico da cidade.

A Mole Antonelliana, do século 19, marca a paisagem de Turim

Mole Antonelliana

Via Montebello 20. ***Tel*** *011 813 85 60.* **Elevador panorâmico** *10h-20h ter-dom (23h sáb).* **Museo del Cinema.** ***Tel*** *011 813 85 64.* *9h-20h ter-dom (23h sáb). Última admissão 45mins antes de fechar.*
www.museocinema.it

Esta excêntrica construção equivale à Torre Eiffel de Paris. É bastante visível, sem um propósito claro além de ser o marco da cidade. Parece-se um pouco com um para-raio e, de fato, um raio atingiu os 47 metros do topo em 1954, que depois foi substituído. A obra de 167 metros assinada por Alessandro Antonelli (1798-1888) era inicialmente uma sinagoga, mas ao término da obra em 1897 a prefeitura transformou-a no Museo del Risorgimento. A Mole (uma "estrutura maciça") –durante um tempo o edifício mais alto do mundo, com uma bela vista de seu elevador– abriga agora o Museo del Cinema.

Interior do domo de San Lorenzo

Palazzo Reale

Piazzetta Reale. ***Tel*** *011 436 14 55.* *8h30-18h30 ter-dom.* *25 dez.*
www.piemonte.beniculturali.it

Este palácio foi a sede da família real de Savoia de 1660 até a unificação da Itália. Por trás de sua austera fachada, projetada por Amedeo di Castellamonte, encontram-se os aposentos reais ricamente decorados. Os tetos foram pintados por Morello, Miel e Seyter no século 17. Grande parte dos móveis, tapeçarias e ornamentos data dos séculos 17 e 19. Entre eles, destacam-se o Gabinete Chinês, a Sala da Alcova, a Sala do Trono, ricamente decorada, e a inovadora Scala delle Forbici, ou Escadaria das Tesouras, criada por Juvarra em 1720. Atrás do palácio, estendem-se os jardins.

À esquerda da entrada principal do palácio, fica situada a antiga capela real de **San Lorenzo.** Esta linda construção barroca, iniciada em 1634 pelo arquiteto Guarino Guarini, exibe um extraordinário domo geométrico.

Galeria do Palazzo Reale, a residência dos Savoia até a unificação italiana

Armeria Reale

Piazza Castello 191. ***Tel*** *011 54 38 89.* *9h-14h ter-sex, 13h-19h sáb, dom, feriados (última admissão 30mins antes de fechar).* *1° jan, 25 dez.*
www.artito.arti.beniculturali.it

Uma das alas do Palazzo Reale do lado norte da praça principal, abriga um dos maiores e mais impressionantes acervos de armas e armaduras do mundo. A armaria pertencia originalmente à Casa de Savoia e foi aberta ao público em 1837.

As belas salas da Armeria Reale, como a Galleria Beaumont, projetada por Juvarra em 1733, guardam tesouros da época dos etruscos e romanos até o século 19.

O acerv o conta com peças renascentistas e medievais dos maiores armeiros do mundo, entre as quais se inclui a pistola de Carlos V. Uma de suas seções está dedicada essencialmente às armas e armaduras orientais.

A Biblioteca Real, reúne manuscritos e desenhos, incluindo um autorretrato de Leonardo da Vinci, espostos apenas em exibições especiais.

Arredores: A cerca de 3km do centro da cidade, encontra-se o enorme **Museo dell' Automobile.** Fundado em 1933, abriga atualmente 150 carros clássicos antigos. O acervo inclui Bugattis, Maseratis, Lancias, FIATs, além de tradicionais marcas estrangeiras. Os primeiros automóveis movidos a gasolina fabricados na Itália, em 1896, estão guardados aqui, assim como o primeiro FIAT, de 1899, e um Isotta Fraschini, *coupé de ville*, de 1929 usado para conduzir Gloria Swanson no filme hollywoodiano *Crepúsculo dos Deuses*. Também se veem vários carros esporte dos anos 50 com direção à direita –uma breve deferência aos grandes fabricantes britânicos, como a Aston Martin.

Uma biblioteca e um centro de documentação também estão abertos ao público.

Projetos de 1949 para a Ferrari 166 MM

Museo dell'Automobile
Corso Unità d'Italia 40.
Tel *011 67 76 66.*
para reforma.
www.museoauto.it

Stupinigi ⓮

Piazza Principe Amedeo 7, Stupinigi. ***Tel*** *011 358 12 20. 63 para Piazza Caio Mario e depois 41. horários variam. Ligue antes.* **www**.mauriziano.it

Interior do Palazzina di Caccia di Stupinigi, do século 18

Esta magnífica casa de caça dos Stupinigi se situa em um lugar muito bonito a 9km a sudoeste de Turim –e é conhecida como Palazzina di Caccia di Stupinigi. Foi criada para o duque Vittorio Amedeo II pelo arquiteto Filippo Juvarra (1676-1736) em 1729-30.

A construção, uma reminiscência do Palácio de Versalhes na França, é tida como um dos mais belos pavilhões de caça do mundo.

O projeto dinâmico e complexo inclui semicírculos e um octógono. O bloco principal consiste em um edifício circular, encimado por um domo, de onde se projetam asas semelhantes às pás de um moinho.

O peso da parte central é aliviado por uma balaustrada encimada por vasos e figuras, enquanto o domo é coroado pela figura de um cervo feita em bronze, do século 18.

O enorme interior da casa está suntuosamente decorado com pinturas *trompe l'oeil* e afrescos com temas de caça. O *Triunfo de Diana* (século 18), por exemplo, enfeita o salão *(salone)* principal. Cerca de 40 salas abrigam o interessante **Museo d'Arte e di Ammobiliamento**, com acervo específico de móveis dos séculos 17 e 18. Muitas das peças hoje em exposição estavam escondidas em antigas residências reais.

O terreno ao redor tem uma elegante combinação de amplas avenidas, um extenso parque e coloridos jardins em terraços.

Basilica di Superga ⓯

Strada Basilica di Superga 73, Comune di Torino. *Sassi. diariam. 8 set.* **Túmulos** ***Tel*** *011 899 74 56. horários variam. Ligue antes. feriados* **www**.basilicadisuperga.com

Sobre uma colina a leste de Turim encontra-se a magnífica basílica barroca de Superga, construída por Juvarra entre 1717 e 1731. Foi encomendada pelo duque Vittorio Amedeo II, para pagar uma promessa feita à Virgem Maria em 1706, quando os franceses cercavam o duque e seu exército em Turim.

A basílica, ladeada por dois campanários, tem linda fachada amarela e branca dominada por um pórtico, que lembra um templo greco-romano, e um domo de 65m no alto. Em seu belo interior, decorado em azul pálido e amarelo, encontram-se várias pinturas e entalhes interessantes.

Sob a basílica há um mausoléu com túmulos de reis, príncipes e princesas de Savoia dos séculos 18 e 19. As vítimas de um acidente de avião de 1949, incluindo os integrantes do time de futebol local, são lembrados em uma placa ao fundo.

Hoje pode-se chegar à basílica de trem ou carro. Além das obras arquitetônicas, a visita proporciona uma bela vista da cidade.

Fachada barroca da Basilica di Superga, do século 18, projetada por Filippo Juvarra

A Basilica dell'Assunta, do século 17, no Sacro Monte, em Varallo

Venaria Reale ⓰

Piazza della Repubblica 4. ***Tel*** *011 499 23 33.* FS *diariam.* www.lavenaria.it

Este grandioso complexo data de meados do século 17, quando Carlos Emanuel II de Savoy decidiu construir uma propriedade de caça na cidade de Altessano Superior. Venania Reale incorpora o **Reggia Diana**, um palácio e jardim construído entre 1660 e 1671, além de **La Madria**, um parque de 3 mil hectares.

O centro histórico de Venaria foi projetado por Amadeo di Castellamonte entre 1667 e 1690; o centro é a Piazza dell'Annunziata, com duas estátuas, do anjo Gabriel e da Virgem Maria.

Santuario d'Oropa ⓱

Via Santuario d'Oropa 480, Comune di Biella. ***Tel*** *015 255 512 00.* FS *Biella.* *de Biella.* *8h-12h diariam.* **Chiesa Antica** *8h-12h, 14h-19h diariam.* **Chiesa Nuova** *verão: 9h30-17h30 diariam; inverno: 9h-16h30 ter, qui, sáb; 9h-17h30 dom.* www.santuariodioropa.it

Este complexo de igreja e hospital fica em uma encosta arborizada acima do centro produtor de lã de Biela. O conjunto inclui uma série de três praças cercadas por construções claras com telhados de pedra. O santuário foi fundado por santo Eusébio, bispo de Vercelli. O objetivo era ser um hospital para pobres, em homenagem à "Madona Negra", trazida da Terra Santa. A Madona seria obra do próprio são Lucas, motivo de um dos mais importantes movimentos peregrinos da região.

A imagem da Madona é guardada na restaurada **Chiesa Antica**, ou Igreja Velha. Acima da igreja, no alto do conjunto arquitetônico, ergue-se a imponente estrutura neoclássica da **Chiesa Nuova**, ou Igreja Nova, iniciada em 1885 mas terminada somente em 1960.

Domodossola ⓲

Verbania. *20.000.* FS *entrada da Stazione, Piazza Matteotti 24 (0324 24 82 65).* *sáb.* www.prodomodossola.it

No centro desta bela cidade de montanha de origem romana fica a **Piazza Mercato**, (praça do mercado) emoldurada por arcadas e casas dos séculos 15 e 16.

O vale de Ossola, onde fica a cidade, tem uma paisagem composta de pastagens e florestas cortadas por rios, riachos e represas. Entre os lindos vilarejos ao norte, destacam-se o balneário de **Crodo**, de águas minerais, e **Baceno**, onde fica a mais importante igreja da região, com belos afrescos e entalhes, construída entre os séculos 14 e 16.

Varallo ⓳

Vercelli. *7.900.* FS *Corso Roma 38 (0163 56 44 04).* *ter.* www.prodomodossola.it

A pequena cidade turística de Varallo está situada no meio do caminho do vale de Sesia. Seus moradores orgulham-se de forma especial da bonita igreja de Santa Maria delle Grazie, do final do século 15. Ela é famosa pelos afrescos pintados em suas paredes representando a vida de Cristo e um *trompe l'oeil* de Gaudenzio Ferrari (1484-1546).

Uma longa escadaria atrás da igreja (e também um teleférico) leva até o extraordinário Sacro Monte, uma comunidade religiosa construída a 610 metros de altura. Este monte foi fundado como santuário da Nova Jerusalém em 1486 pelo arcebispo de Milão, são Carlos Borromeo.

A Basilica dell'Assunzione, com fachada do século 19, fica em um pátio tranquilo com palmeiras e uma fonte. Em seu interior, há uma profusão de elementos arquitetônicos barrocos. Ao redor da igreja, existem quase quarenta capelas representando lugares de Jerusalém, com estátuas colocadas na frente de afrescos pintados por Gaudenzio Ferrari e Tanzio da Varallo, entre outros.

Cristo Condenado **(século 16) em uma das capelas do Sacro Monte, em Varallo**

Para hotéis e restaurantes nesta região, ver págs. 571-2 e págs. 618-22

O interior da igreja de San Giulio no meio do lago Orta

Lago Orta ⓴

Novara. FS 🚌 ⛴ *Orta.* ℹ *Via Panoramica, Orta San Giulio (0322 90 56 14).* **www**.distrettolaghi.it

Este é, injustamente, um dos lagos menos visitados da Itália, apesar de situado em um belo lugar aos pés dos Alpes.

O principal vilarejo local é **Orta San Giulio**, que apresenta um charmoso centro histórico, com palácios bonitos e casas com sacadas. Na **Piazza Principale**, à beira do lago, encontra-se o Palazzo della Comunità, um edifício com afrescos apoiado sobre arcadas, de 1582. Por uma trilha com cabos chega-se à igreja **Santa Maria Assunta** (construída no século 15 e refeita no século 17), com portal românico e interior decorado com afrescos e pinturas do século 17.

Acima de Orta San Giulio, está o santuário de **Sacro Monte**, construído entre 1591 e 1770, dedicado a são Francisco de Assis. Um caminho cheio de curvas sobe até a igreja, proporcionando bela vista do lago. Ao longo da subida encontram-se 21 capelas, a maioria em estilo barroco. Nelas, afrescos e figuras de tamanho natural de autoria de vários artistas representam cenas da vida de são Francisco.

No meio do lago desponta a pitoresca ilha San Giulio. Conta a lenda que ela ficou livre de cobras e monstros graças ao pregador cristão do século 4°, Giulio, que lhe inspirou o nome. A basílica daqui chama a atenção com seu púlpito de mármore negro, decorado com pássaros e animais selvagens, e afrescos do século 15, incluindo *Virgem e Menino Entronizados*, atribuído a Gaudenzio Ferrari.

Novara ㉑

👥 *105.000.* FS 🚌
ℹ *Baluardo Quintino Sella 40 (0321 39 40 59).* *seg, qui e sáb.*
www.turismonovara.it

Detalhe de um afresco (século 17) pintado por Morazzone em San Gaudenzio, Novara

A origem de Novara é bastante antiga, chegando à cidade romana de Nubliaria, que significa "cercada pela neblina". Suas encantadoras ruas em arcadas, praças e edifícios históricos inspiram hoje tranquilidade. A maior parte de suas construções históricas está ao redor da Piazza della Repubblica. Entre elas, destaca-se um belo pátio renascentista, onde fica o **Broletto** (prefeitura), com suas graciosas arcadas de tijolos e a escadaria do século 15. Atualmente funciona aqui o pequeno **Museo Civico**, que inclui uma seção arqueológica e uma galeria de pintura.

Do outro lado da praça, ergue-se o **Duomo** reconstruído pelo arquiteto Alessandro Antonelli por volta de 1865, em estilo neoclássico, com uma grande porta central. No interior podem ser admiradas extraordinárias pinturas renascentistas da escola de Vercelli e tapeçarias flamengas, assim como remanescentes de um antigo santuário existente no local: a capela de San Siro do século 12 e claustros do século 15. Ao lado, há um **batistério** octogonal, com partes do século 5° e pintado com afrescos medievais com cenas do Apocalipse.

A poucas ruas de distância está a **Basilica di San Gaudenzio** (do fim do século 16) coroada por um domo alongado de quatro andares e agulha, ambos projetados por Antonelli, que lembram sua Mole Antonelliana de Turim *(pág. 224)*. No topo da agulha, de 121m, há uma estátua do próprio são Gaudêncio. O interior preserva um belo acervo de quadros renascentistas e barrocos, de artistas do Piemonte, inclusive a famosa cena da batalha do século 17, de Tanzio da Varallo, uma peça de altar do século 16 de Gaudenzio Ferrari, e um afresco de Pier Francesco Morazzone (c.1572-1626).

A Isola San Giulio no meio do Lago Orta

Museo Civico
Via Fratelli Rosselli 20.
Tel *0321 62 30 21.* *horários variam. Ligue antes.*
www.comune.novara.it

Batistério
Piazza della Repubblica.
Tel *0321 66 16 71.*
perguntar à Curia Arcivescovile.

Vercelli 22

50.000. FS Viale Garibaldi 90 (0161 58 002). ter e sex. www.atlvalsesiavercelli.it

Vercelli é a capital europeia do arroz. As centenas de arrozais de sua vasta planície se estendem pela paisagem, criando uma bela vista. Por outro lado, a cidade também desenvolveu sua própria escola de pintura no século 16 e guarda um importante tesouro arquitetônico: a **Basilica di Sant'Andrea**, do século 13.

A basílica fica bem na frente da estação de trem e ficou famosa por ser o primeiro exemplo de arquitetura italiana influenciada pelo estilo gótico do norte da França. Observe a maravilhosa nave abobadada e os arcobotantes, tipicamente góticos. No conjunto, entretanto, a basílica destaca-se como uma extraordinária realização do estilo românico. Foi construída entre 1219 e 1227 como parte de uma abadia para o representante do papa, o cardeal Guala Biccheri. É interessante notar que a fachada muda de cor: o cinza azulado, da parte inferior, dá lugar ao branco e vermelho nas torres gêmeas, que estão ligadas por uma arcada dupla. Um entalhe atribuído a Antelami (século 12) decora a lanterna central.

O interior em três naves é suavemente iluminado pela luz que vem das rosáceas. A decoração também é amena – pilares finos sustentam o teto abobadado. Saindo pelo lado norte, chega-se a um claustro simples do século 13, lindamente emoldurado por um conjunto de arcadas e colunas.

Não muito longe da basílica, podem ser visitadas as outras construções históricas importantes da cidade, como o imponente **Duomo** (século 16), o **Ospedale Maggiore** (século 13) e a igreja de **San Cristoforo**, com uma belíssima *Madona* e afrescos (c.1529) pintados por Gaudenzio Ferrari. O **Museo Borgogna** é o melhor lugar para admirar as obras-primas da escola de Vercelli.

Na principal rua de compras, Corso Libertà, há casas e pátios do século 15.

Museo Borgogna
Via Antonio Borgogna 6. **Tel** 016125 27 76. ter-sex e dom à tarde, sáb de manhã. 1° jan, 15 ago, 1° nov, 25 dez. www.museoborgogna.it

Detalhe dos entalhes do pórtico, do século 15, na entrada do Domo de Asti

Claustro, do século 13, da Basilica de Sant'Andrea, em Vercelli

Asti 23

74.000. FS Piazza Alfieri 29 (0141 53 03 57). qua e sáb. www.astiturismo.it

Conhecida pelo vinho espumante doce homônimo, Asti é realmente o mais importante centro vinícola desta região *(págs. 182-3)*. Contudo, continua sendo uma cidade tranquila marcada por torres medievais, igrejas elegantes e telhados vermelhos.

Logo ao norte da principal estação de trem encontra-se a Piazza del Campo del Palio, a maior praça de Asti e o lugar onde ocorria a famosa corrida anual de cavalos –o *palio*, agora na Piazza Alfieri. A grande destreza dos cavaleiros e o esplendor medieval fazem com que seja uma forte concorrente do Palio de Siena *(pág. 341)*. Realizado no fim de setembro, o *palio* coincide com o festival local de vinho.

Passando esta praça, logo se chega a **Piazza Alfieri**, identificada por sua forma triangular. Aqui há uma estátua do poeta e dramaturgo local Vittorio Alfieri (1749-1803), que lhe deu nome e ao *corso* também.

O Corso Alfieri atravessa todo o centro velho da cidade. Em sua ponta leste fica a igreja **San Pietro in Consavia**, do século 15, com decoração em terracota, afrescos do século 17 e um belo claustro. Ao lado dela está o **batistério** circular românico, que data dos séculos 10° e 12. Ele já foi a igreja dos cavaleiros da Ordem de São João de Jerusalém (ou de Malta), que montaram quartel-general aqui.

A oeste da Piazza Alfieri fica a **Collegiata di San Secondo** (séculos 13-15), que leva o nome do santo padroeiro de Asti. Ela abriga um políptico renascentista de Gandolfino d'Asti e afrescos do século 15. A área ao redor da parte oeste do Corso Alfieri exibe algumas das torres medievais que tornaram a cidade famosa. Entre elas estão a Torre

Campos de arroz ao redor de Vercelli

dei Comentini, a Torre Troyana e, mais além, a Torre Ropa. Esta foi construída sobre as ruínas da torre na qual são Segundo, soldado romano, ficou preso. O **Duomo** está perto. Gótico do século 14, tem pórtico do século 15, afrescos do 18, entalhes dos séculos 12 e 13 e pias batismais feitas de antigos capitéis.

Castello di Casotto, nas montanhas acima do vilarejo de Garessio

Cuneo 24

56.000. FS *Via Amedeo II 8/A (0171 690 217).* *ter.*
www.cuneoholiday.com

O nome da cidade vem de *cuneo*, que significa forma afunilada e descreve o trecho de terra que ela ocupa na confluência dos rios Gesso e Stura di Demonte. No início de novembro, a cidade abriga uma variada e deliciosa feira regional de queijos.

Cuneo cresce ao redor de sua praça principal, a **Piazza Galimberti**, que tem velhas arcadas e abriga o mercado local todas as terças-feiras. A maior parte da cidade foi reconstruída nos séculos 18 e 19 e, por isso, tem avenidas largas e arborizadas. Mas o viaduto que leva a linha do trem até o centro da cidade foi construído apenas na década de 1930. A igreja de **San Francesco**, do século 13, possui um belo portal do século 15. A igreja de Santa Croce, do século 18, exibe uma fachada côncava, bastante incomum, assinada por Francesco Gallo.

A cidade é ponto de partida para quem quer explorar os vales locais, como o Stura, onde crescem flores raras.

Dia de mercado na enorme Piazza Galimberti, no centro de Cuneo

Cavernas de Bossea 25

Località Bossea, Comune Frabosa Soprana. ***Tel*** *0174 34 92 40.*
FS *Mondovì.* *de Mondovì.*
diariam, só visita guiada.
www.grottadibossea.it

As cavernas de Bossea são as mais lindas da Itália. A 25km ao sul de Mondovì, elas ficam quase no fim da estrada que acompanha o vale do Torrente Corsaglia até os Alpes Marítimos. As cavernas possuem belíssimas estalactites e rochas esculpidas em centenas de milhares de anos. Guias levam o turista pelas câmaras –algumas enormes–, acompanhadas por rios e lagos subterrâneos. O esqueleto do urso pré-histórico, *Ursus spelaeus*, descoberto nas cavernas, é visto durante o passeio. O visitante não deve esquecer de trazer casaco, pois as temperaturas raramente ultrapassam 9°C.

Garessio 26

Cuneo. *4.000.* FS *Piazza Carrara 137 (0174 80 56 70).* *sex.*
www.garessio.net

Um dos mais belos vilarejos dos Alpes Marítimos, Garessio não é mais do que um pequeno conjunto de casas espalhadas pelas montanhas cobertas de castanheiros e fontes de águas minerais. Muitos moradores contam que essas águas têm poderes milagrosos. Em 980, um nobre octogenário teria encontrado alívio instantâneo para uma dor nos rins e para problemas circulatórios ao tomar a refrescante água do local. Desde essa época, as águas de Garessio são procuradas como remédio, especialmente por sua ação diurética e digestiva.

Arredores: Cerca de 10km a oeste de Garessio, encontra-se o **Castello di Casotto**, que foi o palácio de verão da Casa de Savoia. A família real costumava vir aqui atraída pelas famosas águas minerais, o ar excepcionalmente puro das montanhas e o deslumbrante cenário natural.

A cidade de **Ormea**, 12km a sudoeste, merece uma visita pelas ruínas de um castelo do século 11, os afrescos góticos do fim do século 14 que decoram sua igreja e o conjunto singular de casas.

Castello di Casotto
Garessio. ***Tel*** *0174 805 670.*
com hora marcada.

LIGÚRIA

A Ligúria ocupa uma estreita faixa entre o mar e as montanhas cobertas de vinhedos. Aqui, o sol do Mediterrâneo aquece as casas de tons pastel e cria uma explosão de cores em seus floridos jardins. O centro nervoso da região é Gênova, a única cidade realmente grande e durante séculos um poderoso porto. Entre os balneários famosos destacam-se Portofino e San Remo.

Gênova possui uma longa história como potência naval. Começou sua trajetória como entreposto comercial das antigas Grécia e Fenícia e, mais tarde, tornou-se capital de um pequeno império comercial que chegou a ofuscar Veneza. Aqui nasceu o grande almirante Andrea Doria, assim como o descobridor da América, Cristóvão Colombo.

Gênova começou a se projetar no século 12, quando conseguiu vencer os piratas sarracenos que assolavam a costa da Ligúria. A república prosperou com as Cruzadas e com postos comerciais instalados no Oriente Médio. Sua "Idade de Ouro" durou do século 16 ao 17, e inclui o glorioso reinado de Andrea Doria, que enriqueceu a cidade ao financiar guerras de seus aliados europeus com os bancos genoveses. Entretanto, a divisão da aristocracia reinante e as ameaças dos conquistadores estrangeiros (primeiro os franceses, em 1668 e depois os austríacos, em 1734) levaram a região ao declínio. Somente no início do século 19, com o fervor da unificação italiana alastrando-se graças a Giuseppe Mazzini e ao revolucionário Giuseppe Garibaldi, a Ligúria conseguiu recuperar um pouco de sua antiga importância.

Hoje uma das imagens mais associadas à Ligúria são as casas de elegância um pouco apagada que se alinham ao longo da costa, especialmente em San Remo, um dos balneários favoritos dos aristocratas nos invernos do século 19.

Venezianas verdes e paredes de cor ocre caracterizam as casas de Portofino

◁ **Penhascos "despencam" no mar ao longo da Riviera Levante, na Ligúria**

Como Explorar a Ligúria

A Ligúria está nitidamente dividida em duas partes. A oeste fica a Riviera Ponente –uma estreita faixa de planície que se estende até a fronteira com a França– e, a leste, a Riviera Levante, mais acidentada e pitoresca, descendo diretamente em direção ao mar. Entre essas duas extensões da costa encontra-se Gênova, capital e maior porto da região. A elegância esmaecida dos tranquilos vilarejos costeiros contrasta com o movimentado porto genovês, que parece estar espremido entre o mar e as montanhas.

O brasão da cidade de Cervo, acima da entrada da catedral

Feira livre de Gênova

LEGENDA

- Rodovia
- Estrada principal
- Estrada secundária
- Estrada vicinal
- Percurso com paisagem
- Ferrovia principal
- Ferrovia secundária
- Fronteira internacional
- Fronteira regional
- Cume

PRICIPAIS ATRAÇÕES

- Albenga 7
- Balzi Rossi 1
- Bussana Vecchia 5
- Camogli 10
- Cervo 6
- Cinque Terre 13
- Dolceacqua 3
- *Gênova* págs. 236-9 9
- Grotte di Toirano 8
- Lerici 15
- Península de Portofino 11
- Portovenere 14
- Rapallo 12
- San Remo 4
- Villa Hanbury 2

O elegante balneário de San Remo, na Riviera Ponente, a oeste de Gênova

VEJA TAMBÉM

- ***Onde Ficar*** págs. 570-1
- ***Onde Comer*** págs. 617-8

Casas e penhascos convivem em Riomaggiore, Cinque Terre

COMO CHEGAR

Ao longo da costa, o transporte na Ligúria é sempre em linha reta. A rodovia A10-E80 torna-se A12-E80 em Gênova, e uma ferrovia segue o mar desde a fronteira com a França até a Toscana. As principais estações dessa linha de trem são Ventimiglia, San Remo, Imperia, Savona, Gênova e La Spezia. Há boas conexões ferroviárias de Gênova com Milão e Turim. O acesso ao interior da Ligúria é mais difícil por causa do relevo, mas os ônibus ligam as cidades costeiras com os belos vilarejos de montanha. É possível explorar o interior circulando de carro por pequenas estradas como a S28, de Imperia a Garessio (Piemonte); a S334, de Albisola a Milão; ou a S456, de Voltri a Milão.

Os belos jardins da Villa Hanbury, perto de Ventimiglia

Balzi Rossi ❶

Imperia. FS *Ventimiglia e Menton.* *de Ventimiglia para Ponte San Luigi, depois 10min a pé.* **www**.archeoge.arti.beniculturali.it

Este promontório que passa quase despercebido abriga algumas das mais importantes cavernas do Norte italiano, com vestígios de civilizações de antes da Idade do Ferro que nelas moravam –apontados em passeios guiados. Nestas cavernas os mortos eram enterrados, enfeitados com conchas do mar. O **Museo Nazionale dei Balzi Rossi** expõe ferramentas, armas e pedras esculpidas com figuras femininas de 100 mil anos atrás. Há também a reprodução do desenho de um cavalo de uma caverna.

Museo Nazionale dei Balzi Rossi
Via Balzi Rossi 9. ***Tel*** *0184 381 13.* *ter-dom.* *1° jan, 1° mai, 25 dez.*

Villa Hanbury ❷

Corso Monte Carlo 43, Località La Mortola. ***Tel*** *0184 22 92 92.* FS *Ventimiglia.* *de Ventimiglia.* *9h30-16h (mar-meados jun: 17h e meados jun-set: 18h) diariam.* *qua nov-mar* **www**.amicihanbury.com

Em 1867, o botânico inglês Thomas Hanbury e seu irmão compraram esta *villa* no cabo de Mortola, aproveitando o clima excepcionalmente ameno e ensolarado da Ligúria para criar um jardim de plantas exóticas na encosta da encantadora mansão.

A coleção de plantas trazidas da África e da Ásia cresceu e tornou-se um conjunto de quase 3.000 variedades de espécies tropicais, incluindo seringueiras, palmeiras e cáctus.

Atualmente, o jardim é dirigido pelo governo e é considerado um dos melhores jardins botânicos da Itália. Mesmo no inverno, admira-se grande variedade de formas e cores.

Dolceacqua ❸

Imperia. *1.800.* FS *Via Doria 10 (0184 20 68 99).* *qui.* **www**.dolceacqua.it

Este belo vilarejo produtor de vinho, 8km ao norte de Ventimiglia, estende-se pelos dois lados do rio Nervia. As duas margens estão ligadas por uma ponte medieval de pedra que tem um arco de 33m. As principais atrações do vilarejo são as ruínas dos séculos 12-15 do **castelo** (atualmente sendo restaurada), habitado durante alguns anos do século 16 pela poderosa família Doria de Gênova. Suas duas torres quadradas dominam a paisagem do vilarejo. Nas montanhas ao redor, vinhedos produzem a uva que origina o conhecido vinho tinto robusto de Rossese, ou *vino di Dolceacqua*.

O vilarejo Dolceacqua com sua ponte medieval e castelo em ruínas

San Remo ❹

Imperia. *60.000.* FS *Largo Nuvoloni 1 (0184 59059).* *ter e sáb.* **www**.rivieradeifiori.org

O Casinò Municipale de San Remo, concluído em 1906

Muito agradável, San Remo foi polo da aristocracia europeia no século 19. O compositor Tchaikovsky e Alfred Nobel, pai dos explosivos modernos, hospedavam-se em mansões em frente à orla, no Corso Imperatrice, uma avenida repleta de palmeiras. Nela ficam duas das principais atrações: o cassino e a igreja ortodoxa russa de San Borillo.

La Pigna, a cidade velha, é um amontoado de estreitas ruelas de casas medievais com venezianas de tons pastel. Um funicular liga San Remo a San Romolo, pequena vila 786m acima do nível do mar, que oferece uma linda vista da área.

Um lindo mercado de flores acontece em Corso Garibaldi (jun-out: 6h-8h).

O cantor brasileiro Roberto Carlos venceu em 1967 o famoso Festival de Música de San Remo, com *Canzone per Te*, de Sérgio Endrigo.

Bussana Vecchia ❺

Imperia. Fora de San Remo –estrada Arma di Taggià.

Às vezes, Bussana parece uma cidade-fantasma. Em fevereiro de 1887, um terremoto a sacudiu toda, derrubando

Para hotéis e restaurantes nesta região, ver págs. 572-4 e págs. 622-4

a igreja barroca e quase 100% do casario. (Um dos sobreviventes, Giovanni Torre del Merlo, foi o inventor da casquinha de sorvete.)

A cidade foi reconstruída mais perto do mar. Desde essa época, foi ocupada por artistas que restauraram alguns interiores, criando espaços para exposições e concertos de verão.

Cervo ❻

Imperia. 1.200. FS *Piazza Santa Caterina 2 (0183 40 81 97). qui.* **www**.rivieradeifiori.it

Este é o mais belo dos muitos antigos vilarejos costeiros a leste de Imperia. Suas ruas estreitas e casas sobem das praias de cascalho para as montanhas. No alto da vila, ergue-se a fachada côncava de **San Giovanni Battista**. De julho a agosto, realizam-se ótimos concertos de orquestra de câmara na frente da igreja. A igreja é também conhecida como a "*dei corallina*", lembrando a exploração de corais que já lhe trouxe prosperidade. Hoje Cervo é um lugar despretensioso, mas bastante característico da costa da Ligúria, com bons hotéis perto da praia.

San Giovanni Battista, em Cervo

Espetaculares formações rochosas nas grutas de Toirano

Albenga ❼

Savona. 21.000. FS *Piazza del popolo (0182 55 84 44). qua.* **www**.inforiviera.it

Até a Idade Média, o porto romano de Albium Ingaunum desempenhou um papel marítimo importante. Com o correr do tempo, o mar foi se afastando, deixando a cidade –hoje chamada Albenga– às margens do rio Centa. Atualmente ela chama a atenção por sua arquitetura românica em tijolos, destacando-se as três torres do século 13 ao redor da catedral de **San Michele**. O interior da construção foi restaurado em estilo medieval no fim da década de 60. Na parte sul há um interessante **batistério** do século 5°, com exterior de dez lados e interior octogonal. Dentro, encontram-se mosaicos originais do século 5°, em azul e branco, com pombas representando os 12 apóstolos. Ao norte da catedral, a pequena Piazza dei Leoni ostenta três leões de pedra trazidos de Roma.

Batistério do século 15, em Albenga

Um palácio do século 14, na Piazza San Michele, abriga o **Museo Navale Romano**, fundado em 1950 depois do resgate de um navio romano que afundou no século 1° a.C. O acervo inclui antigas ânforas e objetos resgatados de naufrágios mais recentes.

Batistério
Piazza San Michele. ***Tel*** *0182 512 15. 10h-12h, 15h-18h ter-dom. 1° jan, Páscoa, 25 dez.*

Museo Navale Romano
Piazza San Michele 12. ***Tel*** *0182 512 15. 10h-12h, 15h-18h ter-dom. 1° jan, Páscoa, 25 dez.*

Grotte di Toirano ❽

Piazzale delle Grotte, Toirano. ***Tel*** *0182 980 62. de Albenga para Borghetto Santo Spirito.* FS *para Borghetto Santo Spirito ou Loano. 9h30-12h, 14h-17h diariam. meados nov-25 dez. horários variam, ligue antes.* **www**.toiranogrotte.it

Toirano é uma encantadora cidade medieval de montanha, mas seu maior atrativo são suas cavernas, que guardam relíquias do Paleolítico, de 100 mil anos.

Passeios guiados pela **Grotta della Basura** (Caverna da Bruxa), por exemplo, revelam extraordinárias pegadas de homens e animais, além de ossos e dentes no lugar chamado de "cemitério dos ursos".

Na **Grotta di Santa Lucia**, também visitada com guias, pode-se admirar a beleza das estalactites e estalagmites amarelas e cor cinza que se formaram a centenas de milhares de anos.

O **Museo Preistorico della Val Varatella**, na entrada da Grotta della Basura, exibe achados das cavernas e a reconstituição de um urso pré-histórico.

Museo Preistorico della Val Varatella
Piazzale delle Grotte. ***Tel*** *0182 980 62. 9h-12h30, 14h-17h diariam.*

Rua a Rua: Gênova ❾

Algo parece destoar em Gênova, o mais importante porto comercial da Itália. Bastante diferente dos refinados balneários costeiros que se espalham por sua vizinhança, a cidade apresenta, na parte antiga, ruas estreitas frequentadas por marinheiros e prostitutas. Protegida pelo porto natural e pelas montanhas, Gênova ganhou destaque como centro naval. Durante o século 16, Andrea Doria contribuiu para o aumento da importância de Gênova e também passou a patrocinar as artes.

Piazza San Matteo
As casas e a igreja de San Matteo foram construídas pelos Doria em 1278. Sobre a entrada do Palazzo Quartara, há um baixo-relevo de são Jorge.

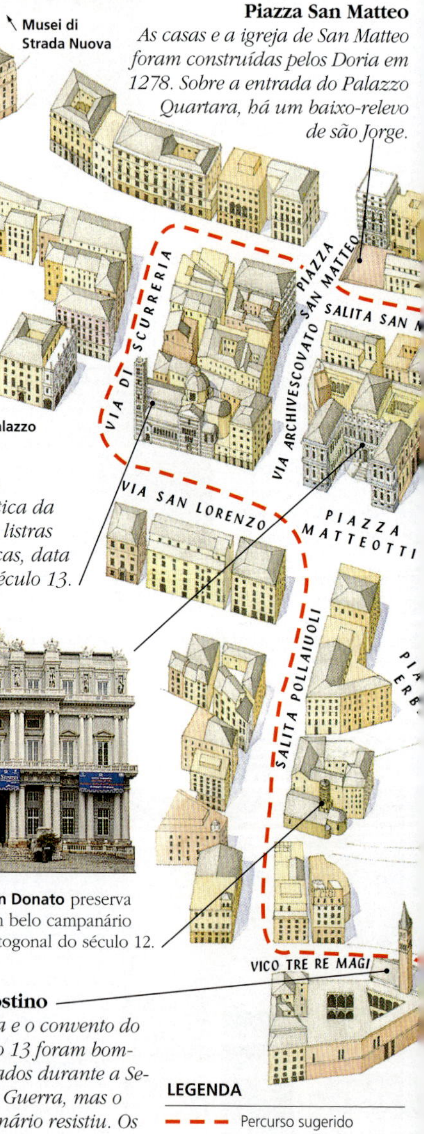

San Lorenzo
A fachada gótica da catedral, com listras pretas e brancas, data do início do século 13.

Palazzo Ducale
Antiga casa dos doges de Gênova, este elegante palácio é hoje um importante centro cultural e artístico. Tem dois belos pátios e arcadas do século 16.

San Donato preserva um belo campanário octogonal do século 12.

Sant'Agostino
A igreja e o convento do século 13 foram bombardeados durante a Segunda Guerra, mas o campanário resistiu. Os claustros abrigam esculturas como esta do túmulo de Margarida de Brabante, de Giovanni Pisano (1312).

LEGENDA

- - - Percurso sugerido

0 metros 100

Para hotéis e restaurantes nesta região, ver págs. 572-4 e págs. 622-4

Igreja de Gesù
Esta igreja barroca, construída entre 1589 e 1606, também é conhecida como igreja de Santi Ambrogio e Andrea.

PREPARE-SE

640.000. Cristoforo Colombo 6km oeste. Stazione Principe, Piazza Acquaverde. Stazione Marittima, Ponte dei Mille. Aeroporto Cristoforo Colombo (010 601 52 47); Stazione Principe (010 246 26 33). seg, qua e qui. 24 jun: San Giovanni Battista; jul: Festival de Ballet; out: Fiera Nautica.
www.provincia.genova.it

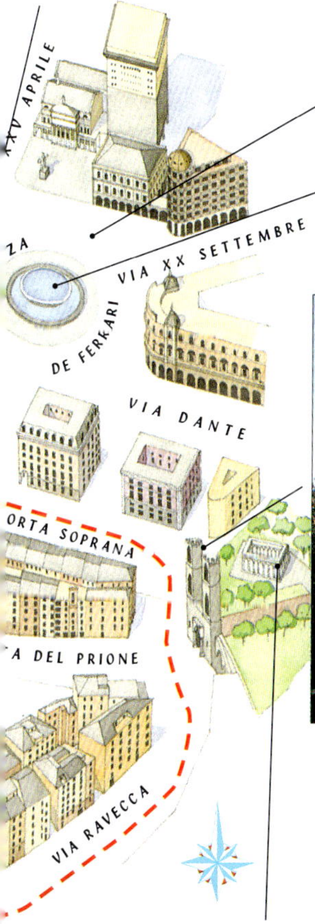

Na Piazza De Ferrari encontram-se o Banco di Roma e a Accademia, ambos neoclássicos, e o Teatro Carlo Felice.

Esta fonte de bronze na Piazza De Ferrari foi construída em 1936.

Porta Soprana
O portão leste da cidade, com paredes externas curvas, fica perto da casa de Cristóvão Colombo.

Sant'Andrea
Os claustros ao lado do pequeno jardim são tudo que restou do convento do século 12 que existia no local.

Um leão vigia a escadaria do século 19 que leva ao Duomo

San Lorenzo (Duomo)

Piazza San Lorenzo. ***Tel*** *010 254 12 50.* *diariam.* **Museo del Tesoro** ***Tel*** *010 254 12 50.* *9h-12h, 15h-18h seg-sáb.*

O Duomo, com exterior listrado em preto e branco, mistura vários estilos arquitetônicos, do portal lateral românico do século 12 de San Giovanni aos detalhes barrocos de algumas capelas laterais. Os três portais no extremo oeste seguem o estilo gótico francês. A mais suntuosa das capelas está dedicada a são João Batista, padroeiro de Gênova, e guarda um sarcófago do século 13 que já conteve as relíquias do santo. Da sacristia, chega-se ao **Museo del Tesoro di San Lorenzo**. Entre seus tesouros, destacam-se o prato romano de vidro verde que teria sido usado na Última Ceia e o prato de calcedônia azul no qual a cabeça de são João Batista teria sido servida a Salomé.

Porto

Aquarium *Ponte Spinola.* ***Tel*** *010 234 56 78.* *9h30-19h30 diariam (até 20h30 sáb, dom, feriados); jul-ago: 8h30-22h. Últ. adm.: 90 min antes de fechar.*
www.acquariodigenova.it

O porto é o coração de Gênova e a origem de seu poder como centro naval nos séculos 11 e 12. É uma cidade de trabalho, cercada por estradas movimentadas e prédios comerciais da década de 60.

Um dos vestígios de sua glória medieval é a **Lanterna**, farol restaurado em 1543, perto da Stazione Marittima. Outrora acendiam-se fogueiras no alto da Lanterna para guiar os navios até o porto. A renovação portuária pode ser vista no centro de conferências projetado por Renzo Piano *(pág. 185)* e no aquário, um dos maiores da Europa, que recria vários hábitats marinhos.

Como Explorar Gênova

Os passeios pelas ruas de Gênova costumam ser compensadores –a cidade se orgulha de suas histórias e lendas. Os *palazzi* Via Balbi e da Via Garibaldi e as obras de arte espalhadas por igrejas e museus da cidade estão entre os melhores do Noroeste italiano. Os arredores também guardam bons lugares para passeios curtos, tanto no litoral como nas montanhas.

Pátio da Universidade na Via Balbi

Sant'Agostino

Piazza Sarzano 35.
Tel *010 251 12 63.*
com hora marcada.
Museo di Architettura e Scultura Ligure **Tel** *010 251 12 63.*
9h-19h ter-sex, 10h-19h sáb-dom.
feriados.

A igreja gótica de Sant' Agostino iniciada em 1260 foi bombardeada durante a Segunda Guerra Mundial. O que resta do edifício original é o belo campanário decorado com azulejos coloridos. O mosteiro do qual a igreja fazia parte também foi bombardeado, sobrando apenas as ruínas de dois claustros – um dos quais é a única construção triangular de Gênova. Os claustros foram reconstruídos e transformados no **Museo di Architettura e Scultura Ligure**. Esse acervo contém peças arquitetônicas e fragmentos de escultura, assim como afrescos resgatados de outras igrejas destruídas de Gênova.

A peça mais importante é um fragmento do túmulo de Margarida de Brabante. Ela, morta em 1311, foi mulher do imperador Henrique VII, que invadiu a Itália em 1310. Esculpidas por Giovanni Pisano, por volta de 1313, as esculturas do túmulo foram restauradas e recolocadas em 1987. As figuras parecem ajudar Margarida a se deitar para descansar.

Palazzo Reale

Via Balbi 10. **Tel** *010 271 02 36.*
9h-13h30 ter-qua; 9h-19h qui-dom. *1° jan, 25 abr, 1° mai, 15 ago, 25 dez.*

Este austero palácio foi residência dos reis de Savoia a partir do século 17. Os destaques de seu interior rococó são o Salão de Baile e o Salão dos Espelhos. Entre os quadros expostos está a *Crucificação* de Van Dyck. Do lado de fora, um belo jardim desce em direção ao porto com uma fonte rodeada por um minucioso mosaico com cenas de casas e animais.

Do lado oposto ao palácio, está a velha **universidade** (1634) projetada pelo arquiteto Bartolomeo Bianco, assim como grande parte da Via Balbi. A enorme construção contorna os desníveis da geografia montanhosa, erguendo-se sobre quatro níveis.

Palazzo Bianco

Via Garibaldi 11. **Tel** *010 557 21 93.*
9h-19h ter-sex (10h-19h sáb-dom). **Palazzo Rosso**
Tel *010 557 49 72.* *9h-19h ter-sex (10h-19h sáb-dom).*

Este palácio está situado na mais bela rua de Gênova, a **Via Garibaldi** –onde se encontram numerosos palácios e mansões do século 16. Ele guarda, em seu interior, o melhor acervo de quadros de artistas genoveses da cidade. Aqui estão nomes como Luca Cambiaso, Bernardo Strozzi, Domenico Piola e Giovanni Benedetto Castiglione. Convi-

Retrato de Colombo, na Villa Doria em Pegli

CRISTÓVÃO COLOMBO EM GÊNOVA

O nome de Cristoforo Colombo, ou Cristóvão Colombo, está presente em toda a Gênova. A estátua do descobridor do Novo Mundo dá as boas-vindas ao visitante na Piazza Acquaverde, para quem vem da estação de trem da Porta Principe; vários prédios públicos ostentam seu nome; e até o aeroporto leva seu nome. No Palazzo Belimbau, erguido no século 17 sobre as antigas muralhas da cidade, fica a série de afrescos do artista genovês Tavarone celebrando a vida do navegador. Também podem ser vistas três de suas cartas na Sala del Sindaco, no Palazzo Tursi (a prefeitura), na Via Garibaldi. Não se sabe ao certo se Colombo (c.1451-1506) nasceu em Gênova, em Savona (15km a oeste) ou fora da Itália. O registro civil da cidade menciona seu pai, que era tecelão, e diferentes casas da família. Uma pequena casa coberta de hera, adjacente à Porta Soprana, pode ter sido sua residência de infância –lugar onde teria descoberto sua paixão pelo mar.

Casa onde provavelmente viveu Colombo

Para hotéis e restaurantes nesta região, ver págs. 572-4 e págs. 622-4

Jardins românticos da Villa Durazzo-Pallavicini, em Pegli

vem com colegas mais famosos como Filippino Lippi (com um belo *Madona e Santos*), Veronese, Van Dyck e Rubens. Do outro lado da rua, o **Palazzo Rosso** exibe mais pinturas, inclusive trabalhos de Dürer e Caravaggio, cerâmicas, mobílias e moedas. No andar acima, no *piano nobile*, as salas estão adornadas com afrescos do século 17 de artistas genoveses, como Ferrari e Piola.

Cemitério de Staglieno

Piazzale Resasco, Staglieno. ***Tel*** *010 87 01 84.* *diariam.* *feriados.*

Belos trabalhos de arquitetura de túmulo, Cemitério de Staglieno

Este cemitério é tão grande (33ha) que tem um sistema de ônibus interno. Situado nas montanhas a nordeste de Gênova, ao longo do rio Bisagno, foi fundado em 1844. Seus túmulos e monumentos parecem uma minicidade de catedrais, templos egípcios e palácios Art Nouveau. Entre os túmulos famosos está o de Giuseppe Mazzini, o revolucionário genovês morto em 1872.

Arredores: Até a Segunda Guerra Mundial, **Pegli**, 6km a oeste do centro de Gênova, era um agitado refúgio de fim de semana para os ricos genoveses. Hoje faz parte da metrópole mas mantém um ar de tranquilidade graças aos parques e suas duas mansões –a **Villa Durazzo-Pallavicini**, do século 19, e a **Villa Doria**, do século 16, que abriga o museu de história naval, que celebra o glorioso passado local. Aqui estão expostos globos, bússolas, astrolábios, modelos de navios e um retrato de Colombo atribuído a Ghirlandaio, provavelmente de 1525.

Um museu arqueológico na Villa Durazzo-Pallavicini conta a história pré-romana da costa da Ligúria. Nos jardins da mansão são vistas pequenas grutas e fontes.

Nervi, a 8km a leste da cidade, é um balneário antigo, famoso por seu calçadão em frente ao mar: a **Passeggiata Anita Garibaldi**, uma homenagem à brasileira que foi mulher de Garibaldi. O calçadão segue a estrada, que foi aberta na rocha, oferecendo ampla vista da costa.

O luxuriante **Parco Municipale** é outro destaque de Nervi. A área pertencia a duas mansões aristocráticas –a Villa Serra e a Villa Gropallo. A primeira, na Via Capolungo, abriga hoje a **Galleria d'Arte Moderna** com obras da pintura italiana moderna. A **Villa Luxoro**, na Via Aurelia, é famosa pelo acervo de relógios, tecidos, móveis e rendas. A região também tem valor histórico: foi o ponto de partida de Garibaldi para a Sicília com seus *Mille* (os mil homens) que lutaram pela unificação da Itália. Um grande monumento em Quarto dei Mille, voltando cerca de 3km em direção à cidade, marca o lugar onde os voluntários se reuniram em maio de 1860 para seguir Garibaldi (*págs. 62-3*). A **Villa Grimaldi** abriga uma coleção de arte e escultura com obras do fim do século 18 e início do 19 de Fattori, Boldi e Messina.

Galleria d'Arte Moderna
Villa Serra, Via Capolungo 3, Nervi. ***Tel*** *010 372 60 25.* *ter-dom.*

Villa Doria
Piazza Bonavino 7, Pegli. ***Tel*** *010 696 98 85.* *diariam.* *feriados.*

Villa Durazzo-Pallavicini
Via Pallavicini 11, Pegli. ***Tel*** *010 66 68 64.* *9h-19h ter-dom, (out-mar: até 17h).* *feriados.*

Villa Grimaldi
Via Capolungo 9, Nervi. ***Tel*** *010 32 23 96.* *ter-dom.*

Villa Luxoro
Via Mafalda di Savoia 3, Nervi. ***Tel*** *010 32 26 73.* *manhã ter-sáb.* *feriados.*

***Pini* (c.1920), de Rubaldo Merello, na Galleria d'Arte Moderna, em Nervi**

Casas em tons pastel perto da praia de cascalho de Camogli

Camogli ⑩

Gênova. 6.500.
Via XX Settembre 33 (0185 77 10 66). qua. **www**.camogli.it

Conchas do mar enfeitam as paredes das casas de Camogli e o cheiro de peixe frito dos pequenos restaurantes invade suas ruas. Esta vila pesqueira foi construída em uma encosta coberta de pinheiros. Perto da praia e do porto pesqueiro fica localizado o Castello della Dragonara.

Anualmente a cidade celebra a famosa "Bênção dos Peixes", no segundo domingo de maio, quando sardinhas são fritas em uma enorme panela de quatro metros de diâmetro e depois distribuídas entre todos os presentes.

Península de Portofino ⑪

Gênova. Portofino.
Via Roma 35 (0185 26 90 24).
www.turismoinliguria.it

Portofino é o mais seleto balneário da Itália, repleto de sofisticados iates. Uma estrada leva à cidade, mas não é permitida a entrada de carros. Outra opção de acesso são os barcos a partir do balneário de Santa Margherita Ligure. No alto da cidade ficam a igreja de **San Giorgio**, que guarda as relíquias do santo matador de dragões, e um castelo. Do outro lado da península, aonde se chega a pé (depois de uma caminhada de duas horas) ou de barco, está a **Abbazia di San Fruttuoso**, entre pinheiros e oliveiras. Os seguidores deste santo do século 3° teriam naufragado aqui e sido protegidos por três leões. A abadia branca foi construída no século 11, mas a imponente Torre dei Doria foi acrescentada 500 anos depois. Pode-se pegar um barco para tentar localizar o **Cristo degli Abissi**. Esta estátua de bronze repousa no fundo do mar perto de San Fruttuoso, protegendo os marinheiros. Mais a oeste fica a Punta Chiappa, um cabo rochoso famoso pela mudança de cores da água do mar.

Abbazia di San Fruttuoso
San Fruttuoso. ***Tel*** *0185 77 27 03.*
horários variam. Ligue antes.
nov.

Rapallo ⑫

Gênova. *30.000.*
Lungomare Vittorio Veneto 7 (0185 23 03 46). *qui.* **Bonde** ***Tel*** *0185 523 41.* **www**.turismoinliguria.it

Os historiadores sabem que em Rapallo foram assinados dois tratados importantes –um entre Itália e Iugoslávia e outro entre Alemanha e Rússia– depois do término da Primeira Guerra Mundial. Por sua vez, os aficionados por cinema reconhecem o lugar como a locação do filme *A Condessa Descalça*, realizado aqui em 1954. As mansões tipo *villa* ainda guardam uma antiga ostentação, assim como as cavalariças, campos de golfe e quadras de tênis. A orla ladeada por palmeiras termina em um pequeno **castelo** do século 16, onde às vezes são organizadas exposições de arte. Um bonde que sai do centro da cidade leva até o **Santuario di Montallegro**, onde há um ícone bizantino que, de acordo com a tradição, teria poderes milagrosos.

Castelo do século 16 entra no mar de Rapallo

Santuario di Montallegro
Montallegro. ***Tel*** *0185 23 90 00.*
diariam.

Iates ancorados no famoso porto de Portofino

Para hotéis e restaurantes nesta região, ver págs. 572-4 e págs. 622-4

A belíssima costa perto de Corniglia, em Cinque Terre

Cinque Terre ⓭

La Spezia. FS *para todas as cidades.* *Monterosso, Vernazza.* *Via Fegina 40, Monterosso (0187 81 70 59) (verão apenas); Piazza Rio Finale 26, Riomaggiore (0187 92 06 33).* **www**.parconazionale5terre.it

Cinque Terre é o nome que se dá à região da costa rochosa de Riviera di Levante, constituída por cinco vilarejos: Monterosso al Mare, Vernazza, Corniglia, Manarola e Riomaggiore. Localizados à beira de altos penhascos, os vilarejos são interligados por uma antiga trilha conhecida como Sentiero Azzurro (Caminho Azul). A trilha oferece vistas espetaculares da costa rochosa e seus vinhedos em terraços que produzem o vinho branco seco Cinque Terre. O Sentiero Azzurro também dá acesso a praias isoladas.

Os cinco vilarejos têm sofrido uma diminuição da população. **Monterosso al Mare**, na beira noroeste de Cinque Terre, é a maior das cinco vilas e dá para uma baía com praia de areia. **Vernazza**, mais abaixo na costa, tem ruas ligadas por degraus ou *arpaie*. **Corniglia**, situada no cume dos terraços rochosos parece ter parado no tempo, assim como **Manarola**, que está ligada pela famosa Via dell'Amore, ou Caminho dos Amantes, a **Riomaggiore**, (após uma caminhada de 15 minutos).

A melhor forma de chegar aos povoados é de barco (de La Spezia, Lerici ou Porto Venere), ou por trem (linha La Spezia-Genoa).

Portovenere ⓮

La Spezia. *4.600.* *Piazza Bastreri (0187 79 06 91).* *seg.* **www**.portovenere.it

Portovenere honra o nome, que vem da deusa do amor, Vênus: é um dos mais românticos vilarejos da costa da Ligúria, com um emaranhado de ruas estreitas e casas em tons pastel. Em sua parte superior tem a igreja de **San Lorenzo**, do século 12. A escultura em cima da porta representa o martírio do santo, queimado vivo. No cabo rochoso que avança sobre o mar, encontra-se a pequena igreja preta e branca de **San Pietro**, do século 13. No lado noroeste da vila há um castelo no alto de um penhasco construído no século 16. Do castelo ou da igreja, há uma maravilhosa vista de Cinque Terre e da pequena ilha de Palmaria, a 400m do continente.

Em cima da porta de San Lorenzo, em Portovenere

Lerici ⓯

La Spezia. *13.000.* *Via Biagini 2, Località Venere Azzurra (0187 96 73 46).* *manhã sáb.* **www**.parconazionale5terre.it

Este trecho de costa, ao longo do golfo de La Spezia –ou golfo dos poetas, já foi muito procurado por escritores, como Yeats e D. H. Lawrence. No vilarejo de San Terenzo, do outro lado da baía de Lerici, o poeta Shelley passou os últimos quatro anos de sua vida. Foi da Casa Magni, onde morava, que ele partiu em 1822 para se encontrar com Leigh Hunt em Livorno. O navio naufragou perto de Viareggio, causando sua morte.

O agitado balneário de Lerici exibe casas em tons pastéis e preserva também um inesquecível **castelo** (século 13) medieval, construído pelos moradores de Pisa e mais tarde entregue aos genoveses. O castelo domina as mansões que se espalham aos seus pés. Hoje abriga um museu de geopaleontologia, e é local de exposições e concertos.

Castello di Lerici
Piazza San Giorgio.
Tel *0187 96 91 14.* *ter-dom.* *seg; 9-26 dez.*
www.castellodilerici.it

O porto de Vernazza, em Cinque Terre

Vista inspiradora de Manarola, em Sentiero Azzurro, Cinque Terre ▷

CENTRO DA ITÁLIA

O Centro da Itália em Destaque

As diferentes regiões do Centro da Itália atraem um grande movimento de turistas, que vêm conhecer suas lindas paisagens naturais e o rico patrimônio histórico e cultural de suas cidades. A Emília-Romanha abriga o notável delta do Pó, um refúgio para espécies selvagens. A Toscana é dominada por Florença, uma das cidades mais famosas da Itália. Úmbria e Marche oferecem um agradável interior pastoril e pitorescas cidades nas colinas.

No mapa a seguir, estão em destaque as principais atrações de toda a região.

A Torre de Pisa e o Duomo (págs. 324-6) *são esplêndidos exemplos da arquitetura dos séculos 12 e 13, ambos decorados com complexos padrões geométricos de inspiração árabe.*

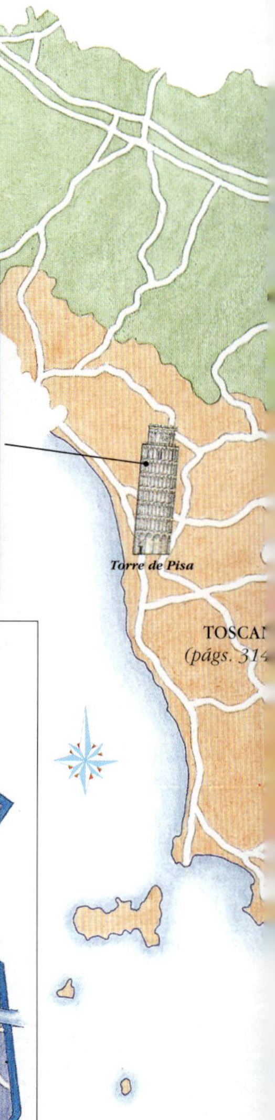

0 quilômetros 50

O Duomo e o Batistério, *localizados no centro de Florença, dominam a paisagem da cidade* (págs. 280-2).

FLORENÇA

(págs. 270-313)

0 quilômetros 1

A Uffizi *exibe um soberbo acervo de arte florentina, que vai do gótico a um período posterior ao Alto Renascimento* (págs. 286-9).

O Palazzo Pitti começou a ser construído em 1457 para o banqueiro Luca Pitti e tornou-se a principal residência dos Medici. Hoje abriga seus tesouros *(págs. 302-3).*

◁ **Paisagem de outono na Toscana, nas colinas do Val d'Orcia, ao sul de Siena**

A igreja de San Vitale, *em Ravenna, é uma verdadeira joia da arte e arquitetura bizantinas* (pág. 268). *Possui mosaicos do século 6° perfeitamente conservados.*

O Palazzo Ducale, *em Urbino, foi construído pelo duque Federico, governante da cidade no século 15, segundo um projeto de Laurana* (págs. 370-1). *Este palácio renascentista abriga hoje a Galleria Nazionale delle Marche.*

Siena *é uma cidade medieval, repleta de tradições, que cresceu em volta do Campo, uma grande* piazza *em forma de concha* (págs. 338-43). *Em julho e agosto, acontece a Corsa del Palio, uma animada corrida de cavalos.*

Os afrescos de Giotto *na Basílica de São Francisco, em Assis, foram executados no século 13* (págs. 354-7). *Todos os anos, a igreja é visitada por milhares de peregrinos.*

Os Sabores do Centro da Itália

Centro gastronômico da Itália, a Emília-Romanha é a terra do parmesão, do presunto de Parma e do vinagre balsâmico. Bolonha ganhou o epíteto *La Grassa* ("a gorda") por seus pratos com manteiga, queijo e molhos. As terras férteis e as colinas onduladas da Toscana, Úmbria e Marche oferecem uma cozinha camponesa de sabores mais simples e rústicos. O porco de alta qualidade da raça Cinta Senese, a carne de gado Chianina da Toscana, os fabulosos *fungi* e trufas da Úmbria, e as excelentes carnes de caça e sopas de peixe com aroma de açafrão da costa do Marche são delícias gastronômicas do Centro da Itália.

Tomates italianos

Exemplo de um perfeito tortellini fresco

EMÍLIA-ROMANHA

Esta terra fértil é não só a origem de muitos dos ingredientes mais clássicos da Itália, como também deu ao mundo o molho à *bolonhesa* (ragu). O autêntico molho contém uns 20 ingredientes e costuma ser servido com *tagliatelle* –jamais com espaguete. Massa aqui é uma forma de arte. Diz a lenda que o *tagliatelle* foi inventado em honra do cabelo dourado de Lucrécia Bórgia, e que o tortellini tem a forma do umbigo de Vênus. Os frigoríficos de carne suína da região são os mais famosos do país: produzem excelentes linguiças, salames e mortadelas utilizando todas as partes do porco, inclusive os pés, recheados para compor o *zamponi*, especialidade local.

Antigamente a Emília e a costeira Romanha eram duas províncias, e até hoje sua culinária é diferente. Enquanto a gastronomia da Emília é generosa no uso de manteiga, queijo e cogumelos, a da Romanha utiliza mais azeite de oliva, alho, cebolas e peixes. Nesta região o Adriático tem abundante vida marinha e é especialmente bom para a pesca de rodovalho (*rombo*) – o "faisão do mar".

Seleção dos melhores salames e carnes cozidas da Itália

PRATOS E ESPECIALIDADES REGIONAIS

Crostini alla Toscana

O azeite de oliva da Toscana tem qualidade notável. Utilizado de várias maneiras, é parte integral das *crostini*, torradas regadas a azeite de oliva e com diferentes coberturas, como fígado de galinha nas *crostini alla Toscana*. Produtores de salame são destaque na região e o *prosciutto di cinghiale* (presunto de javali selvagem) é uma verdadeira iguaria. Em Bolonha, além do *tagliatelle al ragù*, outras massas muito populares são o tortellini e o tortelloni (este maior do que o outro), em geral recheados com queijo, manteiga e ervas. *Panforte* é o bolo natalino italiano –uma delícia feita de frutas, nozes, mel, açúcar e especiarias. Prove também os biscoitos de amêndoa *ricciarelli*, que têm formato de diamante, e a dourada *torta di riso*, à base de arroz.

Cacciucco *Sopa de peixes e frutos do mar de Livorno, com ervas e tomates, e servida com torradas de alho.*

Parte de um enorme disco de parmigiano-reggiano ou parmesão

TOSCANA

A Toscana é o pomar e a horta da Itália. É igualmente famosa por sua carne vermelha, em especial a do gado Valdichiana do sul de Arezzo. O porco também é excelente, e a paixão dos toscanos pela caça assegura que lebre, faisão e porco-montês, muitas vezes servido com castanhas locais, tenham destaque nos menus. Um ingrediente-chave na cozinha toscana é o azeite de oliva, que entra no preparo de pratos e para regar pão, saladas, legumes, cozidos e sopas. Os usuais caldos e sopas são muitas vezes enriquecidos com favas, especialmente as favas *cannellini* brancas. Não é à toa que os toscanos são chamados de *toscani mangiafagioli* (comedores de favas).

ÚMBRIA E MARCHE

A Úmbria, "coração verde da Itália", é a única área fora do Piemonte com tamanha concentração de trufas. Norcia é a capital da trufa negra e tem lojas vendendo

Barraca de mercado toscano repleta de legumes frescos

pasta e azeites de trufa.
É também famosa por seus porcos e um dos pratos favoritos por lá é *porchetta* –leitão assado recheado com ervas. Na estação os cogumelos selvagens são abundantes, em particular os deliciosos *porcini*. A carne de caça é representada por aves como faisão, galinha d'angola ou pombo. A área rural do Marche também adota a *porchetta*; cordeiro e coelho são igualmente populares. A longa orla costeira produz peixes em abundância, os quais entram no preparo de caldos e na especialidade de Ancona, a *zuppa* (sopa) *di pesce* com açafrão.

NO MENU

Baci O nome destas avelãs peruginas cobertas de chocolate significa "beijos" em italiano.

Bistecca alla Fiorentina Steak marinado em ervas, alho e o melhor azeite de oliva extra virgem, é grelhado na brasa. A carne de gado Chianina é a melhor para esta receita.

Lepre in dolce e forte Traditional ensopado toscano de lebre com vinho tinto, limão, laranja, raspas de casca de limão-doce, alho, alecrim, legumes e cacau.

Vincisgrassi Prato de forno do Marche, leva camadas de presunto, massa e molho bechamel. Muitas vezes é salpicado com raspas de trufa.

Tagliatelle al ragù *Fios chatos de massa com molho de carne à bolonhesa, o mais típico da Itália.*

Arista alla Fiorentina *Lombo de porco ao forno com alho e alecrim, uma especialidade de Florença.*

Zuccotto *Especialidade da Toscana, este bolo é recheado com avelãs, amêndoas, chocolate e creme.*

Os Vinhos do Centro da Itália

Detalhe de um mosaico romano

Vinhedos espalham-se por toda região central da Itália –das ondulantes colinas da Toscana às planícies da Emília-Romanha. Os melhores vinhos tintos originam-se nas colinas do sudeste da Toscana: Chianti Classico, Brunello di Montalcino e Vino Nobile di Montepulciano. Ainda hoje, a qualidade de boa parte dos vinhos da região continua se aprimorando graças à inovadora mistura de técnicas modernas e tradicionais.

O **Chianti Classico** *é a essência da região do Chianti. Poe ser leve e frutado ou denso e duradouro. O Rocca delle Macie tem um preço muito razoável.*

Vernaccia di San Gimignano *é um vinho branco toscano de longa data. Tradicionalmente um vinho dourado e frequentemente oxidado, agora também é produzido em estilo mais suave, para ser bebido ainda jovem. Teruzzi e Puthod produzem bons Vernaccia.*

O Vino Nobile di Montepulciano *é feito com as mesmas uvas que o Chianti. Pode ter qualidade superior e por isso é considerado um "vinho nobre". Os vinhedos rodeiam a bela aldeia de Montepulciano, no alto de uma colina.*

O Brunello di Montalcino *é produzido com uvas Sangiovese, sendo conhecido localmente como Brunello. Seu tanino consistente pode fazer com que demore até dez anos para que o sabor rico e forte do vinho se revele. O Rosso di Montalcino, por sua vez, pode ser saboreado mais cedo.*

SUPERTOSCANOS

Durante os anos 70, alguns produtores de vinho começaram a inovar e criar vinhos especiais, que, sob as regras vigentes, seriam rotulados como simples vinhos de mesa. A tendência, que começou com o Tignanello de Antinori (uma combinação Sangiovese-Cabernet Sauvignon), revalorizou o vinho toscano, gerando interessantes variações.

Sassicaia, vinho tinto feito com a uva Cabernet Sauvignon

Propriedade de Chianti em Badia a Passignano, na Toscana

LEGENDA

- Chianti
- Chianti Classico
- Vernaccia di San Gimignano
- Brunello di Montalcino
- Vino Nobile di Montepulciano
- Orvieto Classico
- Orvieto
- Verdicchio dei Castelli di Jesi
- Lambrusco

O **Verdicchio** *é um vinho branco seco da Marche com sabor forte, levemente salgado. A introdução do Verdicchio de um único vinhedo, como o CaSal di Serra, de Umani Ronchi, tem sido muito elogiada.*

O **Orvieto Classico** *é vinho branco da Úmbria bastante conhecido. Esta versão, seca, da propriedade Antinori é um bom exemplo de Orvieto moderno. Ele também pode resultar em uma bebida mais doce, conhecida como* Abboccato.

UVAS DO CENTRO DA ITÁLIA

Uva Sangiovese

A versátil uva Sangiovese domina a produção de vinho no Centro da Itália. É a principal uva usada na produção do Chianti, Vino Nobile di Montepulciano, Brunello di Montalcino e em muitos dos *Supertoscanos*. O Trebbiano e o Malvasia encabeçam a lista dos mais renomados. Variedades importadas, como a Chardonnay (branca) e a Cabernet Sauvignon (tinta), assumem um papel cada vez mais importante, sendo usadas para completar e realçar as variedades nativas.

COMO DECIFRAR O RÓTULO

BONS PRODUTORES DE VINHOS

Chianti: Antinori, Badia a Coltibuono, Brolio, Castello di Ama, Castello di Rampolla, Fattoria Selvapiana, Felsina Berardenga, Il Palazzino, Isole e Olena, Monte Vertine, Riecine, Rocca delle Macie, Ruffino, Tenuta Fontodi. **Brunello di Montalcino:** Argiano, Altesino, Caparzo, Castelgiocondo, Costanti, Il Poggione, Villa Banfi. **Vino Nobile di Montepulciano:** Avignonesi, Le Casalte, Poliziano. Na **Úmbria:** Adanti, Lungarotti.

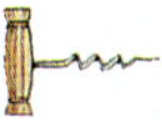

Boas safras de Chianti
2008, 2007, 2004, 2003, 2001, 2000, 1999, 1997, 1995, 1993, 1990, 1988.

A Arquitetura do Centro da Itália

O Centro da Itália preserva inúmeros belos edifícios renascentistas, grande parte concentrada em Florença e arredores. Suas linhas bem definidas, simplicidade e proporções harmoniosas surgiram de uma reavaliação do passado. Rompendo com o estilo gótico, os arquitetos renascentistas voltaram à Roma Clássica para se inspirar. Já no final do século 15, começou a ser construída a maioria dos grandes edifícios, financiados pela Igreja Católica ou por poderosas famílias nobres, como os Medici de Florença.

Palazzo Ducale em Urbino (iniciado em 1465)

EDIFÍCIOS RELIGIOSOS

O Duomo de Pienza *foi construído por Bernardo Rossellino em 1459 para o papa Pio II, como parte da cidade renascentista ideal* (pág. 333).

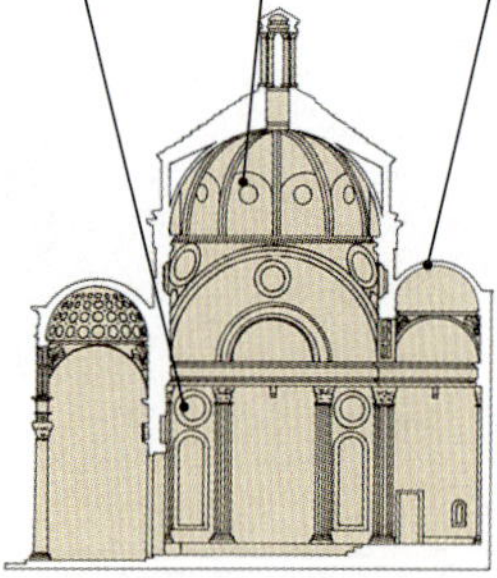

A Capela Pazzi *de Santa Croce (1433), em Florença, é uma das obras mais famosas de Brunelleschi, decorada com medalhões de terracota de Luca della Robbia* (págs. 284-5).

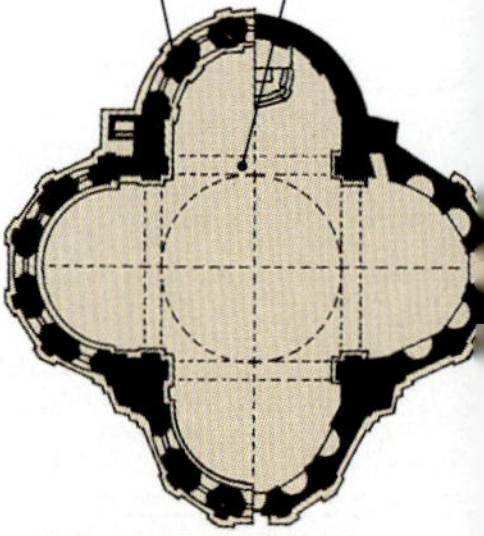

A Santa Maria della Consolazione, *em Todi, começou a ser erguida em 1508, com ideias marcantes de Bramante* (pág. 359).

CASAS URBANAS E RURAIS

O Palazzo Strozzi *(1489-1536), em Florença, é um exemplo típico dos muitos palácios urbanos da Toscana* (pág. 328). *Os três pisos têm importância igual, e o imponente rústico trabalho em pedra transmite sensação de força e poder* (pág. 293).

ONDE VER A ARQUITETURA

Os princípios do Renascimento, que eram bastante simples, foram interpretados de forma diferente longe de Florença. Berço do pensamento e criação artística, essa cidade ostenta o maior número de igrejas e palácios. O Tempio Malatestiano *(pág. 266)*, de Alberti, em Rimini, evoca a sobriedade da arquitetura romana antiga, reinterpretada de forma original. O Palazzo Ducale *(págs. 370-1)*, em Urbino, aperfeiçoa a graça e requinte da época, sendo uma residência verdadeiramente nobre. Em menor escala, destacam-se os centros planejados de elegantes cidades, como Ferrara *(pág. 261)*, Pienza *(pág. 333)* e Urbania *(pág. 369)*. Os três prestam homenagem à arte antiga, graças à ação de patronos cultos.

Jardim de Boboli, em Florença

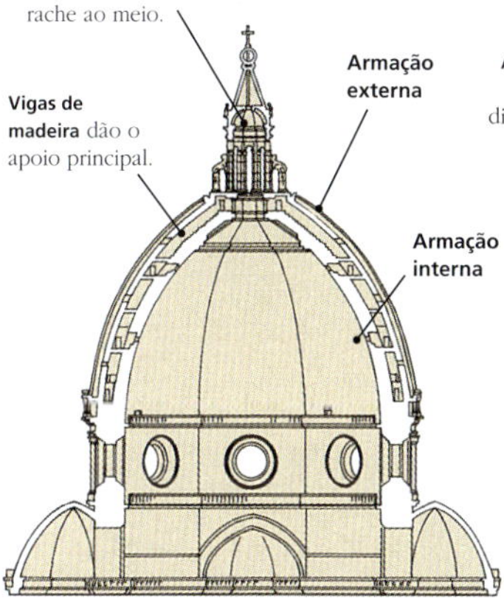

O Duomo de Florença *é coroado por um revolucionário domo (1436) de Brunelleschi, que precisou ser construído sem andaime devido ao seu tamanho. A estrutura de madeira é coberta por dupla armação* (págs. 280-1).

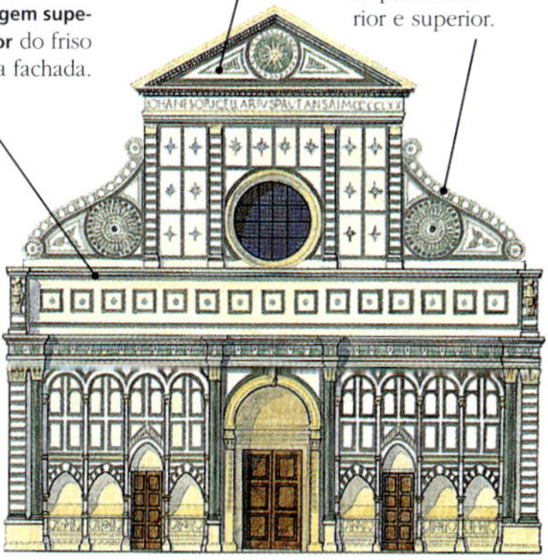

A fachada de Santa Maria Novella *(1458-70), em Florença, foi projetada por Leon Battista Alberti, que incorporou algumas características góticas a um típico projeto renascentista* (págs. 296-7).

A villa em Poggio a Caiano *foi construída em 1480 e reprojetada durante o Renascimento por Giuliano da Sangallo* (pág. 328). *A graciosa escadaria foi acrescentada ao redor de 1802.*

EMÍLIA-ROMANHA

A Emília-Romanha é o coração do Centro da Itália. Forma um amplo corredor através das colinas e planícies do vale do rio Pó, indicando a divisão entre o Norte frio dos Alpes e o Sul quente do Mediterrâneo. Com rica agricultura, cidades históricas importantes e indústria florescente, é uma das regiões mais prósperas da Itália.

A maioria das principais cidades da Emília-Romanha fica perto da Via Aemilia, uma estrada romana construída em 187 a.C. para ligar Rimini na costa do Adriático à cidade militar de Piacenza. Antes dos romanos, os etruscos haviam governado a região. Sua capital era Felsina, situada na atual Bolonha. Após a queda de Roma, o centro da região passou a ser Ravenna, que se tornou uma importante peça do Império Bizantino.

Durante a Idade Média, peregrinos a caminho de Roma continuaram usando a Via Aemilia. Entretanto, o poder político passou para as mãos de influentes famílias nobres –os Malatesta em Rimini, os Bentivoglio em Bolonha, os d'Este em Ferrara e Modena e os Farnese em Parma e Piacenza. Grandes cortes cresceram ao redor das famílias, atraindo poetas, como Dante e Ariosto, pintores, escultores e arquitetos. Muitas de suas obras ainda adornam os centros medievais dessas cidades. A moderna Emília-Romanha, formada pela união de diferentes Estados-papais em 1860, teve suas fronteiras atuais estabelecidas em 1947. A Emília, metade ocidental da região, é tradicionalmente associada ao Norte e a uma tendência política de esquerda. A Romanha, por outro lado, presencia há algum tempo maior apoio a partidos de direita, propondo independência política de Roma.

Toda a região tem fama de grande centro gastronômico. Há muito tempo, a agricultura é próspera nas margens do rio Pó, o que rendeu à Pianura Padana (planície do Pó) os apelidos de "cesta de pães" e "cesta de frutas" da Itália. A criação suína também continua intensa em muitas áreas, e alguns dos produtos básicos mais comuns do país –o presunto de Parma e o queijo parmesão– são produzidos aqui.

O Palazzo del Comune, com estilo medieval, em Ferrara

◁ **A Fontana del Nettuno, em Bolonha**

Como Explorar a Emília-Romanha

A Emília-Romanha é uma colcha de retalhos de campos e planícies entre o rio Pó, ao Norte, e os arborizados declives das montanhas dos Apeninos, ao Sul. O melhor lugar para iniciar uma visita à região é a central Bolonha. Sua rival de longa data, Modena, possui uma das mais lindas catedrais românicas do país. Parma tem um ar mais provinciano e tranquilo, como Ferrara. Castell'Arquato apresenta-se como exemplo das aldeias menores que pontilham as colinas ao sul do rio Pó.

Piazza Cavalli, a praça central de Piacenza

VEJA TAMBÉM

- ***Onde Ficar*** págs. 571-3
- ***Onde Comer*** págs. 618-9

Juncos acompanham o delta do rio Pó

PRINCIPAIS ATRAÇÕES

Bolonha págs. 262-5 ❼
Castell'Arquato ❷
Faenza ❽
Ferrara ❻
Fidenza ❸
Modena ❺
Parma ❹
Piacenza ❶
Delta do Pó ⓫
Ravenna págs. 266-9 ❿
Rimini ❾

COMO CIRCULAR

Excelentes estradas e ferrovias, auxiliadas pelo terreno plano, fazem com que esta seja uma região de fácil e rápida circulação. Bolonha é ligada pela A1-E35 a Florença e pela A13 a Ferrara e Veneza. A movimentada A1-E35 liga Bolonha a Milão, via Piacenza, Fidenza e Parma. A A15-E31 une Parma a La Spezia, e a A21-E70 liga Piacenza e Cremona. Trens rápidos e frequentes correm ao longo da maioria das rotas paralelas.

Praia em Cesenatico, ao norte de Rimini, na costa do Adriático

Palazzo Pretorio, do século 13, em Castell'Arquato

Piacenza ❶

105.000. FS *Piazza Cavalli 7 (0523 32 93 24).* *qua e sáb.*

A história de Piacenza remonta à época dos romanos. Situada perto do rio Pó, servia como acampamento fortificado, protegendo a planície contra invasões.

Piacenza possui um centro antigo, baseado no traçado romano, repleto de belos edifícios medievais e renascentistas. Os destaques são duas estátuas equestres de bronze, na Piazza Cavalli, obras do escultor do século 17 Francesco Mochi, um aluno de Giambologna. Louvadas como obras-primas da escultura barroca, representam Alessandro Farnese, um soldado mercenário, e seu filho, Ranuccio: ambos governantes de Piacenza no século 16.

Atrás das estátuas, fica o **Palazzo del Comune**, de tijolos vermelhos, também conhecido como "Il Gotico", um palácio gótico-lombardo cuja construção foi iniciada no fim do século 13. É uma das mais belas construções medievais italianas. O **Duomo**, no fim da Via XX Settembre, possui um exterior românico-lombardo bastante sombrio (com construção iniciada em 1122) e um campanário do século 14. O interior exibe uma cúpula pintada por Guercino e afrescos medievais na abside e transeptos. Perto do portão principal, há afrescos de santos pintados como membros da congregação.

O **Museo Civico** oferece uma eclética coleção de esculturas e pinturas –destaque para a *Madona e Menino com João Batista*, de Botticelli (1444-1510). Também há uma seção de armamentos e outra de arqueologia, cuja peça principal é o chamado Fegato di Piacenza, uma representação etrusca em bronze de fígados de carneiros, inscritos com nomes divinos, outrora usados pelos sacerdotes para fazer previsões.

Museo Civico
Palazzo Farnese, Piazza Cittadella. ***Tel*** *0523 49 26 58.* *ter-dom (manhã ter-qui).* *feriados.*

Castell'Arquato ❷

Piacenza. *4.500.* *(0523 803215) Piazza Municipio 1* *seg.*

Aninhada nas colinas entre Fidenza e Piacenza, Castell'Arquato é uma das mais belas aldeias da zona rural ao sul do rio Pó. Visitantes vêm aqui passar o fim de semana, fugindo das cidades maiores da Emília, lotando os bares e restaurantes ao redor da linda **Piazza Matteotti**. O mais destacado edifício medieval da *piazza* é o **Palazzo Pretorio**, uma basílica românica do século 13. A imponente **Rocca Viscontea**, do século 14, é uma antiga fortaleza na Piazza del Municipio. Está parcialmente fechada para reforma. A localização da aldeia no alto da colina proporciona lindas vistas, especialmente do verde vale Arda a leste.

Fidenza ❸

Parma. *23.000.* FS *Piazza Duomo 16 (0524 833 77).* *qua e sáb.*

Como muitas cidades ao longo do rio Pó, Fidenza deve sua importância passada à Via Aemilia (a antiga estrada romana). Ela sobressaiu como ponto de parada intermediário para peregrinos a caminho de Roma. Hoje Fidenza é visitada por causa de seu soberbo **Duomo** na Piazza Duomo (século 13), uma obra exemplar de complexa arquitetura que incorpora elementos lombardos, góticos e românicos. A característica que mais chama a atenção é sua opulenta fachada, provavelmente criada pelos artesãos que trabalharam com Benedetto Antelami no Duomo de Parma. No interior da catedral, podem-se ver fragmentos de afrescos medievais nas paredes. Na cripta, estão guardadas as relíquias de são Donnino, o padroeiro da catedral.

Detalhe da fachada do Duomo, em Fidenza

Interior do Batistério de Parma

Parma ❹

175.000. FS Via Melloni 1a (0521 21 88 89). qua e sáb; qui (mercado-de-pulgas) www.comune.parma.it

Poucas cidades italianas são tão prósperas como Parma. Não é apenas sinônimo de boa comida e alta qualidade de vida, mas também um reduto de tesouros, incluindo excelentes pinturas, magníficas esculturas e edifícios medievais. A cidade possui uma das melhores casas de ópera da Itália, lojas elegantes e requintados bares e restaurantes.

O **Duomo** lombardo-românico na Piazza Duomo, um dos maiores no Norte da Itália, é famoso pela pintura que ocupa a cúpula principal, a *Assunção* (1526-1530), de Antonio da Correggio. A nave é adornada com obras dos alunos de Correggio. O transepto sul tem o friso *A Deposição* (1178), do escultor Benedetto Antelami, responsável por boa parte do belíssimo **Batistério** (1196), ao sul da catedral. Os relevos, em seu interior e exterior –especialmente os que ilustram os meses do ano– estão entre os mais importantes da época na Itália.

A leste do Duomo, fica a igreja de **San Giovanni Evangelista** (reconstruída entre 1498-1510), cujo domo exibe um afresco (c.1520) da *Visão de São João em Patmos*, de Correggio. Afrescos de Parmigianino podem ser vistos aqui e na igreja de **Madonna della Steccata**, do século 16, na Via Dante.

Palazzo Pilotta

Piazzale della Pilotta 15. **Galleria** *Tel 0521 23 33 09.* *manhã ter-dom.* **Museo** *Tel 0521 23 37 18.* *manhã ter-sáb; tarde dom.*

Este amplo palácio foi construído para a família Farnese nos anos de 1500, e refeito após um bombardeio na Segunda Guerra Mundial. Uma das atrações do palácio é o **Teatro Farnese** (1628), todo em madeira, uma cópia do encantador teatro de Palladio em Vicenza.

Parmigianino e Correggio estão presentes na **Galleria Nazionale**, que inclui trabalhos de Fra Angelico, El Greco e Bronzino, além de duas pinturas de Ludovico Carracci: *Apóstolos no Sepulcro* e *Funeral da Virgem* (ambas do fim do século 16).

O **Museo Archeologico Nazionale**, no piso térreo, expõe objetos encontrados na necrópole etrusca de Velleia e em sítios pré-históricos das colinas em torno de Parma.

Camera di Correggio

Via Melloni. *Tel 0521 23 33 09.* *manhã ter-dom.*

Originalmente o refeitório do convento beneditino de San Paolo, esta sala foi pintada por Correggio com afrescos de cenas mitológicas em 1518.

Campanário e Batistério em Parma

PRODUÇÃO DE QUEIJO PARMESÃO E DE PRESUNTO DE PARMA

Nenhum queijo é tão famoso ou vital para a cozinha italiana quanto o parmesão *(parmigiano)*. Há dois tipos: o Parmigiano-Reggiano e o Grana, de qualidade inferior. Ainda hoje são feitos com técnicas quase inalteradas ao longo dos séculos. Leite semidesnatado é acrescentado ao soro para promover a fermentação, sendo depois colocado o coalho. O queijo é então salgado e moldado. Usa-se o parmesão em diversas receitas, mas também é delicioso servido sozinho ou com peras, uma especialidade italiana.

Queijo parmesão e presunto de Parma à venda

O presunto de Parma deve sua excelência a técnicas aperfeiçoadas durante muitos anos e às condições especiais em que é curado. A carne, proveniente de porcos engordados com o soro restante da produção do queijo parmesão, exige pouco mais que sal e pimenta para produzir o famoso *prosciutto crudo*. Brisas constantes fazem das colinas de Langhirino, ao sul de Parma, o local para curar os presuntos, envelhecidos por até dez meses. Cada presunto é marcado com a coroa de cinco pontas do antigo Ducado de Parma.

Flora de Carlo Cignani (1628-1719), na Galleria Estense, em Modena

Modena ❺

175.000. FS Piazza Grande 14 (059 203 26 60). seg. www.comune.modena.it/infoturismo

Para a maioria dos italianos, Modena é sinônimo de carros velozes, afinal as fábricas Ferrari e Maserati ficam nos arredores industriais da cidade, e também significa ópera, já que é a cidade natal de Luciano Pavarotti. Monumentos antigos a tornam um dos mais atraentes pontos históricos da Emília. Próspera colônia desde tempos romanos, a cidade adquiriu importância na época medieval graças à sua extensa área agrícola e à chegada dos nobres d'Este de Ferrara, em 1598. Esta família governou a cidade até o século 18.

Duomo

Corso Duomo. **Tel** *059 21 60 78.* *diariam.* **Torre Ghirlandina** *abr-out: 9h-12h30, 15h-19h dom.* *ago.*

O soberbo **Duomo** de Modena ergue-se ao lado da antiga Via Emilia. Um dos mais grandiosos edifícios românicos da região, a catedral foi fundada pela condessa Matilda da Toscana, governante de Modena no século 11. Foi projetada por Lanfranco e dedicada a são Geminiano, o santo padroeiro da cidade, cujo túmulo de pedra fica sob o coro.

A característica mais notável no lado de fora é a **Torre Ghirlandina**, (abr-out: 10h-13h, 15h-19h dom) uma torre inclinada cuja construção foi iniciada junto com a da catedral e concluída dois séculos depois. Abrigou a famosa *Secchia*, uma tina de madeira roubada de Bolonha em 1325, o que teria provocado uma guerra entre as duas cidades. No século 17, Tassoni escreveu o poema épico satírico *La Secchia Rapita* (A Tina Roubada), tornando-se símbolo da rivalidade entre as cidades.

Os grandes relevos na imponente fachada principal (oeste) do Duomo são obra do misterioso escultor do século 12, Wiligelmus. No sóbrio interior, destaca-se a grande tribuna esculpida no século 12 com cenas da *Paixão de Cristo*.

Palazzo dei Musei

Largo di Porta Sant'Agostino 337. **Galleria Estense** **Tel** *059 439 57 11.* *8h30-19h30 ter-dom.* *1° jan, 1° mai, 25 dez.* **Biblioteca Estense** **Tel** *059 22 22 48.* *seg-sáb (manhã sex e sáb).* *feriados.*

A noroeste do Duomo, cruzando um agradável bairro de ruas antigas, chega-se ao Palazzo dei Musei. Ele já foi um arsenal e asilo de pobres, e hoje abriga os melhores acervos da cidade. A mais bela seção é a **Galleria Estense**, cedida à coleção particular dos d'Este, transferida quando a cidade de Ferrara, domínio anterior da família, tornou-se parte dos Estados papais. A maioria das pinturas é de artistas da Emília e Ferrarese (especialmente Reni e os Carracci), mas também há obras de Bernini, Velásquez, Tintoretto e Veronese.

Entre os objetos em exposição permanente na **Biblioteca Estense**, estão uma edição de 1481 da *Divina Comédia*, de Dante, e dezenas de mapas e cartas diplomáticas, muitas com séculos de existência. Um mapa de 1501 é uma das primeiras ilustrações da viagem de Colombo ao Novo Mundo em 1492. Entretanto, a joia do acervo é a magnífica iluminura da Bíblia Borso d'Este, com páginas gloriosamente decoradas, que reúnem mais de 1.200 miniaturas, feitas por artistas do século 15 da Escola de Ferrara, principalmente Taddeo Crivelli e Franco Russi.

A Torre Ghirlandina em Modena

Arredores: A fábrica da **Ferrari**, 20km ao sul, foi fundada por Enzo Ferrari em 1945. Hoje pertencente à Fiat. A **Galleria Ferrari** tem uma pequena exposição de lembranças, uma reconstrução do escritório do fundador, motores clássicos e muitos carros antigos.

Galleria Ferrari

Via Dino Ferrari 43, Maranello. **Tel** *0536 94 32 04.* *9h30-18h diariam.* *25 dez, 1° jan*

Ferrari 250 SWB, fabricada entre 1959 e 1962

Ferrara ❻

140.000. FS *Castello Estense, Largo Castello (0532-20 93 70).* *seg e sex.*

A dinastia d'Este deixou uma marca permanente em Ferrara, uma das maiores cidades fortificadas da região. A família dominou a cidade sob Nicolò II no fim do século 13 e manteve o poder até 1598, quando foi forçada pelo papado a mudar-se para Modena.

Fachada do Duomo em Ferrara

Castello Estense

Largo Castello. ***Tel*** *0532 29 92 33.* *ter-dom (mar-mai: diariam).* *feriados.*

Sede da dinastia d'Este, este castelo começou a ser construído em 1385 e ainda hoje parece vigiar a cidade com suas torres, fosso e ameias. Giulio d'Este e Ferrante ficaram encarcerados em seus calabouços por conspirar contra Afonso I d'Este. Parisina d'Este, mulher de Nicolò III, foi executada aqui por ter mantido um caso com Ugo, seu enteado ilegítimo.

O imponente Castello Estense medieval em Ferrara

Palazzo del Comune

Piazza Municipale.

Uma estátua de bronze de Nicolò III e outra de Borso d'Este, um dos supostos 27 filhos de Nicolò, enfeitam este palácio medieval, que começou a ser erguido em 1243. Ambas são cópias das originais do século 15 de Leon Battista Alberti.

Museo della Cattedrale

Via San Romano. ***Tel*** *0532 76 12 99.* *ter-dom.* *6 jan, Páscoa, 25 e 26 dez.*

O **Duomo** do século 12 mistura os estilos românico e gótico e foi projetado por Wiligelmus. Na fachada, relevos mostram cenas do *Juízo Final*. No **museu** (numa ex-igreja, oposta à catedral) também está exposta uma linda série de relevos em mármore das *Tarefas dos Meses* (fim do século 12), além de duas venezianas de órgão pintadas (1469) com *São Jorge* e *Anunciação*, de Cosmè Tura, e *Madona da Romãzeira* (1408), de Jacopo della Quercia.

Palazzo Schifanoia

Via Scandiana 23. ***Tel*** *0532 641 78.* *ter-dom.* *feriados.*

Este refúgio de verão da família d'Este começou a ser construído em 1385 e ficou famoso por seu Salone dei Mesi (Salão dos Meses), decorado com lindos murais (século 15) de Tura e outros pintores locais, com cenas dos meses do ano.

Museo Archeologico Nazionale

Palazzo di Ludovico il Moro, Via XX Settembre 122. ***Tel*** *0532 662 99.* *9h-14h ter-dom.* *1º mai, 25 dez.*

As peças mais interessantes deste acervo são artefatos escavados em Spina, um posto comercial greco-etrusco perto de Comacchio, no delta do Pó.

Palazzo dei Diamanti

Corso Ercole d'Este 21. ***Tel*** *0532 20 58 44.* *manhã ter-dom, tarde qui.* *1º jan, 1º mai, 25 dez.*

Com motivos de diamantes na fachada, este palácio abriga uma galeria de arte moderna, um acervo sobre o *Risorgimento* e a Pinacoteca Nazionale, com obras de exponentes da Escola Renascentista local.

DINASTIA DA FAMÍLIA D'ESTE

Durante seu apogeu medieval, a família d'Este comandou uma das mais importantes cortes da Europa, combinando o papel de déspotas sanguinários com o de eruditos patronos renascentistas. Nicolò III, por exemplo, mandou assassinar brutalmente sua mulher e o amante dela. Afonso I (1503-34) casou-se com Lucrécia Bórgia, descendente de uma das mais eminentes famílias da Itália, enquanto Ercole I (1407-1505) tentou envenenar um sobrinho que quis usurpar-lhe o trono (e acabou por executá-lo). Ao mesmo tempo, a corte d'Este atraiu escritores como Petrarca, Tasso e Ariosto e pintores como Mantegna, Ticiano e Bellini. Ercole I reconstruiu Ferrara, criando uma das mais belas cidades renascentistas da Europa.

Retrato de Afonso I d'Este, de Ticiano (c.1485-1576)

Rua a Rua: Bolonha ❼

Detalhe da fachada de San Petronio

Um belo conjunto de prédios em tijolo e charmosas ruas com pórticos formam o centro histórico de Bolonha. Palácios medievais rodeiam suas duas praças centrais, a Piazza Maggiore e a Piazza del Nettuno, limitadas ao sul pelas igrejas de San Petronio e San Domenico. A universidade de Bolonha é uma das mais antigas da Europa, e o notável Archiginnasio foi a primeira construção oficial. Fora do centro, destacam-se o perfil das torres Asinelli e Garisenda e do campanário de Santo Stefano.

Fontana di Nettuno
A famosa fonte de Netuno (1566) foi projetada por Tommaso Laureti e decorada com magníficas figuras em bronze de Giambologna.

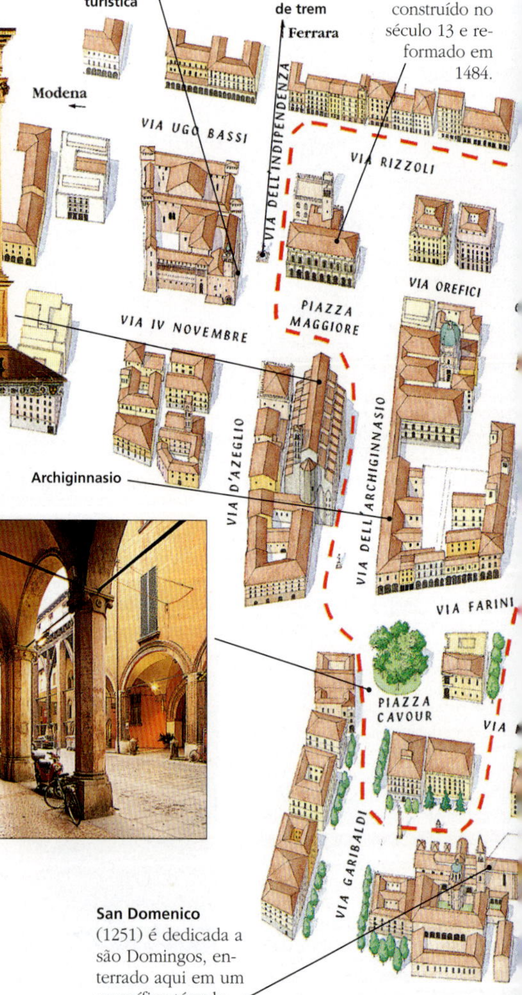

O Palazzo del Podestà foi construído no século 13 e reformado em 1484.

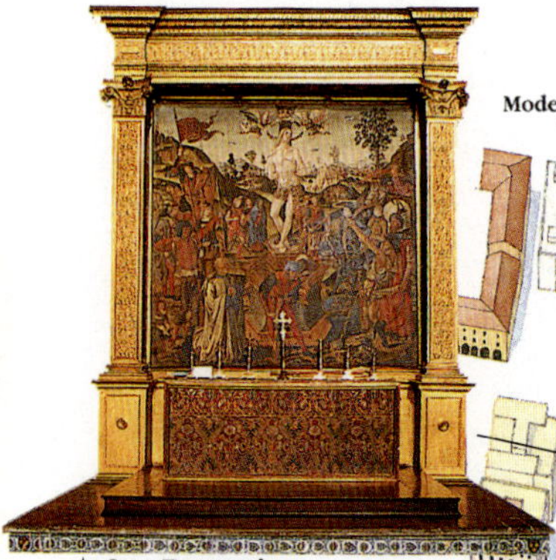

★ San Petronio
O Martírio de São Sebastião (século 15) na Cappella di San Sebastiano foi executado por Lorenzo Costa, da Escola de Ferrara.

Piazza Cavour
As ruas medievais e as construções com pórticos desta bela piazza são característicos do elegante centro de Bolonha.

San Domenico (1251) é dedicada a são Domingos, enterrado aqui em um magnífico túmulo.

PONTO ALTO

★ San Petronio

San Giacomo Maggiore
O afresco Triunfo da Morte *(1483-6), de Costa, adorna a Cappella Bentivoglio.*

PREPARE-SE

400.000. Marconi 9km a noroeste. FS Piazza Medaglia d'Oro. Piazza XX Settembre. Aeroporto, Piazza Maggiore 1/A e Stazione Centrale (051 23 96 60). sex-sáb. mar-jun: Festival de Música de Bolonha; jun-set: Bologna Sogna.
www.bolognaturismo.info

San Giacomo Maggiore

Piazza Rossini. ***Tel*** *051 22 59 70.*
diariam.

Esta igreja gótica-românica começou a ser construída em 1267, mas foi substancialmente alterada posteriormente. Hoje atrai visitantes principalmente pela Cappella Bentivoglio, uma soberba capela familiar criada por Annibale Bentivoglio em 1445 e consagrada em 1486. Seu maior destaque é um sutil retrato dos patronos, feito por Lorenzo Costa (1460-1535), que também foi o autor dos afrescos *Apocalipse, Madona Entronizada e Triunfo da Morte.* A peça de altar, que retrata a *Virgem e Santos com Dois Anjos Músicos* (1488), foi feita por Francesco Francia. A homenagem à família continua no túmulo de Anton Galeazzo Bentivoglio (1435), em frente à capela. Esta foi uma das últimas obras do famoso escultor de Siena, Jacopo della Quercia. O oratório de santa Cecília exibe afrescos sobre *A Vida de Santa Cecília* e *A Vida de São Valeriano* (1504-6), ambos pintados por Costa e Francesco Francia.

Túmulo de Bentivoglio (1435), obra de Jacopo della Quercia

Torri degli Asinelli e Garisenda
Restaram poucas das torres construídas por importantes famílias locais no século 12. Estas são dois exemplos.

Abbazia di Santo Stefano
A base da Fontana di Pilato, ou "Fonte de Pilatos", no pátio da abadia, apresenta inscrições lombardas do século 8°.

LEGENDA

Percurso sugerido

0 metros 150

Como Explorar Bolonha

Monumentos da rica herança cultural de Bolonha estão espalhados por toda a cidade, do centro antigo, com as torres inclinadas e a igreja de San Petronio, ao bairro universitário, onde fica a Pinacoteca Nazionale.

Torri degli Asinelli e Garisenda

Piazza di Porta Ravegnana. **Torre degli Asinelli** *diariam.*

As famosas torres inclinadas – a Torre degli Asinelli e a Torre Garisenda– estão entre as poucas remanescentes das 200 que desenhavam o horizonte da cidade.

Ambas tiveram sua construção iniciada no século 12 e provavelmente substituíram torres mais antigas –Dante mencionou um par de torres daqui em seu *Inferno*. Por questão de segurança, a Garisenda foi diminuída poucos anos após sua construção, apresentando uma inclinação vertical de quase três metros. Com 97m de altura, a Torre Asinelli é a quarta mais alta da Itália, depois das de Cremona, Siena e Veneza, e oferece lindas vistas.

Abbazia di Santo Stefano

Via Santo Stefano 24. ***Tel** 051 22 32 56.* *9h-12h, 15h30-18h30 diariam.* **www**.abbaziasantostefano.it

Esta abadia é formada por um curioso conjunto de quatro igrejas medievais (originalmente sete), reunidas sob um mesmo telhado. A igreja do

Exterior da Abbazia di Santo Stefano

SAN PETRONIO

Piazza Maggiore. ***Tel** 051 22 21 12.* *diariam.*

Dedicada ao santo que foi bispo de Bolonha durante o século 5°, esta igreja está entre os mais grandiosos edifícios medievais construídos com tijolos na Itália. Fundada em 1390, foi planejada para ser maior que a Basílica de São Pedro, em Roma, mas o projeto foi reduzido com o desvio de recursos para o Palazzo Archiginnasio. As dificuldades financeiras deixaram a igreja assimétrica, com uma fileira extra de colunas no lado leste (que deveria sustentar uma nave lateral adicional). O desperdício financeiro registrado aqui teria sido um dos fatores que levaram Martinho Lutero a ficar contra a Igreja.

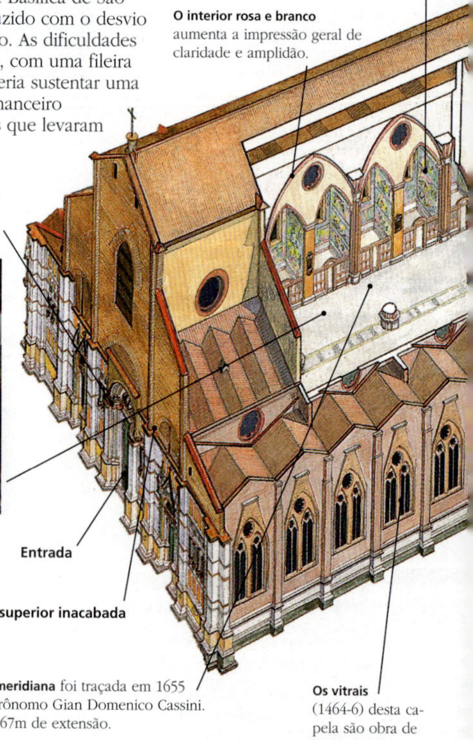

A peça de altar do *Martírio de São Sebastião* pertence à Escola de Ferrara tardia.

O interior rosa e branco aumenta a impressão geral de claridade e amplidão.

O portal principal com dossel apresenta lindos relevos bíblicos (1425-38) de Jacopo della Quercia.

Entrada

Fachada superior inacabada

A linha meridiana foi traçada em 1655 pelo astrônomo Gian Domenico Cassini. Ela tem 67m de extensão.

Os vitrais (1464-6) desta capela são obra de Jacob de Ulm.

Interior Gótico

O interior é amplo, com graciosos pilares sustentando o teto. Vinte e duas capelas, protegidas por telas, abrem-se para a nave. Em 1547, o Concílio de Trento (pág. 174) *mudou-se temporariamente para cá por causa da peste.*

Para hotéis e restaurantes nesta região, ver págs. 574-6 e págs. 624-6

Crocifisso, do século 11, tem pouco além de um corredor que leva à San Sepolcro, a mais atraente das quatro –e também do século 11. Sua peça central é o túmulo de são Petrônio, inspirado no Santo Sepulcro de Jerusalém. No pátio, encontra-se a Fontana di Pilato, com base do século 8°.

A igreja de Santi Vitale e Agricola foi erguida originalmente no século 5°, sendo a mais antiga da cidade. Mas foi reconstruída nos séculos 8° e 11. Em seu interior, podem ser vistos os sarcófagos de são Vitalis e santo Agricola, martirizados no século 4°. A igreja de Santa Trinità possui um pequeno museu com pinturas e artefatos sacros, incluindo estátuas de madeira sobre a *Adoração dos Magos*, pintadas por Simone dei Crocifissi (c.1370).

As lindas cadeiras do coro da Capela do Santo Sacramento foram feitas por Raffaello da Brescia, em 1521.

Pinacoteca Nazionale

Via delle Belle Arti 56. ***Tel*** *051 421 19 84.* *ter-dom.* *1° jan, 1° mai, 16 ago, 25 dez.*
www.pinacotecabologna.it

Esta é a principal galeria de arte de Bolonha e um dos acervos mais importantes do Norte da Itália. Fica situada no limite do bairro universitário, uma agitada área com muitos bares, livrarias e restaurantes baratos. A pinacoteca se dedica principalmente a artistas bolonheses, como Vitale da Bologna, Guido Reni, a família Carracci e Guercino. Membros da Escola de Ferrara também estão representados, com Francesco del Cossa e Ercole de' Roberti. Entre as obras do acervo destacam-se a *Madona em Glória* (c.1491), de Perugino, e o famoso *Êxtase de Santa Cecília* (c.1515), de Rafael. Os dois artistas trabalharam em Bolonha.

Êxtase de Santa Cecília **(c.1515), de Rafael, na Pinacoteca Nazionale, em Bolonha**

Museo delle Cere Anatomiche

Via Irnerio 48. ***Tel*** *051 24 42 15/ 051 24 22 17.* *9ah13h seg-sex.* *1° jan, Páscoa, 1° mai, 25 dez, feriados.*

Este museu de anatomia é um dos mais memoráveis dos pequenos museus de Bolonha. Com um raro, e às vezes chocante, acervo de esculturas de cera, reúne muitos modelos de órgãos, membros e corpos humanos. Por terem sido esculpidas, em vez de simplesmente moldadas, estas peças apresentam também interesse artístico, além do científico. Até o século 19, foram usadas para auxiliar no ensino de medicina. As obras que datam até o século 18 estão expostas no Palazzo Poggi, que também abriga o Museo Cartageographica.

San Domenico

Piazza di San Domenico 13.
Tel *051 640 04 11.* *diariam.*

Esta igreja de Bolonha reivindica ser a mais importante entre as muitas igrejas dominicanas da Itália. Começou a ser construída em 1221, após a morte de são Domingos, para abrigar o corpo do santo, que morreu aqui e está enterrado em um túmulo conhecido como *Arca di San Domenico*. Esta magnífica obra está composta por estátuas executadas por Nicola Pisano e relevos com cenas da *Vida de São Domingos* feitos por Nicola Pisano e assistentes. O dossel (1473) é atribuído a Nicola di Bari; enquanto as figuras dos *Anjos* e de *São Proculus* e *São Petrônio* são trabalhos do início da carreira de Michelangelo. O relicário (1383) atrás do sarcófago guarda a cabeça de são Domingos.

Arca di San Domenico, na Basilica di San Domenico

Afresco de *Malatesta e São Sigismundo* (1451), de Piero della Francesca, no Tempio Malatestiano, Rimini

Faenza ❽

Ravenna. 54.000. FS
Voltone Molinella 2 (0546 252 31). ter, qui e sáb.

Faenza é sinônimo de cerâmica faiança, assim batizada em sua homenagem. Famosa na Europa há mais de 500 anos, a cerâmica, com suas típicas cores azul e ocre, ainda é feita em pequenas fábricas ao redor da cidade.

O destaque de Faenza é o **Museo Internazionale delle Ceramiche**, uma das maiores coleções de cerâmicas da Itália. Suas peças exemplificam não apenas a louça local, mas também as cerâmicas de outros países e períodos, incluindo obras romanas e maiólicas medievais. Há ainda uma seção dedicada à cerâmica moderna, com obras de Picasso, Matisse e Chagall.

Museo Internazionale delle Ceramiche
Viale Baccarini 19. ***Tel*** *0546 69 73 11. abr-out: ter-dom; nov-mar: ter-dom (ter-qui manhã apenas). 1° jan, 1° mai, 15 ago, 25 dez.*

Rimini ❾

130.000. FS *Piazzale Fellini 3 (0541 569 02). qua e sáb.* **www**.riminiturismo.it

Rimini já foi um gracioso balneário à beira-mar, cujos encantos foram homenageados nos primeiros filmes do cineasta Federico Fellini (1920-93), nascido e criado aqui. Hoje, é o maior balneário litorâneo da Europa. Sua avenida beira-mar, com quase 15km, está repleta de clubes, bares e restaurantes. As praias lotadas são limpas e bem cuidadas, mas as praias particulares são pagas.

Tanta agitação contrasta com a tranquilidade do bairro antigo da cidade. Graciosas ruas de pedras rodeiam a **Piazza Cavour**, dominada pelo **Palazzo del Podestà** do século 14. O edifício mais bonito é o **Tempio Malatestiano**, construído para ser uma igreja franciscana, mas transformado em 1450 por Leon Battista Alberti, o grande arquiteto florentino, em um dos mais grandiosos monumentos renascentistas da Itália. A obra foi encomendada por Sigismondo Malatesta (1417-68), um descendente da família governante da Rimini medieval, conhecido como um dos homens mais devassos e cruéis de seu tempo. Aparentemente projetada como uma capela, tornou-se um monumento a Malatesta. No interior, há esculturas de Agostino di Duccio e um afresco (1451) de Piero della Francesca, no qual Malatesta aparece ajoelhado diante de são Sigismundo.

As iniciais entrelaçadas de Malatesta e de sua quarta mulher, Isotta degli Atti, são um constante motivo decorativo, e há relevos com cenas de orgias e figuras curiosas, como elefantes (um dos emblemas dos Malatesta) em poses estranhas. O papa Pio II declarou o edifício um "templo de adoradores do diabo" e queimou a efígie de Malatesta acusando-o de ter cometido "assassinato, violação, adultério, incesto, sacrilégio e perjúrio".
Arredores: Longe de Rimini, ao longo da costa, os balneários tornam-se relativamente mais tranquilos. Um exemplo é **Cesenatico**, 18km ao norte, que oferece praias mais vazias.

Tempio Malatestiano
Via IV Novembre. ***Tel*** *0541 511 30. 8h30-12h30, 15h30-19h diariam (9h-13h dom).*

Ravenna ❿

90.000. FS *Via Salara 8–12 (0544 354 04). qua e sáb; antiguidades na terceira semana de cada mês.* **www**.turismo.ravenna.it

A maioria dos visitantes vem a Ravenna por seus soberbos mosaicos do período bizantino *(págs. 268-9)*, mas a cidade também oferece uma mistura de ruas antigas, lojas elegantes e *piazze* tranquilas. No

Fachada do Tempio Malatestiano, em estilo renascentista, em Rimini

Para hotéis e restaurantes nesta região, ver págs. 574-6 e págs. 624-6

Piazza del Popolo, a praça central de Ravenna

Museo Nazionale há grande variedade de pinturas e peças arqueológicas. E o melhor lugar para relaxar é a medieval Piazza del Popolo. (A brasileira Anita Garibaldi morreu perto daqui, em San Alberto.)

Museo Nazionale
Via Fiandrini. ***Tel*** *0544 344 24.* *ter-dom.* *1º jan, 1º mai, 25 dez.*

Delta do Pó ⓫

Ferrara. *Ferrara Ostellata.* *para Goro ou Gorino.* *de Porto Garibaldi, Goro e Gorino.* *Via Mazzini 4, Comacchio (0533 31 41 54).* **Parco Delta del Po** ***Tel*** *0533 31 40 03.* **www**.parcodeltapo.it

O Pó é o rio mais extenso da Itália. Sua vasta bacia cobre cerca de 15% do país e abastece cerca de um terço da população italiana. Apesar de afetado pela poluição industrial em muitos pontos, ainda oferece lindas paisagens como fileiras de choupos ao longo de campos enevoados e lindas visões ao se mover pelo amplo delta, um estuário de pântanos, dunas e ilhas.

O **Parco Delta del Po** é um imenso parque nacional, que se extende por 600km², até a região do Vêneto. Áreas de terreno úmido, como o **Valli di Comacchio**, ao norte de Ravenna, também são reservas naturais. Constituem um abrigo de inverno para milhares de aves migratórias. Ornitólogos se reúnem aqui para ver gaivotas, galeirões, gansos-bravos-campestres e gaivinas pretas, além de espécies bem mais raras como a garça-branca, o tartaranhão-cinza e o biguá. **Comacchio**, o povoado mais próximo, é composto de 13 ilhotas ligadas por pontes. É um dos vários vilarejos pesqueiros da região. A pesca mais famosa são as enguias, geralmente capturadas com métodos da época dos romanos, como as represas.

Outra reserva natural protege o **Bosco della Mesola**, uma faixa de bosques plantados pelos etruscos e cuidados por várias gerações de monges. Pode-se caminhar ou pedalar pelo bosque e facilmente ver grandes bandos de veados.

Tartaranhão-cinza, no delta do Pó

Para conhecer bem a região, siga a N309 (um trecho da antiga trilha de peregrinação para Roma, a Via Romea), que corre de norte a sul por cerca de 100km do parque. Muitas pistas menores ramificam-se a partir dela, rumo a áreas mais selvagens. Também se pode fazer um passeio de barco a locais mais remotos do delta. Os principais pontos de embarque são as aldeias de Taglio di Po, Ca' Tiepolo e Ca' Vernier. Muitas áreas oferecem aluguel de bicicletas. O passeio de 125km pela margem direita do rio é bem popular.

Tranquila paisagem do delta do rio Pó

Um Passeio por Ravenna

Mosaico em San Vitale

Ravenna ganhou poder no século 1° a.C. sob o domínio do imperador Augusto, que construiu um porto e uma base naval na cidade vizinha de Classe, hoje local de uma grande escavação arqueológica. Com o declínio de Roma, Ravenna foi transformada na capital do Império do Ocidente (402), uma posição que manteve durante os governos ostrogodo e bizantino nos séculos 5° e 6°. Hoje a cidade é conhecida por seus mosaicos cristãos primitivos – ela converteu-se ao cristianismo no século 2°. Os mosaicos abrangem os anos de governo romano e bizantino, proporcionando comparações entre desenhos de inspiração clássica e motivos bizantinos mais tardios.

O Bom Pastor ②
Este mosaico adorna o minúsculo Mausoleo di Galla Placidia. Iniciado em 430, ele provavelmente nunca recebeu os restos mortais de Placidia, mulher do imperador bárbaro.

San Vitale ①
Os mosaicos (526-47) da abside mostram Cristo, são Vital (recebendo uma coroa de mártir), dois anjos e o bispo Ecclesius, que começou a construir a igreja (págs. 50-1).

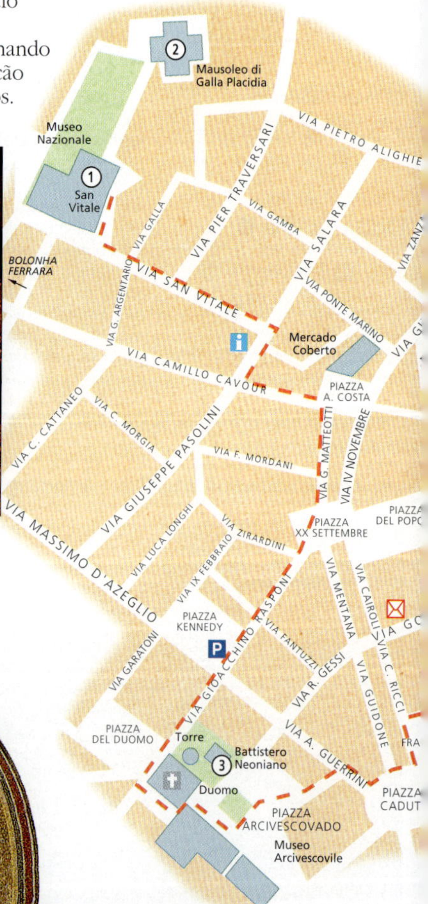

Batismo de Cristo ③
O Battistero Neoniano do século 5° tem o nome do bispo que deve ter encomendado sua decoração, incluindo este lindo mosaico sobre o batismo de Cristo. O batistério foi construído perto das ruínas de uma terma romana e é o monumento mais antigo de Ravenna.

Para hotéis e restaurantes nesta região, ver págs. 574-6 e págs. 624-6

Battistero degli Ariani ⑤
A cúpula deste batistério do fim do século 5° possui um mosaico dos Apóstolos *ao redor de uma peça central que retrata o* Batismo de Cristo.

PREPARE-SE

San Vitale e Mausoleo di Galla Placidia, Via Fiandrini. ***Tel*** *0544 54 16 88.* *abr-set: 9h-19h diariam; nov-fev: 9h30-17h; mar e out: 9h-17h30 (últ adm: 15min antes de fechar).* *1° jan, 25 dez.* **Battistero Neoniano**, Via Battistero. ***Tel*** *0544 54 16 88.* e *idem ao anterior, exceto nov-fev: 10h-17h.* **Sant'Apollinare Nuovo**, Via di Roma. ***Tel*** *0544 54 16 88.* e *idem ao anterior.* **Tomba di Dante**, Via Dante Alighieri 9. ***Tel*** *0544 302 52.* *abr-set: 9h-19h diariam; out-mar: 9h-12h, 14h-17h diariam (últ adm: 15min antes de fechar).* *1° jan, 25 dez.* **Battistero degli Ariani**, Via degli Ariani. ***Tel*** *0544 344 24.* *8h30-16h30 diariam (últ adm: 15min antes de fechar).* *1° jan, 1° mai.* *Ingresso combinado disponível. Reservas (obrig para Mausoleo di Galla Placidia):* ***Tel*** *800 303 999, 0544 54 16 88.* **www**.turismo.ravenna.it

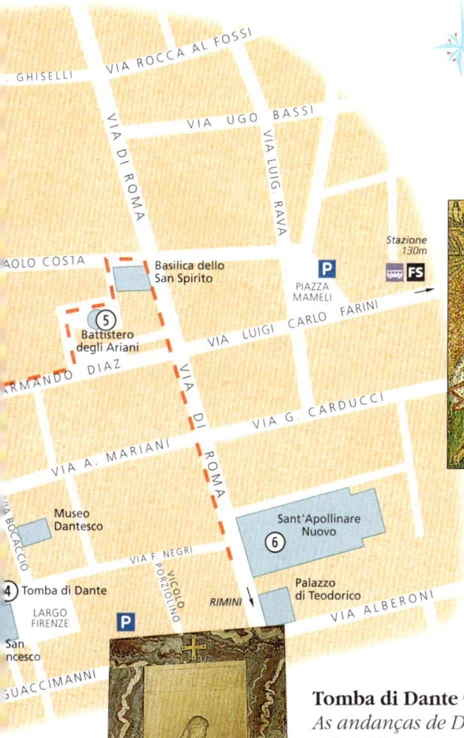

Sant'Apollinare Nuovo ⑥
Duas fileiras de mosaicos tomam conta desta gloriosa igreja do século 6°, com o nome do primeiro bispo de Ravenna. Ambas mostram procissões de mártires e virgens levando presentes para Cristo e a Virgem Maria.

Tomba di Dante ④
As andanças de Dante pela Itália após seu exílio de Florença o levaram a Ravenna, onde morreu em 1321. Um lampião em seu sepulcro (1780) é alimentado com óleo que vem de Florença.

LEGENDA

- - - Percurso sugerido

0 metros 200

Legenda dos símbolos *no final do guia*

FLORENÇA

Florença (Firenze) é um grande e lindo monumento ao Renascimento, o despertar artístico e cultural do século 15. Escritores como Dante, Petrarca e Maquiavel contribuíram com sua herança cultural, mas foram as pinturas e esculturas de artistas como Botticelli, Michelangelo e Donatello que transformaram a cidade em uma das principais capitais artísticas do mundo.

Os etruscos já tinham povoado havia muito tempo as colinas ao redor de Fiesole, quando Florença finalmente nasceu como uma colônia romana em 59 a.C. No século 6º foi capturada pelos lombardos e, depois da Idade Média, emergiu como uma cidade-estado independente. No século 13, um ativo comércio de lãs e tecidos, apoiado por um poderoso setor bancário, tornou a cidade um dos centros mais importantes da Itália. O controle político pertenceu inicialmente às guildas e, mais tarde, à República Florentina. Com o tempo, o poder foi transferido a famílias nobres –a mais influente era a dos Medici, uma dinastia de banqueiros extremamente rica. Florença e depois a Toscana ficaram sob o domínio quase inabalável dessa família durante três séculos. Nesse período, a cidade foi o coração cultural e intelectual da Europa. Seu ar cosmopolita e a fortuna de seus patronos impulsionaram uma época de crescimento artístico inigualável. Pintores, escultores e arquitetos corriam para cá enchendo suas ruas, igrejas e palácios com algumas das mais grandiosas obras já vistas. Em 1737, os Medici desapareceram, deixando a cidade sob o controle da Áustria (e, por pouco tempo, de Napoleão) até a Unificação Italiana em 1860. Entre 1865 e 1871, Florença foi a capital do novo reino da Itália. Um marco de sua história foi a enchente de 1966: o rio Arno transbordou e causou sérios danos à cidade.

Florentinos passeiam em frente à Ponte Vecchio, que desde 1345 cruza o rio Arno

◁ A cúpula do Duomo de Florença (concluído em 1436) foi projetada por Brunelleschi

Como Explorar Florença

A parte histórica de Florença é surpreendentemente compacta, e a maioria das atrações descritas nas próximas páginas é facilmente acessível a pé. Os turistas costumam começar pelo Duomo, o centro geográfico e histórico da cidade, visitando também o Campanário, o Batistério e o Museo dell'Opera del Duomo. Ao sul, fica a Piazza della Signoria, há muito tempo o coração político da cidade, ladeada pelo Palazzo Vecchio (a prefeitura de Florença) e pela Uffizi, que tem um dos mais importantes acervos de arte do mundo. A leste fica a igreja de Santa Croce, com afrescos de Giotto e túmulos de alguns dos homens mais eminentes de Florença. A oeste está Santa Maria Novella, a outra grande igreja florentina, também com capelas repletas de afrescos. Do outro lado da Ponte Vecchio e do rio Arno, que divide a cidade, fica o bairro de Oltrarno, onde se destacam a igreja Santo Spirito e o Palazzo Pitti, com obras de grandes artistas renascentistas, como Rafael e Ticiano.

Torre do sino, Palazzo Vecchio

COMO CIRCULAR

Florença possui um excelente serviço de ônibus, além de uma nova linha de bonde. O compacto centro da cidade tem tráfego restrito e deve ser percorrido a pé.

LEGENDA

- Rua a Rua: Arredores de San Marco *págs. 274-5*
- Rua a Rua: Arredores do Duomo *págs. 278-9*
- Rua a Rua: Arredores da Piazza della Repubblica *págs. 292-3*
- Rua a Rua: Arredores de Oltrarno *págs. 300-1*
- FS Estação de trem
- P Estacionamento
- i Informação turística
- Muralhas da cidade
- Estação de bonde

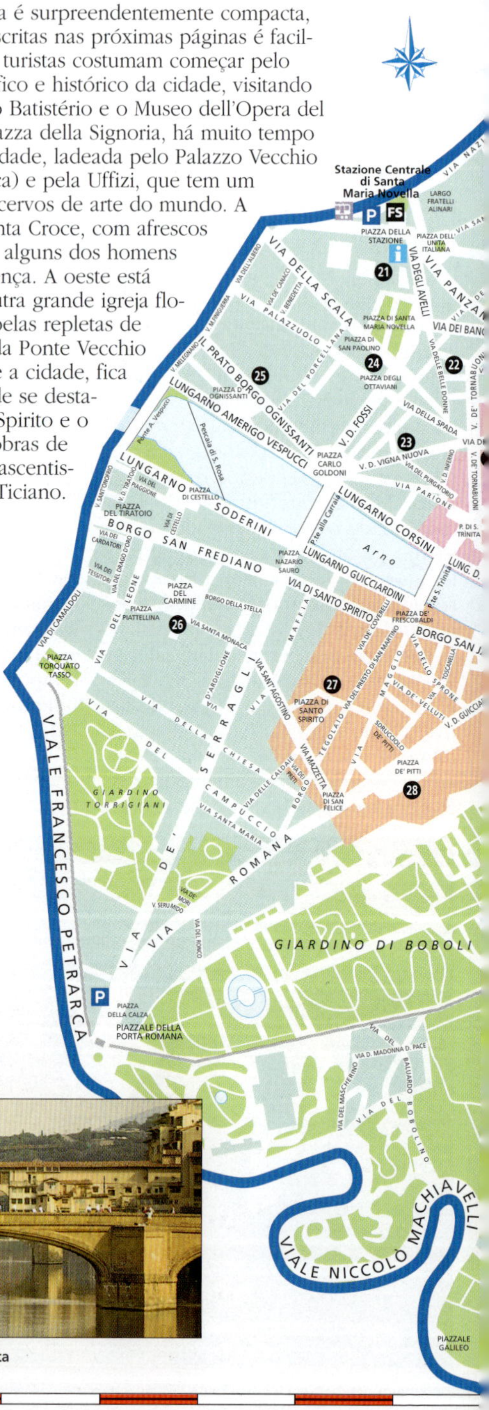

Ponte Vecchio atrás da Ponte Santa Trìnita

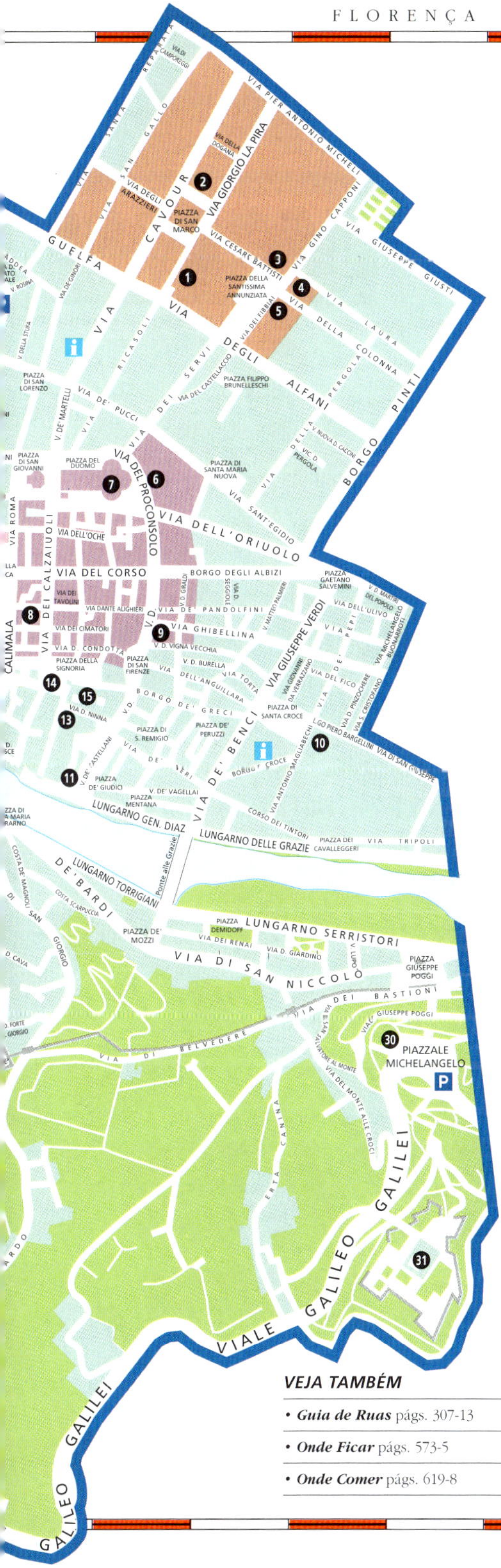

LOCALIZE-SE

PRINCIPAIS ATRAÇÕES

Igrejas

Cappella Brancacci págs. 298-9 26
Cappelle Medicee 19
Convento di San Marco 2
Duomo e Batistério págs. 280-2 7
Ognissanti 25
Orsanmichele 8
San Lorenzo 18
San Miniato al Monte 31
Santa Croce 10
Santa Felìcita 29
Santa Maria Novella 21
Santissima Annunziata 3
Santo Spirito 27

Edifícios, Monumentos e Praças

Mercato Centrale 20
Palazzo Antinori 22
Palazzo Davanzati 16
Palazzo Rucellai 23
Palazzo Strozzi 17
Palazzo Vecchio 15
Piazza della Signoria 14
Piazzale Michelangelo 30
Ponte Vecchio 12
Spedale degli Innocenti 5

Museus e Galerias

Bargello 9
Galleria dell'Accademia 1
Museo Archeologico 4
Museo Galileo 11
Museo Nazionale Alinari della Fotografia 24
Museo dell'Opera del Duomo 6
Palazzo Pitti págs. 302-3 28
Uffizi págs. 296-9 13

VEJA TAMBÉM

- ***Guia de Ruas*** págs. 307-13
- ***Onde Ficar*** págs. 573-5
- ***Onde Comer*** págs. 619-8

0 metros 500

Rua a Rua: Arredores de San Marco

Os edifícios desta parte de Florença outrora ficavam nos limites da cidade, servindo como estábulos e quartel militar. Os elefantes, leões e girafas dos Medici eram abrigados aqui. Hoje, é um bairro estudantil, com ruas frequentemente cheias de jovens alunos da universidade ou da Accademia di Belle Arti, a mais antiga escola de arte do mundo, fundada em 1563.

Santissima Annunziata
Esta bela igreja renascentista possui um luxuoso interior barroco. ❸

★ Convento di San Marco
A Anunciação *(c.1445) é um exemplo dos primorosos afrescos de Fra Angelico.* ❷

Palazzo Pandolfini foi projetado por Rafael em 1516.

Sant'Apollonia preserva um afresco do *Cenacolo (Última Ceia)*, de 1450, de Andrea del Castagno.

Luigi Cherubini (1760-1842), o compositor florentino, praticava no Conservatorio.

★ Galleria dell'Accademia
Este detalhe pertence a uma peça de altar do século 14, Madona e Santos, *de um mestre anônimo.* ❶

LEGENDA

- - - Percurso sugerido

0 metros 50

Obra de Giambologna, esta estátua de Fernando I foi moldada por Tacca em 1608.

Para hotéis e restaurantes nesta região, ver págs. 576-8 e págs. 626-9

LOCALIZE-SE
Guia de Ruas de Florença, 2

Parte de *Cassone Adimari* (século 15), de Lo Scheggia, na Accademia

Spedale degli Innocenti
Inaugurado em 1444, o orfanato da cidade, de Brunelleschi, foi decorado com camafeus de Andrea della Robbia ❺

O Giardino dei Semplici foi inaugurado em 1543.

Museo Archeologico
Muitos dos objetos etruscos expostos pertenceram originalmente a coleções dos Medici. ❹

PONTOS ALTOS

★ Galleria dell'Accademia

★ Convento di San Marco

Galleria dell'Accademia ❶

Via Ricasoli 60. **Mapa** 2 D4. ***Tel*** *0055 238 86 09 (informações); 055 29 48 83 (reservas).* *8h15-18h50 ter-dom (ocasionalmente até mais tarde no verão).* *seg, feriados*

Esta academia de belas-artes, fundada em 1563, foi a primeira escola criada na Europa para ensinar especificamente as técnicas de desenho, pintura e escultura. O acervo de arte exibido atualmente foi formado em 1784 para servir de material de estudo e modelo para os alunos.

A obra mais famosa em exposição é o *Davi* (1504) de Michelangelo, um nu colossal (5,2m) do herói bíblico que matou o gigante Golias. A escultura foi encomendada pela cidade para ser colocada na Piazza della Signoria, mas foi transferida para a Accademia em 1873 para ser melhor cuidada. No local original, pode ser vista uma cópia *(págs. 290-1)*, como também na Piazzale Michelangelo. A estátua de *Davi* consagrou Michelangelo, aos 29 anos, como o principal escultor de sua época.

Entre as outras obras-primas do artista expostas na Accademia estão os *Quattro Prigioni* (Quatro Prisioneiros), esculpidos entre 1521 e 1523 para adornar o túmulo do papa Júlio II. Em 1564, as estátuas foram presenteadas à família Medici pelo sobrinho do artista, Leonardo. As figuras musculosas lutando para se libertar da pedra estão entre as obras mais notáveis de Michelangelo. Posteriormente, as obras foram transferidas para a Grotta Grande, no Jardim de Boboli, onde agora há cópias das originais.

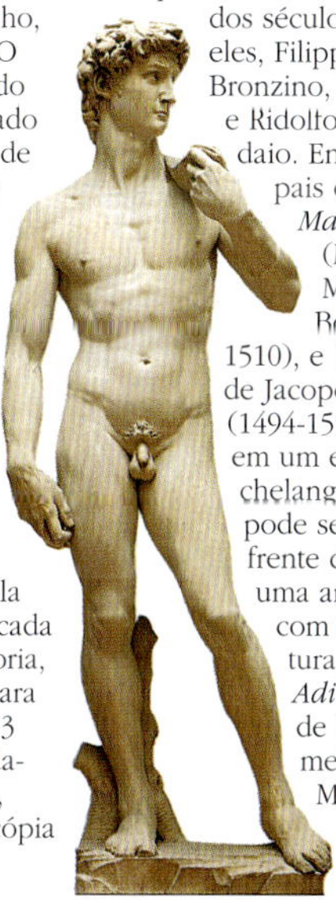

Davi de Michelangelo

A Accademia também contém um importante acervo de pinturas de artistas florentinos dos séculos 15 e 16, entre eles, Filippino Lippi, Bronzino, Fra Bartolomeo e Ridolfo del Ghirlandaio. Entre as principais obras, estão *Madonna del Mare* (Madona do Mar), atribuída a Botticelli (1445-1510), e *Vênus e Cupido* de Jacopo Pontormo (1494-1556), baseada em um esboço de Michelangelo. Também pode ser admirada, na frente do batistério, uma arca de madeira com elaborada pintura, a *Cassone Adimari* (1440-45), de Lo Scheggia, o meio-irmão de Masaccio. Originalmente parte do enxoval de uma noiva rica, a arca foi decorada com detalhes da vida, vestuário e arquitetura florentina, incluindo uma cena da festa do casamento.

O Salone della Toscana apresenta pinturas e esculturas mais modernas de membros da Accademia do século 19 e modelos em gesso do escultor Lorenzo Bartolini.

Amplo salão de Michelozzo, originalmente uma biblioteca

Convento di San Marco ❷

Piazza di San Marco. **Mapa** 2 D4. ***Tel*** *055 28 76 28 (informações); 055 29 48 83 (reservas).* *7h-12h, 16h-20h.* **Museo di San Marco** ***Tel*** *055 238 86 08; 055 29 48 83 (reservas).* *8h15-13h50 ter-diariam (mais tarde sáb e dom).* *1º jan, 1º mai, 25 dez, 2ª e 4ª seg e 1º, 3º e 5º dom de cada mês.*

Este convento foi fundado no século 13 e ampliado em 1437, quando monges dominicanos da cidade vizinha de Fiesole mudaram-se para cá a convite de Cosimo il Vecchio. Ele pagou uma quantia considerável para que o convento fosse reconstruído por seu arquiteto predileto, Michelozzo. Ele projetou claustros e celas simples que são cenário de uma notável série de afrescos religiosos (c.1438-45) do pintor florentino e frade dominicano, Fra Angelico. Hoje, o convento e o acervo formam o interessante **Museo di San Marco.**

O magnífico **Chiostro di Sant' Antonino** é o claustro projetado por Michelozzo, batizado com o nome do primeiro prior do convento, Antonino Pierozzi (1389-1459), que mais tarde tornou-se arcebispo de Florença. A maioria dos afrescos deste claustro, de Bernardino Poccetti, descreve a vida do santo. Os painéis no canto são de Fra Angelico. Uma porta do lado direito do claustro conduz ao **Ospizio dei Pellegrini** (Hospedaria dos Peregrinos), um salão onde dormiam peregrinos e visitantes. Hoje ele abriga pinturas variadas, como a *Deposição* (c.1435-40), de Fra Angelico, pintada como peça de altar para a igreja de Santa Trìnita, e *Madonna dei Linaiuoli*, encomendada pelos Linaiuoli (guilda dos trabalhadores de linho) em 1433.

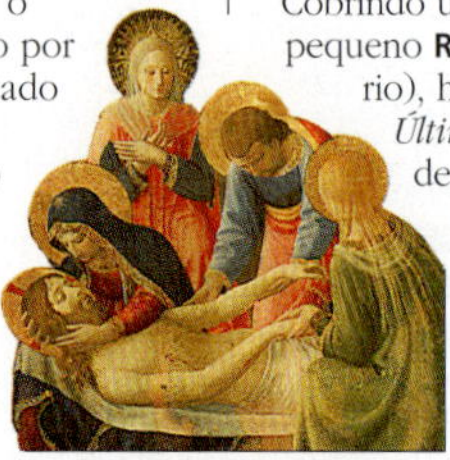

Detalhe da *Deposição* (c. 1440), de Fra Angelico

O afresco alegórico de Fra Angelico, *Cristo Ridicularizado* (c.1442), mostrando Jesus vendado e sendo açoitado por um guarda romano

No pátio, à direita do antigo sino do convento, fica a abobadada **Sala Capitolare** (casa paroquial), decorada com a *Crucificação e Santos* (1440), pintada por Fra Angelico.

Cobrindo uma parede do pequeno **Refettorio** (refeitório), há um afresco da *Última Ceia* (c.1480) de Domenico Ghirlandaio. Uma escadaria no pátio conduz ao primeiro piso, onde salta aos olhos a *Anunciação* (c.1440), de Fra Angelico, considerada por muitos uma das mais lindas pinturas renascentistas da cidade. Ao redor do claustro, estão as **Celas Monásticas** –no total 44 minúsculas celas onde dormiam os monges. Aqui, podem ser admirados afrescos de Fra Angelico e assistentes, mostrando a *Vida de Cristo* (1439-45). Os das celas 1 a 11 são atribuídos ao próprio Fra Angelico, assim como o lindo afresco da *Madona e Santos* à direita do corredor *(pág. 32).* As celas 12 a 14 foram ocupadas por Savonarola, o zeloso monge dominicano que se tornou prior de San Marco em 1491. Entre outras proezas, Savonarola incitou os florentinos a se rebelarem contra os Medici e foi responsável pela queima de muitas obras de arte. Denunciado como herege, foi queimado na fogueira na Piazza della Signoria, em 1498.

No terceiro corredor fica um amplo saguão com colunatas, projetado por Michelozzo, em 1441, para Cosimo il Vecchio e que já abrigou uma biblioteca pública. Há duas celas (38 e 39), que eram usadas por Cosimo para fazer retiros. Cada uma é decorada com dois afrescos (as outras só possuem um), e são maiores que os demais cômodos.

Para hotéis e restaurantes nesta região, ver págs. 576-8 e págs. 626-9

O Nascimento da Virgem (1514), de del Sarto, na Santissima Annunziata

Santissima Annunziata ❸

Piazza della Santissima Annunziata. **Mapa** 2 E4. ***Tel*** *055 26 61 81.* *7h30-12h30, 16h-18h30 diariam.*

Fundada pela Ordem Servita em 1250, esta igreja foi reconstruída por Michelozzo entre 1444 e 1481. Seu átrio contém afrescos dos artistas maneiristas Rosso Fiorentino, Andrea del Sarto e Jacopo Pontormo. Provavelmente seus painéis mais bonitos são *A Viagem dos Magos* (1511) e *O Nascimento da Virgem* (1514), de Andrea del Sarto.

O interior escuro e muito decorado possui um teto com afrescos, completado por Pietro Giambelli em 1669. À esquerda da entrada da igreja, encontra-se uma das capelas da cidade que recebe mais devotos. Ela contém uma pintura da *Virgem Maria* iniciada por um monge em 1252, mas que teria sido milagrosamente concluída por um anjo. Tradicionalmente, recém-casados vêm até aqui trazer flores à Virgem e pedir um casamento longo e fecundo.

Uma porta no transepto norte conduz ao **Chiostrino dei Morti** (Claustro dos Mortos), assim chamado por ser usado originalmente como cemitério. Destaca-se por seu lindo afresco *A Madonna del Sacco* (1525), de del Sarto.

A igreja fica do lado norte da **Piazza della Santissima Annunziata**, uma das mais belas praças renascentistas de Florença. Na frente do Spedale degli Innocenti, merece atenção a delicada arcada com nove ogivas, projetada por Brunelleschi. No centro da praça, destaca-se uma estátua equestre de bronze do duque Fernando I. Iniciada por Giambologna, foi concluída em 1608 por seu assistente Pietro Tacca (que projetou as fontes de bronze altamente estilizadas que também decoram a praça).

Museo Archeologico ❹

Via della Colonna 36. **Mapa** 2 E4. ***Tel*** *055 235 75.* *8h30-14h ter-dom (19h ter-qui);14h-19h seg.* *1º jan, 1º mai, 25 dez.*

O museu arqueológico de Florença fica em um *palazzo* construído por Giulio Parigi para a princesa Maria Maddalena de' Medici em 1620. Faz parte do acervo uma destacada coleção de peças etruscas, gregas, romanas e egípcias –parte está em restauração após a enchente de 1966. No primeiro andar há uma esplêndida série de bronzes etruscos, além da famosa *Quimera* (século 4º a.C.), um leão mítico com cabeça de bode e rabo de serpente. Impressiona igualmente a estátua de bronze *Arringatore*, do século 1º, encontrada perto do lago Trasimeno, na Úmbria, com o nome inscrito de Aulus Metellus. No segundo andar, há uma grande seção de vasos gregos, com destaque para o *Vaso François*, encontrado em um túmulo etrusco, perto de Chiusi.

Guerreiro etrusco, Museo Archeologico

Spedale degli Innocenti ❺

Piazza della Santissima Annunziata 12. **Mapa** 2 E4. ***Tel*** *055 203 73 08.* *10h-19h diariam.* *1º jan, Páscoa, 25 dez.*

Parte da arcada de Brunelleschi, no Spedale degli Innocenti

Este foi o primeiro orfanato da Europa, inaugurado em 1444 e batizado em memória ao Massacre dos Inocentes de Herodes. Ainda hoje, parte do edifício é usada com esse propósito. A galeria com arcadas projetadas por Brunelleschi está decorada com medalhões de terracota esmaltados, acrescentados por Andrea della Robbia ao redor de 1498, mostrando bebês envoltos em cueiros. No extremo esquerdo do pórtico, pode-se ver a *Rota*, uma rotatória de pedra onde mães anônimas deixavam seus filhos, tocando o sino para que fossem admitidos no orfanato.

No interior, há dois elegantes claustros: o **Chiostro degli Uomini** (Claustro dos Homens), construído entre 1422 e 1445 e decorado com galos e querubins de *sgraffito*, e o Claustro das Mulheres, de 1438. Uma pequena galeria no andar superior exibe belas obras, incluindo terracotas de della Robbia e quadros de Botticelli, Piero di Cosimo e Ghirlandaio.

Rua a Rua: Arredores do Duomo

Vitral do Duomo

Grande parte de Florença foi reconstruída durante o Renascimento, mas a região leste da cidade conserva o ar medieval característico. Seu labirinto de ruelas provavelmente continuaria familiar para Dante (1265-1321), que deve ter nascido em uma das casas da área. O poeta certamente reconheceria a igreja de Santa Maria de'Cerchi, onde viu Beatriz, sua amada, pela primeira vez, e os lúgubres contornos do Bargello, bem em frente. O mesmo aconteceria ao ver o Batistério, um dos edifícios mais antigos da cidade. Mas não se lembraria do Campanário, nem do Duomo, que começaram a ser construídos quando já estava velho.

★ Duomo e Batistério
O exterior do Duomo e do Batistério está ricamente decorado com mármores e relevos, como este detalhe da fachada do Duomo. ❼

Na Loggia del Bigallo (1358), eram deixadas as crianças abandonadas. Se não fossem reclamadas, eram enviadas a lares de adoção.

Orsanmichele
Nos nichos da igreja, estão representados os padroeiros das guildas, como esta cópia de São Jorge, *de Donatello.* ❽

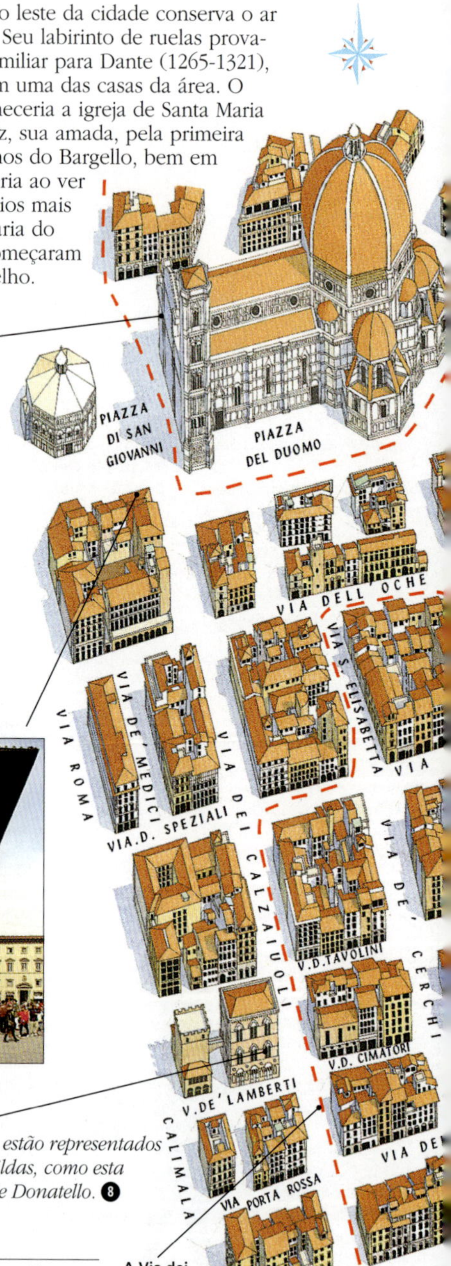

A Via dei Calzaiuoli, cheia de lojas, é a rua mais animada da cidade.

Piazza della Signoria ↘

LEGENDA

▬ ▬ ▬ Percurso sugerido

0 metros 100

Museo dell'Opera del Duomo
Fazem parte deste acervo obras do Duomo, o Campanário e o Batistério. ❻

Pegna oferece ótima variedade de vinhos, azeites e mel.

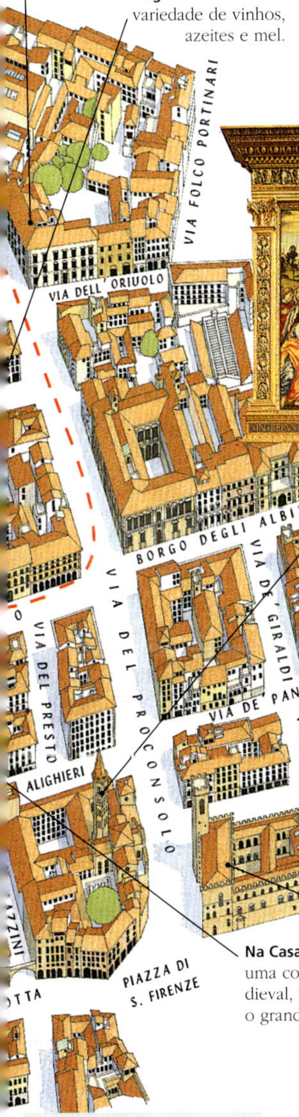

LOCALIZE-SE
Guia de Ruas de Florença, 6

Badia Fiorentina, a igreja da abadia fundada em 978, abriga *A Aparição da Virgem a São Bernardo* (1485), de Filippino Lippi.

Na Casa di Dante, uma construção medieval, teria nascido o grande poeta.

★ Bargello
A antiga prisão da cidade abriga um rico acervo de artes aplicadas e esculturas, incluindo este Mercúrio *(1564), de Giambologna* ❾

PONTOS ALTOS

★ Duomo e Batistério

★ Bargello

Entalhe na galeria do coro, de Luca della Robbia, no Museo dell'Opera

Museo dell'Opera del Duomo ❻

Piazza del Duomo 9. **Mapa** 2 D5 (6 E2). ***Tel*** *055 230 28 85. 9h-19h30 diariam (13h40 dom e feriados); última admissão: 40min antes de fechar. 1º jan, Páscoa, 25 dez.*

O museu da catedral reabriu após uma cuidadosa restauração, e agora várias salas são dedicadas à história do Duomo. A sala principal do térreo abriga estátuas de Arnolfo di Cambio, que antes ocupavam os nichos da catedral. Próximo encontra-se *São João*, de Donatello. Uma outra sala contém pinturas e relíquias religiosas dos séculos 14 e 15.

A *Pietà* de Michelangelo ocupa local de destaque na escadaria. Muitos acreditam que a figura encapuzada de Nicodemus seja um autorretrato.

A primeira sala do piso superior guarda duas galerias do coro, do anos 1430, de Donatello e Luca della Robbia. Esculpidas em mármore branco e decoradas com mosaicos de vidro colorido, mostram crianças dançando e tocando instrumentos musicais.

Aqui há outros trabalhos de Donatello, como a *La Maddalena* (1455), e várias figuras do Velho Testamento.

Na sala à esquerda você encontra uma exposição de tabuletas que antes decoravam o sino da igreja. No piso inferior, estão exemplos de instrumentos usados pelos operários de Brunelleschi e uma cópia da fachada original da catedral projetada por di Cambio.

Duomo e Batistério ❼

Sir John Hawkwood de Paolo Uccello, no Duomo

Erguendo-se no centro da cidade, o Duomo de Santa Maria del Fiore, com sua cúpula de telhas alaranjadas, tornou-se um dos símbolos mais famosos de Florença. Obra típica da determinação florentina de ser líder em tudo, a catedral é a quarta maior igreja da Europa, e até hoje o edifício mais alto da cidade. O Batistério, com seus famosos portões de bronze, pode ser do século 4º, o que o tornaria um dos edifícios mais antigos de Florença. O Campanário foi projetado por Giotto em 1334, mas concluído em 1359, 22 anos após a sua morte.

Campanário
Com 85 metros, o Campanário é seis metros mais baixo que a cúpula. Está revestido de mármore toscano branco, verde e rosa.

★ Batistério
Mosaicos coloridos do século 13, ilustrando o Juízo Final, decoram o teto da pia batismal octogonal, onde muitos florentinos famosos, incluindo Dante, foram batizados. O portão sul é de Andrea Pisano, e o norte e o leste de Lorenzo Ghiberti.

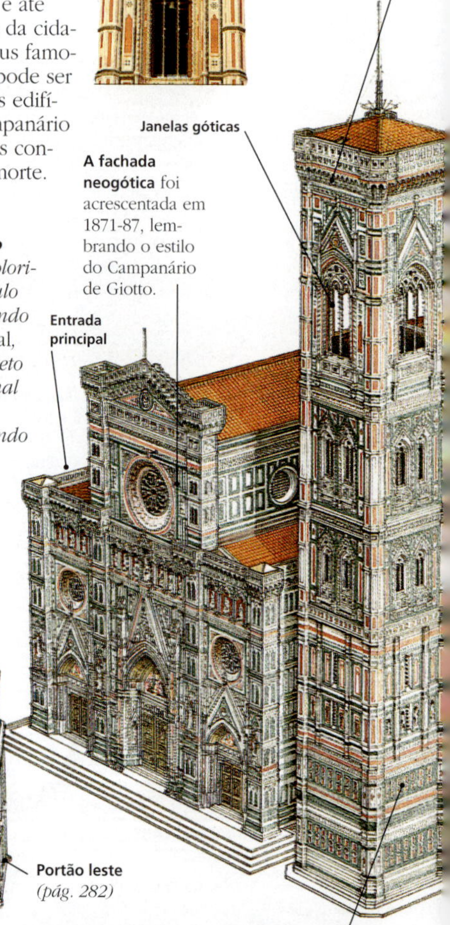

Janelas góticas

A fachada neogótica foi acrescentada em 1871-87, lembrando o estilo do Campanário de Giotto.

Entrada principal

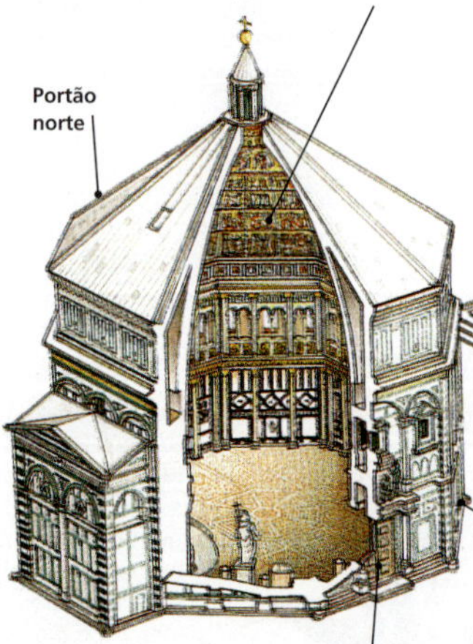

Portão norte

Portão leste *(pág. 282)*

Portão sul

Relevos do Campanário
Cópias dos relevos de Andrea Pisano no primeiro piso do Campanário ilustram a Criação do Homem *e as* Artes e Indústria. *Os originais estão no Museo dell'Opera del Duomo* (pág. 280)

Para hotéis e restaurantes nesta região, ver págs. 576-8 e págs. 626-9

O topo da cúpula proporciona vistas espetaculares da cidade.

★ Cúpula de Brunelleschi
O domo, finalizado em 1463, foi o maior de sua época a ser construído sem andaime. A parte externa é sustentada por uma camada interna, mais espessa, que lhe dá sustentação.

Os afrescos do Juízo Final (1572-4), de Vasari, foram concluídos por Zuccari.

Tijolos foram colocados entre vigas de mármore seguindo um padrão "espinha de peixe" de autossustentação –técnica que Brunelleschi copiou do Pantheon de Roma.

Entrada para a escadaria de 463 degraus que leva à cúpula

A obra de mármore ao redor do altar-mor foi criada por Baccio Bandinelli, em 1555.

Piso de Mármore
O colorido e intricado piso do século 16 foi projetado em parte por Baccio d'Agnolo e Francesco da Sangallo.

PREPARE-SE

Piazza del Duomo. **Mapa** 2 D5 (6 E2). ***Tel*** *055 230 28 85.* *1, 6, 14, 17, 23.* **Catedral** *10h-17h seg-sáb (16h30 qui, 16h45 sáb), 13h30-16h45 dom.* **Cripta** *10h-17h seg-sáb (16h45 sáb).* **Batistério** *12h-19h seg-sáb, 8h30-14h dom.* **Cúpula** *8h30-19h seg-sáb (17h40 sáb).* **Campanário** *8h30-19h30 diariam.* **Todos** *1º jan, Páscoa, 15 ago, 8 set, 25 dez.* **www**.operaduomo.firenze.it

Capelas no Lado Leste
Cada uma das três absides, coroadas por cópias reduzidas do domo, possui cinco capelas. O vitral do século 15 é de Ghiberti.

Dante Explicando a Divina Comédia *(1465)*
Esta pintura de Michelino mostra Dante do lado de fora de Florença, com o Purgatório, Inferno e Paraíso ao fundo.

PONTOS ALTOS

★ Batistério

★ Cúpula de Brunelleschi

O Portão Leste do Batistério

Os famosos portões de bronze do Batistério, de Lorenzo Ghiberti, foram encomendados em 1401 para celebrar o fim da peste na cidade. Um concurso envolveu sete artistas proeminentes (como Jacopo della Quercia, Brunelleschi e Donatello), e Ghiberti foi o escolhido. Os painéis de Brunelleschi e Ghiberti eram tão diferentes da arte gótica florentina da época, especialmente no uso de perspectiva e na individualidade das figuras, que hoje muitos os consideram as primeiras obras do Renascimento.

Painel de Ghiberti

"PORTÃO DO PARAÍSO"
Após 21 anos trabalhando no portão norte, Ghiberti recebeu a encomenda do portão leste (1424-1452), apelidado por Michelangelo de "Portão do Paraíso". Os dez painéis em relevo mostram temas bíblicos. Os originais estão expostos no Museo dell'Opera del Duomo *(pág. 279)*; os que estão no Batistério são apenas cópias.

Abraão e o Sacrifício de Isaac
As rochas pontudas simbolizam a dor de Abraão e foram dispostas de forma a enfatizar o ato do sacrifício.

José Vendido como Escravo
Mestre da perspectiva, Ghiberti esculpiu o fundo em um relevo mais baixo do que o das figuras, criando a ilusão de profundidade.

LEGENDA DOS PAINÉIS DO PORTÃO LESTE

1	2
3	4
5	6
7	8
9	10

1 Criação de Adão e Eva e o Pecado Original
2 Caim Mata seu Irmão Abel
3 A Embriaguez de Noé e seu Sacrifício
4 Abraão e o Sacrifício de Isaac
5 Esaú e Jacó
6 José Vendido como Escravo
7 Moisés Recebe os Dez Mandamentos
8 A Queda de Jericó
9 A Batalha com os Filisteus
10 Salomão e a Rainha de Sabá

Detalhe de um relevo de Donatello, em Orsanmichele

Orsanmichele ❽

Via dell'Arte della Lana. **Mapa** 3 C1 (6 D3). ***Tel*** *055 28 49 44.*
10h-17h ter-dom.
1° jan, 1° mai, 25 dez.

Construída em 1337 para ser um mercado de grãos, Orsanmichele foi mais tarde transformada em igreja –seu nome vem do *Orto di San Michele*, jardim monástico desaparecido há muito tempo. As arcadas do mercado tornaram-se janelas, mas ainda pode ser percebido o rendilhado gótico original. A decoração da igreja foi entregue às principais *arti* (guildas) de Florença. Por 60 anos, elas encomendaram esculturas de seus santos padroeiros para adornar os 14 nichos externos, mas hoje muitas das figuras são cópias das originais. Entre os escultores, estavam Lorenzo Ghiberti, Donatello e Verrocchio. Destacam-se o altar (século 14), de Andrea Orcagna, a *Virgem e Menino* (1348), de Bernardo Daddi, e a estátua da *Madona e Menino com Santa Ana*, de Francesco da Sangallo (1522).

***O Sacrifício de Isaac* (1402), de Brunelleschi, no Bargello**

Bargello ❾

Via del Proconsolo 4. **Mapa** 4 D1 (6 E3). ***Tel*** *055 238 86 06.* *14, A.*
8h15-13h50 diariam. *2ª e 4ª seg e 1°, 3° e 5° dom de cada mês; 1° jan, 1° mai, 25 dez.*

Segundo museu mais importante de Florença, superado apenas pela Uffizi, o Bargello oferece uma soberba coleção de artes aplicadas e o mais belo acervo de esculturas renascentistas da Itália. Com construção iniciada em 1255, o edifício em forma de fortaleza foi inicialmente a prefeitura (o que o torna a mais antiga sede de governo da cidade), mas transformou-se mais tarde em prisão e residência do comandante da polícia *(o Bargello)*. Ficou conhecido pelas execuções realizadas no seu pátio principal até 1786, quando a pena de morte foi abolida pelo grão-duque Pietro Leopoldo. Após amplas reformas, o edifício foi inaugurado em 1865 como um dos primeiros museus nacionais da Itália.

***Davi* (c.1430) de Donatello, no Bargello**

Os destaques do acervo ocupam três pisos, começando com a Sala Michelangelo, reprojetada após a devastadora enchente de 1966. Podem ser observadas três contrastantes obras de Michelangelo –a mais famosa é *Baco* (1497) que parece embriagado, a primeira grande obra isolada do escultor. Há também o imponente *Brutus* (1539-40), o único busto-retrato conhecido de Michelangelo, e um lindo relevo circular de *Madona e Menino* (1503-5). Várias obras de outros escultores ocupam a mesma sala. Entre elas, um belo *Mercúrio* (1564) do gênio maneirista Giambologna, além de várias esculturas em bronze do escultor e ourives Benvenuto Cellini (1500-71).

Atravessando o pátio, repleto de fragmentos e brasões dos vários encarregados do museu, chega-se a mais duas salas com esculturas de exterior retiradas de locais nas redondezas da cidade. A escadaria externa do pátio conduz ao primeiro piso, que começa com uma excêntrica coleção de animais selvagens em bronze de Giambologna. À direita, fica o Salone del Consiglio Generale, uma antiga sala de tribunal, que guarda o melhor da escultura do início do Renascimento presente no museu. O primeiro destaque é o heróico *São Jorge* (1416) de Donatello –um símbolo de "juventude, coragem e bravura em combate" nas palavras de Vasari. Encomendada pela Guilda dos Armeiros, a estátua foi trazida para cá de Orsanmichele em 1892. No centro da sala, em contraste gritante, está *Davi* (c.1430) de Donatello, famoso por ser a primeira escultura de nu de um artista ocidental desde a Antiguidade. Entre as obras menos evidentes, destacam-se na parede direita da sala dois relevos de *O Sacrifício de Isaac* (1402). Criados por Brunelleschi e Lorenzo Ghiberti, ambos fizeram parte do concurso do projeto dos portões do Batistério.

O museu também dá destaque às artes aplicadas, dedicando sucessivas salas a tapetes, cerâmicas, peças de prata e uma infinidade de outras lindas obras de arte. A sala mais famosa é o Salone del Camino no segundo piso, que apresenta a melhor coleção de estátuas de bronze pequenas da Itália. Algumas são reproduções de modelos antigos, outras são cópias em tamanho pequeno de estátuas renascentistas. Giambologna, Cellini e Antonio del Pollaiuolo estão entre os artistas representados.

***Baco* (1497), de Michelangelo**

Santa Croce ❿

Os trabalhos começaram por volta de 1294, na igreja gótica de Santa Croce, que guarda túmulos e monumentos de florentinos famosos, como Michelangelo, Galileu e Maquiavel, além de deslumbrantes afrescos do início do século 14, de Giotto e seu aluno Taddeo Gaddi. No claustro ao lado da igreja, fica a Cappella de' Pazzi, uma obra-prima renascentista projetada por Filippo Brunelleschi.

Túmulo de Leonardo Bruni *(1447)*
A efígie deste grande humanista, uma obra de Rossellino, destoa por seu realismo e ausência de pompa monumental.

Túmulo de Michelangelo
(1570) As figuras de Vasari representam a Pintura, a Escultura e a Arquitetura.

Crucificação, de Cimabue
Muito danificada na enchente de 1966, esta obra-prima do século 13 está entre os destaques da coleção, assim como a magnífica Última Ceia *(c.1355-60), de Taddeo Gaddi.*

★ Cappella de' Pazzi
Esta capela com domo de Brunelleschi começou a ser construída em 1443. Os medalhões (c.1442-52) são de Luca della Robbia.

Para hotéis e restaurantes nesta região, ver págs. 576-8 e págs. 626-9

PREPARE-SE

Piazza di Santa Croce. **Mapa** 4 E1 (6 F4). ***Tel*** *055 246 61 05.* *C, 23.* **Basílica** *9h30-17h30 diariam (a partir das 13h dom). Bilheterias fecham às 17h.* *missas.* *(inclui visita ao Museo)* **Museo, Claustro, Cappella de' Pazzi** *como acima.* *1° jan, 25 dez.* *(inclui visita à Basílica)*

O campanário neogótico foi acrescentado em 1842, onde ficava o original, destruído por um raio em 1512.

A Cappella Baroncelli, com afrescos (1332-8) de Taddeo Gaddi, contém a primeira cena noturna da arte ocidental.

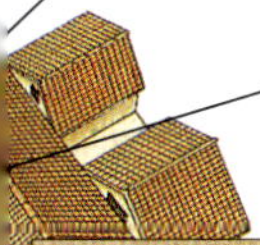

Sacristia

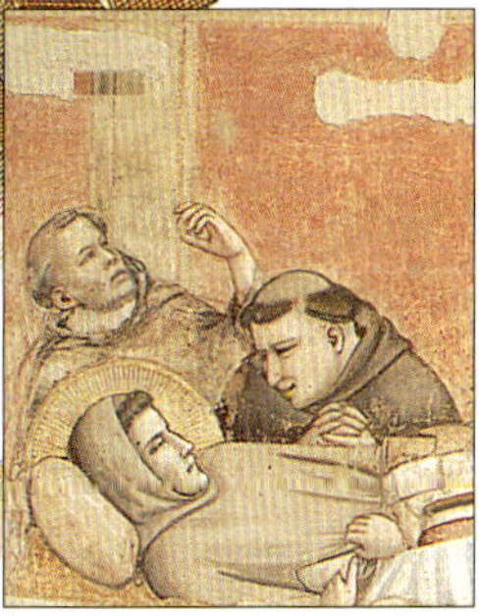

★ Afrescos da Cappella Bardi
Giotto pintou afrescos nas capelas Bardi e Peruzzi, à direita do altar-mor, entre 1315 e 1330. Esta tocante cena da parede esquerda da capela mostra A Morte de São Francisco *(1317).*

PONTOS ALTOS

★ Cappella de' Pazzi

★ Afrescos da Capella Bardi

Museo Galileo ⓫

Piazza de' Giudici 1. **Mapa** 4 D1 (6 E4). ***Tel*** *055 26 53 11.* *9h30-18h30 seg-sáb (até 13h ter e sáb), 10h-18h dom e feriados.* *1° e 6 jan, 1° mai, 8, 25 e 26 dez.*

Este animado e inteligente museu dedica duas salas a vários temas científicos, reunindo inúmeros objetos e instrumentos científicos antigos para explicá-los. Ao mesmo tempo, é quase um templo em homenagem ao cientista nascido em Pisa Galileu Galilei (1564-1642), apresentando dois de seus telescópios, além de reconstruções em grande escala de seus experimentos sobre movimento, velocidade e aceleração. Alguns deles são demonstrados por monitores. Outros objetos expostos vêm da Accademia del Cimento (Academia para Experimentação), fundada em 1657 pelo grão-duque Fernando II em homenagem a Galileu.

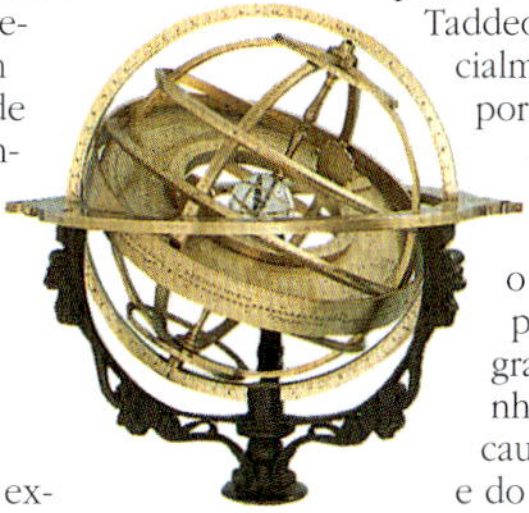

Astrolábio, Museo Galileo

Algumas salas abrigam instrumentos de astronomia, matemática e navegação, com galerias dedicadas ao trabalho de Galileu, telescópios e jogos ópticos. Alguns dos mais interessantes objetos são os mapas, globos e astrolábios antigos. Também destacam-se alguns microscópios antigos, termômetros e barômetros. Há também belos relógios antigos, instrumentos matemáticos, calculadora, uma coleção de instrumentos cirúrgicos do século 19 e alguns desenhos de modelos anatômicos.
O museu instalou um grande relógio de sol de bronze que mostra a hora e a data.

Ponte Vecchio ⓬

Mapa 4 D1 (6 E4).

A Ponte Vecchio, a mais antiga ponte remanescente da cidade, foi construída em 1345, no mesmo local onde já haviam sido erguidas várias pontes e passagens desde a época dos romanos. Projetada pelo aluno de Giotto, Taddeo Gaddi, inicialmente ocupadas por ferreiros, açougueiros e curtidores (que jogavam o lixo no próprio rio). Desagradando a vizinhança por causa do barulho e do cheiro ruim, acabaram sendo expulsos pelo duque Fernando I em 1593 e substituídos por joalheiros e ourives. O Corredor Vasariano acompanha a ponte, do lado leste, passando por cima das lojas. O corredor foi projetado em 1565 por Giorgio Vasari para permitir que a família Medici circulasse entre suas residências sem ter de se misturar ao povo. Esta foi a única ponte da cidade que escapou da destruição da Segunda Guerra e continua atraindo turistas tanto pelas vistas que proporciona, como por seus antiquários e joalherias. Há um busto do famoso ourives Benvenuto Cellini no meio da ponte.

Ponte Vecchio vista da Ponte Santa Trìnita

Uffizi ⓭

Maior museu de arte da Itália, a Uffizi foi construída entre 1560-80 para abrigar os escritórios *(uffici)* do duque Cosimo I. O arquiteto Vasari usou estruturas de ferro como reforço, permitindo que seu sucessor, Buontalenti, criasse uma parede de vidro quase ininterrupta no piso superior. Francesco I usou a galeria para expor os tesouros dos Medici. No século 19, a coleção foi dividida: objetos antigos foram para o museu arqueológico e as esculturas para o Bargello, deixando para a Uffizi um acervo de pinturas. Há planos para duplicar o espaço até 2013.

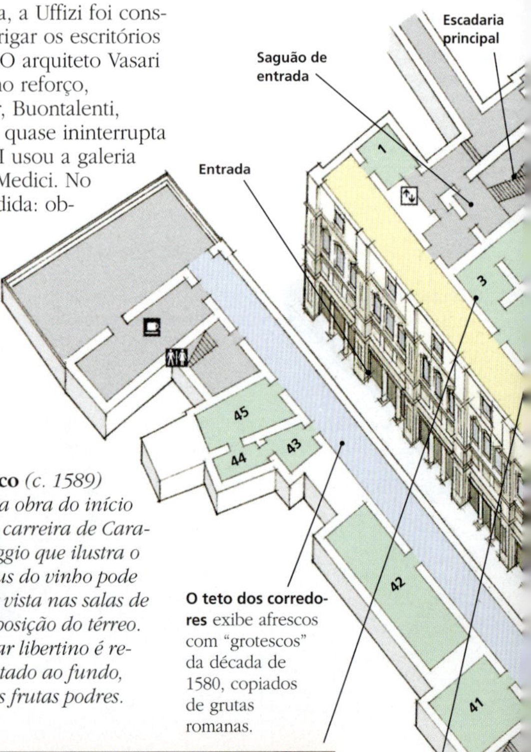

Baco *(c. 1589)*
Esta obra do início da carreira de Caravaggio que ilustra o deus do vinho pode ser vista nas salas de exposição do térreo. O ar libertino é retratado ao fundo, nas frutas podres.

O teto dos corredores exibe afrescos com "grotescos" da década de 1580, copiados de grutas romanas.

Anunciação *(1333)*
O pintor de Siena Simone Martini foi muito influenciado pela arte gótica francesa, e esta é uma de suas obras-primas. Os dois santos foram feitos pelo discípulo e cunhado de Martini, Lippo Memmi.

GUIA DO MUSEU

Esculturas gregas e romanas estão expostas nos largos corredores, ao redor da parte interna do edifício. As pinturas ficam em salas dispostas nos corredores em ordem cronológica, revelando o desenvolvimento da arte florentina, do Gótico até depois do Alto Renascimento. Muitas pinturas famosas estão nas salas 7-18. Por conta da reforma do prédio que vai até 2012-13, pode haver salas fechadas, obras mudadas de lugar e alterações nos horários de funcionamento.

Madonna in Maestà *(c.1310)*
O domínio de profundidade e volume nesta peça de altar de Giotto foi um marco na maestria da perspectiva.

LEGENDA

- Corredor Leste
- Corredor Oeste
- Corredor Arno
- Salas 1-45
- Espaço sem exposição

Para hotéis e restaurantes nesta região, ver págs. 576-8 e págs. 626-9

PREPARE-SE

Loggiata degli Uffizi 6. **Mapa** 4 D1 (6 D4). ***Tel*** *055 238 86 51 (informações); 055 29 48 83 (reservas; marcar hora para evitar as filas)* 🚌 *B, 23.* ◯ *8h15-18h50 ter-dom (ocasionalmente até mais tarde dom). Últ adm: 45min antes de fechar.* ● *1° jan, 1° mai, 25 dez* 🚫📷 ♿ 🖥
www.uffizi.firenze.it

O Duque e a Duquesa de Urbino *(c.1465-70)*
Os retratos de Federico da Montefeltro e de sua mulher Battista Sforza foram pintados por Piero della Francesca após a morte de Battista aos 26 anos. O pintor provavelmente baseou-se em sua máscara mortuária.

A Tribuna, decorada em vermelho e dourado, reúne as obras mais valorizadas pelos Medici.

O Nascimento de Vênus *(c.1485)*
Botticelli mostra a deusa do amor ao lado de Zéfiro, deus do vento oeste, que a sopra para a margem numa meia concha. O mito pode simbolizar a criação da beleza pela fertilização divina da matéria.

A Sagrada Família *(1507) As cores e poses expressivas desta obra de Michelangelo, a primeira a quebrar a convenção de mostrar o Menino no colo da Virgem, inspiraram vários artistas maneiristas.*

Fachada clássica de frente para o Arno (iniciada em 1560), de Vasari

Vênus de Urbino *(1538)*
O nu sensual de Ticiano, inspirado na Vênus Adormecida *de Giorgione, pode ser na realidade um retrato de uma cortesã, tão bela quanto uma deusa.*

O Corredor Vasariano é uma passagem sobre o rio Arno até o Palácio Pitti.

Como Explorar a Uffizi

Além de representar a chance única de ver o principal acervo mundial de pinturas renascentistas italianas, a Uffizi oferece a oportunidade de apreciar obras-primas de países como Holanda, Espanha e Alemanha. A coleção, acumulada ao longo dos séculos pelos Medici, foi levada pela primeira vez para a Uffizi em 1581 e finalmente legada ao povo florentino por Anna Maria Lodovica, a última representante da família.

Madona e Menino com Anjos (1455-66), de Fra Filippo Lippi

ARTE GÓTICA

Depois das estátuas e antiguidades da Sala 1, a Uffizi logo impressiona o visitante com três peças de altar da *Maestà*, ou *Madona Entronizada*, de Giotto, Cimabue e Duccio, alguns dos maiores pintores da Itália no século 13. Cada obra marca um estágio no desenvolvimento da pintura italiana ao superar as convenções pomposas de Bizâncio em direção às tradições mais vivas da arte gótica e renascentista. A mudança é bem mais expressiva na *Madonna in Maestà* de Giotto (chamada também de *Madonna Ognissanti*), em que um novo sentido de profundidade e o naturalismo do detalhe revelam-se nas emoções dos santos e anjos e na tridimensionalidade do trono da Virgem.

A influência naturalista de Giotto também pode ser observada entre as pinturas da Sala 4, dedicada à escola florentina do século 14, um bom contraponto às pinturas de Siena de Duccio e seus discípulos, na Sala 3. Entre as belas pinturas aqui expostas estão obras de Ambrogio e Pietro Lorenzetti, e a *Anunciação* de Simone Martini.

A Sala 6 é dedicada ao gótico internacional, um estilo altamente decorativo que representa o auge da expressão gótica. Ele é exemplificado pela primorosa e brilhante *Adoração dos Magos*, de Gentile da Fabriano, pintada em 1423.

INÍCIO DO RENASCIMENTO

A nova compreensão da geometria e perspectiva desenvolvida durante o século 15 permitiu que os artistas explorassem cada vez mais as complexidades do espaço e da profundidade. Nenhum deles tornou-se mais obcecado por estas novas possibilidades de composição do que Paolo Uccello (1397-1475), que pintou *A Batalha de San Romano* (1456), exposta na Sala 7.

Nesta sala, também estão expostos dois painéis feitos em 1460 por Piero della Francesca, outro artista preocupado com a arte da perspectiva. Os painéis, que estão entre os primeiros retratos do Renascimento, mostram, de um lado, o duque e a duquesa de Urbino e, de outro, representações de suas virtudes.

Enquanto tais obras podem parecer experiências frias, a *Madona e Menino com Anjos* (1455-66), de Fra Filippo Lippi, na Sala 8, é uma obra-prima de fervor e humanidade. As-

A alegórica pintura *Primavera* (1480), de Sandro Botticelli

Para hotéis e restaurantes nesta região, ver págs. 576-8 e págs. 626-9

sim como muitos artistas renascentistas, Lippi usa um tema religioso para exaltar maravilhas terrenas, como a paisagem natural e a beleza feminina. Enfoque semelhante aparece nas obras de Botticelli, cujas famosas pinturas nas Salas 10 a 14 são consideradas por muitos o ponto máximo da galeria. Em *O Nascimento de Vênus*, por exemplo, Vênus toma o lugar da Virgem, expressando um fascínio pela mitologia clássica comum a muitos artistas renascentistas. O mesmo vale para *Primavera* (1480), que rompe com a pintura sacra cristã, ilustrando um rito pagão da estação.

Detalhe de *Anunciação* (1472-5), de Leonardo da Vinci

ALTO RENASCIMENTO E MANEIRISMO

A Sala 15 apresenta obras atribuídas ao jovem Leonardo da Vinci, com destaque para a sublime *Anunciação* (1472-5), que revela sinais de seu estilo ainda emergente, e a *Adoração dos Magos* (1481), que ficou inacabada quando ele trocou Florença por Milão para pintar *A Última Ceia* (1495-8).

A Sala 18, mais conhecida como Tribuna, foi projetada em 1584 por Buontalenti para acomodar as peças prediletas do acervo dos Medici. Sua obra mais famosa é a chamada *Vênus de Medici* (século 1º a.C.), uma cópia romana de uma estátua grega considerada a mais erótica do mundo antigo. A cópia mostrou-se igualmente pecaminosa e foi retirada da Villa Medici de Roma por Cosimo III para evitar a "corrupção" dos estudantes de arte da cidade. Também se destacam na Sala 18 os retratos de *Cosimo I* e *Eleonora di Toledo*, de Bronzino, ambos pintados em cerca de 1545, a *Caridade* (1530), de Pontormo, e o retrato de *Cosimo il Vecchio* (1517).

As Salas 19 a 23 fogem à tendência florentina da galeria, demonstrando o quão rapidamente as ideias e técnicas do Renascimento se espalharam além da Toscana. Pintores das escolas alemã e flamenga estão bem representados, juntamente com pintores da Úmbria, como Perugino. Entretanto, as obras mais cativantes são provavelmente as pinturas de artistas venezianos e do Norte da Itália, como Mantegna, Carpaccio, Correggio e Bellini.

A Sala 25, que volta ao enfoque toscano predominante, é dominada pela *Sagrada Família* ou *Tondo Doni* (1456) de Michelangelo, notável por suas cores vibrantes e pela incomum pose retorcida da Virgem. Única obra de Michelangelo na galeria, ela influenciou imensamente a geração de pintores seguinte, especialmente Bronzino (1503-72), Pontormo (1494-1556) e Parmigianino (1503-40). Este último pintou a *Madona com Longo Colo* (c.1534), exposta na Sala 29. Com anatomia distorcida, cores artificiais e estranha composição, esta pintura é uma obra-prima do estilo que passou a ser chamado de maneirismo. Obras-primas anteriores mas não menos notáveis, nas Salas 26 e 28, incluem a sublime

***Madona com Pintassilgo* (1506), de Rafael**

***Madona com Longo Colo* (c.1534), de Parmigianino**

Madona com Pintassilgo (1506), de Rafael, e a famosa *Vênus de Urbino* (1538), de Ticiano, condenada por Mark Twain como "o mais imundo, desprezível e obceno quadro que o mundo possui". Outros o consideram um dos mais lindos nus já pintados.

PINTURAS POSTERIORES

Os visitantes, já satisfeitos com tantas pinturas notáveis, tendem a olhar superficialmente as últimas salas da Uffizi. A maioria das pinturas das Salas 30 a 35 –proveniente principalmente do Vêneto e da Emília-Romanha– não é mesmo excepcional, mas as últimas salas da galeria (Salas 41-45) exibem pinturas comparáveis com as vistas no início da visita. As Salas 41 e 42 abrigam obras de Rubens e Van Dyck. A Sala 44, dedicada a Rembrandt e à pintura norte-europeia, contém o *Retrato de um Velho* (1665) e dois autorretratos, como jovem e como velho (pintados em 1634 e 1664, respectivamente). Nas salas do térreo ficam as obras de Caravaggio: *Medusa* (1596-8), pintada para um cardeal romano; *Baco* (c. 1589), uma das primeiras obras do artista; e o *Sacrifício de Isaac* (c. 1590), cuja força do tema contrasta com a suave paisagem de fundo. Obras de Guido Reni também são encontradas aqui.

Piazza della Signoria ⓮

Savonarola (1452-98)

Há séculos, a Piazza della Signoria e o Palazzo Vecchio são o coração da vida social e política de Florença. A praça era palco do *parlamento*, uma reunião pública com os cidadãos, convocados pelas badaladas do sino. Logo a praça tornou-se uma área de passeio muito procurada por turistas e os próprios florentinos. As estátuas da *piazza* (algumas são cópias) marcam os principais eventos históricos da cidade, mas o episódio mais famoso é lembrado por uma simples placa na calçada perto da galeria: a execução do líder religioso Girolamo Savonarola na fogueira.

Davi
Esta cópia da famosa estátua de Michelangelo simboliza o triunfo sobre a tirania. A original (pág. 275) ficou *na* piazza *até 1873.*

Friso Heráldico
As chaves cruzadas deste escudo representam o governo papal dos Medici.

Salone dei Cinquecento *(1495)*
Este amplo salão contém uma estátua da Vitória, *de Michelangelo, e afrescos de Vasari, descrevendo o triunfo florentino sobre Pisa e Siena.*

Sala dei Gigli

Na Fontana di Nettuno (1575) Ammannati mostra o deus romano do mar cercado por ninfas marinhas e celebra as vitórias navais da Toscana.

O Marzocco é uma cópia do leão heráldico de Florença esculpido por Donatello em 1420. O original está no Bargello *(pág. 283)*.

★ **Palazzo Vecchio** *(concluído em 1332)*
Neste friso sobre a entrada do palácio, estão inscritas as palavras "Cristo é Rei", apontando que nenhum governante mortal tem poder absoluto.

★ **O Rapto das Sabinas**
(1583) As figuras entrelaçadas da famosa estátua de Giambologna foram esculpidas em um único bloco de mármore rachado.

Uffizi

A Loggia dei Lanzi (1382), projetada por Orcagna, tem o nome dos guarda-costas de Cosimo I (os *lanzi*), que ficavam alojados aqui.

Estátuas romanas, possivelmente de imperadores, espalham-se na Loggia.

★ **Perseu, de Cellini**
Esta estátua de bronze (1554) de Perseu decapitando Medusa alertava os inimigos de Cosimo I sobre seu provável destino.

PONTOS ALTOS

★ Palazzo Vecchio

★ *O Rapto das Sabinas*, de Giambologna

★ *Perseu*, de Cellini

Palazzo Vecchio ⓯

Piazza della Signoria (entrada pela Via della Ninna). **Mapa** 4 D1 (6 D3). ***Tel*** *055 276 82 24.* *A, B.* *9h-19h diariam (14h qui); última admissão: 1h antes de fechar.* *1º jan, Páscoa, 1º mai, 15 ago, 25 dez.* **Itinerários Secretos e Museu das Crianças** *(só reserva).* ***Tel*** *055 276 82 24.*

O "palácio velho" ainda é a prefeitura de Florença. Foi concluído em 1322, quando um imenso sino, usado para chamar os cidadãos para reuniões ou anunciar incêndios, enchentes ou ataques inimigos, foi elevado até o alto da imponente torre. Apesar de conservar muito de sua aparência medieval, o interior foi reformado para o duque Cosimo I em 1540. Vasari redecorou o interior, incorporando impressionantes afrescos (1563-5) das realizações florentinas. A estátua da *Vitória* (1525), de Michelangelo, enfeita o Salone dei Cinquecento, que possui um minúsculo Studiolo (gabinete) decorado entre 1569 e 1573 por 30 dos mais importantes pintores maneiristas de Florença. Outros destaques são a Cappella di Eleonora, pintada por Bronzino (1540-5), a galeria, com vistas da cidade, e a Sala dei Gigli (Sala dos Lírios), que guarda a obra *Judite e Holofernes* (c.1455), de Donatello, afrescos de heróis romanos (1485) de Ghirlandaio, o museu para crianças e as passagens secretas.

Uma cópia da fonte Putto de Verrocchio no pátio de Vasari

Rua a Rua: Arredores da Piazza della Repubblica

Sob o traçado de ruas da moderna Florença, observa-se o desenho de uma cidade romana antiga. Esta evidência aumenta no emaranhado de ruas estreitas ao redor da Piazza della Repubblica, local do antigo fórum romano. Esta importante praça abrigou o mercado da cidade até a década de 1860, quando um projeto de reurbanização recuperou a área, acrescentando o arco triunfal. Hoje, é uma praça repleta de cafés.

Santa Trìnita exibe afrescos de Ghirlandaio sobre a *Vida de São Francisco* (1486), com eventos que ocorreram nesta área. Aqui, uma criança é reanimada após cair do Palazzo Spini-Ferroni.

Palazzo Spini-Ferroni

Palazzo Strozzi
Este monumental palácio domina a praça. ⓱

A Ponte Santa Trìnita foi construída em madeira em 1290 e refeita por Ammannati em 1567 para celebrar a derrota de Siena.

A Santi Apostoli parece ter sido fundada por Carlos Magno.

LEGENDA

– – – Percurso sugerido

0 metros 200

Palazzo Davanzati
Afrescos com aves exóticas decoram a Sala dei Pappagalli, a sala de jantar deste palácio do século 14. ⓰

Para hotéis e restaurantes nesta região, ver págs. 576-8 e págs. 626-9

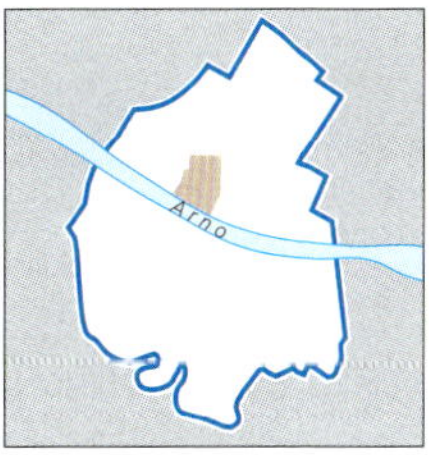

LOCALIZE-SE
Guia de Ruas de Florença, 5 e 6

Na Piazza della Repubblica, do século 19, estão alguns dos mais antigos e mais conhecidos cafés de Florença.

Mercato Nuovo (1547) agora vende principalmente suvenires.

O Palazzo di Parte Guelfa era o quartel-general dos guelfos, o partido político dominante da Florença medieval.

Ponte Vecchio *(pág. 285)*

Detalhe de um dos frisos do Palazzo Davanzati

Palazzo Davanzati ⓰

Via Porta Rossa 13. **Mapa** 3 C1 (5 C3). ***Tel*** *055 238 86 10.* *8h15-13h50 diariam.* *1ª, 3ª e 5ª seg do mês; 2º e 4º dom do mês.* *10h, 11h, 12h (somente 2º piso).*

Este maravilhoso museu, também conhecido como o Museo dell'Antica Casa Fiorentina, usa acessórios e móveis originais para recriar uma típica casa urbana do século 14. Um dos destaques é o Salone Madornale, onde aconteciam grandes reuniões, e a Sala dei Pappagalli.

Os buracos no teto abobadado do pátio de entrada serviam para derrubar projéteis em visitantes indesejados. Em um canto do pátio interno, há um poço e um sistema de roldanas que leva água para todos os pisos –um verdadeiro luxo na Florença medieval, onde a maioria das casas obtinha água de fontes públicas.

Palazzo Strozzi ⓱

Piazza degli Strozzi. **Mapa** 3 C1 (5 C3). ***Tel*** *055 264 51 55.* *para exposições.* **www**.palazzostrozzi.org

Este palácio causa um impacto imediato graças ao seu imenso tamanho. Cada um de seus três andares excede em altura um *palazzo* comum. Foi encomendado pelo rico banqueiro Filippo Strozzi, que demoliu 15 edifícios para dar lugar à nova construção. Ele esperava ver seu palácio superar os dos Medici em outros pontos da cidade, mas morreu apenas dois anos após o início da construção, em 1491. O trabalho prosseguiu até 1536, com a contribuição de três arquitetos principais –Giuliano da Sangallo, Benedetto da Maiano e Simone del Pollaiuolo (conhecido como Cronaca).

O exterior, construído com enormes blocos rústicos de alvenaria, continua inalterado. Procure observar os porta--tochas, lamparinas e argolas para amarrar os cavalos, da época renascentista, que ainda adornam os cantos e fachadas.

Durante as exposições, aproveite para admirar "La Strozzina", uma galeria abobadada que fica no subsolo onde acontecem pequenas mostras temporárias.

Exterior do Palazzo Strozzi, com rústicos blocos de alvenaria

San Lorenzo ⓲

San Lorenzo era a igreja paroquial da família Medici. Em 1419, Brunelleschi recebeu a incumbência de reconstruí-la em estilo clássico renascentista. Quase um século depois, Michelangelo apresentou novos projetos para a fachada e começou a trabalhar na obra dos túmulos Medici, na Sagrestia Nuova. Também projetou a Biblioteca Mediceo-Laurenziana para abrigar a coleção de manuscritos da família. O luxuoso mausoléu dos Medici, a Cappella dei Principi, começou a ser construído em 1604.

Cappella dei Principi
O mausoléu dos Medici, atrás do altar-mor, começou a ser feito em 1604 por Matteo Nigetti e forma parte das Cappelle Medicee.

O imenso domo de Buontalenti lembra o do Duomo *(págs. 280-1)*.

A Antiga Sacristia foi projetada por Brunelleschi e decorada por Donatello.

Campanário

Escadaria da Biblioteca
Este projeto maneirista de Michelangelo, um dos mais inovadores do artista, foi construído por Ammannati em 1559.

Michelangelo projetou as mesas e o teto da biblioteca, onde frequentemente são expostos manuscritos dos Medici.

No jardim do claustro, há sebes com formas geométricas, romãzeiras e laranjeiras.

O Martírio de São Lourenço
O grande afresco de Bronzino, de 1569, é um brilhante estudo coreografado da forma humana mais que uma ilustração devota da agonia do santo.

Entrada da igreja

PREPARE-SE

P. San Lorenzo. **Mapa** 1 C5 (6 D1). *7, 10, 11, 25, 31, 32.* **Basílica** ***Tel*** *055 21 40 42.* *10h-17h30 seg-sáb (mar-out: também dom à tarde). seg-sáb.* **Biblioteca** ***Tel*** *055 21 07 60.* *apenas para acadêmicos.*

Uma simples laje de pedra indica a discreta sepultura de Cosimo il Vecchio (1389-1464), fundador da dinastia Medici.

O complexo das Cappelle Medicee compreende a Cappella dei Principi e sua cripta, a Sagrestia Nuova *(pág. 295).*

Púlpitos de Donatello
Os púlpitos de bronze na nave foram as últimas obras de Donatello. Completados por seus alunos em 1460, os relevos capturaram a intensa dor da Paixão de Cristo e a glória da Ressurreição.

Jesus e São José Carpinteiro mostra o jovem Jesus Cristo com seu pai. É uma impressionante obra de Pietro Annigoni (1910-88), um dos poucos artistas modernos cuja obra está exibida em Florença.

Michelangelo apresentou vários projetos para a fachada de San Lorenzo, mas ela nunca foi acabada.

Túmulo do Duque de Nemours **(1520-34), de Michelangelo, na sacristia nova das Cappelle Medicee**

Cappelle Medicee ⓳

Piazza di Madonna degli Aldobrandini. **Mapa** 1 C5 (6 D1). ***Tel*** *055 238 86 02; 055 29 48 83 (reservas).* *muitas linhas.* *8h15-13h50 diariam. Última admissão: 30min antes de fechar.* *1ª, 3ª e 5ª dom e 2º e 4º seg do mês, 1º jan, 1º mai, 25 dez.*

As capelas dos Medici são divididas em três áreas distintas. Atrás do saguão de entrada, fica uma cripta com abóbada baixa destinada a túmulos de membros menos conhecidos da família. Daqui, uma pequena escada conduz à **Cappella dei Principi** (Capela dos Príncipes), um amplo mausoléu familiar com forma octogonal, iniciado por Cosimo I em 1604. Poucos locais de Florença apresentam decoração tão luxuosa: o teto exibe belos afrescos e as paredes, enormes faixas de *pietre dure* (pedras incrustadas) semipreciosas. Há, no total, túmulos de seis grão-duques Medici. Daqui, um corredor leva à **Nova Sacristia**, de Michelangelo, projetada como contraponto à antiga sacristia de Brunelleschi, em San Lorenzo. Três grupos de estátuas, todas esculpidas por Michelangelo entre 1520 e 1534, ficam ao redor da sala. A que fica perto da parede esquerda é o *Túmulo do Duque de Urbino* (neto de Lorenzo o Magnífico). Em frente, fica o *Túmulo do Duque de Nemours* (terceiro filho de Lorenzo). Perto da inacabada *Madona e Menino* (1521), encontra-se o túmulo de Lorenzo o Magnífico e seu irmão Giuliano, assassinado em 1478.

Mercato Centrale ⓴

Piazza del Mercato Centrale. **Mapa** 1 C4 (5 C1). *7h-14h seg-sáb.*

No centro do mercado de rua de San Lorenzo, fica o agitado Mercato Centrale, o mais movimentado mercado de alimentos de Florença. Ele ocupa um amplo edifício de dois andares de ferro fundido e vidro, construído em 1874 por Giuseppe Mengoni.

As barracas do térreo vendem carnes, frangos, peixes, presuntos, queijos e azeites de oliva. Também há pratos toscanos para viagem, como *porchetta* (porco assado), *lampredotto* (intestinos de porco) e *trippa* (tripas). Frutas, verduras e flores são vendidas no andar superior –procure cogumelos e trufas no outono e alcachofras, favas e ervilhas na primavera.

Abobrinhas com flores amarelas numa das bancas do Mercato Centrale

Santa Maria Novella ㉑

A igreja de Santa Maria Novella foi construída pelos dominicanos entre 1279 e 1357. A parte inferior de sua fachada, em estilo românico, foi incorporada à anterior, com proporções clássicas. A obra foi realizada entre 1456 e 1470 pelo arquiteto renascentista pioneiro Leon Battista Alberti. O interior gótico guarda soberbos afrescos, como a *Santíssima Trindade*, de Masaccio. Hoje, o famoso Chiostro Verde, com afrescos de Paolo Uccello, e a rebuscada Cappellone degli Spagnuoli formam um museu.

Nave
Os pilares da nave vão se aproximando em direção do altar. Este truque de perspectiva cria a ilusão de uma igreja muito longa.

Santíssima Trindade, de Masaccio
Este afresco (c.1428) é considerado uma obra-prima da perspectiva e do retrato. As figuras ajoelhadas representam os patronos da obra, o juiz Lorenzo Lenzi e sua mulher.

Cappella Strozzi
Os afrescos do século 14 de Nardo di Cione e seu irmão Andrea Orcagna foram inspirados na épica A Divina Comédia, *de Dante.*

PREPARE-SE

Piazza di Santa Maria Novella.
Mapa 1 B5 (5 B1).
A, 11, 12, 36, 37.
Igreja ***Tel*** *055 28 21 87.*
9h-17h diariam (a partir das 11h sex e 13h dom).
Museu ***Tel*** *055 28 21 87.*
9h-17h seg-qui, sáb; 9h-14h dom. Última admissão: 30min antes de fechar. *sex, 1° jan, Páscoa, 1° mai, 8 e 15 dez.*

O Túmulo de Strozzi foi projetado por Benedetto da Maiano (1493).

A Cappella di Filippo Strozzi exibe afrescos de Filippino Lippi de *São João Ressuscitando Drusiana dos Mortos* e *São Filipe Matando um Dragão.*

Cappella Tornabuoni
O famoso ciclo de afrescos de Ghirlandaio, A Vida de João Batista *(1485), inclui nos episódios bíblicos aristocratas florentinos usando trajes da sua época.*

Madonna della Misericordia **(1472), de Ghirlandaio, em Ognissanti**

Palazzo Antinori ㉒

Via de' Tornabuoni. **Mapa** 1 C5 (5 C2). *ao público.* **Cantinetta Antinori** ***Tel*** *055 29 22 34.* *12h30-14h30, 19h-22h30 seg-sex.*

Construído entre 1461 e 1466, este palácio é um dos mais belos *palazzi* renascentistas de Florença. Adquirido pelos Antinoris em 1506, continua pertencendo à família até hoje. A dinastia produz uma grande variedade de vinhos, azeites e licores, que podem ser provados –acompanhando bons pratos toscanos– na Cantinetta Antinori, um bar perto do pátio principal.

Palazzo Rucellai ㉓

Via della Vigna Nuova 16. **Mapa** 1 C5 (5 B2). *ao público.*

Construído entre 1446 e 1451, este é um dos mais ornamentados palácios renascentistas da cidade. Foi encomendado por Giovanni Rucellai, que ficou rico com a importação de um raro pigmento vermelho, feito de um líquen encontrado apenas na ilha espanhola de Majorca. O pigmento precioso era chamado de *oricello*, de onde vem o nome Rucellai. Giovanni encomendou vários edifícios ao arquiteto Leon Battista Alberti, que projetou este palácio para ser uma ilustração didática da essência do classicismo. O *palazzo* abrigava o Museo Alinari, mas a coleção foi transferida para a Piazza Santa Maria Novella.

Museo Nazionale Alinari della Fotografia ㉔

Piazza Santa Maria Novella 14a. **Mapa** 1 B5 (5 B2). ***Tel*** 055 21 63 10. *10h-19h qui-ter*
www.mnaf.it

Os irmãos Alinari começaram a fotografar Florença na década de 1840. Eles forneciam fotos, cartões-postais e livros de arte de alta qualidade aos visitantes da cidade durante o século 19. O museu apresenta um retrato histórico e fascinante da sociedade florentina daquela época. O museu também abriga uma coleção de câmeras, documentos e objetos.

Ognissanti ㉕

Borgo Ognissanti 42.
Mapa 1 B5 (5 A2).
Tel *055 239 87 00.*
7h45-12h30, 16h-18h seg-sáb.
1ª e última seg do mês.

A igreja de Ognissanti (Todos os Santos) era a paróquia dos Vespucci. O membro mais conhecido da família foi o navegador Américo Vespúcio, que no século 15 deu nome ao novo continente. O Américo jovem está retratado no afresco de Ghirlandaio *Madonna della Misericordia* (1472) na segunda capela à direita, entre a Virgem e o homem de capa vermelha.

Sandro Botticelli está sepultado aqui. Há um afresco seu, *Santo Agostinho* (1480), na parede sul.

Cappella Brancacci ㉖

A fama da igreja de Santa Maria del Carmine deve-se à Capela Brancacci, que contém afrescos sobre *A Vida de São Pedro*, encomendados pelo mercador florentino Felice Brancacci ao redor do ano de 1424. Apesar de Masolino ter iniciado as pinturas em 1425, muitas das cenas foram executadas por seu aluno Masaccio, que morreu antes de completar o ciclo, e por Filippino Lippi, que concluiu o trabalho em 1480. O revolucionário uso de perspectiva de Masaccio, seu drama narrativo e o trágico realismo de suas figuras o colocaram na vanguarda da pintura renascentista. Muitos artistas, incluindo Michelangelo, visitaram a capela mais tarde para estudar o trabalho pioneiro.

São Pedro Cura o Enfermo
Masaccio revolucionou a pintura da época com o realismo das figuras sofredoras.

Em todas as cenas, são Pedro distingue-se da multidão como a figura de capa laranja.

O agrupamento de figuras estilizadas nos afrescos de Masaccio reflete seu interesse na escultura de Donatello.

A simplicidade de Masaccio permite que o observador concentre-se nas figuras centrais dos afrescos.

Expulsão de Adão e Eva
A habilidade de Masaccio em expressar emoções fica evidente nas feições de Adão e Eva sendo expulsos do Paraíso, com rostos distorcidos pela angústia, a vergonha e o peso da consciência.

Para hotéis e restaurantes nesta região, ver págs. 576-8 e págs. 626-9

LEGENDA DOS AFRESCOS: ARTISTAS E TEMAS

☐ Masolino

☐ Masaccio

☐ Lippi

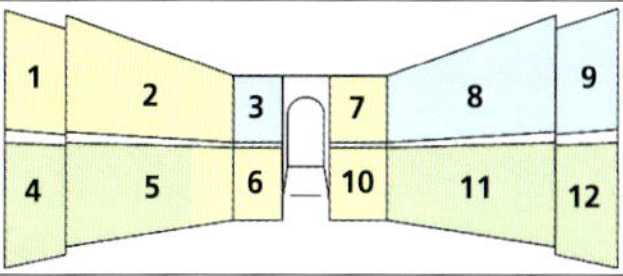

1 Expulsão de Adão e Eva
2 A Cobrança de Impostos
3 São Pedro Pregando
4 Visita de São Paulo a São Pedro
5 Ressuscitando o Filho do Imperador; São Pedro Entronizado
6 São Pedro Cura o Enfermo
7 São Pedro Batiza os Convertidos
8 São Pedro Cura o Inválido; Ressuscitando Tabita
9 Tentação de Adão e Eva
10 São Pedro e São João Dão Esmolas
11 Crucificação; Diante do Procônsul
12 Libertação de São Pedro

PREPARE-SE

Piazza del Carmine. **Mapa** 3 A1 (5 A4). ***Tel*** *055 238 21 95; 055 27 68 224 (reservas obrigatórias).* *D.* *10h-17h seg, qua-dom (desde 13h dom).* *feriados.*

Mulher de Turbante
O frescor das cores de Masaccio pode ser visto neste medalhão que ficou 500 anos escondido atrás do altar.

São Pedro aparece num cenário com edifícios florentinos.

A suavidade da ***Tentação de Adão e Eva***, de Masolino, contrasta com a força emocional da pintura de Masaccio na parede oposta.

Duas Figuras
A obra de Masolino tende a ter mais formalismo, menos naturalidade e movimento que a de Masaccio.

Diante do Procônsul
Em 1480, Filippino Lippi foi chamado para completar o ciclo de afrescos. Ele acrescentou esta tocante cena mostrando o procônsul sentenciando são Pedro à morte.

Rua a Rua: Oltrarno

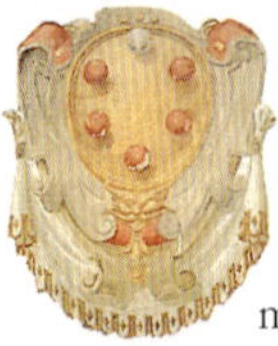

Brasão dos Medici

No geral, o Oltrarno é uma área residencial com casas pequenas, praças tranquilas e lojas de antiguidades, enfeites e comida. Na Via Maggio, o ambiente é mais movimentado, mas basta escapar para uma rua secundária para reencontrar a Florença antiga. Os restaurantes servem comida autêntica, com preços razoáveis, e a área está repleta de ateliês que restauram móveis antigos. Entre os pontos de destaque, estão a Santo Spirito e o Palazzo Pitti, um dos maiores palácios da cidade, cujos museus oferecem um acervo de arte superado apenas pelo da Uffizi.

Santo Spirito
Esta igreja simples de Brunelleschi foi concluída após a morte do arquiteto. ㉗

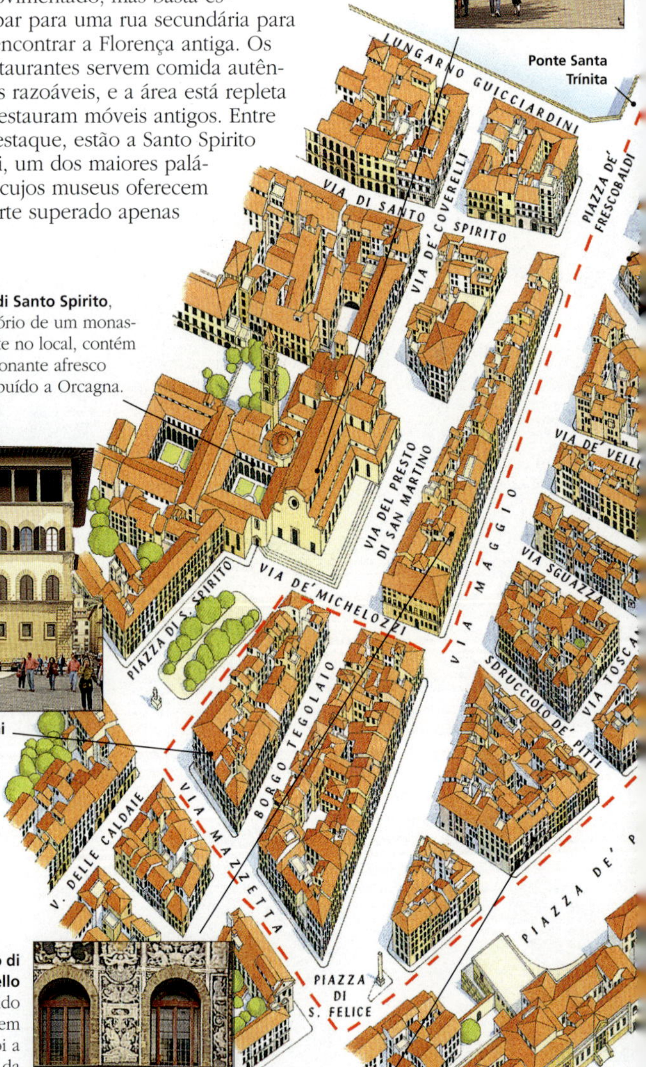

Ponte Santa Trínita

O Cenacolo di Santo Spirito, antigo refeitório de um monastério existente no local, contém um impressionante afresco (c.1360) atribuído a Orcagna.

O Palazzo Guadagni (1500) foi o primeiro da cidade construído com galeria no terraço, lançando moda entre a aristocracia.

O Palazzo di Bianca Cappello (1579), revestido com trabalho em *sgraffito*, foi a residência da amante do grão-duque Francesco I.

Máscaras e murais são feitos à mão na loja Frieze of Papier Mâché.

A fonte e a gárgula do século 16 na Piazza de' Frescobaldi foram projetadas por Buontalenti, assim como a fachada (1593-4) da igreja Santa Trìnita, que fica aqui perto.

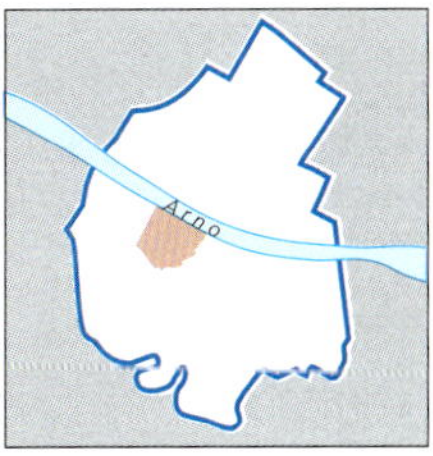

LOCALIZE-SE
Guia de Ruas de Florença, 3 e 5

Ponte Vecchio *(pág. 285)*

No Palazzo Guicciardini, nasceu o historiador Francesco Guicciardini.

★ Palazzo Pitti
Vários museus fazem parte deste enorme palazzo, *incluindo um destacado acervo de pinturas. Esta representação do Palazzo Pitti foi feita por Giusto Utens em 1599.* ㉘

LEGENDA

– – – Percurso sugerido

0 metros 100

PONTO ALTO

★ Palazzo Pitti

Santo Spirito ㉗

Piazza di Santo Spirito **Mapa** 3 B2 (5 B4). D. ***Tel*** *055 21 00 30.* *9h45-12h30, 16h-17h30 seg-sáb, 16-18h30 dom.* *qua.*

Esta igreja agostiniana foi fundada em 1250. O edifício atual, que domina o extremo norte da bela Piazza di Santo Spirito, foi projetado pelo arquiteto Brunelleschi em 1435, mas só foi concluído no fim do século 15, muito depois de sua morte. A inacabada fachada foi acrescentada no século 18.

No interior, a harmonia das proporções foi de certa forma prejudicada pelo elaborado dossel barroco e pelo altar-mor, concluído em 1607 por Giovanni Caccini.

A igreja possui 38 altares laterais, decorados com pinturas e esculturas renascentistas dos séculos 15 e 16, entre elas obras de Cosimo Rosselli, Domenico Ghirlandaio e Filippino Lippi. Este último pintou a magnífica *Madona e Menino* (1466) para a Capela Nerli, no transepto sul.

Na nave lateral norte, uma porta sob o órgão leva a um vestíbulo com teto ornamentado com caixotões, projetado por Simone del Pollaiuolo, mais conhecido como Cronaca, em 1491. A sacristia anexa ao vestíbulo, onde 12 enormes colunas lotam um espaço minúsculo, foi projetada por Giuliano da Sangallo em 1489.

Nave lateral com colunata, no interior da Santo Spirito

Palazzo Pitti ㉘

O Palazzo Pitti foi construído para o banqueiro Luca Pitti. O grande tamanho do edifício, cuja construção iniciada em 1457 é atribuída a Brunelleschi, ilustrava a determinação de Pitti de superar a família Medici na ostentação de riqueza e poder. Ironicamente, os Medici compraram o *palazzo* quando os custos do edifício levaram os herdeiros do banqueiro à falência. Em 1550, tornou-se a residência principal dos Medici, e todos os governantes da cidade viveram aqui. Hoje, suas luxuosas salas exibem incontáveis tesouros dos acervos dos Medici.

Judite **(1620–30) de Artemisia Gentileschi**

As Três Idades do Homem **(c.1510), atribuída a Giorgione**

GALLERIA PALATINA

Esta galeria forma o núcleo central dos museus Pitti, abrigando inúmeras obras-primas de artistas como Botticelli, Ticiano, Perugino, Andrea del Sarto, Tintoretto, Veronese, Giorgione e Gentileschi. As obras de arte acumuladas pelos Medici e pela casa de Habsburgo-Lorraine ainda estão expostas segundo o desejo de muitos grão-duques: sem ordem cronológica ou divisão temática. A galeria consiste em 11 salões principais – os primeiros cinco com afrescos alegóricos no teto, exaltando os Medici. A pintura, iniciada por Pietro da Cortona em 1641, foi concluída em 1665 por seu aluno, Ciro Ferri. A Sala 1 (Sala di Venere) guarda a estátua de Antonio Canova da *Venus Italica* (1810), encomendada por Napoleão para substituir a *Vênus de Medici* (que seria levada para Paris). A Sala 2 (Sala di Apollo) apresenta o *Retrato de um Cavalheiro* (1540), de Ticiano, talvez o mais belo quadro entre os vários do artista presentes na galeria. Nas Salas 4 e 5, há algumas telas de Perugino, Andrea del Sarto e muitas obras de Rafael. A mais linda do último grupo é a obra de Rafael, a *Madonna della Seggiola*, ou *Madona Sentada* (c.1514-5), do Alto Renascimento, e a *Donna Velata*, ou *Mulher de Véu* (c.1516), cuja modelo teria sido a amante do artista. Outras excelentes pinturas nas demais salas da galeria incluem a linda *Madona e Menino*, de Fra Filippo Lippi, pintada em meados do século 15, e *Cupido Adormecido* (1608), de Caravaggio.

Madonna Sentada **(c.1515), de Rafael**

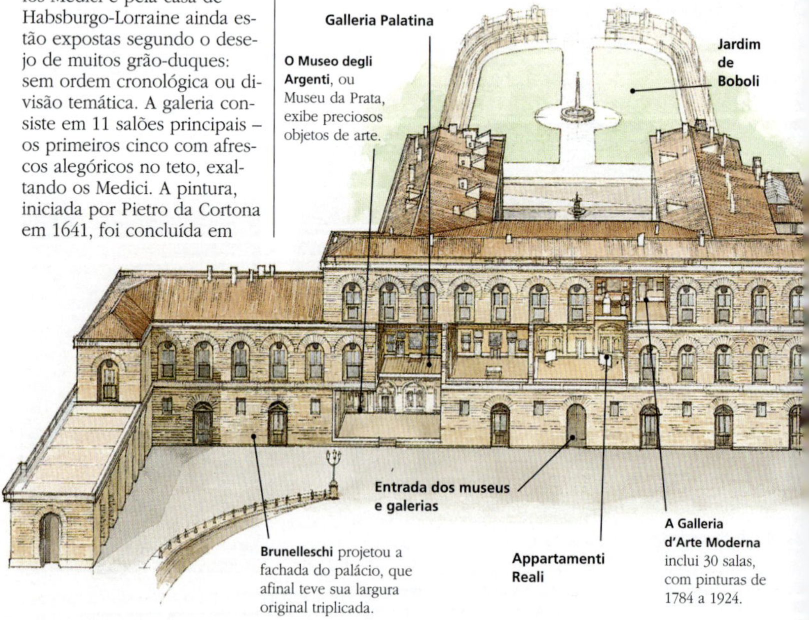

A Palmieri Rotonda, de Giovanni Fattori (1825-1908)

APPARTAMENTI REALI

Os aposentos reais no primeiro andar da ala sul do *palazzo* foram construídos no século 17. Receberam intensa decoração, incluindo afrescos de vários artistas florentinos, uma série de retratos dos Medici feitos pelo pintor flamengo Justus Sustermans, que trabalhou na corte entre 1619 e 1681, e tapeçarias Gobelin do século 18. No fim deste século e início do seguinte, os aposentos foram completamente reformados em estilo neoclássico pelos duques de Lorraine, quando sucederam a dinastia Medici no governo de Florença.

Os aposentos apresentam adornos luxuosos com estuque dourado e branco no teto. As paredes da Sala do Papagaio estão revestidas de um tecido carmim, com uma ave desenhada. As salas de tapeçaria estão decoradas com peças dos séculos 17 e 18, da França, Bélgica e Itália. Os aposentos refletem as predileções de três períodos históricos distintos.

Sala do Trono dos Appartamenti Reali

Piazza della Signoria decorada com pedras preciosas

OUTROS ACERVOS

O Museo degli Argenti (Museu da Prata) ocupa salas que eram anteriormente usadas pelos Medici como aposentos de verão. O gosto luxuoso da família evidencia-se no extenso acervo de objetos preciosos exposto. Ele varia de lindos exemplares de louça romana, objetos de marfim, tapetes, cristais e peças de âmbar a belos trabalhos de ourives florentinos e alemães. Destacam-se 16 jarras *pietre dure* (com pedras semipreciosas incrustadas), que já pertenceram a Lorenzo o Magnífico.

Inaugurada em 1983, a Galleria del Costume reflete as mudanças da moda na corte do fim do século 18 até a década de 1920. Os pontos altos da Galleria d'Arte Moderna são as pinturas dos *Macchiaioli* ("fazedores de borrões"), um grupo de artistas toscanos com estilo semelhante ao dos impressionistas franceses.

PREPARE-SE

Piazza de' Pitti. **Mapa** 3 C2 (5 B5). *D, 11, 36, 37.* **Tel** *055 29 48 83 (reservas).* **Galleria Palatina e Appartamenti Reali** *8h15-18h50 ter-dom.* *25 dez.* **Jardim de Boboli** *8h15-18h30 diariam (mar: até 17h30; jun-ago: até 19h30; nov-fev: até 16h30).* *1ª e última seg* **Outras coleções** *mesmos do Jardim de Boboli.* *1º jan, 1º mai, 25 dez.*

JARDIM DE BOBOLI

Uma cópia da *Fonte Oceano* (1576), de Giambologna

Projetado para os Medici depois que compraram o Palazzo Pitti em 1549, hoje o Jardim de Boboli oferece um delicioso descanso após a visita aos museus. Excelente exemplo de jardim estilizado renascentista, foi aberto ao público em 1766. A parte mais clássica dos jardins, próxima ao *palazzo*, apresenta sebes podadas em padrões geométricos simétricos. Essa vegetação conduz a bosques mais selvagens, com azinheiros e ciprestes, plantados para criar um contraste entre o artificial e o natural. Inúmeras estátuas adornam os jardins, especialmente ao longo da Viottolone, uma alameda de ciprestes plantados em 1637. No alto, acima dos jardins, fica o Forte di Belvedere, projetado por Buontalenti em 1590 para os grão-duques Medici.

A Virgem de *A Anunciação* (1528), de Pontormo

Santa Felìcita ㉙

Piazza di Santa Felìcita. **Mapa** 3 C2 (5 C5). 🚌 *D.* ***Tel*** *055 21 30 18.* 🕘 *9h30–12h30, 15–18h diariam (apenas manhã dom).* ♿

Há uma igreja neste local desde o 4° século. A estrutura atual, iniciada no século 11, foi remodelada em 1736–9 por Ferdinando Ruggieri, que manteve o pórtico de Vasari datado de 1564 e muitas das características góticas originais da igreja.

À direita da entrada, a capela da família Capponi tem duas obras de Jacopo da Pontormo: *A Deposição de Cristo* e *A Anunciação* (1525-8). A estranha composição e o colorido notável fazem destes afrescos grandes obras-primas do Maneirismo.

Piazzale Michelangelo ㉚

Piazzale Michelangelo. **Mapa** 4 E3. 🚌 *12, 13.*

De todos os grandes pontos de visão florentinos –como o Duomo e Campanile–, nenhum oferece um panorama tão magnífico da cidade quanto a Piazzale Michelangelo. Projetada na década de 1860 por Giuseppe Poggi e adornada com cópias de estátuas de Michelangelo, seus balcões atraem muitos turistas e os inevitáveis bandos de vendedores de suvenires. Mas a praça continua sendo um ponto evocativo, sobretudo quando o sol se põe sobre o Arno e as distantes colinas toscanas.

San Miniato al Monte ㉛

Via del Monte alle Croci. **Mapa** 4 E3. ***Tel*** *055 234 27 31.* 🚌 *12, 13.* 🕘 *abr-set: 8h-19h diariam; out-mar: 8h-13h, 15h-19h diariam (apenas tarde dom).* ⚫ *feriados* ♿

San Miniato é uma das igrejas românicas mais belas da Itália. Iniciada em 1018, foi construída sobre o túmulo de San Miniato (ou são Minias), um rico negociante armênio que foi decapitado no 3° século devido às suas crenças. A fachada de mármore, iniciada por volta de 1090, tem o padrão geométrico típico da arquitetura românica de Pisa. A estátua na empena mostra uma águia portando um fardo de tecido, símbolo da poderosa Arte di Calimala (corporação dos importadores de lã), que financiou a igreja na Idade Média. O mosaico do século 13 mostra Cristo, a Virgem e são Minias. Os mesmos protagonistas aparecem no mosaico da abside dentro da igreja, que fica acima de uma cripta apoiada em colunas recuperadas de antigas edificações romanas. O piso da nave é coberto por sete painéis de mosaicos de 1207 mostrando animais e signos do Zodíaco. Outros destaques são a Cappella del Crocifisso (1448), de Michelozzo, e a Capela Renascentista del Cardinale del Portogallo (1480) cujo teto exibe medalhões de terracota (1461) pintados por Luca della Robbia. Há um ciclo de afrescos de *Cenas da Vida de São Benedito*, de Spinello Aretino, na sacristia, que foi concluído em 1387.

Fachada da igreja de San Miniato al Monte

Ponte Vecchio e o Arno vistos do alto da Piazzale Michelangelo

Para hotéis e restaurantes nesta região, veja págs. 576-8 e págs. 626-9

Compras em Florença

Poucas cidades exibem tanta variedade de lojas de alta qualidade quanto Florença. Ao andar por suas ruas medievais, encontram-se todos os grandes nomes da moda e da joalheria italiana lado a lado com oficinas de artesãos e empresas familiares. A reputação da cidade como centro de excelência artística é realçada pela profusão de antiquários e lojas de arte. Os curtumes toscanos são renomados e não há lugar melhor para comprar sapatos, bolsas e artigos de couro. Quem procura presentes e suvenires originais –de papéis de carta feitos a mão a deliciosos produtos alimentícios– também fica confuso diante de tantas opções.

ONDE COMPRAR

O centro de Florença abriga todos os tipos de lojas, desde as de estilistas de moda a sebos. Pequenas joalherias na Ponte Vecchio vendem peças de ouro antigas e novas de alta qualidade. A maioria dos antiquários fica em torno da Via dei Fossi, da Via dei Serragli e da Via Maggio. As melhores pechinchas são encontradas nas liquidações de janeiro e julho.

MODA

A maioria dos grandes nomes da moda italiana –**Gucci**, **Armani**, **Versace** e **Prada**– fica na Via de' Tornabuoni, que também abriga a loja do designer francês **Yves Saint-Laurent**. Do lado oposto ao Palazzo Strozzi está a **Louis Vuitton**, com coleções de calçados, roupas e malas, enquanto as lojas de **Valentino**, **Dolce & Gabbana** e **Patrizia Peppe** ficam na Via della Vigna Nuova. **La Perla**, meca da lingerie sofisticada, está na mesma rua, mas há estilos mais acessíveis na **Intimissimi**.

A maioria das lojas de departamentos só vende roupas. Para moda a preços médios, tente a **Coin**, que também vende sapatos e moda infantil. Mais sofisticada, **La Rinascente** oferece moda de designers, lingerie e um bar na cobertura.

Pode-se achar moda de designers com desconto no **The Mall**, um centro de outlets a 30 minutos de Florença.

Há sedas finas e tecidos feitos a mão na **Rubelli**.

CALÇADOS E ARTIGOS DE COURO

As mecas para fãs de sapatos de design italiano são **Gucci**, **Ferragamo** e **Prada**. Para estilos mais clássicos, vá até a **Quercioli**, que tem calçados de couro feitos a mão. Artigos a preço médio encontram-se na **Peppe Peluso** e na rede de lojas **Bata**.

As ruas em torno da Piazza di Santa Croce têm muitas lojas de artigos de couro. Dentro dos claustros da própria igreja fica a **Scuola del Cuoio**, onde você pode ver artesãos de couro trabalhando.

Bolsas clássicas de couro são vendidas na **Il Bisonte** e na **Beltrami**; para estilos mais contemporâneos vá à **Coccinelle** e à **Furla**.

A **Scriptorium** vende objetos de couro para escritório.

JOIAS

Florença sempre destacou-se por seus ourives e artesãos de prata. Visite a **Torrini**, loja da família homônima que produz joias há seis séculos, e a estupenda loja **Pomellato** que exibe anéis de ouro branco com enormes pedras semipreciosas. A **Bulgari** fica na mesma rua, assim como a **Parenti**, que tem lindas joias antigas. Já a **Aprosio & Co** oferece joias decorativas de metais preciosos e pequenas pedras de vidro.

ARTE E ANTIGUIDADES

A **Romanelli** tem estátuas de bronze e peças com pedras semipreciosas, e a **Ducci** tem uma fina seleção de caixas feitas a mão, estampas e esculturas de mármore e madeira. Para Art Nouveau e Art Déco, há a **Fallani Best**, ao passo que a **Ugo Poggi** tem porcelanas elegantes. A **Ugolini** e a **Mosaico di Pitti** criam mesas e molduras com a antiga técnica de marchetaria de mármore.

LIVROS E PRESENTES

A **Feltrinelli International** e a **Edison** vendem publicações em vários idiomas, enquanto a **paperback Exchange** oferece livros novos e usados em inglês.

Florença se destaca nas áreas de encadernação de livros e papéis marmorizados feitos a mão, usados para decorar vários objetos. Você os encontra na **Il Torchio** e na **Il Papiro**.

Para terracota e cerâmica, vá à **Sbigoli Terracotte**; para lustres e objetos de vidro decorativos tente **La Bottega dei Cristalli**.

Instalada em uma adega reformada, a **Signum** vende cartões postais, cartazes e estampas, ao passo que a **Mandragora** tem uma ampla gama de presentes baseados em obras de arte da cidade.

ALIMENTOS E MERCADOS

O principal mercado de alimentos de Florença é o coberto **Mercato Centrale** *(pág. 303)*, mas também há barracas de frutas e legumes no **Mercato di Sant'Ambrogio**. Nas manhãs de terça-feira, há um grande mercado de alimentos, roupas e sapatos a preços acessíveis no **Parco delle Cascine**.

O supermercado **Pegna** vende alimentos frescos e itens gastronômicos. A **Bottega dell'Olio** vende azeite de oliva extra virgem da Toscana, azeites com especiarias e presentes.

A **Dolceforte** tem chocolates na forma do Duomo e da estátua de *David*. Há biscoitos e chocolates na parte da frente da **Alessi**, enquanto mais ao fundo ficam vinhos, destilados e licores. Passe na **Procacci** para tomar uma taça de vinho italiano enquanto examina potes de trufas negras ou brancas e outras iguarias.

AGENDA

MODA

Armani
Via de' Tornabuoni 48–50r.
Mapa 1 C5 e 5 C2.
Tel *055 21 90 41.*

Coin
Via dei Calzaiuoli 56r.
Mapa 6 D3.
Tel *055 28 05 31.*

Dolce & Gabbana
Via della Vigna Nuova 27.
Mapa 3 B1 e 5 B3.
Tel *055 28 10 03.*

Gucci
Via de' Tornabuoni 73r.
Mapa 1 C5 e 5 C2.
Tel *055 26 40 11.*

Intimissimi
Via dei Calzaiuoli 99r.
Mapa 3 C1 e 6 D3.
Tel *055 230 26 09.*

Louis Vuitton
Piazza degli Strozzi 1.
Mapa 3 C1.
Tel *055 26 69 81.*

The Mall
Via Europa 8, Leccio Reggello.
Tel *055 865 77 75.*

Patrizia Peppe
Via degli Strozzi 11/19r.
Mapa 3 C1 e 6 D2.
Tel *055 230 25 18.*

La Perla
Via della Vigna Nuova 17–19.
Mapa 3 B1 e 5 B3.
Tel *055 21 70 70.*

Prada
Via de' Tornabuoni 67r.
Mapa 1 C5 e 5 C2.
Tel *055 28 34 39.*

La Rinascente
Piazza della Repubblica 1.
Mapa 1 C5 e 6 D3.
Tel *055 21 91 13.*

Rubelli
Via dei Fossi 45r.
Mapa 1 B5 e 5 B3.
Tel *055 21 24 30.*

Valentino
Via della Vigna Nuova 47r.
Mapa 3 B1 e 5 B3.
Tel *055 29 31 42.*

Versace
Via de' Tornabuoni 13–15r.
Mapa 1 C5 e 5 C2.
Tel *055 28 26 38.*

Yves Saint-Laurent
Via de' Tornabuoni 29r.
Mapa 1 C5 e 5 C2.
Tel *055 28 40 40.*

CALÇADOS E ARTIGOS DE COURO

Bata
Via dei Calzaiuoli 110r.
Mapa 3 C1 e 6 D2.
Tel *055 21 16 24.*

Beltrami
Via de' Tornabuoni 48r.
Mapa 1 C5 e 5 C2.
Tel *055 28 77 79.*

Il Bisonte
Via del Parione 31r.
Mapa 1 C5 e 5 C3.
Tel *055 21 57 22.*

Coccinelle
Via Por Santa Maria 49r.
Mapa 3 C1 e 6 D4.
Tel *055 239 87 82.*

Ferragamo
Via de' Tornabuoni 14r.
Mapa 1 C5 e 5 C2.
Tel *055 29 21 23.*

Furla
Via de' Calzaiuoli 47r.
Mapa 3 C1 e 6 D3.
Tel *055 238 28 83.*

Peppe Peluso
Via del Corso 5–6r.
Mapa 3 C1 e 6 D3.
Tel *055 26 82 83.*

Quercioli
Via Calzaiuoli 18/20r.
Mapa 3 C1 & 6 D2.
Tel *055 21 39 41.*

Scriptorium
Via dei Servi 5–7r.
Mapa 2 D5 e 6 E2.
Tel *055 21 18 04.*

Scuola del Cuoio
Piazza di Santa Croce 16.
Mapa 3 C1 e 6 F4.
Tel *055 24 45 33.*

JOIAS

Aprosio & Co
Via di Santo Spirito 11.
Mapa 3 B1 e 5 B4.
Tel *055 29 05 34*

Bulgari
Via de' Tornabuoni 61r.
Mapa 1 C5 e 5 C3.
Tel *055 21 24 69.*

Parenti
Via de' Tornabuoni 67r.
Mapa 1 C5 e 5 C2.
Tel *055 28 34 39.*

Pomellato
Via de' Tornabuoni 89–91r. **Mapa** 1 C5 e 5 C2.
Tel *055 28 85 30.*

Torrini
Piazza del Duomo 10r.
Mapa 2 D5 e 6 D2.
Tel *055 230 24 01.*

ARTES E ANTIGUIDADES

Ducci
Lungarno Corsini 24r.
Mapa 3 B1 e 5 B3.
Tel *055 21 45 50.*

Galleria Tornabuoni
Borgo San jacopo 53R.
Mapa 3 C1 e 5 C4.
Tel *055 28 47 20.*

Mosaico di Pitti
Piazza de' Pitti 16–18r.
Mapa 3 B2 e 5 B5.
Tel *055 28 21 27.*

Romanelli
Lungarno degli Acciaiuoli 74r. **Mapa** 3 C1 e 5 C4.
Tel *055 239 66 62.*

Ugo Poggi
Via degli Strozzi 26r.
Mapa 1 C5 e 5 C3.
Tel *055 21 67 41.*

Ugolini
Lungarno degli Acciaiuoli 66–70r. **Mapa** 3 C1 e 5 C4. ***Tel*** *055 28 49 69.*

LIVROS E PRESENTES

La Bottega dei Cristalli
Via dei Benci 51r.
Mapa 3 3 C1 e 6 F4.
Tel *055 234 48 91.*

Edison
Piazza della Repubblica 27r. **Mapa** 1 C5 e 6 D3.
Tel *055 21 31 10.*

Feltrinelli International
Via Cavour 12–20r.
Mapa 2 D4.
Tel *055 21 95 24.*

Mandragora
Piazza del Duomo 50r.
Mapa 3 C1 e 6 D2.
Tel *055 29 25 59.*

Paperback Exchange
Via Delle Oche 4R.
Mapa 2 D5 e 6 E2.
Tel *055 29 34 60.*

Il Papiro
Piazza del Duomo 24r.
Mapa 2 D5 e 6 D2.
Tel *055 28 16 28.*

Sbigoli Terracotte
Via Sant'Egidio 4r.
Mapa 6 F2.
Tel *055 247 97 13.*

Signum
Borgo dei Greci 40r.
Mapa 3 C1 e 6 E4.
Tel *055 28 06 21.*

Il Torchio
Via de' Bardi 17.
Mapa 3 C2 e 6 D5.
Tel *055 234 28 62.*

COMIDA E MERCADOS

Alessi
Via delle Oche 27r.
Mapa 3 C1 e 6 D2.
Tel *055 21 49 66.*

Bottega dell'Olio
Piazza del Limbo 2r.
Mapa 3 C1 e 6 D4.
Tel *055 267 04 68.*

Dolceforte
Via della Scala 21.
Mapa 1 C5 e 5 B2.
Tel *055 21 91 16.*

Mercato Centrale
Via dell'Ariento 10–14.
Mapa 1 C4 e 5 C1.

Mercato di Sant'Ambrogio
Piazza Sant'Ambrogio.
7h-14h seg-sáb.

Parco delle Cascine
Piazza Vittorio Veneto.
ter manhã.

Pegna
Via dello Studio 26r.
Mapa 6 E2.
Tel *055 28 27 01.*

Procacci
Via de' Tornabuoni 64r.
Mapa 1 C5 e 5 C2.
Tel *055 21 16 56.*

GUIA DE RUAS

Referências de mapas na seção de pontos turísticos de Florença se referem aos mapas nas páginas seguintes. Em caso de duas referências, aquela entre colchetes indica mapas em grande escala, 5 e 6. Há também referências a hotéis *(págs. 554-7)*, restaurantes *(págs. 604-5)* e endereços úteis nas seções *Indicações ao Turista e Manual de Sobrevivência* no final do livro. O mapa abaixo mostra a área de Florença coberta pelo *Guia de Ruas*. Os símbolos usados para pontos turísticos e outros destaques nos mapas do *Guia de Ruas* estão relacionados abaixo. As ruas de Florença têm numeração dupla: os números vermelhos são para empresas e os pretos ou azuis para residências privadas.

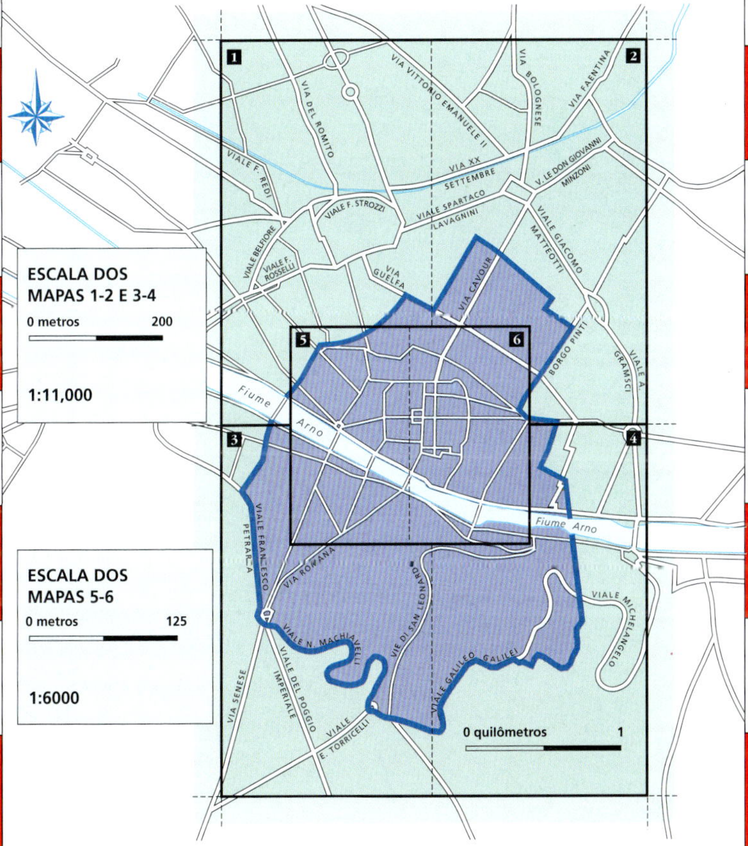

LEGENDA

- Principal atração
- Área de interesse
- Estação ferroviária
- Terminal de ônibus
- Terminal de bonde
- Informação turística
- Hospital com Pronto Socorro
- Posto policial
- Estacionamento
- Igreja
- Sinagoga
- Correio
- Ferrovia
- Muros da cidade
- Rua para pedestres

1
A
B
C
1
2
3
4
5
VIA FILIPPO CORRIDONI
VIA PIERO CIRONI
VIA DEL PALAZZO BRUCIATO
V. RIGUCCIO GALLUZZI
PIAZZA PIETRO LEOPOLDO
V. SALLUSTIO BANDINI
VIA ALFREDO ORIANI
VIA CELESTINO BIANCHI
VIA ATTO VANNUCCI
VIA GIOVANNI FABRONI
VIA PAOLETTI
VIA DELL'ARCOVATA
VIA MARCO LASTRI
PIAZZA BERNARDO TANUCCI
V. POMPEO NERI
V. FRANCESCO GIANNI
VIA ENRICO MAYER
VIA SCIPIONE DE' RICCI
VIA GASPERO BARBERA
VIA GIANFRANCESCO PAGNINI
V. CIRCONDARIA
VIA ANTONIO LOCATELLI
VIA SCIPIO SLATAPER
VIA SCIPIO SIGHELE
PIAZZA GIAMPIETRO VIESSEUX
VIA RAFFAELLO LAMBRUSCHINI
VIA FERDINANDO
VIALE CORSICA
VIA GAETANO MILANESI
V. ANTONIO ZOBI
VIA FRANCESCO BONAINI
VIA ANGELO MARIA BANDINI
V. CESARE GUASTI
V. FRANCESCO MARUCELLI
V. GIOVANNI LORENZONI
V. LUIGI PASSERINI
PIAZZA LUDOVICO ANTONIO MURATORI
VIALE GIOVANNI LAMI
VIA DEL ROMITO
VIA EGISTO FABBRI
VIA GIUSEPPE RICHA
V. LUIGI GORDIGIANI
VIA ONOFRIO ZEFFIRINI
VIALE DEI CADORNA
VIA FRANCESCO CRISPI
VIA DELLE CINQUE GIORNATE
VIA DELLO STATUTO
VIALE FRANCESCO REDI
VIA GIOVANNI TARGIONI TOZZETTI
VIA DEL PONTE ALL'ASSE
VIA SAN JACOPINO
VIA VENTIQUATTRO MAGGIO
PIAZZA FILIPPO BALDINUCCI
VIA DELLA CERNAIA
VIA CRIMEA
VIA FRANCESCO PUCCINOTTI
V. MARAGLIANO
VIA ALFREDO CATALANI
V. GASPARE LUIGI SPONTINI
PIAZZA DI S. JACOPINO
V. FRANCESCO LANDINI
VIA COSSERIA
PIAZZA DELLA COSTITUZIONE
V. GIOACCHINO ROSSINI
V. DOMENICO CIMAROSA
V. B. CRISTOFORI
VIA CASSIA
VIA GUIDO SPADOLINI
VIALE FILIPPO STROZZI
PIAZZALE CADUTI NEI LAGER
Fortezza da Basso
V. BENEDETTO MARCELLO
VIALE BELFIORE
VIA DELLA CITTADELLA
VIA DELLE GHIACCIAIE
PIAZZALE MONTELUNGO
V. GUIDO MONACO
VIA I. PERI
VIA PIER LUIGI DA PALESTRINA
V. ENRICO
V. GIUSEPPE DOLFI
V. VINCENZO SALVAGNOLI
VIA DI BARBANO
VIA COSIMO RIDOLFI
VIA DELLE PORTE NUOVE
VIA DELLA FORTEZZA
VIA DEL PRATELLO
PIAZZA DELL' INDIPENDENZA
V. FAUSTO DIONISI
PIAZZA DEL CROCIFISSO
VIA GIUSEPPE MONTANELLI
VIALE FRATELLI ROSSELLI
VIA LUIGI ALAMANNI
V. DEL PONTE ALLE MOSSE
PIAZZALE DELLA PORTA AL PRATO
VIA IACOPO DA DIACCETO
PIAZZA ADUA
V. BERNARDO CENNINI
VIA GUELFA
VIA NAZIONALE
V. CHIARA
VIA PANICALE
VIA FAENZA
VIA DELL'ARIENTO
VIA VALFONDA
VIA FIUME
Stazione Centrale di Santa Maria Novella
PIAZZA D. MERCATO CENTRALE
Mercato Centrale
VIA DELLA SCALA
VIA MAGENTA
VIA IL PRATO
V. BERNARDO RUCELLAI
VIA ORICELLARI
LARGO FRATELLI ALINARI
VIA SANT'ANTONINO
VIA SOLFERINO
GIUSEPPE GARIBALDI
VIA DEGLI ORTI
V. DI S. CATERINA DA SIENA
PIAZZA DELLA STAZIONE
PIAZZA DELL' UNITÀ ITALIANA
PIAZZA DI MADONNA DEGLI ALDOBRANDINI
Cappelle Medicee
San Lorenzo
VIA MONTEBELLO
VIA DI SANTA LUCIA
VIA DELL'ALBERO
VIA PALAZZUOLO
VIA DE' CANACCI
V. BENEDETTA
Santa Maria Novella
VIA DEGLI AVELLI
VIA PANZANI
VIA DEL GIGLIO
V. DELL' ALLORO
Biblioteca Medicea Laurenziana
CORSO ITALIA
VIA PALESTRO
VIA CURTATONE
BORGO OGNISSANTI
V. M. FINIGUERRA
PIAZZA DI SANTA MARIA NOVELLA
VIA DEI BANCHI
Santa Maria Maggiore
LUNGARNO AMERIGO VESPUCCI
V. MELEGNANO
Ognissanti
PIAZZA DI SAN PAOLINO
Museo Nazionale Alinari della Fotografia
Palazzo Antinori
VIA DELLE BELLE DONNE
VIA TEATINA
VIA DEGLI AGLI
VIA DE' PECORI
Battistero
Arno
LUNGARNO DI S. ROSA
Ponte A. Vespucci
VIA DEL PORCELLANA
PIAZZA DEGLI OTTAVIANI
V. DEL SOLE
Museo Marino Marini (San Pancrazio)
V. DE' TORNABUONI
VIA DE' PESCIONI
VIA DE' VECCHIETTI
VIA DE' BRUNELLESCHI
PIAZZA DELLA REPUBBLICA
VIA DEGLI STROZZI
VEJA ESTA ÁREA AMPLIADA NOS MAPAS 5-6
V. D. FOSSI
Palazzo Rucellai
3

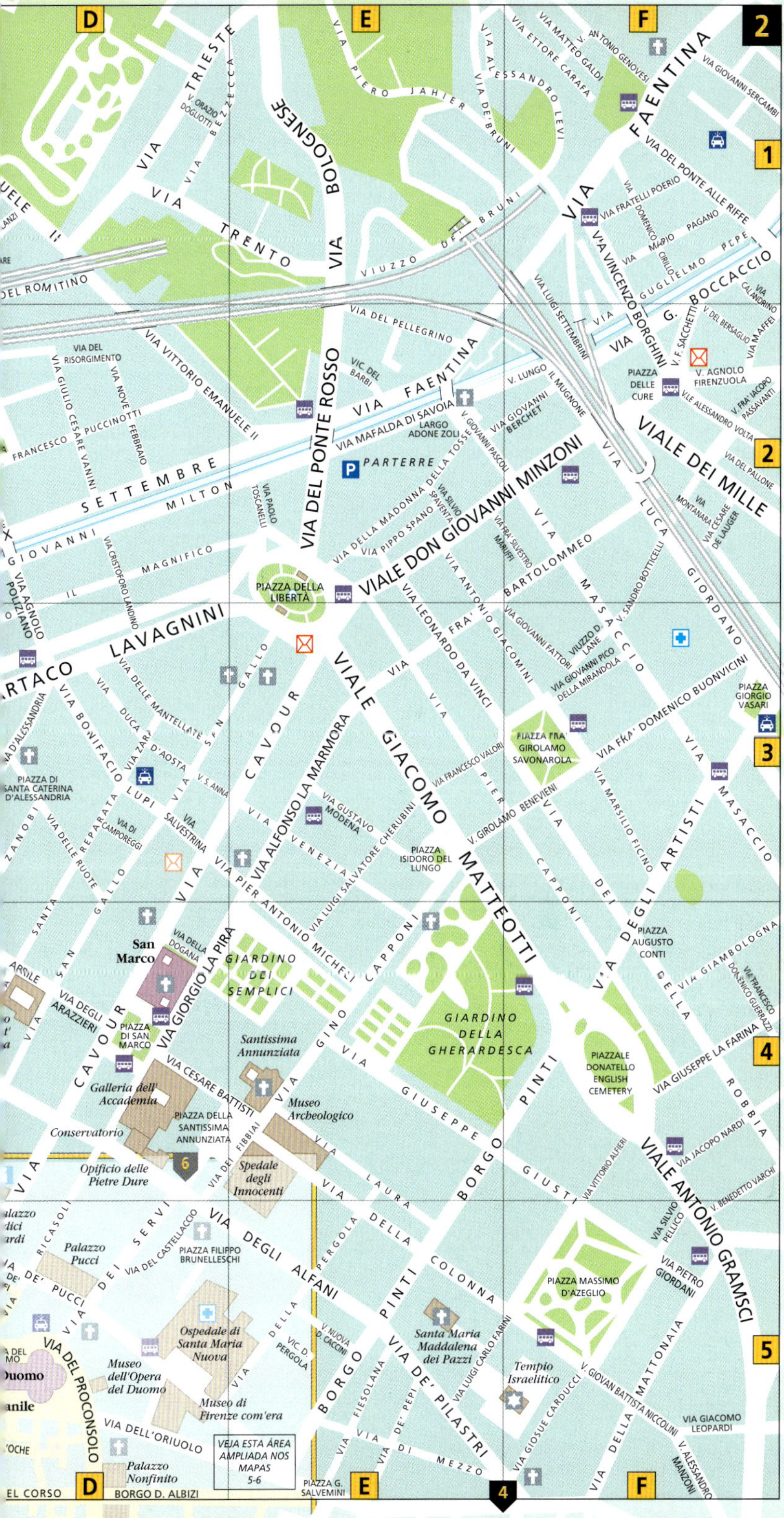

D
E
F
2
1
2
3
4
5
6
4
VIA TRIESTE
VIA ORAZIO DOGLIOTTI
VIA BEZZECCA
VIA BOLOGNESE
VIA PIERO JAHIER
VIA ALESSANDRO LEVI
VIA DE' BRUNI
VIA ETTORE CARAFA
VIA MATTEO GALDI
VIA ANTONIO GENOVESI
VIA GIOVANNI SERCAMBI
VIA FAENTINA
VIA DEL PONTE ALLE RIFFE
VIA TRENTO
VIA DEL ROMITINO
VIUZZO DE' BRUNI
VIA FRATELLI POERIO
VIA DOMENICO CIRILLO
VIA MARIO PAGANO
VIA GUGLIELMO PEPE
VIA G. BOCCACCIO
VIA CALANDRINO
VIA VINCENZO BORGHINI
VIA LUIGI SETTEMBRINI
V. F. SACCHETTI
V. DEL BERSAGLIO
VIA MAFFEI
V. AGNOLO FIRENZUOLA
PIAZZA DELLE CURE
V. FRA' IACOPO PASSAVANTI
V.LE ALESSANDRO VOLTA
VIA DEL PELLEGRINO
VIA DEL RISORGIMENTO
VIA GIULIO CESARE VANINI
VIA NOVE FEBBRAIO
VIA VITTORIO EMANUELE II
VIA DEL PONTE ROSSO
VIC. DEL BARBI
VIA FAENTINA
V. LUNGO IL MUGNONE
VIA MAFALDA DI SAVOIA
LARGO ADONE ZOLI
V. GIOVANNI PASCOLI
VIA GIOVANNI BERCHET
VIALE DEI MILLE
VIA DEL PALLONE
FRANCESCO PUCCINOTTI
SETTEMBRE
MILTON
VIA PAOLO TOSCANELLI
PARTERRE
VIA DELLA MADONNA DELLA TOSSE
VIA SILVIO SPAVENTA
VIA PIPPO SPANO
VIALE DON GIOVANNI MINZONI
VIA MONTANARA
VIA CESARE DE LAUGER
GIOVANNI
VIA CRISTOFORO LANDINO
MAGNIFICO
IL
VIA AGNOLO POLIZIANO
PIAZZA DELLA LIBERTÀ
VIA FRA' SILVESTRO MARUFFI
VIA BARTOLOMMEO
LUCA GIORDANO
VIA MASACCIO
V. SANDRO BOTTICELLI
LAVAGNINI
VIALE GIACOMO MATTEOTTI
VIA LEONARDO DA VINCI
VIA ANTONIO GIACOMINI
VIA GIOVANNI FATTORI
VIUZZO D. LANE
VIA GIOVANNI PICO DELLA MIRANDOLA
VIA FRA' DOMENICO BUONVICINI
PIAZZA GIORGIO VASARI
VIA GALLO
VIA CAVOUR
VIA DELLE MANTELLATE
VIA DUCA D'AOSTA
VIA ZARA
VIA BONIFACIO LUPI
VIA S. ANNA
VIA D'ALESSANDRIA
PIAZZA DI SANTA CATERINA D'ALESSANDRIA
VIA ALFONSO LA MARMORA
VIA FRANCESCO VALORI
PIAZZA FRA' GIROLAMO SAVONAROLA
VIA MARSILIO FICINO
VIA DEGLI ARTISTI
VIA GUSTAVO MODENA
VIA VENEZIA
VIA LUIGI SALVATORE CHERUBINI
PIAZZA ISIDORO DEL LUNGO
V. GIROLAMO BENIVIENI
VIA PIER CAPPONI
VIA DEI
VIA SALVESTRINA
VIA DI CAMPOREGGI
VIA DELLE RUOTE
VIA REPARATA
VIA PIER ANTONIO MICHELI
VIA GINO CAPPONI
PIAZZA AUGUSTO CONTI
VIA GIAMBOLOGNA
VIA DONATELLO
VIA FRANCESCO DOMENICO GUERRAZZI
San Marco
VIA DELLA DOGANA
VIA GIORGIO LA PIRA
GIARDINO DEI SEMPLICI
GIARDINO DELLA GHERARDESCA
VIA DEGLI ARAZZIERI
PIAZZA DI SAN MARCO
Santissima Annunziata
PIAZZALE DONATELLO ENGLISH CEMETERY
VIA GIUSEPPE LA FARINA
VIA DELLA ROBBIA
Galleria dell' Accademia
VIA CESARE BATTISTI
Museo Archeologico
VIA GIUSEPPE GIUSTI
VIA PINTI
Conservatorio
PIAZZA DELLA SANTISSIMA ANNUNZIATA
VIA DEI FIBBIAI
Opificio delle Pietre Dure
Spedale degli Innocenti
VIA LAURA
BORGO PINTI
VIA VITTORIO ALFIERI
VIALE ANTONIO GRAMSCI
VIA JACOPO NARDI
V. BENEDETTO VARCHI
VIA RICASOLI
VIA DEI SERVI
VIA DEL CASTELLACCIO
VIA DEGLI ALFANI
VIA DELLA COLONNA
VIA PERGOLA
VIA SILVIO PELLICO
VIA PIETRO GIORDANI
Palazzo Pucci
PIAZZA FILIPPO BRUNELLESCHI
PIAZZA MASSIMO D'AZEGLIO
VIA DE' PUCCI
Ospedale di Santa Maria Nuova
VIA DELLA PERGOLA
VIC. D. PERGOLA
V. NUOVA D. CACCINI
Santa Maria Maddalena dei Pazzi
VIA LUIGI CARLO FARINI
VIA MATTONAIA
VIA DEL PROCONSOLO
Duomo
Museo dell'Opera del Duomo
Museo di Firenze com'era
VIA FIESOLANA
VIA DE' PEPI
VIA DE' PILASTRI
Tempio Israelitico
V. GIOVAN BATTISTA NICCOLINI
VIA GIACOMO LEOPARDI
VIA GIOSUE CARDUCCI
VIA DELLA
V. ALESSANDRO MANZONI
VIA DELL'ORIUOLO
VEJA ESTA ÁREA AMPLIADA NOS MAPAS 5-6
VIA DI MEZZO
Palazzo Nonfinito
BORGO D. ALBIZI
CORSO
PIAZZA G. SALVEMINI

3
A
B
C
1
2
3
4
5
SEE PAGES 5–6 FOR ENLARGEMENT OF THIS AREA
LUNGARNO
BORGO SAN FREDIANO
SODERINI
LUNGARNO CORSINI
LUNGARNO GUICCIARDINI
LUNGARNO D. ACCIAIUOLI
VIA DI SANTO SPIRITO
BORGO SAN JACOPO
VIALE LUDOVICO ARIOSTO
PIAZZA DI VERZAIA
VIA SAN GIOVANNI
PIAZZA DEL TIRATOIO
San Frediano in Cestello
PIAZZA DI CESTELLO
PIAZZA CARLO GOLDONI
V. D. VIGNA NUOVA
Palazzo Strozzi
Palazzo Corsini
Santa Trinita
Palazzo Spini-Ferroni
Palazzo Bartolini-Salimbeni
Palazzo Davanzati
Palazzo di Parte Guelfa
Orsanmichele
Mercato Nuovo
Santi Apostoli
PIAZZA NAZARIO SAURO
PIAZZA DEL CARMINE
PIAZZA PIATTELLINA
Cappella Brancacci (Santa Maria del Carmine)
PIAZZA TORQUATO TASSO
VIA DELL'ORTO
VIA DEL LEONE
VIA DI CAMALDOLI
VIA SANTA MONACA
VIA D'ARDIGLIONE
Santo Spirito
Cenacolo di Santo Spirito
PIAZZA DI SANTO SPIRITO
PIAZZA DE' FRESCOBALDI
PIAZZA DI S. FELICITA
Santa Felicita
V. D. GUICCIARDINI
VIA MAGGIO
VIA DELLO SPRONE
PIAZZA DE' PITTI
Palazzo Pitti
VIA DELLA CHIESA
VIA DEL CAMPUCCIO
VIA DE' SERRAGLI
VIA ROMANA
Museo La Specola
GIARDINO TORRIGIANI
VIALE FRANCESCO PETRARCA
VIA VILLANI
VIA DEL CASONE
VIA IPPOLITO PINDEMONTE
VIA VINCENZO MONTI
GIARDINO DI BOBOLI
Forte di Belvedere
PIAZZA DELLA CALZA
PIAZZALE DELLA PORTA ROMANA
VIA UGO FOSCOLO
VIA PIETRO METASTASIO
VIA DELLE CAMPORA
VIA SENESE
VIA CANTAGALLI
VIALE NICCOLÒ MACHIAVELLI
VIALE DEL POGGIO IMPERIALE
VIA DANTE DA CASTIGLIONE
VIA DEL BOBOLINO
VIA DI SAN LEONARDO
PIAZZALE GALILEO
V.LE EVANGELISTICA TORRICELLI
VIA BENEDETTO DA FOIANO
VIA LORENZO BELLINI
VIA BENEDETTO CASTELLI
VIALE LORENZO MAGALOTTI
VIA DEL GELSOMINO
VIA LEONARDO XIMENES
VIA V. VIVIANI
VIA GUGLIELMO RIGHINI

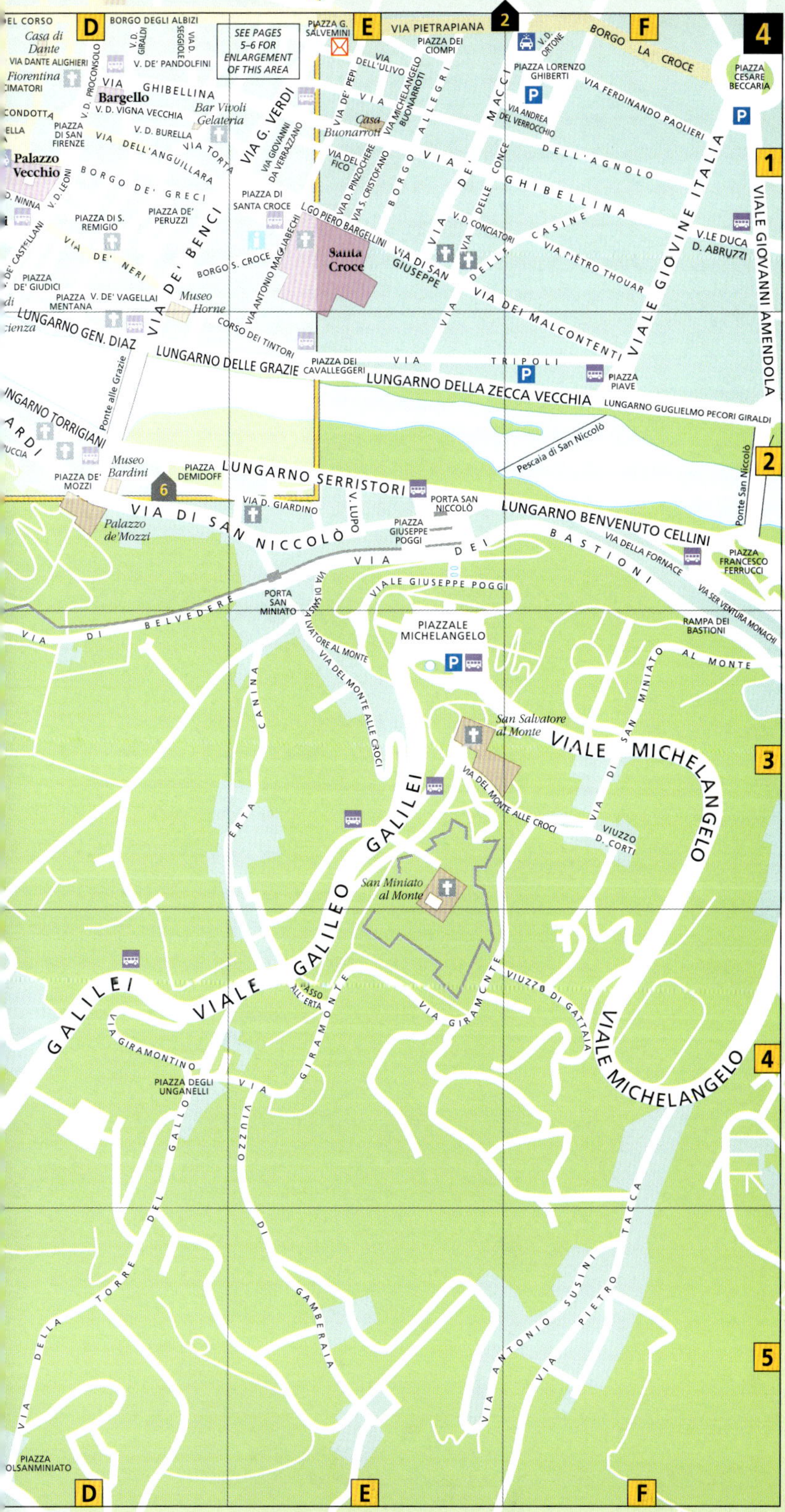
D
E
F
4
1
2
3
4
5
SEE PAGES 5–6 FOR ENLARGEMENT OF THIS AREA
Casa di Dante
Bargello
Bar Vivoli Gelateria
Palazzo Vecchio
Casa Buonarroti
Santa Croce
Museo Horne
Museo Bardini
Palazzo de'Mozzi
San Salvatore al Monte
San Miniato al Monte
PIAZZALE MICHELANGELO
VIA PIETRAPIANA
BORGO LA CROCE
PIAZZA CESARE BECCARIA
VIA GHIBELLINA
VIA DE' BENCI
VIA G. VERDI
BORGO DE' GRECI
LUNGARNO GEN. DIAZ
LUNGARNO DELLE GRAZIE
LUNGARNO DELLA ZECCA VECCHIA
LUNGARNO SERRISTORI
LUNGARNO BENVENUTO CELLINI
LUNGARNO TORRIGIANI
VIA DI SAN NICCOLÒ
VIA DEI MALCONTENTI
VIALE GIOVINE ITALIA
VIALE GIOVANNI AMENDOLA
VIALE MICHELANGELO
VIALE GALILEO GALILEI
VIA DI BELVEDERE
VIA DEI BASTIONI
VIALE GIUSEPPE POGGI
VIA DEL MONTE ALLE CROCI
VIA DI SAN MINIATO AL MONTE
VIA GIRAMONTE
VIA DELLA TORRE DEL GALLO
VIA DI GAMBERAIA
VIA ANTONIO SUSINI
VIA PIETRO TACCA
PORTA SAN NICCOLÒ
PORTA SAN MINIATO
PIAZZA GIUSEPPE POGGI
PIAZZA DEMIDOFF
PIAZZA DEI CAVALLEGGERI
PIAZZA PIAVE
PIAZZA FRANCESCO FERRUCCI
PIAZZA DEGLI UNGANELLI
PIAZZA OLSANMINIATO
Pescaia di San Niccolò
Ponte San Niccolò
Ponte alle Grazie

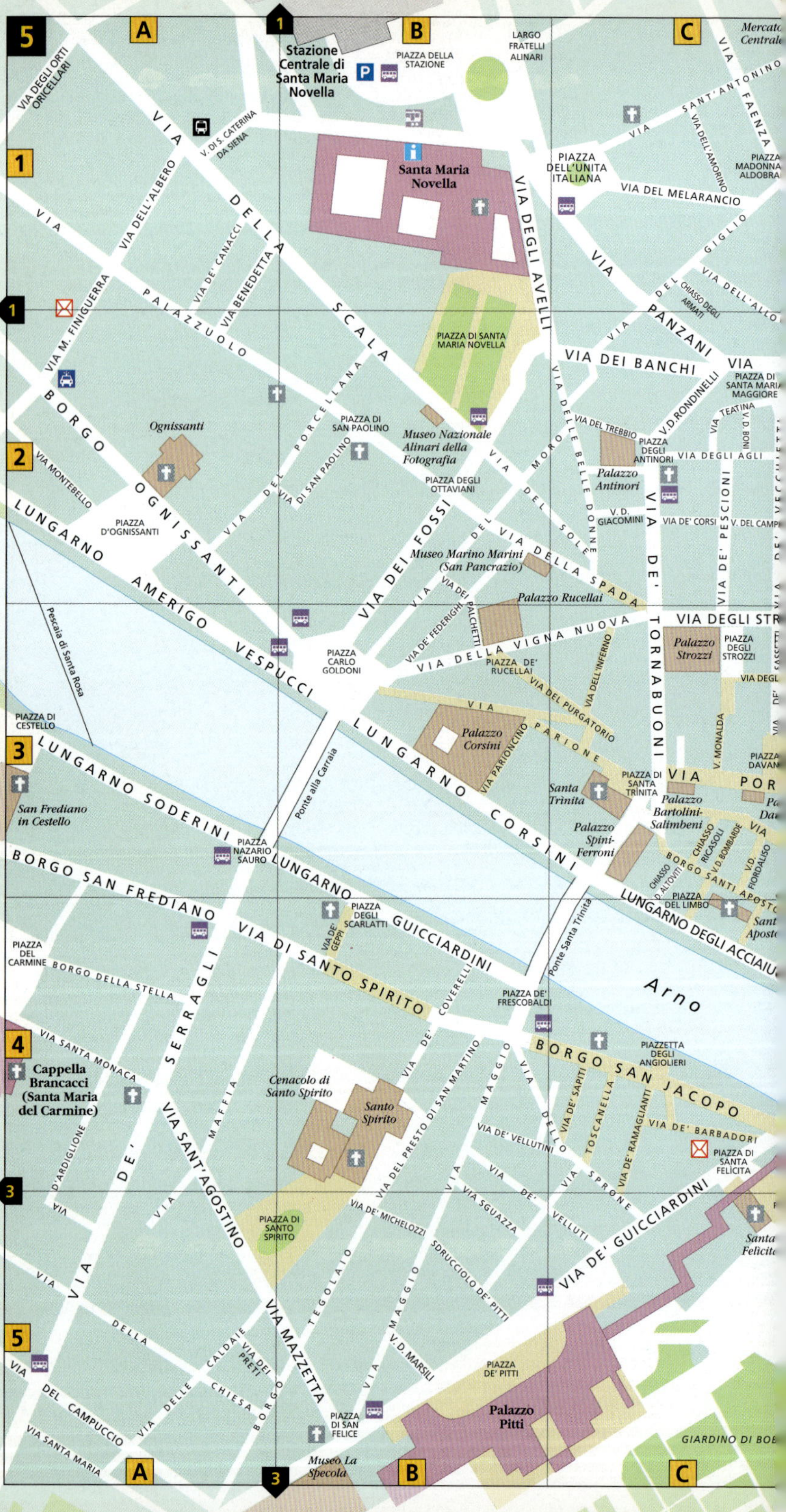
5
A
B
C
1
2
3
4
5
Stazione Centrale di Santa Maria Novella
Piazza della Stazione
Largo Fratelli Alinari
Mercato Centrale
Via degli Orti Oricellari
Via della Scala
V. di S. Caterina da Siena
Via dell'Albero
Via Palazzuolo
Via de' Canacci
Via Benedetta
Via M. Finiguerra
Santa Maria Novella
Via degli Avelli
Piazza di Santa Maria Novella
Piazza dell'Unità Italiana
Via Sant'Antonino
Via dell'Amorino
Via Faenza
Piazza Madonna Aldobrandini
Via del Melarancio
Via del Giglio
Via Panzani
Chiasso degli Armati
Via dell'Alloro
Via dei Banchi
Piazza di Santa Maria Maggiore
Via Teatina
V.D. Rondinelli
Via del Trebbio
Piazza degli Antinori
Via degli Agli
Palazzo Antinori
Via delle Belle Donne
Via del Moro
Via del Sole
Borgo Ognissanti
Ognissanti
Via Montebello
Piazza d'Ognissanti
Via della Porcellana
Piazza di San Paolino
Via di San Paolino
Museo Nazionale Alinari della Fotografia
Piazza degli Ottaviani
Via del Fosso
Via dei Fossi
Museo Marino Marini (San Pancrazio)
Via della Spada
Palazzo Rucellai
V. D. Giacomini
Via de' Corsi
V. del Campidoglio
Via de' Pescioni
Via de' Tornabuoni
Via degli Strozzi
Palazzo Strozzi
Piazza degli Strozzi
Lungarno Amerigo Vespucci
Pescaia di Santa Rosa
Piazza Carlo Goldoni
Via de' Federighi
Via dei Palchetti
Via della Vigna Nuova
Piazza de' Rucellai
Via del Purgatorio
Via dell'Inferno
Via del Parione
Via Parioncino
Palazzo Corsini
Lungarno Corsini
Piazza di Cestello
Lungarno Soderini
San Frediano in Cestello
Ponte alla Carraia
Piazza Nazario Sauro
Santa Trìnita
Piazza di Santa Trìnita
Palazzo Bartolini-Salimbeni
Palazzo Spini-Ferroni
V. Monalda
Via Por Santa Maria
Chiasso Ricasoli
V. d. Bombarde
V. d. Fiordaliso
Chiasso d. Altoviti
Borgo Santi Apostoli
Piazza del Limbo
Lungarno degli Acciaiuoli
Borgo San Frediano
Lungarno Guicciardini
Piazza degli Scarlatti
Via de' Geppi
Ponte Santa Trìnita
Arno
Piazza del Carmine
Borgo della Stella
Via de' Serragli
Via di Santo Spirito
Via de' Coverelli
Piazza de' Frescobaldi
Borgo San Jacopo
Piazzetta degli Angiolieri
Via Santa Monaca
Cappella Brancacci (Santa Maria del Carmine)
Via d'Ardiglione
Via Sant'Agostino
Via Maffia
Cenacolo di Santo Spirito
Santo Spirito
Via del Presto di San Martino
Via Maggio
Via dello Sprone
Via de' Vellutini
Via de' Sapiti
Via Toscanella
Via de' Ramaglianti
Via de' Barbadori
Piazza di Santa Felicita
Santa Felicita
Piazza di Santo Spirito
Via de' Michelozzi
Via Sguazza
Via de' Velluti
Via de' Guicciardini
Sdrucciolo de' Pitti
Via del Campuccio
Via della Chiesa
Via delle Caldaie
Via dei Preti
Borgo Tegolaio
Via Mazzetta
V. D. Marsili
Piazza de' Pitti
Palazzo Pitti
Piazza di San Felice
Museo La Specola
Via Santa Maria
Giardino di Boboli

D
E
F
6
1
2
3
4
5
Conservatorio
Opificio delle Pietre Dure
Spedale degli Innocenti
Palazzo Medici Riccardi
VIA CAVOUR
VIA DE' GINORI
VIA DELLA STUFA
BORGO LA NOCE
CANTO DE' NELLI
PIAZZA DI SAN LORENZO
VIA DE' GORI
San Lorenzo
Biblioteca Medicea Laurenziana
VIA DEI SERVI
VIA DEI FIBBIAI
VIA DEGLI ALFANI
VIA DEL CASTELLACCIO
PIAZZA FILIPPO BRUNELLESCHI
VIA RICASOLI
Palazzo Pucci
VIA DE' PUCCI
PIAZZA DI SAN MICHELE VISDOMINI
VIA DE' MARTELLI
VIA DE' BIFFI
BORGO SAN LORENZO
VIA DELLA PERGOLA
VIC. D. PERGOLA
Ospedale di Santa Maria Nuova
VIA MAURIZIO BUFALINI
PIAZZA DI SAN GIOVANNI
PIAZZA DEL DUOMO
VIA DEL PROCONSOLO
Duomo
Battistero
Campanile
Museo dell'Opera del Duomo
PIAZZA DI SANTA MARIA NUOVA
Museo di Firenze com'era
VIA FOLCO PORTINARI
VIA SANT'EGIDIO
BORGO PINTI
VIA DELL'ORIUOLO
VIA DE' PECORI
VIA ROMA
VIA DE' TOSINGHI
VIA DE' CALZAIUOLI
PIAZZA DEL CAPITOLO
VIA D. CANONICA
V. D. CAMPANILE
VIA DELL'OCHE
V. DEI BONIZZI
VIA DELLO STUDIO
PIAZZA D. GIGLIO
VICOLO D. GIGLIO
VIA S. ELISABETTA
VIA DE' MEDICI
Palazzo Nonfinito
VOLTA D. CIECHI
PIAZZA DELLA REPUBBLICA
V. D. SPEZIALI
VIA DEL CORSO
BORGO DEGLI ALBIZI
PIAZZA DE' PAZZI
VIA DEI GIRALDI
V. D. SEGGIOLE
PIAZZETTA CALAMANDREI
VIA MATTEO PALMIERI
V. D. BADESSE
VIA DI SAN PIER MAGGIORE
Casa di Dante
V. S. MARGHERITA
VIA DEL PRESTO
VIA DANTE ALIGHIERI
VIA DE' PANDOLFINI
Orsanmichele
VIA D. TAVOLINI
PIAZZA D. CIMATORI
VIA DEI CIMATORI
VIA CALIMALA
VIA D. ARTE D. LANA
VIA DE' LAMBERTI
VIC. D. CERCHI
VIA DEI CERCHI
V. D. MAGAZZINI
Badia Fiorentina
Bargello
VIA D. PROCONSOLO
VIA GHIBELLINA
V. D. CROCIFISSO
VIA GIUSEPPE VERDI
VIA D. ROSA
VIA PORTAROSSA
VIA D. CONDOTTA
VIA DELLA VIGNA VECCHIA
Bar Vivoli Gelateria
V. ISOLA D. STINCHE
VIA DEI LAVATOI
Mercato Nuovo
CALIMARUZZA
PIAZZA DI SAN FIRENZE
VIA DELL'ACQUA
VIA D. BURELLA
VIA GIOVANNI DA VERRAZZANO
V. D. FICO
VIA DI CAPACCIO
P.ETTA DI S. CECILIA
PIAZZA DELLA SIGNORIA
VIA DELL'ANGUILLARA
VIA TORTA
VIA D. BENTACCORDI
Erboristeria
VIA DE' GONDI
BORGO DE' GRECI
PIAZZA DE' SALTARELLI
Palazzo Vecchio
VIA D. NINNA
V. D. LEONI
V. D. CORNO
VIA DEL PARLASCIO
VIA DE' MAGALOTTI
PIAZZA DI SANTA CROCE
V. DE' PEPI
VIA LAMBERTESCA
CHIASSO DE' BARONCELLI
PIAZZALE DEGLI UFFIZI
VIA VINEGIA
VIA DE' RUSTICI
V.D. CANTO RIVOLTO
PIAZZA DE' PERUZZI
San Stefano al Ponte
Uffizi
V. D. CASTELLANI
VIA DE' NERI
PIAZZA DI SAN REMIGIO
VIA DELLE BRACHE
VIA DE' BENCI
Santa Croce
VIA ANTONIO MAGLIABECHI
BORGO S. CROCE
BORGO SANTI APOSTOLI
LUNG. A. M. LUISA D. MEDICI
V. D. GEORGOFILI
Museo di Storia della Scienza
V. D. CASTELLO D'ALTAFRONTE
V. OSTERIA D. GUANTO
V. D. MOSCA
PIAZZA DE' GIUDICI
VIA DEI SAPONAI
VIA DE' VAGELLAI
PIAZZA MENTANA
VIA VINCENZO MALENCHINI
CORSO DEI TINTORI
LUNGARNO GENERALE DIAZ
Museo Horne
VOLTA D. TINTORI
LUNGARNO DELLE GRAZIE
PIAZZA DI SANTA MARIA SOPRARNO
RAMPA D. COSTE
COSTA DE' MAGNOLI
PIAZZA DE' BONSI
VIA DE' BARDI
LUNGARNO TORRIGIANI
Ponte alle Grazie
VIA DEL CANNETO
COSTA SCARPUCCIA
COSTA DI SAN GIORGIO
LUNGARNO SERRISTORI
PIAZZA DEMIDOFF
PIAZZA DE' MOZZI
Museo Bardini
VIA DEI RENAI

TOSCANA

Famosa por sua arte, história e paisagem, a Toscana é uma região onde passado e presente se unem em agradável harmonia. Cidades no topo das colinas, muitas cercadas por muralhas etruscas, parecem vigiar os campos a seus pés. Seus lindos palácios evidenciam a riqueza da região, enquanto as construções medievais das prefeituras indicam uma longa tradição de democracia e autonomia política.

Na Toscana rural, entre vinhedos e oliveiras, despontam aldeias e casas de fazenda, além de mansões tipo *villa* e castelos fortificados, que simbolizam os violentos conflitos que devastaram a região durante a Idade Média. Vários castelos e mansões foram construídos para os Medici, os grandes patronos do Renascimento, que financiaram cientistas eminentes como Galileu Galilei.

O Norte da Toscana e a populosa planície entre Florença e Lucca são dominados pela indústria. Aqui as terras entre as cidades e as áreas montanhosas são intensamente cultivadas.

A área ao redor de Livorno e Pisa, por sua vez, é o atual eixo econômico da região. Pisa, no auge de seu poder, dominou o Mediterrâneo ocidental entre os séculos 11 e 13. Sua armada abriu extensas rotas comerciais com o Norte da África, trazendo para a Itália os benefícios das conquistas científicas e artísticas dos árabes. Durante o século 16, o estuário do Arno começou a ser assoreado, colocando um ponto final no poder de Pisa.

No coração da Toscana central fica Siena, forte rival de Florença. Sua maior conquista foi vencer a batalha de Montaperti em 1260. Mas, no século 14, a cidade foi devastada pela Peste Negra e totalmente derrotada por Florença no cerco de 1554-55.

O Nordeste da Toscana, com seus picos e bosques, forneceu refúgio para eremitas e santos, enquanto o Leste acolheu o pintor Piero della Francesca, do início do Renascimento. Suas obras, atemporais e serenas, parecem apresentar uma perfeição quase religiosa.

O tempo parece parar em Casole d'Elsa, perto de San Gimignano, no centro da Toscana

◁ A complexa arquitetura do Duomo (construção iniciada em 1063) e da Torre (iniciada em 1173) de Pisa

Como Explorar a Toscana

Algumas cidades toscanas, como Florença, Siena e Pisa, e outras menores, como Lucca, Cortona e Arezzo, guardam alguns dos mais famosos tesouros artísticos da Itália. Aldeias medievais, como San Gimignano, com suas conhecidas torres, ou Pienza, uma minúscula joia renascentista, ficam no centro do interior pastoril da região. Em outras partes da Toscana, as paisagens variam, passando das espetaculares montanhas dos Alpi Apuane às suaves colinas de Chianti.

PRINCIPAIS ATRAÇÕES

Arezzo págs. 329-31 ⓮
Artimino ⓫
Bagni di Lucca ❸
Carrara ❶
Chiusi ⓱
Cortona ⓰
Crete Senesi ㉑
Elba ㉘
Fiesole ⓭
Florença págs. 270-313
Garfagnana ❷
Lucca págs. 320-3 ❻
Maremma ㉛
Massa Marittima ㉗
Montalcino ⓴
Monte Argentario ㉜
Montepulciano ⓲
Monteriggioni ㉓
Pienza ⓳
Pisa págs. 324-6 ❼
Pistoia ❾
Pitigliano ㉚
Prato ❿
San Galgano ㉖
San Gimignano págs. 344-5 ㉔
San Miniato ⓬
Sansepolcro ⓯
Siena págs. 338-43 ㉒
Sovana ㉙
Torre del Lago Puccini ❺
Viareggio ❹
Vinci ❽
Volterra ㉕

Vista de Cortona, no Leste da Toscana

VEJA TAMBÉM

- ***Onde Ficar*** págs. 579-82
- ***Onde Comer*** págs. 629-32

Ciprestes, uma marca típica da paisagem toscana

COMO CIRCULAR

Rodovias ligam Florença – o eixo da malha rodoviária e ferroviária da Toscana– a Siena, Pisa, Lucca e cidades do Sul. A Via Aurelia e a rodovia A12-E80 servem o litoral. As estradas rurais, por sua vez, podem ser lentas e sinuosas. As conexões ferroviárias são boas e unem a maioria das principais cidades.

LEGENDA

- Rodovia
- Estrada principal
- Estrada secundária
- Estrada vicinal
- Percurso com paisagem
- Ferrovia principal
- Ferrovia secundária
- Fronteira regional
- Cume

Carrara ❶

Massa Carrara. 70.000. FS
Piazza Cesare Battisti 1 (0585 64 14 71). seg.

Uma das pedreiras de mármore ao redor de Carrara

O mármore quase perfeito de Carrara, que tornou a cidade mundialmente conhecida, é valorizado há séculos por escultores famosos, de Michelangelo (que fez *Davi* com esta pedra) a Henry Moore. As 300 ou mais pedreiras da região vêm da época dos romanos, tornando este um dos mais antigos locais do mundo em atividade contínua. Muitas das serrarias e oficinas de mármore da cidade recebem turistas, oferecendo a oportunidade de ver como o mármore e o quartzo são trabalhados. Estas técnicas – juntamente com peças, novas e antigas, de mármore– podem ser vistas no **Museo Civico del Marmo**.

O mármore local foi muito bem utilizado no **Duomo**, especialmente em sua bela fachada, em estilo românico de Pisa, com delicada rosácea. Na praça da catedral fica também a Casa de Michelangelo, onde ele se instalava quando vinha selecionar blocos de mármore. Outra charmosa atração da cidade é a Piazza Alberica. Também é possível visitar algumas pedreiras na **Colonnata** e em **Fantiscritti** (pegue um dos ônibus urbanos regulares ou siga as indicações para a Cave di Marmo). A última possui um pequeno museu que apresenta várias técnicas de extração do mármore.

Museo Civico del Marmo
Viale XX Settembre. ***Tel*** *0585 84 57 46.* *seg-sáb.*

O Parco Naturale delle Alpi Apuane, no extremo de Garfagnana

Garfagnana ❷

Lucca. FS *Castelnuovo di Garfagnana.* *Piazza delle Erbe, Castelnuovo di Garfagnana (0583 64 10 07).*

Este belo vale silencioso, entre os Alpes Apuanos e as montanhas Orecchiella, pode ser explorado a partir de **Barga, Seravezza** ou **Castelnuovo di Garfagnana**. A primeira cidade é a opção mais atraente, graças à sua catedral de pedra acastanhada e ruas graciosas. Já Castelnuovo está melhor localizada para quem quiser percorrer as montanhas ao redor. **San Pellegrino in Alpe**, em Orecchiella, abriga o **Museo Etnografico**, com um fascinante acervo folclórico. Também merece uma visita o **Orto Botanico Pania di Corfino**, no **Parco dell' Orecchiella**, em Pania di Corfino, onde podem ser vistas várias espécies de árvores da região.

A oeste, os Alpes Apuanos estão protegidos no Parco Naturale delle Alpi Apuane. Trilhas e estradas cruzam os espetaculares picos e vales arborizados do parque, proporcionando vistas incríveis.

Museo Etnografico
Via del Voltone 15, San Pellegrino in Alpe. ***Tel*** *0583 64 90 72.* *ter-dom (jul-ago: diariam).*

Parco dell'Orecchiella
Centro Visitatori, Orecchiella. ***Tel*** *0583 61 90 02.* *Páscoa-mai, 15-30 set: sáb e dom; jun-set: diariam; out: dom.*

Orto Botanico Pania di Corfino
Parco dell'Orecchiella. ***Tel*** *0583 64 49 11.* *mai-set: dom (jul-ago: diariam).*

Um dos muitos estabelecimentos à beira-mar, no movimentado balneário de Viareggio

Bagni di Lucca ❸

Lucca. *7.400.* *Viale Umberto I 97 (0583 80 57 45).* *qua, sáb.*

Por toda a Toscana, há fontes termais de origem vulcânica como Bagni di Lucca. Os romanos foram os primeiros a aproveitá-las, construindo termas, onde os veteranos do exército, estabelecidos na região pudessem relaxar. Durante a Idade Média e o Renascimento, outros balneários foram surgindo, continuando a ser recomendados para aliviar várias enfermidades, como a artrite.

No início do século 19, os balneários toscanos atingiram seu auge, quando Bagni di Lucca tornou-se um dos mais badalados balneários da Europa, frequentado por imperadores, reis e aristocratas. Os visitantes eram atraídos não apenas pelos tratamentos termais, mas também pelo **Casino** (1837), uma das primeiras casas de jogos autorizadas da Europa. Hoje a cidade é bastante monótona, oferecendo como principais atrações seus monumentos do século 19, incluindo a **Igreja Anglicana** (1839) e o **Cimitero Anglicano** na Via Letizia.

ARREDORES: A sudeste fica outro movimentado balneário, o Montecatini Terme. Urbanizado no século 18, este é um dos balneários mais interessantes da região. Sua grande variedade arquitetônica inclui termas de estilo neoclássico a Art Nouveau.

Viareggio ❹

Lucca. *55.000.* *Viale Carducci 10 (0584 96 22 33).* *qui.*

Conhecido por seu Carnaval (realizado de janeiro a começo de fevereiro), Viareggio é o balneário mais famoso da Costa Versilia. Seu estilo arquitetônico Art Nouveau pode ser apreciado nos grandes hotéis, mansões tipo *villa* e cafés construídos na década de 1920, depois que o calçadão e os chalés de madeira originais se incendiaram em 1917. O melhor exemplo do estilo é o **Gran Caffè Margherita**, no fim da Passeggiata Margherita, projetada pelo pai da Art Nouveau italiana, Galileo Chini.

Torre del Lago Puccini ❺

Lucca. *11.000.* *Viale Kennedy 2 (0584 35 98 93).* *sex e dom.*

Uma gloriosa alameda de limeiras, a Via dei Tigli, liga Viareggio a Torre del Lago Puccini, onde viveu o compositor de óperas Giacomo Puccini (1858-1924). Ele e sua mulher estão enterrados na antiga casa onde moraram, transformada no **Museo Villa Puccini**, um pequeno museu que guarda o piano no qual o maestro compôs muitas de suas obras. Também se destacam objetos originais da *villa*, incluindo a espingarda de caça do artista, exposta na sala de armas. Perto da casa, o **Lago Massaciuccoli**, uma reserva natural de aves raras e migratórias, forma um belo cenário para apresentações ao ar livre das obras de Puccini.

Museo Villa Puccini
Piazzale Belvedere Puccini 226.
Tel *0584 34 14 45.* *ter-dom.*
nov, 25 dez.

Área perto da casa de Puccini, em Torre del Lago Puccini

Rua a Rua: Lucca ❻

O traçado regular das ruas de Lucca ainda segue o padrão da antiga colônia romana fundada em 180 a.C. Muralhas maciças, construídas entre os séculos 16 e 17, ajudam a impedir o trânsito de carros e favorecem os passeios a pé. San Michele in Foro –uma das muitas igrejas românicas locais– foi erguida no lugar do fórum romano, a principal praça da cidade ainda hoje. Alfredo Volpi, um dos maiores pintores modernos brasileiros, nasceu aqui em 1896.

Casa Natale di Puccini
Aqui nasceu Giacomo Puccini (1858-1924), compositor de algumas das óperas mais populares do mundo, incluindo La Bohème.

Piazza Napoleone
Esta grande praça tem o nome de Napoleão, cuja irmã, Elisa Baciocchi, governou Lucca de 1805 a 1815.

★ San Michele in Foro
A extraordinária fachada em estilo românico de Pisa (século 11 ao 14) desta igreja possui três fileiras de colunas trabalhadas, cada uma diferente da outra.

O Museo dell'Opera del Duomo é recente e abriga tesouros retirados de San Martino.

PONTOS ALTOS

- ★ San Michele in Foro
- ★ San Martino

LEGENDA

– – – Percurso sugerido

0 metros 300

Para hotéis e restaurantes nesta região, ver págs. 579-82 e págs. 629-32

PREPARE-SE

100.000. FS Piazza Ricasoli. Piazzale Verdi. Piazza Santa Maria 35 (0583 91 99 31). qua, sáb, 3° dom mês (antiguidades). 12 jul: Palio della Balestra; jul-set: Estate Musicale; 13 set: Luminara di Santa Croce; set: Lucchese. www.luccaturismo.it

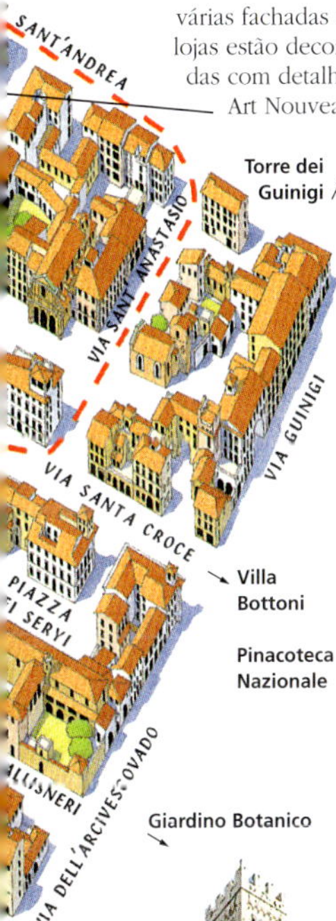

Na Via Fillungo, a principal rua comercial de Lucca, várias fachadas de lojas estão decoradas com detalhes Art Nouveau.

★ San Martino

O lindo Duomo do século 11 da cidade destaca-se como um dos exuberantes exemplos do estilo românico de Pisa.

Apóstolos no mosaico da fachada de San Frediano, em Lucca

San Frediano

Piazza San Frediano. *diariam.*

A impressionante fachada desta igreja possui um mosaico colorido do século 13, *A Ascensão*, anunciando a beleza de seu interior. Destaca-se uma esplêndida pia batismal românica à direita, cujas laterais sao esculpidas com cenas da *Vida de Cristo* e da *História de Moisés*. Observe a cena de Moisés e seus seguidores (vestidos como cavaleiros medievais) atravessando as águas divididas do Mar Vermelho. Na segunda capela da nave lateral norte, afrescos de Aspertini (1508-9) contam a história da preciosa relíquia da cidade, o *Volto Santo* –uma escultura que seria da época da Crucificação de Cristo. A bela peça de altar de *San Frediano* (1422), na quarta capela da mesma nave, é de Jacopo della Quercia.

San Michele in Foro

Piazza San Michele. *diariam.*

Construída no local do antigo fórum *(foro)* romano, esta igreja exibe uma mistura de colunas de mármore retorcidas e incrustadas (trabalho Cosmati), compondo uma das mais exuberantes fachadas em estilo românico de Pisa da Toscana. Construída entre os séculos 11 e 14, sua decoração é predominantemente pagã. Apenas a enorme figura alada de são Miguel no frontão triangular indica tratar-se de uma igreja. O interior possui pouco interesse, exceto pela linda pintura de *Santa Helena, São Jerônimo, São Sebastião e São Roque*, de Filippino Lippi (1457-1504).

Casa Natale di Puccini

Corte San Lorenzo 9. ***Tel*** *0583 58 40 28.* *jun-out: 10h-18h diariam; nov-dez e mar-mai: 10h-13h, 15h 18h ter-dom.* *1° jan, 25 dez.*

A bela casa do século 15 onde nasceu Giacomo Puccini (1858-1924) foi transformada em um santuário ao grande compositor de ópera. Podem ser vistos retratos de Puccini, esboços de figurinos e o piano com o qual compôs sua última ópera, *Turandot*.

Via Fillungo

Principal rua comercial de Lucca, a Via Fillungo dá voltas no centro da cidade até chegar ao Anfiteatro Romano. Em seu extremo norte há várias lojas com trabalhos Art Nouveau em ferro. No meio do caminho está a igreja de San Cristoforo, que foi construída no século 13 e preserva um belo interior.

Um dos muitos bares e lojas ao longo da Via Fillungo

Como Explorar Lucca

As tranquilas ruelas de Lucca rodeiam as construções medievais, alargando-se subitamente para revelar belas igrejas, pequenas *piazze* e outros marcos da longa história da cidade, como o anfiteatro romano.

Construções medievais delimitam o antigo anfiteatro romano de Lucca

Anfiteatro Romano

Piazza del Mercato.

A *Luca* romana foi fundada em 180 a.C. Ao longo dos séculos, pedras do antigo anfiteatro romano foram saqueadas para construir igrejas e palácios. Restaram apenas poucos fragmentos, fincados na atual Piazza del Mercato, que tem forma de arena. Cortiços ocuparam a *piazza* até 1830, quando foi esvaziada por ordem de Marie Louise, a governante Bourbon da cidade, na época. Só então a forma original do anfiteatro se revelou, apresentando-se como uma lembrança do rico legado romano de Lucca. Baixos corredores em arco nos pontos cardeais da *piazza* sinalizam o local dos portões através dos quais as feras e os gladiadores entravam na arena.

Museo dell'Opera del Duomo

Piazza Antelminelli 5. ***Tel*** *0583 49 05 30.* *diariam (nov-mar: manhã seg-sex).* *1° jan, Páscoa (12h), 25 dez.*

Este museu, que ocupa o antigo Palácio do Arcebispo, do século 14, exibe os tesouros da catedral de San Martino. Entre eles, destacam-se a

SAN MARTINO

Piazza San Martino. ***Tel*** *0583 95 70 68.* *diariam.* *sacristia*

A catedral de Lucca foi erguida depois do campanário, daí o aspecto carregado e assimétrico de sua fachada. Os portais principais têm belos entalhes do século 13, de Nicola Pisano e Guidetto da Como. O Tempietto no interior abriga uma pintura de Tintoretto e o Volto Santo, cultuada efígie do século 13 que se acreditava ter sido esculpida na época da Crucificação.

Fachada
Esculturas românicas e colunatas (1204) decoram a fachada da catedral.

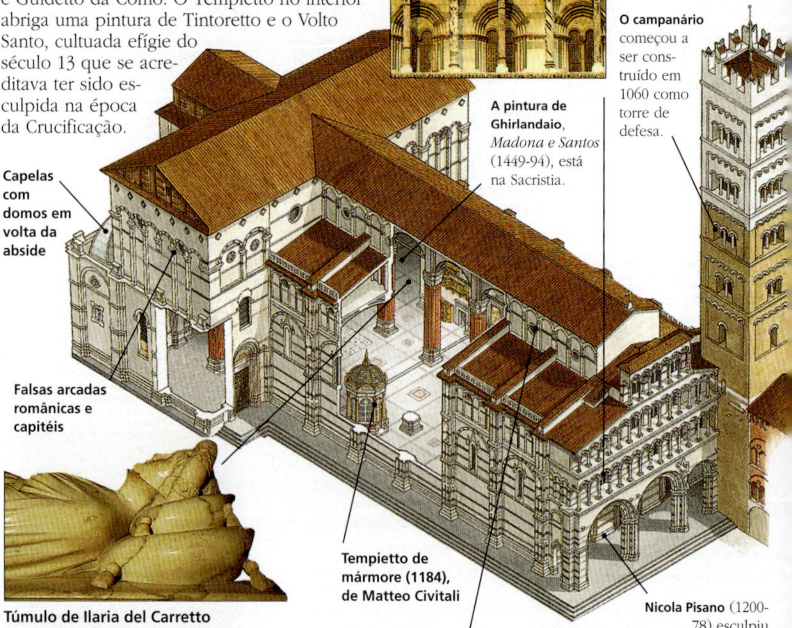

Túmulo de Ilaria del Carretto
Nesta linda obra em mármore, Jacopo della Quercia (1405-6) retratou a jovem noiva de Paolo Guinigi.

Estátuas barrocas no jardim do Palazzo Pfanner

escultura em pedra da cabeça de um rei, do século 11, retirada da fachada da catedral, e um raro barril Limoges do século 12, possivelmente criado para uma relíquia de são Tomás a Becket. A Croce dei Pisani, feita por Vincenzo di Michele em 1411, é uma sublime obra-prima de ourivesaria.

Palazzo Pfanner

Via degli Asili 33 **Tel** *340 923 30 85 ou 0583 954 029.* *diariam (mar-out: 10h-18h; nov-fev: com reserva).*

Esta elegante e imponente construção (1667) ostenta uma linda escadaria externa, além de um dos mais atraentes jardins clássicos da Toscana. Datada do século 18, a alameda central do jardim possui uma fileira de estátuas barrocas de deuses da mitologia romana. Dentro da casa está exposta uma coleção de trajes nobres dos séculos 18 e 19. Muitos são feitos de seda –a produção deste tecido foi responsável por grande parte da riqueza medieval de Lucca.

Muralhas

Um dos maiores prazeres ao se visitar Lucca é caminhar ao longo das magníficas muralhas da cidade. Sua passarela tripla oferece vistas incríveis do conjunto arquitetônico. A construção das muralhas começou ao redor de 1500, quando as antigas muralhas medievais não protegiam mais a cidade, graças aos avanços da tecnologia militar. Quando foram concluídas, em 1645, eram umas das mais modernas da época. Uma de suas características mais curiosas era o espaço livre criado ao seu redor para impedir que o inimigo se escondesse nas árvores ou vegetação rasteira. Na verdade, as muralhas nunca precisaram ser usadas como defesa e acabaram sendo transformadas em parque público no início do século 19.

Parte das imponentes muralhas do século 17 que rodeiam Lucca

Santa Maria Forisportam

Piazza di Santa Maria Forisportam. *diariam.*

Esta igreja foi construída no fim do século 12 além das muralhas romanas de Lucca – o nome Forisportam significa "fora do portão". Sua inacabada fachada de mármore, em estilo românico de Pisa, possui arcadas falsas. Acima do portal central, há um relevo da *Coroação da Virgem*, do século 17. Seu interior foi reprojetado no início do século 16, resultando na elevação da nave e dos transeptos. O quarto altar da nave lateral sul possui uma pintura de *Santa Lúcia*, e o transepto norte a *Assunção*, ambas obras de Guercino (1591-1666).

Museo Nazionale di Villa Guinigi

Via della Quarquonia. **Tel** *0583 49 60 33.* *ter-dom (dom até 14h).* *1° jan, 1° mai, 25 dez.*

Esta grande *villa* renascentista foi construída em 1418 para Paolo Guinigi, o líder da poderosa família nobre que governou Lucca no início do século 15. Um marco familiar na cidade é a Torre dei Guinigi, onde carvalhos crescem no topo. Do alto há lindas vistas da cidade e dos Alpes Apuanos. O jardim apresenta resquícios de um mosaico romano e pomposos leões românicos, retirados das muralhas da cidade.

Leão românico, no Museo Nazionale Guinigi

No interior do museu, o primeiro andar está dedicado a esculturas e exposições arqueológicas. Os destaques são obras de Matteo Civitali, Jacopo della Quercia e belos relevos românicos retirados de várias igrejas de Lucca. A maioria das pinturas no piso superior foi realizada por artistas locais menos conhecidos, com exceção de duas obras de Fra Bartolomeo (c.1472-1517): *Deus-Pai com Santa Catarina e Santa Maria Madalena* e a *Madonna della Misericordia*. Neste andar também estão expostos móveis, vestimentas sacras e bancos do coro da catedral, com trabalhos incrustados de marchetaria (1529).

Pisa ❼

Detalhe da fachada do Duomo

Durante grande parte da Idade Média, a poderosa armada de Pisa garantiu-lhe o domínio do Mediterrâneo ocidental. Ligações comerciais com a Espanha e Norte da África, no século 12, trouxeram grande riqueza e a base para a revolução cultural ainda visível nos esplêndidos edifícios de Pisa –especialmente Duomo, Batistério e Campanário (a famosa Torre de Pisa). O declínio da cidade começou em 1284, com sua derrota para Gênova, sendo acelerado pelo assoreamento do porto. Em 1406, foi conquistada pelos florentinos. Mas sua pior crise foi em 1944, com o bombardeio dos Aliados.

Detalhe do púlpito do Duomo

Batistério, Duomo e Torre, no Campo dei Miracoli de Pisa

Torre de Pisa

Pág. 326. **www**.opapisa.it *(reservas). visitas duram 30min (vedadas a crianças menores de 8 anos).*

Duomo e Batistério

Piazza Duomo. ***Tel*** *050 83 50 11.* *diariam (Duomo: tarde apenas dom)* **www**.opapisa.it

A famosa Torre de Pisa agora é o edifício mais conhecido do Campo dei Miracoli (Campo dos Milagres). Originalmente, foi construída como um campanário do Duomo, cuja construção foi iniciada por Buscheto em 1064. Hoje a catedral é considerada um dos mais belos edifícios em estilo românico de Pisa na Toscana, com sua fachada com quatro fileiras de colunas e mistura de intrincadas arcadas falsas. O túmulo de Buscheto fica no quarto arco da fachada. Outras características marcantes do exterior são a Portale di San Ranieri (que conduz ao transepto sul) e os portões de bronze (1180), com relevos de Bonanno Pisano, o primeiro arquiteto da torre. No interior da catedral destacam-se o púlpito esculpido (1302-11) por Giovanni Pisano, o túmulo do imperador Henrique VII (1315), de Tino da Camaino, e um mosaico de *Cristo Majestoso*, na abside, concluído por Cimabue (1302). O Batistério circular começou a ser erigido em 1152, em estilo românico, sendo concluído em um século, em estilo gótico mais ornamentado, por Nicola e Giovanni Pisano. O primeiro fez em 1260 o púlpito de mármore do interior, esculpido com relevos da *Natividade, Adoração dos Reis Magos, Apresentação, Crucificação* e *Juízo Final*. Os pilares que o sustentam têm estátuas das Virtudes. A pia batismal de mármore (1246) é de Guido da Como.

Camposanto

Piazza dei Miracoli. ***Tel*** *050 83 50 11.* *diariam.* *1° jan, 25 dez.*

O Camposanto ou cemitério é o quarto elemento do belo conjunto medieval do Campo dei Miracoli. A construção deste longo edifício retangular com arcadas de mármore foi iniciada em 1278 por Giovanni di Simone. Acredita-se que ele guarde terra trazida da Terra Santa. Bombardeios, na Segunda Guerra Mundial, destruíram quase totalmente seus afrescos, deixando apenas resquícios de algumas cenas de O *Triunfo da Morte* (1360-80). Próximo, fica o Orto Botanico, um dos mais antigos da Europa.

Afresco do ciclo *O Triunfo da Morte*, em Camposanto

Santa Maria della Spina ao lado do rio Arno, em Pisa

Museo dell'Opera del Duomo

Piazza del Duomo 6. **Tel** *050 83 10 11.* *diariam.*

Ocupando a antiga casa paroquial da catedral, do século 13, este excelente museu exibe objetos retirados ao longo dos anos do Duomo, Batistério e Camposanto. Chama atenção um imponente hipogrifo (meio cavalo, meio grifo) do século 10°. Moldada em bronze por artesãos mouriscos, esta estátua foi saqueada por aventureiros de Pisa durante as guerras contra os sarracenos. Também destacam-se as obras de Nicola e Giovanni Pisano, especialmente a *Virgem e Menino* (1300), de Giovanni, esculpida em marfim para o altar-mor da catedral. O acervo inclui ainda ruínas romanas e etruscas e tesouros eclesiásticos.

Museo Nazionale di San Matteo

Lungarno Mediceo, Piazza San Matteo 1. **Tel** *050 54 18 65.* *8h30-19h ter-dom (manhã dom).*

Às margens do rio Arno, este museu ocupa o convento medieval de San Matteo, que serviu de prisão no século 19. Boa parte do museu ficou fechada durante anos, com parte do acervo mal explicado. Entretanto, oferece uma oportunidade única de examinar a amplitude da arte de Pisa e Florença, do século 12 ao 17. As primeiras salas dedicam-se a esculturas e pinturas toscanas primitivas. As obras mais interessantes incluem um políptico do século 14 de Francesco Traini com *Cenas da Vida de São Domingos*, o belo políptico de Simone Martini *A Madona e Santos* (1321) e uma estátua do século 14 da *Madonna del Latte*, atribuída a Andrea Pisano, outro membro da talentosa escola de escultores medievais de Pisa. A estátua de meio-corpo de mármore dourado mostra o Menino Jesus alimentando-se no peito de sua mãe. Na Sala 6, estão reunidos alguns dos destaques do acervo, incluindo *São Paulo* (1426), de Masaccio, a radiante *Madona da Humildade* (século 15), de Gentile da Fabriano, e o busto relicário de San Rossore (1424-7), de Donatello. As outras salas contêm pinturas de Guido Reni, Benozzo Gozzoli e Rosso Fiorentino, além de um importante quadro de *Cristo* atribuído a Fra Angelico (c.1395-1455).

Hipogrifo de bronze do século 10°

PREPARE-SE

100.000. *Galileo Galilei 5km sul.* *Pisa Centrale, Piazza della Stazione.* *Piazza Sant' Antonio.* *Pza Sant'Antonio.* *Piazza Duomo (050 56 04 64); Piazza Vittorio Emanuele 16 (050 422 91).* *qua e sáb.* *17 jun: Regata di San Ranieri; último dom jun: Gioco del Ponte.*
www.pisa.turismo.toscana.it

Santa Maria della Spina

Lungarno Gambacorti. **Tel** *055 321 54 46.* *ter-dom.*

No telhado desta minúscula igreja localizada logo depois da Ponte Solferino, despontam vários pináculos góticos, agulhas em miniatura e nichos que abrigam estátuas de apóstolos e santos. A decoração reflete a história da igreja, construída entre 1230 e 1323 para abrigar um espinho *(spina)* da Coroa de Espinhos de Cristo, um presente de um mercador de Pisa. A igreja ficava mais perto do Arno, mas foi reconstruída na sua localização atual em 1871 para protege-la de enchentes.

Piazza dei Cavalieri

O enorme edifício no lado norte desta praça é o Palazzo dei Cavalieri, sede de uma das mais prestigiadas faculdades da Universidade de Pisa: a Scuola Normale Superiore. Projetado por Vasari em 1562, o edifício, revestido com uma exuberante decoração preta e branca em *sgraffito* (desenho feito em gesso úmido), servia como sede dos Cavalieri di Santo Stefano, uma ordem de cavaleiros criada, em 1561, por Cosimo I, representado na estátua equestre exposta no exterior.

Virgem e Menino (1321), de Simone Martini, no Museo Nazionale

Torre de Pisa

Construída em uma área com subsolo arenoso, a Torre de Pisa, que foi iniciada em 1173, começou a se inclinar antes mesmo que o terceiro piso estivesse pronto, em 1274. Apesar das fundações pouco profundas, a construção prosseguiu e a estrutura foi concluída em 1350. Sua inclinação tem atraído turistas ao longo dos séculos, incluindo o cientista local, Galileu Galilei, que realizou aqui seus famosos experimentos sobre a velocidade de queda dos objetos. Após diversas intervenções de engenharia que diminuíram 38cm da inclinação, a torre ficou novamente segura e foi reaberta ao público.

Galileo Galilei (1564–1642)

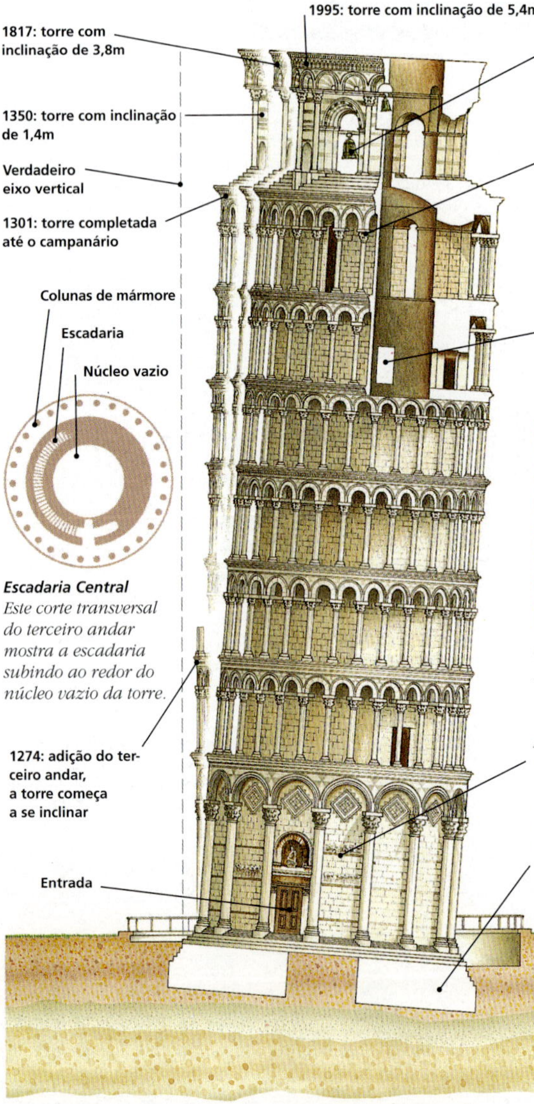

Escadaria Central
Este corte transversal do terceiro andar mostra a escadaria subindo ao redor do núcleo vazio da torre.

Supremacia Naval
A armada de Pisa era composta, em parte, por barcos como este, esculpido em relevo ao lado da entrada da torre.

Vinci 8

Florença. 1.500. qua.

Famosa como local de nascimento de Leonardo da Vinci (1452-1519), esta cidade no alto da colina presta homenagem a seu gênio no **Museo Leonardiano**. Abrigado em um castelo do século 13, o acervo reúne maquetes em madeira das invenções de Leonardo, a maioria baseada em esboços de suas anotações, cujas cópias estão expostas junto às maquetes. Entre elas, destacam-se a da bicicleta, carro, tanque blindado e metralhadora.

Museo Leonardiano
Castello dei Conti Guidi.
Tel *0571 560 55.* *diariam.*

Maquete de bicicleta, no Museo Leonardiano

Pistoia 9

93.000. FS *Palazzo dei Vescovi, Piazza del Duomo (0573 216 22).* *qua e sáb.*

Os cidadãos de Pistoia já tiveram fama de violentos devido às disputas medievais entre as facções rivais da cidade, os Bianchi ("brancos") e os Neri ("pretos"). Sua arma predileta era uma minúscula adaga, conhecida como *pistola*. A cidade é um centro de fabricação de peças de metal há muito e hoje produz de ônibus a molas de colchão. Soldados brasileiros mortos na Segunda Guerra foram enterrados aqui (em 1960 foram para o Brasil).

Duomo
Piazza del Duomo. *diariam.*
A catedral de San Zeno e seu campanário tomam conta da Piazza del Duomo, a principal praça de Pistoia. O maciço campanário, do século 12, foi construído originalmente como torre de vigilância nas muralhas da cidade. O interior da catedral está repleto de monumentos funerários. O mais bonito deles, na nave lateral sul, é o túmulo de Cino da Pistoia. Poeta, amigo de Dante, ele está retratado em um relevo de 1337, dando aula a crianças.

Aqui perto encontra-se a capela de são Tiago e seu extraordinário altar de prata, decorado com mais de 600 estátuas e relevos. Apesar de o mais antigo ser de 1287, o altar só foi completado em 1456. Um dos artesãos envolvidos no trabalho foi Brunelleschi, que começou sua carreira fazendo objetos de prata, antes de voltar-se para a arquitetura. Na Piazza del Duomo, fica também o Batistério octogonal, de 1359.

Detalhe do friso (1514-25) de Giovanni della Robbia, Ospedale del Ceppo

Ospedale del Ceppo
Piazza Giovanni XXIII.
Este asilo e orfanato, fundado em 1277, foi batizado com o nome do *ceppo* (tronco de árvore oco) usado para coletar as doações que o sustentavam. A fachada principal apresenta painéis coloridos de terracota (1514-25), feitos por Giovanni della Robbia, ilustrando as *Sete Obras da Misericórdia*. O pórtico é de Michelozzo.

Fachada, em estilo românico de Pisa, do Duomo de Pistoia

Cappella del Tau
Corso Silvano Fedi 70. **Tel** *0573 322 04.* *8h30-13h30 seg-sáb.*
Os monges que construíram esta capela tinham uma letra T (*tau* em grego) em suas capas, simbolizando uma muleta e seu trabalho com doentes e deficientes físicos. Daí surgiu o nome da capela (1360). No interior, há afrescos de Niccolò di Tommaso da *Criação* e *Vida de Santo Antônio Abade* (1370). Duas portas abaixo, fica o **Palazzo Tau**, com obras de Marino Marini, o mais conhecido artista local do século 20.

Outono (1372), de Niccolò di Tommaso, na Cappella del Tau

San Giovanni Fuorcivitas
Via Cavour. *diariam.*
Construída do século 12 ao 14, a impressionante igreja de San Giovanni Fuorcivitas (literalmente "São João Fora da Cidade") ficava além das muralhas da cidade. Sua parte norte é revestida com mármore listrado e há um relevo românico da *Última Ceia* sobre o portal. No interior, a pia de água benta de mármore foi esculpida com figuras das *Virtudes* por Giovanni Pisano (1245-1320). Um magnífico púlpito, esculpido em 1270 com cenas do Novo Testamento, é de Guglielmo da Pisa. Ambos estão entre as obras mais belas do período, quando houve uma redescoberta da escultura.

Prato ⑩

170.000. Piazza Duomo 8 (0574 241 12). seg.

Enquanto fábricas têxteis invadiam os arredores de Prato, vários museus e igrejas foram conservados em seu centro histórico. Junto ao **Duomo**, cuja construção foi iniciada em 1211, fica o *Púlpito do Cinto Sagrado* (1434-8), de Donatello e Michelozzo, usado uma vez por ano para expor o cinto da Virgem que teria sido dado ao apóstolo Tomás antes da Assunção. Dentro da catedral está *A Vida de João Batista* (1452-66), de Fra Filippo Lippi, e afrescos (1392-5) de Agnolo Gaddi.

Outros destaques são o **Museo Civico, Santa Maria delle Carceri**, igreja renascentista na Piazza delle Carceri, o **Castello dell' Imperatore**, erguido por Frederico II em 1237; o **Centro per l'Arte Contemporanea Pecci**; e o **Museo del Tessuto**, sobre a indústria têxtil local.

Museo Civico
Palazzo Pretorio, Piazza del Comune. *Tel 0574 61 63 02.* *para reforma.*

Castello dell'Imperatore
Piazza delle Carceri. *qua-seg.*

Centro per l'Arte Contemporanea Pecci
Viale della Repubblica 277. *Tel 0574 183 63 02.* *qua-seg.* www.centropecci.it

Museo del Tessuto
Via Santa Chiara 24. *Tel 0574 61 15 03.* *10h-19h diariam.*

***Madonna del Ceppo*, de Fra Filippo Lippi, no Museo Civico de Prato**

Villa di Artimino ou "*Villa* das Cem Chaminés", de Buontalenti

Artimino ⑪

Prato. 400.

Um pequeno povoado fortificado, Artimino destaca-se pela igreja românica de **San Leonardo**, totalmente preservada. Fora das muralhas, fica a **Villa di Artimino**, projetada por Buontalenti em 1594 para o grão-duque Fernando I. Conhecida como a *"Villa* das Cem Chaminés" –por causa das muitas chaminés que dominam o telhado– a mansão abriga atualmente o **Museo Archeologico Etrusco**, uma rica coleção de objetos arqueológicos.

Arredores: A igreja de **San Michele** em Carmignano, 5km ao norte de Artimino, guarda *A Visitação* (1530), de Pontormo. A leste daqui, encontra-se a *villa* de **Poggio a Caiano**. Construída em 1480 por Giuliano da Sangallo para Lorenzo de Medici *(pág. 253)*, foi a primeira *villa* italiana projetada em estilo renascentista.

Villa di Artimino
Viale Papa Giovanni 23. **Villa** *Tel 055 875 14 27.* *ter manhã, com hora marcada.* **Museu** *Tel 055 871 81 24.* *9h30-12h30 diariam.*

Poggio a Caiano
Piazza Medici. *Tel 055 87 70 12.* *ter-dom; 1ª e 4ª seg do mês.*

San Miniato ⑫

Pisa. 3.900. Piazza del Bastione (0571 427 45). ter.

No alto de uma colina, San Miniato permaneceu alheia à industrialização do vale do Arno. Seu principal prédio histórico é o castelo (Rocca) semiabandonado, construído no século 13 para Frederico II, imperador do Sacro Império Romano Alemão. Perto, fica o **Museo Diocesano**, que abriga uma *Crucificação* (c.1430) atribuída a Filippo Lippi, um busto de *Cristo*, atribuído a Verrocchio (1435-88), e a *Virgem do Cinto Sagrado*, de Andrea del Castagno (c.1417-57). Ao lado, o **Duomo** ostenta uma fachada românica de tijolo vermelho, do século 12. Suas placas de maiólica incrustadas provavelmente representam a Estrela do Norte e as constelações de Ursa Maior e Menor (importantes referências para os antigos navegadores).

Museo Diocesano
Piazza Duomo. *Tel 0571 40 04 58.* *10h-13h, 14h-17h qui-dom (abr-out: 10h-18h).*

Fachada do Duomo em San Miniato

Fiesole ⑬

Florença. 15.000. Via Portigiani, 3 (055 59 87 20). sáb.

Situada em uma paisagem de sonhos, no alto da colina, entre oliveiras, Fiesole tornou-se um refúgio para muitos turistas, a 8km norte da atual Florença. Foi fundada no século 7° a.C. pelos etruscos. Foi uma poderosa força na Itália central até perder sua supremacia para Florença, fundada seis séculos depois.

Colinas e telhados de Fiesole vistos a partir da Via di San Francesco

O restaurado **Duomo** de San Romolo, na Piazza Mino, começou a ser construído em 1028. Possui uma torre de sino e um interior românico, bastante vazio. Atrás da catedral, encontra-se um sítio arqueológico com ruínas de um **teatro romano** do século 1° a.C. e de **muralhas etruscas** do século 4° a.C., além do **Museo Faesulanum**, com uma coleção de objetos de bronze, cerâmica e joias da Idade do Bronze.

A Via di San Francesco, uma ruela íngreme com lindas vistas, conduz ao mosteiro franciscano de **San Francesco** (século 14) e à interessante igreja de **Sant' Alessandro**, do século 9°, que possui fachada neoclássica.

A Via Vecchia Fiesolana leva ao pequeno povoado de **San Domenico**. Aqui, a igreja de mesmo nome, do século 15, contém uma pintura da *Madona com Anjos e Santos* (c.1430), de Fra Angelico, e a Casa Paroquial possui um afresco da *Crucificação* (c.1430), do mesmo autor. Perto, na Via della Badia dei Roccettini, fica a bela igreja românica de **Badia Fiesolana**, com sua fachada de mármore listrado e interior construído com arenito cinza do local, chamado *pietra serena*.

Museo Faesulanum
Via Portigiani 1.
Tel *055 596 1293.*
diariam (out-mar: qua-seg).

Arezzo ⓮

92.000. Piazza della Repubblica 28 (0575 377 678). sáb.

Arezzo é uma das cidades mais ricas da Toscana, devendo sua prosperidade à florescente produção de joias. Seu centro histórico medieval foi destruído durante a Segunda Guerra Mundial, e muitas de suas ruelas medievais foram substituídas por largas avenidas. Entretanto, a cidade conserva pontos de destaque, como os famosos afrescos de Piero della Francesca na igreja de **San Francesco** *(págs. 330-1)*. Perto da igreja, no Corso Italia (principal rua da cidade), fica a **Pieve di Santa Maria**, que ostenta uma das mais ornamentadas fachadas românicas da região. Atrás dela, fica a íngreme **Piazza Grande**, ladeada por uma arcada (1573), projetada por Vasari, e pelo **Palazzo della Fraternità dei Laici** (1377-1552). Este apresenta um relevo de uma *Madonna*, de Bernardo Rossellino. O enorme **Duomo**, ao norte, é famoso por seu vitral do século 16 e por um pequeno afresco de *Maria Madalena*, de Piero della Francesca (1416-92). O **Museo Diocesano** apresenta três crucifixos de madeira dos séculos 12 e 13, um baixo-relevo da *Anunciação* (1434), de Rossellino, e pinturas de Vasari. Mais obras de Vasari podem ser admiradas na **Casa di Vasari**, construída pelo artista em 1540. Mais afrescos de sua autoria estão expostos no **Museo d'Arte Medioevale e Moderna**, famoso por seu acervo de cerâmica maiólica.

A **Fortezza Medicea**, um castelo Medici construído por Antonio da Sangallo durante o século 16 e hoje em ruínas, oferece belas vistas da região.

Museo Diocesano
Piazzetta Dietro il Duomo 12.
Tel *0575 402 72 29.*
qua-dom.

Casa di Vasari
Via XX Settembre 55. ***Tel*** *0575 40 90 50. qua-seg.*

Museo d'Arte Medioevale e Moderna
Via di San Lorentino 8. ***Tel*** *0575 40 90 50. ter-dom.*

Fortezza Medicea
Parco il Prato. ***Tel*** *0575 37 76 78.*
diariam.

Mercado de antiguidades realizado todo mês na Piazza Grande de Arezzo

Arezzo: San Francesco

A igreja de San Francesco, do século 13, abriga um dos mais grandiosos ciclos de afrescos italianos, a *Lenda da Cruz Verdadeira* (1452-66), obra-prima de Piero della Francesca. As cenas nas paredes do coro foram restauradas, e contam a história da Cruz em que Cristo foi crucificado –desde o broto e a Árvore do Conhecimento até seu uso como ponte durante o reinado de Salomão e da rainha de Sabá, e sua descoberta por Helena, mãe de Constantino, primeiro imperador romano cristão.

Grupo de Observadores
Pessoas ajoelham-se maravilhadas, e Heráclio devolve a Cruz a Jerusalém.

Escavação da Cruz
A cidade, que deveria ser Jerusalém, é uma boa representação da Arezzo do século 15.

A Cruz retorna a Jerusalém.

A Derrota de Chosroes lembra o destino de um rei persa que roubara a Cruz.

Judas revela onde a Cruz está escondida.

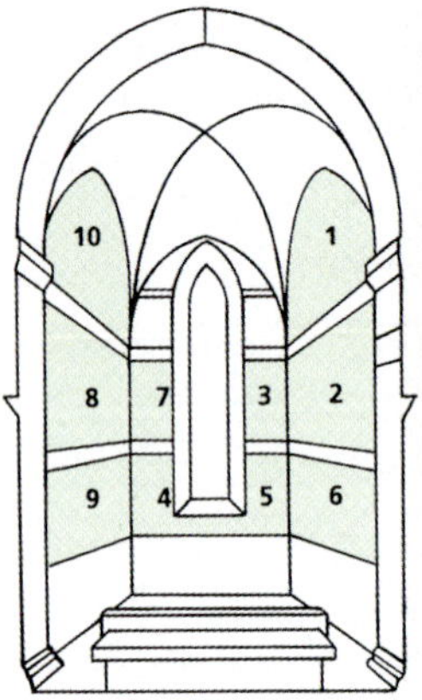

LEGENDA DOS AFRESCOS

1 Morte de Adão; um broto da Árvore do Conhecimento é plantado sobre o seu túmulo; **2** A Rainha de Sabá visita Salomão e prevê que uma ponte feita com a Árvore será usada para crucificar o maior rei do mundo; **3** Salomão, assumindo ser o maior rei do mundo, ordena que a ponte seja enterrada; **4** Anunciação: a morte de Cristo é prenunciada na forma de cruz do painel; **5** Constantino tem uma visão da Cruz e ouve uma voz dizendo "Com este signo vencerás"; **6** Constantino derrota seu rival Maxêncio; **7** Judas Levita é torturado e revela a localização da Cruz Verdadeira; **8** Três cruzes são desenterradas; Helena, a mãe de Constantino, reconhece a Cruz Verdadeira; **9** O rei persa Chosroes é derrotado depois de roubar a Cruz; **10** A Cruz Verdadeira é devolvida a Jerusalém.

Crucifixo Pintado
O crucifixo do século 13 é o ponto central do ciclo de afrescos. A figura ao pé da Cruz representa são Francisco, a quem a igreja é dedicada.

Morte de Adão
O vívido retrato de Adão e Eva na velhice mostra profundo conhecimento de anatomia. Piero foi um dos primeiros artistas renascentistas a pintar nus.

PREPARE-SE

P. San Francesco. **Tel** 0575 35 27 27 (obrig. agendar). 9h-18h seg-sáb (até 17h30 sáb); 13h-17h30 dom. 1º jan, 25 dez.

Os profetas parecem não ter nenhum papel no ciclo narrativo. Pode ser que sua presença seja meramente decorativa.

As construções pintadas no afresco refletem os novos estilos da moda da arquitetura renascentista.

A madeira da Cruz é enterrada.

Constantino sonha com a Cruz na véspera da batalha contra o imperador Maxêncio.

Constantino conduz sua cavalaria à batalha.

A rainha de Sabá reconhece a madeira da Cruz.

Cumprimento de Salomão
O aperto de mão da rainha de Sabá e Salomão, rei de Israel, representa a esperança de unir a igreja ortodoxa e ocidental, no século 15.

Ressurreição **(1463), de Piero, no Sansepolcro**

Sansepolcro ⓯

Arezzo. 16.000.
Via Matteotti 8 (0575 74 05 36).
ter, sáb.

Aqui nasceu Piero della Francesca (1410-92). O **Museo Civico** da cidade guarda duas de suas obras-primas: *A Ressurreição* (1463) e *Madonna della Misericordia* (1462). Também faz parte de seu acervo uma *Crucificação* (século 15), de Luca Signorelli. Na igreja de **San Lorenzo**, na Via Santa Croce, há uma Deposição, em estilo maneirista, de Rosso Fiorentino (1494-1541).

Outra famosa pintura de Piero della Francesca, a *Madonna del Parto* (1460), pode ser vista na Via Reglia 1 de Monterchi, 13km a sudoeste de Sansepolcro.

Museo Civico
Via Aggiunti 65. ***Tel*** *0575 73 22 18.*
diariam. *feriados.*

Cortona ⓰

Arezzo. *23,000.* *Via Nazionale 42 (0575 63 03 52).* *sáb.*

Fundada pelos etruscos, Cortona é uma das mais antigas – e mais belas– cidades nas colinas da Toscana. Muito poderosa na Idade Média, foi capaz de defender-se contra Siena e Arezzo. Hoje apresenta-se como um atraente labirinto de ruas antigas e construções medievais, como o **Palazzo Comunale**, na Piazza Della Repubblica. A longa história da cidade é contada no **Museo dell'Accademia Etrusca**, que exibe objetos etruscos e grande variedade de peças egípcias e romanas. O pequeno **Museo Diocesano** reúne belas pinturas, em especial uma *Crucificação*, do artista renascentista Pietro Lorenzetti, uma *Deposição* (1502), de Luca Signorelli, e uma sublime *Anunciação* (c.1434), de Fra Angelico. Nascido em Cortona, Signorelli está enterrado na igreja de **San Francesco** (construída em 1245), que exibe uma *Anunciação*, pintada em estilo barroco por Pietro da Cortona, outro artista local. A **Madonna del Calcinaio** (1485), uma joia da arquitetura renascentista, está localizada nos arredores sul da cidade.

Palazzo Comunale, do século 13, em Cortona

Museo dell'Accademia Etrusca
Palazzo Casali, Piazza Signorelli 9. ***Tel*** *0575 63 72 35.* *9h-20h diariam (até 13h dom).*

Museo Diocesano
P. del Duomo 1.
Tel *0575 628 30.* *diariam (inverno: ter-dom).*

Chiusi ⓱

Siena. *10.000.* *Piazza Duomo 1 (0578 22 76 67).* *ter.*

Em grande parte moderna na atualidade, Chiusi foi no passado uma das mais poderosas cidades da liga etrusca, atingindo seu auge nos séculos 7° e 6° a.C. *(pág. 45)*. Muitos túmulos etruscos podem ser vistos nos campos ao redor da cidade e formam a base das peças expostas no **Museo Nazionale Etrusco**. Fundado em 1871, este museu exibe rico acervo de urnas crematórias, vasos decorados com figuras negras e objetos Bucchero, polidos para parecer bronze.

O **Duomo** românico, na Piazza del Duomo, incorpora pilares e capitéis romanos. As pinturas nas paredes da nave lembram afrescos e foram realizadas por Arturo Viligiardi, em 1887. Há um mosaico romano sob o altar-mor. Podem-se visitar vários túmulos etruscos sob a cidade a partir do **Museo della Cattedrale**, situado no claustro do Duomo, que também apresenta esculturas romanas, lombardas e toscanas.

Museo Nazionale Etrusco
Via Porsenna 93. ***Tel*** *0578 201 77.*
9h-20h diariam.

Museo della Cattedrale
P. del Duomo. ***Tel*** *0578 22 64 90.*
diariam (jan-mar: ter, qui, sáb, dom).

Friso etrusco no Museo Nazionale Etrusco, em Chiusi

Para hotéis e restaurantes nesta região, ver págs. 579-82 e págs. 629-32

Piazza Pio II (1459) projetada por Bernardo Rossellino em Pienza

Montepulciano ⑱

Siena. 14.000. Piazza Don Minzoni 1 (0578 75 73 41). qui. www.prolocomontepulciano.it

No alto de uma colina, esta é uma das cidades mais elevadas da Toscana. Suas muralhas e fortificações oferecem vistas abrangentes da Úmbria e Sul da Toscana. De seus vinhedos, é produzido o Vino Nobile, que deu fama à cidade. Suas ruas estão repletas de *palazzi* renascentistas. Sua via principal, o Corso, sobe até o **Duomo** (1592-1630), cenário de uma das obras-primas da Escola de Siena, a Assunção (1401), de Taddeo di Bartolo. A igreja do Alto Renascimento, **Tempio di San Biagio** (1518-34), fica perto da estrada para Pienza.

Pienza ⑲

Siena. 2.300. Piazza Dante Alighieri 18 (0578 74 83 59). sex.

Muito acolhedora, esta aldeia teve seu tranquilo centro histórico quase totalmente reprojetado pelo papa Pio II, no século 15. Pio II, cujo nome era Aeneas Sylvius Piccolomini, nasceu aqui em 1405, quando a aldeia chamava-se Corsignano. Ele se tornou um eminente erudito e filósofo humanista. Eleito papa em 1458, ele decidiu reconstruir sua cidade, rebatizando-a de Pienza em sua homenagem. O arquiteto e escultor florentino Bernardo Rossellino recebeu a tarefa de construir a catedral, o palácio papal e a prefeitura (concluídos entre os anos de 1459 e 1462), mas o projeto mais grandioso de criar uma cidade-modelo renascentista nunca se realizou. Entretanto, uma ideia de como ela poderia ter sido pode ser percebida no **Palazzo Piccolomini**, o antigo palácio papal que continuou habitado pelos descendentes de Pio II até 1968. As salas abertas ao público incluem o quarto e a biblioteca do papa, mas o ponto alto da visita é a soberba vista oferecida pela galeria e pátio no fundo do palácio.

As muralhas da cidade também proporcionam agradáveis caminhadas e vistas grandiosas da cidade. O **Duomo** *(pág. 252)*, ao lado, preserva seis peças de altar da *Madona e Menino*, cada uma encomendada a um diferente pintor importante de Siena. Rossellino precisou construir a catedral em um pequeno espaço com péssimas fundações – apareceram rachaduras mesmo antes do fim de sua construção. Hoje, o extremo leste da igreja sofre um severo afundamento.

Palazzo Piccolomini
Piazza Pio II. **Tel** 0578 74 85 03. *10h-18h30 ter-dom. meados fev-início mar, meados nov-meados dez.*

Montalcino ⑳

Siena. *5.100. Costa del Municipio 1 (0577 84 93 31). sex.*

Montalcino, no alto de uma colina, está rodeada pelos vinhedos produtores do Brunello, um dos melhores vinhos tintos da Itália. Grande variedade de vinhos pode ser provada em uma enoteca (loja de vinhos) maravilhosamente localizada na **Fortezza**, uma fortaleza do século 14. As ruas da cidade parecem ter parado no tempo e proporcionam deliciosos passeios. No caminho da fortaleza para a cidade, há o mosteiro de Sant'Agostinho e sua igreja do século 14 com uma bela rosácea, e, logo à frente, o Palazzo Vescoville. Na Piazza del Popolo, a esguia torre do Palazzo Comunale, construída entre os séculos 13 e 14, domina a cidade.

Fortezza
Piazzale della Fortezza. **Tel** *0577 84 92 11. muralhas.* **Enoteca** *abr-out: 9h-20h diariam, nov-mar: 9h-18h ter-dom (19h30 sáb, dom).*

Tempio di San Biagio, nos arredores de Montepulciano

Campos de Crete Senesi

Crete Senesi 21

Asciano. Antiche Fonti Lavatoie (0577 71 95 10).

Ao sul de Siena e da região central da Toscana fica uma área conhecida como Crete Senesi, caracterizada por montes de argila arredondados, erodidos por fortes chuvas ao longo dos séculos. Apelidado de "deserto toscano", tem uma terra quase estéril. Ciprestes e pinheiros, plantados para proteger as estradas e fazendas isoladas contra o vento, marcam a paisagem quase deserta. É possível ver pastores cuidando de rebanhos de ovelha, que produzem leite usado no forte queijo local *pecorino*, popular em toda a Toscana.

Siena 22

Págs. 338-43.

Monteriggioni 23

Siena. 7.000. Piazza Roma (0577 30 48 34). jun-ago.
www.monteriggioniturismo.it

Monteriggioni é uma verdadeira joia medieval no topo de uma colina. Construída em 1203, tornou-se dez anos depois um posto militar. Altas muralhas, com 14 torres fortificadas, foram construídas para proteger as fronteiras do norte de Siena contra invasões florentinas, e ainda hoje rodeiam totalmente a cidade.

Dante ficou tão impressionado que a usou como uma alegoria do abismo mais profundo em *Inferno*, quando compara "a cidadela arredondada coroada por torres" com gigantes em um fosso. Pode-se ver melhor as intactas muralhas a partir da estrada Colle di Val d'Elsa. Dentro da fortificação, a cidade oferece pouco mais que uma grande *piazza*, uma bela igreja românica (na *piazza*), algumas casas, poucas lojas de artesanato, restaurantes e enotecas, onde podem ser comprados muitos dos vinhos Castello di Monteriggioni produzidos aqui.

Arredores: A 3km oeste de Monteriggioni, fica a **Abbadia dell' Isola**, construída no século 12. Esta igreja românica foi bastante reformada no século 18, depois que a cúpula caiu. Podem ser vistos afrescos de Taddeo di Bartolo e Vincenzo Tamagni e uma peça de altar renascentista.

San Gimignano 24

Págs. 344-5.

Volterra 25

Pisa. 13.000. Via Giusto Turazza 2 (0588 861 50). sáb.
www.comune.volterra.pi.it

Como muitas cidades etruscas, Volterra fica em um elevado planalto, com belas vistas das colinas ao redor. Em muitos pontos, as antigas muralhas etruscas ainda estão em pé. O famoso **Museo Guarnacci** contém uma das melhores coleções de artefatos etruscos da Itália. Destaca-se especialmente um grupo de mais de 600 urnas cinerárias etruscas, feitas de alabastro ou terracota, muitas delas encontradas em túmulos locais.

O **Palazzo dei Priori**, sede medieval do governo, na Piazza dei Priori, é o mais antigo desse tipo na Toscana. Começou a ser construído em 1208 e exibe afrescos do século 14. O **Duomo**, localizado na Piazza San Giovanni, segue o estilo românico de Pisa e possui um belo púlpito esculpido do século 13.

Detalhe do púlpito do Duomo de Volterra

A excelente **Pinacoteca e Museo Civico** da cidade apresenta obras de artistas florentinos. O quadro *Cristo Majestoso* (1492), de Ghirlandaio, mostra Cristo em uma paisagem toscana idealizada. A *Madona e Menino com Santos* (1491), de Luca Signorelli, expressa sua dívida para com a arte romana através dos relevos na base do trono da Virgem. Pintada no mesmo ano, sua *Anunciação* é uma composição lindamente equilibrada. Outro destaque é a pintura maneirista de Rosso Fiorentino, *Deposição* (1521).

Volterra também é famosa por seus artesãos, que têm esculpido elaboradas estátuas e objetos com o alabastro local há 2.500 anos.

As impressionantes muralhas de Monteriggioni, na Toscana central

Ruínas da abadia em San Galgano, cercadas por densa vegetação

Museo Guarnacci
Via Don Minzoni 15.
Tel 0588 863 47. *diariam.*
1° jan, 25 dez.

Pinacoteca e Museo Civico
Via dei Sarti 1. *Tel 0588 875 80.*
diariam. *1° jan, 25 dez.*

San Galgano ㉖

Siena. *de Siena.*
Abadia e oratório *diariam.*
www.sangalgano.org

A remota abadia cisterciense de San Galgano fica em um magnífico cenário. São Galgano (1148-81) foi um rei corajoso, que voltou-se para Deus, renunciando ao mundo material. Quando tentou quebrar sua espada contra uma pedra, simbolizando sua rejeição à guerra, ela foi engolida pela rocha, o que ele interpretou como sinal da aprovação de Deus. Ele construiu uma cabana em uma colina acima da abadia (local da atual capela em forma de colmeia, construída em c.1185 em **Montesiepi**), onde morreu como eremita. O papa Urbano III declarou-o santo.

A abadia, cuja construção foi iniciada em 1218, tem estilo gótico, refletindo a origem francesa dos monges que a projetaram. Eles evitavam o contato com o mundo externo e dividiam suas vidas entre a oração e o trabalho. Apesar da opção pela pobreza, os monges tornaram-se ricos com a venda de madeira. Em meados do século 14, a abadia era corruptamente administrada, e foi decaindo gradualmente.

No fim do século 14, o mercenário inglês sir John Hawkwood saqueou a abadia. Em 1397, restava apenas o abade como morador e, em 1652, foi finalmente dissolvida.

A espada de são Galgano está encravada em uma pedra logo após a entrada do oratório circular. Afrescos desbotados com cenas da vida do santo (1344), de Ambrogio Lorenzetti, cobrem as paredes de pedra da capela lateral.

Massa Marittima ㉗

Grosseto. 9.500. *Amatur, Via Todini 3-5 (0566 90 27 56).*
qua.

Localizada nas Colline Metallifere ("colinas com metais"), onde minérios de chumbo, cobre e prata são extraídos desde o tempo dos etruscos, Massa Marittima está longe de ser uma feia cidade industrial. Ela preserva lindos exemplos de arquitetura românica, da época em que a cidade tornou-se uma república independente (1225-1335). O **Duomo** na Piazza Garibaldi é dedicado a são Cerbônio, um santo do século 6°, cuja história está esculpida em pedra acima do portal principal. No interior encontra-se uma *Maestà* (c.1316) atribuída a Duccio.

O **Museo della Miniera** (museu da mineração) ocupa uma antiga mina, além de exibir objetos de mineração, ferramentas e minerais.

O **Museo Archeologico e Museo d'Arte Sacra** expõe peças do Paleolítico à época dos romanos. Outras atrações são a Fortezza Senese e a Torre della Candeliera.

Museo della Miniera
Via Corridoni. *Tel 0566 90 22 89.*
ter-dom (jul e ago: diariam).
obrigatória.

Museo Archeologico e Museo d'Arte Sacra
Palazzo del Podestà, Piazza Garibaldi.
Tel 0566 90 22 89. *ter-dom.*

Vista de Massa Marittima

Montes de argila nos arredores de Crete Senesi, a sudeste de Siena ▷

Rua a Rua: Siena ㉒

Contrada Unicórnio

As principais atrações de Siena estão reunidas em um labirinto de ruas e vielas ao redor da Piazza del Campo, que tem forma de leque. Uma das maiores praças medievais da Europa, a *piazza* fica no meio das 17 *contrade* (paróquias) da cidade. A antiga rivalidade existente entre elas é lembrada, de dois em dois anos, no Palio *(pág. 341)*. Nas ruas, podem-se ver os símbolos das paróquias em flâmulas, placas e entalhes, demonstrando a lealdade dos moradores à *contrada* onde nasceu. Andar por Siena, situada em uma colina, também pode revelar encantadores refúgios e paisagens inesperadas.

O Duomo domina o horizonte de Siena

A Via della Galluzza leva à Casa de Santa Catarina.

No Batistério, há belos afrescos e uma pia batismal com relevos de Jacopo della Quercia, Donatello e Ghiberti.

★ Duomo
Pilares com listras de mármore, encimados por um friso esculpido com figuras dos papas, sustentam o teto abobadado do Duomo, pintado como um céu estrelado.

Cada andar da torre do sino da catedral tem uma janela a mais que o inferior.

Museo dell'Opera del Duomo
A Maestà, de Duccio, uma das mais grandiosas pinturas de Siena, foi levada em procissão pelas ruas da cidade quando ficou pronta em 1311. Ela influenciou muitos pintores locais.

LEGENDA

— — — Percurso sugerido

0 metros **300**

Loggia della Mercanzia

Os mercadores e negociantes de Siena trabalhavam nesta arcada, construída em 1417.

PREPARE-SE

60.000. FS Piazzale Rosselli. Piazza S. Domenico. Piazza del Campo 56 (0577 28 05 51). qua. 2 jul, 16 ago: Palio; jul: Settimana Musicale Chigiana (música erudita). www.terresiena.it

A Logge del Papa, ou Colunata do Papa, foi construída em homenagem a Pio II, em 1462.

Informação turística

Músico no Palio de Siena

Fonte Gaia

Os relevos são cópias feitas no século 19 dos originais de Jacopo della Quercia.

★ Palazzo Pubblico

A graciosa prefeitura gótica da cidade foi concluída em 1342. Com 102m, a torre do sino, Torre del Mangia, é a segunda mais alta torre medieval da Itália.

PONTOS ALTOS

★ Duomo

★ Palazzo Pubblico

Piazza del Campo

A mais linda *piazza* da Itália ocupa o local de um antigo fórum romano, que depois foi o principal mercado durante grande parte da história antiga de Siena. Ela começou a ganhar sua forma atual em 1293, quando o Conselho dos Nove, grupo que governava Siena na época, começou a adquirir terras com a ideia de criar uma grandiosa *piazza* cívica. A pavimentação com tijolos vermelhos foi iniciada em 1327 e completada em 1349, com noves segmentos distintos projetados para lembrar a autoridade do Conselho dos Nove e as dobras protetoras da capa da Madona. Desde então, a *piazza* se tornou o centro vital da cidade, um cenário de execuções, touradas e do festival de Palio *(pág. 341)*. Cafés, restaurantes e belos *palazzi* medievais rodeiam a praça. O **Palazzo Pubblico** (1297-1342) e a **Torre del Mangia**, de 1348 *(pág. 340)*, tendem a ofuscar a **Fonte Gaia**, no extremo norte da *piazza*. Esta pequena fonte é uma cópia feita no século 19 da original esculpida por Jacopo della Quercia entre 1409 e 1419. Seus relevos ilustram as *Virtudes, Adão e Eva* e a *Madona e Menino* (os originais podem ser vistos na galeria atrás do Palazzo Pubblico). A água da fonte ainda vem de um aqueduto de 500 anos atrás.

Piazza del Campo e Fonte Gaia vistas da Torre del Mangia

Como Explorar Siena

Outrora uma capital rival de Florença, Siena é a cidade medieval mais bonita da Itália, e ainda mantém a grandiosidade da época de seu auge, entre 1260 e 1348. Comece a explorar seu centro histórico pela Piazza del Campo e o labirinto de ruas medievais ao seu redor.

***Alegoria do Bom Governo* (1338), de Lorenzetti, no Palazzo Pubblico**

Palazzo Pubblico

Piazza del Campo 1.
Tel *0577 29 22 26.* **Museo Civico e Torre del Mangia** *diariam.*

Apesar de manter seu antigo papel de prefeitura de Siena, as salas medievais do Palazzo Pubblico, algumas decoradas com pinturas da Escola de Siena, estão abertas ao público. Elas abrigam inclusive o **Museo Civico** da cidade. A sala principal do conselho, ou Sala del Mappamondo, foi assim batizada por causa do mapa-múndi pintado por Ambrogio Lorenzetti no início do século 14. Uma das paredes foi pintada com um afresco, de Simone Martini, da *Maestà* (1315), que ilustra Nossa Senhora como Rainha do Paraíso, servida pelos Apóstolos, santos e anjos. Em frente, há um afresco (atribuído a Simone Martini, mas possivelmente posterior) de *Guidoriccio da Fogliano* (1330). As paredes da capela vizinha estão recobertas com afrescos da *Vida da Virgem* (1407), de Taddeo di Bartolo, e as cadeiras do coro (1428) estão decoradas com painéis de madeira com cenas bíblicas. A Sala della Pace exibe a famosa *Alegoria do Bom e Mau Governo* (1338-40) um par de afrescos de Ambrogio Lorenzetti. Eles formam uma das mais importantes séries de pinturas seculares da Idade Média. No afresco do *Bom Governo*, está retratada a vida cívica, enquanto o *Mau Governo,* presidido por um demônio, revela ruas cheias de lixo e ruínas.

Na Sala del Risorgimento, há afrescos do fim do século 19, ilustrando o processo de unificação da Itália sob o rei Vittorio Emanuele II.

No pátio do palácio, fica a entrada da magnífica **Torre del Mangia**, a imensa torre do sino do palácio. Com 102m, destaca-se no horizonte de Siena. Construída pelos irmãos Muccio e Francesco di Rinaldo, entre 1338 e 1348, recebeu o nome do primeiro tocador de sino, cuja vida ociosa originou o apelido *Mangiaguadagni* (literalmente "come lucros"). Depois de 505 degraus, chega-se ao topo da torre, que oferece maravilhosas vistas.

Santuario e Casa di Santa Caterina

Costa di Sant'Antonio.
Tel *0577 24 73 93.* *diariam.*

A santa padroeira de Siena, Catarina Benincasa (1347-80), era filha de um comerciante. Aos oito anos, ela optou por dedicar sua vida a Deus. Além de ter visões, recebeu mais tarde as *stigmata* (chagas de Cristo). Assim como sua homônima, santa Catarina de Alexandria, acreditava-se que ela ficara noiva do Menino Jesus em uma visão –cena que inspirou muitos artistas. Sua eloquência persuadiu o papa Gregório XI a devolver a sede do papado a Roma em 1376, após 67 anos de exílio em Avignon. Santa Catarina morreu em Roma e foi canonizada em 1461.

Hoje, a Casa di Santa Caterina está cercada de capelas e claustros. Entre eles, fica a Igreja da Crucificação, construída em 1623 no seu pomar para abrigar a pintura da Crucificação do fim do século 12, em frente à qual a santa recebeu as *stigmata* em 1375. A casa está decorada com pinturas sobre sua vida, algumas feitas por artistas de sua época, como Francesco Vanni e Pietro Sorri.

Santuario e Casa di Santa Caterina, local de nascimento da santa padroeira de Siena

Para hotéis e restaurantes nesta região, ver págs. 579-82 e págs. 629-32

Palazzo Piccolomini

Via Banchi di Sotto 52. **Tel** *0577 24 71 45.* *manhãs seg-sáb.* *1-15 ago*

O mais imponente *palazzo* particular de Siena pertenceu à rica família Piccolomini. Foi construído na década de 1460 pelo arquiteto e escultor florentino Bernardo Rossellino. Agora abriga os arquivos de estado de Siena, livros contábeis e documentos fiscais do século 13. Alguns dos mais importantes artistas da época foram contratados para pintar as encadernações de madeira usadas para guardar os registros fiscais e contábeis. Muitas pinturas, hoje expostas na Sala di Congresso, mostram cenas de Siena ou episódios do passado da cidade.

Outros documentos incluem um testamento atribuído a Boccaccio e o contrato do conselho governante com Jacopo della Quercia para a construção da Fonte Gaia *(pág. 339)*.

Detalhe de *O Abençoado Agostino Novello* (c.1330), de Martini

Pinacoteca Nazionale

Via San Pietro 29. **Tel** *0577 28 11 61.* *diariam.* *(dom e seg 12h).*

Esta bela pinacoteca, que ocupa o Palazzo Buonsignori do século 14, exibe um inigualável acervo de pinturas de artistas da Escola de Siena. Disposto em ordem cronológica, a partir do século 13, passando pelo período Maneirista (1520-1600), apresenta como destaque a *Madonna dei Francescani* (1285), de Duccio, e a obra-prima de Simone Martini *O Abençoado Agostino Novello e Quatro de Seus Milagres* (c.1330). *Duas Vistas* (do século 14), de Pietro Lorenzetti, são exemplos antigos de pintura de paisagens, e a *Adoração dos Pastores* (1510), de Pietro da Domenico, mostra como a arte de Siena continuou a ser

O austero exterior da igreja de San Domenico

visivelmente influenciada por suas raízes bizantinas muito depois de o naturalismo do Renascimento ter chegado a todo o resto da Europa.

San Domenico

Piazza San Domenico. *diariam.*

A cabeça da padroeira da cidade, santa Catarina de Siena (1347-80), pode ser vista em um tabernáculo dourado no altar de uma capela dedicada a ela, na enorme igreja gótica de San Domenico, que começou a ser construída em 1226.

A capela foi erguida em 1460 para esse propósito e está repleta de afrescos feitos por Sodoma (1526), que mostram o fervor religioso de Catarina. A igreja possui o único retrato de santa Catarina considerado autêntico, pintado por seu amigo Andrea Vanni.

PALIO DE SIENA

O Palio é a festa mais comemorada da Toscana. Acontece todos os anos no Campo, em 2 de julho e 16 de agosto às 19h. Sua atração principal é a corrida em cavalos sem sela, registrada pela primeira vez em 1283, mas acredita-se que tenha surgido nos treinamentos militares romanos. Os jóqueis representam 10 dos 17 *contrade* (distritos que correspondem a paróquias) de Siena. Os cavalos são escolhidos por sorteio e benzidos na igreja.

Símbolo de *contrada*

Precedidas por dias de pompa, desfiles de trajes e altas apostas, as corridas duram apenas 90 segundos cada uma. Milhares de espectadores lotam a *piazza*. O vencedor recebe de prêmio um *palio* (bandeira) de seda. A festa dos vencedores e a discussão dos perdedores podem durar semanas.

Participantes mostram habilidade com as bandeiras antes da corrida

Siena: Duomo

Símbolo do Cristo Ressuscitado na fachada

Uma das maiores catedrais da Itália, o Duomo de Siena (1136-82) compõe uma espetacular mistura de esculturas, pinturas e arquitetura gótica-românica com influência de Pisa. No século 14, surgiu o projeto de criar uma nova nave, o que tornaria a catedral a maior igreja da Cristandade. Entretanto, a ideia não se concretizou, sendo abandonada quando a peste de 1348 quase exterminou metade da população local. Entre os tesouros do Duomo, despontam obras-primas da escultura de Nicola Pisano, Donatello e Michelangelo, um belo piso e um magnífico ciclo de afrescos de Pinturicchio.

Pia Batismal
Esta peça renascentista, obra de della Quercia, Ghiberti e Donatello, fica no Batistério.

Painéis do Púlpito
Esculpidos entre 1265 e 1268 por Nicola Pisano, com a ajuda de Arnolfo di Cambio e de seu filho Giovanni, os painéis no púlpito octogonal retratam cenas da Vida de Cristo.

Na nave, pilares de mármore sustentam a abóbada.

Capela de São João Batista

A nave lateral norte guarda esculturas feitas por Michelangelo de *São Pedro, São Pio, São Gregório* e *São Paulo* (1501-4).

Piso de Mármore Decorado
O Massacre dos Inocentes *é uma das cenas incrustadas no piso da catedral. O piso geralmente fica descoberto em setembro.*

Biblioteca Piccolomini
Os afrescos (1509) de Pinturicchio retratam a vida do papa Piccolomini, Pio II. Aqui, ele celebra o noivado de Frederico III com Eleonora de Portugal.

Para hotéis e restaurantes nesta região, ver págs. 579-82 e págs. 629-32

PREPARE-SE

Piazza del Duomo.
Tel *0577 28 30 48.*
Pollicino. **Duomo e Biblioteca** *10h30-19h30 seg-sáb (jun-ago 20h; nov-fev 18h30), 13h30-17h30 dom (jun-ago 18h.*

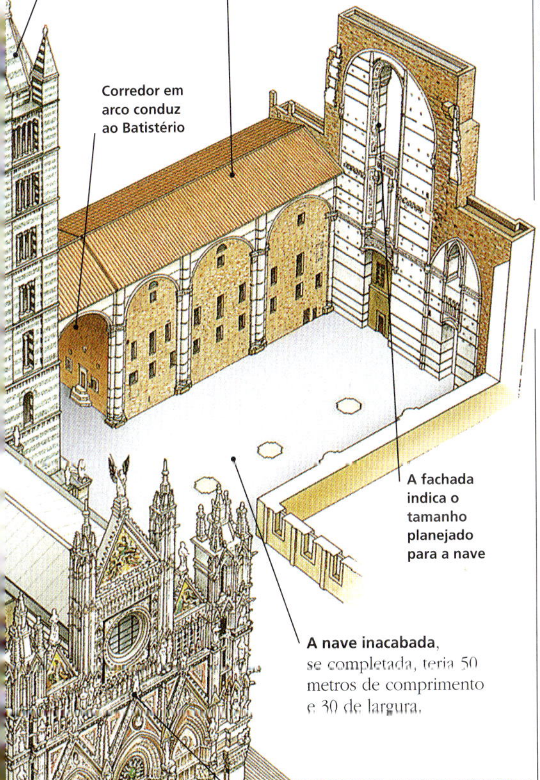

Estátuas da Fachada
Muitas estátuas da fachada foram substituídas por cópias. As originais estão no Museo dell'Opera del Duomo.

Museo dell'Opera del Duomo

Piazza del Duomo 8.
Tel *0577 28 30 48.* *diariam.* *25 dez, 1º jan.*
Parte deste museu dedica-se a guardar obras retiradas do exterior do Duomo, incluindo um relevo circular de uma *Madona e Menino*, provavelmente de Donatello, e várias estátuas góticas muito danificadas de Giovanni Pisano e Jacopo della Quercia. O destaque do acervo é a enorme *Maestà* (1308-11), de Duccio, uma das mais belas obras da Escola de Siena. Ela mostra a *Madona e Menino* de um lado e cenas da *Vida de Cristo* do outro. Originalmente, ficava no altar-mor da catedral, onde substituiu a *Madona com Olhos Grandes* (1220-30) de um pintor anônimo de Siena, hoje também no museu.

Estátuas do Duomo, agora expostas no Museo dell'Opera

Fortezza Medicea

Viale Maccari. **Fortezza** *diariam.* **Enoteca** ***Tel*** *0577 28 84 97.* *12h-1h seg-sáb.*
Esta imensa fortaleza de tijolo vermelho foi construída para Cosimo I por Baldassarre Lanci em 1560, depois da derrota de Siena pelos florentinos na guerra de 1554-5. Após um cerco de 18 meses, durante o qual morreram mais de 8.000 sieneses, a atividade bancária e a produção de lã local foram suprimidas, e todas as grandes construções interrompidas.

Hoje a fortaleza abriga a Enoteca Italica –uma loja de vinhos que oferece aos visitantes a chance de provar e comprar um variado cardápio de toda a Itália. Há também um restaurante.

Rua a Rua: San Gimignano ㉔

As treze torres que despontam no majestoso horizonte de San Gimignano foram construídas por famílias nobres durante os séculos 12 e 13, quando a cidade prosperou graças a sua localização na rota de peregrinação do norte da Europa para Roma. A peste de 1348 e o desvio no caminho dos peregrinos causaram o declínio econômico da cidade mas a preservaram. Atualmente apenas uma das torres, a Torre Grossa, está aberta a visitação. Para uma cidade pequena, San Gimignano é rica em obras de arte, boas lojas e restaurantes.

O famoso contorno de San Gimignano, quase inalterado desde a Idade Média

Collegiata
O interior desta igreja do século 11 está repleto de afrescos, incluindo A Criação *(1367), de Bartolo di Fredi.*

Palazzo del Popolo
A câmara do conselho na prefeitura (1288-1323) apresenta uma Maestà *(1317), de Lippo Memmi.*

Anunciação, de Ghirlandaio
Esta pintura, concluída em 1482, está localizada em uma galeria no pátio, ao lado da Collegiata.

A Via San Giovanni reúne muitas lojas de produtos locais.

Para hotéis e restaurantes nesta região, ver págs. 579-82 e págs. 629-32

PREPARE-SE

Siena. *7.000.* *Porta San Giovanni.* *Piazza del Duomo 1 (0577 94 00 08).* *qui.* *Festas dos santos padroeiros: 31 jan San Gimignano e 12 mar Santa Fina; datas variadas em fev: Carnaval; 1° dom ago: Fiera di Santa Fina; 29 ago: Fiera di Sant'Agostino; 8 set: Festa della Madonna di Panacole.*
www.sangimignano.com

Na Piazza del Duomo, há muitas construções históricas, como o Palazzo Vecchio del Podestà (1239), cuja torre deve ser a mais antiga da cidade.

Piazza della Cisterna
A "Praça do Poço" marca o centro da cidade antiga.

O Museo Civico dá acesso à mais alta das 13 torres remanescentes.

LEGENDA

Percurso sugerido

0 metros 250

Museo Civico

Palazzo del Popolo, Piazza del Duomo. ***Tel*** *0577 99 03 12.* **Museu e Torre** *diariam.* *1° jan, 31 jan, 24 dez.*
Afrescos no pátio do museu mostram os brasões de prefeitos e magistrados da cidade, além da *Virgem e Menino* (século 14), de Taddeo di Bartolo. A primeira sala é a Sala di Dante, onde uma inscrição lembra uma visita feita pelo poeta em 1300. As paredes estão cobertas com cenas de caça e um enorme afresco da *Maestà* (1317), de Lippo Memmi. O piso superior exibe um acervo de arte, com excelentes obras de Pinturicchio, Bartolo di Fredi, Benozzo Gozzoli e Filippino Lippi. Os famosos afrescos *Cenas de um Casamento* (início do século 14), de Memmo di Filippucci, mostram um casal dividindo uma banheira e indo para a cama –um registro incomum do cotidiano italiano do século 14.

Collegiata

Piazza del Duomo. *diariam.*
Esta igreja românica do século 12 guarda uma mistura de afrescos. Na nave lateral norte, estão retratados 26 episódios do *Velho Testamento* (1367), pintados por Bartolo di Fredi. A parede em frente apresenta cenas da *Vida de Cristo* (1333-41), de Lippo Memmi, enquanto no fundo da igreja há cenas do *Juízo Final* executadas por Taddeo di Bartolo. Afrescos (1475) de Ghirlandaio adornam a minúscula Capela de Santa Fina e a galeria vizinha.

Teto da Collegiata, pintado com estrelas douradas

***Cristo*, de Bartolo di Fredi, Sant'Agostino**

Sant'Agostino

Piazza Sant'Agostino. *diariam.*
Consagrada em 1298, esta igreja apresenta fachada simples, que contrasta fortemente com o interior rococó, exageradamente decorado (c.1740) por Vanvitelli. Acima do altar-mor, está a *Coroação da Virgem* (1483), de Piero del Pollaiuolo. O coro foi totalmente recoberto com um ciclo de afrescos da *Vida de Santo Agostinho* (1465), executado pelo artista florentino Benozzo Gozzoli.

Na Cappella di San Bartolo, à direita da entrada principal, encontra-se um elaborado altar de mármore, completado por Benedetto da Maiano em 1495.

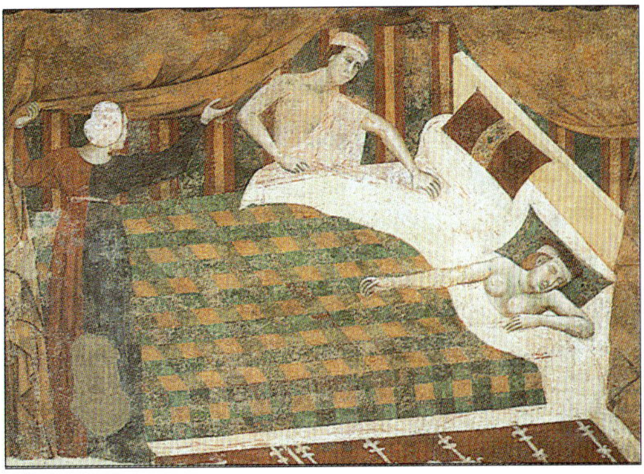

Afresco do início do século 14, parte do ciclo *Cenas de um Casamento*, de Memmo di Filippucci, exposto no Museo Civico

Elba ㉘

Livorno. *30.000.* *Portoferraio* *Calata Italia 26 (0565 91 46 71).* *Portoferraio: sex.*

O mais famoso habitante de Elba foi Napoleão, que passou nove meses aqui, após a queda de Paris (1814). Hoje, a terceira maior ilha da Itália é habitada principalmente por turistas, que vêm de ferryboat de Piombino, a 10km, no continente. A principal cidade da ilha é Portoferraio, com um antigo porto e uma moderna beira-mar com hotéis e restaurantes especializados em peixe.

Sua paisagem é bastante variada. Na costa oeste, que tende a ser mais tranquila, há praias arenosas adequadas a todos os esportes aquáticos. A costa leste, centrada na cidade de Porto Azzurro, o segundo porto da ilha, é mais acidentada, com penhascos altos e praias pedregosas. No interior, olivais e vinhedos margeiam as colinas, cobertas de vegetação. Uma boa opção para conhecer o interior da ilha é seguir a estrada de Marciana Marina até a antiga aldeia medieval de Marciana Alta. Perto daqui uma estrada secundária leva a um teleférico que sobe o Monte Capanne (1.018m), com lindas vistas.

Marciana Marina em Elba

Sovana ㉙

Grosseto. *100.* *Piazza Busatti 8 (0564 63 30 99).*

Sovana é uma das mais belas aldeias do sul da Toscana. Sua única ruazinha acaba na Piazza del Pretorio, onde fica a antiga igreja de Santa Maria, cujo interior guarda afrescos e um dossel de altar do século 9°. Uma alameda, através de olivais, leva ao Duomo, em estilo românico, com relevos e esculturas de uma igreja antiga existente no mesmo local. Alguns dos mais belos túmulos etruscos da Toscana ficam em seus arredores, muitos com fácil acesso a partir da aldeia.

Vista de Pitigliano e de seus impressionantes penhascos e cavernas

Pitigliano ㉚

Grosseto. *4.400.* *Piazza Garibaldi 51 (0564 61 71 11).* *qua.*

Pitigliano surpreende por sua espetacular localização bem acima de penhascos, crivados de cavernas, no vale Lente. Seu labirinto de minúsculas ruas medievais esconde um peque-

Maremma ㉛

Grosseto. *Maremma Centro Visite, Alberese (0564 40 70 98).* **Áreas Externas** *para entradas de Alberese.* *diariam.* **Áreas Internas do Parque** *e Alberese para ponto de início da excursão.* *8h30-1h antes de anoitecer qua, sáb, dom e feriados.* *só jun-set: excursões a pé às 7h (4h) e 16h (3h).* **www**.parcomaremma.it

Os etruscos, seguidos pelos romanos, foram os primeiros a cultivar os pântanos e as baixas colinas de Maremma. Porém, após a queda do Império Romano, a área foi vítima de enchentes e da malária –que a deixaram quase desabitada até o século 18. Desde então, as terras foram recuperadas e os canais de irrigação desbloqueados, e a agricultura começou a se desenvolver em solo fértil. O belo Parco Naturale della Maremma foi estabelecido em 1975 para preservar a flora e a fauna nativas e impedir a urbanização de uma das poucas faixas preservadas do litoral italiano. Para visitar a parte principal do parque, só é permitida a entrada a pé ou com o ônibus do próprio parque, que sai de Alberese. Outras áreas mais marginais como a praia em Marina di Alberese e a zona rural ao redor de Talamone, ao sul, têm acesso mais fácil.

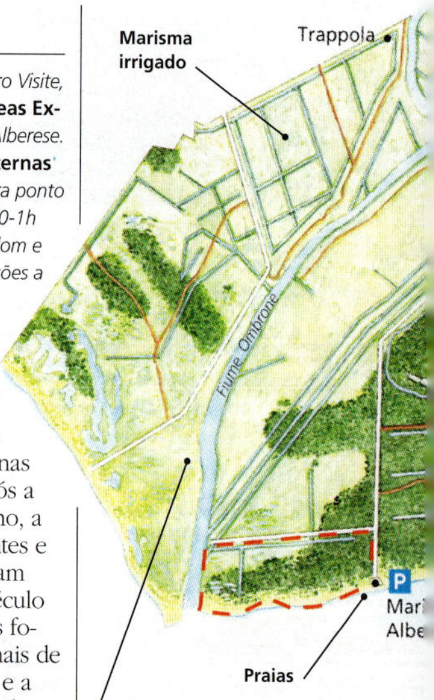

O estuário de Ombrone é um mosaico de pinheirais, pântanos e dunas, tendo aves como o flamingo, o pipargo, o rolieiro e o abelharuco-comum.

LEGENDA

- Estradas
- Trilhas
- Canais e rios
- Itinerários

0 quilômetros 2

no bairro judeu, formado no século 17 por judeus que fugiam da perseguição católica. O abastecimento de água do **Palazzo Orsini** é feito por um impressionante aqueduto, construído em 1545. Hoje o palácio abriga o **Museo Zuccarelli**, com um pequeno acervo de Francesco Zuccarelli (1702-88), que viveu na cidade. O artista pintou duas peças do altar do **Duomo** medieval, situado na Piazza San Gregorio. O Museo Etrusco exibe achados de antigas povoações locais.

Museo Zuccarelli
Palazzo Orsini, Piazza della Fortezza Orsini 4. ***Tel*** *0564 61 60 74.*
10h-13h, 15h-19h ter-sex (17h no inverno).

Museo Etrusco
Piazza della Fortezza Orsini 59.
Tel *0564 61 40 67. ligar antes.*

Monte Argentario ㉜

Grosseto. *13.000.* *Piazzale Sant'Andrea, Porto Santo Stefano (0564 81 42 08).* *ter.*

Monte Argentario era uma ilha até o início do século 18, quando as águas rasas que a separavam do continente começaram a assorear, criando dois bancos de areia, conhecidos como *tomboli*, que delimitam a laguna Orbetello, atualmente uma linda reserva natural. **Orbetello**, uma animada e relativamente preservada cidadezinha, foi ligada à ilha em 1842, quando um dique foi construído no continente. As cidades portuárias de **Porto Ercole** e **Porto Santo Stefano** são balneários caros, lotados de turistas no verão. As estradas no interior, principalmente a Strada Panoramica, oferecem passeios tranquilos, através de enseadas rochosas e baías.

Porto Ercole, Monte Argentario

Javali Selvagem
O mais impressionante dentre os muitos animais selvagens de Maremma é o javali nativo, um animal menor que o javali da Europa Oriental, encontrado em outras áreas da Toscana.

Ingressos são vendidos na administração do parque em Alberese.

San Rabano, uma abadia cisterciense do século 12 em ruínas, fica perto do ponto mais alto do parque.

Deliciosos pinhões ainda são coletados nos bosques do parque.

Nas colinas Uccellina despontam várias torres antigas de vigilâncias, pinheirais e *macchia*.

Aves de rapina, como o tagarote e o falcão real, caçam nas partes mais remotas do parque.

Litoral preservado

Esta vila de pescadores fica num belo cenário rural.

Trilhas Sinalizadas
Várias trilhas amenas estão indicadas no parque, mas na prática pode-se andar quase à vontade em meio à maioria das dunas e pinheirais.

ÚMBRIA

Há muito desprezada como a "irmã pacata" da Toscana, a Úmbria finalmente saiu da sombra de sua vizinha. Formada por uma tranquila zona rural pastoril e altas montanhas desabitadas, a pitoresca região foi apelidada de "Coração Verde da Itália". Também é famosa pela beleza de suas cidades medievais incrustadas nas colinas.

No século 8° a.C., os úmbrios, uma pacífica tribo agrícola, habitavam a região. Mais tarde, ela foi colonizada pelos etruscos e romanos. Na Idade Média, os lombardos estabeleceram um ducado em volta de Spoleto. No século 13, grande parte da região possuía cidades-estados independentes, sendo a maioria incorporada pelos Estados Papais até a unificação da Itália, em 1860.

Hoje as cidades antigas são a principal glória da Úmbria. Em Perúgia, a capital da região, e nos menores centros, como Gubbio, Montefalco e Todi, há muitas igrejas românicas, palácios cívicos e infindáveis recantos medievais, com lindos afrescos. Spoleto, famosa por seu festival de artes de verão, mistura grandiosos monumentos medievais com ruínas romanas e algumas das igrejas mais antigas da Itália. O Vale de Spoleto, ao redor, é uma colcha de retalhos de áreas agrícolas e fascinantes aldeias tradicionais.

Assis, a cidade onde nasceu são Francisco, ostenta a Basílica de São Francisco, com afrescos pintados em parte por Giotto. Em Orvieto, situada em um penhasco vulcânico, há ruínas etruscas e uma das mais bonitas igrejas góticas-românicas da Itália.

Os bosques de carvalhos, riachos cristalinos e solos férteis da Úmbria produzem muitas iguarias. Entre elas, destacam-se as trutas e trufas, azeites de oliva comparáveis aos da Toscana, lentilhas de Castelluccio, carnes defumadas de Norcia e picantes queijos de montanha. Uma grande e ótima variedade de vinhos é produzida nos vinhedos de Torgiano e Montefalco.

Lojas, em Norcia, oferecem uma seleção dos melhores presuntos, linguiças e salames da Itália

◁ **Rua da cidade antiga de Todi**

Como Explorar a Úmbria

Assis e Spoleto, as cidades mais bonitas da Úmbria, apresentam-se como as mais convenientes bases para explorar a região. Estas joias medievais são imperdíveis, assim como o centro antigo de Perúgia –a capital da região– e as charmosas cidades de colina de Orvieto, Gubbio, Spello, Montefalco e Todi. Também não faltam encanto e beleza às paisagens naturais da região – das extraordinárias terras desertas de Piano Grande e esplendor das montanhas do Parque Nacional dos Monti Sibillini à tranquila zona rural de Valnerina e agradáveis praias do lago Trasimeno.

PRINCIPAIS ATRAÇÕES

Assis págs. 344-5 ❷
Gubbio ❶
Lago Trasimeno ❹
Montefalco ❽
Monti Sibillini ❿
Norcia ⓫
Orvieto ❺
Perúgia ❸
Spello ❾
Spoleto ❼
Todi ❻
Valnerina ⓬

VEJA TAMBÉM

- ***Onde Ficar*** págs. 582-5
- ***Onde comer*** págs. 633-5

Colheita de olivas na zona rural da Úmbria, perto de Orvieto

COMO CIRCULAR

A região dispõe de excelentes estradas, serviços de trem e ônibus. A A1 que vem de Florença passa por Orvieto, que é ligada a Todi pela S448. A S75 une Perúgia, Assis e Spello, de onde a S3 prossegue até Trevi, Spoleto e Terni. Trens Roma-Florença servem Orvieto e trens Roma-Ancona vão a Spoleto, com linhas secundárias ligando Perúgia, Spello e Assis.

Castelluccio, a leste de Norcia, com os Monti Sibillini ao fundo

Rua secundária na cidade medieval de Gubbio, no norte da Úmbria

Gubbio ❶

Perugia. 33.000. *Fossato di Vico-Gubbio.* *Via della Repubblica 15 (075 922 06 93).* *ter.*

Gubbio compete com Assis pelo título de cidade mais medieval da Úmbria. A beleza de seu conjunto de ruas sinuosas e casas com telhas de terracota é realçada pelos Apeninos cobertos de bosque. Fundada pelos úmbrios no século 3° a. C. como Tota Ikuvina, atingiu maior proeminência no século 1° como a colônia romana de Eugubium. Ao emergir como núcleo independente no século 11, Gubbio já se estendera até os declives do Monte Ingino. De 1387 a 1508, foi governada a partir de Urbino pelos duques de Montefeltro.

Seu **Duomo** do século 13 tem um teto abobadado em forma de carroça, com arcos curvados, como mãos em prece. A medieval Via dei Consoli conduz ao **Palazzo del Bargello** do século 13 –um edifício com austera fachada de pedra, que já foi a sede da polícia. Aqui fica também a **Fontana dei Matti** (Fonte dos Loucos), batizada segundo a tradição de que quem der três voltas em torno dela ficará louco.

Lendas assustadoras cercam as **Porte della Morte** (Portas da Morte), que podem ser vistas na Via dei Consoli e em outros pontos da cidade. Teriam sido usadas como passagens de caixões das casas, mas, depois de contaminadas, foram seladas e nunca mais usadas. Seu propósito era provavelmente defensivo. Na parte mais baixa da cidade, a igreja de **San Francesco** (1259-82) é conhecida por 17 afrescos da *Vida da Virgem*, (1408-13) por Ottaviano Nelli. Em frente, fica o **Tiratoio** (Galeria dos Tecelões), onde a lã era esticada para secar na arcada sombreada. A oeste daqui ficam as ruínas de um anfiteatro romano do século 1°.

Fachada do Palazzo dei Consoli em Gubbio

Interior de San Pietro, em Perúgia, reconstruída no século 15

Palazzo dei Consoli

Piazza Grande. ***Tel*** *075 927 42 98.* *10h-13h, 15h-18h diariam (nov-mar: 10h-13h, 14h-17h).* *1° jan, 13- 15 mai, 25 dez.*

Este imponente palácio cívico começou a ser construído em 1332 por Gattapone. O Salone dell'Arengo abriga o Museo Civico, famoso pelas Tábuas Eugubinas (250-150 a.C.). Descobertas em 1444, as sete pranchas de bronze têm inscrições com caracteres etruscos e romanos, provavelmente uma tradução fonética de preces e rituais em antigos idiomas dos úmbrios e etruscos. No piso superior, uma galeria de arte expõe obras de pintores locais.

Tábua Eugubina, em Gubbio

Palazzo Ducale

Via Federico da Montefeltro. ***Tel*** *075 927 58 72.* *8h30-19h ter-dom.* *1° jan, 25 dez.*

Atribuído a Francesco di Giorgio Martini, este palácio foi construído em 1470 para Montefeltro, copiando a casa da família em Urbino *(págs. 370-1)*, inclusive com um pátio renascentista.

Assis ❷

Págs. 354-5

Perúgia ❸

160.000. *Piazza Matteotti 18 (075 573 6458).* *ter, sáb.* **www**.perugia.umbria2000.it

O centro antigo de Perúgia fica em torno do Corso Vannucci (só para pedestres), que tem o nome do pintor local Pietro Vannucci (Perugino). Em seu extremo norte fica a Piazza IV Novembre, dominada pela **Fontana Maggiore**, uma fonte do século 13 de Nicola e Giovanni Pisano. Atrás dela ergue-se o **Duomo** da cidade, do século 15. Sua entrada é ladeada por uma estátua do papa Júlio II (1555) e um púlpito (1425) construído para a igreja de San Bernardino em Siena. Sua Cappella del Santo Anello guarda o Anel de Casamento da Virgem, uma pesada peça de ágata que dizem mudar de cor conforme o caráter da pessoa que o usa. O terceiro pilar ao sul da nave possui uma pintura renascentista da *Madonna delle Grazie*, de Gian Nicola di Paolo. Acredita-se que a imagem tenha poder milagroso, e mães trazem seus filhos recém-batizados para se ajoelharem diante dela. Enterrados nos transeptos estão os papas Urbano IV e Martinho IV.

Longe do Corso fica o **Oratorio di San Bernardino**

(1457-61), na Piazza San Francesco, com fachada colorida de Agostino di Duccio. Fora das antigas muralhas da cidade, no Borgo XX Giugno, fica **San Pietro**, a igreja com a decoração mais extravagante em Perúgia. Fundada no século 10° e reconstruída em 1463, destaca-se pelo coro de madeira (1526) em seu interior.

A Piazza Giordano Bruno abriga **San Domenico** (1305-1632), a maior igreja da Úmbria, conhecida pelo túmulo de Benedito XI (c.1304) e pela decoração de Agostino di Duccio.

Rua medieval em Perúgia

Museo Archeologico Nazionale dell'Umbria

San Domenico, Piazza Giordano Bruno 10. *Tel 075 572 71 41.* *diariam.* *1° jan, 1° mai, 25 dez.*

No claustro de San Domenico, este museu exibe objetos pré-históricos, etruscos e romanos.

Palazzo dei Priori

Corso Vannucci 19. *Tel 075 572 85 99.* *diariam (dom manhãs).* *1° jan, 1° mai, 25 dez e 1ª seg mês.*

Collegio del Cambio *diariam.*

Entrada do Palazzo dei Priori, Perugia

As muralhas monumentais e estruturas com ameia deste palácio o tornam o edifício público mais bonito da Úmbria *(págs. 54-5)*. Entre suas salas decoradas, está a Sala dei Notari (c.1295), antiga sala dos advogados, que tem afrescos com cenas do Velho Testamento –obra de um discípulo de Pietro Cavallini. O portão elevado está protegido por um par de grandes estátuas de bronze feitas em 1274: um leão guelfo e um grifo (animal fantástico que era o emblema medieval de Perúgia). A Sala di Udienza del Collegio della Mercanzia (c.1390) já foi usada pela Guilda dos Mercadores. Em estilo gótico tardio, esta sala apresenta lindos painéis de madeira do século 15.

O palácio também abriga o **Collegio del Cambio**, antiga casa de câmbio da cidade, que começou a ser construída em 1452 e era usada pela Guilda dos Banqueiros. Suas paredes estão cobertas com soberbos afrescos (1498-1500) de Perugino, que misturam cenas clássicas e religiosas. No centro da parede à esquerda, pode ser visto um autorretrato do artista.

Fachada colorida do Oratorio di San Bernardino em Perúgia

Galleria Nazionale dell'Umbria

Palazzo dei Priori, Corso Vannucci 19. *Tel 075 572 10 09.* *ter-dom.* *1° jan, 1° mai, 25 dez.*

O mais grandioso acervo de pinturas da Úmbria está exposto nesta galeria, no terceiro piso do palácio. Ao lado das várias pinturas dos séculos 13 ao 18 de artistas locais, destacam-se as peças de altar de Piero della Francesca e Fra Angelico.

Lago Trasimeno ❹

Perugia. FS *Castiglione del Lago.* *Piazza Mazzini 10, Castiglione del Lago (075 965 24 84).* **www**.umbria2000.it

Limitado por suaves colinas e campos agrícolas, o Trasimeno é o quarto maior lago da Itália. Seus vários quilômetros de águas e margens com juncos oferecem uma beleza calma e melancólica.

O lago começou a ser drenado na época dos romanos, mas hoje está secando lentamente por si só. **Castiglione del Lago** possui uma paisagem calma, com praias. Em seu castelo são realizados concertos de verão. A igreja de **Santa Maria Maddalena**, que começou a ser construída em 1836, possui uma bela *Madona e Menino* (c.1500), de Eusebio di San Giorgio. Como Castiglione, **Passignano sul Trasimeno** tem um movimentado calçadão e oferece viagens de barco para a **Isola Maggiore**, produtora de renda.

BATALHA DO LAGO TRASIMENO

Gravura do século 19 do general Aníbal

Em 217 a.C., Roma sofreu uma das piores derrotas militares de toda a sua história às margens do lago Trasimeno. O general cartaginês Aníbal atraiu os romanos (comandados pelo cônsul Flamínio) para uma ardilosa emboscada perto da atual Ossaia (Lugar de Ossos) e do Sanguineto (Lugar de Sangue). Cerca de 16 mil centuriões morreram nas margens do lago. Aníbal, entretanto, perdeu apenas 1.500 homens. Hoje pode-se andar pelo campo de batalha e observar as mais de cem valas comuns encontradas perto de Tuoro sul Trasimeno.

Assis: Basílica de São Francisco

Nesta basílica está enterrado são Francisco –ela começou a ser construída dois anos após a morte do santo, em 1228. Nos anos seguintes, a Igreja Superior e a Inferior foram decoradas pelos mais importantes artistas da época, como Cimabue, Simone Martini, Pietro Lorenzetti e Giotto, cujos afrescos *A Vida de São Francisco* estão entre os mais famosos da Itália. A basílica, que domina a paisagem de Assis e é um dos principais santuários cristãos do mundo, foi danificada por um terremoto em 1997.

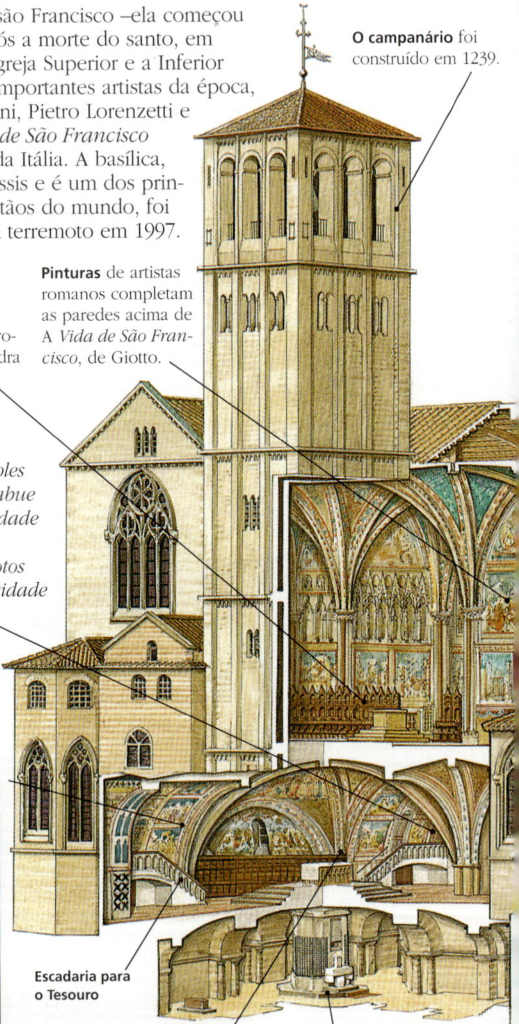

O campanário foi construído em 1239.

Pinturas de artistas romanos completam as paredes acima de A *Vida de São Francisco*, de Giotto.

O coro (1501) apresenta um trono papal de pedra do século 13.

Escadaria para o Tesouro

A cripta guarda o túmulo de são Francisco.

São Francisco
Esta pintura simples (c.1280) de Cimabue captura a humildade do reverenciado santo, que fez votos de pobreza, castidade e obediência.

★ Afrescos de Lorenzetti
A ousada composição de A Descida da Cruz *(1323), de Pietro Lorenzetti, está centrada em uma truncada cruz, chamando a atenção para a figura retorcida de Cristo.*

Igreja Inferior
Capelas laterais foram criadas no século 13 para acomodar o número crescente de peregrinos.

PONTOS ALTOS

- ★ Afrescos de Lorenzetti
- ★ Afrescos de Giotto
- ★ Cappella di San Martino

Para hotéis e restaurantes nesta região, ver págs. 582-5 e págs. 633-5

PREPARE-SE

Piazza San Francesco. **Tel** 075 819 00 84. Assisi. 6h-17h45 diariam (Igreja Inferior: a partir das 8h30). Horário extendido dom e verão.

Igreja Superior
As linhas góticas da Igreja Superior do século 13 simbolizam a glória divina de são Francisco. Este estilo influenciou igrejas franciscanas posteriores.

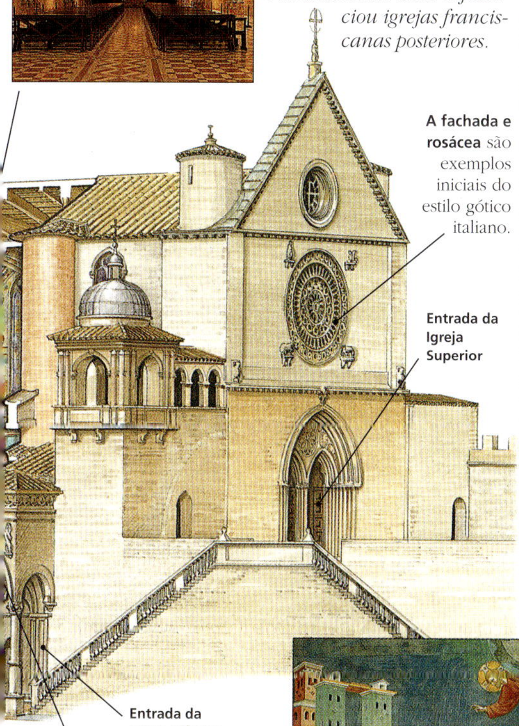

★ Afrescos de Giotto
O Êxtase de São Francisco *é um dos 28 painéis do ciclo de Giotto sobre* A Vida de São Francisco *(c.1290-5).*

★ Cappella di San Martino
Os afrescos desta capela com cenas de A Vida de São Martinho *(1315) foram executados pelo pintor de Siena, Simone Martini. Este painel mostra* A Morte do Santo. *Martini também criou o belo vitral da capela.*

Assis ❷

Perúgia. 25.000. Piazza del Comune 22 (075 813 86 80). sáb. **www**.assisi.umbria2000.it

Esta linda cidade medieval, com ruas repletas de gerânios e *piazze* com fontes, herdou o legado de são Francisco (c.1181-1226), que está sepultado na **Basílica de São Francisco**.

A cidade sofreu muito com o terremoto de 1997, mas o trabalho de restauração andou rápido –e foi concluído em cerca de dois anos. O escritório de turismo pode informar sobre as atrações que estão abertas para visitação.

Na Piazza del Comune, a principal praça de Assis, destaca-se o **Tempio di Minerva**, fachada quase intacta de um templo romano da época de Augusto. O Palazzo Comunale, em frente, abriga a **Pinacoteca Comunale**, com obras de artistas medievais locais.

Descendo o Corso Mazzini, encontra-se a **Basilica di Santa Chiara**, onde está enterrada santa Clara –aliada de são Francisco e fundadora das Irmãs Clarissas. Uma de suas capelas guarda o crucifixo que teria ordenado Francisco a "consertar a igreja de Deus". Ele veio de **San Damiano**, uma sublime igreja localizada entre oliveiras, ao sul de Porta Nuova.

O **Duomo (San Rufino)**, construído durante os séculos 12 e 13, ostenta uma soberba fachada românica. No interior, um pequeno museu exibe pinturas e peças arqueológicas na cripta. Do Duomo, a Via Maria delle Rose leva à **Rocca Maggiore** (reconstruída em 1367), um castelo evocativo, mas muito restaurado.

Na Piazza San Pietro, fica a **San Pietro** (século 13), uma igreja românica simples e cuidadosamente restaurada. Aqui perto, o **Oratorio dei Pellegrini**, uma hospedaria de peregrinos do século 15, possui afrescos bem conservados de Matteo da Gualdo.

Afresco de Giotto, ***Aparição de São Francisco aos Frades em Arles*** **(c.1295), na Basílica de São Francisco, Assis ▷**

Orvieto 5

Terni. 22.000.

Piazza Duomo 24 (0763 34 17 72). qui e sáb.

Qualquer que seja o ângulo que se escolha para admirar Orvieto, ela se revela uma linda cidade. Sobre um platô, a 300 metros de altitude, tem a seus pés uma planície coberta de vinhedos. Em seu centro histórico, ressalta-se o **Duomo**, uma das mais grandiosas catedrais gótico-românicas da Itália.

No fim da Via Scalza, merece ser visitada a minúscula igreja de **San Lorenzo in Arari**, do século 14. Suas paredes preservam afrescos sobre o *Martírio de São Lourenço*, santo torturado até a morte. O altar foi feito com um altar de sacrifícios etrusco. A Via Malabranca leva à **San Giovenale**, no extremo oeste de Orvieto. Esta igreja está quase totalmente recoberta com afrescos dos séculos 15 e 16. Daqui há amplas vistas dos campos ao redor. A igreja de **Sant' Andrea**, na Piazza della Repubblica, é marcada por um singular campanário de 12 lados, parte do edifício original do século 12.

Museo dell' Opera del Duomo

Piazza Duomo. ***Tel*** *0763 34 35 92.* *qua-seg.* **www.**opsm.it

Pequeno, mas interessante, este museu contém uma eclética coleção de tesouros doados ao Duomo. Entre os destaques estão pinturas de Lorenzo Maitani (morto em 1330) e esculturas de Andrea Pisano (c.1270-1348).

O profundo Pozzo di San Patrizio, em Orvieto

Museo Archeologico Faina & Museo Civico

Piazza Duomo 29. ***Tel*** *0763 34 15 11.* *diariam; out-mar: ter-dom.* *1° jan, 24-26 dez; nov-fev: seg.*

O museu arqueológico da cidade apresenta uma coleção de objetos etruscos, incluindo muitos vasos gregos encontrados em túmulos etruscos da área. O museu cívico exibe artefatos gregos antigos e cópias etruscas de obras gregas.

Museo d'Arte Moderna "Emilio Greco"

Palazzo Soliano, Piazza Duomo. ***Tel*** *0763 34 35 92.* *diariam (tardes) out-mar: qua-seg.* *permite entrada no Pozzo di San Patrizio.*

Este museu dedica-se à obra do escultor siciliano moderno Emilio Greco, que criou os portões de bronze (1964-70) do Duomo de Orvieto.

DUOMO DE ORVIETO

Piazza Duomo. ***Tel*** *0763 34 11 67.* *diariam.*

Com maravilhosa fachada, esta é uma das mais grandiosas catedrais da Itália. Começou a ser construída em 1290 e levou cerca de 300 anos para ser concluída. Foi inspirada pelo "Milagre de Bolsena" –uma hóstia consagrada teria sangrado sobre o pano de altar de uma igreja da cidade vizinha Bolsena.

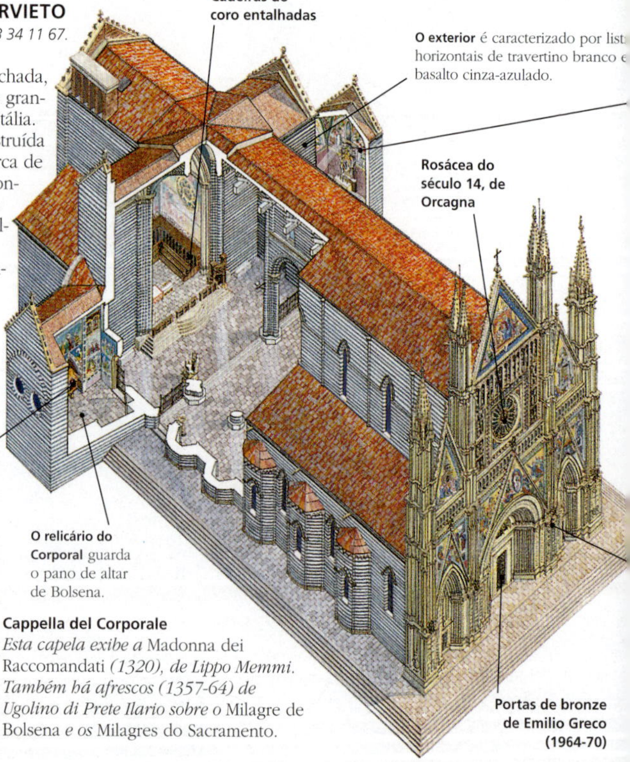

Cappella del Corporale
Esta capela exibe a Madonna dei Raccomandati *(1320), de Lippo Memmi. Também há afrescos (1357-64) de Ugolino di Prete Ilario sobre o* Milagre de Bolsena *e os* Milagres do Sacramento.

Pozzo di San Patrizio

Viale San Gallo. **Tel** *0763 34 37 68.* *diariam.* *permite entrada no Museo d'Arte Moderna.*

Este poço foi encomendado em 1527 pelo papa Clemente VII para garantir o suprimento de água da cidade em caso de ataque inimigo. Foi projetado pelo arquiteto florentino Antonio da Sangallo, apresentando duas escadarias de 248 degraus dispostas em dupla espiral para não se cruzarem. O poço de 62 metros levou dez anos para ser concluído.

Necropoli Etrusca – Crocefisso del Tufo

Strada Statale 71 para Orvieto Scalo, km 1.600. **Tel** *0763 34 36 11.* *8h30-19h (out-mar: até 17h).* *1º jan, 1º mai, 25 dez.*

Esta necrópole etrusca do século 6º a.C. possui câmaras mortuárias de blocos de tufo calcário. Há incrições etruscas nos túmulos, que talvez sejam registros dos nomes dos mortos.

Cappella Nuova

O grande ciclo de afrescos de Luca Signorelli sobre o Juízo Final *(1499-1504) domina as paredes desta capela. Fra Angelico e Benozzo Gozzoli trabalharam aqui antes de Signorelli.*

Fachada

Na base das quatro pilastras principais, observam-se detalhadas esculturas (c.1320-30) feitas por Lorenzo Maitani com cenas do Antigo e do Novo Testamento, incluindo Inferno *e* Condenação.

Todi, no alto da colina, no sul da Úmbria

Todi ❻

Perúgia. *17.000.* *Piazza del Popolo 38 (075 894 54 16).* *sáb.*

Dominando o vale do Tibre, Todi é uma das cidades de colina da Úmbria com localização mais impressionante. Um antigo povoamento etrusco, e depois romano, ainda conserva um ar medieval, com várias minúsculas igrejas, três austeros palácios públicos e muitos recantos tranquilos.

A maioria dos visitantes vem atraída para cá pela **Piazza del Popolo**, a praça principal da cidade. Ao seu lado fica o **Duomo**. Construída no século 13 no local de um templo romano dedicado a Apolo, a catedral possui fachada simples, interior sombrio e um dos mais belos coros (1521-30) da Úmbria. Observe a imensa pintura (1596) de Ferraù da Faenza na parede do fundo, uma cópia não muito bem-sucedida do *Juízo Final* de Michelangelo. A peça de altar no fim da nave lateral direita é de Giannicola di Paolo (discípulo de Perugino).

Fica também ao lado da *piazza* o **Palazzo dei Priori** (1293-1337), ligado ao **Palazzo del Popolo**(1213) e **Palazzo del Capitano** (1290). Neste caracterizado pelo formidável interior medieval, fica o **Museo Etrusco-Romano**. O acervo inclui uma coleção de artefatos etruscos e romanos locais. Há peças de altar e objetos sacros na **Pinacoteca Comunale**, no mesmo palácio.

A alguns passos da *piazza*, ergue-se a **San Fortunato** (1292-1462), batizada com o nome do primeiro bispo de Todi. Apresenta um floreado portão gótico (1415-58) e uma abóbada elevada, baseada nas igrejas góticas alemãs do tipo "saguão" e nas igrejas com forma de "celeiro" da Toscana, caracterizadas por uma abóbada baixa, abside poligonal e naves principal e laterais da mesma altura. O coro (1590) é soberbo, mas a obra mais famosa da igreja é uma *Madona e Menino* (1432), de Masolino da Panicale, na quarta capela à direita. Na cripta está o túmulo de Jacopone da Todi (c.1228-1306), famoso poeta medieval.

À direita da igreja, no jardim, começa uma trilha que passa por um minúsculo castelo e chega a **Santa Maria della Consolazione** (1508-1607), perto da N79. Uma das igrejas renascentistas mais bonitas da Itália, em forma de cruz grega, ela pode ter sido construída segundo um projeto de Bramante. Sua harmoniosa fachada guarda um interior frio e austero.

Museo Etrusco-Romano e Pinacoteca Comunale

Palazzi Comunali. **Tel** *075 895 61.* *ter-dom.*

Santa Maria della Consolazione, em Todi

Spoleto ❼

Perúgia. 38.000. FS
Piazza della Libertà 7 (0743 21 86 20 e 0743 21 86 21). *ter e sex.*
www.spoleto.umbria2000.it

Fundada pelos úmbrios, Spoleto era uma das mais importantes colônias romanas da Itália. Manteve sua importância sob o domínio dos lombardos, que no século 7° a fizeram capital de um de seus três ducados italianos. Após um período como Estado independente, a cidade caiu nas mãos do papado em 1354.

Em um cenário arborizado, Spoleto é a mais agradável das cidades de colina da Úmbria. Seu caráter urbano é acentuado por seus soberbos monumentos e pelo Festival dei Due Mondi, um dos mais importantes festivais de arte da Europa, realizado em junho e julho.

No extremo sul da Piazza del Mercato fica o **Arco di Druso**, um arco romano do século 1°. A seu lado acha-se a igreja de **Sant'Ansano**, cuja cripta está repleta de afrescos, possivelmente do século 6°. A Via Aurelio Saffi, no extremo norte da praça, leva à **Sant'Eufemia**. Muito simples, esta igreja românica do século 10° é conhecida por seu *matroneum* (galeria reservada às mulheres).

Um pouco além, a Piazza del Duomo, em forma de leque, apresenta o **Duomo** da cidade, do século 12, com sua elegante fachada romanesca. Na abside do interior barroco encontra-se um grandioso ciclo de afrescos. Última obra de Fra Lippo Lippi, feita entre 1467-9, descreve episódios da *Vida da Virgem*. A Cappella Erioli está decorada com a inacabada *Madona e Menino* (1497), de Pinturicchio.

Ponte delle Torri, Spoleto

A primeira da lista das excepcionais igrejas da parte baixa da cidade é **San Salvatore**, do século 4°, localizada no cemitério principal de Spoleto. Perto daqui está a **San Ponziano**, com atraente fachada românica de três camadas, típica da Úmbria. Ela apresenta uma cripta do século 10°, sustentada por pequenas colunas e decorada com afrescos bizantinos.

Fachada de San Pietro em Spoleto

A igreja de **San Gregorio** (1069), na Piazza Garibaldi, segue o estilo românico, com fachada e campanário com fragmentos de construções romanas. Seu interior apresenta um presbitério elevado e uma bela cripta com colunas. Partes bem conservadas de afrescos tomam conta das paredes. Quase 10 mil mártires cristãos estariam enterrados perto da igreja. Acredita-se que foram assassinados no anfiteatro romano da cidade, cujos resquícios ainda são visíveis perto do quartel, na Via del Anfiteatro.

Ponte delle Torri

A "Ponte das Torres", um magnífico aqueduto do século 14, ergue-se a 80 metros do chão. Projetada por Gatta-

IGREJAS ROMÂNICAS NA ÚMBRIA

A tradição de construir igrejas na Úmbria começou com as antigas basílicas romanas e capelas erguidas sobre santuários de santos e mártires. A fachada românica típica da região é dividida em três camadas, geralmente apresentando três rosáceas em cima de um trio de portais em arco. Estes três portões correspondem à nave principal e duas naves laterais, que derivam do desenho simples em forma de celeiro das basílicas romanas. No interior, o presbitério costuma ser elevado para permitir a construção de uma cripta, que costuma guardar as relíquias de um santo ou mártir. Muitas das igrejas levaram séculos para ser concluídas ou foram repetidamente modificadas ao longo do tempo, adquirindo elementos dos estilos gótico, barroco ou renascentista.

San Lorenzo di Arari, *do século 14, tem o nome derivado de um altar etrusco* (arari). *Situada em Orvieto, apresenta fachada muito simples* (pág. 358).

O **Duomo de Spoleto** *(1198) ostenta oito rosáceas, um mosaico (1207) e um pórtico renascentista (1491). A torre foi erguida com antigas ruínas romanas.*

Para hotéis e restaurantes nesta região, ver págs. 582-5 e págs. 633-5

pone, de Gubbio, é o mais famoso monumento da cidade. Da ponte podem-se ver as defesas da **Rocca Albornoz**, uma enorme fortaleza papal, construída entre 1359-64 também por Gattapone. Do outro lado da ponte, uma trilha leva à Strada di Monteluco e à igreja de **San Pietro**, famosa pelas fascinantes esculturas do século 12 em sua fachada.

Rocca Albornoz
Piazza San Simone. ***Tel*** *0743 464 34.* *diariam.* *obrigatória.*

Museo del Tessile e del Costume
Palazzo Spada, Vicolo Terzo in Corso Mazzini. ***Tel*** *0743 459 40.* *qui-dom.* *1° jan, 25 dez.*
Entre os objetos desta incrível coleção estão vestimentas sagradas completas e uma série de tapeçarias do século 17 que um dia pertenceram à Rainha Cristina da Suécia.

Painel do ciclo de afrescos de Gozzoli (1452), Museo Civico de Montefalco

Montefalco 8

Perúgia. *4.900.* *seg.*

O nome Montefalco significa "monte do falcão" e foi inspirado nas belas vistas proporcionadas pela localização da aldeia –a mais fascinante do vale de Spoleto. Com ruas estreitas (por onde um carro quase não passa), ela pode ser atravessada a pé em menos de cinco minutos. Entretanto, a cidade cativa por suas atraçoes, como o **Museo Civico**, que ocupa a antiga igreja de San Francesco. Seu destaque é o ciclo de afresco sobre a *Vida de São Francisco* (1452), de Benozzo Gozzoli, uma obra radiante, muito inspirada no ciclo de Giotto em Assis *(págs. 354-7)*. Também podem ser vistas obras de Perugino, Tiberio d'Assisi e Nicolò Alunno, todos eminentes artistas medievais da Úmbria.

No Corso Mameli está a igreja gótica de **Sant'Agostino** que começou a ser construída em 1279 e preserva muitos afrescos do século 14 ao 16, além de três múmias.

Na praça principal, são vendidos saborosos vinhos tintos locais, como o Sagrantino di Montefalco. Do lado de fora das muralhas da cidade fica a igreja de **Sant'Illuminata**, recoberta com belos afrescos do artista local do século 16 Francesco Melanzio. Cerca de 2km a frente, pode ser visitada a igreja de **San Fortunato**, decorada com afrescos de Gozzoli e Tiberio d'Assisi.

Arredores: O mais lindo cenário, em todo o vale do Spoleto, pertence a **Trevi**. A igreja de **San Martino** (século 16), na Passeggiata di San Martino, e a da **Madonna delle Lacrime** (1487-1522), ao sul de Trevi na estrada para a cidade, contêm pinturas de Perugino e Tiberio d'Assisi, entre outros.

Museo Civico di San Francesco
Via Ringhiera Umbra 9.
Tel *0742 37 95 98.*
diariam; nov-fev: ter-dom. *1° jan, 25 dez.*

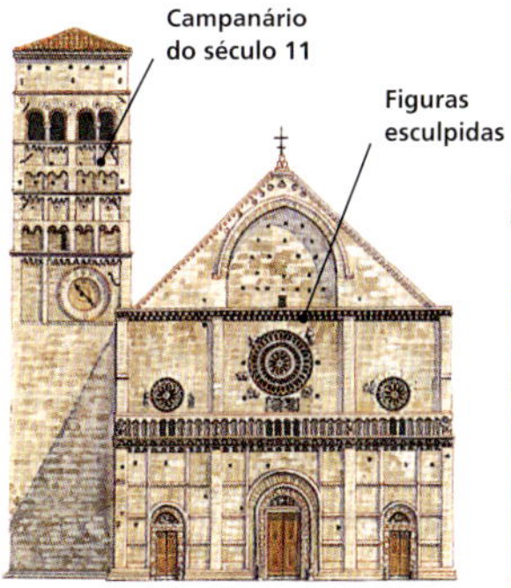

O **Duomo de Assis** *(1253) é um belo exemplo de fachadas de três camadas, encontradas no Centro da Itália* (pág. 355). *Possui um arco ogival e uma fileira de arcadas.*

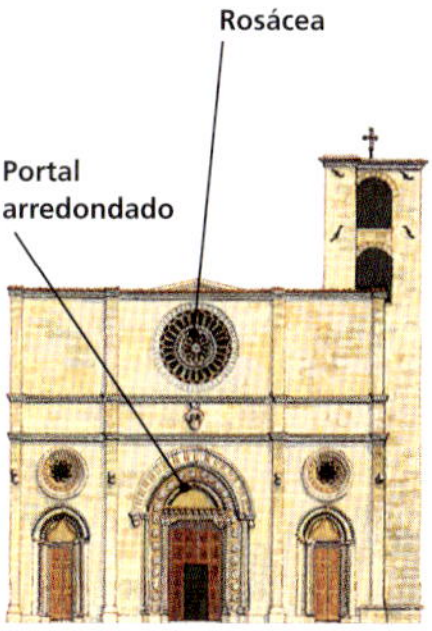

O **Duomo de Todi** *começou a ser construído no século 12, mas o trabalho dos vitrais e portais continuou até o século 17* (pág. 359).

San Michele *(c.1195), em Bevagna, apresenta um lindo portal que combina fragmentos românicos e romanos antigos* (pág. 362).

Spello ❾

Perúgia. *8.000.* FS
Piazza Matteotti 3 (0742 30 10 09). *qua.*

Spello é uma das aldeias mais conhecidas do vale de Spoleto. Ficou famosa por um ciclo de afrescos executados por Pinturicchio na Cappella Baglioni da igreja de **Santa Maria Maggiore** (séculos 12-13), situada na Via Consolare. Datados em cerca de 1500, os afrescos ilustram cenas do *Novo Testamento.* Andando para o centro da aldeia, encontra-se a igreja gótica de **Sant'Andrea** (século 13) na Via Cavour. Esta rua torna-se Via Garibaldi, que chega a **San Lorenzo**, uma joia barroca do século 12.

Spello também possui ruínas romanas da época de Augusto: a **Porta Consolare**, no fim da Via Consolare, e a **Porta Venere**, com torres duplas, perto da Via Torri di Properzio.

A estrada para Assis, que sobe o **Monte Subasio**, oferece vistas incríveis das redondezas.

Arredores: A aldeia menos conhecida no vale de Spoleto é **Bevagna**. Assim como Spello, desenvolveu-se como parada intermediária na Via Flaminia (a estrada romana que passava por esta parte da Úmbria). Sua Piazza Silvestri, de origem medieval, é cenário de duas igrejas românicas. A igreja de **San Silvestro** (1195) é a mais atraente das duas, graças a seu interior sombrio e à cripta antiga. Entretanto, **San Michele** (fim do século 12) ostenta um elegante portal, famoso pelas pequenas gárgulas situadas de cada lado. Ambas igrejas são obras de Maestro Binello.

Os elevados picos dos Monti Sibillini no leste da Úmbria

Monti Sibillini ❿

Macerata. FS *Spoleto.* *Visso.*
Piazza del Forno 1, Visso (0737 97 27 11). **www**.sibillini.net

O Parque Nacional dos Monti Sibillini, no leste da Úmbria, compõe o cenário mais selvagem e espetacular da região. Com 40km de extensão, estas montanhas formam parte dos Apeninos, uma cadeia que cruza a península italiana, de norte a sul. O **Monte Vettore** é seu ponto mais elevado e o terceiro mais alto da península, com 2.476 metros. Conta-se que seria o pico arredondado da caverna onde moraria a mítica Sibila, que deu nome à região.

Bons mapas e trilhas definidas fazem desta área uma ótima opção para caminhadas. De carro é possível seguir estradas sinuosas, com algumas das mais mágicas paisagens da Itália. A melhor delas é a **Piano Grande**, uma enorme planície elevada cercada por vasto anfiteatro de montanhas. Deserta, a não ser pelos rebanhos de ovelhas e montes de feno, a planície fica repleta de flores na primavera e, depois, de lentilhas. O único povoado é **Castelluccio**, lindo mas um pouco abandonado, acessível por estrada a partir de Norcia e Arquata del Tronto.

Fachada de uma loja em Norcia, expondo as variadas carnes locais

***Anunciação* (c.1500), de Pinturicchio, em Santa Maria Maggiore, Spello**

Norcia ⓫

Perúgia. *4.700.*
Piazza San Benedetto (0743 82 81 73). *qui.*

Local de nascimento de são Benedito, a cidade montanhesa de Norcia forma uma excelente base para se explorar Valnerina e os Monti Sibillini. Uma das capitais gastronômicas da Itália, ela é famosa por suas trufas e alguns dos melhores presuntos, linguiças e salames do país. Até o termo italiano que significa açougueiro especializado em carne de porco deriva do nome da cidade *–nocineria.*

Entre suas principais atrações, destaca-se a **Piazza San Benedetto** com a igreja de **San Benedetto**, no lado leste. Apresenta um portal do século 14, adornado com estátuas de são Benedito e de sua irmã, santa Escolástica. Acredita-se

Para hotéis e restaurantes nesta região, ver págs. 582-5 e págs. 633-5

O monastério de San Pietro in Valle, do século 8°, localizado na linda região de Valnerina

que a igreja indique o local de nascimento do santo –há ruínas de uma construção do século 5° na cripta. Entretanto, é mais provável que a igreja tenha sido construída no local de um templo romano, já que o fórum da colônia romana de Nursia ficava aqui.

À esquerda da igreja, está o **Palazzo Comunale**, um monumento em homenagem à época em que cidade era um núcleo independente nos séculos 13 e 14. Do outro lado da praça, ergue-se a **Castellina** (1554), uma austera fortaleza papal projetada por Vignola para ajudar a impor ordem em distrito rebelde. O **Duomo** (1560), à esquerda da Castellina, tem sido seriamente abalado por vários terremotos ao longo dos séculos. Na verdade, a cidade inteira tem sofrido com sucessivos tremores de terra –suas casas são baixas e bem reforçadas com paredes espessas. A igreja de **Sant'Agostino**, na Via Anicia, possui grande variedade de afrescos do século 16. Mais a frente o **Oratorio di Sant'Agostinaccio** na Piazza Palatina ostenta um soberbo teto do século 17. Na Via Umberto fica **Edicola** (1354), um estranho tabernáculo que teria sido esculpido para uma procissão de Semana Santa.

Piazza San Benedetto e igreja de San Benedetto, em Norcia

Valnerina ⓬

Perúgia. *Spoleto e ônibus.* *Piazza Garibaldi 1, Cascia (0743 711 47).*

O Valnerina, ou Pequeno Vale do Rio Nera, acompanha o rio em uma ampla faixa do leste da Úmbria, recebendo água das montanhas ao redor de Norcia e das Sibillini, antes de se esvaziar no Tibre. Limitado por íngremes declives arborizados, está pontilhado por aldeias e povoados fortificados em pontos elevados.

Seu ápice é marcado pelo **San Pietro in Valle**, um monastério situado nas colinas acima da aldeia de Colleponte. Fundado no século 8°, é uma das poucas heranças remanescentes dos lombardos, cujo ducado no centro da Itália tinha sua capital em Spoleto. A parte principal da igreja do monastério data deste período, assim como o altar-mor. As paredes da nave estão decoradas com afrescos do século 12. Alguns dos mais belos entalhes romanescos da Umbria estão aqui.

Mais conhecidas que o monastério, as **Cascate delle Marmore**, perto de Terni, estão entre as mais altas quedas d'água da Europa, com 165 metros. Criadas pelos romanos durante as obras de drenagem, suas águas agora são usualmente desviadas para gerar energia. A queda d'água pode ser vista a partir da aldeia de Marmore ou da S209.

San Pietro in Valle
Località Ferentillo, Terni.
Tel 0744 78 03 16. *diariam.*

Cascate delle Marmore
7km ao longo da S209 Valnerina, Terni. *esporadicamente. Perguntar no centro de informação turística.*

MARCHE

Espremida entre o mar Adriático e os Apeninos, a região de Marche –que significava "Fronteira"– é um encantador mosaico de paisagens rurais, cidades antigas, colinas e extensas praias arenosas. Em tempos pré-cristãos, a área foi colonizada pelos picentinos, uma tribo que acabou incorporada pelos romanos.

No século 4° a.C., exilados da Magna Grécia colonizaram boa parte desta região. A cidade mais notável era Ancona, o ponto mais setentrional de influência grega na península italiana. No início da Idade Média, a região indicava o limite do Sacro Império Romano, o que originou seu nome atual (*marche* era fronteira).

A região atingiu seu auge no século 15 sob Federico da Montefeltro, cuja corte em Urbino tornou-se um dos mais importantes centros culturais da Europa. Grande parte da antiga grandiosidade da cidade sobrevive, sendo especialmente visível no Palazzo Ducale, que pertenceu a Federico e hoje abriga um acervo de arte regional. Ascoli Piceno é quase tão encantadora quanto Urbino, e sua central Piazza del Popolo é uma das mais marcantes praças antigas da Itália. Cidades menores, como San Leo e Urbania e a República de San Marino, também possuem belos monumentos medievais.

Hoje, o número de pessoas que vêm à Marche por causa de suas praias e cidades é provavelmente igual ao das que vêm em busca de suas paisagens naturais. Especialmente lindos são os picos cobertos de neve dos Monti Sibillini, situados em uma magnífica área para caminhadas e esqui.

A cozinha regional oferece trufas, fortes queijos montanheses, presuntos e salames e azeitonas *ascolane* (recheadas com carne e ervas), além de *brodetto* (sopa de peixe preparada em todo o litoral). O vinho Verdicchio branco seco é o mais conhecido da região, mas nomes como Bianchello del Metauro estão ganhando popularidade.

Campo de papoulas e oliveiras no coração da zona rural de Marche

◁ **Portões e muralhas medievais ao redor da República de San Marino, no alto da colina**

Como Explorar Marche

As cidades medievais de Urbino e Ascoli Piceno são os grandes destaques da região, mas as colinas do interior escondem muitas cidades menores e aldeias ainda quase inexploradas. San Leo, com sua impressionante fortaleza, é uma das melhores opções. A maior parte da zona rural mistura, de forma harmoniosa, bosques e colinas, que se estendem a oeste dos majestosos Monti Sibillini. No litoral, destacam-se Ancona e a agradável Pèsaro.

Campos ondulantes entre Loreto e Ascoli Piceno

Vista de Ascoli Piceno, uma das mais belas cidades da Marche

PRINCIPAIS ATRAÇÕES

Ancona 9
Ascoli Piceno 12
Península Conero 10
Fano 4
Grotte di Frasassi 7
Jesi 8
Loreto 11
Pèsaro 3
San Marino 2
San Leo 1
Urbania 6
Urbino págs. 370-1 5

Recife rochoso perto de Portonovo, na península Conero

COMO CIRCULAR

A A14-E55 fornece fácil acesso aos balneários costeiros. Rodovias de pistas duplas secundárias à A14-E55 levam a Urbino, Jesi e Ascoli Piceno, mas as estradas norte-sul, no interior, podem ser lentas. Os serviços de ônibus costumam ser bons, mas podem ser pouco frequentes no interior. O serviço ferroviário ao longo da costa é excelente. No interior, também é bom, mas pode ser lento.

Mercado em Fano

VEJA TAMBÉM

• **Onde Ficar** págs. 564-5

• **Onde Comer** págs. 597-8

A torre do sino do Duomo ergue-se sobre a aldeia de San Leo

San Leo ❶

Pèsaro. *Piazza Dante Alighieri 14 (0541 91 63 06). de Rimini, troca em Villanova.*

Poucos castelos impressionam tanto quanto a grande **Fortaleza** que se ergue sobre a aldeia de San Leo, no alto de um penhasco. O poeta Dante inspirou-se neste local para escrever o *Purgatório*, enquanto Maquiavel considerou-a o mais belo exemplar de arquitetura militar italiana. Suas muralhas rochosas outrora rodeavam o Mons Feretrius, um templo romano dedicado a Júpiter.

Anteriormente existiu aqui uma fortaleza romana, que tornou-se uma prisão papal no século 18. Seu prisioneiro mais famoso foi Conte di Cagliostro. Acusado de ser trapaceiro, mulherengo, curandeiro e alquimista, Cagliostro foi preso por heresia na década de 1790. Sua cela foi especialmente construída para que as janelas ficassem de frente para as duas igrejas da aldeia. Ainda pode ser visitada, como também a pequena galeria de quadros, as salas oficiais e as majestosas muralhas renascentistas construídas por Francesco di Giorgio Martini para os duques de Montefeltro no século 15. Na aldeia, merece atenção a bela **Pieve**, uma igreja paroquial do século 9º. Construída em parte com pedras das ruínas do Mons Feretrius, foi erguida no local de uma capela do século 6º. Logo atrás está o **Duomo**, um belo edifício românico do século 12, com capitéis coríntios desmoronados e colunas romanas incompletas do Mons Feretrius. A tampa do sarcófago de são Leo está na cripta.

Fortaleza
Via Leopardi. ***Tel*** *0541 91 63 06. diariam. hora do almoço out-mar.*

San Marino ❷

26.000. San Marino Città (de Rimini). Contrada Omagnano 20, San Marino (0549 88 29 98).
www.visitsanmarino.com

A mais antiga república da Europa, San Marino teria sido fundada por são Marino, monge e pedreiro do século 4º, que teria fugido da perseguição religiosa do imperador Diocleciano. Com ele estava são Léo, o fundador da aldeia vizinha de San Leo. Situado nos declives do monte Titano, o país tem sua própria casa da moeda, selos, time de futebol e exército. É famoso pelo circuito de Fórmula 1.

Não há formalidades alfandegárias neste país, cujas fronteiras estão separadas por apenas 12km de terra no ponto mais largo. Sua capital, também conhecida como **San Marino**, fica lotada de turistas durante a maior parte do ano, e suas ruas, cheias de barracas vendendo suvenires. Garibaldi refugiou-se aqui em 1849 e é homenageado com um monumento na Piazza Garibaldi. **Borgomaggiore**, a maior das cidades, fica na base do monte Titano e tem um teleférico que sobe até a capital.

Loja duty-free em San Marino

Pèsaro ❸

85.000. Piazza della Libertà (0721 693 41). ter e 1ª qui do mês.

Detalhe da *Coroação da Virgem* (c.1470), de Bellini, no Musei Civici

Um dos maiores balneários costeiros do Adriático, Pèsaro mantém um ar de elegância. Atrás do calçadão e dos hotéis, encontra-se uma animada e charmosa área medieval.

O acervo de arte do **Musei Civici** inclui o políptico de Giovanni Bellini, *Coroação da Virgem* (c.1470), além de cerâmicas renascentistas.

No **Museo Archeologico Oliveriano**, podem ser vistas de ruínas romanas a artefatos da Idade do Ferro da necrópole da vizinha Novilara.

A mais bela igreja da cidade é **Sant'Agostino**, no Corso XI Settembre, notável pelas cadeiras do coro, com um elaborado mosaico de paisagens e cenas narrativas.

Pèsaro também é um ponto de encontro musical. Aqui, em 1792, nasceu o compositor Gioacchino Rossini. Sua casa, a **Casa Rossini**, preserva objetos da época, enquanto

Para hotéis e restaurantes nesta região, ver págs. 582-5 e págs. 632-5

seu piano e alguns manuscritos originais estão no **Conservatorio Rossini**. Óperas de sua autoria são apresentadas no **Teatro Rossini** na Piazza Lazzarini durante o festival de música, em agosto.

Musei Civici
Piazza Mosca 29. ***Tel*** *0721 38 74 74.*
ter-dom. *1º jan, 25 dez*

Museo Archeologico Oliveriano
Via Mazza 97. ***Tel*** *0721 333 44.*
seg-sáb.

Casa Rossini
Via Rossini 34. ***Tel*** *0721 38 73 57.*
manhã ter, qua; qui-dom.

Conservatorio Rossini
Piazza Olivieri 5. ***Tel*** *0721 336 71.*
seg-sáb, ligar antes para marcar.
feriados.

Fano ❹

Pèsaro. *54.000.*
Via Cesare Battisti 10 (0721 80 35 34). *qua e sáb.*

A antiga cidade de Fano destoa dos balneários praianos ao sul de Pèsaro, graças a seu belo centro antigo e marcos históricos. Com o nome derivado de Fanum Fortunae, um templo pagão dedicado à deusa Fortuna, tornou-se o destino final da Via Flaminia (importante estrada vinda de Roma) e a maior colônia romana da costa Adriática.
O **Arco d'Augusto** (ano 2) na Via Arco d'Augusto é o mais significativo monumento antigo da cidade e quase não sobreviveu a Federico de Montefeltro, em 1463. Ele destruiu a parte superior quando sitiou a cidade como *condottiere* papal.

A **Fontana della Fortuna**, do século 16, na Piazza XX Settembre, é dedicada à deusa Fortuna. O grande **Palazzo Malatesta**, que se ergue atrás dela, foi construído em cerca de 1420 e ampliado em 1544 para os governantes de Fano, a família Malatesta, baseada em Rimini. Em seu interior, fica o pequeno **Museo Civico** e a **Pinacoteca Malatestiana**, com obras de Guercino, Guido Reni e do artista veneziano Michele Giambono.

Museo Civico e Pinacoteca Malatestiana
Piazza XX Settembre.
Tel *0721 82 83 62.* *ter-dom.*
1º jan, 25-6 dez.

Fontana della Fortuna em Fano

Entrada do Palazzo Ducale, em Urbania

Urbino ❺

Págs. 370-1.

Urbania ❻

Pèsaro. *7.200.*
Corso Vittorio Emanuele 21 (0722 31 31 40). *qui.*

O nome Urbania vem do papa Urbano VIII (1623-44), que teve a ideia de transformar a antiga aldeia medieval de Castel Durante em uma cidade-modelo renascentista, que ainda hoje exibe um elegante centro com arcadas.

Sua principal atração é um monumento de uma época mais antiga, o enorme **Palazzo Ducale**, construído pelos duques de Montefeltro como uma das várias residências alternativas ao Palazzo Ducale na vizinha Urbino. O palácio começou a ser erguido no século 13 e foi reconstruído nos séculos 15 e 16. Com linda localização às margens do rio Metauro, abriga um pequeno acervo de arte, mapas e globos antigos e o que restou da famosa biblioteca do duque Federico.

Palazzo Ducale
Palazzo Ducale. ***Tel*** *0722 31 31 51.*
ter-dom. *feriados.*

Urbino: Palazzo Ducale

O mais belo palácio renascentista da Itália foi erguido para o duque Federico da Montefeltro, governante de Urbino (1444-82). Valente soldado, Federico era também um homem das artes, e seu palácio, com biblioteca, pinturas e arquitetura refinada, é um monumento à vida da corte e aos ideais renascentistas. O Palazzo Ducale abriga a Galleria Nazionale delle Marche.

★ Flagelação, de Piero della Francesca
A acentuada perspectiva cria um efeito perturbador nesta pintura do século 15 da flagelação de Cristo.

O palácio vigia a cidade do alto

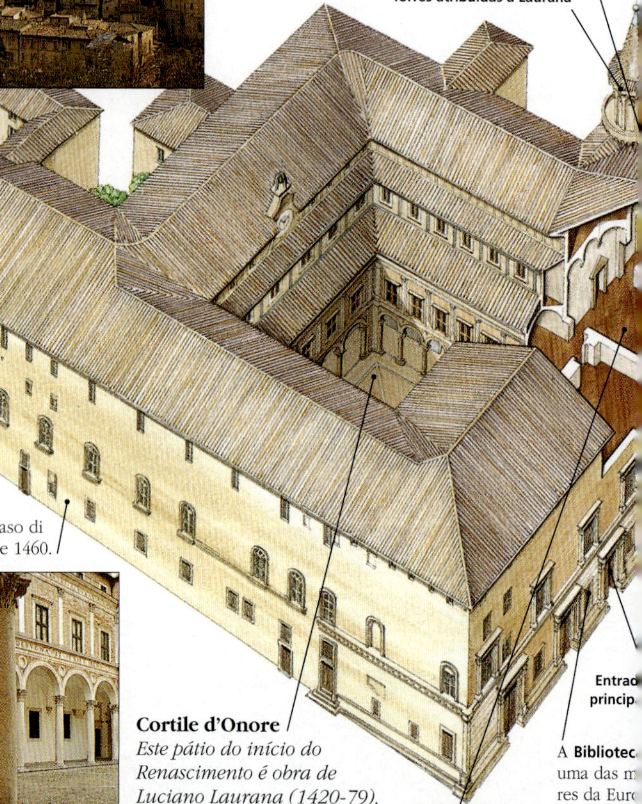

Torres atribuídas a Laurana

A **parte leste** do palácio, bastante simples, foi projetada por Maso di Bartolomeo antes de 1460.

Entrad princip

A **Bibliotec** uma das m res da Eur em sua ép

Cortile d'Onore
Este pátio do início do Renascimento é obra de Luciano Laurana (1420-79), artista nascido na Dalmácia.

Cidade Ideal
Atribuída a Luciano Laurana, esta pintura do século 15 de uma cidade renascentista imaginária destaca-se pela perspectiva e ausência de pessoas.

Para hotéis e restaurantes nesta região, ver págs. 585-7 e págs. 635-6

★ Studiolo
O antigo gabinete de Federico da Montefeltro está decorado com marchetaria, em parte desenhada por Botticelli.

PREPARE-SE

Piazza Duca Federico 13. ***Tel*** *0722 32 26 25.* *Piazza del Mercatale.* *8h30-14h seg, 8h30-19h15 ter-dom. (última admissão: 1h antes de fechar).* *1º jan, 25 dez.*
www.turismo.marche.it

Duque Federico, de Pedro Berruguete
O duque, que aparece com seu filho nesta pintura do século 15, era sempre retratado de perfil esquerdo, pois tinha uma cicatriz no rosto.

Jardim suspenso

As salas desta ala são conhecidas como Appartamento della Duchessa.

★ A Muda, de Rafael
Este quadro pode ser um retrato de Maddalena Doni, uma nobre florentina.

PONTOS ALTOS

★ Flagelação, de Piero della Francesca

★ Studiolo

★ A Muda, de Rafael

Urbino ❺

Pèsaro. *16.000.* *Piazza Rinascimento 1 (0722 26 13).* *sáb.*
www.urismo.pesarourbino.it

Em meio ao labirinto de ruas medievais e renascentistas de Urbino fica o **Duomo**, na Piazza Federico. Foi construído em 1789, em estilo neoclássico. Um de seus destaques especiais é a *Última Ceia*, pintada por Federico Barocci (c.1535-1612). O **Museo Diocesano** exibe uma coleção de peças de cerâmica e vidro, além de objetos sacros. Um dos seus moradores mais famosos, o pintor Rafael (1483-1520), viveu na **Casa Natale di Raffaello**, onde se destacam a cozinha e o pátio.

Na Via Barocci ficam o **Oratorio di San Giuseppe**, da época medieval, conhecido por seu presépio, e o **Oratorio di San Giovanni Battista**, do século 14, com interior adornado com afrescos do século 15 da *Crucificação* e da *Vida de João Batista*, de Giacomo e Lorenzo Salimbeni.

Na Viale Bruno Buozzi está a **Fortezza dell'Albornoz**. Esta fortaleza do século 15 era o centro da defesa de Urbino, fortalecida pelas muralhas do século 16, ainda existentes.

Museo Diocesano
Piazza Pascoli 2. *para reforma; ligar 0722 2613 para informações.*

Casa Natale di Raffaello
Via di Raffaello 57. ***Tel*** *0722 32 01 05.* *diariam (dom: só manhã).* *1º jan, 25 dez.*

Uma das ruas da parte medieval da cidade de Urbino

Peixe fresco e barcos pesqueiros no porto de Ancona

Grotte di Frasassi ❼

Ancona. *Tel 0732 900 90.* FS *Genga San Vittore Terme.* *diariam só para visitas guiadas (1h10min).* *1°, 10-30 jan, 4 dez, 25 dez.* **www**.frasassi.com

Algumas das maiores cavernas abertas ao público na Europa ficam no complexo do rio Sentino, ao sul de Jesi. Dos seus 18km, cerca de 1km pode ser visitado. A **Grotta del Vento**, por exemplo, é imensa, seu teto chega a 240 metros de altura –dentro dela caberia a catedral de Milão. Esta caverna já foi palco de uma série de experiências científicas, que estudaram da perda sensorial aos aspectos sociais da vida isolada de um grupo de pessoas em uma caverna, por um longo período.

Jesi ❽

Ancona. *41.000.* FS *Piazza della Repubblica 11 (0731 597 88).* *qua e sáb.* **www**.comune.jesi.an.it

Jesi está aninhada em uma extensa serra rochosa, bem no centro de uma área de verdejantes colinas, onde é produzido o vinho Verdicchio. Este famoso vinho branco e forte é engarrafado de forma original: são usadas réplicas em vidro das ânforas de terracota outrora usadas para exportar o vinho para a Grécia antiga. Os vinhedos se espalham pela zona rural ao redor da cidade.

No Palazzo Pianetti, do século 18, fica a **Pinacoteca e Musei Civici**, que exibe belas pinturas do final da carreira de Lorenzo Lotto. Também é encantador o grandioso salão central do palácio, que apresenta intensa decoração rococó. Perto daqui, o **Palazzo della Signoria** abriga uma pequena coleção de achados arqueológicos, muito interessantes. Mais adiante, depois das antigas muralhas renascentistas da cidade, fica a igreja de **San Marco**, do século 14, conhecida por sua preservada coleção de afrescos giottescos.

Pinacoteca e Musei Civici
Via XV Settembre.
Tel *0731 53 83 42.* *ter-dom.*

Palazzo della Signoria
Piazza Colocci. ***Tel*** *0731 53 83 45.*
seg-sáb. *seg manhãs, dom tardes.*

Ancona ❾

98.000. FS *Via Thaon de Revel 4 (071 35 89 91).* *ter e sex.* **www**.turismo.marche.it

Capital e maior porto da região (com balsas para Grécia e Croácia, ida e volta), Ancona originou-se no século 5° a.C., quando foi fundada por exilados gregos de Siracusa. Seu nome vem de *ankon* (cotovelo, em grego), uma referência ao pico rochoso que se projeta no mar para formar o belo porto natural da cidade. Pesados bombardeios durante a Segunda Guerra Mundial destruíram grande parte da cidade medieval. A **Loggia dei Mercanti**, a bolsa dos mercadores do século 15, na Via della Loggia, sobrevive como monumento do apogeu medieval da cidade.

Ao norte fica a igreja românica de **Santa Maria della Piazza**. Aqui perto encontra- se a **Pinacoteca Comunale F. Podesti e Galleria d'Arte Moderna**, onde podem ser admiradas telas de Ticiano e Lorenzo Lotto. No **Museo Archeologico Nazionale delle Marche**, o melhor da cidade, estão expostas peças de arte grega, gaulesa e romana. Ao lado do porto, o **Arco di Traiano**, erguido em 115, é um dos arcos romanos mais bem conservados da Itália.

Impressionante caverna do complexo das Grotte di Frasassi

Para hotéis e restaurantes nesta região, ver págs. 585-7 e págs. 635-6

A praia da aldeia de Sirolo, na península Conero

Pinacoteca Comunale F Podesti e Galleria d'Arte Moderna
Via Pizzecolli 17. **Tel** *071 222 50 41.* *ter-sáb diariam. (dom tardes).* *feriados.*

Museo Archeologico Nazionale delle Marche
Via Ferretti 1. **Tel** *071 20 26 02.* *ter-dom.* *1º jan, 1o mai, 15 ago, 25 dez.*

Península Conero ⑩

Ancona. *Ancona.* *de Ancona para Sirolo ou Numana.* *Via Thaon de Revel 4, Ancona (071 35 89 91).*

A linda península de Conero, limitada por penhascos, é o único acidente natural a interromper a extensa linha de praias ao longo da costa da Marche. Facilmente acessada a partir de Ancona, ao norte, é conhecida por sua paisagem natural, seus vinhos (especialmente o Rosso del Conero) e seu conjunto de enseadas, praias e pitorescos balneários. O melhor deles é **Portonovo**. Acima da praia está a igreja **Santa Maria di Portonovo**, uma bela construção românica do século 11, mencionada por Dante no Canto XXI do *Paraíso*. As aldeias de **Sirolo** e **Numana** são mais movimentadas, mas pode-se escapar das multidões de verão subindo as encostas floridas do monte Conero, que tem 572 metros de altitude, ou fazendo um passeio de barco até as praias menores, longe do vilarejo.

Loreto ⑪

Ancona. *11.000.* *Via Solari 3 (071 97 02 76).* *sex.*

Contam os fiéis que, em 1294, a casa onde viveu a Virgem Maria **(Santa Casa)** foi milagrosamente retirada da Terra Santa e trazida por anjos para um bosque de loureiros *(loreto)* ao sul de Ancona. Todos os anos, milhões de peregrinos visitam a **Santa Casa** de Loreto e sua **Basílica**, que exibe pinturas de Luca Signorelli. Iniciada em 1468, a basílica foi projetada e parcialmente construída pelos arquitetos renascentistas Bramante, Sansovino e Giuliano da Sangallo. No **Museo-Pinacoteca** há obras do século 16 de Lorenzo Lotto.

Santa Casa em Loreto

Basílica e Santa Casa
Piazza Santuario. **Tel** *071 97 01 04.* *diariam.*

Museo-Pinacoteca
Palazzo Apostolico. **Tel** *071 974 71 98.* *abr-out: ter-dom; nov-mar: sex-dom.*

Ascoli Piceno ⑫

54.000. *Palazzo Comunale, Piazza Arringo (0736 25 30 45).* *qua e sáb.*

O nome desta cidade vem de picentinos, uma tribo conquistada pelos romanos em 89 a.C. O traçado em forma de grade da cidade romana Asculum Picenum ainda pode ser observado nas ruas, mas é a herança medieval da cidade que atrai a maioria dos turistas.

Na bela **Piazza del Popolo**, destacam-se o **Palazzo dei Capitani del Popolo**, do século 13, com fachada projetada por Cola dell'Amatrice, e a igreja de **San Francesco**, um grande conjunto gótico, erguido entre 1262 e 1549.

A Via del Trivio vai na direção norte até o bairro medieval, perto do rio Tronto. Na Via Cairoli, fica a igreja dominicana do século 13 de **San Pietro Martire**. Em frente está a igreja de **Santi Vincenzo e Anastasio**, do século 11, que preserva uma antiga cripta, construída sobre uma fonte que curaria a lepra.

Na Piazza dell'Arringo fica o **Duomo**, do século 12. Na Cappella del Sacramento há um políptico do século 15 de Carlo Crivelli. A **Pinacoteca Civica** guarda mais obras de Crivelli e também de Alemanno, Ticiano e Guido Reni. O **Museo Archeologico** exibe artefatos romanos, lombardos e dos picentinos.

Pinacoteca Civica
Palazzo Comunale, Piazza Arringo. **Tel** *0736 29 82 13.* *ter-dom.*

Museo Archeologico
Palazzo Panighi, Piazza Arringo. **Tel** *0736 25 35 62.* *diariam.* *1º jan, 1º mai, 25 dez.*

Vista da cidade medieval de Ascoli Piceno

ROMA E LÁCIO

Introdução a Roma e Lácio

Acredita-se que os primeiros povoados da região tenham sido fundados pelos etruscos do norte do Lácio. Roma cresceu e passou a comandar um vasto império e, quando este começou a se fragmentar, tornou-se o centro do mundo cristão. Artistas e arquitetos vinham para cá trabalhar para os papas e suas famílias, sobretudo durante os períodos barroco e renascentista –duas fases efervescentes da arquitetura. Hoje a herança dessa intensa história pode ser vista por toda a cidade e nos arredores.

São Pedro, *a magnífica e suntuosa catedral do século 16, ostenta um lindo domo pintado por Michelangelo* (págs. 418-9).

A Piazza Navona, *repleta de cafés, abriga três fontes barrocas, entre elas a colossal Fontana dei Quattro Fiumi, uma das mais belas obras de Bernini* (pág. 397).

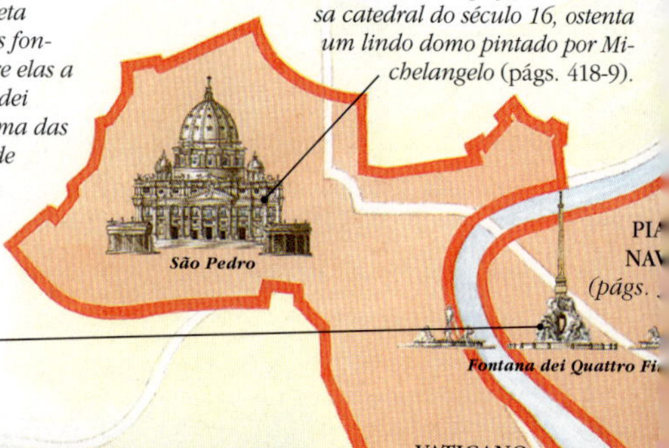

Santa Maria in Trastevere, *provavelmente a primeira igreja cristã de Roma, conserva mosaicos notáveis, como mostra este detalhe de* A Vida da Virgem *(1291), de Cavallini* (pág. 428).

Cerveteri *é um dos vários cemitérios deixados pelos etruscos na região norte do Lácio. Muitos dos túmulos maiores preservam afrescos e objetos que seriam úteis na vida pós-morte* (pág. 466).

◁ **Fontana dei Quattro Fiumi, de Bernini, no centro da Piazza Navona**

O Pantheon, *construído entre 118 e 125, é um primor da engenharia romana, com enorme domo escondido por um pórtico clássico* (pág. 404).

VEJA TAMBÉM

- ***Onde Ficar*** págs. 587-93
- ***Onde Comer*** págs. 636-43

A igreja de Santa Maria Maggiore *exibe rico interior com diversos estilos arquitetônicos e tem este baldaquino do século 18* (pág. 413).

San Giovanni in Laterano, *a catedral de Roma, inclui a elaborada capela Corsini, construída na década de 1730* (pág. 436).

Os Museus Capitolinos *abrigam, desde o Renascimento, tesouros do mundo clássico, como esta colossal estátua de Constantino, feita no século 4º* (págs. 386-7).

O Coliseu *foi construído em 80 pelo imperador Vespasiano, que pretendia ganhar popularidade promovendo combates públicos entre gladiadores e animais ferozes* (pág. 393).

Os Sabores de Roma e Lácio

A área rural do Lazio abrange colinas onduladas, montanhas e uma costa reluzente. Oliveiras e vinhedos recobrem esta área fértil, na qual circulam javalis selvagens e outros tipos de caça que acabam parando na mesa da população. Mas a autêntica cozinha romana tem raízes em vísceras preparadas de forma lenta e inventiva, que transformam estes ingredientes tradicionalmente "pobres" em pratos ricos em sabor. A massa ainda é vital em qualquer refeição, e vários pratos conhecidos tiveram origem em Roma. Muitos restaurantes são especializados em peixes e frutos do mar e, como esta é a terra da *dolce vita*, há uma longa tradição de deliciosos doces, bolos e sorvetes.

Alcachofras

Barraca do Lácio com legumes frescos vindos do campo

A cozinha romana tradicional teve origem na área de Testaccio, perto do velho matadouro cujos empregados *(vaccinari)* recebiam carne, em geral vísceras, como parte do pagamento. *O quinto quarto* incluía a cabeça, os pés, o rabo, os intestinos, os miolos e outras partes dos animais que não agradavam aos paladares mais sensíveis. No entanto, quando cozidas lentamente com ervas e especiarias, tornavam-se verdadeiras iguarias. Estes pratos robustos, dos quais o mais proeminente é a *coda alla vaccinara* (rabada à moda dos açougueiros), ainda figuram em muitos menus.

CUCINA ROMANA

A autêntica *cucina romana* também tem raízes na cozinha judaica da área do Gueto, cujas origens remontam a mais de 400 anos. Alcachofras cultivadas localmente são fritas em azeite de oliva *(carciofi alla giudia)* ou servidas *alla romana*, com azeite, alho e menta romana. Igualmente populares são os filés de bacalhau *(filetti di baccalà)* fritos à moda judaica.

Restaurantes de frutos do mar e peixes estão entre os melhores de Roma e, embora não sejam baratos, muitos são templos gastronômicos. Em 1986, em resposta ao

Algumas das centenas de tipos de massa da Itália

PRATOS E ESPECIALIDADES REGIONAIS

Bruschetta

Legumes fritos, especialmente alcachofras e flores de abobrinha (zucchini), costumam servir de antepasto. De *primo* prato, há massas como *bucatini all'amatriciana* –tubos de massa com molho condimentado de tomate e linguiça ou de bacon, salpicado com queijo ralado pecorino feito de leite de ovelha. A apreciada vitela aparece no *rigatoni alla pajata* (massa com intestinos de vitela alimentada com leite). Também popular, o cordeiro surge como *abbacchio al forno* (cordeiro ao forno) ou *alla cacciatore* (à moda do "caçador" com molho de anchova). A palavra genérica para vísceras é *animelle*, as quais viram iguarias como *cervelle* (miolos de bezerro), *ossobuco* (guisado de rodelas de jarrete com tutano), *pajata* (intestinos de vitela) e *trippa* (tripas).

Gnocchi alla romana
Trouxinhas de semolina que, em geral, são servidas com molho de tomate ou de carne.

Fumegantes pizzas romanas saindo do forno à lenha

lançamento do primeiro McDonald's em Roma, o Piemonte iniciou o movimento Slow Food *(pág. 180)*, mas a fast-food mais comum em Roma inclui *bruschetta* ("pão ligeiramente queimado" em dialeto romano) com alho, sal e azeite de oliva, e coberta com uma seleção de sabores intensos. Há também a autêntica *pizza romana* fina e crocante que vai ao forno à lenha e é servida *al taglio* em fatias.

MASSA, MASSA

Massa ainda é a base da refeição romana, sobretudo o espaguete. *Spaghetti alla carbonara*, feito com *pancetta* (bacon defumado) ou *guanciale* (malar de porco), gema de ovo e queijo, é um prato romano clássico, assim como *spaghetti alle vongole*, com tomate e mexilhões. Em uma estimativa modesta, há um tipo de massa para cada dia do ano, muitas das quais com nomes descritivos ou poéticos, como *capelli d'angelo* (cabelos de anjo) ou *ziti* (recém-casados) cujo formato é melhor deixar a cargo da imaginação.

Tentadores *gelati* em uma sorveteria romana

LA DOLCE VITA

Para quem aprecia a "doce vida", nozes, frutas e ricota costumam ser combinados em doces tentadores. O sorvete é considerado uma forma de arte em Roma, onde algumas sorveterias oferecem mais de cem sabores de *gelati* caseiros. Há desde as clássicas *crema* e *frutta a grattachecca* (picolé), do *semifreddo* (pudim meio gelado de consistência similar à do *tiramisù*) à *granità* (raspas de gelo com xaropes de frutas). O *gelato* constitui um grande prazer local, degustado a qualquer hora do dia e da noite.

NO MENU

Abbacchio alla cacciatore Cordeiro cozido com anchovas, alho, vinho Castelli Romani, pimenta e azeite de oliva.

Coda alla vaccinara Rabada com ervas, tomate e aipo.

Fave al Guanciale Brotos de favas fervidos em azeite de oliva com malar de porco e cebola.

Filletti di baccalà Filés empanados de bacalhau, uma especialidade judaica incorporada pela cozinha romana.

Spigola alla romana Robalo com cogumelos porcini à moda romana.

Spaghetti alle vongole *A clássica massa italiana aqui é servida com um molho de mexilhões e tomate.*

Saltimbocca alla romana *Rolê de vitela com prosciutto e sálvia. Saltimbocca significa "saltando na boca".*

Timballo di ricotta *Torta que leva ricota, açúcar, limão, brandy, ovos e canela.*

A Arquitetura de Roma e Lácio

A arquitetura da Roma imperial, uma combinação dos estilos etrusco e grego clássico, desenvolveu-se aos poucos e deu origem às novas linhas romanas baseadas em arcos, abóbadas e domos. Durante o início da era cristã, foram erguidas basílicas retangulares, formas incorporadas ao rígido estilo românico no século 12. O Renascimento, inspirado no exemplo de Florença, testemunhou um retorno aos ideais clássicos de simplicidade e proporções harmoniosas, embora Roma tenha encontrado grande expressão arquitetônica na exuberância barroca do século 17.

O rebuscado estilo barroco da Fontana di Trevi, em Roma

DO RENASCIMENTO AO BARROCO

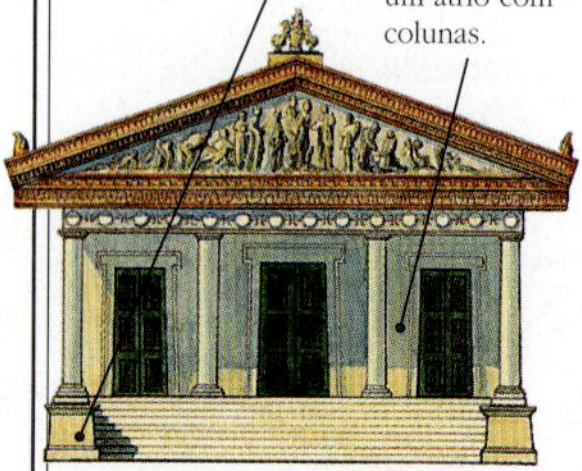

Os templos etruscos, *com modelos gregos, inspiraram a arquitetura romana antiga. Um pórtico era a única entrada.*

O Arco de Constantino *(315) é um exemplo típico da arquitetura triunfal da Roma imperial* (pág. 389). *Mede 25m de altura.*

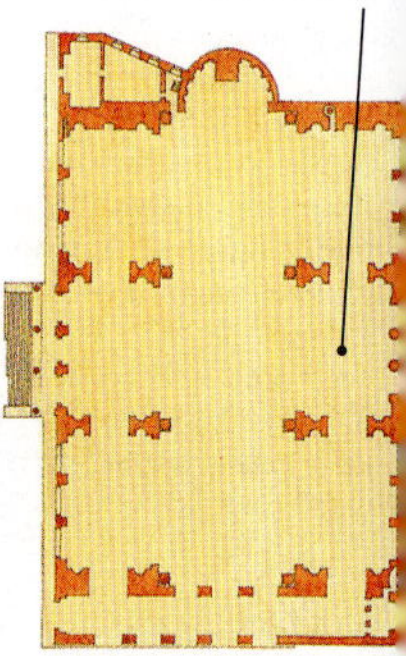

As antigas basílicas cristãs, *do século 4º, apresentavam uma planta retangular.*

DO RENASCIMENTO AO BARROCO

O Tempietto *(1502), em San Pietro in Montorio, em Roma, é um exemplo da arquitetura renascentista: simples e perfeitamente proporcional* (pág. 429).

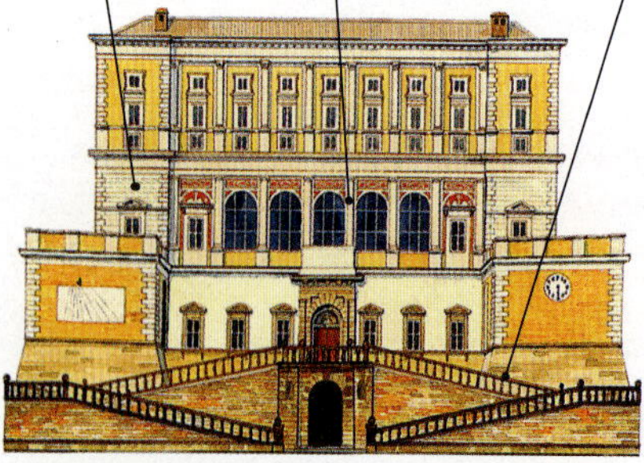

O Palazzo Farnese, *em Caprarola, uma construção em forma de pentágono concluída em 1575* (pág. 465), *combina alguns detalhes maneiristas com rígidas proporções geométricas renascentistas.*

ONDE VER A ARQUITETURA

Um passeio pelas ruas do centro de Roma revela obras de arte de praticamente todos os períodos arquitetônicos. Os tesouros mais antigos são sete obeliscos roubados do Egito. Um deles fica nas costas do elefante de Bernini *(pág. 404)*. Exemplos da Roma Antiga incluem arcos triunfais e templos como o Pantheon *(pág. 404)*. Há elementos românicos na igreja de San Clemente *(pág. 435)*, enquanto o Renascimento está representado no domo da catedral de São Pedro *(págs. 418-9)*. Magníficos tesouros barrocos, como as fontes das praças, podem ser vistos por toda a cidade. Fora de Roma, também há lindas obras, como as mansões tipo *villa* do final do Renascimento, entre elas a Caprarola *(pág. 465)*.

Parte do elefante de Bernini, apoio de um obelisco egípcio

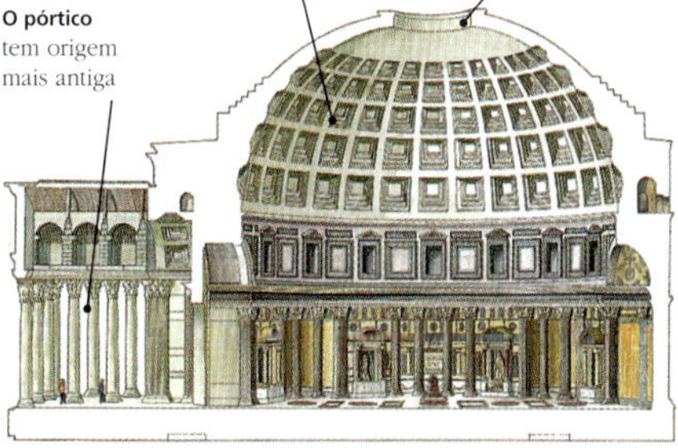

O Pantheon (pág. 404) *é um dos principais edifícios da arquitetura romana tardia. Concluído em 125, revela como a forma dos templos gregos permitia criar obras-primas com proporções perfeitas.*

As ordens *da arquitetura clássica eram estilos baseados em antigos modelos gregos, identificados pelos capitéis das colunas.*

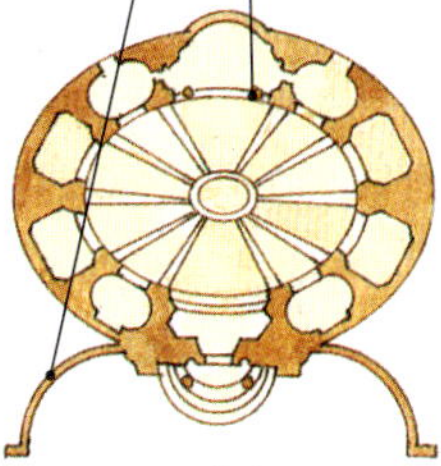

A planta oval *da barroca Sant'Andrea al Quirinale* (pág. 411) *aproveita o espaço de modo engenhoso.*

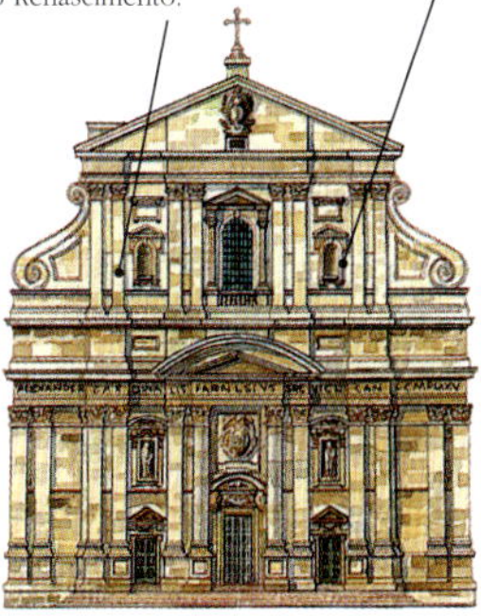

A fachada da Gesù *(1584) resume a arquitetura da Contrarreforma, depois imitada em todo o mundo católico* (pág. 403).

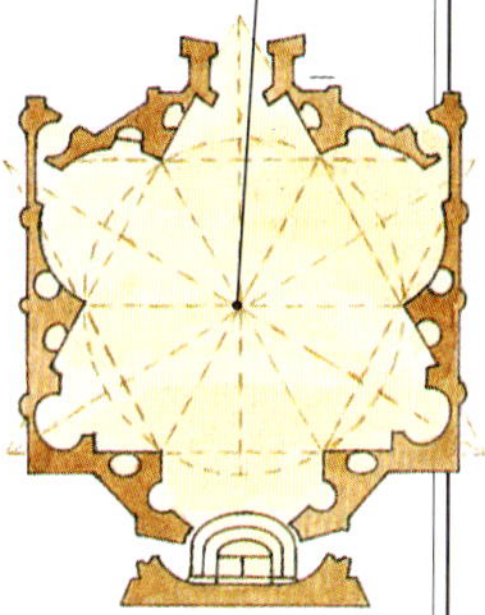

A planta *da Sant'Ivo alla Sapienza (1642) é mais grandiosa do que as plantas clássicas* (pág. 400).

CENTRO ANTIGO

O Campidoglio, cume sul do monte Capitolino, foi o centro simbólico do mundo romano. Aqui ficavam três dos templos mais importantes da cidade: o de Júpiter Optimus Maximus, protetor de Roma; de Minerva, deusa da sabedoria e da guerra; e de Juno Moneta, deusa guardiã. Abaixo do Campidoglio ficam o Fórum Romano, antigo centro político, social e comercial; o Fórum Imperial, construído quando a população local aumentou, e o Coliseu, antigo centro de lazer dos romanos. Despontando sobre o Fórum Romano está o monte Palatino, onde se acredita que Rômulo tenha fundado a cidade no século 8º a.C. e residência dos imperadores romanos por mais de 400 anos.

Loba capitolina com Rômulo e Remo

PRINCIPAIS ATRAÇÕES

Igrejas

Santa Maria in Aracoeli ❸

Museus e Galerias

Museus Capitolinos págs. 386-7 ❶

Praças Históricas

Piazza del Campidoglio ❷

Marcos da Antiguidade

Arco de Constantino ❿

Coliseu (Colosseo) pág. 393 ❾

Fórum de Augusto ❺

Fórum de César ❼

Fórum de Trajano e Mercados ❹

Fórum Romano págs. 390-1 ❽

Palatino págs. 394-5 ⓫

Cárcere Mamertino ❻

COMO CHEGAR

Pode-se ir a pé ao monte Capitolino saindo da Piazza Venezia, ponto central das linhas de ônibus da cidade. O Fórum Romano, o Coliseu e o Palatino situam-se perto do Metro Colosseo. Os ônibus 87 e 186 ligam a Piazza Venezia e o Coliseu ao Corso Rinascimento, no *centro storico*.

◁ O Coliseu ergue-se atrás do Fórum Romano

Rua a Rua: Monte Capitolino

O Campidoglio, cidadela da antiga Roma, foi projetado por Michelangelo no século 16. O grande artista foi o criador da Piazza del Campidoglio, em forma de trapézio, e da Cordonata, a ampla escadaria que dá acesso à praça. Ao redor da *piazza*, situam-se o Palazzo Nuovo e o Palazzo dei Conservatori, que abrigam os Museus Capitolinos, com um belo acervo de pinturas e esculturas. Vale a pena caminhar por trás dos museus até o rochedo Rupe Tarpea, para ter uma bela vista do Fórum Romano, situado logo abaixo.

O **Monumento a Vittorio Emanuele** foi iniciado em 1885 e inaugurado em 1911 em homenagem ao primeiro rei da Itália unificada.

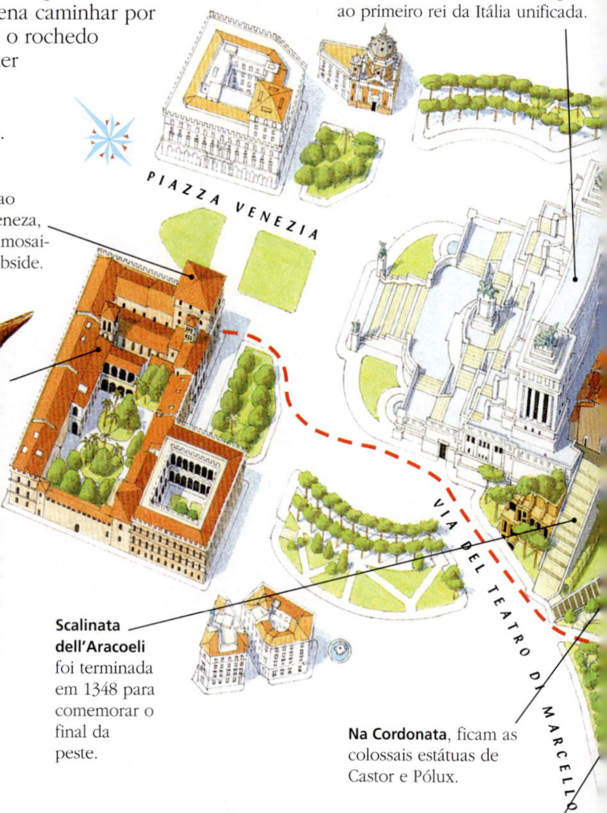

San Marco, dedicada ao santo padroeiro de Veneza, preserva esplêndidos mosaicos do século 19 na abside.

Palazzo Venezia, antiga casa de Mussolini, abriga um museu de objetos de arte decorativa. O acervo inclui este anjo medieval dourado esmaltado.

Scalinata dell'Aracoeli foi terminada em 1348 para comemorar o final da peste.

Na Cordonata, ficam as colossais estátuas de Castor e Pólux.

★ Museus Capitolinos
O acervo de arte e esculturas antigas inclui esta estátua do imperador Marco Aurélio, *uma réplica da que fica no centro da* piazza. ❶

PONTO ALTO

★ Museus Capitolinos

LEGENDA

– – – Percurso sugerido

0 metros **75**

Para hotéis e restaurantes nesta região, ver págs. 587-92 e págs. 636-41

Santa Maria in Aracoeli *A fachada de tijolo esconde tesouros como este afresco do século 15, do* Funeral de São Bernardino, *de Pinturicchio* ❸

LOCALIZE-SE
Guia de Ruas de Roma, 3

O Palazzo Nuovo foi transformado em museu em 1734.

O **Palazzo Senatorio**, esplêndida sede administrativa local, foi construído em estilo renascentista sobre as ruínas da antiga Tabularium.

Piazza del Campidoglio *Michelangelo criou o calçamento geométrico e as fachadas dos edifícios.* ❷

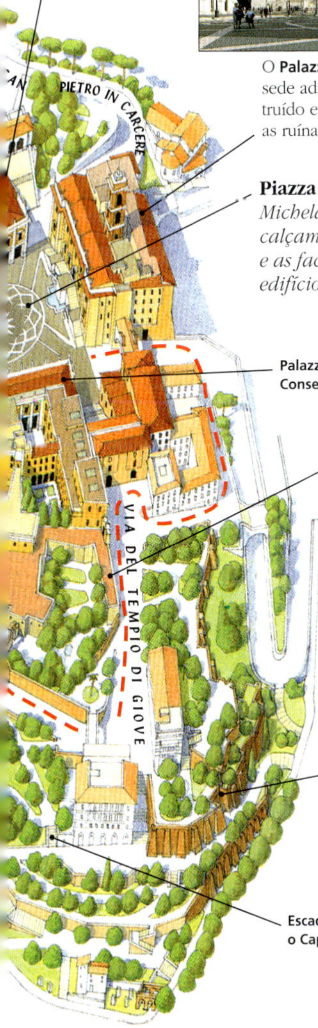

Palazzo dei Conservatori

O Templo de Júpiter, representado nesta moeda, era dedicado a Jupiter Optimus Maximus, o mais importante dos deuses romanos. Acreditava-se que ele tinha o poder de proteger ou destruir a cidade.

A Rupe Tarpea é um rochedo do qual seriam empurrados os traidores, na Roma antiga.

Escadas para o Capitolino

Museus Capitolinos ❶

Págs. 386-7.

Piazza del Campidoglio ❷

Mapa 3 A5. *40, 64, 70, 75.*

Quando o imperador Carlos V anunciou que visitaria Roma em 1536, o papa Paulo III Farnese pediu a Michelangelo que reformasse o Campidoglio. O artista recriou a *piazza*, renovou as fachadas dos palácios e construiu uma nova escadaria, a Cordonata. Com suave inclinação, ela exibe as enormes estátuas de *Castor* e *Pólux*.

Santa Maria in Aracoeli ❸

Piazza d'Aracoeli. **Mapa** 3 A5. ***Tel*** *06 6976 3839.* *64, 70, 75.* *9h-12h30, 15h-18h30 diariam (14h30-17h30 inverno).*

Esta igreja ocupa o lugar do Templo de Juno e remonta pelo menos ao século 6º. Ela se destaca por seu teto dourado decorado e uma série de belos afrescos pintados por Pinturicchio por volta de 1480, com cenas da vida de *São Bernardo de Siena*. A imagem de Santo Bambino, considerada milagrosa, foi roubada daqui em 1994 e substituída por uma réplica.

Santa Maria in Aracoeli, com escadaria de mármore e austera fachada

Museus Capitolinos ❶

Palazzo Nuovo

Um acervo de esculturas clássicas está exposto no monte Capitolino desde que o papa Sisto IV doou à cidade uma primeira série de estátuas de bronze, em 1471. Hoje, as pinturas e esculturas ocupam dois palácios projetados por Michelangelo. O Palazzo Nuovo contém uma bela seleção de esculturas gregas e romanas. O acesso é pelo Palazzo dei Conservatori, na frente do Palazzo Nuovo.

LOCALIZE-SE

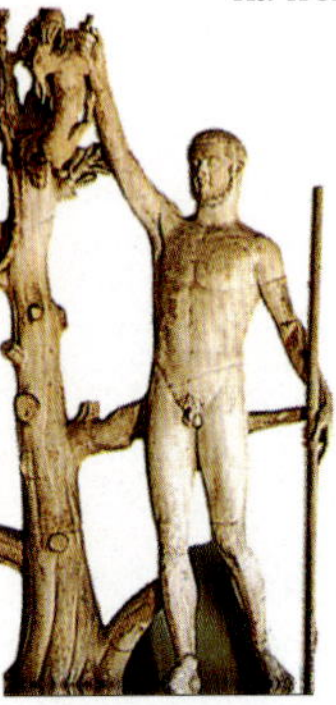

Alexandre Severo, o Caçador
Neste mármore do século 3º, o imperador imita a postura do herói mítico Perseu segurando a cabeça da Medusa após exterminá-la.

Discóbolo
Este corpo torcido era parte de uma estátua grega de um lançador de disco. Um escultor do século 18 transformou-a em um guerreiro ferido.

Mosaico dos Pombos
Este mosaico naturalista do século 1º a.C. já fez parte da decoração do piso da Villa Adriana, em Tivoli (pág. 468).

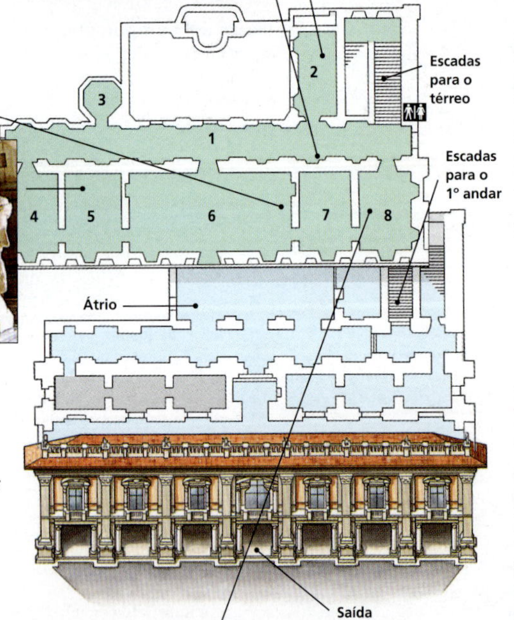

Salão dos Filósofos
Neste salão, estão exibidas réplicas romanas de bustos de políticos, cientistas e poetas gregos. As peças eram usadas para enfeitar as casas de romanos ricos.

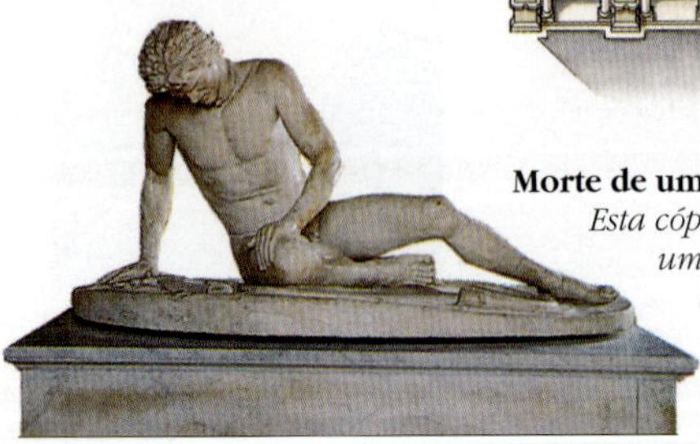

Morte de um Gálata
Esta cópia romana de uma obra grega do século 3º a.C. transmite intensa piedade.

LEGENDA

- Térreo
- Primeiro andar
- Segundo andar
- Área sem exposição

Palazzo dei Conservatori

Neste palácio ficava a sede dos magistrados de Roma no fim da Idade Média. Ainda ocorrem, em seus saguões com afrescos, encontros políticos, e no térreo funciona a central de registros do município. Embora boa parte do *palazzo* seja dedicada a esculturas, como fragmentos de uma enorme escultura de Constantino, as galerias de arte do segundo andar exibem pinturas de Veronese, Tintoretto, Caravaggio, Van Dyck e Ticiano.

PREPARE-SE

Musei Capitolini, Piazza del Campidoglio. Mapa 3 A5.
Tel *06 06 08.*
40, 63, 64, 70, 75, 81, 87 e outras linhas que passam pela Piazza Venezia.
9h 20h ter dom.
1º jan, 1º mai, 25 dez.
o ingresso vale para os dois museus.
www.museicapitolini.org

São João Batista
Caravaggio pintou um retrato sensual (1595-6), nada ortodoxo, do jovem santo acariciando uma ovelha.

Medusa
Este busto de Bernini da mitológica Medusa está na sala 8.

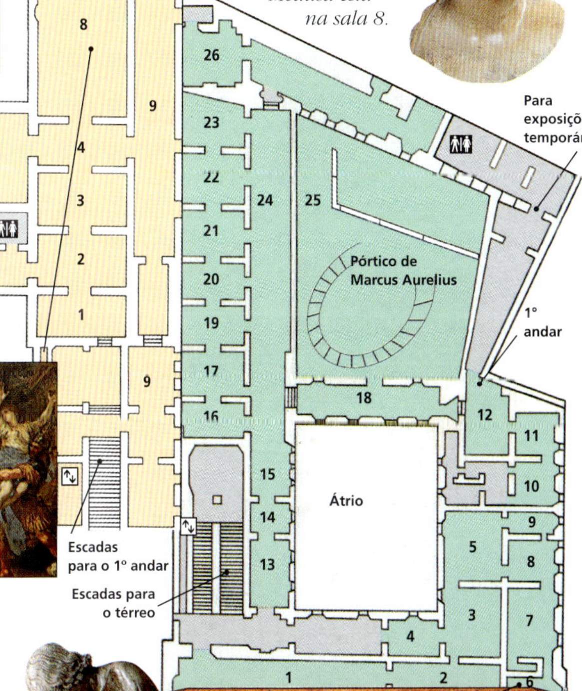

O Rapto das Sabinas
Pietro da Cortona eternizou o sequestro das mulheres sabinas pelos romanos neste quadro de 1629.

Espinho
Esta graciosa escultura de bronze do século 1º a.C. retrata um garoto tentando tirar um espinho do pé.

Fórum de Trajano e Mercados ❹

Mapa 3 B4. **Fórum de Trajano**, Via dei Fori Imperiali. ao público. **Mercados de Trajano**, Via IV Novembre. ***Tel*** *06 6992 35 21.* *9h-18h45 (última admissão: 18h).* *feriados.*

Trajano começou a construir seu fórum em 107, para comemorar a conquista da Dácia (atual Romênia), após as bem-sucedidas campanhas de 101-2 e 105-6. Seu novo fórum era o mais ambicioso da época, com amplo espaço aberto com colunas e uma estátua equestre do imperador, enorme basílica e duas grandes bibliotecas. Hoje o destaque entre as ruínas é a **Coluna de Trajano**, originalmente situada entre as duas bibliotecas. Ao longo de seus 30 metros de altura, foram esculpidas em espiral cenas minuciosas da campanha na Dácia, começando com a preparação dos romanos para a guerra e terminando com a expulsão dos dácios de suas terras. Os relevos foram criados para ser vistos a partir de plataformas existentes nas bibliotecas, e é difícil entendê-los estando no chão. Se quiser examinar as cenas em detalhe, veja as reproduções no Museo della Civiltà Romana *(pág. 442)*.

Coluna de Trajano

Os **mercados**, situados diretamente atrás do fórum, são um pouco anteriores. Foram provavelmente criados por Apollodorus de Damasco, como o fórum, e equivaliam na Roma antiga aos atuais shopping centers. No local havia cerca de 150 lojas que vendiam de tudo –de sedas e especiarias orientais a frutas, peixes e flores. Também era aqui que ocorria a distribuição do *annone*, uma ração gratuita de milho dada aos homens romanos. Essa prática começou durante a República, por iniciativa de políticos que queriam comprar votos ou evitar distúrbios nas épocas de fome.

Via Biberatica, a principal rua dos Mercados de Trajano

RECONSTITUIÇÃO DOS MERCADOS DE TRAJANO

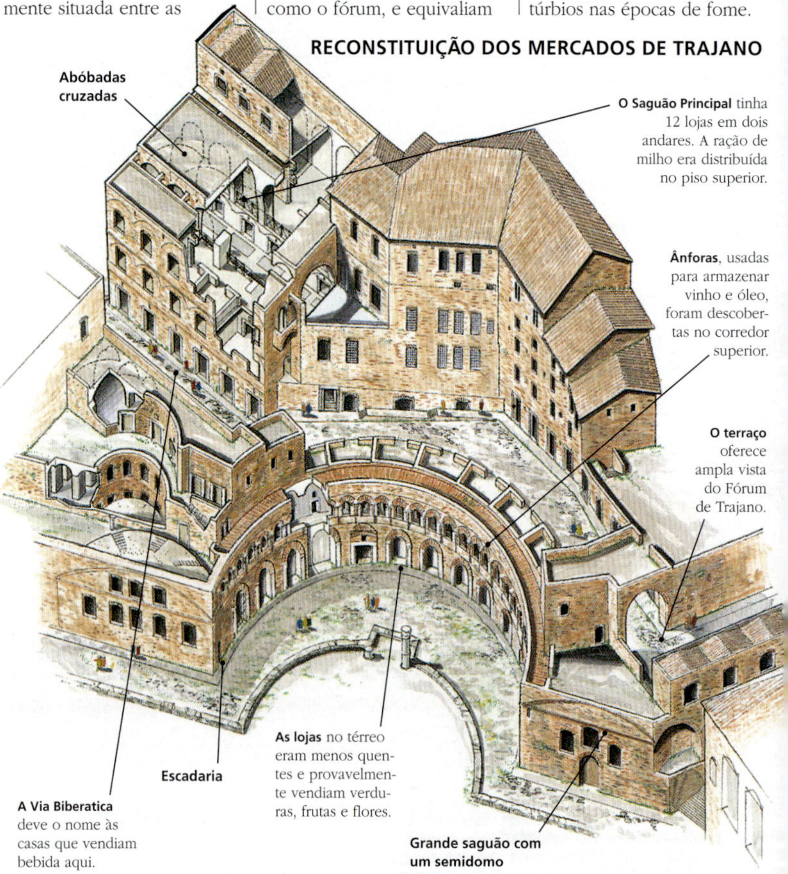

Fórum de Augusto ❺

Piazza del Grillo 1. **Mapa** 3 B5. ***Tel*** *06 06 08.* 🚌 *87, 186.* ◯ *com hora marcada.*

Antigamente, o Fórum de Augusto se estendia de uma alta muralha aos pés de Suburra até a esquina do Fórum de César. Ele foi construído para celebrar a vitória de Augusto em 41 a.C. sobre Bruto e Cássio, assassinos de Júlio César. Por isso, o templo em seu centro foi dedicado a Marte o Vingador. O templo, com degraus com vãos e quatro colunas coríntias, é fácil de ser identificado. Originalmente ostentava uma estátua de Marte muito parecida com Augusto. De qualquer forma, havia uma estátua colossal do imperador situada junto da parede de Suburra.

Gravura do século 19 do Cárcere Mamertino

Cárcere Mamertino ❻

Clivo Argentario 1. **Mapa** 3 B5. ***Tel*** *06 679 29 02.* 🚌 *84, 85, 87, 175, 186.* ● *para reforma. Ligue para 06 06 08 para informações.* **Aceitam-se doações.**

Abaixo da igreja de San Giuseppe dei Falegnami, do século 16, conserva-se uma masmorra úmida onde, segundo a crença cristã, são Pedro e são Paulo teriam ficado presos. Atribui-se a eles a criação de

Pódio do Templo de Marte, no Fórum de Augusto

uma fonte no meio da cela, cujas águas teriam sido usadas para batizar dois guardas. A prisão ficava na antiga cisterna, com acesso ao principal esgoto da cidade (a Cloaca Maxima). Nas celas mais baixas ocorriam as execuções e os corpos eram jogados no esgoto. Muitos presos, entretanto, acabavam morrendo simplesmente de fome.

Fórum de César ❼

Via del Carcere Tulliano. **Mapa** 3 B5. ***Tel*** *06 06 08.* 🚌 *84, 85, 87, 175, 186, 810, 850.* ◯ *com hora marcada, somente para pesquisadores.*

O primeiro Fórum Imperial de Roma foi construído por Júlio César para aliviar o movimento do Fórum Romano quando a população da cidade cresceu demais. César gastou uma fortuna (a maior parte dela saqueada em sua conquista da Gália) para comprar e demolir as casas do local. A maior atração do fórum era um templo dedicado a Venus Genetrix (Vênus a Mãe, de 46 a.C.), pois César dizia-se descendente da deusa. O templo abrigava estátuas de *César, Cleópatra* e *Vênus,* mas de todas as obras restaram apenas uma plataforma e três colunas coríntias. Antigamente, o fórum era fechado por uma colunata dupla, que protegia uma fileira de lojas que se incendiaram em 80 e foram reconstruídas por Domiciano e Trajano. Este acrescentou mais lojas, lavatório público com aquecimento e a Basílica Argentaria, que se tornou uma importante casa financeira.

Face norte do Arco de Constantino

Fórum Romano ❽

Págs. 390-1.

Coliseu ❾

Pág. 393.

Arco de Constantino ❿

Entre Via di San Gregorio e Piazza del Colosseo. **Mapa** 7 A1. 🚌 *75, 85, 87, 110, 175, 673, 810.* 🚋 *3.* Ⓜ *Colosseo.*

O arco é um dos últimos monumentos da Roma imperial, construído em 315, poucos anos antes que Constantino mudasse a capital do Império Bizantino. Ele foi erguido para comemorar a vitória de Constantino em 312 sobre o co-imperador Maxêncio. Constantino atribuiu o sucesso da batalha da ponte Mílvio a um sonho, no qual era aconselhado a gravar as duas primeiras letras gregas do nome de Cristo, *chi-rho,* nos escudos dos soldados. A tradição cristã prefere a versão que diz que o imperador teria visto a Cruz no meio da batalha. No arco, porém, não há referências cristãs: a maioria dos relevos foi copiada de monumentos pagãos.

Palatin ⓫

Págs. 394-5.

Fórum Romano ❽

No início da República, o Fórum era um local caótico, com barracas de comida e prostíbulos ao lado de templos e do Senado. Por volta do século 2º a.C., foi decidido que Roma precisava de um centro mais austero, e as lojas de alimentos foram substituídas por cortes de justiça e centros comerciais. O Fórum continuou sendo o centro cerimonial durante o Império, quando os imperadores reformaram obras antigas e construíram novos templos e monumentos.

Arco de Sétimo Severo
Este arco triunfal foi erguido em 203, no décimo aniversário da chegada do imperador ao poder.

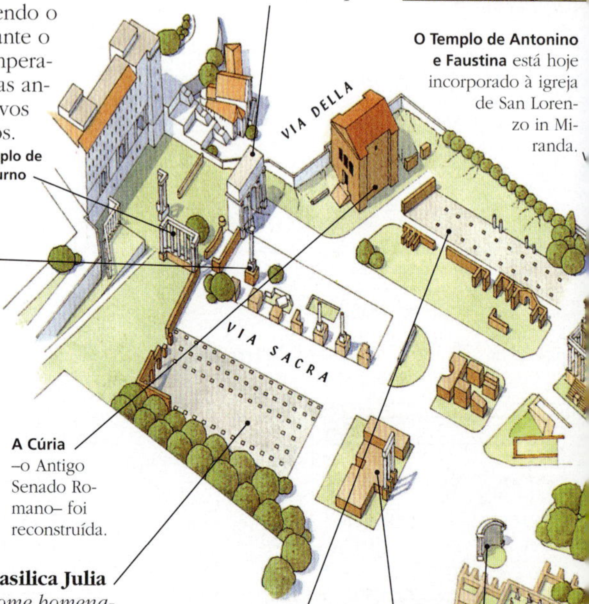

O Templo de Antonino e Faustina está hoje incorporado à igreja de San Lorenzo in Miranda.

Templo de Saturno

A Rostra era a tribuna na qual os oradores faziam seus discursos.

A Cúria –o Antigo Senado Romano– foi reconstruída.

Basilica Julia
O nome homenageia Júlio César, que começou sua construção em 54 a.C. Era a sede da corte de magistrados civis.

Na Basilica Aemilia, realizavam-se negócios e troca de moeda.

Templo de Vesta

Templo de Castor e Pólux
Embora tenha existido um templo neste local desde o século 5º a.C., as colunas e a cornija atuais datam do ano 6, quando o templo foi reconstruído.

PONTOS ALTOS

- ★ Casa das Vestais
- ★ Basílica de Constantino e Maxêncio

0 metros 75

★ Casa das Vestais
As sacerdotisas que vigiavam o Fogo Sagrado do Templo de Vesta viviam aqui. Era uma grande construção retangular, erguida ao redor de um jardim central.

Para hotéis e restaurantes nesta região, ver págs. 587-92 e págs. 636-41

★ Basílica de Constantino e Maxêncio
Restaram apenas as três enormes abóbadas cilíndricas desta basílica, a maior construção do Fórum. Como outras basílicas, ela era usada para assuntos de justiça e negócios.

PREPARE-SE

Entradas: Via della Salara Vecchia 5/6. **Mapa** 3 B5. ***Tel*** *06 39 96 77 00.* *85, 87, 117, 175, 186, 810, 850.* M *Colosseo.* *3.* *8h30-1h antes de anoitecer diariam;* *1º jan, 1º mai, 25 dez.* *também dá acesso ao Coliseu e ao Palatino.*

Arco de Tito
Este arco foi erguido pelo imperador Domiciano no ano 81 para comemorar o saque de Jerusalém por seu pai, Vespasiano, e seu irmão Tito, 13 anos antes.

O Templo de Rômulo, hoje parte da igreja de Santi Cosma e Damiano, situada atrás dele, preserva as portas de bronze originais do século 4º.

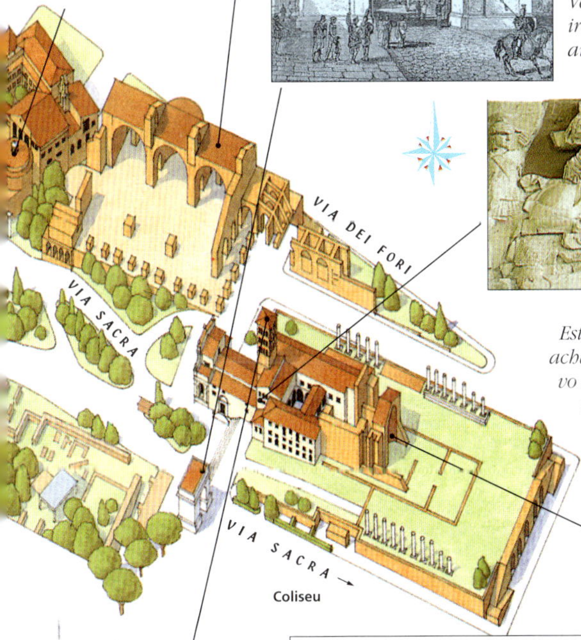

Antiquarium Forense
Este pequeno museu abriga achados do Fórum. Seu acervo inclui desde urnas funerárias da Idade do Ferro até este friso de Eneias da Basilica Aemilia.

O Templo de Vênus e Roma foi construído em 135, em boa parte por Adriano.

Santa Francesca Romana
A torre do sino de Santa Francesca Romana, em estilo românico, ergue-se sobre uma das muitas igrejas construídas entre as ruínas do Fórum.

AS VESTAIS

O culto a Vesta, deusa do fogo, remonta pelo menos ao século 8º a.C. Acreditava-se que Rômulo e Remo eram filhos da vestal Réa e do deus Marte. Seis virgens eram encarregadas de manter acesa a chama de Vesta em seu templo circular. As moças, que vinham de famílias nobres, eram escolhidas entre os seis e dez anos de idade e atuavam como sacerdotisas por 30 anos. Elas desfrutavam elevado reconhecimento social e tinham segurança financeira, mas eram enterradas vivas se perdessem a virgindade e castigadas se a chama se apagasse. Embora pudessem se casar depois de deixar o posto, a maioria continuava solteira.

Estátua de uma Vestal

Como Explorar o Fórum Romano

Colunas coríntias no Templo de Castor e Pólux

Para perceber melhor o conjunto do Fórum Romano, vale a pena observá-lo do alto do monte Capitolino, antes de percorrer suas vias emaranhadas, repletas de ruínas de templos, arcos e basílicas. Daqui, podem-se identificar as principais ruínas e o traçado da Via Sacra. Por este trajeto, que atravessa o Fórum, seguiam os religiosos e as procissões triunfais em direção ao Templo de Júpiter *(pág. 385)*, no Campidoglio.

Principais Atrações

A primeira construção que se vê ao entrar no Fórum é a **Basilica Aemilia**. Este saguão retangular, construído em 179 a.C., era ponto de encontro de agiotas, comerciantes e coletores de impostos. Embora tenha sido preservado pouco mais do que um pavimento de mármore e ruínas de colunas, ainda podem ser encontradas marcas de bronze que teriam sido produzidas por moedas derretidas no incêndio da basílica do século 5º, durante a invasão dos visigodos.

No interior da Cúria, a árida construção de tijolos perto da basílica, estão os **Plutei de Trajano**, painéis em relevo encomendados por Trajano ou Adriano para decorar a Rostra, uma tribuna para discursos públicos. Em um dos painéis, aparecem pilhas de livros de registro de impostos, que Trajano teria destruído para libertar os cidadãos das dívidas. O **Arco de Sétimo Severo** é o mais preservado dos monumentos do Fórum. Os painéis em relevo feitos de mármore retratam vitórias militares do imperador em Pártia (hoje Irã e Iraque) e na Arábia. No **Templo de Saturno**, eram realizadas anualmente, em dezembro, as *Saturnalia*, quando, por mais de uma semana, as escolas fechavam, os escravos comiam com seus senhores, presentes eram trocados e feiras e mercados organizados.

Logo acima das ruínas da Basilica Julia, ficam três colunas e uma fileira de cornija graciosamente esculpida trazidas do **Templo de Castor e Pólux**. Esta notável relíquia é dedicada aos irmãos gêmeos de Helena de Troia, que teriam aparecido na batalha do Lago Regillus em 499 a.C. para ajudar os romanos a derrotar os etruscos.

Parte restaurada do Templo de Vesta

O elegante e circular **Templo de Vesta**, dedicado à deusa do fogo, era um dos santuários mais respeitados da Roma antiga. A chama, mantida acesa pelas vestais, simbolizava a perenidade do império e sua extinção prenunciaria o fim da cidade. O prédio foi parcialmente reconstruído em 1930, mas sua forma circular remonta às cabanas de barro latinas que originalmente ocupavam o local. Logo atrás está a Casa das Vestais, onde viviam as sacerdotisas. Este imenso complexo com 50 quartos era ligado ao templo. Os quartos com vista para o belo pátio central com estátuas das vestais, lagos e roseiras são os mais conservados.

No outro lado do Fórum, estão as extraordinárias ruínas da **Basílica de Constantino**, iniciada em 308 por Maxêncio –o local também é chamado de Basílica de Maxêncio.

Constantino concluiu a construção depois de derrotar seu rival na batalha da ponte Mílvio em 312. Os vestígios dos enormes arcos e do teto indicam o tamanho e a majestade dos edifícios do fórum. Restam três enormes abóbadas em caixotões, que originalmente atingiam mais de 35m de altura e eram revestidas de mármore. As paredes internas, com nichos para estátuas, eram recobertas de mármore na parte inferior e estuque na superior. Os restos de uma escadaria em espiral que levava ao telhado podem ser encontrados pelo chão.

A abside da basílica e os arcos hexagonais foram usados muitas vezes como modelos por arquitetos renascentistas que se esforçavam em imprimir nobreza e simetria clássica em seus trabalhos. Entre eles está Michelangelo, que teria estudado a arquitetura do local para criar o domo da Basílica de São Pedro.

Pátio central da Casa das Vestais

Coliseu (Colosseo) ❾

Escudo do gladiador

O maior anfiteatro de Roma foi encomendado pelo imperador Vespasiano em 72. Imperadores e cidadãos ricos assistiam a combates mortais entre gladiadores e lutas entre animais selvagens. O número de mortes era elevado: nos combates inaugurais, em 80, mais de 9.000 animais ferozes foram mortos. O Coliseu tinha capacidade para 55 mil pessoas, que se distribuíam nos lugares de acordo com sua posição social.

Corredores internos
Estas passagens permitiam que a multidão se acomodasse rapidamente.

PREPARE-SE

Piazza del Colosseo. **Mapa** 7 B1. ***Tel*** *06 39 96 77 00.* *75, 81, 85, 87, 117, 175, 673, 810.* *Colosseo.* *3 para Piazza del Colosseo.* *8h30-uma hora antes de anoitecer diariam.* *1º jan, 1º mai, 25 dez.* *inclui entrada para o Fórum e para o Palatino* *limitado.*

Colosso de Nero
Esta estátua de bronze do palácio de Nero, sobre o qual foi construído o Coliseu, pode ter originado o nome do anfiteatro.

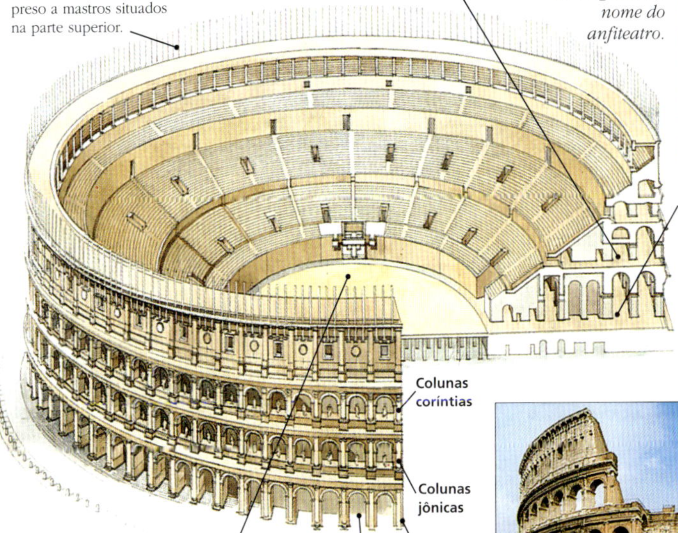

Fachada dórica, jônica e coríntia
A fachada inspirou muitos arquitetos renascentistas, que também pilharam a construção, levando seu mármore travertino para construir palácios e parte da basílica de São Pedro.

Gladiadores romanos
No início eram soldados em treinamento. O combate tornou-se um esporte e escravos, prisioneiros e criminosos eram forçados a enfrentar feras ou homens até a morte.

Imperador Vespasiano
Ele ordenou que o Coliseu fosse erguido no local do palácio de Nero, para diferenciar-se do odiado tirano.

Palatino ⓫

Estátua da deusa Cibele

O Palatino, antiga residência dos imperadores e aristocratas, é o lugar mais agradável da Roma Antiga. Preserva muitas ruínas, que variam desde a simples casa onde teria vivido Augusto até as Domus Flavia e Domus Augustana, ala pública e privada de um luxuoso palácio construído por Domiciano.

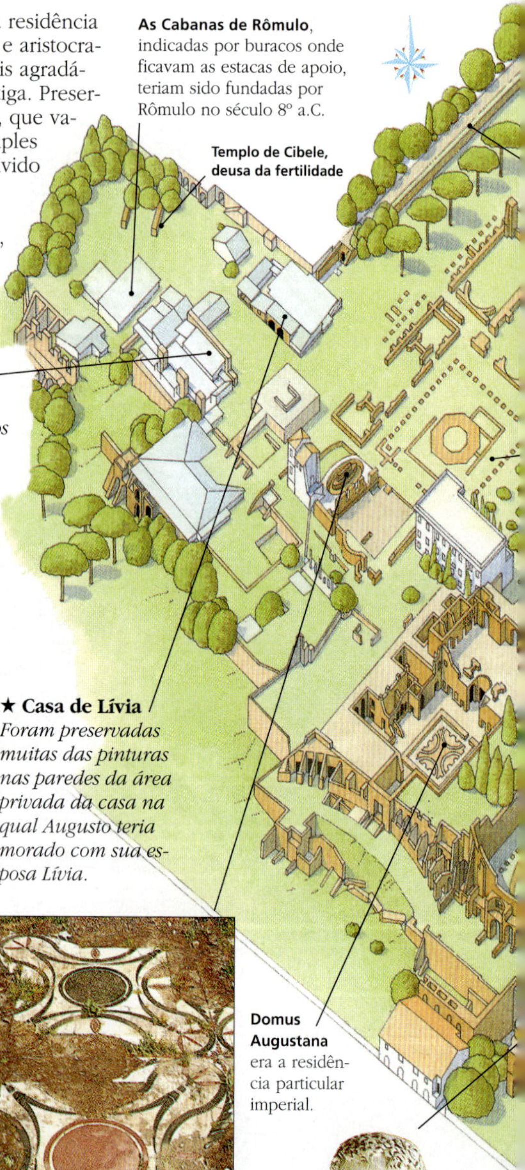

As Cabanas de Rômulo, indicadas por buracos onde ficavam as estacas de apoio, teriam sido fundadas por Rômulo no século 8º a.C.

Templo de Cibele, deusa da fertilidade

★ Casa de Augusto
Aberta ao público em 2008, tem quatro aposentos decorados com afrescos magníficos.

★ Casa de Lívia
Foram preservadas muitas das pinturas nas paredes da área privada da casa na qual Augusto teria morado com sua esposa Lívia.

★ Domus Flavia
O pátio da Domus Flavia exibia um belo piso de mármore colorido. Os poetas romanos a consideravam a villa *mais esplêndida de todas.*

Domus Augustana era a residência particular imperial.

Imperador Sétimo Severo
Em seu reinado (193-211), ele ampliou a Domus Augustana e construiu um notável conjunto de termas.

PONTOS ALTOS
★ Domus Flavia
★ Casa de Lívia
★ Casa de Augusto

0 metros 75

Criptopórtico
Esta galeria subterrânea, elaboradamente decorada com paredes de estuque, foi construída por Nero.

PREPARE-SE

Via di San Gregorio 30. **Mapa** 6 F1. ***Tel*** *06 39 96 77 00.* *75, 85, 87, 117, 175, 186, 810, 850.* *Colosseo.* *3.* *8h30-1h antes de anoitecer diariam.* *1° jan, 25 dez.* *inclui ingresso para o Coliseu, o Fórum e o museu do Palatino.*

O pátio da Domus Flavia foi delimitado por Domiciano com um mármore que servia como espelho, para ele poder ver quem se aproximava (como possíveis assassinos).

A êxedra do stadium pode ter abrigado um balcão.

Entrada do Fórum

Stadium
Parte do palácio imperial, este recinto pode ter sido usado pelos imperadores como jardim particular.

Palácio de Sétimo Severo
Esta ampliação da Domus Augustana estendia-se além da colina, apoiada em arcos gigantes.

UMA HISTÓRIA DO MONTE PALATINO

***Romanos da Decadência*, de Thomas Couture (1815-79)**

Fundação de Roma
Conta a lenda que os gêmeos Rômulo e Remo foram criados no Palatino por uma loba. Após matar seu irmão, Rômulo teria fundado uma aldeia que originaria Roma. Na colina, foram encontrados vestígios de cabanas de barro que remontam ao século 8° a.C., o que dá sustentação arqueológica à essa versão da história.

A República
Por volta do século 1° a.C., o Palatino era o endereço mais desejado de Roma e aqui viviam os cidadãos mais importantes da República. Destacam-se a magnífica *villa* do poeta de versos eróticos Catulo e a do orador Cícero, com portas de marfim, pisos de bronze e paredes com afrescos.

O Império
Augusto nasceu no Palatino em 63 a.C., e continuou vivendo aqui, em uma modesta casa, depois de se tornar imperador. A colina transformou-se em uma recorrente opção de moradia para os imperadores seguintes. A ambiciosa casa de Domiciano, a Domus Flavia (século 1°), e sua ala particular, a Domus Augustana, permaneceram como residência oficial dos imperadores (que passaram a ser chamados de *Augustus*) por mais de 300 anos.

PIAZZA NAVONA

A área ao redor da Piazza Navona, conhecida como *centro storico*, é habitada há mais de 2.000 anos. A Piazza Navona situa-se sobre um antigo estádio romano; o Pantheon é usado como templo desde 27, e o Teatro di Marcello, no Gueto, foi transformado em requintados apartamentos. O apogeu do local começou no século 15, quando o papado retornou a Roma. Durante o Renascimento e a era barroca, príncipes, papas e cardeais viveram aqui, assim como os artistas e artesãos que eles contratavam para construir e decorar maravilhosos palácios, igrejas e fontes.

Detalhe de um sacrário do século 18

PRINCIPAIS ATRAÇÕES

Igrejas e Templos

- Chiesa Nuova 6
- Gesù 13
- La Maddalena 20
- San Luigi dei Francesi 3
- Santa Maria della Pace 5
- Santa Maria sopra Minerva 15
- Sant'Ignazio di Loyola 17
- Sant'Ivo alla Sapienza 2

Museus e Galerias

- Palazzo Doria Pamphilj 14
- Palazzo Spada 10

Marcos de Antiguidade

- Area Sacra di Largo Argentina 12
- Pantheon 16

Construções Históricas

- Palazzo Altemps 4
- Palazzo della Cancelleria 7
- Palazzo Farnese 9

Áreas e Praças Históricas

- Campo de' Fiori 8
- Gueto Judaico e Ilha Tiberina 11
- Piazza Colonna 18
- Piazza di Montecitorio 19
- Piazza Navona 1

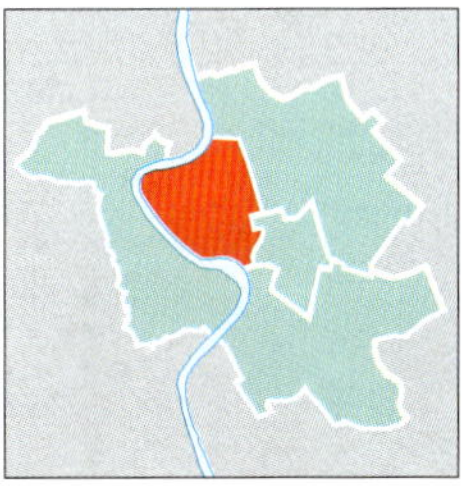

COMO CHEGAR

Corso Vittorio Emanuele II e Corso Rinascimento são as principais vias, mas só o microônibus 116 passa pelo *centro storico*.

LEGENDA

- Mapa Rua a Rua: Piazza Navona *págs. 398-9*
- Mapa Rua a Rua: Pantheon *págs. 402-3*
- Informação turística

◁ **Piazza Navona, com a Fontana del Moro (1653) e a igreja de Sant'Agnese in Agone (século 17)**

Rua a Rua: Piazza Navona

Nenhuma outra praça de Roma compete com o esplendor da Piazza Navona. Seus luxuosos cafés funcionam como centro social da cidade –noite e dia, sempre há algo acontecendo no calçadão ao redor de suas três fontes barrocas. O estilo barroco também está representado em diversas igrejas do local. Para descobrir uma Roma mais antiga, ande pela Via del Governo Vecchio e aprecie as fachadas dos edifícios renascentistas, vasculhe as fascinantes lojas de antiguidades ou almoce em uma das muitas *trattorie*.

A Torre dell'Orologio (1648), de Borromini, fazia parte do Oratorio dei Filippini.

Chiesa Nuova
Esta igreja foi reconstruída em 1575 para a ordem fundada por são Filipe Néri ❻

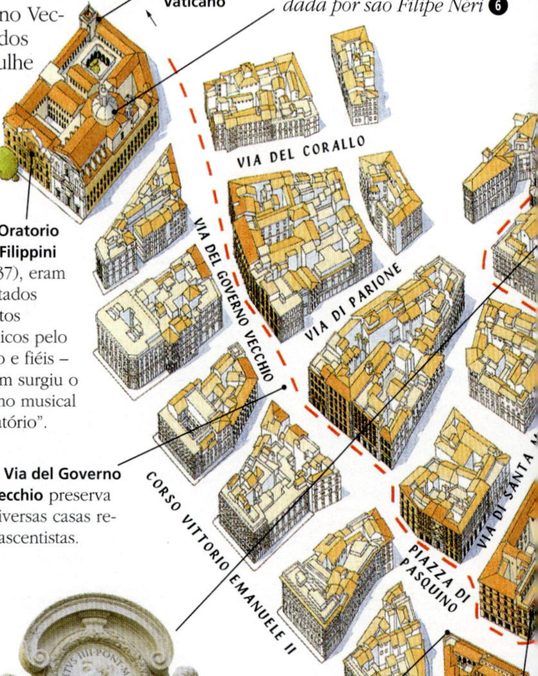

No Oratorio dei Filippini (1637), eram cantados contos bíblicos pelo coro e fiéis – assim surgiu o termo musical "oratório".

A Via del Governo Vecchio preserva diversas casas renascentistas.

Santa Maria della Pace
Esta igreja renascentista exibe afrescos das Quatro Sibilas *e um gracioso átrio de Bramante. O pórtico barroco é de Pietro da Cortona* ❺

PONTO ALTO
★ Piazza Navona

O Pasquino, estátua helenística do século 3º a.C., é Menelau. Desde o século 16, põem-se versos satíricos a seus pés. O prédio é o Palazzo Braschi.

O Palazzo Pamphili, construído para o papa Inocêncio X em meados do século 17, abriga hoje a Embaixada do Brasil.

Palazzo Pamphilj

Fontana del Moro

Campo de' Fiori

Sant'Andrea della Valle, que começou a ser construída em 1591, ostenta vistosa fachada barroca com anjos feitos por Ercole Ferrata. A igreja foi o cenário do primeiro ato da *Tosca*, de Puccini.

LEGENDA

– – – Percurso sugerido

0 metros 75

Para hotéis e restaurantes nesta região, ver págs. 587-92 e págs. 636-41

Sant'Agnese in Agone de Borromini (1657) foi erguida onde a jovem santa Agnes teria sido exposta nua para que renunciasse à sua fé, em 304.

LOCALIZE-SE
Guia de Ruas de Roma, 6 e 7

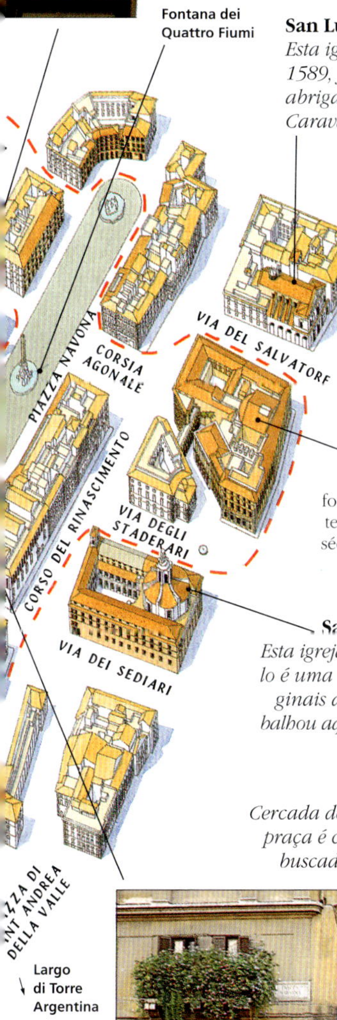

San Luigi dei Francesi
Esta igreja, concluída em 1589, ficou famosa por abrigar três obras de Caravaggio. ❸

O Palazzo Madama, sede do Senado italiano, foi construído originalmente para a família Medici no século 16, no local onde ficava um de seus bancos.

Sant'Ivo alla Sapienza
Esta igreja com domo minúsculo é uma das criações mais originais de Borromini, que trabalhou aqui de 1642 a 1650. ❷

★ Piazza Navona
Cercada de palácios e cafés, esta praça é conhecida por suas rebuscadas fontes barrocas. ❶

Piazza Navona ❶

Mapa 2 E4. 🚌 *40, 46, 62, 64, 81, 87, 116, 492, 628.*

A *piazza* barroca mais bonita de Roma segue o desenho de um estádio do século 1º. construído por Domiciano e usado para competições de atletismo (chamadas de *agones*), corridas de bigas e outros esportes. Ainda podem ser vistos alguns vestígios do estádio abaixo da igreja de Sant'Agnese in Agone, dedicada à virgem martirizada no local por se recusar a casar com um pagão.

A praça começou a ter a aparência atual no século 17, quando o papa Inocêncio X, cuja família tinha um *palazzo* aqui, encomendou uma nova igreja, palácio e fonte. Esta última é a Fontana dei Quattro Fiumi, a obra mais esplendorosa de Bernini, com figuras sentadas em rochas abaixo do obelisco representando os quatro grandes rios do mundo daquele tempo (Nilo, Prata, Ganges e Danúbio). Bernini também criou o mouro da Fontana del Moro, mas a estátua vista atualmente é uma reprodução da original. Até o século 19, a *piazza* inundava em agosto com a interrupção dos escoadouros da fonte. Os ricos escapavam em suas carruagens, enquanto os meninos brincavam na água. Até hoje a *piazza* é o centro social da cidade.

Figura simbólica do rio Nilo, na Fontana dei Quattro Fiumi, de Bernini

Sant'Ivo alla Sapienza ❷

Corso del Rinascimento 40. **Mapa** 2 F4. ***Tel*** *06 361 2562.* *40, 46, 64, 70, 81, 87, 116, 186, 492, 628.* *9h-12h dom.*

Escondida no pátio do Palazzo della Sapienza, local da antiga Universidade de Roma, a igreja de Sant'Ivo preserva um campanário em espiral característico da paisagem romana. Construída por Borromini entre 1642 e 1660, a complexa igreja tem uma engenhosa combinação de superfícies côncavas e convexas. A construção atravessou o reinado de três papas e incorporou seus emblemas: a abelha de Urbano VIII, a pomba e o ramo de oliveira de Inocêncio X e a estrela e as colinas de Alexandre VII.

San Luigi dei Francesi ❸

Piazza di San Luigi de' Francesi 5. **Mapa** F3 e 12 D2. ***Tel*** *06 688 27 1.* *70, 81, 87, 116, 186, 492, 628.* *10h-12h30, 16h-19h diariam.* *qui tarde.*

Representando a Igreja Francesa em Roma, San Luigi é uma construção do século 16 famosa por três magníficas telas de Caravaggio na capela Cerasi. Pintadas entre 1597 e 1602, foram as primeiras obras religiosas importantes do pintor: *Chamamento de São Mateus, Martírio de São Mateus* e *São Mateus e o Anjo*. A primeira versão desta última obra não foi aceita, pois retratava o santo como um velho cansado, com pés sujos.

Detalhe de *Chamamento de São Mateus* (1597-1602), de Caravaggio, em San Luigi dei Francesi

Baixo-relevo do trono de Ludovisi, exposto no Palazzo Altemps

Palazzo Altemps ❹

Via di Sant'Apollinare 46. **Mapa** 2 F3. ***Tel*** *06 39 96 77 00.* *70, 81, 87, 115, 280, 628.* *9h-19h45 ter-dom.* *1° jan, 25 dez.*

Esta filial do Museo Nazionale Romano abriga uma extraordinária coleção de esculturas clássicas *(pág. 412)*. Restaurado como museu nos anos 1990, o palácio original foi construído por Girolamo Riario, sobrinho do papa Sisto IV, em 1480. Na revolta popular que se seguiu à morte do papa em 1484, a construção foi saqueada e Girolamo fugiu da cidade. Em 1568 o palácio foi comprado pelo cardeal Marco Sittico Altemps e renovado, em 1570, por Martino Longhi o Velho, que acrescentou o belvedere coroado pelo obelisco e o unicórnio de mármore.

Os Altemps eram ávidos colecionadores. Estátuas antigas, que complementavam as esculturas de Ludovisi, eram alinhadas no pátio e na escadaria. Um destaque é a estátua *Suicídio de Galateia*, uma cópia em mármore da original de bronze, no Salone del Camino. Também no primeiro piso há o trono de Ludovisi, da Grécia do século 5° a.C. Um dos relevos entalhados mostra uma mulher que representa Afrodite.

***Suicídio de Galateia* no Palazzo Altemps**

Santa Maria della Pace ❺

Vicolo del Arco della Pace 5. **Mapa** 2 E3. ***Tel*** *06 686 11 56.* *46, 62, 64, 70, 81, 87, 116, 492, 628.* *9h-12h seg, qua, sáb.*

Batizada pelo papa Sisto IV para comemorar a paz que ele esperava trazer para a Itália, esta igreja dos anos 1480 guarda o lindo afresco *Sibilas*, de Rafael. O belo claustro, primeira obra de Bramante em Roma, foi acrescentado em 1504, e a fachada foi projetada em 1656 por Pietro de Cortona.

Chiesa Nuova ❻

Piazza della Chiesa Nuova. **Mapa** 2 E4. ***Tel*** *06 687 52 89.* *46, 64.* *8h-12h (até 13h dom), 16h30-19h diariam.*

São Filipe Néri encomendou esta igreja em 1575 para substituir a que o papa Gregório XIII havia dado à sua ordem religiosa. Néri exigia que seus seguidores fossem humildes e escolheu jovens da aristocracia para serem operários na construção. Contra seu desejo, a nave, o domo e a abside foram pintados, após a sua morte, com afrescos de Pietro da Cortona. Há três obras de Rubens ao redor do altar. As primeiras versões foram recusadas. Rubens as refez sobre ardósia e colocou as originais no túmulo de sua mãe, na França.

Palazzo della Cancelleria ❼

Piazza della Cancelleria. **Mapa** 2 E4. ***Tel*** *06 69 89 34 05.* *46, 62, 64, 70, 81, 87, 116, 492.* *com hora marcada (ter de tarde e sáb de manhã).*

Exemplo supremo da sutileza da arquitetura renascentista, este *palazzo* foi iniciado em

Para hotéis e restaurantes nesta região, ver págs. 587-92 e págs. 636-41

1485, e teria sido financiado com o dinheiro de jogo ganho por Raffaele Riario, sobrinho do papa Sisto I. Em 1478, Riario fora envolvido na conspiração dos Pazzi contra os Medici. Então, quando Giovanni de Medici tornou-se o papa Leão XIII, em 1513, vingou-se, tomando o palácio de Riario e transformando-o na chancelaria papal.

A Ilha Tiberina foi ligada ao Trastevere pela Ponte Cestio, em 46 a.C.

Campo de' Fiori ❽

Mapa 2 F4. *116 e linhas para Corso Vittorio e Emanuele II.*

Na Roma medieval e renascentista, esta era uma das áreas mais animadas e pitorescas da cidade. Em seu mercado, nobres e cardeais misturavam-se a peixeiros e estrangeiros. Também foi nesta praça que Caravaggio matou seu adversário após perder uma partida de tênis e, aqui perto, o ourives Cellini assassinou um concorrente. Ainda hoje, o colorido mercado, as *trattorie* e os bares rústicos mantêm a animada atmosfera original.

Durante o Renascimento, a *piazza* foi rodeada de pousadas –no século 15, muitas delas pertenciam à cortesã Vannozza Catanei, amante do papa Alexandre VI.

A praça também era local de execuções. A estátua no centro retrata o filósofo Giordano Bruno, morto por heresia no ano de 1600. Foi queimado aqui, em uma fogueira, por ter afirmado que a Terra girava em torno do Sol.

Barracas de frutas no animado mercado matinal de Campo de' Fiori

Palazzo Farnese ❾

Piazza Farnese. **Mapa** 2 E5. *23, 116, 280 e linhas para Corso Vittorio e Emanuele II.* *ao público.*

Originalmente construído para o cardeal Alessandro Farnese, que em 1534 foi nomeado papa Paulo III, este *palazzo* começou a ser construído por Antonio da Sangallo o Jovem. Após sua morte, Michelangelo assumiu o trabalho e criou a cornija na fachada e o terceiro andar do pátio.

O palácio, onde funciona a Embaixada Francesa, é fechado ao público, mas quando as luzes são acesas à noite, iluminam o teto da Galleria, obra-prima ilusionista (1597-1603) de Annibale Carracci, baseada nas *Metamorfoses* de Ovídio.

Palazzo Spada ❿

Piazza Capo di Ferro 13. **Mapa** 2 F5. ***Tel*** *06 686 11 58.* *23, 116, 280 e linhas para Largo di Torre Argentina.* *8h30-19h30 ter-dom (última admissnao 19h).* *1º jan, 25 dez.*

Uma maravilha em estuque ornamentado com relevos, o Palazzo Spada foi construído em 1550 e comprado pelo cardeal Bernardino Spada em 1637. Patrono das artes, o novo proprietário contratou Borromini para criar a partir do pátio um túnel que parecesse quatro vezes maior do que o real. O magnífico acervo artístico do cardeal, hoje exposto na Galleria Spada, inclui obras de Dürer, Guercino e Artemisia Gentileschi.

Gueto Judaico e Ilha Tiberina ⓫

Mapa 3 A5 e 6 D1. *23, 63, 280 780 e linhas para o Largo di Torre Argentina.*

Os primeiros judeus chegaram a Roma como mercadores no século 2º a.C. e foram valorizados durante o Império Romano por sua habilidade financeira e médica. No século 16, começaram a ser perseguidos pelo papa Paulo IV, que os isolou numa área cercada por muralhas, origem do atual Gueto. Sua principal rua, a Via del Portico d'Ottavia, com muitas lojas e restaurantes de comida judaico-romana, leva à sinagoga central de Roma. A Ponte Fabricio liga o Gueto à ilha Tiberina, local terapêutico desde 293 a.C., quando foi fundado um templo dedicado a Esculápio, deus da cura. Hoje há na ilha um hospital.

Rua a Rua: Arredores do Pantheon

O labirinto de ruas estreitas que cerca o Pantheon reúne animados restaurantes e cafés e oferece algumas das mais belas vistas de Roma. Constitui o centro financeiro e político da cidade, onde ficam o Parlamento, os escritórios governamentais e a Bolsa de Valores. O Pantheon por si só já inspira reverência, sendo há muito um dos símbolos da capital.

Sant'Ignazio di Loyola
Esta igreja exibe um magnífico teto ilusionista pintado por Andrea Pozzo em 1685 17

★ Palazzo Doria Pamphilj
Entre as obras-primas de sua galeria de arte, está Salomé, *pintada por Ticiano em 1516.* 14

O Templo de Adriano constitui atualmente a fachada da Bolsa de Valores.

A Piazza della Minerva ostenta uma bizarra escultura de Bernini, com um elefante apoiando um obelisco egípcio.

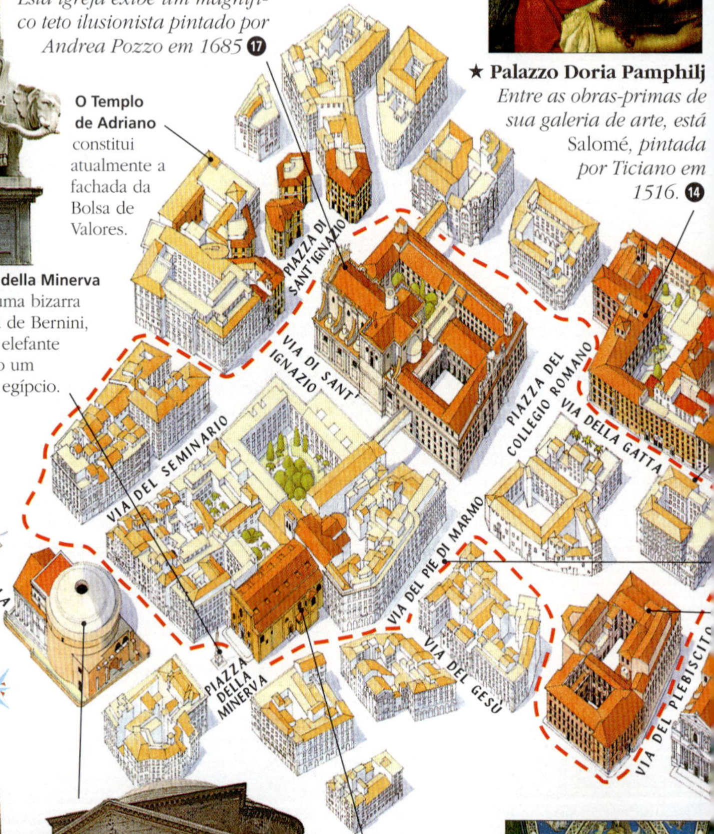

★ Pantheon
Este templo a "todos os deuses" é o edifício antigo mais preservado de Roma. Foi construído no século 1º, provavelmente segundo um projeto do imperador Adriano. 16

Santa Maria sopra Minerva
Esta é uma das poucas igrejas góticas de Roma, com obras de Michelangelo, Bernini e Filippino Lippi. 15

LEGENDA

— — — Percurso sugerido

Para hotéis e restaurantes nesta região, ver págs. 587-92 e págs. 636-41

LOCALIZE-SE
Guia de Ruas de Roma, 6 e 7

A Via della Gatta parece vigiada por esta estátua de mármore de uma *gatta*, que dá nome à ruela.

O Piè' di Marmo, este "pé de mármore", provavelmente era parte de uma estátua gigante do templo da deusa egípcia Ísis.

O Palazzo Altieri incorpora o casebre de uma senhora que se recusou a demolir sua casa quando este palácio foi construído, no século 17.

Gesù

Construída no final do século 16, esta igreja jesuíta serviu de modelo para as igrejas da ordem em todo o mundo. ⓭

PONTOS ALTOS

★ Pantheon

★ Palazzo Doria Pamphilj

0 metros 75

Area Sacra di Largo Argentina ⓬

Largo di Torre Argentina. **Mapa** 2 F5. *40, 46, 62, 64, 70, 81, 87, 186, 492.* *com autorização (pág. 664).*

Na década de 1920, foram descobertas ruínas de quatro templos no centro do Largo Argentina, hoje um agitado terminal de ônibus e cruzamento de vias. Com origem na República, estão entre os mais antigos encontrados em Roma. Para facilitar a identificação, foram chamados de A, B, C e D. O mais antigo (templo C) remonta ao começo do século 3º a.C. e situava-se em uma plataforma elevada, precedida por um altar. Apresenta uma típica planta itálica, em oposição ao modelo grego. O templo A data do século 3º a.C., mas na época medieval a pequena igreja de San Nicola di Cesarini foi erguida sobre seu pódio, e ainda são visíveis os vestígios de suas duas absides. Na parte norte, há fragmentos de uma coluna do Hecatostylum, o Pórtico das Cem Colunas. Durante o Império, foram construídas aqui duas latrinas de mármore, e podem ser vistas as partes remanescentes de uma delas atrás do templo A.

Atrás dos templos B e C, perto da Via di Torre Argentina, há vestígios de uma grande plataforma de blocos de tufa calcária, identificados como parte da Cúria de Pompeu – uma construção retangular onde o Senado se reunia e Júlio César foi assassinado por Bruto, Cássio e seus seguidores em 15 de março de 44 a.C.

Area Sacra, com as ruínas do templo circular B

***Triunfo da Fé sobre a Idolatria*, de Pierre Legros, em Gesù**

Gesù ⓭

Piazza del Gesù. **Mapa** 3 A4. ***Tel*** *06 69 70 01.* *H, 46, 62, 64, 70, 81, 87, 186, 492, 628 e outras linhas.* *7h-12h30 (7h30-13h dom), 16h-19h45 diariam.*

Construída entre 1568 e 1584, Gesù foi a primeira igreja jesuíta de Roma. A ordem dos jesuítas foi fundada na cidade em 1537 por um soldado basco, Inácio de Loyola, que se converteu ao cristianismo depois de ferido em uma batalha. Bastante austera, a ordem destacou-se pela dedicação a atividades intelectuais e missionárias –como as missões de colonização no Brasil.

Esta igreja exemplifica a arquitetura da Contrarreforma, com uma nave grande, dois púlpitos laterais para a pregação e um altar principal para a celebração da missa. Seu projeto foi copiado várias vezes. A decoração ilusionística do teto da nave e domo foi criada por Il Baciccia no século 17.

Na nave, pode ser visto o *Triunfo do Nome de Jesus*, anunciando que apenas os seguidores da fé cristã serão levados ao reino dos céus. A mensagem é reforçada na Cappella di Sant'Ignazio, uma rica obra de lápis-lazúli, serpentina, ouro e prata. O mármore barroco esculpido por Legros, *Triunfo da Fé sobre a Idolatria*, mostra a Religião representada por uma mulher esmagando a cabeça da serpente Idolatria, enquanto na obra *Bárbaros Adorando a Fé*, de Théudon, um anjo agride velhos bárbaros envolvidos por uma cobra.

Palazzo Doria Pamphilj ⓮

Via del Corso 305. **Mapa** 3 A3. ***Tel*** *06 679 73 23. 64, 81, 85, 117, 119, 492. 10h-17h seg-sáb. qui, 1° jan, Páscoa, 1° mai, 15 ago, 1° nov, 25 dez. marcar hora para visitar as áreas privadas.*

Este grande edifício no centro de Roma preserva partes antigas que remontam a 1435. Quando a família Pamphilj assumiu o local em 1647, construiu uma nova ala, uma esplêndida capela e um teatro.

O acervo da família reúne mais de 400 quadros pintados entre os séculos 15 e 18, entre eles um retrato do *Papa Inocêncio X*, de Velázquez, e obras de Ticiano, Guercino, Caravaggio e Claude Lorrain. Os quartos da área privativa mantêm diversos móveis originais, Gobelins, tapeçarias de Bruxelas e candelabros de vidro da ilha de Murano.

Papa Inocêncio X **(1650), Velázquez**

Santa Maria sopra Minerva ⓯

Piazza della Minerva 42. **Mapa** 3 A4. ***Tel*** *06 679 39 26. 116 e muitas outras linhas. 7h-19h seg-sáb; 8h-13h, 14h-19h dom.*

Uma das raras construções góticas de Roma, esta igreja foi erguida no século 13 sobre o que se acreditava ser as ruínas do Templo de Minerva. Serviu de fortaleza aos dominicanos, alguns dos mais perversos inquisidores da Igreja. Galileu Galilei, por exemplo, foi julgado no mosteiro anexo.

A igreja abriga um lindo acervo de telas e esculturas, que inclui desde túmulos de cosmatescos do século 13 até um busto de Bernini. Entre os destaques estão *Anunciação*, de Antoniazzo Romano, representando o cardeal Juan de Torquemada, tio do famoso inquisidor espanhol, e a capela Carafa, com afrescos de Filippino Lippi.

Na capela Aldobrandini, encontram-se os túmulos dos papas Leão X e seu primo Clemente VII, do século 16, ambos membros da família Medici. Perto dos degraus do coro, vê-se um *Cristo Ressuscitado*, iniciado por Michelangelo.

A igreja também abriga os túmulos de muitos italianos famosos, como santa Catarina de Siena, que morreu em 1380, e o frei dominicano e pintor Fra Angelico, falecido em 1455. No exterior, há uma espetacular escultura representando um elefante, feita por Bernini.

Interior do Pantheon, local onde eram enterrados os monarcas italianos

Nave abobadada da igreja Santa Maria sopra Minerva

Pantheon ⓰

Piazza della Rotonda. **Mapa** 3 A4. ***Tel*** *06 68 30 02 30. 116 e muitas outras linhas. 8h30-19h30 diariam (9h-18h dom). 1° jan, 1° mai, 25 dez.*

Templo de todos os deuses, o Pantheon é a construção antiga mais extraordinária e bem preservada de Roma. O primeiro templo erguido no local apresentava um projeto retangular convencional, criado por Agripa entre 27 e 25 a.C. A atual estrutura foi erguida –e talvez até projetada– pelo imperador Adriano em 118.

Um pórtico com frontão triangular esconde uma imensa estrutura cilíndrica. Mas só se pode apreciar a verdadeira dimensão e beleza do local do lado de dentro: um amplo domo hemisférico com raio equivalente à altura do cilindro garante proporções harmoniosas e perfeitas ao edifício. O óculo, uma abertura circular, permite a entrada da luz.

No século 17, os cristãos diziam que o local estava tomado por demônios, e o Pantheon foi transformado em uma igreja. Hoje, a construção abriga diversos túmulos, que variam de um sóbrio monumento a Rafael até um imenso sarcófago de mármore onde estão enterrados os reis italianos.

Para hotéis e restaurantes nesta região, ver págs. 587-92 e págs. 636-41

Sant'Ignazio di Loyola 17

Piazza di Sant'Ignazio. **Mapa** 3 A4. ***Tel*** *06 679 44 06.* *117, 119, 492.* *7h30-19h diariam.*

Esta igreja foi construída pelo papa Gregório XV em 1626, em homenagem a são Inácio de Loyola, fundador da Companhia de Jesus e maior representante do espírito da Contrarreforma. Juntamente com Gesù *(pág. 403)*, Sant' Ignazio constitui o centro da área jesuíta de Roma. Uma das igrejas barrocas mais extravagantes, ostenta um amplo interior revestido com pedras preciosas, mármore, estuque e dourado, criando um cenário quase teatral. A igreja tem uma planta em cruz latina, com abside e diversas capelas laterais. Planejava-se adicionar uma cúpula, mas nunca foi construída, pois as religiosas de um convento próximo alegaram que a obra obstruiria a vista que tinham a partir de seu terraço. Em seu lugar, foi pintado um domo em perspectiva.

Ainda mais impressionante é o teto ilusionista criado pelo artista Andrea Pozzo em 1685, ressaltando o êxito das missões jesuítas pelo mundo afora. Podem ser vistas as figuras de quatro mulheres representando Ásia, Europa, América e África, encimadas por graciosos anjos e jovens convidados a entrar em um lindo céu.

Detalhe da Coluna de Marco Aurélio, de 180, na Piazza Colonna

Piazza Colonna 18

Mapa 3 A3. *95, 116, 492.*

Nesta praça fica o Palazzo Chigi, residência oficial do primeiro-ministro italiano. Seu nome vem da majestosa Coluna de Marco Aurélio, erguida no centro da praça após a morte do imperador, em 180, para celebrar sua vitória sobre os bárbaros do Danúbio. Trata-se de uma clara imitação da Coluna de Trajano *(pág. 388)*, com cenas das guerras recriadas em relevos por toda a coluna. O intervalo de 80 anos entre as duas obras revela uma grande mudança artística: as guerras de Marco Aurélio são retratadas com imagens simplificadas em relevos mais marcantes, sacrificando as proporções clássicas em nome da clareza.

Teto ilusionista, pintado por Andrea Pozzo na Sant'Ignazio di Loyola

Piazza di Montecitorio 19

Mapa 3 A3. **Palazzo di Montecitorio** ***Tel*** *06 676 01.* *116* *10h-18h30 1º dom do mês.*

O obelisco no centro desta praça formava a estrutura central de um imenso relógio de sol trazido do Egito por Augusto. Desaparecido no século 9º, foi redescoberto durante o reinado de Júlio II (1503-13), embaixo de casas medievais.

A paisagem da praça é dominada pelo Palazzo di Montecitorio, projetado por Bernini e concluído, após sua morte, por Carlo Fontana, em 1697. Desde o final do século 19, o palácio sedia a Câmara de Deputados.

Fachada em estuque da La Maddalena

La Maddalena 20

Piazza della Maddalena. **Mapa** 3 A3. ***Tel*** *06 89 92 81.* *1116 e várias outras linhas.* *8h-12h (9h30 sáb e dom), 17h-20h diariam.*

Situada em uma pequena *piazza* perto do Pantheon, a Maddalena exibe uma fachada em estilo rococó construída em 1735, que sintetiza a paixão do barroco tardio pela luz e movimento. A fachada passou por restauração, apesar dos protestos dos neoclassicistas que criticaram o estuque pintado.

A pequena dimensão da igreja não impediu que os decoradores dos séculos 17 e 18 lotassem seu interior de pinturas e enfeites, do chão até o alto da elegante cúpula.

NORDESTE DE ROMA

Esta parte da cidade estende-se das ruas comerciais que rodeiam a Piazza di Spagna até o monte Esquilino, que já foi um local burguês, mas hoje exibe grande pobreza e muitas igrejas antigas. A área da Piazza di Spagna e a da Piazza del Popolo cresceram no século 16, quando uma nova estrada foi construída até o Vaticano para acolher o número crescente de peregrinos. Na mesma época, o monte Quirinale passou a abrigar o palácio papal. Quando Roma tornou-se a capital da Itália, em 1870, a Via Veneto transformou-se em uma requintada área residencial, e foram construídos, no Esquilino, apartamentos para os novos funcionários públicos.

Fonte do Leão, na Piazza del Popolo

PRINCIPAIS ATRAÇÕES

Igrejas
San Carlo alle Quattro Fontane 8
San Pietro in Vincoli 14
Sant'Andrea al Quirinale 7
Santa Maria della Concezione 10
Santa Maria del Popolo 3
Santa Maria della Vittoria 11
Santa Maria Maggiore 15
Santa Prassede 13

Museus e Galerias
Museo Nazionale Romano 12
Palazzo Barberini 9

Marcos da Antiguidade
Ara Pacis 4
Mausoléu de Augusto 5

Construções Históricas
Villa Medici 2

Praças e Fontes
Piazza di Spagna e Scalinata di Spagna 1
Fontana di Trevi 6

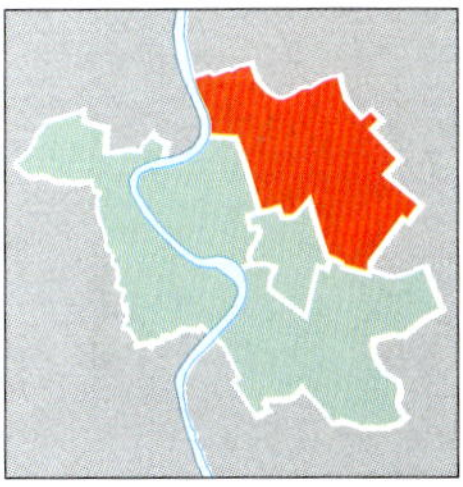

COMO CHEGAR

As estações de metrô Repubblica, Barberini e Spagna (linha A) percorrem a área entre Termini e a Piazza del Popolo. O ônibus 16 liga Termini a Santa Maria Maggiore, passando pela Via Merulana.

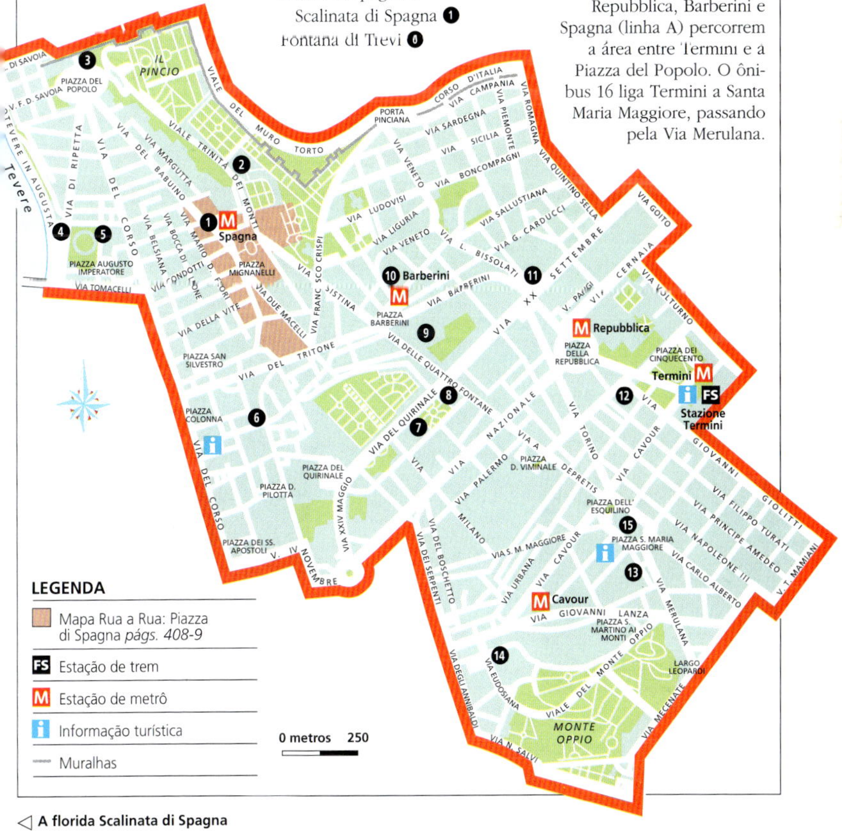

LEGENDA

- Mapa Rua a Rua: Piazza di Spagna *págs. 408-9*
- FS Estação de trem
- M Estação de metrô
- i Informação turística
- Muralhas

◁ **A florida Scalinata di Spagna**

Rua a Rua: Piazza di Spagna

O emaranhado de ruas estreitas ao redor da Piazza di Spagna constitui uma das áreas mais seletas de Roma. Tanto turistas como romanos são atraídos pelas elegantes lojas da Via Condotti, e há muito a praça e os cafés da redondeza reúnem quem quer ver e ser visto. No século 18, a área estava repleta de hotéis frequentados por aristocratas, artistas, escritores e compositores que apreciavam a intensa história e cultura da cidade.

O Caffè Greco existe desde o século 18 e já foi frequentado por escritores e músicos como Keats, Goethe, Byron, Liszt e Wagner.

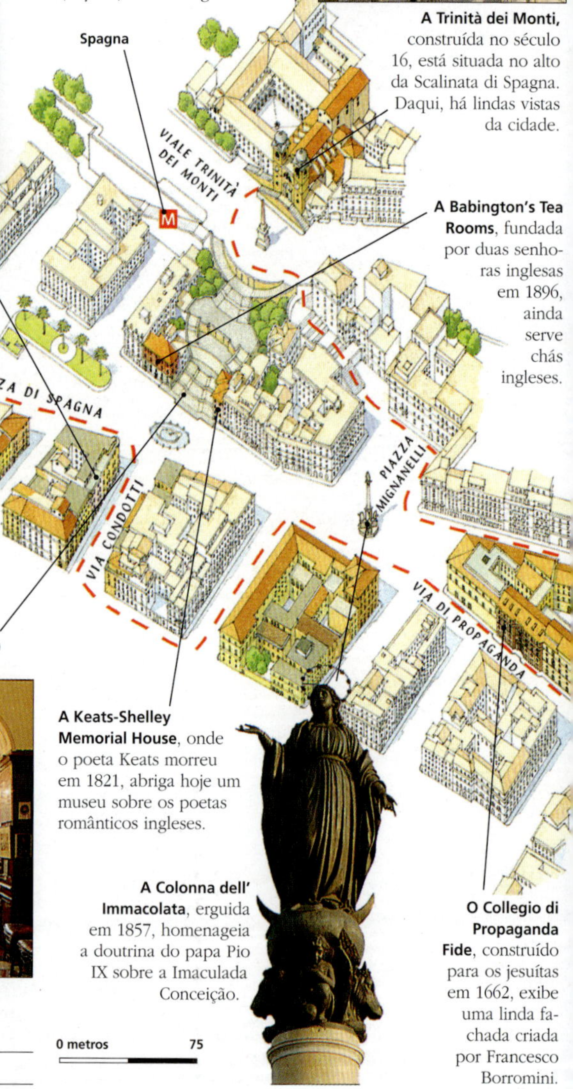

A Trinità dei Monti, construída no século 16, está situada no alto da Scalinata di Spagna. Daqui, há lindas vistas da cidade.

A Babington's Tea Rooms, fundada por duas senhoras inglesas em 1896, ainda serve chás ingleses.

★ Piazza di Spagna e Scalinata di Spagna
Ambos os locais formam o centro da Roma turística desde o século 18 ❶

A Keats-Shelley Memorial House, onde o poeta Keats morreu em 1821, abriga hoje um museu sobre os poetas românticos ingleses.

A Colonna dell' Immacolata, erguida em 1857, homenageia a doutrina do papa Pio IX sobre a Imaculada Conceição.

O Collegio di Propaganda Fide, construído para os jesuítas em 1662, exibe uma linda fachada criada por Francesco Borromini.

LEGENDA

– – – Percurso sugerido

0 metros 75

Para hotéis e restaurantes nesta região, ver págs. 587-92 e págs. 636-41

LOCALIZE-SE
Guia de Ruas de Roma, 6 e 7

A Sant'Andrea delle Fratte abriga dois *Anjos* de Bernini (1669). Foram criados para a Ponte Sant'Angelo, mas o papa Clemente X os achou muito bonitos para ficarem ao ar livre.

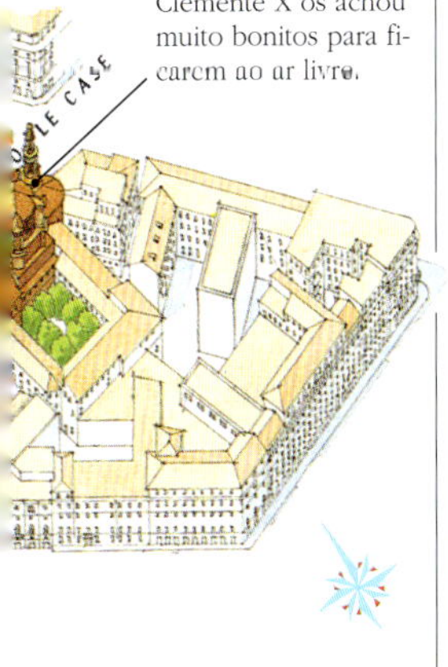

PONTO ALTO

★ Piazza di Spagna e Scalinata di Spagna

A Fontana della Barcaccia, aos pés da Scalinata di Spagna

Piazza di Spagna e Scalinata di Spagna ❶

Mapa 3 A2. 🚌 *116, 117.* Ⓜ *Spagna.*

Esta é a praça mais famosa de Roma, sempre repleta de pessoas tanto durante o dia, como nas noites de verão. Deve seu nome ao Palazzo di Spagna, construído no século 17 para sediar a Embaixada da Espanha na Santa Sé.

Há muito tempo esta agradável *piazza* acolhe estrangeiros e exilados. Nos séculos 18 e 19, esta área constituía o principal centro hoteleiro da cidade. Alguns viajantes vinham em busca de conhecimento e inspiração, embora a maioria queria na verdade estátuas para enfeitar suas casas. Quando o romancista Charles Dickens visitou o local, registrou que a Scalinata di Spagna ficava cheia de modelos vestidos de madonas, santos e imperadores, na esperança de serem vistos por artistas estrangeiros.

A escadaria foi construída por volta de 1720 para ligar a praça à igreja francesa Trinità dei Monti. Os franceses queriam colocar uma estátua de Luís XIV no alto, mas o papa recusou a ideia. Apenas anos depois, o arquiteto italiano Francesco de Sanctis criou a obra rococó que agradou a ambos os lados. A Fontana della Barcaccia, situada na calçada, aos pés da escadaria devido à baixa pressão da água, foi criada por Pietro Bernini, menos famoso que seu filho.

Villa Medici ❷

Accademia di Francia a Roma, Viale Trinità dei Monti 1. **Mapa** 3 B1. ***Tel*** *06 67 611.* 🚌 *117.* Ⓜ *Spagna.* ◯ *visita aos jardins: 10h30, 11h45, 14h, 15h15 diariam.* *obrigatória.*

Situada no monte Pincio, esta *villa* do século 16 mantém o nome que ganhou quando o cardeal Ferdinando de' Medici a comprou em 1576. Hoje, abriga a Academia Francesa, fundada em 1666 para dar aos artistas a oportunidade de estudar em Roma. A partir de 1803, os músicos começaram a ser aceitos, e tanto Berlioz como Debussy passaram por aqui. A *villa* abre para o público apenas para exposições, mas seus jardins clássicos – que exibem cópias de estátuas antigas e um pavilhão com afrescos– podem ser visitados em determinados meses.

Esta gravura do século 19 mostra a fachada da Villa Medici

Afresco *Sibilas de Delfos*, de Pinturicchio, em Santa Maria del Popolo

Santa Maria del Popolo ❸

Piazza del Popolo 12. **Mapa** 2 F1. ***Tel*** *06 361 08 36.* 🚌 *95, 117, 119, 490, 495, 926.* Ⓜ *Flaminio.* 🕐 *7h30-12h, 16h-19h seg-sáb; 7h30-13h30, 16h30-19h30 dom.*

Santa Maria del Popolo foi uma das primeiras igrejas renascentistas de Roma, encomendada pelo papa Sisto IV della Rovere em 1472. Graças aos dotes generosos dos descendentes de Sisto e de outras famílias poderosas, tornou-se um dos maiores depósitos de tesouros artísticos de Roma.

Pouco depois da morte de Sisto, em 1484, Pinturicchio e seus seguidores decoraram com afrescos duas capelas (a primeira e a terceira à direita) para a família Della Rovere. No altar da primeira capela vê-se um belo *Natividade* de 1490, com um estábulo aos pés de uma coluna clássica.

Em 1503 Giuliano, sobrinho de Sisto IV, tornou-se o papa Júlio II e encomendou a Bramante uma nova abside. Novamente, Pinturicchio foi chamado para pintar as abóbadas com sibilas e apóstolos, emoldurados por um complexo rendilhado de animais fantásticos.

Em 1513 Rafael criou a capela Chigi (segunda à esquerda) para o rico banqueiro Agostino Chigi. O projeto é uma fusão renascentista de elementos sacros e profanos; há túmulos com forma de pirâmides e um teto com mosaico, mostrando Deus com os signos do zodíaco, descrevendo o horóscopo de Chigi. Rafael morreu antes de concluir a capela, que Bernini completou, acrescentando as estátuas de Daniel e Habakkuk. Na capela Cerasi, à esquerda do altar, há duas obras realistas pintadas por Caravaggio em 1601: *Conversão de São Paulo* e *Crucificação de São Pedro*. A dramaticidade se deve aos ousados efeitos de luz.

Detalhe de friso de Ara Pacis

Ara Pacis ❹

Lungotevere in Augusta. **Mapa** 2 F2. ***Tel*** *06 06 08.* 🚌 *70, 81, 117, 119, 186, 628.* 🕐 *9h-19h ter-dom (última admissnao 18h).* ♿ **www**.arapacis.it

Reconstruído durante anos a partir de fragmentos dispersos, o Ara Pacis (Altar da Paz) celebra a paz estabelecida no Mediterrâneo pelo imperador Augusto. Encomendado pelo Senado em 13 a.C. e concluído quatro anos depois, o altar fica em um recinto de mármore de Carrara, esculpido com relevos realistas de qualidade que os especialistas suspeitam ter sido de autoria de um grego.

Os relevos das paredes norte e sul retratam um desfile que ocorreu em 4 de julho de 13 a.C. Também podem ser identificados na obra familiares do imperador, entre eles o pequeno Lúcio, neto de Augusto, agarrado nas saias de sua mãe, Antônia. O Altar está atualmente abrigado em um prédio do arquiteto Richard Meier.

Mausoléu de Augusto ❺

Piazza Augusto Imperatore. **Mapa** 2 F2. ***Tel*** *06 06 08.* 🚌 *81, 117, 492, 628, 926.* 🕐 *com hora marcada apenas: precisa pedir permissão.* ♿

Hoje apenas uma simples elevação coberta com ciprestes e palha, este já foi o cemitério mais famoso de Roma. Augusto mandou construir o mausoléu em 28 a.C., um ano antes de se tornar governante único, para servir de túmulo para ele e seus descendentes. A construção circular tinha 87m de diâmetro e dois obeliscos (hoje na Piazza del Quirinale e na Piazza dell' Esquilino) na entrada. No interior, quatro passagens concêntricas ligadas por corredores acomodavam as urnas com cinzas da família imperial, entre elas a de Augusto, morto em 14.

Fontana de Trevi ❻

Piazza di Trevi. **Mapa** 3 B3. 🚌 *116 e muitas outras linhas.*

A maior e mais famosa fonte de Roma, criada por Nicola Salvi, foi concluída em 1762. No centro está a figura de Netuno com dois tritões: um tentando domar um cavalo-mari-

Fontana di Trevi, a maior e mais famosa fonte de Roma

Para hotéis e restaurantes nesta região, ver págs. 587-92 e págs. 636-41

nho rebelde e outro conduzindo um animal mais tranquilo, em uma referência às diferentes condições do mar.

Originalmente, o local marcava o fim do aqueduto Aqua Virgo, construído em 19 a.C. por Agripa, genro e braço direito de Augusto, para canalizar água para as novas termas romanas. Um dos relevos do primeiro andar mostra uma jovem, Trivia, que pode ter dado nome à fonte. Acredita-se que ela tenha sido a primeira pessoa a mostrar a nascente, a 22km da cidade, a soldados sedentos.

Sant'Andrea al Quirinale

Sant'Andrea al Quirinale ❼

Via del Quirinale 29. **Mapa** 3 C3. ***Tel*** *06 474 48 72.* *116, 117.* *8h30-12h, 15h30-19h diariam.*

Sant'Andrea foi projetada para os jesuítas por Bernini e construída por seus assistentes entre 1658 e 1670. O local era largo, mas raso, e por isso Bernini teve a radical ideia de direcionar o longo eixo da planta (que tinha formato oval) para os lados –para garantir que os olhos se voltassem para o altar, usou uma cornija horizontal bem marcada. No altar, ele combinou escultura e pintura para criar uma impressionante crucificação de santo André: o santo crucificado olha para cima, para uma efígie em estuque com sua imagem elevando-se para a lanterna, onde querubins e o Espírito Santo o esperam no Céu.

Domo de San Carlo alle Quattro Fontane, de Borromini

San Carlo alle Quattro Fontane ❽

Via del Quirinale 23. **Mapa** 3 C3. ***Tel*** *06 488 32 61.* *116 e linhas para a Piazza Barberini.* *Barberini.* *10h-13h, 15h-18h diariam; manhã sáb e dom.*

Em 1638, os trinitarianos encomendaram a Borromini o projeto de uma igreja e um convento a serem erguidos em um local minúsculo no cruzamento das Quattro Fontane. A igreja, tão pequena que (diz-se) caberia em uma das pilastras da basílica de São Pedro, é muito bem projetada, com audaciosas curvas que lhe dão luz e vida na fachada e no interior. O domo, com janelas ocultas, caixotões ilusionistas e uma minúscula lanterna que o fazem parecer maior, é bem engenhoso.

Palazzo Barberini ❾

Via delle Quattro Fontane 13. **Mapa** 3 C2. ***Tel*** *06 482 41 84.* *52, 53, 61, 62, 63, 80, 95, 116, 175, 492, 590.* *Barberini.* *8h30-19h ter-dom.* *feriados.* **www**.galleriaborghese.it

Maffei Barberini tornou-se o papa Urbano VIII em 1623 e decidiu erguer um grande *palazzo* para sua família. A construção hoje dá vistas para a Piazza Barberini –marcada pelo trânsito e pela fonte de Bernini–, mas foi concebida por Carlo Maderno para ser uma típica *villa* rural nos arredores da cidade. Maderno morreu logo após a colocação dos alicerces e Bernini e Borromini assumiram a obra.

O ambiente mais impressionante é o Gran Salone, com um teto ilusionista com afrescos pintados por Pietro da Cortona em 1633-9.

Detalhe de afresco do teto, Palazzo Barberini

O *palazzo* também abriga parte da Galleria Nazionale d'Arte Antica, com obras de Ticiano, Filippo Lippi, Caravaggio e Artemisia Gentileschi.

O mais famoso é um retrato de uma cortesã, suposta amante de Rafael, *La Fornarina*, mas o quadro não foi pintado pelo próprio.

Santa Maria della Concezione ❿

Via Veneto 27. **Mapa** 3 C2. ***Tel*** *06 487 11 85.* *52, 53, 61, 62, 63, 80, 95, 116, 175.* *Barberini.* **Cripta** *9h-12h, 15h-18h diariam.*

Sob esta despojada igreja situada na Via Veneto há uma cripta recoberta com fragmentos de esqueletos de 4.000 monges capuchinhos. Eles são uma lembrança macabra da efemeridade da vida, com vértebras ligadas formando sagrados corações e coroas de espinhos. Em uma capela há o esqueleto de uma pequena princesa de Barberini.

Santa Maria della Vittoria ⓫

Via XX Settembre 17. **Mapa** 4 D2. ***Tel*** *06 42 74 05 71. 61, 62, 84, 175, 910. Repubblica. 9h-12h seg-sáb, 15h30-18h30 diariam.*

Santa Maria della Vittoria é uma aconchegante igreja barroca com luz de velas. Na capela Cornaro (quarta à esquerda) está uma das esculturas mais ambiciosas de Bernini, o *Êxtase de Santa Teresa* (1646). É evidente a natureza física do êxtase da santa, pois ela aparece desfalecida sobre uma nuvem, com a boca entreaberta e os olhos fechados, atingida pela flecha de um anjo sorridente. Membros eclesiásticos do passado e do presente da família Cornaro, de Veneza, que encomendou a capela, aparecem sentados em camarotes, como espectadores.

Êxtase de Santa Teresa, **de Bernini, em Santa Maria della Vittoria**

Museo Nazionale Romano ⓬

Palazzo Massimo, Largo di Villa Peretti 1 (é uma de 5 atrações). **Mapa** 4 E3. ***Tel*** *06 481 55 76. linhas para Termini. Repubblica. 9h-19h45 ter-dom. ingresso válido para todas as atrações.*

Fundado em 1889, o Museo Nazionale Romano é um dos principais museus de arte clássica. A maioria das antiguidades encontradas em Roma desde 1870 está aqui, além do importante acervo já existente. Durante a década de 1990 sofreu uma grande reorganização e agora tem cinco partes: o Palazzo Altemps *(pág. 400)*; as Termas de Diocleciano; a Aula Octagona, a Cripta Balbi e o Palazzo Massimo. No último, exposições do século 2º a.C. ao 4º ocupam uma série de salas em três andares. Os destaques da coleção são os belíssimos mosaicos *Quattro Aurighe* encontrados em uma *villa* ao norte de Roma, a impressionante série de afrescos da *villa* de verão de Lívia e a famosa estátua de seu marido, o imperador Augusto.

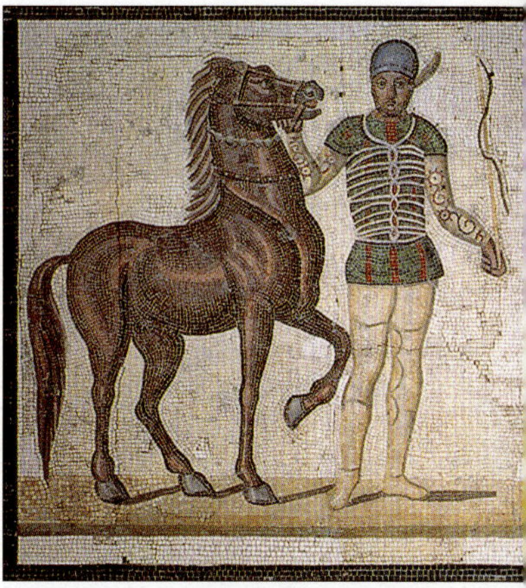

Um dos detalhados mosaicos Quattro Aurighe em exposição no Museo Nazionale Romano

Santa Prassede ⓭

Via Santa Prassede 9a. **Mapa** 4 D5. ***Tel*** *06 488 24 56. 16, 70, 71, 75, 714. Vittorio Emanuele. 7h30-12h, 16h-18h30 diariam.*

A igreja foi fundada pelo papa Pascoal II no século 9º e decorada por artistas de Bizâncio com vistosos mosaicos, os mais importantes de Roma. Na abside, vê-se Cristo entre santa Prassede e sua irmã, as duas vestidas como imperatrizes bizantinas entre anciãos de branco, ovelhas, palmeiras e brilhantes papoulas vermelhas. Ainda mais graciosa é a Cappella di San Zeno, construída pelo papa Pascoal para sua mãe, Teodora. A auréola quadrada indica que ela ainda estava viva quando o mosaico foi criado.

Mosaico de Santa Prassede do séc. 9º

San Pietro in Vincoli ⓮

Piazza di San Pietro in Vincoli. **Mapa** 4 D5. ***Tel*** *06 9784 4950. 75, 84, 117. Colosseo. 8h-12h30, 15-19h diariam (out-mar: 18h).*

Esta igreja se chama "São Pedro nas correntes" porque abriga as supostas correntes com as quais são Pedro ficou detido no Cárcere Mamertino *(pág. 389)*. Segundo a lenda, um jogo de correntes foi enviado a Constantinopla pela imperatriz Eudoxia e, ao voltar a Roma anos depois, a peça milagrosamente juntou-se ao outro jogo.

San Pietro é hoje mais conhecida pelo túmulo de Júlio II, encomendado a Michelangelo pelo papa em 1505. Para desilusão do artista, Júlio logo se mostrou mais interessado na construção de uma nova catedral, e o projeto foi deixado de lado. Após a morte do papa, em 1513, Michelangelo retomou o trabalho no túmulo, mas tinha concluído só as estátuas dos *Escravos Agonizantes* (hoje em Paris e Florença) e de *Moisés* quando foi chamado para pintar o *Juízo Final* na Capela Sistina.

Santa Maria Maggiore ⓯

Uma mistura de estilos arquitetônicos que vão do cristão primitivo ao barroco tardio, Santa Maria também é famosa por seus magníficos mosaicos. Fundada em cerca de 420, ela mantém as três naves originais com colunas, decoradas por painéis com raros mosaicos do século 5º. O piso de mármore cosmatesco e a torre do sino são medievais, assim como o arco e a galeria. O magnífico teto em caixotões é renascentista, e as fachadas, capelas e domos são barrocos.

PREPARE-SE

Piazza di Santa Maria Maggiore.
Mapa 4 E4. ***Tel*** *06 6988 6800.*
16, 70, 71, 714.
14.
Termini Cavour.
7h-18h45 diariam.

Coroação da Virgem
Este é um dos maravilhosos mosaicos do século 13 da abside de Jacopo Torriti.

Túmulo do Cardeal Rodriguez
Este túmulo gótico, que data de 1299, exibe um magnífico trabalho em mármore do Cosmati.

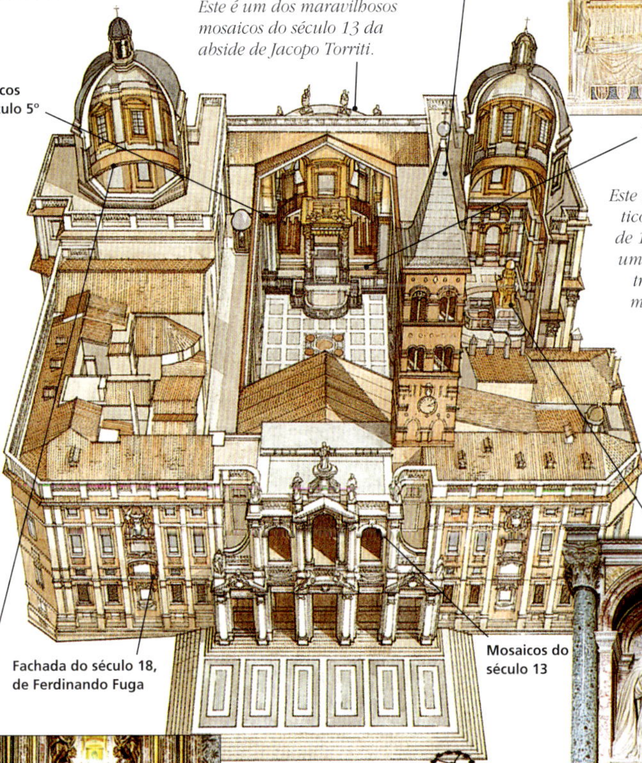

Torre do sino

Mosaicos do século 5º

Fachada do século 18, de Ferdinando Fuga

Mosaicos do século 13

Cappella Sistina
Esta capela, construída por Domenico Fontana, abriga o túmulo do papa Sisto V (1584-7). A homônima mais famosa fica no Vaticano (págs. 424-5).

Cappella Paolina
Flaminio Ponzio, arquiteto da Villa Borghese, criou esta luxuosa capela em 1611 para o papa Paulo V, enterrado aqui.

Coluna da Piazza Santa Maria Maggiore
Em 1611, uma estátua de bronze da Virgem e o Menino foi colocada sobre esta antiga coluna de mármore (ex-basílica de Constantino).

VATICANO E TRASTEVERE

A cidade do Vaticano, capital da Igreja Católica, é o menor Estado do mundo. Ocupa 430 mil metros quadrados e é cercada por muralhas altas. O local, onde são Pedro foi martirizado e queimado em cerca de 64, tornou-se a residência dos papas que o sucederam. Os palácios papais, próximos à grande Basílica de São Pedro, abrigam a Capela Sistina e o variado acervo dos Museus do Vaticano, além de servir como residência dos papas. O Trastevere, na mesma região, é bem diferente: bairro antigo e pitoresco, tem moradores que se julgam os únicos romanos autênticos. Infelizmente, a identidade proletária do local corre o risco de desaparecer com a disseminação de restaurantes, bares e lojas.

Brasão do papa Urbano VIII, em São Pedro

PRINCIPAIS ATRAÇÕES

COMO CHEGAR

O metrô é o modo mais rápido de vir: pegue a linha A até Ottaviano San Pietro, ao norte da Piazza San Pietro. Os ônibus 40 e 64 vão até Termini. O Trastevere fica a uma curta caminhada de Campo de' Fiori, após a Ponte

Igrejas

San Francesco a Ripa **9**
San Pietro in Montorio e o Tempietto **10**
Santa Cecilia in Trastevere **8**
Santa Maria in Trastevere **7**
São Pedro págs. 418-9 **2**

Museus e Galerias

Palazzo Corsini e Galleria Nazionale d'Arte Antica **5**
Museus do Vaticano págs. 420-7 **3**

Construções Históricas

Castel Sant'Angelo **1**
Villa Farnesina **4**

Parques e Jardins

Jardim Botânico **6**

LEGENDA

Visita ao Vaticano *págs. 406–7*
Metrô
Informação turística
Muralhas

0 metros 250

◁ **Vista de São Pedro, com a Ponte Sant'Angelo em primeiro plano**

Uma Visita ao Vaticano

Crucifixo, Vaticano

O Vaticano, um Estado soberano desde fevereiro de 1929, é governado pelo papa, único monarca absoluto da Europa. Cerca de 500 pessoas vivem aqui e, além das acomodações para religiosos e funcionários, a cidade tem seu próprio correio, banco, moeda, sistema judiciário, rádio, lojas e um jornal diário, *l'Osservatore Romano*.

★ São Pedro
A maioria dos grandes arquitetos do Renascimento e do período barroco contribuiu para a criação da Basílica de São Pedro, a mais famosa do mundo cristão (págs. 418-9).

A Rádio Vaticano transmite programação em 20 idiomas para todo o mundo desta torre, na muralha do século 9º.

★ Capela Sistina
Michelangelo decorou o teto com afrescos de cenas do Gênesis (1508-12), e a parede do altar com imagens do Juízo Final (1534-41). Aqui os cardeais escolhem o novo papa (pág. 424).

Câmara de Audiências Papais

Centro de informações

★ Salas de Rafael
Rafael pintou afrescos nestes ambientes no início do século 16. Obras como A Escola de Atenas *deram origem à sua fama, aproximando-o de Michelangelo* (pág. 427).

A praça de São Pedro foi criada por Bernini entre 1656 e 1667.

Para Via della Conciliazione

Esta escadaria que sai dos museus tem a forma de uma hélice dupla e é composta de duas espirais: uma para subir e outra para descer. Foi criada em 1932 por Giuseppe Momo.

LOCALIZE-SE
Guia de Ruas de Roma, 1

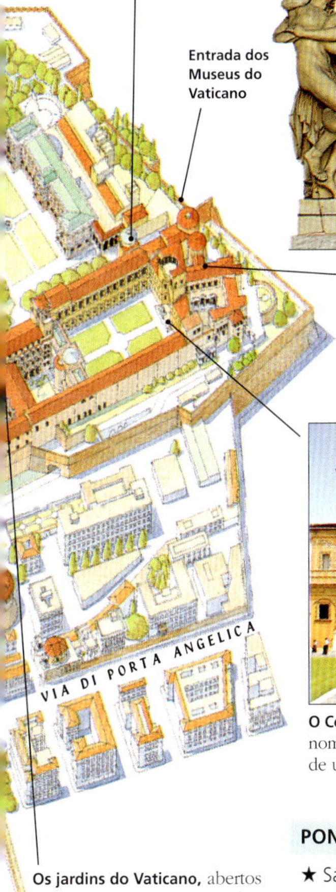

Entrada dos Museus do Vaticano

★ **Museus do Vaticano**
Laocoonte (1º) é uma de muitas obras-primas guardadas no Vaticano (pág. 422).

Os jardins do Vaticano, abertos para visitas guiadas, constituem um terço do território do Vaticano.

0 metros 75

O Cortile della Pigna deve seu nome a uma pinha de bronze de uma fonte antiga.

PONTOS ALTOS

★ Salas de Rafael

★ Capela Sistina

★ São Pedro

★ Museus do Vaticano

Castel Sant'Angelo ❶

Lungotevere Castello. **Mapa** 2 D3.
Tel *06 681 9111.* *23, 34, 280.*
9h-19h ter-dom (últ adm: 18h30).
1º jan, 25 dez.
www.castelsantangelo.com

A grande fortaleza do Castelo Sant'Angelo tem esse nome devido a uma visão que o papa Gregório o Grande teria tido do arcanjo Miguel no século 6º ao conduzir uma procissão por uma ponte, quando rezava pelo fim da peste em Roma.

O castelo surgiu em 139, como mausoléu do imperador Adriano. Desde então teve várias ocupações: foi peça fundamental na muralha aureliana, cidadela medieval, prisão e porto seguro dos papas durante épocas de crise política. Um corredor liga o local ao Palácio do Vaticano, garantindo a fuga dos papas. De celas úmidas a aposentos dos papas do Renascimento, o museu cobre todos os aspectos da história do castelo. Destacam-se a Sala Paolina, com afrescos ilusionistas (1546-8) de Pellegrino Tibaldi e Perin del Vaga, e o Pátio da Honra.

São Pedro ❷

Págs. 418-9.

Museus do Vaticano ❸

Págs. 420-7.

Vista do Castel Sant'Angelo a partir da Ponte Sant'Angelo

Basílica de São Pedro ❷

Mais importante santuário católico, a majestosa Basílica de São Pedro atrai peregrinos e turistas do mundo inteiro. O local, coberto de mármore, abriga centenas de obras de arte valiosas, algumas salvas da basílica original construída por Constantino no século 4º, outras encomendadas para artistas do Renascimento e do período barroco. O tom é dado por Bernini, criador do baldaquino existente abaixo do imenso domo de Michelangelo. Ele também criou a Cátedra na abside, com quatro santos segurando um trono com supostos fragmentos da cadeira em que são Pedro fez seu primeiro sermão.

Domo de São Pedro
O domo, com 136,5 metros de altura, foi criado por Michelangelo, que morreu antes de terminá-lo.

Uma escadaria de 537 degraus leva até o alto do domo.

Baldaquino
De 1624, o extravagante dossel barroco de Bernini situa-se sobre o túmulo de são Pedro. Foi encomenda de Urbano VIII.

A igreja tem 186m de extensão.

Entrada para Museu Histórico de Arte e Sacristia

O altar papal fica sobre a cripta onde se acredita que são Pedro foi enterrado.

PLANTA HISTÓRICA DA BASÍLICA DE SÃO PEDRO

São Pedro foi enterrado em 64 em um cemitério perto do local de sua crucificação, no Circo de Nero. Em 324. Constantino ergueu uma basílica sobre o túmulo. A antiga igreja foi reconstruída no século 15 e durante os séculos 16 e 17 vários arquitetos desenvolveram a estrutura existente. A nova igreja foi inaugurada em 1626.

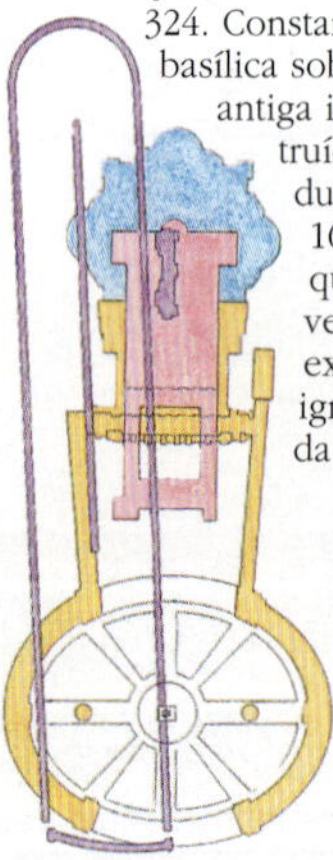

LEGENDA

- Circo de Nero
- Constantiniano
- Renascimento
- Barroco

Monumento ao papa Alexandre VII
Último trabalho de Bernini em São Pedro, foi concluído em 1678 e mostra o papa Chigi entre as figuras da Verdade, da Justiça, da Caridade e da Prudência.

Para hotéis e restaurantes nesta região, ver págs. 587-92 e págs. 636-41

Grutas
Um fragmento deste mosaico do século 13, de Giotto, da antiga basílica, está nas grutas, onde diversos papas estão enterrados.

Pietà, de Michelangelo
Protegida por vidro depois de um ataque em 1972, a Pietà foi criada em 1499 por Michelangelo.

PREPARE-SE

Piazza San Pietro. **Mapa** 1 B3. ***Tel*** *06 69 88 37 12 (sacristia); 06 69 88 16 62 (informação turística).* 🚌 *23, 40, 49, 64, 81, 492.* **M** *Ottaviano San Pietro.* **Basílica** ◯ *abr-set: 7h-19h diariam (meados out-mar: 18h).* ✝ ♿ **Tesouro** ◯ *abr-set: 8h-18h50 (out-mar: 17h50) diariam.* **Grutas** ◯ *abr-set: 7h-17h40 (out-mar: 16h40) diariam.* **Domo** ◯ *8h-17h45 (out-mar 16h45) diariam.* ◯ *8am-17h45 diariam. (out-mar: até 16h45).* **Audiências papais:** *em geral qua 10h, na Piazza San Pietro ou na Câmara de Audiências Papais. Ingressos (gratuitos) na Prefettura della Casa Pontifícia.* ***Tel*** *06 69 88 31 14 (ligue ou cheque se há possibilidade no escritório de portas de bronze, à direita da colunata, 9h-13h). O papa também aparece às 12h, dom, para abençoar a multidão na Piazza San Pietro.*

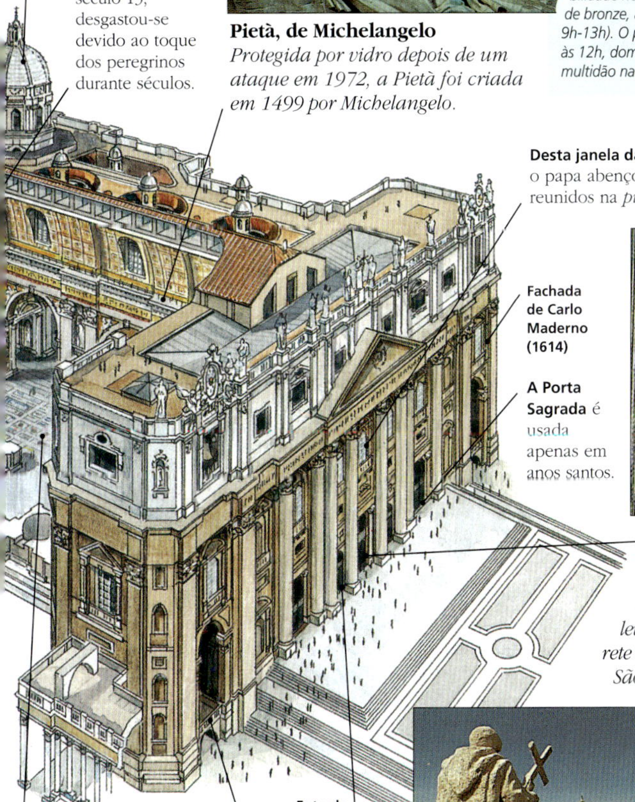

Duas cúpulas de Vignola (1507-73)

O pé de São Pedro, de Arnolfo di Cambio, do século 13, desgastou-se devido ao toque dos peregrinos durante séculos.

Desta janela da biblioteca, o papa abençoa os fiéis reunidos na *piazza*.

Fachada de Carlo Maderno (1614)

A Porta Sagrada é usada apenas em anos santos.

Entrada

Átrio de Carlo Maderno

Marcas no chão da nave comparam as dimensões de várias igrejas.

As Portas de Filarete, *de bronze, são decoradas com relevos bíblicos de Filarete entre 1439 e 1445. São da velha basílica.*

Piazza San Pietro (Praça de São Pedro)
Domingo e em festas religiosas, a multidão recebe a bênção do papa do balcão.

Museus do Vaticano ❸

Aqui ficam a Capela Sistina, as Salas de Rafael e um dos acervos de arte mais importantes do mundo. Os Museus do Vaticano estão instalados em palácios construídos originalmente para papas do Renascimento, como Júlio II, Inocêncio VIII e Sisto IV. A maioria dos acréscimos posteriores é no século 18, quando as inestimáveis obras acumuladas pelos papas anteriores foram exibidas pela primeira vez.

Museu Etrusco
O acervo etrusco inclui um broche de ouro do túmulo Regolini-Galassi, do século 7º a.C., situado em Cerveteri, ao norte de Roma.

Galeria dos Mapas
O Cerco de Malta *é um dos 40 mapas dos territórios da Igreja. Foi pintado no século 16 pelo cartógrafo Ignazio Danti nas paredes desta galeria.*

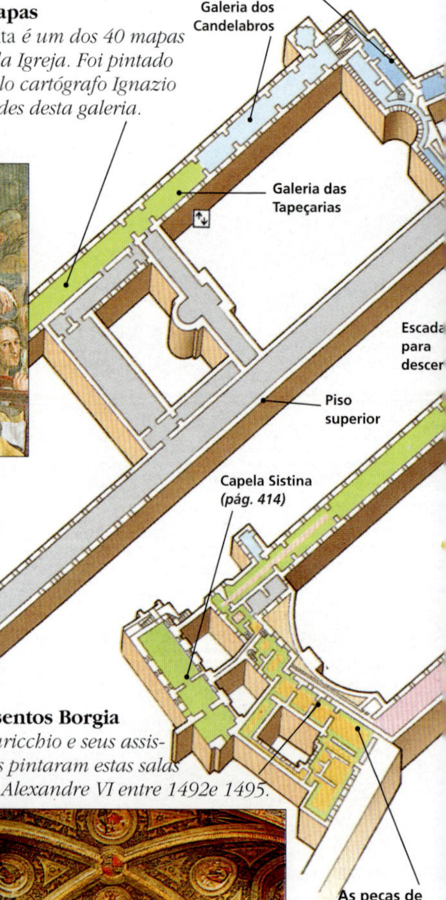

Salas de Rafael
Este é um detalhe da Expulsão de Heliodoro, *um dos muitos afrescos pintados por Rafael e seus pupilos para os aposentos privativos de Júlio II* (pág. 417).

Aposentos Borgia
Pinturicchio e seus assistentes pintaram estas salas para Alexandre VI entre 1492e 1495.

GUIA DOS MUSEUS

A área dos museus é grande: a Capela Sistina fica a 20 ou 30 minutos a pé a partir da entrada, por isso venha com tempo. Há um rígido sistema de "mão única", e o melhor é escolher um dos quatro itinerários indicados com cores, com duração variada entre 90 minutos e quatro horas.

As peças de arte moderna exibidas aqui foram mandadas aos papas por artistas como Bacon, Ernst e Carrà.

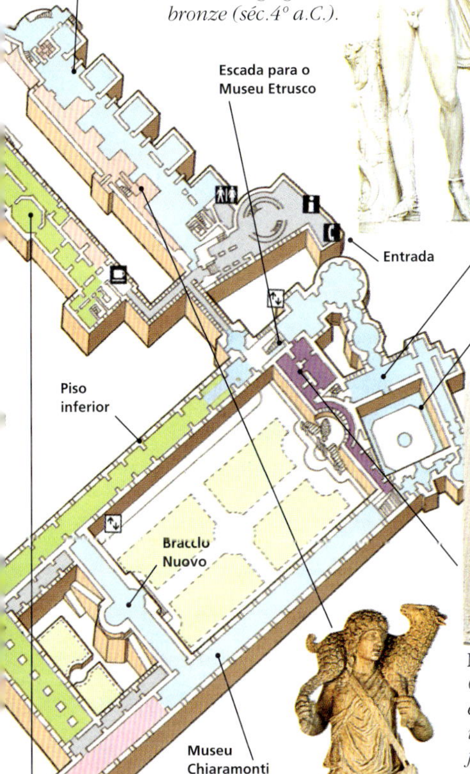

Museu Pio-Clementino
Aqui estão as mais belas estátuas clássicas do Vaticano, como Apolo do Belvedere, *cópia romana em mármore de estátua grega em bronze (séc.4° a.C.).*

A Galeria do Lapidário contém inscrições de catacumbas pagãs e cristãs, mas é fechada ao público.

PREPARE-SE

Città del Vaticano (entrance in Viale Vaticano). **Mapa** 1 B2. ***Tel*** *06 69 88 38 60.* 🚌 *449 para a entrada, 23, 81, 492, 990.* **M** *Ottaviano San Pietro, Cipro Musei Vaticani.* ◯ *9h-18h seg-sáb (última admissão 16h), 9h-14h último dom do mês (última admissão 12h30).* ⬤ *feriados. Pedir permissão para a Loggia Rafael, biblioteca do Vaticano, Galeria do Lapidário e arquivos do Vaticano.* *(grátis últ dom mês).* ♿ *percursos especiais.* **www**.vatican.va

Museu Egípcio
O acervo de artefatos egípcios inclui este baixo-relevo pintado, extraído de um túmulo de 2.400 a.C. O museu foi organizado pelo padre Ungarelli, um egiptólogo do século 19.

Museu Pio-Cristão
Os cristãos primitivos usavam imagens clássicas para facilitar a compreensão da doutrina. Esta estátua do século 4° mostra Cristo como o Bom Pastor, imagem derivada da figura clássica do pastor.

Pinacoteca
A galeria de arte do Vaticano abriga peças dos séculos 15 a 19, com destaque para o Renascimento. Esta pintura inacabada de São Jerônimo, da autoria de Leonardo da Vinci, revela seu conhecimento de anatomia.

LEGENDA DO PISO TÉRREO

- Arte egípcia e assíria
- Arte grega e romana
- Arte etrusca
- Arte cristã primitiva e medieval
- Arte do século 15 ao 19
- Arte sacra moderna
- Galeria do Lapidário
- Espaço sem exposição

Como Explorar o Acervo do Vaticano

Os maiores tesouros do Vaticano são as inestimáveis peças gregas e romanas, além dos magníficos achados de túmulos etruscos e egípcios, obtidos no século 19. Alguns dos maiores artistas italianos, como Rafael, Michelangelo e Leonardo da Vinci, estão representados na Pinacoteca e em partes de antigos palácios nos quais trabalharam sob encomenda dos papas para decorar aposentos e galerias.

Cabeça de atleta em mosaico das Termas de Caracalla, 217 d.C.

ARTE EGÍPCIA E ASSÍRIA

O acervo egípcio abriga achados de escavações realizadas no Egito nos séculos 19 e 20, além de estátuas trazidas a Roma nos tempos do Império. Há ainda cópias romanas de peças egípcias da Villa Adriana *(pág. 468)* e de templos de Roma dedicados a deuses e deusas egípcios, como Ísis e Serapis.

As peças egípcias autênticas, exibidas no piso inferior perto do Museu Pio-Clementino, abarcam estátuas, sarcófagos, papiros e um Livro dos Mortos. Um dos principais tesouros é uma colossal estátua de granito do século 13 da rainha Tuia, mãe de Ramsés II, encontrada no local dos Horti Sallustiani, jardins próximos da Via Veneto, em 1714. Também merecem atenção a cabeça da estátua de Montuhotep IV (século 20 a.C.), o magnífico sarcófago da rainha Hetepheres e o túmulo de Iri, antigo guardião das pirâmides de Quéops –estas duas peças datam do século 22 a.C.

ARTE GREGA, ETRUSCA E ROMANA

A maior parte dos Museus do Vaticano é dedicada à arte romana e grega. No entanto, o Museu Etrusco abriga um magnífico acervo de arte etrusca *(pág. 44)* e artigos pré-românicos da Etrúria e das colônias gregas do Sul da Itália. Aqui, as peças mais famosas são as joias de ouro e o trono, a cama e a carruagem funerária, de bronze, encontrados no túmulo Regolini-Galassi, de 650 a.C., em Cerveteri *(pág. 466)*.

Importantes peças gregas e romanas são os destaques do Museu Pio-Clementino. Entre elas, há cópias romanas de alta qualidade de estátuas gregas do século 4º a.C., como o *Apoxyomenos* (um atleta enxugando o corpo após uma corrida) e o *Apolo do Belvedere*. O esplêndido *Laocoonte* (século 1º), original de Rodes, foi encontrado em 1506 nas ruínas da Casa de Nero. Obras como essas inspiraram Michelangelo e outros artistas do Renascimento.

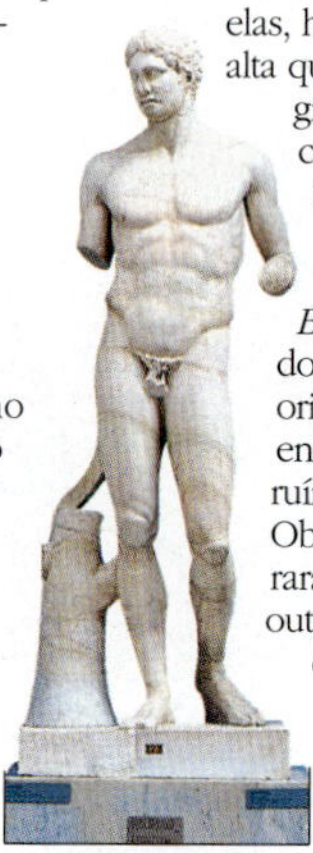

Cópia romana do *Doríforo* grego

O Museu Chiaramonti, bem menor, exibe diversos bustos. No Braccio Nuovo, vê-se uma estátua do século 1º a.C. de Augusto, trazida da *villa* de sua esposa, Lívia. A peça foi baseada no *Doríforo* (carregador de lança) de Policleto, escultor grego do século 5º a.C. Há ainda uma cópia romana desta peça em frente. O Museu Profano Gregoriano, instalado em uma ala separada, acompanha a evolução da arte romana desde os modelos gregos até um reconhecível estilo românico. Neste museu, entre as obras gregas originais estão grandes fragmentos de mármore do Partenon em Atenas.

No acervo romano destacam-se os *Rilievi della Cancelleria*, relevos encomendados por Domiciano em 81 para homenagear os desfiles militares de seu pai, o imperador Vespasiano. No local estão lindos pisos de mosaicos romanos, dois das Termas de Caracalla *(pág. 437)* e um do século 3º, situado na Sala Redonda e trazido das Termas de Otricoli, na Úmbria.

A Biblioteca do Vaticano tem o *Casamento de Aldobrandini*, afresco romano do século 1º que mostra uma noiva se preparando para casar.

Mosaico romano das Termas de Otricoli, Úmbria, Sala Redonda

ARTE CRISTÃ PRIMITIVA E MEDIEVAL

A principal coleção de peças do início do cristianismo está no Museu Pio-Cristão, que abriga inscrições e esculturas das catacumbas e de basílicas do início do cristianismo. As esculturas consistem basicamente em relevos de sarcófagos, embora a obra mais marcante seja uma estátua do século 4º do *Bom Pastor*. O aspecto mais interessante da obra é sua fusão de elementos bíblicos com aspectos da mitologia pagã. O pastor idealizado representa Cristo, enquanto figuras barbadas foram transformadas nos Apóstolos.

As primeiras duas salas da Pinacoteca estão dedicadas à arte medieval tardia, na maioria peças de altar feitas em madeira e pintadas com têmpera. Uma obra impressionante é o *Tríptico Stefaneschi*, pintado por Giotto por volta de 1300, que decorava o altar-mor da velha basílica de São Pedro.

A biblioteca do Vaticano abriga muitos tesouros medievais, como relicários, tecidos, esmaltes e ícones.

Detalhe do *Tríptico Stefaneschi* (1330), de Giotto, na Pinacoteca

ARTE DO SÉCULO 15 AO 19

Muitos papas do Renascimento eram apreciadores de arte e consideravam seu dever patrocinar os maiores pintores, escultores e ourives da época. As galerias que cercam o Cortile del Belvedere foram decoradas por grandes artistas entre os séculos 16 e 19.

***Pietà* (c.1471-4), do veneziano Giovanni Bellini, na Pinacoteca**

A Galeria das Tapeçarias exibe de tapeçarias de Bruxelas a projetos de alunos de Rafael. Nos aposentos do papa Pio V podem se ver lindas tapeçarias flamengas do século 15, e a Galeria dos Mapas tem afrescos com mapas do século 16 mostrando a Itália antiga e contemporânea.

Ao lado das Salas de Rafael *(pág. 427)* estão a Sala do Chiaroscuri e a capela privativa do papa Nicolau V, decorada com afrescos (1447-51) de Fra Angelico. Vale a pena ver os Aposentos Bórgia, decorados por volta de 1490 por Pinturicchio e seus discípulos para o papa Alexandre VI. Outro belo conjunto de afrescos pode ser visto na Loggia Rafael, mas é preciso permissão especial para visitar o local.

***Adoração dos Magos* (1490), de Pinturicchio, Aposentos Bórgia**

A Pinacoteca abriga diversas obras importantes do Renascimento. Entre os destaques do século 15 estão a linda *Pietà* de Giovanni Bellini, parte da peça de altar *Coroação da Virgem*, de Pèsaro *(pág. 368)*, e a obra inacabada de Leonardo da Vinci, *São Jerônimo*, achada em duas partes após anos de sumiço. Uma parte era usada como tampa de arca em um antiquário e a outra servia de banco em uma sapataria.

Entre as peças excepcionais do século 16 estão oito moldes de tapeçaria, a *Transfiguração* e a *Madona de Foligno* de Rafael, em uma sala dedicada ao artista; a *Deposição*, de Caravaggio; uma peça de altar de Ticiano e a tela *Santa Helena*, de Veronese, (como uma elegante aristocrata).

Capela Sistina: O Teto

Michelangelo pintou afrescos no teto a pedido do papa Júlio II entre 1508 e 1512, trabalhando sobre andaimes. Os painéis principais, que mostram a Criação do Mundo e a Expulsão do Homem do Paraíso, estão cercados por imagens do Velho e do Novo Testamento –com exceção das sibilas clássicas, que teriam previsto o nascimento de Cristo. Na década de 1980, uma restauração revelou cores surpreendentemente intensas.

Sibila Líbia
A profetisa pagã pega o Livro da Sabedoria. Como a maioria das figuras femininas de Michelangelo, a linda sibila provavelmente teve um modelo masculino.

Ilusão de arquitetura

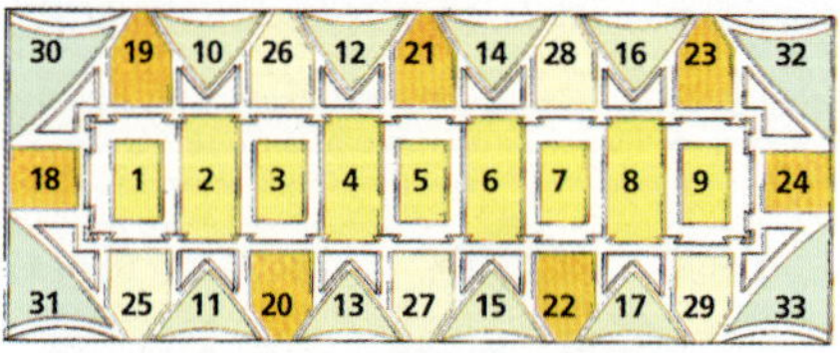

A Criação do Sol e da Lua
Michelangelo retrata Deus como uma figura dinâmica mas apavorante, ordenando que o Sol ilumine a Terra.

LEGENDA DOS PAINÉIS DO TETO

GÊNESIS: 1 Deus Separando a Luz da Escuridão; **2** A Criação do Sol e da Lua; **3** Deus Separando as Águas da Terra; **4** A Criação de Adão; **5** A Criação de Eva; **6** O Pecado Original; **7** O Sacrifício de Noé; **8** O Dilúvio; **9** A Embriaguez de Noé.

ANCESTRAIS DE CRISTO: **10** Salomão com a Mãe; **11** Jessé com os Pais; **12** Roboão com a Mãe; **13** Asa com os Pais; **14** Osias com os Pais; **15** Ezequias com os Pais; **16** Zorobabel com os Pais; **17** Josias com os Pais.

PROFETAS: **18** Jonas; **19** Jeremias; **20** Daniel; **21** Ezequiel; **22** Isaías; **23** Joel; **24** Zacarias.

SIBILAS: **25** Sibila Líbia; **26** Sibila Persa; **27** Sibila Cumana; **28** Sibila Eritreia; **29** Sibila Délfica.

CENAS DO VELHO TESTAMENTO: **30** Punição de Aman; **31** Moisés e a Serpente; **32** Davi e Golias; **33** Judite e Holofernes.

Para hotéis e restaurantes nesta região, ver págs. 587-92 e págs. 636-41

O Pecado Original
Este painel mostra Adão e Eva comendo a fruta da Árvore da Sabedoria e sendo expulsos do paraíso. Michelangelo representa o Diabo como uma serpente com corpo de mulher.

Os Ignudi são nus masculinos atléticos cujo significado ainda é incerto.

Nestas partes foram pintados afrescos dos ancestrais de Cristo, como Ezequias.

RESTAURAÇÃO DO TETO DA CAPELA SISTINA

Restaurador limpando a Sibila Líbia

Os restauradores da Capela Sistina usaram computadores, fotos e tecnologia de espectro para estudar os afrescos antes de começar a limpeza. Eles separaram o trabalho de Michelangelo do realizado por todos os restauradores da capela nos séculos e descobriram que esses profissionais tinham limpado o teto com materiais que variavam de pão a *retsina* (vinho grego). A nova restauração revelou que as figuras sombrias e com aspecto de casca de ovo quebrada tinham pele cremosa, cabelos brilhantes e vestiam roupas coloridas e exuberantes –um crítico chegou a apelidar o trabalho de "Michelangelo Benetton", reclamando que havia sido retirada uma camada de verniz aplicada pelo artista para escurecer os tons. A maioria dos especialistas, porém, achou que as novas cores seguiam as originais de Michelangelo.

Capela Sistina: As Paredes

As paredes da Capela Sistina, a principal do Palácio do Vaticano, foram decoradas com afrescos por alguns dos melhores artistas dos séculos 15 e 16. As 12 pinturas das paredes laterais, feitas por artistas como Perugino, Ghirlandaio, Botticelli e Signorelli, retratam episódios da vida de Moisés e da de Cristo em paralelo. A decoração das paredes foi terminada entre 1534 e 1541 por Michelangelo, que acrescentou o grande afresco da parede do altar, *O Juízo Final*.

LEGENDA DOS AFRESCOS: ARTISTAS E TEMAS

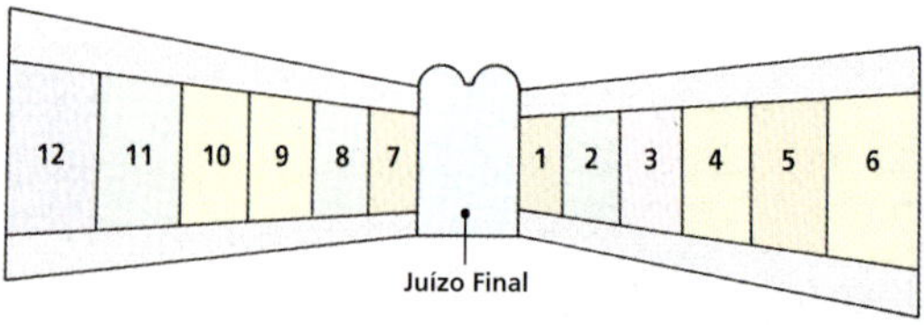

☐ Perugino ☐ Botticelli ☐ Ghirlandaio

☐ Rosselli ☐ Signorelli ☐ Michelangelo

1 Batismo de Cristo no Jordão
2 Tentações de Cristo
3 Convocação de S. Pedro e S. André
4 Sermão da Montanha
5 Entrega das chaves a S. Pedro
6 Última Ceia
7 Peregrinação de Moisés pelo Egito
8 Moisés Recebe o Chamado
9 A Travessia do Mar Vermelho
10 Adoração do Bezerro de Ouro
11 Punição dos Rebeldes
12 Últimos Dias de Moisés

O JUÍZO FINAL DE MICHELANGELO

Reexibido em 1993 após anos de restauração, *O Juízo Final* é considerado a obra-prima da maturidade de Michelangelo. A obra foi encomendada pelo papa Paulo III Farnese e exigiu a retirada de alguns afrescos anteriores e de duas janelas sobre o altar. Levantou-se uma nova parede, inclinada para dentro, para que a poeira não se acumulasse. Michelangelo trabalhou sozinho no afresco por sete anos, até 1541.

A pintura retrata as almas dos mortos se elevando para enfrentar a ira de Deus, um tema raramente usado na decoração de altares. O papa o escolheu para estimular os católicos a reforçar sua fé na tumultuada época da Reforma. Na verdade, a obra transmite a própria atitude atormentada do artista em relação à fé: não oferece nem as certezas da ortodoxia cristã, nem a visão ordenada do classicismo.

Em uma composição emocional, as figuras são apanhadas por um redemoinho. Os mortos são retirados de seus túmulos e levados até a presença de Cristo, o Juiz, cuja imagem atlética e musculosa constitui o foco de todos os movimentos do quadro.

Cristo demonstra pouca simpatia pelos agitados santos que o cercam segurando os instrumentos de seus martírios. Também não se nota sua piedade em relação aos condenados, atirados para os demônios no inferno. Aqui Caronte, expulsando as pessoas de seu barco para as profundezas do Hades, e o infernal juiz Minos vêm do *Inferno* de Dante. Minos recebeu orelhas de burro e é um retrato do cortesão Biagio da Cesena, que reclamara dos nus. Michelangelo se retratou na pele de são Bartolomeu.

As almas encontram a ira de Cristo em *O Juízo Final*, de Michelangelo

Para hotéis e restaurantes nesta região, ver págs. 587-92 e págs. 636-41

As Salas de Rafael

Os aposentos privativos do papa Júlio II foram construídos sobre os ocupados por seu odiado antecessor, Alexandre VI, morto em 1503. Júlio admirava o trabalho de Rafael e o escolheu para redecorar as quatro salas *(stanze)*. Rafael e seus discípulos começaram a trabalhar em 1508, substituindo obras de artistas famosos, como Perugino. Os novos afrescos rapidamente firmaram a reputação do jovem artista em Roma, mas o projeto levou 16 anos e Rafael morreu antes de vê-lo pronto.

Detalhe de *A Missa em Bolsena* (1512), de Rafael

SAGUÃO DE CONSTANTINO

Os afrescos desta sala foram iniciados em 1517 e concluídos em 1525, cinco anos após a morte de Rafael, contando muito com o trabalho dos discípulos do artista. O tema é o triunfo do cristianismo sobre o paganismo, mas os quatro maiores afrescos mostram cenas da vida de Constantino, o primeiro imperador cristão. Entre eles estão *Visão da Cruz* e *Batalha da Ponte Mílvio* (que mostra a vitória do imperador sobre seu rival, Maxêncio) –para este Rafael tinha feito um esboço preparatório.

SALA DE HELIODORO

Rafael decorou esta antecâmara entre 1512 e 1514.
Os principais afrescos fazem referências discretas ao poder protetor do papado. O nome da sala se deve ao afresco à direita, A *Expulsão de Heliodoro do Templo*, que mostra Heliodoro derrubado por um homem a cavalo ao tentar pilhar o Templo de Jerusalém. A cena faz alusão à vitória do papa Júlio II sobre os exércitos estrangeiros na Itália.
A Missa em Bolsena, na parede esquerda, refere-se a um milagre que teria ocorrido em 1263: um padre que duvidava do poder da hóstia sagrada viu um fluxo de sangue sair dela no momento da missa.

SALA DA SEGNATURA

Concluída entre 1508 e 1511, esta sala tem os afrescos mais harmoniosos da série. O projeto seguido por Rafael, e ditado pelo papa Júlio II, refletia a crença humanística de que poderia haver harmonia perfeita entre a cultura clássica e o cristianismo na busca da verdade. A obra mais famosa, *A Escola de Atenas*, focaliza o debate sobre a verdade entre os filósofos gregos Platão e Aristóteles. Rafael retratou alguns de seus contemporâneos como filósofos, entre eles Leonardo da Vinci, Bramante e Michelangelo.

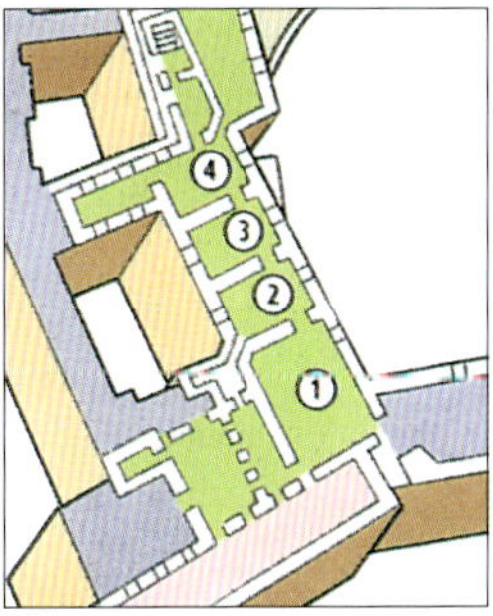

LEGENDA DO PISO TÉRREO

1. Saguão de Constantino
2. Sala de Heliodoro
3. Sala da Segnatura
4. Sala do Incêndio no Borgo

SALA DO INCÊNDIO NO BORGO

Este ambiente era originalmente a sala de jantar, mas quando a decoração foi concluída, sob o papa Leão X, tornou-se sala de música. Todos os afrescos exaltam o papa em exercício, retratando acontecimentos da vida dos seus homônimos do século 9º, Leão III e IV. Os principais afrescos foram criados por Rafael, mas terminados por seus discípulos entre 1514 e 1517. O mais famoso, *O Incêndio no Borgo*, mostra um milagre de 847, quando o papa Leão IV extingiu um incêndio ao fazer o sinal da cruz. Rafael traça um paralelo entre o fato e a lendária fuga de Eneias de Troia recontada por Virgílio. Eneias aparece em primeiro plano, com seu pai nas costas.

A *Escola de Atenas* (1511) retrata filósofos e alunos

Villa Farnesina ❹

Via della Lungara 230. **Mapa** 2 E5. ***Tel*** *06 68 02 72 68.* *23, 280.* *9h-13h seg-sáb.*

O riquíssimo banqueiro de Siena Agostino Chigi encomendou esta mansão em 1508 a seu conterrâneo Baldassare Peruzzi. A casa principal de Chigi situava-se perto do rio Tibre; a *villa* foi projetada apenas para banquetes de luxo. Artistas, poetas, cardeais, príncipes e o próprio papa se divertiam no local em grande estilo. Chigi também usava a *villa* para encontros com a cortesã Impéria, que teria inspirado uma das *Três Graças* pintadas por Rafael na Loggia de Cupido e Psiquê.

O projeto simples e harmonioso de Farnesina, com um bloco central e alas que saem dele, fez do local uma das primeiras *ville* do Renascimento. Peruzzi decorou ele mesmo parte do interior, como a Sala della Prospettiva, no andar de cima, na qual os afrescos ilusionistas dão a impressão de olhar para a Roma do século 16 sobre a colunata de mármore.

Se outros afrescos, de Sebastiano del Piombo e de Rafael (com discípulos), retratam mitos clássicos, a abóbada da Sala di Galatea tem cenas astrológicas mostrando a posição das estrelas no momento do nascimento de Chigi. Após a morte do banqueiro os negócios decaíram, e a *villa* foi vendida para a família Farnese em 1577.

***As Três Graças,* de Rafael, na Villa Farnesina**

Quarto da rainha Cristina da Suécia, no Palazzo Corsini

Palazzo Corsini e Galleria Nazionale d'Arte Antica ❺

Via della Lungara 10. **Mapa** 2 D5. ***Tel*** *06 68 80 23 23.* *23, 280.* *8h30-19h ter-dom (ligar antes).* *1º jan, 1º mai, 15 ago, 25 dez.* **www**.galleriaborghese.it

Construído para o cardeal Domenico Riario entre 1510 e 1515, o Palazzo Corsini hospedou personalidades como Bramante, o jovem Michelangelo, Erasmo e a mãe de Napoleão. A rainha Cristina da Suécia morreu aqui em 1689. O local foi reconstruído por Ferdinando Fuga, que criou a fachada para ser vista de canto, pois a Via della Lungara é estreita demais para a vista de frente.

Quando o Estado comprou o *palazzo* em 1893, a família Corsini doou seu acervo de pinturas, que hoje está dividido, com uma parte no Palazzo Barberini e outra no Palazzo Corsini.

Embora as melhores obras estejam no Barberini, há quadros de Van Dyck, Rubens, Murillo e um *São João Batista* (c.1604) com aparência andrógina pintado por Caravaggio, além de uma *Salomé* (1638) de Reni. A obra mais estranha, no entanto, é um retrato da robusta rainha Cristina da Suécia, mostrada como deusa Diana, pintado por J. Van Egmont.

Jardim Botânico ❻

Largo Cristina di Svezia 24. **Mapa** 2 D5. ***Tel*** *06 49 91 71 07.* *23, 280.* *9h-18h30 (out-mar: 17h30) sáb.* *seg, feriados.*

Sequoias, palmeiras, orquídeas e bromélias são algumas das 7 mil plantas de todo o mundo que existem no Jardim Botânico (Orto Botanico). Espécies nativas e exóticas estão agrupadas para ilustrar as famílias e sua adaptação a climas e ecossistemas distintos. Existem ainda algumas plantas curiosas, como o ginkgo, que sobrevive há diversas eras com poucas mudanças.

Palmeiras no Jardim Botânico, em Trastevere

Santa Maria in Trastevere ❼

Piazza Santa Maria in Trastevere. **Mapa** 5 C1. ***Tel*** *06 581 48 02.* *H, 23, 280.* *7h30-20h diariam.*

Santa Maria in Trastevere, provavelmente o primeiro local de credo cristão em Roma, foi fundada pelo papa Calixto I no século 3º, quando os imperadores ainda eram pagãos e o cristianismo tinha poucos adeptos. Segundo uma lenda, o local foi erguido no lugar onde brotou uma fonte de óleo no dia em que Cristo nasceu. A basílica tornou-se ponto de devoção à Virgem e, apesar de a igreja atual e de seus notáveis mosaicos datarem de bem depois (séculos 12 e 13), as imagens da Virgem continuam a prevalecer. Os mosaicos da fachada

Mosaico da abside da *Coroação da Virgem*, Santa Maria in Trastevere

provavelmente são do século 12 e mostram Maria, Cristo e dez mulheres levando lâmpadas. Na abside há uma *Coroação da Virgem*, do século 12 e estilizada, e abaixo um conjunto de cenas realistas da vida da Virgem feitas pelo artista do século 13 Pietro Cavallini. A imagem mais antiga da Virgem é um ícone do século 7º, a *Madonna di Clemenza*, que a retrata como uma imperatriz bizantina cercada por uma guarda composta de anjos. Está sobre o altar da Cappella Altemps.

Santa Cecilia in Trastevere ❽

Piazza di Santa Cecilia.
Mapa 6 D2. ***Tel*** *06 589 92 89.*
H, 23, 44, 280.
9h30-12h30, 16h-18h30 diariam. **Afresco de Cavallini**
10h-12h30 seg-sáb.

Santa Cecília, aristocrata e santa padroeira da música, foi martirizada aqui em 230. Primeiro tentaram, sem êxito, sufocá-la prendendo-a no vapor das termas quentes de sua casa por três dias; depois decapitaram-na. Foi construída uma igreja, possivelmente no século 4º, no local da casa (que ainda pode ser vista debaixo da igreja, junto dos restos de um curtume). O corpo da mártir esteve desaparecido, mas ressurgiu nas Catacumbas de São Calixto *(pág. 442)*. No século 9º, foi enterrado novamente aqui por ordem do papa Pascoal I, que reconstruiu a igreja. Um belo mosaico de abside desse período ainda sobrevive. Chega-se ao dossel do altar de Arnolfo di Cambio e ao afresco *O Juízo Final* de Pietro Cavallini pelo convento contíguo. Ambos datam do século 13, única época em que Roma teve estilo próprio.

Em frente ao altar há uma delicada estátua de santa Cecília, de Stefano Maderno, baseada em esboços feitos sobre os restos da santa quando desenterrados, em 1599.

San Francesco a Ripa ❾

Piazza San Francesco d'Assisi 88.
Mapa 6 D2. ***Tel*** *06 581 90 20. H, 23, 44, 75, 280. 7h-12h, 16h-19h dom; 7h-13h, 16h-19h30 seg-sáb.*

São Francisco de Assis esteve aqui quando visitou Roma em 1219 e seu travesseiro de pedra e o crucifixo estão conservados em sua cela. A igreja foi construída por um seguidor seu, um nobre local chamado Rodolfo Anguillara, que em seu túmulo é retratado com o hábito franciscano.

Reconstruída na década de 1680 pelo cardeal Pallavicini, a igreja tem esculturas dos séculos 17 e 18. Não deixe de ver na capela Altieri (quarta à esquerda, na nave) a obra de Bernini, *Êxtase da Beata Ludovica Albertoni* (1674).

***Êxtase da Beata Ludovica Albertoni*, de Bernini, San Francesco a Ripa**

San Pietro in Montorio e o Tempietto ❿

Piazza San Pietro in Montorio 2.
Mapa 5 B1. ***Tel*** *06 581 39 40.*
44, 75, 100. 8h30-12h diariam, 15h-16h seg-sex. **Tempietto**
9h30-12h30, 14h-16h30 (14h-18h verão) ter-dom.

O Tempietto, templo circular, San Pietro in Montorio

O Tempietto, obra-prima da arquitetura renascentista concluída por Bramante em 1502, situa-se no pátio de San Pietro in Montorio. O nome significa "pequeno templo" e sua forma circular lembra as *martyria* cristãs, capelas erguidas no local de martírio dos santos. Achava-se erroneamente que este era o Circo de Nero, onde são Pedro foi crucificado. Bramante circundou a capela com colunas dóricas, um friso clássico e bela balaustrada.

AVENTINO E LATERANO

Esta é uma das áreas mais verdes de Roma. Abrange os montes Celiano e Aventino e a movimentada região que cerca San Giovanni in Laterano. O Celiano, hoje coberto de igrejas, foi uma área residencial disputada na Roma imperial, e um pouco do esplendor do período ainda pode ser visto nas ruínas das Termas de Caracalla.

Parte de mosaico, Termas de Caracalla

Atrás das termas se eleva o Aventino, uma área calma e arborizada onde se situa a magnífica basílica de Santa Sabina. Daqui se têm lindas vistas de Trastevere e da basílica de São Pedro. No vale que fica logo abaixo, carros e motos circundam o Circo Massimo, seguindo o antigo percurso das carruagens. Ao sul fica Testaccio, agitado bairro operário.

PRINCIPAIS ATRAÇÕES

Igrejas

San Clemente 6
San Giovanni in Laterano 7
Santa Maria in Cosmedin 2
Santa Maria in Domnica 3
Santi Quattro Coronati 5
Santa Sabina 11
Santo Stefano Rotondo 4

Marcos da Antiguidade

Termas de Caracalla 8
Templos do Fórum Boarium 1

Monumentos e Túmulos

Cemitério Protestante 10
Pirâmide de Caio Cestius 9

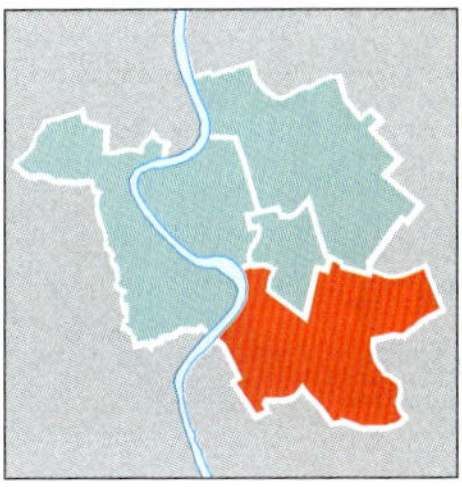

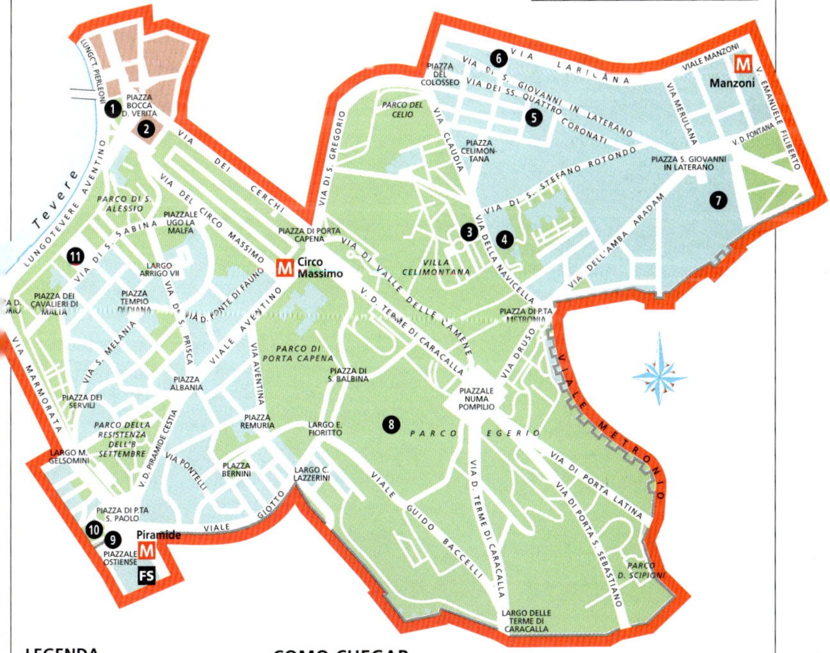

LEGENDA

Rua a Rua: Piazza della Bocca della Verità *págs. 432–3*

FS Estação de trem

M Estação de metrô

Muralhas

COMO CHEGAR

O ônibus 95 liga a Pirâmide à Piazza della Bocca della Verità. O Celiano fica perto do metrô Colosseo e do Circo Massimo; o bonde 3 e os ônibus 81, 160 e 715 seguem para a região do monte Aventino.

0 metros 250

◁ **Pinheiros e laranjeiras em Parco Savelli, em Aventino, com o domo da basílica de São Pedro ao fundo**

Rua a Rua: Piazza della Bocca della Verità

Local do primeiro porto de Roma e de um disputado mercado de gado, este é um ponto peculiar da cidade e se estende da movimentada estrada que acompanha o Tibre até a parte mais ao sul do monte Capitolino, onde se executavam as penas de morte da Antiguidade até a Idade Média. Embora seja mais famoso por causa da Bocca della Verità, na igreja Santa Maria in Cosmedin, que tem a fama de "engolir" a mão dos mentirosos, oferece outras atrações interessantes, com destaque para dois templos do período republicano. No século 6º, a área passou a abrigar os gregos, que fundaram Santa Maria in Cosmedin e San Giorgio in Velabro.

A Casa dei Crescenzi, recoberta de antigos fragmentos, incorpora as ruínas de uma torre do século 10º erguida pela poderosa família Crescenzi para vigiar o rio Tibre.

★ Templos do Fórum Boarium
Estes são os templos mais conservados da Roma republicana. ❶

Sant'Omobono fica em um sítio arqueológico cujos achados remontam ao século 6º.

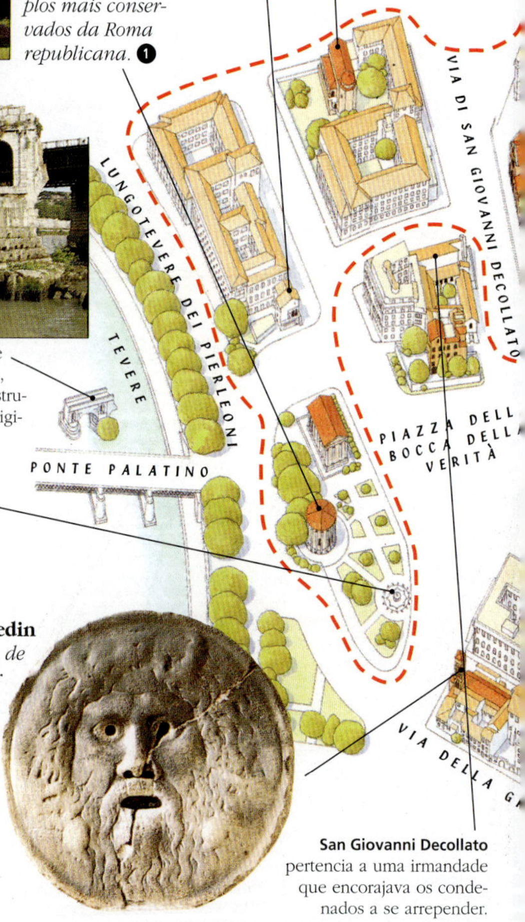

Ponte Rotto, como é chamado este arco sobre o Tibre, hoje em ruínas, quer dizer "ponte quebrada". Construída no século 2º a.C., seu nome original era Pons Aemilius.

A Fontana dei Tritoni, construída por Carlo Bizzaccheri em 1715, revela influência de Bernini.

★ Santa Maria in Cosmedin
A Bocca della Verità, *tampa de bueiro medieval, pode ser vista no pórtico.* ❷

San Giovanni Decollato pertencia a uma irmandade que encorajava os condenados a se arrepender.

LEGENDA

— — — Percurso sugerido

0 metros 75

Para hotéis e restaurantes nesta região, ver págs. 587-92 e págs. 636-41

Santa Maria della Consolazione deve o nome a uma imagem da Virgem colocada aqui em 1385 para consolar os condenados.

LOCALIZE-SE
Guia de Ruas de Roma, 6

Templos do Fórum Boarium ❶

Piazza della Bocca della Verità.
Mapa 6 E1. 🚌 *23, 44, 81, 95, 160, 170, 280, 628, 715, 716.*

Estes templos da Roma republicana, bastante preservados, devem ser apreciados sob a luz do luar. Em um gramado à beira do Tibre sob a sombra dos pinheiros, parecem menos românticos de dia do que à noite, devido ao trânsito intenso. Os templos remontam ao século 2º a.C. e escaparam da ruína porque, na Idade Média, passaram a servir como igrejas cristãs, frequentadas pela comunidade grega local.

O templo retangular, conhecido antigamente como Templo de Fortuna Virilis, provavelmente era dedicado a Portunus, o deus dos rios e dos portos. Erguido sobre um pódio, o templo tem quatro colunas jônicas de mármore travertino na fachada e 12 meias-colunas incrustadas na parede de tufo calcário da *cella* – sala que abrigava a imagem do deus. No século 9º, o templo foi convertido na igreja de Santa Maria Egiziaca, prostituta do século 5º que se transformou em ermitã.

O templo circular, menor, era feito de mármore sólido e cercado por 20 colunas estriadas. O local era dedicado a Hércules, embora por muito tempo se tenha acreditado ser um templo de Vesta, pois era parecido com o do Fórum Romano.

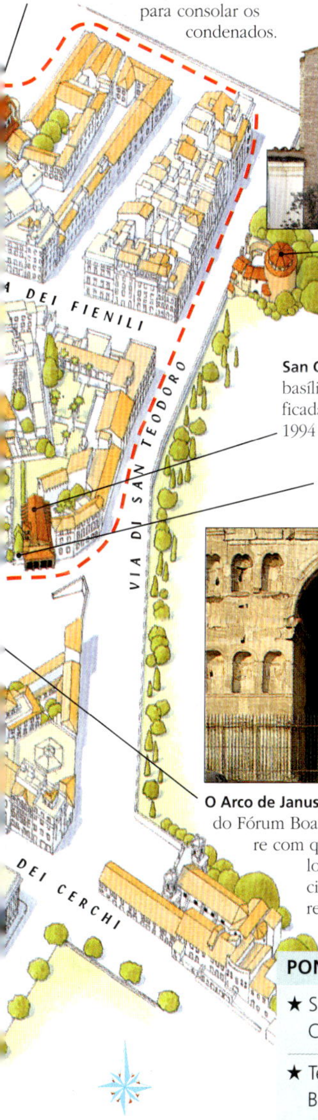

San Teodoro é uma igreja circular situada na ponta do Palatino. Tem excepcionais mosaicos na abside do século 6º.

San Giorgio in Velabro, uma basílica do século 7º, foi danificada em uma explosão em 1994 e foi restaurada.

Arco degli Argentari

O Arco de Janus, do século 4º, fica perto do Fórum Boarium. Coberto de mármore com quatro fachadas, era um local perfeito para comerciantes e clientes negociarem na sombra.

PONTOS ALTOS

★ Santa Maria in Cosmedin

★ Templos do Fórum Boarium

Fachada jônica do Templo de Portunus, do período republicano

Mosaico da abside (século 9°), com imagem da Virgem e o Menino, em Santa Maria in Domnica

Santa Maria in Cosmedin ❷

Piazza della Bocca della Verità. **Mapa** 6 E1. ***Tel*** *06 678 14 19.* *23, 44, 81, 95, 160, 170, 280, 628, 715, 716.* *9h30-18h diariam (até 17h no inverno).*

Esta magnífica igreja foi erguida no século 6° no local de um antigo mercado de alimentos. A torre do sino, em estilo românico, e o pórtico foram acrescidos no século 12. No século 19, a fachada barroca foi removida e a igreja readquiriu a simplicidade original. No local estão diversas obras do grupo Cosmati, com destaque para o piso em mosaico, o coro elevado, o trono do bispo e o dossel do altar principal.

Situada na parede do pórtico da entrada está a Bocca della Verità, rude face de mármore que provavelmente servia de tampa de bueiro. Segundo a tradição medieval, a boca se fechava prendendo a mão dos mentirosos –o que constituía um bom método de testar a fidelidade dos cônjuges.

Nave de Santa Maria in Cosmedin, com o piso do grupo Cosmati

Santa Maria in Domnica ❸

Piazza della Navicella 12. **Mapa** 7 B2. ***Tel*** *06 772 026 85.* *81, 117, 673.* *Colosseo.* *9h-12h, 15h30-19h diariam (até 18h no inverno).*

Santa Maria in Domnica provavelmente foi fundada no século 7° e reformada no 9°. Na época, os romanos haviam perdido a arte dos mosaicos e o papa Pascoal I mandou vir de Bizâncio artistas que criaram um refinado mosaico na abside mostrando a Virgem, o Menino e os anjos em um jardim.

Pascoal I foi retratado ajoelhado aos pés da Virgem com uma auréola quadrada, o que indica que ainda vivia quando a obra foi realizada.

Em 1513, Andrea Sansovino acrescentou à igreja um pórtico com cabeças de leões em homenagem ao papa Leão X.

Santo Stefano Rotondo ❹

Via di Santo Stefano Rotondo 7. **Mapa** 9 B2. ***Tel*** *06 42 11 99.* ***Fax*** *06 4211 91 25.* *81, 117, 673.* *marcar hora via fax ou e-mail santo.stefano@rotondo@cgu.it.*

Santo Stefano Rotondo foi construída entre 468 e 483 sobre uma planta circular com quatro capelas em forma de cruz. A igreja tem uma área interna circular encerrada por dois corredores concêntricos. Um terceiro corredor, externo, foi demolido em 1453.

No século 16, Niccolò Pomarancio, Antonio Tempesta e outros decoraram as paredes com 34 afrescos que retratavam em detalhe o martírio dos santos por imperadores romanos.

Claustro, Santi Quattro Coronati

Santi Quattro Coronati ❺

Via dei Santi Quattro Coronati 20. **Mapa** 7 C1. ***Tel*** *06 70 47 54 27.* *85, 117, 850.* *3.* *6h30-12h30, 15h30-19h45 diariam.* **Claustro e Capela de São Silvestre:** *diariam.*

Este convento fortificado foi erguido no século 4° para abrigar as relíquias de quatro pedreiros persas martirizados por se recusarem a fazer uma estátua em homenagem ao deus pagão Esculápio. O local foi reconstruído depois de queimado por invasores normandos em 1084.

Veja o gracioso claustro com jardim e a capela de São Silvestre, cujos afrescos descrevem a conversão de Constantino ao cristianismo.

Para hotéis e restaurantes nesta região, ver págs. 587-92 e págs. 636-41

San Clemente ❻

Em 1857, o padre Mullooly, dominicano irlandês e prior de San Clemente, iniciou as escavações sob a basílica do século 12. Ele e seus sucessores descobriram logo abaixo outra basílica, do século 4°, e sob esta uma série de antigas construções romanas. As duas basílicas eram dedicadas a são Clemente, o quarto papa. No nível mais inferior havia um templo mitraísta, religião mística exclusivamente masculina e vinda da Pérsia, que disputava fiéis com o cristianismo.

PREPARE-SE

Via di San Giovanni in Laterano. **Mapa** 7 B1. ***Tel*** *06 774 00 21.* *85, 87, 117, 186, 810, 850.* *Colosseo.* *3.* *9h-12h30, 15h-18h seg-sáb (a partir de 12h dom e feriados) Últ. entrada 20min antes de fechar.* *para escavações.*

Cappella di Santa Caterina
Restaurados, os afrescos de Masolino da Panicale, artista florentino do século 15, retratam cenas da vida de santa Catarina de Alexandria.

Mosaicos da abside
No Triunfo da Cruz, do século 12, veem-se detalhes de animais e folhas de acanto.

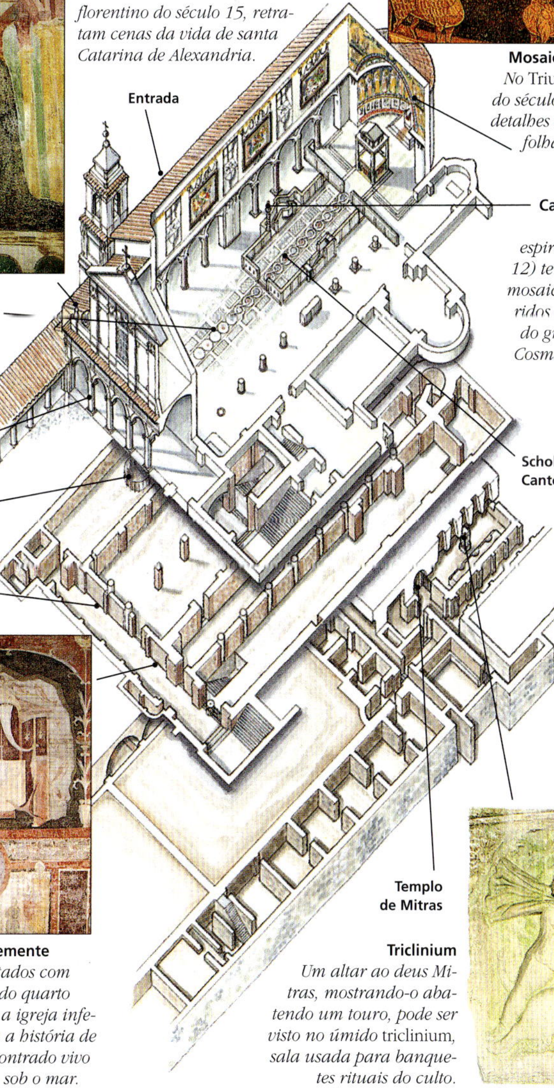

Entrada

Castiçal pascoal
Este castiçal espiralado (século 12) tem faixas com mosaicos multicoloridos e é uma obra do grupo Cosmati.

Basílica do século 12

Fachada do século 18

Piscina

Schola Cantorum

Basílica do século 4°

Templo de Mitras

Vida de São Clemente
Afrescos desbotados com cenas da vida do quarto papa decoram a igreja inferior. Este conta a história de um garoto encontrado vivo em seu túmulo sob o mar.

Triclinium
Um altar ao deus Mitras, mostrando-o abatendo um touro, pode ser visto no úmido triclinium, *sala usada para banquetes rituais do culto.*

San Giovanni in Laterano ❼

San Giovanni, a catedral de Roma, foi fundada pelo imperador Constantino no início do século 4°. Foi reconstruída diversas vezes –na reforma de 1646, o próprio Borromini recriou seu interior–, mas preserva a forma da basílica original. Antes que o papado se mudasse para Avignon, em 1309, o Palácio Laterano, anexo, era a residência oficial do papa. A atual estrutura data de 1589, mas existem partes mais antigas, como a Scala Santa, na qual Cristo teria subido no julgamento com Pôncio Pilatos.

PREPARE-SE

Piazza di San Giovanni in Laterano. **Mapa** 8 D2. ***Tel*** *06 69 88 64 33. 16, 81, 85, 87, 650. 3. San Giovanni.* **Catedral** *7h-18h30 diariam.* **Claustros** *9h-18h diariam.* **Museu** *9h-13h seg-sáb (últ adm: 12h).* **Batistério** *8h-12h30, 16h-19h diariam.*

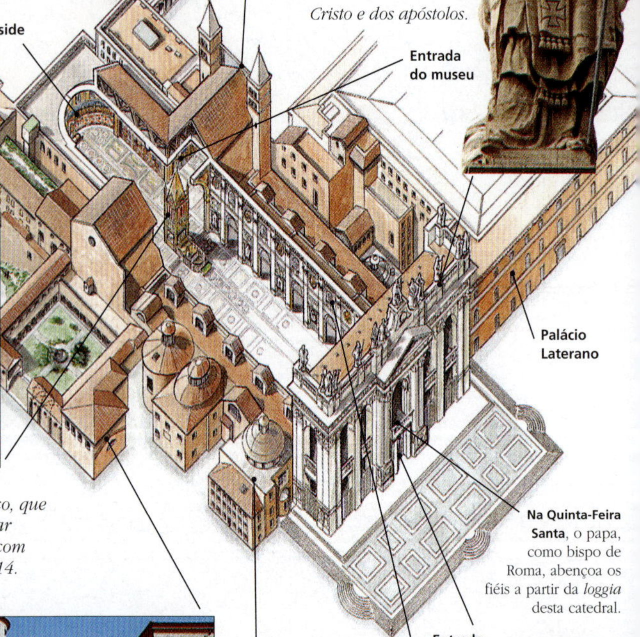

Batistério
Embora bastante restaurado, o batistério octogonal abriga alguns lindos mosaicos do século 5°.

Fachada norte

Fachada leste
A entrada principal, na fachada leste (1735), é decorada com estátuas de Cristo e dos apóstolos.

Abside

Entrada do museu

Palácio Laterano

Altar papal
O baldaquino gótico, que se eleva sobre o altar papal, é decorado com afrescos do século 14.

Na Quinta-Feira Santa, o papa, como bispo de Roma, abençoa os fiéis a partir da *loggia* desta catedral.

Entrada principal

A capela Corsini foi construída por volta de 1730 para o papa Clemente XII Corsini, enterrado em um túmulo de pórfiro do Pantheon.

Claustro
Construído pela família Vassalletto por volta de 1220, o claustro se destaca por suas colunas retorcidas e os mosaicos incrustados.

Afresco de Bonifácio VIII
Possivelmente pintado por Giotto, mostra neste fragmento o papa anunciando o Ano Sagrado de 1300, que atraiu 2 milhões de peregrinos.

Parte de um dos ginásios das Termas de Caracalla

Termas de Caracalla 8

Viale delle Terme di Caracalla 52. **Mapa** 7 A3. ***Tel*** *06 39 96 77 00.* *160, 628.* *3.* *9h-1h antes de anoitecer ter-dom, 9h-14h seg.* *1° jan, 25 dez.*

Aos pés do monte Aventino ficam as ruínas das Termas de Caracalla, construídas com tijolos vermelhos. Iniciadas pelo imperador Sétimo Severo em 206 e concluídas por seu filho Caracalla em 217, as termas permaneceram em uso até o século 6°, quando os godos sabotaram os aquedutos da cidade.

Na Roma Antiga, ir às termas era um dos acontecimentos sociais do dia. Complexos como este tinham capacidade para 1.600 pessoas e não eram só um local para bate-papos e banhos, pois também ofereciam diversas opções: galerias de arte, ginásio, jardins, biblioteca, salas de conferência e leitura e lojas de comidas e bebidas.

Um banho romano exigia tempo e não era simples. O cliente começava com uma espécie de banho turco, seguido de uma sessão no *caldarium* (sala grande e quente com piscinas para umedecer o ar). Depois ia para o morno *tepidarium*, passando para um ponto de encontro conhecido como *frigidarium*. Ao final, mergulhava na *natatio*, uma piscina ao ar livre. Os ricos passavam ainda por uma massagem com tecidos de lã perfumados.

A maioria dos ornamentos de mármore das termas foi levada pela família Farnese no século 16 para enfeitar as salas do Palazzo Farnese *(pág. 401)*. No entanto, ainda há estátuas e mosaicos das termas no Museo Nazionale Archeologico de Nápoles *(págs. 490-1)* e no Museu Profano Gregoriano, no Vaticano *(pág. 422)*.

O local é tão impressionante que era realizada aqui a temporada de óperas ao ar livre, em agosto.

Pirâmide de Caius Cestius 9

Piazzale Ostiense. **Mapa** 6 E4. *23, 95, 280.* *3.* *Pirâmide.*

Caio Cestius era um pretor (magistrado da Roma antiga), rico, porém pouco importante, que viveu no século 1° a.C. Na época, os escândalos de Cleópatra estimularam o interesse por temas ligados ao Egito, e Caio decidiu encomendar uma pirâmide para servir de túmulo. Situada na Muralha Aureliana perto da Porta San Paolo, a pirâmide é recoberta com mármore branco. O local teria sido construído em 330 dias no ano 12 a.C.

Pirâmide de Caio Cestius, na Piazzale Ostiense

Cemitério Protestante 10

Cimitero Acattolico, Via di Caio Cestio. **Mapa** 6 E4. ***Tel*** *06 574 19 00.* *23, 280.* *3.* *9h-17h seg-sáb, 9h-13h dom. Última admissão: 30min antes de fechar.* **Doações.**

Os seguidores de religiões diferentes do catolicismo eram enterrados neste cemitério atrás da Muralha Aureliana desde 1738. Na parte mais velha (à esquerda, na entrada) fica o túmulo do poeta John Keats, que morreu em 1821 numa casa na Piazza di Spagna *(pág. 408)*. Ele escreveu seu epitáfio: "Aqui jaz aquele cujo nome foi escrito na água". Não longe estão as cinzas de Shelley, afogado em 1822.

Interior de Santa Sabina

Santa Sabina 11

Piazza Pietro d'Illiria 1. **Mapa** 6 E4. ***Tel*** *06 57 94 06 00.* *23, 44, 95, 170, 781.* *6h30-12h45, 15h-19h diariam.*

No alto do Aventino situa-se uma típica basílica do início do cristianismo, fundada por Pedro de Illyria em 425 e mais tarde cedida à ordem dominicana. A luz entra pelas janelas do século 9° até uma ampla nave emoldurada por colunas coríntias. Acima da porta principal vê-se uma inscrição em mosaico do século 5°, azul e dourada, dedicada a são Pedro. No pórtico lateral, há painéis esculpidos com cenas bíblicas, com destaque para uma das representações mais antigas da crucificação (canto superior esquerdo).

Fora do Centro

Fora da região central de Roma também há atrações que valem a pena, como a Villa Giulia, sede do magnífico Museu Etrusco, e o Museo Borghese, na esplêndida Villa Borghese, com seu extraordinário acervo de estátuas de Bernini. Outros locais de interesse são as catacumbas e antigas igrejas, além do moderno distrito de EUR, estranha mistura arquitetônica encomendada por Mussolini da década de 1930.

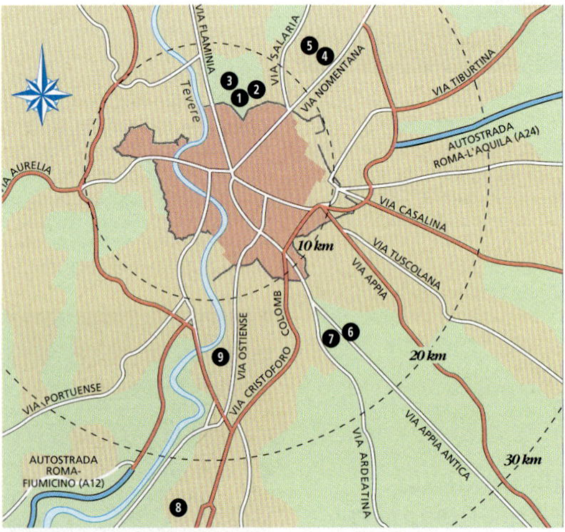

PRINCIPAIS ATRAÇÕES

Igrejas e Templos
Sant'Agnese fuori le Mura ❹
Santa Costanza ❺
San Paolo fuori le Mura ❾

Museus e Galerias
Museo e Galleria Borghese ❷
Villa Giulia ❸

Parques e Jardins
Villa Borghese ❶

Locais e Estradas Antigas
Via Appia Antica ❻
Catacumbas ❼

Distritos
EUR ❽

LEGENDA

- Centro
- Bairros
- Rodovia
- Estrada principal
- Estrada secundária
- Muralhas

Villa Borghese ❶

Mapa 3 B1. *52, 53, 88, 95, 116, 490.* *3, 19.* **Estacionamento** *nascer ao pôr-do-sol diariam.*

A *villa* e o parque foram criados em 1605 para o cardeal Scipione Borghese, sobrinho sibarita do papa Paulo V. Entusiasmado protetor das artes, reuniu um dos acervos mais belos da Europa, composto de pinturas, estátuas e antiguidades, muitas ainda expostas na *villa* erguida especialmente para esculturas antigas.

O **parque** foi um dos primeiros do gênero em Roma, com jardins clássicos divididos por avenidas e enfeitados com estátuas, com 400 árvores plantadas especialmente, esculturas de jardim feitas pelo pai de Bernini, Pietro, fontes, um jardim "secreto" de flores e áreas para animais exóticos. Inicialmente *villa* e parque eram abertos ao público, mas Paulo V decidiu transformá-los em local privativo depois que um visitante ficou chocado com os quadros eróticos da coleção de Scipione.

Em 1773, começou o trabalho de recriar o parque segundo o estilo romântico, na moda graças a artistas como Claude Lorrain e Poussin. Nos anos seguintes, foram acrescidos templos, fontes e *casine* (casas de campo) em falso estilo clássico. Em 1901, parque e *villa* foram comprados pelo governo, e em 1911 o local abrigou a Exposição Internacional, quando pavilhões de diversas nações do mundo foram construídos aqui –o mais notável de todos talvez seja o da **British School de Roma**, de Edwin Lutyens. À noroeste do parque, ficam o Museo Zoológico e um pequeno zoológico conhecido como Bioparco –o zoológico foi reformulado dando ênfase à conservação. As propriedades de Villa Borghese, Villa Giulia e jardins formam um enorme parque hoje, com o **Giardino del Lago** no centro, que, como diz o nome, contém um lago (artificial). A entrada principal é marcada por uma cópia do século 18 do Arco do Sétimo Severo, enquanto na ilha do lago se vê um falso templo jônico dedicado ao deus grego da saúde, Esculápio, projetado por Antonis Aspurucci.

Templo de Esculápio, "ornamento" do século 18 na Villa Borghese

Um extravagante Templo de

Diana, circular, situa-se entre a Porta Pinciana, no alto da Via Veneto, e a Piazza di Siena, um anfiteatro que sedia a feira internacional de cavalos de Roma, em maio. Seus pinheiros inspiraram o compositor Ottorino Respighi a escrever *Os Pinheiros de Roma* (1924). A temporada de ópera ao ar livre também é realizada no parque.

A noroeste do parque fica a Galleria Nazionale d'Arte Moderna, e a estufa *(orangerie)* abriga agora o novo Museu Carlo Bilotti.

***Amor Sagrado e Profano* de Ticiano (1514), na Galleria Borghese**

Museo e Galleria Borghese ❷

Villa Borghese, Piazzale Scipione Borghese 5. ***Tel*** *06 328 10.* *52, 53, 116, 910.* *3, 19.* *9h-19h ter-dom (recomenda-se reservar).* *feriados.*
www.galleriaborghese.it

A *villa* do cardeal Scipione Borghese foi criada em 1605 para ser uma típica casa de campo romana, com alas invadindo os jardins. O local foi construído por Flaminio Ponzio, arquiteto do papa Paulo V, e era usado por Scipione para receber hóspedes e exibir seu notável acervo de pinturas e esculturas. Entre 1801 e 1809, o príncipe Camillo Borghese (casado com a irmã de Napoleão Bonaparte, Pauline) vendeu muitas das obras da famílias para o cunhado da França e trocou 200 estátuas clássicas dos Borghese por uma propriedade em Piemonte. Essas estátuas ainda estão no Louvre, e talvez por isso o acervo clássico daqui tenha ficado menos interessante. No entanto, o cardeal Scipione era um grande protetor das artes e as esculturas que ele encomendou a artistas como Bernini hoje estão entre as mais famosas do mundo.

As oito salas do térreo distribuem-se em volta de um saguão central, o Salone. A estátua mais famosa é uma das mais belas obras de Bernini, *Apolo e Dafne* (1624), na Sala 3, que retrata a ninfa Dafne com folhas de louro brotando dos dedos das mãos, raízes dos dedos dos pés e uma casca rígida envolvendo seu corpo suave, no momento em que ela começava a se transformar em uma árvore de louro para não ser raptada pelo deus Apolo.

Rapto também é o tema de *O Rapto de Proserpina*, de Bernini, em exposição na Sala 4. A escultura, que retrata Plutão (Hades), o deus do mundo inferior, levando Proserpina (Perséfone) para ser sua esposa, é uma belíssima peça na qual Bernini contrasta a vigorosa musculatura do deus com o contorno macio de Proserpina. É possível ver a pressão do toque de Plutão na pele da jovem.

A terceira peça famosa de Bernini, de 1623, é *Davi*, na Sala 2. O artista capta a expressão tensa do jovem no momento que antecede o arremesso da pedra contra Golias. Conta a lenda que o papa Urbano VIII deu um espelho para Bernini, para que ele pudesse esculpir o rosto de Davi usando a si mesmo como modelo. Na sala ao lado fica a obra mais polêmica da Villa Borghese: uma escultura feita em 1805 por Canova, retratando Pauline Borghese como *Venus Victrix*. A obra, mostrando Pauline seminua e deitada em uma *chaise longue*, chocou os que a viram, e seu marido manteve a escultura fechada, impedindo o acesso até mesmo de Canova.

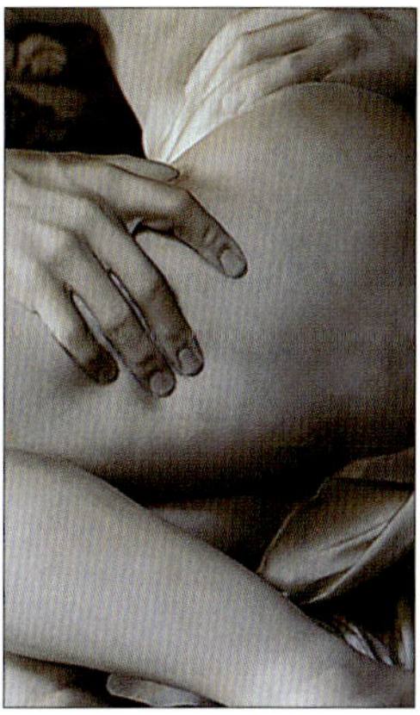

Detalhe de *O Rapto de Proserpina*, de Bernini (1622), Museo Borghese

Na sala ao lado estão diversas antiguidades, com destaque para uma cópia romana de um Baco de Praxíteles (o escultor grego o teria feito no século 4° a.C.). Há ainda fragmentos de um mosaico do século 3° encontrado em uma propriedade dos Borghese em Torrenova, mostrando a luta de gladiadores e animais selvagens.

Apolo e Dafne (1624), de Bernini

A Galleria Borghese, no piso superior, abriga um magnífico acervo de pinturas barrocas e renascentistas. Entre os trabalhos expostos aqui, está a obra-prima de Rafael, *Deposição*, além de diversas obras de Caravaggio, a bela *Dânae* pintada por Correggio (artista do século 16), peças de Pinturicchio, Barocci, Rubens e Ticiano.

Villa Giulia ❸

Esta *villa* foi construída em 1550 para servir de refúgio campestre para o papa Júlio III. Projetada por Vignola e Ammannati com contribuições de Michelangelo e Vasari, mais do que residência, o local tinha por finalidade acomodar os hóspedes do Vaticano, como a rainha Cristina da Suécia. Nos jardins foram colocadas 36 mil árvores. Havia uma notável coleção de esculturas: 160 barcos com estátuas e ornamentos foram enviados para o Vaticano após a morte do papa Júlio III, em 1555.

Desde 1889, a *villa* sedia o Museo Nazionale Etrusco, um rico acervo de antiguidades pré-romanas originárias da região central italiana.

PREPARE-SE

Piazzale di Villa Giulia 9.
Tel *06 322 65 71.*
52, 95. 3, 19.
8h30–19h30 ter-dom.
1° jan, 25 dez.
informar 7 dias antes.

Cofre Ficoroni
Esculpido e ilustrado, este cofre de bronze (século 4°) guardava enxoval de casamento, como espelhos e outros objetos de cuidado com o corpo.

As salas 24-29 contêm achados de Ager Faliscus, uma área entre o Tibre e o lago Bracciano, em particular templos de Falerii Vetere, a principal cidade falíscana.

Vaso faliscano
Pintado no estilo livre do século 4° a.C., este vaso com alças espiraladas armazenava vinho ou óleo. Os faliscanos eram uma tribo itálica sob influência etrusca.

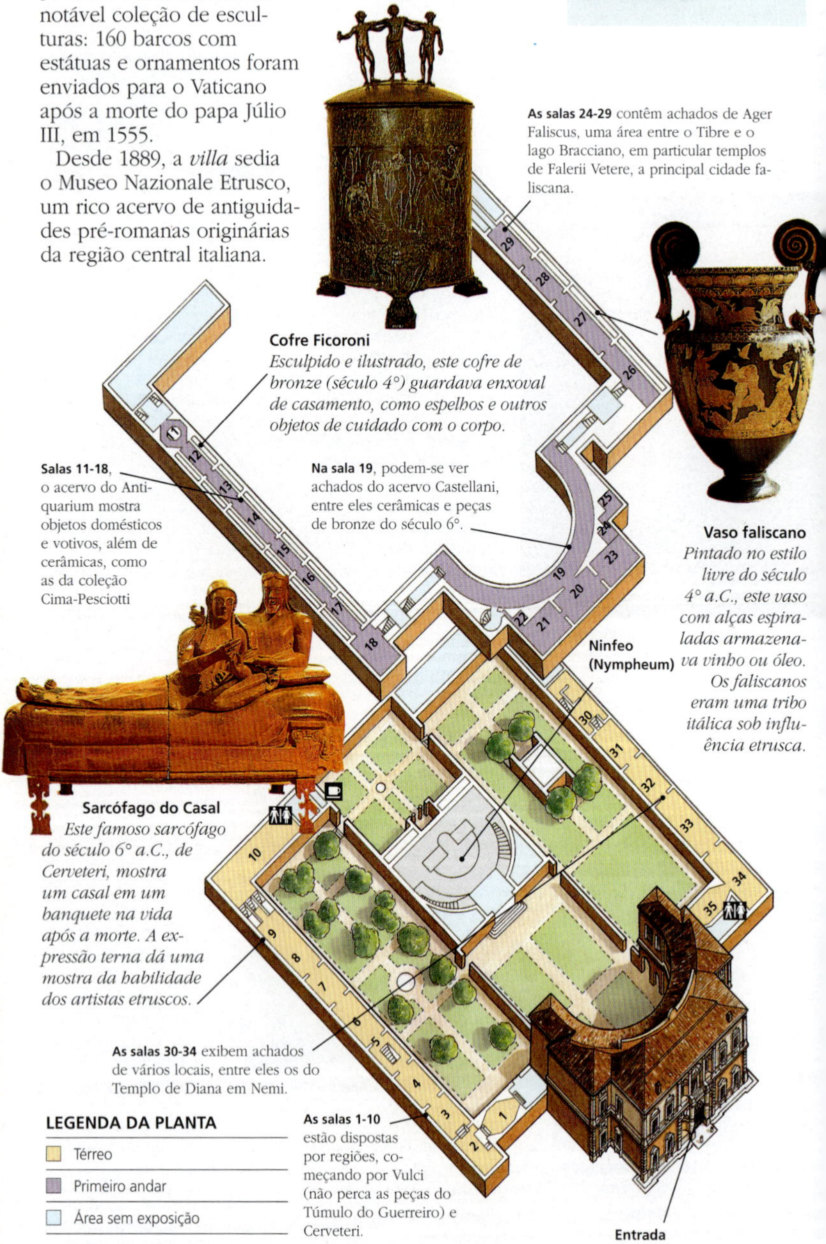

Salas 11-18, o acervo do Antiquarium mostra objetos domésticos e votivos, além de cerâmicas, como as da coleção Cima-Pesciotti

Na sala 19, podem-se ver achados do acervo Castellani, entre eles cerâmicas e peças de bronze do século 6°.

Ninfeo (Nympheum)

Sarcófago do Casal
Este famoso sarcófago do século 6° a.C., de Cerveteri, mostra um casal em um banquete na vida após a morte. A expressão terna dá uma mostra da habilidade dos artistas etruscos.

As salas 30-34 exibem achados de vários locais, entre eles os do Templo de Diana em Nemi.

As salas 1-10 estão dispostas por regiões, começando por Vulci (não perca as peças do Túmulo do Guerreiro) e Cerveteri.

Entrada

LEGENDA DA PLANTA

- Térreo
- Primeiro andar
- Área sem exposição

Para hotéis e restaurantes nesta região, ver págs. 587-92 e págs. 636-41

Mosaicos da abside de Sant'Agnese mostram a santa entre dois papas

Sant'Agnese fuori le Mura ❹

Via Nomentana 349.
Tel 06 861 08 40. 🚌 *36, 60, 84, 90.*
🕒 *7h30-12h 16h-19h45 diariam.*
para catacumba.

Sant'Agnese Fuori le Mura foi erguida no século 4° sobre a cripta da mártir santa Agnes, de 13 anos. Apesar de bastante alterada, a igreja conserva a forma da basílica original. Segundo a lenda, o local foi fundado por Constança, filha de Constantino, que teria se curado de lepra ao dormir ao lado do túmulo de Agnes.

No mosaico da abside, do século 7°, santa Agnes é retratada como uma imperatriz bizantina –com joias, estola de ouro e traje cor violeta. A tradição diz que, oito dias após sua morte, Agnes apareceu assim, segurando uma ovelha branca. No dia 21 de janeiro, duas ovelhas são abençoadas nesta igreja e um traje chamado *pallium* é feito com a lã delas e ofertado a um novo arcebispo.

Santa Costanza ❺

Via Nomentana 349. *Tel 06 861 08 40.* 🚌 *36, 60, 84, 90.* 🕒 *9h-12h, 16h-18h diariam (dom tardes).*

Esta igreja circular foi construída no início do século 4° para ser o mausoléu das filhas do imperador Constantino, Constança e Helena. O domo e seu tímpano apoiam-se sobre uma arcada com 12 pares de colunas de granito, enquanto o deambulatório tem um teto abobadado e decorado com os mais antigos mosaicos cristãos que se conhecem. Criados no século 4°, acredita-se que estes mosaicos, que mostram flores e animais, foram copiados de um piso romano. Há até uma graciosa cena de colheita de uva, embora o vinho, para os cristãos, represente o sangue de Cristo.

Em um nicho em uma parte distante da igreja fica uma réplica do sarcófago de Constança, de pórfiro, esculpido com querubins que amassam uva. O original está nos Museus do Vaticano desde 1790.

A santidade de Constança é polêmica. Descrita pelo historiador Marcellinus como uma mulher desagradável e raivosa, empenhada em estimular atos de violência de seu marido igualmente desagradável, provavelmente deve sua canonização a alguma confusão com uma freira que tinha o mesmo nome.

Interior circular da igreja de Santa Costanza, do século 4°

Via Appia Antica ❻

🚌 *118, 218, 760.*

Ciprestes na beira da Via Appia

A primeira parte da Via Appia foi construída em 312 a.C. por Ápio Cláudio Ceco. Em 190 a.C., quando prolongada até os portos de Taranto e Brindisi, a estrada tornou-se a ligação de Roma com seu império oriental. Esta foi a trajetória do cortejo do ditador Sulla (78 a.C.) e do imperador Augusto (14), e por ela são Paulo foi levado como prisioneiro para Roma em 56. A igreja do Domine Quo Vadis? marca o local onde são Pedro teria encontrado Cristo ao tentar fugir de Roma.

Na beira da estrada ficam túmulos de famílias, monumentos malcuidados e áreas para enterros coletivos *(columbaria)*. Sob a terra, em ambas as margens, esconde-se um labirinto de catacumbas, como San Callisto e San Sebastiano.

Catacumbas ❼

Via Appia Antica 126. *118, 218, 660.* **San Callisto** ***Tel*** *06 513 01 51.* *9h-12h, 14h-17h qui-ter.* *1° jan, fev, Páscoa, 25 dez.*

Ao enterrar seus mortos em cemitérios subterrâneos fora dos muros da cidade, os primeiros cristãos apenas cumpriam as leis da época. Ao contrário do que sugerem alguns mitos populares, eles não estavam movidos por perseguições. Como muitos santos foram enterrados aqui, as catacumbas acabaram se tornando santuários e locais de peregrinação. Hoje várias delas são abertas ao público. As vastas Catacumbas de San Callisto, escavadas em tufo vulcânico, têm nichos ou *loculi* com dois ou três corpos, assim como os túmulos de vários papas antigos. As paredes das Catacumbas de San Sebastiano são cobertas de inscrições que invocam São Pedro e São Paulo, cujos despojos podem ter estado neste local.

Gravura de cerimônia cristã nas Catacumbas de San Callisto (50)

EUR ❽

170, 671, 714. *EUR Fermi, EUR Palasport.* **Museo della Civiltà Romana** *Piazza G Agnelli 10.* ***Tel*** *06 542 20919.* *9h-14h ter-sáb (até 13h30 dom). Últ. entrada 1h antes de fechar.* *1° jan, 1° mai, 25 dez.*

A Esposizione Universale di Roma (EUR), subúrbio ao sul da cidade, foi originalmente construída para uma exposição internacional, um tipo de

"Praça Coliseu", Palazzo della Civiltà del Lavoro na EUR

"Olimpíadas do Trabalho" planejada para 1942, porém jamais realizada devido à eclosão da guerra. A arquitetura visava glorificar o fascismo e, por isso, o estilo bombástico das edificações parece excessivo e retórico nos dias de hoje. Entre elas, a mais conhecida é o Palazzo della Civiltà del Lavoro (o Palácio da Civilização do Trabalho), um marco visível para quem chega à cidade pelo aeroporto Fiumicino. O projeto foi concluído na década de 1950. Apesar da arquitetura dúbia da área, a EUR foi um êxito de planejamento e as pessoas ainda gostam de morar aqui. Além da parte residencial com vastas entradas de mármore, os largos bulevares também abrigam escritórios do governo e museus. Entre estes o melhor é o Museo della Civiltà Romana, famoso por seus fragmentos dos relevos da Coluna de Trajano e por um modelo em grande escala representando Roma no 4° século, com todas as edificações então existentes dentro dos muros aurelianos. O sul do subúrbio tem um lago, um parque sombreado e o Palazzo dello Sport, construído para os Jogos Olímpicos de 1960 e dotado de um grande domo.

San Paolo fuori le Mura ❾

Via Ostiense 186. *23, 128, 170, 670, 761, 766, 769.* *San Paolo.* ***Tel*** *06 541 03 41.* *7h-18h30 diariam.* **Claustro** *9h-18h diariam.*

A igreja atual é uma reconstrução fiel, embora sem alma, da grande basílica do 4° século destruída por um incêndio em 1823. Restaram poucos fragmentos da igreja original, sendo o principal deles o claustro (1241), com colunas embutidas, que estão entre as mais belas de Roma. Em outro ponto, o arco triunfal de igreja é decorado de um lado com mosaicos do 5° século que foram restaurados e, do outro lado, com mosaicos de Pietro Cavallini que antes ficavam na fachada. Os mosaicos igualmente belos (1220) na abside representam as figuras de Cristo, são Pedro, santo André, são Paulo e são Lucas. A única obra de arte mais notável é o fino dossel de mármore sobre o elevado altar, assinado por Arnolfo di Cambio (1285), possivelmente com a ajuda de Pietro Cavallini. Abaixo do altar fica o *confessio* onde, segundo dizem, são Paulo foi enterrado. À direita está o impressionante castiçal pascal do século 12 e assinado por Nicolò di Angelo e Pietro Vassalletto.

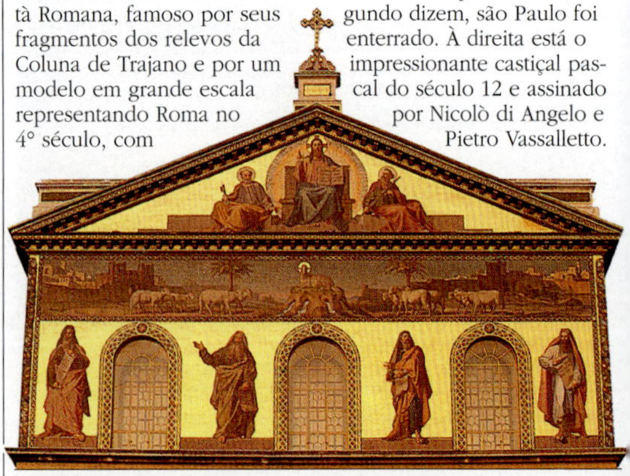

Mosaico do século 19 na fachada da San Paolo fuori le Mura

Para hotéis e restaurantes nesta região, ver págs. 587-92 e págs. 636-41

Compras em Roma

Roma sempre foi um próspero centro de design e compras. Na antiguidade, os melhores artesãos eram trazidos para a cidade e artefatos e produtos de todos os tipos, incluindo ouro, peles e vinho, eram importados de recantos remotos do Império para atender às necessidades da rica população local. Hoje em dia fazer compras em Roma continua evidenciando essa tradição de diversidade. Os designers italianos têm merecida reputação por seu estilo luxuoso aplicado a roupas, malharia e artigos de couro (especialmente sapatos e bolsas), assim como ao design de interiores, tecidos, cerâmicas e vidro. A tradição artesanal é forte e a paixão pelo bom design se reflete nos menores itens. Roma não é sinônimo de pechincha (embora muitas vezes seja mais acessível do que Florença ou Milão), mas aqui basta namorar as vitrines para sentir-se recompensado.

MODA

A Itália ocupa papel de liderança na alta moda. É fato que muitos designers famosos vivem em Milão, mas Roma sedia várias casas de moda sofisticadas e de renome internacional, incluindo **Fendi**, **Laura Biagiotti**, **Prada** e **Valentino**, cujo estúdio domina a Piazza Mignanelli.

Mesmo para quem não tem condições financeiras de se vestir com roupas assinadas por esses designers, há diversão garantida só de passear pelas ruas que se irradiam da Piazza di Spagna: algumas vitrines da área são verdadeiramente espetaculares.

Roma não é um bom lugar para comprar roupas para o dia a dia, já que há uma carência evidente de lojas de preços médios que cobriria a lacuna entre os caríssimos artigos exclusivos de alta moda e aqueles ultrabaratos vendidos em mercados. No entanto, na **Discount dell'Alta Moda** é possível achar artigos de grife de fim de estação por metade do preço cobrado nas butiques.

LIVROS E PRESENTES

Roma oferece um enorme escopo para aquisição de presentes tanto em lojas para turistas no centro histórico quanto em lojas menores em partes menos famosas da cidade que podem não constar de seu itinerário de férias.

A Via del Pellegrino é uma rua bastante movimentada e repleta de pequenos e bons outlets, como o **Le Tre Ghinee**, que vende objetos de cerâmica e de vidro. Os interessados em design contemporâneo devem ir ao **Palazzo delle Esposizioni**, que oferece numerosos objetos de designers famosos.

A livraria **Feltrinelli International** tem uma gama excelente de ficção em vários idiomas e não ficção sobre diversos assuntos, incluindo arte e arquitetura italiana, cozinha, viagens e história. Tem também belos pôsteres fotográficos, de arte e cinema. Para livros baratos tente os sebos em barracas na Via delle Terme di Diocleziano e no Largo della Fontanella di Borghese.

Perto do Pantheon, a florentina **Il Papiro** vende lindos produtos de papelaria, incluindo diários, cadernos, envelopes e conjuntos para lacre que funcionam como ótimos presentes.

Artefatos religiosos são encontrados em livrarias próximas às principais basílicas, a exemplo da **Libreria Belardetti** perto da São Pedro.

Há outras lojas especializadas em itens religiosos para o clero e os leigos. Defronte aos portões do Vaticano, na Via di Porta Angelica, muitas lojas, incluindo a **Al Pellegrino Cattolico**, vendem recordações para peregrinos.

ALIMENTOS E BEBIDAS

Se você estiver tentado a levar na bagagem de volta algumas iguarias italianas irresistíveis, a exemplo de queijo pecorino, presunto de Parma, azeite de oliva extra virgem, cogumelos porcini e tomates secos, azeitonas, grappa e os vinhos divinos do Lácio e de outras re-giões do país, um bom lugar para começar a pesquisa são as *alimentari*, tradicionais lojas de alimentos. A **Fratelli Fabbi**, perto da Piazza di Spagna, tem uma seleção excepcional de deliciosas carnes frias e queijos de toda a Itália, assim como vinhos e espumantes de alta qualidade. Poucas portas abaixo na mesma rua fica a **Focacci**, repleta de iguarias italianas. A histórica e cara **Volpetti**, em Testaccio, é sinônimo de ótimo serviço e qualidade absoluta. Além de ser especializada em queijos incomuns, azeites de oliva, vinagres e fabulosas cestas sortidas, também exibe uma variedade de toicinho e caviar italianos que voce pode experimentar antes de comprar. Em Pinciano, a **Casa dei Latticini Micocci** vende uma série abrangente de queijos até das regiões mais remotas do país. Em Trastevere, a familiar **Antica Caciara Trasteverina** tem um vasto sortimento de laticínios locais e regionais, incluindo ricota de ovelha e a *toma del fen* do Piemonte. A **Cisternino** também oferece grande varie-dade de queijos e bons pre-ços. Se bolos e chocolates es-tiverem em sua lista, sobram endereços para atender ao seu desejo. A **Chocolat**, no centro histórico, vende chocolates caseiros e de marcas conhecidas e, eventualmente, organiza degustações e jantares para *connoisseurs*, ao passo que a **Moriondo e Gariglio** é especializada em delícias de chocolate feitas a partir de receitas piemontesas tradicionais. **La Deliziosa**, perto da Piazza Navona, oferece uma ampla gama de sobremesas e bolos italianos; as que levam ricota merecem menção especial. Lembre-se de que as alfândegas brasileira e italiana têm restrições a certos tipos de alimentos.

MERCADOS

Os mercados ao ar livre de Roma revelam a exuberância e mundanidade características dos romanos. São também experiências fantásticas, pois os donos de barracas exibem até os legumes mais simples com muita arte.

A cidade é repleta de pequenos mercados de alimentos locais e vários estabelecimentos antigos e fascinantes ficam perto do centro. Entre eles há o **Campo de' Fiori** de gêneros alimentícios, o **Mercato delle Stampe** de antigas estampas, livros e revistas, e o **Nuovo Mercato Esquilino** com alimentos importados.

Famoso mercado de pulgas de Trastevere, o **Porta Portese** começou a funcionar logo após o final da Primeira Guerra Mundial e dizem que teve origem no próspero mercado negro que havia na Tor di Nona, do lado oposto ao Castel Sant'Angelo, durante aqueles anos de escassez. Há pilhas bagunçadas de tudo e mais um pouco nas barracas –roupas, sapatos, bolsas, roupas de cama e mesa, malas, equipamentos de camping, toalhas, potes, panelas, utensílios de cozinha, plantas, animais, cassetes e CDs, velhos LPs e discos de 78 rotações.

Se você estiver buscando um mercado de alimentos tradicional no coração da velha cidade, o mais pitoresco é também o mais histórico. O Campo de' Fiori *(pág. 401)*, que significa "campo de flores", às vezes confunde as pessoas que esperam achar um mercado de flores. Na verdade, dizem que seu nome deriva de *Campus Florae* (praça de Flora) –Flora era a amante do grande general romano Pompeu. Um mercado é realizado nesta linda *piazza* central há muitos séculos. Toda manhã, exceto no domingo, a *piazza* é invadida por numerosas barracas que vendem frutas, legumes, carnes, aves e peixes. Uma ou duas barracas também oferecem legumes, arroz, frutas secas e nozes.

Ao longo do ano Roma também sedia muitas feiras de rua. Se alguma coincidir com sua estada, vale a pena conferir a grande variedade de produtos locais, artesanato e roupas. Há também feiras sazonais, especialmente na época do Natal, a exemplo da **Natale Oggi** na Fiera di Roma, com grande oferta de especialidades italianas.

Fique atento nos mercados, pois os batedores de carteira atuam com impressionante rapidez no meio das multidões.

AGENDA

MODA

Discount dell'Alta Moda
Via dei Serviti 27.
Mapa 3 B3.
Tel 06 482 7790.
Filial: Via di Gesù e Maria 14 & 16A. **Mapa** 2 F2.
Tel 06 361 3796.

Fendi
Largo Goldoni 419.
Mapa 10 E3.
Tel 06 696 661.

Laura Biagiotti
Via Borgognona 43-44.
Mapa 10 E1.
Tel 06 679 1205.

Prada
Via Condotti 92-95.
Mapa 3 A2.
Tel 06 679 0897.

Valentino
Via Bocca di Leone 15.
Mapa 3 A2.
Tel 06 673 9430.

LIVROS E PRESENTES

Al Pellegrino Cattolico
Via di Porta Angelica 83.
Mapa 1 C2.
Tel 06 6880 2351.

Feltrinelli International
Via VE Orlando 84-86.
Mapa 3 C3.
Tel 06 482 7878.

Libreria Belardetti
Via della Conciliazione 4B.
Mapa 1 C3.
Tel 06 686 5502

Palazzo delle Esposizioni
Via Milano 15-17.
Mapa 3 B4.
Tel 06 4891 3361.

Il Papiro
Via del Pantheon 50 (em direção à Via d'Orfani).
Mapa 10 D2.
Tel 06 679 5597.

Le Tre Ghinee
Via del Pellegrino 90.
Mapa 2 E4.
Tel 06 687 2739.

ALIMENTOS E BEBIDAS

Antica Caciara Trasteverina
Via San Francesco a Ripa 140A/B. **Mapa** 5 C1. ***Tel*** 06 581 2815.

Casa dei Latticini Micocci
Via Collina 14.
Mapa 4 D2.
Tel 06 474 1784.

Chocolat
Via della Dogana Vecchia 12.
Mapa 10 D3.
Tel 06 6813 5545.

Cisternino
Vicolo del Gallo 19-20.
Mapa 9 C4.
Tel 06 687 2875.

La Deliziosa
Vicolo Savelli 50.
Mapa 9 B3.
Tel 06 6880 3155.

Focacci
Via della Croce 43.
Mapa 2 F2.
Tel 06 679 1228.

Fratelli Fabbi
Via della Croce 28.
Mapa 2 F2.
Tel 06 679 0612.

L'Albero del Cacao
Via di Capo le Case 21.
Mapa 10 F1.
Tel 06 679 5771.

Volpetti
Via Marmorata 47.
Mapa 6 D2.
Tel 06 574 2352.

MERCADOS

Campo de' Fiori
Piazza Campo de' Fiori.
Mapa Mapa 2 E4 e 9 C4.
7h-13h30 seg-sáb

Mercato delle Stampe
Largo della Fontanella di Borghese.
Mapa 2 F3 e 10 D1.
7h-13h30 seg-sáb

Natale Oggi
Fiera di Roma, distrito Portuense.

Nuovo Mercato Esquilino
Via Principe Amedeo.
Mapa 4 E4.
7h-14h seg-sáb

Porta Portese
Via Portuense e Via Ippolito Nievo.
Mapa 5 C3.
6h30-14h dom.

Diversão em Roma

Quando o assunto é diversão em Roma, isso sempre envolve excitação. Mesmo que você não seja fã de ópera ou futebol, por exemplo, vale a pena ir pelo menos uma vez só para sentir o clima. Há também boas opções de jazz, com astros internacionais se apresentando com talentos locais. Em vista de tantas lojas e restaurantes que fecham, o verão é a época mais animada em Roma em termos de eventos culturais, com a realização de diversos festivais de arte nas praças renascentistas, vastos parques, jardins de *villas*, ruínas clássicas e outros espaços abertos da cidade. Concertos e filmes ganham destaque quando você depara com a presença dos astros em muitas das arenas ao ar livre pela cidade. Há também numerosas opções de clubes noturnos.

INFORMAÇÕES ÚTEIS

Boas fontes de informações sobre o que está acontecendo nos classificados da revista *Roma C'È* e no *Trovaroma*, suplemento das quintas-feiras do jornal *La Repubblica*. Também vale a pena examinar o *L'Evento*, encontrado nas Rome Tourist Office *(pág. 665)*, que dá detalhes em inglês sobre eventos culturais na cidade.

RESERVA DE INGRESSOS

Entre as agências que vendem ingressos antecipados para certas apresentações, mediante uma pequena taxa, estão a **Orbis** e a **Box Office**. Muitos teatros não fazem reserva por telefone, e é preciso ir pessoalmente à bilheteria. Sobre ingressos vendidos com antecedência incide a cobrança da *prevendita* (10% sobre o preço normal). A bilheteria do **Teatro dell'Ópera** vende ingressos para as temporadas de verão e de inverno. Ingressos para a maioria dos grandes shows de rock e jazz são vendidos na Orbis e nas grandes lojas de discos, como a **Ricordi Media Store**. Nos bares, pegue sempre os cupons *due per uno* que permitem a entrada de duas pessoas pelo preço de uma.

DIVERSÃO AO AR LIVRE

Ópera, cinema, música clássica e concertos de jazz ao ar livre preenchem o calendário romano do final de junho até o final de setembro. Em julho e agosto há o **Cineporto**, festival realizado junto ao Tibre, na Ponte Milvio, e o **Festival di Massenzio**, no Fórum, com filmes, música ao vivo, comida e pequenas exposições. Os meses de verão também contam com ótimos festivais ao ar livre de rock, jazz e world music, ao passo que o principal festival de artes cênicas do outono, o **RomaEuropa**, oferece apresentações ocasionais na Villa Medici. O teatro também vai para espaços abertos no verão, e alguns cinemas abrem o teto para projeções ao ar livre.

Tradicional festival religioso da comunidade de Trastevere, a **Festa dei Noiantri** *(pág. 67)* tem música, procissões e fogos de artifício. Começa no sábado depois de 16 de julho e se estende até o final do mês.

MÚSICA CLÁSSICA E DANÇA

Há concertos clássicos em um número surpreendente de locais. É difícil conseguir ingressos para estreias de ópera, mas solistas, grupos e orquestras tocando em jardins, igrejas, *villas* ou ruínas antigas são mais acessíveis.

Solistas e orquestras de fama mundial se apresentam ao longo do ano em locais como o **Parco della Musica**, projetado por Renzo Piano, e a **Accademia Filarmonica Romana**. Já passaram por esses palcos Luciano Pavarotti, Placido Domingo, a Filarmônica de Berlim e a *prima ballerina* Sylvie Guillem. Uma das programações mais inovadoras de música clássica e contemporânea é a promovida pela **Aula Magna dell'Università La Sapienza**. A temporada de ópera no **Teatro dell'Ópera** vai de novembro a janeiro. Grandes balés clássicos também são apresentados nesse local. O Equilibrio Festival, em fevereiro, traz dança contemporânea para a cidade (apresentações acontecem principalmente no Parco Della Musica).

ROCK, JAZZ E WORLD MUSIC

A cena musical de Roma é imprevisível e sujeita a mudanças sazonais. Mas há muitos shows de astros estrangeiros e italianos em clubes e estádios, como o **Palalottomatica** e o **Stadio Olimpico**.

Os melhores músicos de jazz tocam na esplêndida **Casa del Jazz**, que sedia pequenos festivais, e no **Alexanderplatz**. Em Trastevere, o **Big Mama** é um dos endereços lendários para grandes nomes do jazz, ao passo que a world music predomina no convenientemente intitulado **Villaggio Globale**.

Locais menores às vezes exigem que você compre um cartão de afiliação mensal ou anual (entre 2 e 11 euros) que, em geral, inclui a taxa de entrada para shows de bandas menos famosas. Vale a pena só para quem for ficar mais tempo na cidade.

CINEMA E TEATRO

Ir ao cinema é um passatempo popular em Roma, onde há em média 40 filmes em cartaz nos dias de semana.

A maioria dos cinemas romanos realiza *prima visione* (estreias) e exibe os filmes internacionais mais recentes dublados. As melhores salas em termos de decoração e conforto na cidade são as do **Fiamma** (duas telas) e do **Barberini** (três telas).

Filmes no idioma original são exibidos no **Metropolitan** (diariamente) e no **Nuovo Olimpia** (segundas-feiras). Em cinemas de arte menores, como o **Azzurro Scipioni**, há mais chance de ver filmes estrangeiros com legendas.

Peças de teatro de dramaturgos italianos ou estrangeiros são sempre apresentadas em italiano. Os principais teatros –**Teatro Argentina**, **Teatro Quirino** e **Teatro Valle**– apresen-tam peças selecionadas de grandes autores italianos.

Há também apresentações de cabaré tradicional, dança e teatro de vanguarda no **Teatro India**. O preço dos ingressos varia (de 8 a 50 euros) e, em geral, só podem ser compra-dos com antecedência na bi-lheteria do teatro ou através de agências especializadas como a Box Office.

VIDA NOTURNA

A vida noturna de Roma nunca foi tão vibrante quanto hoje em dia. Nos últimos anos houve um aumento bastante considerável no número de bares e clubes, todos se esmerando para agradar a uma clientela cada vez mais exigente. Não faz muito tempo a cena se limitava a uns poucos bares no centro e a clubes muito conhecidos em Testaccio, como o descaradamente comercial **Akab Cave** ou o mais sofisticado **Locanda Atlantide**, sempre com DJs de funk e reggae. Agora a capital exibe inúmeras opções para todos os gostos e bolsos.

Comece a noite em um dos exclusivos locais de "pré-balada", como o **Gusto**, frequentado pelos romanos endinheirados. Este estabelecimento oferece três ambientes com restaurante, pizzaria, bar de vinhos e, ocasionalmente, música ao vivo. Outra alternativa a ser considerada é relaxar em um bar de vinhos em uma das belas praças no centro histórico.

Quem busca a cena gay deve ir ao **Coming Out**, perto do Coliseu, e ao **Alpheus**, perto da Via Ostiense, onde há noites gays regularmente.

Para uma noitada mais alternativa, vá aos *centri sociali*, edifícios ilegalmente ocupados que viraram centros de arte e entretenimento.

O melhor é o **Brancaleone**, que tem sempre DJs italianos e internacionais de música eletrônica e house.

Uma noite em Roma pode ser bem cara, e um simples drink pode custar até dez euros. Para uma noitada mais econômica, opte por um dos bares localizados na área da San Lorenzo.

AGENDA

COMPRA DE INGRESSOS

Box Office
Galleria Alberto Sordi (dentro da livraria Feltrinelli). **Mapa** 10 E2. ***Tel*** *06 679 4957*.

Orbis
Piazza dell'Esquilino 37. **Mapa** 4 D4. ***Tel*** *06 474 4776*.

Ricordi Media Store
Via VE Orlando 73-75. **Mapa** 3 C3. ***Tel*** *06 474 6254*.

MÚSICA CLÁSSICA E DANÇA

Accademia Filarmonica Romana
Via Flaminia 118. ***Tel*** *06 320 1752*. **www**.filarmonica romana.org

Aula Magna dell'Università La Sapienza
Piazzale Aldo Moro 5. **Mapa** 4 F3. ***Tel*** *06 361 0051*. **www**.concertiiuc.it

Parco della Musica
Viale de Coubertin 30. ***Tel*** *06 8024 1281* (informações); *892 982* (venda com cartão). **www**.auditorium.com

RomaEuropa
Via dei Magazzini Generali 20a. ***Tel*** *06 4555 3000*. **http://**romaeuropa.net.

Teatro dell'Opera
Piazza Beniamino Gigli 1. **Mapa** 3 C3. ***Tel*** *06 4816 0255*. **www**.opera.roma.it.

ROCK, JAZZ E WORLD MUSIC

Alexanderplatz
Via Ostia 9. **Mapa** 1 B1. ***Tel*** *06 5833 5781*.

Big Mama
Vicolo San Francesco a Ripa 18. **Mapa** 5 C2. ***Tel*** *06 581 2551*.

Casa del Jazz
Viale di Porta Ardeatina 55. **Mapa** 7 A4. ***Tel*** *06 704 731*. **www**.casajazz.it

Palalottomatica
Piazalle dello Sport. ***Tel*** *199 128 800*.

Stadio Olimpico
Viale dei Gladiatori (noroeste do centro, cruzando o Tibre pela Monte Mario).

Villaggio Globale
Ex-Mattatoio, Lungotevere Testaccio 2. **Mapa** 6 D4. ***Tel*** *334 179 0006*.

CINEMA E TEATRO

Azzurro Scipioni
Via degli Scipioni 82. **Mapa** 1 C2. ***Tel*** *06 3973 7161*.

Barberini
Piazza Barberini 24. **Mapa** 3 B3. ***Tel*** *06 482 7707*.

Fiamma
Via Bissolati 47. **Mapa** 3 C2. ***Tel*** *06 482 7100*.

Metropolitan
Via del Corso 7. **Mapa** 2 F1. ***Tel*** *06 320 0933*.

Nuovo Olimpia
Via in Lucina 16. **Mapa** 10 E1. ***Tel*** *06 686 1068*.

Teatro Argentina
Largo Argentina 56. **Mapa** 2 F4. ***Tel*** *06 684 000 311*. **www**.teatrodiroma.net

Teatro India
Via L Pierantoni 6. **Mapa** 5 C5. ***Tel*** *06 684 000 311*.

Teatro Quirino
Via delle Vergini 7. **Mapa** 3 B3 e 10 F2. ***Tel*** *06 679 4585*. **www**.teatroquirino.it

Teatro Valle
Via del Teatro Valle 21. **Mapa** 3 A4 e 10 D3. ***Tel*** *06 6880 3794*. **www**.teatrovalle.it

VIDA NOTURNA

Akab
Via di Monte Testaccio 69. **Mapa** 6 D4. ***Tel*** *06 5725 0585*.

Alpheus
Via del Commercio 36-8. **Mapa** 8 D5. ***Tel*** *06 574 7826*.

Brancaleone
Via Levanna 11 (em Montesacro). ***Tel*** *06 8200 0959*.

Coming Out
Via San Giovanni in Laterano 8. **Mapa** 7 B1. ***Tel*** *06 700 9871*.

Gusto
Via degli Specchi 6. **Mapa** 10 D5. ***Tel*** *06 683 8989*.

Locanda Atlantide
Piazza Augusto Imperatore, 9. **Mapa** 2 F2. ***Tel*** *06 322 6273*.

GUIA DE RUAS DE ROMA

Referências de mapas na seção de pontos turísticos de Roma se referem aos mapas nas páginas seguintes. Há também referências de mapas junto às listas de hotéis *(págs. 587-92)*, restaurantes *(págs. 636-41)* e endereços úteis nas seções *Indicações ao Turista e Manual de Sobrevivência* no final do livro. O primeiro número na referência de mapa

indica em qual grade do Guia de Ruas encontra-se o local. Todas as áreas de Roma estão cobertas nos oito mapas e o número do mapa correspondente aparece em preto. Todos os principais pontos turísticos são destacados nos mapas e os símbolos citados na lista abaixo são usados para indicar a localização de outras edificações importantes.

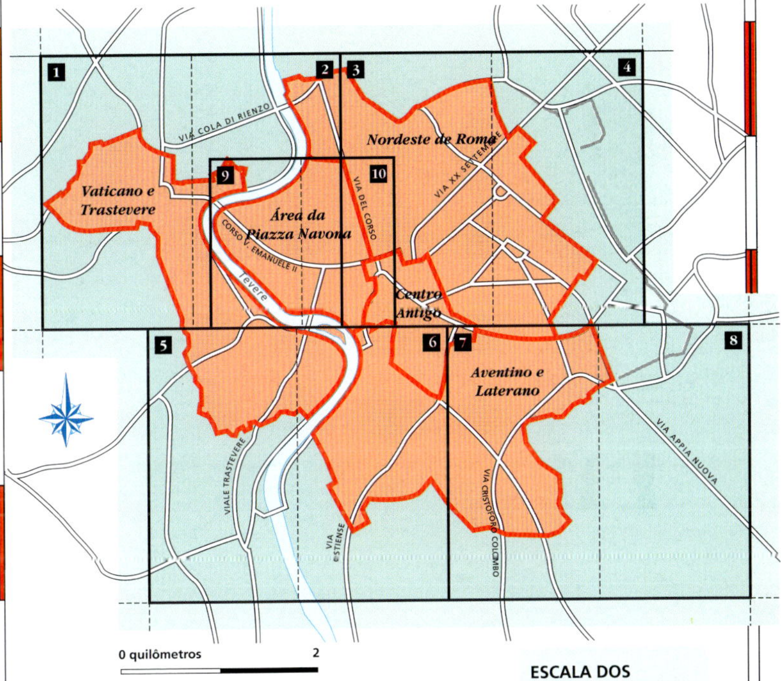

LEGENDA E ESCALA DO GUIA DE RUAS

- Principal atração
- Local de interesse
- Estação de trem
- Estação de metrô
- Terminal de ônibus
- Terminal de bonde
- Estacionamento
- Informação turística
- Hospital com pronto-socorro
- Delegacia
- Igreja
- Sinagoga
- Correio
- Ferrovia
- Muralha
- Rua de mão única

ESCALA DOS MAPAS 1 A 8

0 metros 250

1:12.000

ESCALA DOS MAPAS 9 E 10

0 metros 150

1:7.600

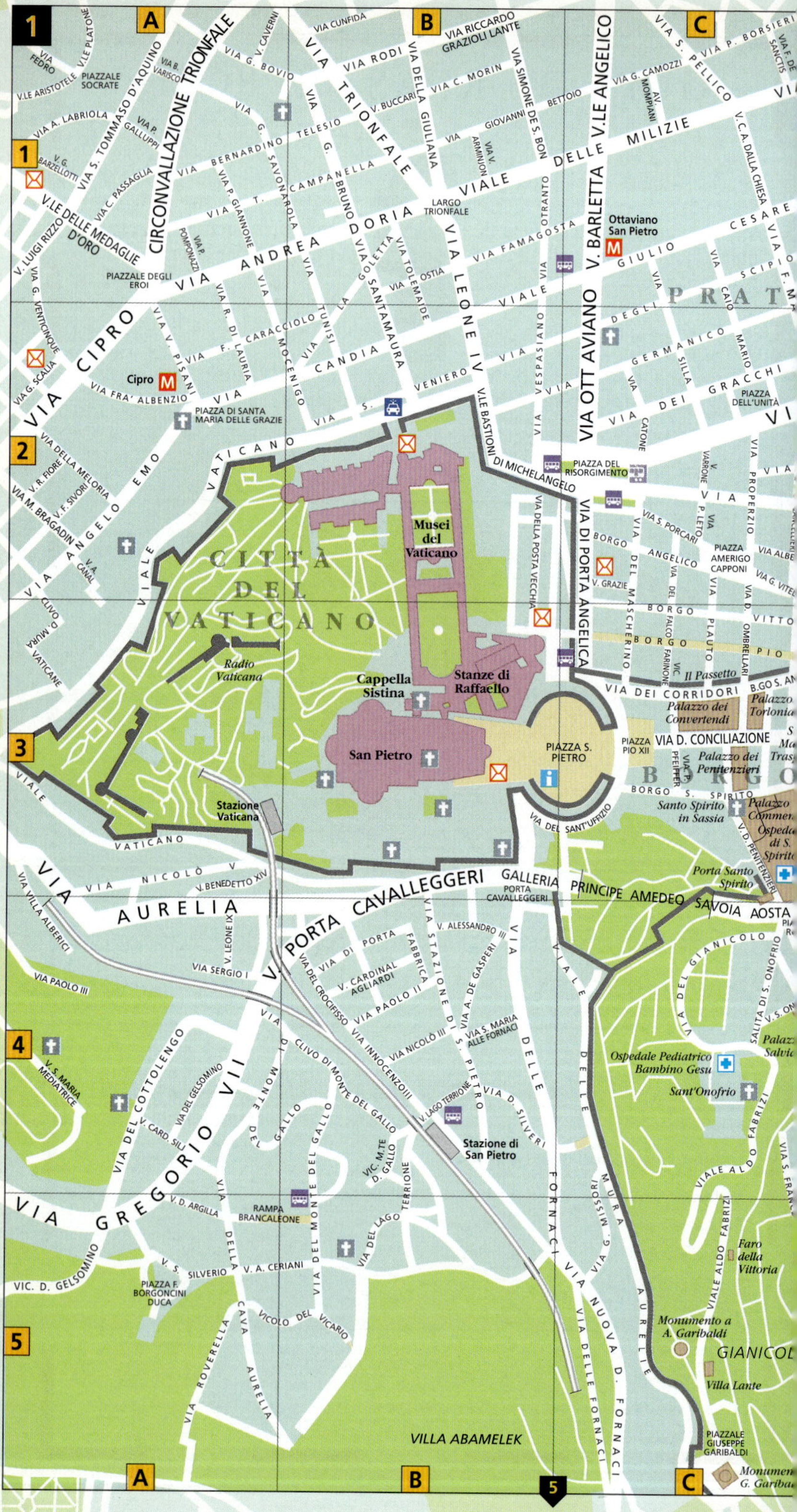

1
A
B
C
CITTÀ DEL VATICANO
Musei del Vaticano
Cappella Sistina
Stanze di Raffaello
San Pietro
PIAZZA S. PIETRO
Radio Vaticana
Stazione Vaticana
Stazione di San Pietro
Ottaviano San Pietro
Cipro
PIAZZA DEL RISORGIMENTO
PIAZZA DI SANTA MARIA DELLE GRAZIE
PIAZZALE DEGLI EROI
LARGO TRIONFALE
PIAZZALE SOCRATE
PIAZZA PIO XII
PIAZZA AMERIGO CAPPONI
PIAZZA DELL'UNITÀ
VIA D. CONCILIAZIONE
Il Passetto
Palazzo dei Convertendi
Palazzo Torlonia
Palazzo dei Penitenzieri
Santo Spirito in Sassia
Porta Santo Spirito
Ospedale Pediatrico Bambino Gesù
Sant'Onofrio
Faro della Vittoria
Monumento a A. Garibaldi
GIANICOLO
Villa Lante
PIAZZALE GIUSEPPE GARIBALDI
VILLA ABAMELEK
RAMPA BRANCALEONE
PIAZZA F. BORGONCINI DUCA
PORTA CAVALLEGGERI
GALLERIA PRINCIPE AMEDEO SAVOIA AOSTA
VIA AURELIA
VIA GREGORIO VII
VIA DI PORTA CAVALLEGGERI
VIA CIPRO
VIA ANDREA DORIA
VIALE GIULIO CESARE
VIA TRIONFALE
CIRCONVALLAZIONE TRIONFALE
VIALE DELLE MILIZIE
V.LE ANGELICO
V. BARLETTA
VIA OTTAVIANO
VIA DI PORTA ANGELICA
V.LE BASTIONI DI MICHELANGELO
VIA LEONE IV
VIALE VATICANO
VIA DELLE FORNACI
VIA NUOVA D. FORNACI
VIALE ALDO FABRIZI
VIA DEI CORRIDORI
BORGO PIO
BORGO ANGELICO
BORGO VITTORIO
BORGO S. SPIRITO
VIA DEL SANT'UFFIZIO
VIA ANGELO EMO
VIA DELLA MELORIA
VIA MOCENIGO
VIA CANDIA
VIA VENIERO
VIA SANTAMAURA
VIA CRESCENZIO
2
3
4
5

D
E
F
2
Stazione Roma-Nord
Flaminio
V.LE WASHINGTON
V.LE DEL MURO TORTO
PIAZZALE FLAMINIO
Santa Maria del Popolo
Porta del Popolo
PIAZZA DEL POPOLO
Il Pincio
VIALE G. D'ANNUNZIO
1
V.LE MILIZIE
VIA LEPANTO
Lepanto
GIULIO CESARE
VIA COSSERIA
VIA GAVINANA
VIA VIGLIENA
VIA FORNOVO
Ponte P. Nenni
LUNGOT. MICHELANGELO
LUNGOT. ARNALDO DA BRESCIA
VIA G. D. ROMAGNOSI
VIA C. BECCARIA
VIA F. CARRARA
VIA G. VICO
V. L. DI SAVOIA
V. MARIA CRISTINA
VIA F. DI SAVOIA
VIALE
VIA DUILIO
VIA SCIPIONI
POMPEO MAGNO
VIA M. A. COLONNA
VIA A. FARNESE
VIA DEGLI
VIA EZIO
VIA ORSINI
PIAZZA DEI QUIRITI
VIA DEI GRACCHI
PIAZZA DELLA LIBERTÀ
Ponte Regina Margherita
LUNGOTEVERE DEI MELLINI
LUNGOTEVERE IN AUGUSTA
PASSEGGIATA DI RIPETTA
VIA D. PENNA
VIA D. OCA
VIA A. BRUNETTI
VIA DI RIPETTA
Santa Maria in Montesanto
Santa Maria dei Miracoli
VIA MARGUTTA
VIA DEL BABUINO
VIA U. FONTANELLA
Casa di Goethe
VIA LAURINA
CAMPO MARZIO
3
VIA D. VANTAGGIO
VIA DEL FIUME
V. DI GESÙ E MARIA
All Saints
VIA S. GIACOMO
VIA D. GRECI
VIA A. CANOVA
VIA DELLA FREZZA
VIA VITTORIA
VIC. DEL LUPO
VIA ARA PACIS
Ara Pacis
Mausoleo di Augusto
LARGO DEI LOMBARDI
VIA DELLA CROCE
VIA BELSIANA
San Rocco
PIAZZA AUGUSTO IMPERATORE
Santi Ambrogio e Carlo al Corso
CORSO
VIA COLA DI RIENZO
PIAZZA COLA DI RIENZO
VIA REGOLO
VIA VALADIER
VIA CESI
VIA VISCONTI
VIA PLINIO
VIA VIRGILIO
VIA ORAZIO
VIA TACITO
VIA CICERONE
VIA ENNIO Q. VISCONTI
VIA LUCREZIO CARO
VIA GIOACCHINO BELLI
VIA FEDERICO CESI
VIA PALESTRINA
VIA V. COSSA
VIA CLEMENTI
VIA P. L. CAVALLINI
VIA M. DIONIGI
VIA OVIDIO
VIA CASSIODORO
VIA CRESCENZIO
VIA P. DA VALLE
VIA ALBERICO II
PIAZZA CAVOUR
VIA V. COLONNA
Ponte Cavour
VIA TOMACELLI
PIAZZA ADRIANA
VIA TRIBONIANO
VIA ULPIANO
V.L. CALAMATTA
VIA MERCURI
LUNGOT. PRATI
9
Castel Sant'Angelo
Palazzo di Giustizia
VIA DELL'ARANCIO
SEE PAGES 9–10 FOR ENLARGEMENT OF THIS AREA
Palazzo Borghese
VIA F. BORGHESE
VIA DI CLEMENTINO
VIA LEONE
PIAZZA D. TORRETTA
San Lorenzo in Lucina
LUNGOT. MARZIO
LUNGOTEVERE CASTELLO
PIAZZA PIA
VIA VATICANO
LUNGOT.
P.te Umberto
Tevere
Fiume
VIA M.TE BRIANZO
Ponte S. Angelo
Museo Napoleonico
Hostaria dell'Orso
VIA DELL'ORSO
VIA DEI PREFETTI
VIA DI CAMPO MARZIO
VIA DELLA SCROFA
PIAZZA D. PARLAMENTO
Palazzo di Montecitorio
P.te Vittorio Eman. II
LUNGOT. DEGLI ALTOVITI
VIA PAOLA
LUNGOT. TOR DI NONA
VIA DI TOR DI NONA
VIA ZANARDELLI
Palazzo Altemps
Santa Maria in Campo Marzio
San Salvatore in Lauro
VIA DEI CORONARI
Sant' Apollinare
Caffè Giolitti
PIAZZA DI MONTECITORIO
Palazzo Capranica
PONTE
Palazzo Baldassini
Tempio di Adriano
La Maddalena
CORSO
VIA DEL BANCO S. SPIRITO
VIC. D. CAMPANELLA
VIA PANICO
LUNGOT. DEI FIORENTINI
VIA D. M.TE GIORDANO
Santa Maria della Pace
PIAZZA NAVONA
San Luigi dei Francesi
VIA DEI PASTINI
San Giovanni dei Fiorentini
Palazzo del Banco di Santo Spirito
Torre dell'Orologio
Santa Maria dell'Anima
Sant'Agnese in Agone
CORSO RINASCIMENTO
Palazzo Madama
PIAZZA DELLA ROTONDA
VIA DEL SEMINARIO
Pantheon
Sant' Ignazio di Loyola
VIA D. GOVERNO VECCHIO
Palazzo del Governo Vecchio
Oratorio dei Filippini
Chiesa Nuova
VIA D. PARIONE
VIA DI S. MARIA DELL'ANIMA
Fontana dei Quattro Fiumi
Palazzo Pamphilj
Sant' Eustachio
VIA GIULIA
VIA D. BANCHI VECCHI
VIA DEI CARTARI
VITTORIO EMANUELE II
Pasquino
Palazzo Braschi
Sant'Ivo alla Sapienza
VIA DI TORRE ARGENTINA
Santa Maria sopra Minerva
VIA DEI CESTARI
4
PARIONE
VIA MONSERRATO
LUNGOT. D. SANGALLO
Palazzo Massimo alle Colonne
VIA DEL GESÙ
Palazzo Altieri
V. S.F. NERI
Palazzo Ricci
VIA DEL PELLEGRINO
VIA DEI CAPPELLARI
Palazzo della Cancelleria
Piccola Farnesina
Il Gesù
Santa Maria in Monserrato
Sant'Andrea della Valle
Biblioteca del Burcardo
LARGO DI TORRE ARGENTINA
V. DEI BAULARI
Sant'Eligio degli Orefici
San Girolamo della Carità
Ponte G. Mazzini
LUNGOT. GIANICOLENSE
CAMPO DE' FIORI
Palazzo Pio Righetti
Teatro Argentina
Area Sacra
VIA D. MONTE DELLA FARINA
VIA DEI CHIAVARI
LARGO ARENULA
VIA DELLE BOTTEGHE OSCURE
VIA MANTELLATE
Carcere di Regina Coeli
LUNGOT. DEI TEBALDI
PIAZZA FARNESE
Palazzo Farnese
Santa Maria dell'Orazione e Morte
VIA DEI FARNESI
V. D. MASCHERONE
VICOLO D. POLVERONE
VIA DEI GIUBBONARI
San Carlo ai Catinari
Fontana delle Tartarughe
VIA ARENULA
VIA FRANCESCO DI SALES
VIA DELLA PENITENZA
LUNGOTEVERE D. FARNESINA
Palazzo Spada
VIA DEI PETTINARI
Palazzo del Monte di Pietà
Santa Maria in Campitelli
Casa di Lorenzo Manilio
5
VIA DELLA LUNGARA
VIA DEI RIARI
Villa Farnesina
Santissima Trinità dei Pellegrini
Palazzo Cenci
Portico d'Ottavia
VIA PORTICO D'OTTAVIA
VIA CATALANA
Palazzo Corsini & Galleria Nazionale d'Arte Antica
Porta Settimiana
VIA D. ZOCCOLETTE
LUNGOT. D. VALLATI
Sinagoga
Teatro di Marcello
Casa della Fornarina
Ponte Sisto
LUNGOT. DEI CENCI
VEJA ESTA ÁREA AMPLIADA NOS MAPAS 9-10
VIA DI S. DOROTEA
VIA GARIBALDI
V. D. SCALA
VICOLO DEL BOLOGNA
VICOLO DEL CINQUE
VIA DEL POLITEAMA
LUNGOT. R. SANZIO
P.te Garibaldi
ISOLA TIBERINA
S. Maria della Scala
6

3
A
B
C
1
2
3
4
5
VILLA BORGHESE
GALOPPATOIO
VIALE DEL MURO TORTO
VIALE DELLE MAGNOLIE
VIALE S. PAOLO DEL BRASILE
VIALE GOETHE
VIALE DELLA PINETA
VIALE DEL MUSEO BORGHESE
VIALE DEI CAVALLI MARINI
VIALE DEL GALOPPATOIO
VIALE TRINITÀ DEI MONTI
PORTA PINCIANA
VIA PINCIANA
CORSO D'ITALIA
VIA CAMPANIA
LUDOVISI
VIA PO
VIA ISONZO
VIA DI S. TERESA
VIA G. PUCCINI
Villa Medici
CAMPO MARZIO
VIA MARGUTTA
V. DEL BABUINO
VIA ALIBERT
PIAZZA DI SPAGNA
Spagna
Trinità dei Monti
Babington's Tea Rooms
Scalinata della Trinità dei Monti
Caffè Greco
Museo Keats-Shelley
PIAZZA MIGNANELLI
Colonna dell'Immacolata
VIA D. CROCE
V. DELLE CARROZZE
VIA BOCCA DI LEONE
VIA CONDOTTI
VIA MARIO DE' FIORI
VIA FRATTINA
VIA GREGORIANA
VIA DUE MACELLI
VIA SISTINA
VIA FRANCESCO CRISPI
VIA DI PORTA PINCIANA
Casino dell'Aurora
VIA LOMBARDIA
VIA LUDOVISI
VIA VITTORIO VENETO
VIA LAZIO
VIA AURORA
VIA EMILIA
VIA MARCHE
VIA SICILIA
VIA TOSCANA
VIA ABRUZZI
VIA SARDEGNA
VIA ROMAGNA
VIA PIEMONTE
VIA BONCOMPAGNI
SALLUSTIANO
VIA SALLUSTIANA
VIA LUCULLO
VIA FRIULI
Palazzo Margherita
VIA LIGURIA
VIA CADORE
VIA D. ARTISTI
VIA PURIFICAZIONE
VIA ISIDORO
VIA VERSILIA
VIA L. BISSOLATI
VIA SALANDRA
VIA G. CARDUCCI
Ministero dell'Agricoltura e delle Foreste
Santa Maria della Vittoria
Santa Maria della Concezione
Fontana delle Api
TREVI
Barberini
VIA BARBERINI
VIA S. NICOLA DA TOLENTINO
SALITA DI S. NICOLA DA TOLENTINO
Santa Susanna
Fontana del Mosè
VIA XX SETTEMBRE
PIAZZA S. BERNARDO
San Bernardo alle Terme
VIA V. E. ORLANDO
VEJA ESTA ÁREA AMPLIADA NOS MAPAS 9-10
VIA CAPO LE CASE
VIA D. MERCEDE
Sant'Andrea delle Fratte
V. DI S. ANDREA DELLE FRATTE
VIA ZUCCHELLI
PIAZZA BARBERINI
Fontana del Tritone
VIA DEL TRITONE
Palazzo Barberini
VIA DELLE QUATTRO FONTANE
Ministero della Difesa Esercito
VIA D. AVIGNONESI
VIA RASELLA
PIAZZA SAN SILVESTRO
VIA DEL POZZETTO
VIA POLI
VIA DEL TRAFORO
VIA D. GIARDINI
GIARDINI DEL QUIRINALE
(TRAFORO UMBERTO I)
Le Quattro Fontane
Teatro dell'Opera
VIA MODENA
VIA FIRENZE
LARGO CHIGI
Palazzo Chigi
PIAZZA COLONNA
Colonna di Marco Aurelio
Santa Maria in Trivio
Fontana di Trevi
Accademia di San Luca
VIA DELLA STAMPERIA
VIA D. SCUDERIE
VIA IN ARCIONE
VIA DEI MARONITI
VIA D. PANETTERIA
Santi Vincenzo e Anastasio
VIA D. MURATTE
VIA MINGHETTI
VIA D. DATARIA
Palazzo del Quirinale
VIA DEL QUIRINALE
San Carlo alle Quattro Fontane
Sant'Andrea al Quirinale
VIA NAZIONALE
VIA GENOVA
VIA S. VITALE
VIA PIACENZA
VIA NAPOLI
PIAZZA B. GIGLI
PIAZZA D. VIMINALE
VIA A. DEPRETIS
PIGNA
VIA SCIARRA
VIA DELL'UMILTÀ
San Marcello al Corso
Palazzo del Collegio Romano
PIAZZA COLLEGIO ROMANO
Università Gregoriana
PIAZZA D. PILOTTA
SS. Apostoli
PIAZZA DEL QUIRINALE
Castore e Polluce
VIA D. CONSULTA
VIA PARMA
Palazzo delle Esposizioni
VIA PALERMO
VIA XXIV MAGGIO
VIA MILANO
VIA CESARE BALBO
Santa Pudenziana
VIA URBANA
Palazzo Odescalchi
Palazzo Colonna
VIA DELLA PILOTTA
Palazzo Doria Pamphilj
PIAZZA DEI SS. APOSTOLI
VIA DELLA GATTA
V. D. PLEBISCITO
V. IV NOVEMBRE
VIA MAZZARINO
Banca d'Italia
Sant'Agata dei Goti
Villa Aldobrandini
VIA PANISPERNA
VIA S. M. MAGGIORE
VIA CAVOUR
VIA DEI SERPENTI
VIA DEL BOSCHETTO
VIA CIMARRA
VIA CAPOCCI
VIA CIANCALEONI
VIA CLEMENTINA
VIA SFORZA
PIAZZA VENEZIA
Palazzo Venezia
San Marco
Gesù
Colonna Traiana
Torre delle Milizie
Santi Domenico e Sisto
V. S. AGATA DEI GOTI
Mercati Traianei
VIA ALESSANDRINA
VIA D. ZINGARI
Cavour
VIA GIOVANNI LANZA
VIA S. MARCO
PIAZZA S. MARCO
Il Vittoriano
Casa dei Cavalieri di Rodi
Santa Maria dei Monti
VIA LEONINA
LARGO VENOSTA
VIA IN SELCI
PIAZZA D'ARACOELI
Santa Maria in Aracoeli
Foro di Augusto
VIA BACCINA
VIA MADONNA D. MONTI
VIA TOR DE CONTI
Foro di Nerva
VIA DEI FORI IMPERIALI
VIA D. TEATRO DI MARCELLO
Foro di Cesare
Palazzo Nuovo
Carcere Mamertino
PIAZZA DEL CAMPIDOGLIO
Palazzo Senatorio
Musei Capitolini
Palazzo dei Conservatori
Santi Luca e Martina
Curia
VIA CURIA
VIA SALARA VECCHIA
LARGO CORRADO RICCI
VIA FRANGIPANE
VIA CARDELLO
VIA DEL COLOSSEO
VIA DEGLI ANNIBALDI
San Pietro in Vincoli
VIA EUDOSSIANA
VIA D. SETTE SALE
Basilica Aemilia
Colonna di Foca
Tempio di Saturno
Basilica Giulia
Tempio di Antonino e Faustina
Tempio di Romolo
Foro Romano
Tempio di Giove
V. D. CONSOLAZIONE
Rupe Tarpea
Tempio di Castore e Polluce
Tempio di Vesta
Basilica di Costantino e Massenzio
S. Francesca Romana
Antiquarium Forense
Casa delle Vestali
Tempio di Venere e Roma
S. M. della Consolazione
San Nicola in Carcere
L.GO G. AGNESI
Colosseo
PIAZZA DEL COLOSSEO
V. TERME DI TITO
VIA N. SALVI
VIALE
Domus Aurea
VIALE D
6
10

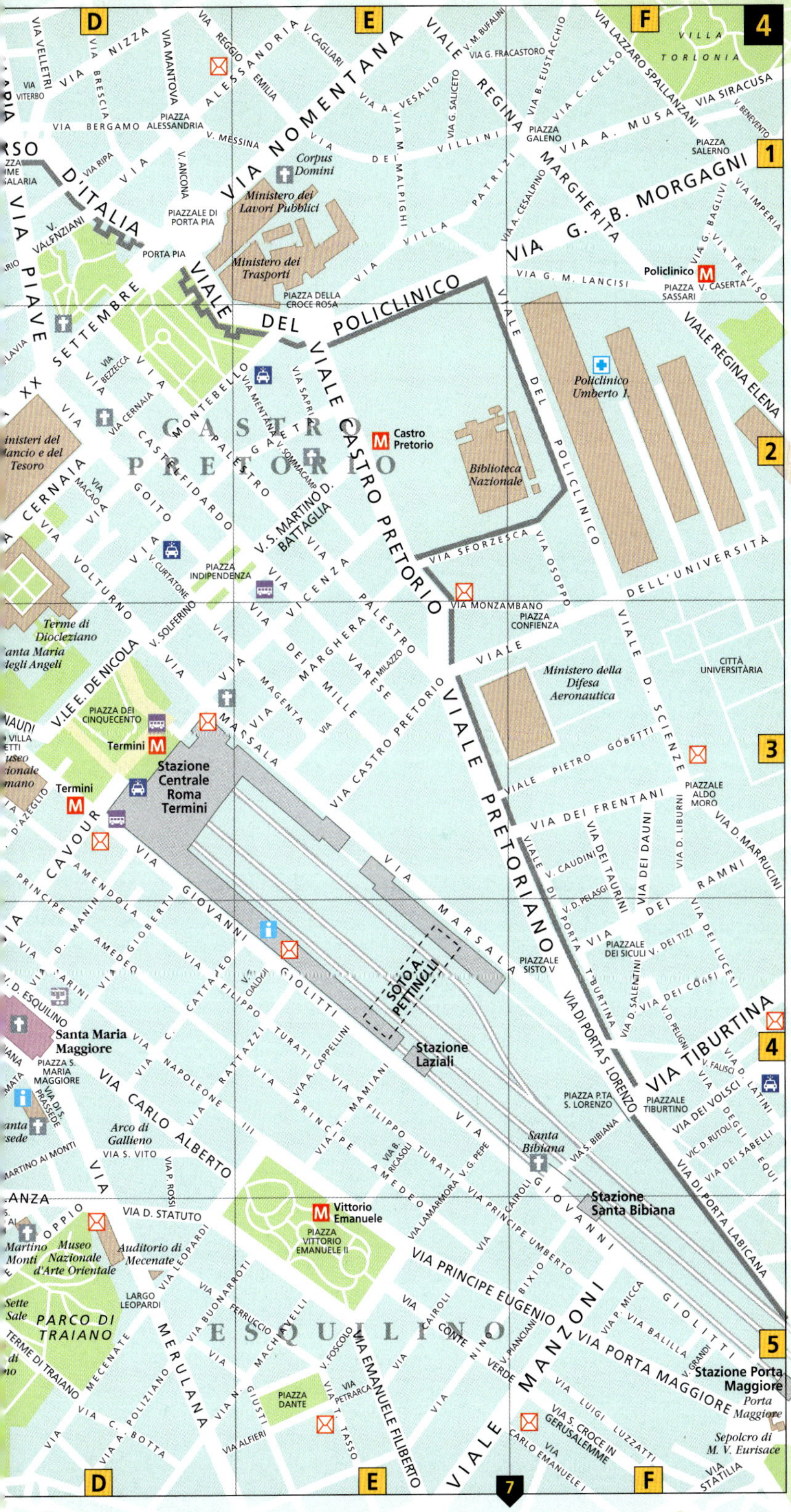

D
E
F
4
1
2
3
4
5
VILLA TORLONIA
VIA NOMENTANA
VIALE REGINA MARGHERITA
VIA G. B. MORGAGNI
VIA LAZZARO SPALLANZANI
VIA SIRACUSA
VIA A. MUSA
PIAZZA GALENO
PIAZZA SALERNO
VIA IMPERIA
VIA NIZZA
VIA BRESCIA
VIA MANTOVA
VIA REGGIO EMILIA
VIA ALESSANDRIA
V. CAGLIARI
VIA BERGAMO
PIAZZA ALESSANDRIA
V. MESSINA
VIA VELLETRI
VIA VITERBO
CORSO D'ITALIA
VIA PIAVE
Corpus Domini
Ministero dei Lavori Pubblici
Ministero dei Trasporti
PIAZZALE DI PORTA PIA
PORTA PIA
V. ANCONA
VIA A. VESALIO
VIA M. MALPIGHI
VIA G. SALICETO
VIA G. FRACASTORO
VIA B. EUSTACCHIO
VIA C. CELSO
VIA A. CESALPINO
VIA PATRIZI
VIA VILLINI
V. M. BUFALINI
PIAZZA DELLA CROCE ROSA
VIALE DEL POLICLINICO
VIA G. M. LANCISI
Policlinico
PIAZZA SASSARI
V. CASERTA
VIA TREVISO
VIA G. BAGLIVI
VIALE REGINA ELENA
Policlinico Umberto I
XX SETTEMBRE
VIA BEZZECCA
VIA CERNAIA
VIA MONTEBELLO
VIA MENTANA
VIA SAPRI
VIA GAETA
VIA PALESTRO
CASTRO PRETORIO
VIALE CASTRO PRETORIO
Castro Pretorio
Biblioteca Nazionale
Ministeri del Bilancio e del Tesoro
VIA CERNAIA
VIA MACAO
VIA GOITO
VIA CASTELFIDARDO
V.S. MARTINO D. BATTAGLIA
V. SOMMACAMPAGNA
VIA SFORZESCA
VIA OSOPPO
VIALE DELL'UNIVERSITÀ
VIA VOLTURNO
V. CURTATONE
PIAZZA INDIPENDENZA
VIA VICENZA
VIA PALESTRO
VIA MONZAMBANO
PIAZZA CONFIENZA
Terme di Diocleziano
Santa Maria degli Angeli
V. SOLFERINO
VIA DEI MILLE
VIA MARGHERA
VIA VARESE
VIA MILAZZO
VIALE CASTRO PRETORIO
VIA MAGENTA
Ministero della Difesa Aeronautica
CITTÀ UNIVERSITÀRIA
VIALE D. SCIENZE
V.LE E. DE NICOLA
PIAZZA DEI CINQUECENTO
Termini
Stazione Centrale Roma Termini
VIA MARSALA
VIA CASTRO PRETORIO
VIALE PIETRO GOBETTI
PIAZZALE ALDO MORO
VIALE PRETORIANO
VIA DEI FRENTANI
VIA DEI TAURINI
VIA DEI DAUNI
VIA D. LIBURNI
VIA D. MARRUCINI
VIA DEI RAMNI
V. CAUDINI
V. D. PELASGI
VIA CAVOUR
VIA PRINCIPE AMEDEO
VIA AMENDOLA
VIA GIOBERTI
VIA GIOVANNI GIOLITTI
VIA MANIN
SOTOP. A. PETTINELLI
PIAZZALE SISTO V
PIAZZALE DEI SICULI
V. DEI TIZI
VIA DEI LUCANI
VIA DEI CAPPELLARI
V. D. ESQUILINO
VIA CARLO ALBERTO
VIA NAPOLEONE III
VIA RATTAZZI
VIA FILIPPO TURATI
VIA CATTANEO
V. CIALDINI
Santa Maria Maggiore
PIAZZA S. MARIA MAGGIORE
VIA DI S. PRASSEDE
Stazione Laziali
VIA A. CAPPELLINI
VIA T. MAMIANI
VIA DI PORTA S. LORENZO
VIA TIBURTINA
PIAZZALE TIBURTINO
PIAZZA P.TA S. LORENZO
VIA DEI VOLSCI
V. FALISCI
VIA D. LATINI
VIA DEGLI EQUI
VIA DEI SABELLI
VIC. D. RUTOLI
VIA DI PORTA LABICANA
Arco di Gallieno
VIA S. VITO
VIA P. ROSSI
VIA B. RICASOLI
V. G. PEPE
VIA LAMARMORA
Santa Bibiana
VIA S. BIBIANA
Stazione Santa Bibiana
VIA D. STATUTO
Vittorio Emanuele
PIAZZA VITTORIO EMANUELE II
VIA PRINCIPE UMBERTO
VIA CAIROLI
VIA BIXIO
Museo Nazionale d'Arte Orientale
Auditorio di Mecenate
S. Martino ai Monti
VIA LEOPARDI
VIA PRINCIPE EUGENIO
VIA GIOLITTI
VIALE MANZONI
VIA P. MICCA
VIA BALILLA
VIA PORTA MAGGIORE
Stazione Porta Maggiore
Porta Maggiore
Sepolcro di M. V. Eurisace
PARCO DI TRAIANO
Sette Sale
TERME DI TRAIANO
LARGO LEOPARDI
VIA BUONARROTI
VIA FERRUCCIO
VIA MACHIAVELLI
ESQUILINO
V. FOSCOLO
VIA EMANUELE FILIBERTO
VIA CONTE VERDE
VIA NINO BIXIO
V. PIANCIANI
VIA MERULANA
VIA MECENATE
VIA A. POLIZIANO
VIA C. BOTTA
VIA N. GIUSTI
VIA ALFIERI
PIAZZA DANTE
VIA PETRARCA
VIA T. TASSO
VIA S. CROCE IN GERUSALEMME
VIA CARLO EMANUELE I
VIA LUIGI LUZZATTI
VIA STATILIA
V. GRANDI
VIA D'AZEGLIO

7

5
A
B
C
1
2
3
4
5
TRASTEVERE
Santa Maria dei Sette Dolori
S. Egidio
Museo de Roma in Trastevere
Santa Maria in Trastevere
San Crisogono
Tempietto di San Pietro in Montorio
Fontana dell' Acqua Paola
Accademia d'America
Villa Sciarra
Ministero della Pubblica Istruzione
Stazione Trastevere
Ospedale San Camillo
Fiume Tevere
Ponte Testaccio
Ponte dell'Industria
Piazzale Aurelio
Piazza S. Cosimato
Piazza F. Cucchi
Piazza R. Pilo
Piazza Bernardino da Feltre
Piazza I. Nievo
Largo F. Anzani
Piazzale D. Quattro Venti
Largo A. Toja
Largo G. B. Marzi
Piazzale di P.te Testaccio
Piazza F. Biondo
Piazza della Radio
Piazza S. Apollonia
Via G. Garibaldi
Viale di Trastevere
Via di S. Pancrazio
Via delle Fornaci
Viale dei Quattro Venti
Viale delle Mura Aurelie
Viale Aldo Fabrizi
Via Luciano Manara
Via Goffredo Mameli
Viale Glorioso
Via Dandolo
Via Giacinto Carini
Via Alessandro Poerio
Via Portuense
Via Ettore Rolli
Via Ippolito Nievo
Circonvall. Gianicolense
V. Quirino Majorana
Via A. Pacinotti
Via Baccio Baldini
Via Anton Giulio Barrili
Via Fratelli Bonnet
Via G. Rossetti
Via M. Quadrio
Via F. Torre
Via Alberto Mario
Via F. D. Guerrazzi
Via C. Pisacane
Via Lorenzo Valla
Via Vincenzo Monti
Via A. Caro
Via F. Massi
Via G. Volpato
Via A. Bellani
Via Ascianghi
Via E. Morosini
Via G. Induno
Via della Lungaretta
Lungotevere Portuense
Lungotevere Testaccio
Via Marmorata
Via Fratelli Bandiera
Via Ugo Bassi
Via Aurelio Saffi
Viale Trenta Aprile
Via Giacomo Medici
Via Nicola Fabrizi
Via Calandrelli
Via Carcani
Via Parboni
Via Vascello
Via Quattro Venti
Via Giovanni da Castelbolognese
Via del Fornetto
Via Ricci Curbastro
Via G. Caselli
Via Tirone
Via G. Costanzi
V. Orti di Cesare
V. Stradivari

D
E
F
3
6
1
2
3
4
5
7
Isola Tiberina
San Bartolomeo
Ponte Cestio
Ponte Rotto
Ponte Palatino
Lungot. Pierleoni
S. Giovanni Decollato
Casa dei Crescenzi
San Giorgio in Velabro
San Teodoro
Arco di Tito
Campitelli
Arco di Costantino
Orti Farnesiani
Tempio di Cibele
Casa di Livia
Criptoportico
Domus Flavia
Domus Augustana
Casa di Romolo
Stadio
Palatine
Arco di Giano
Piazza Bocca d. Verità
Templi del Foro Boario
Santa Maria in Cosmedin
Piazza in Piscinula
P. D. Ponziani
Lungotevere Ripa
Piazza S. Cecilia
Piazza dei Mercanti
Via dei Cerchi
Via di S. Gregorio
San Gregorio Magno
Via del Circo Massimo
Parco del Circo Massimo
Circo Massimo
Piazza di Porta Capena
Celio
Parco di S. Alessio
Clivo dei Publicii
Piazzale Ugo la Malfa
Santa Sabina
Lungotevere Aventino
Ripa
Largo Arrigo VII
Santi Bonifacio e Alessio
Piazza d. Emporio
Piazza dei Cavalieri di Malta
Piazza Tempio di Diana
Via Tempio d. Diana
FAO
Viale Aventino
Parco di Porta Capena
Santa Balbina
Piazza di S. Balbina
Via Marmorata
Piazza Albania
Via di S. Prisca
Piazza dei Servili
Piazza Testaccio
Viale M. Gelsomini
Parco della Resistenza dell'8 Settembre
Largo M. Gelsomini
V. d. Piramide Cestia
San Saba
Piazza Remuria
Piazza G. L. Bernini
Largo E. Fioritto
Largo C. Lazzerini
Via Galvani
Testaccio
Piazza di P.ta S. Paolo
Piramide di Caio Cestio
Viale Giotto
Viale di Porta Ardeatina
Largo G. Chiarini
Cimitero Protestante
Piazzale Ostiense
Piramide
Stazione Porta San Paolo
Viale delle Cave Ardeatine
Piazza V. Bottego
Via Giovanni da Empoli
Via Ostiense
Piazzale dei Partigiani
Via Stazione Ostiense
Stazione Roma - Ostiense
Viale Marco Polo
Via del Porto Fluviale
Magazzini Generali
V. Pellegrino Matteucci
Via del Commercio
Piazza del Gazometro
Via F. Negri
V. Gerolamo Benzoni
Via A. Pigafetta
Via della Moletta

7
Colosseo
Piazza del Colosseo
V. Celio Vibenna
Parco del Celio
Tempio di Claudio
Santi Giovanni e Paolo
Clivo di Scauro
Via S. Paolo della Croce
Arco di Dolabella
Santa Maria in Domnica
Villa Celimontana
Celio
Via Claudia
Via della Navicella
Santo Stefano Rotondo
Ospizio d. Addolorata
Via Labicana
San Clemente
Via dei SS. Quattro
Via di S. Giovanni in Laterano
Santi Quattro Coronati
Via dei Querceti
Via Celimontana
Via Capo d'Africa
Via Marco Aurelio
Via Annia
Via Ostilia
Via dei Normanni
Piazza Celimontana
Ospedale del Celio
Via di S. Stefano Rotondo
Ospedale di San Giovanni
Sanatorio Umberto I
Via di Villa Fonseca
Via dell'Amba Aradam
Via Drusiana
V. Decennia
Via dei Laterani
V. Valeri
Via di S. Erasmo
Via D. Ferratella in Laterano
Piazza di P.ta Metronia
Piazzale Metronio
Via Ruggero Bonghi
Via L. Muratori
V. G.M. Crescimbeni
Via P. Villari
Via Iside
V. Galileo Galilei
V. L. Ariosto
Viale Manzoni
V. Emanuele Filiberto
Manzoni
Via Merulana
Via Matteo Boiardo
V. Aleardi
Via F. Berni
Via T. Tasso
V. D. Fontana
Piazza S. Giovanni in Laterano
Palazzo Laterano
Scala Santa Sancta Sanctorum
Battistero
San Giovanni in Laterano
Via Locri
Via Sannio
Via Amba...
Viale Ipponio
Via Farsalo
Via Apulia
Via Marruvio
Via Metaponto
Via Olbia
Via Luni
V. Norico
V. Angiona
Via Illiria
Via Sibari
Via Elea
Via Gallia
Via Tracia
Via Alesia
Via Pannonia
Viale Metronio
Via Licia
Via Pandosia
Via Iberia
Via Urbisaglia
Via Saturnia
Via Pirgo
Via E. Recina
V. Numidia
V. B. M. de Mattias
Via Aquitania
Piazza Epiro
Via Pompei
Via Collazia
V. Mauritania
Via Vulci
Via Lusitania
Via Populonia
Via Vetulonia
Via Camerina
Via Talamone
Via delle Mura Latine
Piazza Galeria
Via Cilicia
V. D. Terme di Caracalla
Stadio delle Terme
Via Antonina
Via di Valle delle Camene
San Sisto Vecchio
Santi Nereo e Achilleo
Terme di Caracalla
Via Druso
Piazzale Numa Pompilio
Parco Egerio
San Cesareo
Via di Porta Latina
San Giovanni a Porta Latina
Colombario di Pomponio Hylas
San Giovanni in Oleo
Tomba degli Scipioni
Parco d. Scipioni
Via di Porta S. Sebastiano
Arco di Druso
Porta San Sebastiano
Via Antoniniana
Vicolo Antoniniano
Via D. Terme di Caracalla
Viale Guido Baccelli
V. Lucio Fabio Cilone
Bastione del Sangallo
Viale di Porta Ardeatina
Largo delle Terme di Caracalla
Porta Ardeatina
Viale O. Beccari
Via Roncinotto
Viale Marco Polo
Via Cilicia
V. Cristoforo Colombo
Via Appia Antica
Via della Travicella
Via Capitan Bavastro
Via C. Citerni
Via A. Usodimare
A
B
C
1
2
3
4
5
6

8
D
E
F
1
2
3
4
5
Sepolcri Repubblicani
Museo degli Strumenti Musicali
Santa Croce in Gerusalemme
PIAZZA S. CROCE IN GERUSALEMME
Anfiteatro Castrense
Stazione Ponte Casilino
PIAZZA DEL PIGNETO
VIA CASILINA
VIA DEL PIGNETO
VIA TERAMO
V. GALLARATE
CASILINA VECCHIA
PIAZZA LODI
VIA S. CROCE IN GERUSALEMME
V. ELENIANA
VIALE CASTRENSE
VIA LA SPEZIA
VIALE CARLO FELICE
VIA TARANTO
VIA AOSTA
VIA MONZA
VIA APPIA NUOVA
Re di Roma
PIAZZA DEI RE DI ROMA
PIAZZA DI VILLA FIORELLI
PIAZZA LUGO
VIA TUSCOLANA
VIA ETRURIA
VIA ALBENGA
Ponte Lungo
PIAZZA DI PONTE LUNGO
PIAZZA FINOCCHIARO APRILE
PIAZZA S. DONÀ DI PIAVE
PIAZZALE STAZIONE TUSCOLANA
Stazione Tuscolana
PIAZZA RAGUSA
VIA CERVETERI
VIA CIRCONVALLAZIONE APPIA
PIAZZA ZAMA
PIAZZA D. ALBERONE
Furio Camillo
VIALE FURIO CAMILLO
VIA LATINA
VIA NUMANZIA
LARGO GREGOROVIUS
PIAZZA C. BARONIO
PIAZZA S. AMMIRATO
VIA CESARE BARONIO
VILLA LAZZARONI
VIA CARLO DENINA
VIA MACEDONIA
VIA MICHELE AMARI
VIA G. MANTELLINI
VIA B. VARCHI
VIA TOMMASO FORTIFIOCCA

9
Castel Sant' Angelo
Piazza Adriana
Piazza Cavour
Palazzo di Giustizia
Lungotevere Prati
Lungotevere Castello
Lungot. Vaticano
Largo Mutilati e Invalidi di Guerra
Piazza dei Tribunali
Piazza Pia
Ponte S. Angelo
Ponte Umberto
Fiume Tevere
Museo Napoleonico
Hostaria dell'Orso
Palazzo Altemps
Lungotevere Tor di Nona
Lungot. degli Altoviti
San Salvatore in Lauro
Piazza San Salvatore in Lauro
Via dei Coronari
Via Zanardelli
Piazza D. Tor Sanguigna
Ponte
Palazzo del Banco di Santo Spirito
Corso Vittorio Emanuele II
Lungot. dei Fiorentini
San Giovanni dei Fiorentini
Largo dei Fiorentini
Piazza dell'Oro
Santa Maria della Pace
Santa Maria dell'Anima
Sant'Agnese in Agone
Fontana dei Quattro Fiumi
Piazza Navona
Palazzo Pamphilj
Torre dell'Orologio
Oratorio dei Filippini
Chiesa Nuova
Piazza D. Chiesa Nuova
Palazzo del Governo Vecchio
Piazza di Pasquino
Pasquino
Palazzo Braschi
Parione
Palazzo della Cancelleria
Piazza della Cancelleria
Piccola Farnesina
Lungot. D. Sangallo
Lungot. Gianicolense
Largo Perosi
Ponte G. Mazzini
Via Giulia
Palazzo Ricci
Sant'Eligio degli Orefici
Santa Maria in Monserrato
Campo de' Fiori
Piazza del Biscione
Palazzo Pio Righetti
San Girolamo della Carità
Piazza Farnese
Palazzo Farnese
Carcere di Regina Coeli
Lungotevere dei Tebaldi
Santa Maria dell'Orazione e Morte
Palazzo Spada
Santissima Trinità dei Pellegrini
Lungotevere D. Farnesina
Villa Farnesina
Via della Lungara
Palazzo Corsini & Galleria Nazionale d'Arte Antica
Orto Botanico del Gianicolo
Porta Settimiana
Casa della Fornarina
Santa Maria della Scala
Ponte Sisto
Lungot. D. Vallati
Lungot. R. Sanzio
Regola

10
D
E
F
1
2
3
4
5
6
VIA TOMACELLI
L.GO CARLO GOLDONI
VIA DELL'ARANCIO
Palazzo Borghese
PIAZZA BORGHESE
VIA FONTANELLA BORGHESE
VIA BORGOGNONA
VIA FRATTINA
VIA D. PROPAGANDA
Collegio di Propaganda Fide
VIA DUE MACELLI
VIA CAPO LE CASE
Sant'Andrea delle Fratte
PIAZZA SAN LORENZO IN LUCINA
San Lorenzo in Lucina
VIA D. LEONE
PIAZZA D. TORRETTA
VIA DELLA VITE
VIA MERCEDE
VIA D. CLEMENTINO
VIA DEL CORSO
VIA IN LUCINA
PIAZZA SAN SILVESTRO
VIA D. BUFALO
VIA D. NAZARENO
VIA DEL TRITONE
PIAZZA FIRENZE
VIA DEI PREFETTI
PIAZZA D. PARLAMENTO
VIA S. CLAUDIO
PIAZZA SAN CLAUDIO
VIA D. POZZETTO
VIA D'ASCANIO
VICOLO VALDINA
Palazzo di Montecitorio
VIA DELLA MISSIONE
VIA DELL'IMPRESA
Palazzo Chigi
VIA D. MORTARO
VIA D. STAMPERIA
VIA D. PANETTERIA
VIA D. STELLETTA
Santa Maria in Campo Marzio
Santa Maria in Trivio
Accademia di San Luca
Caffè Giolitti
Colonna di Marco Aurelio
Fontana di Trevi
Museo Naz. d. Paste Alimentari
PIAZZA DI MONTECITORIO
Obelisco
PIAZZA COLONNA
PIAZZA DI TREVI
VIA D. CROCIFERI
VIA D. SABINI
VIA D. LAVATORE
PIAZZA COPPELLE
VIA COPPELLE
Palazzo Baldassini
La Maddalena
Palazzo Capranica
PIAZZA CAPRANICA
V. D. COLONNA ANTONINA
VIA DI PIETRA
VIA D. MURATTE
SS. Vincenzo e Anastasio
VIC. DEL BABUCCIO
VIA MINGHETTI
VIA D. DATARIA
PIAZZA RONDANINI
San Luigi dei Francesi
Tempio di Adriano
VIA D. PASTINI
PIAZZA D. ORATORIO
VIA DELL'UMILTÀ
VIA GIUSTINIANI
PIAZZA DELLA ROTONDA
PIAZZA DI SANT'IGNAZIO
VIA SCIARRA
Univ. Gregoriana
SALITA D. CRESCENZI
VIA DEL SEMINARIO
PIAZZA SAN MACUTO
Pantheon
Sant'Eustachio
PIAZZA S. EUSTACHIO
Sant'Ignazio di Loyola
San Marcello al Corso
PIGNA
PIAZZA D. PILOTTA
VIA D. PILOTTA
VIA D. VACCARO
Palazzo del Collegio Romano
Fontanella del Facchino
Palazzo Odescalchi
Santi Apostoli
Palazzo Colonna
PIAZZA DELLA MINERVA
Santa Maria sopra Minerva
PIAZZA DEL COLLEGIO ROMANO
PIAZZA SS. APOSTOLI
VIA PIE' DI MARMO
Pie' di Marmo
VICOLO D. PIOMBO
Museo delle Cere
PIAZZA D. PIGNA
PIAZZA GRAZIOLI
Palazzo Doria Pamphilj
V. C. BATTISTI
V. D. IV NOV.
VIA D. PIGNA
Palazzo Altieri
V. DEL PLEBISCITO
PIAZZA VENEZIA
Palazzo Venezia
San Marco
EMANUELE II
LARGO DI TORRE ARGENTINA
PIAZZA DEL GESÙ
Gesù
Colonna Traiana
Biblioteca del Burcardo
Teatro Argentina
Area Sacra dell'Argentina
PIAZZA SAN MARCO
VIA DEI FORI IMPERIALI
Foro di Traiano
VIA DEI BARBIERI
VIA S. MARCO
VIA FLORIDA
VIA DELLE BOTTEGHE OSCURE
Il Vittoriano
LARGO ARENULA
V. DI SANT'ANNA
VIA ARENULA
PIAZZA MARGANA
PIAZZA D'ARACOELI
Santa Maria in Aracoeli
Foro di Cesare
Fontana delle Tartarughe
Insula Romana
VIA DEI FALEGNAMI
PIAZZA BENEDETTO CAIROLI
PIAZZA MATTEI
VIA DEI DELFINI
Cordonata
Palazzo Nuovo
Carcere Mamertino
PIAZZA COSTAGUTI
PIAZZA CAMPITELLI
PIAZZA CAPIZUCCHI
PIAZZA DEL CAMPIDOGLIO
Palazzo Senatorio
Santi Luca e Martina
Casa di Lorenzo Manilio
Santa Maria in Campitelli
PIAZZALE CAFFARELLI
Arco di Settimio Severo
Palazzo Cenci
PIAZZA CENCI
PIAZZA DELLE CINQUE SCOLE
VIA PORTICO D'OTTAVIA
Portico d'Ottavia
VIA D. TEATRO DI MARCELLO
Palazzo dei Conservatori
Rostra
Tempio di Saturno
VIA CATALANA
Sinagoga
Teatro di Marcello
LUNGOTEVERE DEI CENCI
Tempio di Giove
Basilica Giulia
VIA DEL FORO ROMANO
Rupe Tarpea
Santa Maria della Consolazione
VIA DELLA CONSOLAZIONE
San Nicola in Carcere
ISOLA TIBERINA
P.te Fabricio

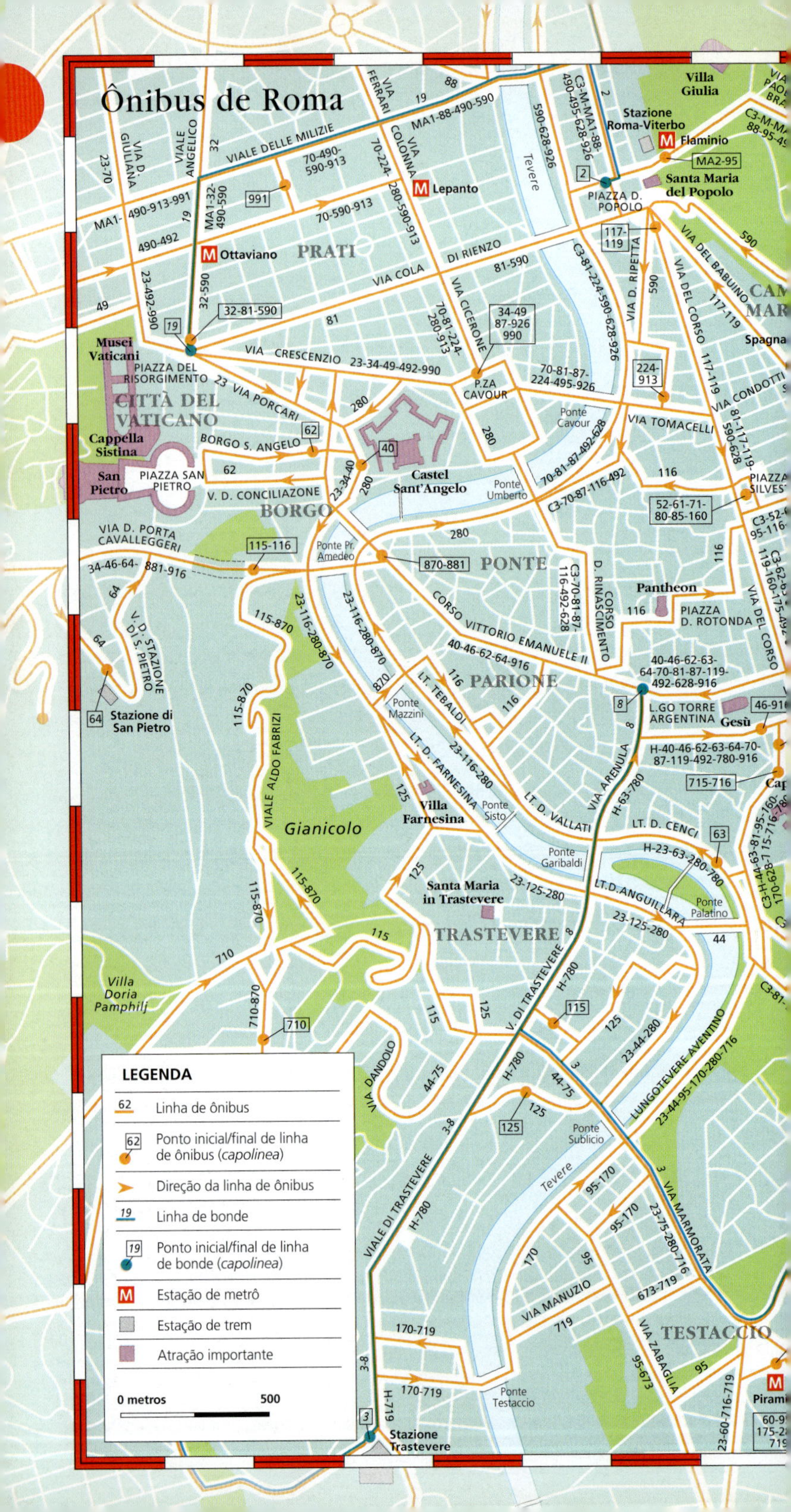

Ônibus de Roma
Villa Giulia
Stazione Roma-Viterbo
Flaminio
Santa Maria del Popolo
Piazza d. Popolo
Lepanto
Ottaviano
Prati
Viale delle Milizie
Via Cola di Rienzo
Via Crescenzio
Musei Vaticani
Piazza del Risorgimento
Città del Vaticano
Cappella Sistina
San Pietro
Piazza San Pietro
Borgo S. Angelo
V. d. Conciliazione
Borgo
Via Porcari
P.za Cavour
Castel Sant'Angelo
Ponte Cavour
Ponte Umberto
Ponte Pr. Amedeo
Via d. Porta Cavalleggeri
Via Tomacelli
Via Condotti
Via del Corso
Via del Babuino
Via d. Ripetta
Spagna
Ponte
Pantheon
Piazza d. Rotonda
Corso Vittorio Emanuele II
Corso d. Rinascimento
Parione
L.go Torre Argentina
Gesù
Stazione di San Pietro
Viale Aldo Fabrizi
Gianicolo
Ponte Mazzini
Villa Farnesina
Ponte Sisto
Lt. d. Farnesina
Lt. Tebaldi
Lt. d. Vallati
Lt. d. Cenci
Via Arenula
Ponte Garibaldi
Ponte Palatino
Lt. d. Anguillara
Santa Maria in Trastevere
Trastevere
Villa Doria Pamphilj
V. di Trastevere
Viale di Trastevere
Via Dandolo
Ponte Sublicio
Tevere
Lungotevere Aventino
Via Marmorata
Via Manuzio
Via Zabaglia
Testaccio
Ponte Testaccio
Stazione Trastevere
Piramide
LEGENDA
62 Linha de ônibus
62 Ponto inicial/final de linha de ônibus (capolinea)
Direção da linha de ônibus
19 Linha de bonde
19 Ponto inicial/final de linha de bonde (capolinea)
M Estação de metrô
Estação de trem
Atração importante
0 metros 500

Galleria Borghese
VIA PINCIANA
VIA SALARIA
VIA NIZZA
VIA NOMENTANA
VIA REGINA ELENA
CORSO D'ITALIA
LUDOVISI
SALLUSTIANO
CASTRO PRETORIO
VIALE D. POLICLINICO
Policlinico
VIA XX SETTEMBRE
VIA GOITO
VIA VOLTURNO
Castro Pretorio
Barberini
Repubblica
PIAZZA D. REPUBBLICA
PIAZZA DEI CINQUECENTO
Termini
Stazione Termini
VIA G. GIOLITTI
VIALE PRETORIANO
VIA DEI RAMNI
VIA TIBURTINA
TREVI
VIA NAZIONALE
VIA DEPRETIS
Santa Maria Maggiore
VIA CAVOUR
Mercati Traianei
Cavour
VIA TURATI
V. NAPOLEONE III
Vittorio Emanuele
ESQUILINO
VIA DI PORTA MAGGIORE
PIAZZA PORTA MAGGIORE
V. S. CROCE IN GERUSALEMME
FORI IMPERIALI
Foro Romano
Colosseo
Parco Oppio
Manzoni
VIA LABICANA
San Clemente
CAMPITELLI
VIA S. GIOVANNI IN LATERANO
VIA D. SAN GREGORIO
San Giovanni
San Giovanni in Laterano
VIA DELL' AMBA ARADAM
VIA CLAUDIA
Villa Celimontana
CELIO
Circo Massimo
VIALE DELLE TERME DI CARACALLA
VIA PANNONIA
VIA GALLIA
VIA MAGNA GRECIA
VIA CERVETERI
Re di Roma
VIA ETRURIA
Parco Egerio
PIAZZA ZAMA
VIALE MARCO POLO

LÁCIO

Situado entre os Apeninos e o mar Tirreno, o Lácio é uma região de lagos vulcânicos, montanhas, desfiladeiros, vinhedos e oliveiras. Antes da ascensão de Roma, foi povoado por etruscos e diversas tribos itálicas, incluindo os latinos, que batizaram a região. Além dos ricos sítios arqueológicos, o Lácio também oferece, no mar e em lagos, diversos esportes aquáticos, como esqui e polo.

O Lácio já é habitado há, pelo menos, 60 mil anos, mas os primeiros sinais concretos de civilização remontam ao século 10° a.C. No século 7° a.C., uma civilização etrusca e sabina floresceu no norte, baseada no comércio e na agricultura, enquanto as margens da região sul eram colonizadas por latinos e outros povos. A história se confunde com a mitologia nos escritos de Virgílio, que contam como Eneias chegou ao Lácio e se casou com a filha do rei dos latinos. Rômulo e Remo, os legendários fundadores de Roma, seriam os descendentes dessa união.

Com a chegada dos romanos ao poder, etruscos e latinos foram subjugados e a região foi incorporada pela cidade de Roma. Grandes estradas e aquedutos estendiam-se para fora da cidade como raios de uma roda de bicicleta e os ricos patrícios erguiam belas mansões nas zonas rurais adjacentes. O início da Idade Média viu a ascensão do poder temporal da Igreja, com a fundação de mosteiros em Subaico e Montecassino, e o Lácio tornou-se centro dos mosteiros ocidentais e, mais tarde, do Estado Papal. Nos séculos 16 e 17, as abastadas famílias papais competiam entre si na construção de luxuosas *ville* e jardins, contratando alguns dos melhores arquitetos do Renascimento e do período barroco.

Ao longo da história, contudo, o Lácio acabou eclipsado e negligenciado por Roma. Os pântanos pontinos foram um foco irradiador da malária até a década de 1920, quando Mussolini os drenou, trazendo novas estradas para cá e investindo na agricultura local.

Vista de Caprarola em uma típica *passeggiata* de final de tarde

◁ **Graciosos jardins de canteiros e fontes renascentistas da Villa Lante, em Viterbo**

Como Explorar o Lácio

A maior parte da paisagem do Lácio foi formada pelas erupções de quatro vulcões que cobriram a área com lava. Lagos em crateras e o solo fertilizado por magma nutrem plantações de uvas, azeitonas, frutas e nozes. A atividade vulcânica também esquentou as primaveras da região, especialmente em Tivoli, Viterbo e Fiuggi. Roma domina a área, dividindo as colinas de florestas do norte do disputado pântano pontino no sul. É possível nadar e velejar nos lagos Bracciano, Bolsena e Albano, e as melhores praias do Lácio situam-se entre Gaeta e Sabaudia, no Parco Nazionale del Circeo.

LEGENDA

- Rodovia
- Rodovia em construção
- Estrada principal
- Estrada secundária
- Estrada vicinal
- Percurso com paisagem
- Ferrovia principal
- Ferrovia secundária
- Fronteira municipal
- Cume

PRINCIPAIS ATRAÇÕES

- Anagni 15
- Bomarzo 4
- Caprarola 5
- Cerveteri 7
- Frascati e os Castelli Romani 10
- Gaeta 19
- Lago Bracciano 8
- Montecassino 14
- Montefiascone 3
- Ostia Antica 9
- Palestrina 12
- *Roma* págs. 376-459
- Sermoneta e Ninfa 16
- Sperlonga 18
- Subiaco 13
- Tarquinia 6
- Terracina 17
- Tivoli 11
- Tuscania 1
- Viterbo 2

VEJA TAMBÉM

- ***Onde Ficar*** págs. 592-3
- ***Onde Comer*** págs. 641-3

As colinas Tolfa, a sudoeste do lago Bracciano

A vista da parte antiga domina a praia de Sperlonga

COMO CIRCULAR

Os dois aeroportos internacionais de Roma, Fiumicino e Ciampino, servem a região. As rodovias principais são a *Autostrada del Sole* de Florença-Roma (A1) e Roma-Nápoles (A1-E45), e a Roma-L'Aquila (A24-E80). O anel viário (*raccordo anulare*) de Roma liga as rodovias e estradas principais.

O serviço de ônibus, COTRAL, serve todas as cidades maiores, com baldeações para localidades menores em Roma e Latina, Frosinone, Viterbo e Rieti. Os trens do Lácio para outras cidades italianas são eficientes, mas dentro da região o serviço decepciona pela demora e pela frequência baixa.

Os terraços de Palestrina sobem a colina

Loggia esculpida do Palazzo Papale, Viterbo

Tuscania ❶

Viterbo. 7.500. Piazza Franco Basile 4. manhã sex.

Tuscania é reconhecida por suas muralhas e torres, avistadas desde as desertas planícies entre Viterbo e Tarquinia. Sacudida por um terremoto em 1971, a cidade tem reconstruído cuidadosamente seus edifícios medievais e renascentistas. Do lado de fora das muralhas, sobre o rochoso Colle San Pietro, duas notáveis igrejas do período românico lombardo ocupam o sítio arqueológico de Tuscania, grande centro etrusco conquistado por Roma em 300 a.C.

A igreja **Santa Maria Maggiore**, ao pé da colina, tem a típica fachada assimétrica do românico lombardo, com arcadas falsas e uma arrojada rosácea. Sobre a porta central, o relevo em mármore *Madona e Menino* é ladeado por enfeites abstratos e cenas bíblicas. Dentro, na nave lateral da igreja, há uma pia batismal rara, do século 12. A igreja de **San Pietro**, no topo da colina, é uma admirável obra de tufo calcário cor de ocre e detalhes em mármore branco, também em românico lombardo. Fica numa *piazza* gramada junto com duas torres medievais e o palácio do bispo. A fachada apresenta uma rosácea rebuscada ladeada por estranhos adornos, como demônios barbados de três cabeças. O interior é fiel ao estilo do século 8°, com colunas robustas, arcos dentados, capitéis esculpidos com plantas estilizadas e um piso cosmatesco. Sob a igreja encontra-se uma cripta em estilo de mesquita.

Fachada de San Pietro, Tuscania

Viterbo ❷

63.000. FS Estação Ex Porta Romana (0761 30 47 95). sáb.

Viterbo era um importante centro etrusco antes de cair em poder dos romanos no século 4° a.C. Seu apogeu veio no século 13, quando se tornou lar papal (1257-81). Destruída durante a Segunda Guerra Mundial, recuperou cuidadosamente seu centro medieval de pedras cinzentas e cercado por muralhas, assim como várias igrejas.

Em **San Pellegrino**, o mais antigo e bem preservado bairro de Viterbo, casas medievais com torres, arcadas e escadarias externas se estendem por ruas estreitas, que terminam em pequenas *piazze* decoradas com fontes.

Na Piazza San Lorenzo, o **Duomo**, do século 12, ostenta uma elegante torre de sino preta e branca, uma solene fachada do século 16 e um interior puramente românico. O vizinho **Palazzo Papale**, do século 13, com uma bela galeria esculpida, foi construído para abrigar os papas em suas visitas à cidade.

Os prédios públicos estão na praça principal, a Piazza del Plebiscito. O mais interessante deles é o **Palazzo dei Priori**, do século 15, que tem afrescos de Baldassare Croce com cenas históricas e mitológicas.

Fora das muralhas, na Viale Capocci, a românica **Santa Maria della Verità** tem maravilhosos afrescos de Lorenzo da Viterbo, do século 15.

O jardim renascentista de Villa Lante, pequeno, porém esplêndido, é considerado a obra-prima de Vignola

Para hotéis e restaurantes nesta região, ver págs. 592-3 e págs. 641-3

Arredores: A **Villa Lante**, a nordeste de Viterbo, foi feita a partir de 1562, por Vignola, para o cardeal Gambara. Os exuberantes jardins renascentistas e as fontes são as grandes atrações. Tenha cuidado para não cair numa bem-humorada armadilha do século 16: muitas das fontes molham as pessoas sem aviso prévio.

Palazzo dei Priori
Piazza Plebiscito. ***Tel*** *0761 34 82 41.* *diariam.*

Villa Lante
Bagnaia. ***Tel*** *0761 28 80 08.* *ter-dom.* *1° jan, 1° mai, 25 dez.* *jardins.*

Fachada principal do Palazzo Farnese, em Caprarola

Montefiascone ❸

Viterbo. *13.000.* *Largo Plebiscito 1 (0761 83 20 60).* *qua.*

Capitel esculpido do século 11, em San Flaviano, Montefiascone

Esta bela cidade situa-se na borda de uma cratera de vulcão extinto, entre as margens do lago Bolsena –dos quais se tem uma esplêndida vista– e a Via Cassia. É dominada pela catedral octogonal **Santa Margherita**, cujo domo, criado na década de 1670 por Carlo Fontana, só perde em tamanho para o da Basílica de São Pedro.

Na periferia da cidade, ao longo da Via Cassia rumo a Orvieto, está **San Flaviano**, uma adorável construção de dois andares com uma igreja do século 12 apontando para leste sobre uma igreja do século 11 voltada para o oeste. O interior abriga finos afrescos do século 14 e capitéis levemente inspirados nas tradições da arte etrusca.

Arredores: O apreciado balneário de **Bolsena**, 15km ao norte do lago Bolsena, tem um castelo medieval e barcos que vão para as ilhas de Bisentina e Martana.

Bomarzo ❹

Parco dei Mostri, Bomarzo. ***Tel*** *0761 92 40 29.* *para Viterbo.* *de Viterbo (menos dom e feriados).* *8h30-anoitecer.*

O Sacro Bosco abaixo da cidade de Bomarzo foi criado entre 1522 e 1580 pelo duque Vicino Orsini, como um estranho memorial para sua última esposa. Longe de desenhar um jardim clássico, Orsini abraçou a artificialidade e a distorção do período maneirista, criando prédios assimétricos e esculpindo criaturas fantásticas e monstros alegóricos em grandes blocos de pedra.

Monstro de pedra do Sacro Bosco, em Bomarzo

Caprarola ❺

Viterbo. *4.900.* *Via Filippo Nicolai 2 (0761 64 61 57).* *ter.*

Talvez a maior das mansões tipo *villa* construídas no interior durante o século 17 pelas famílias abastadas de Roma, o **Palazzo Farnese** *(pág. 390)* é o ponto mais importante do povoado medieval de Caprarola. Projetado por Vignola, foi erguido entre 1559 e 1575, e seu formato de estrela derivou das fundações de uma grande fortaleza pentagonal criada meio século antes por Antonio da Sangallo o Jovem. No piso principal, adornado por uma elaborada escada em espiral, os cômodos levam afrescos pintados, em sua maioria, pelos irmãos Zuccari em 1560, com cenas de episódios heroicos da vida de Hércules e da família Farnese.

Arredores: Segundo a lenda, o **Lago di Vico**, 4km a oeste de Caprarola, foi escavado a golpes de cajado por Hércules, mas, na verdade, ocupa uma cratera vulcânica. Circundado pelas encostas arborizadas das colinas Cimini (algumas são reservas naturais), é rodeado por uma estrada: para quem quer nadar, o melhor ponto fica na parte sudeste.

Palazzo Farnese
Caprarola. ***Tel*** *0761 64 60 52.* *ter-dom.* *1° jan, 25 dez.*

Tumbas etruscas da necrópole de Cerveteri

Tarquinia ❻

Viterbo. 15.000. FS Piazza Cavour 23 (0766 84 92 82). qua.

A Tarquinia Antiga, ou Tarxuna, era um dos mais importantes centros da Etrúria. Até o século 4° a.C., quando caiu em poder de Roma, ocupava uma posição estratégica a nordeste da atual cidade, sobre um cume de onde se divisava toda a planície costeira.

Vale a pena passear pela cidade observando suas igrejas medievais e as espaçosas praças, mas a razão principal da visita é o **Museo Archeologico e Necropoli**, que tem uma das melhores coleções de artefatos etruscos da Itália.

Estátuas reclinadas de mortos adornam um sarcófago no piso térreo, mas a grande atração é um grupo de cavalos alados de terracota, datados do século 4° a.C., no mezanino.

No topo de uma colina, 2km a sudeste da cidade, estão as tumbas da **necrópole**, escavadas em solo vulcânico. Há cerca de 6.000 tumbas, mas apenas 15 estão abertas à visitação. Os afrescos que as decoram, pintados para lembrar o fim da vida, variam das frenéticas figuras dançantes da Tomba delle Leonesse aos comensais da Tomba dei Leopardi.

Museo Archeologico e Necropoli
Piazza Cavour. ***Tel*** *0766 85 60 36 e 0766 85 63 08 (necrópole).*
ter-dom. 1° jan, 1° mai, 25 dez.

Dançarinos no afresco da Tomba del Triclinio, do século 4°, Museo Archeologico de Tarquinia

Cerveteri ❼

Roma. 30.000. FS Piazza Risorgimento 19 (06 9955 1971). sex.

No século 6° a.C., Cerveteri (antiga Kysry) era uma das mais povoadas e culturalmente ricas cidades do Mediterrâneo: negociava com a Grécia e controlava uma grande área ao longo da costa. A **necrópole**, cidade dos mortos, a 2km do centro, é uma rede de ruas em meio a tumbas do século 7° a.C. ao século 1° a.C. Alguns dos grandes túmulos, como a Tomba degli Scudi e delle Sedie, são parecidos com casas, com quartos, portas e corredores. A Tomba dei Rilievi é decorada com relevos em estuque de ferramentas, bichos de estimação e figuras mitológicas. Embora os melhores artefatos achados na necrópole estejam hoje nos acervos dos Museus do Vaticano, da Villa Giulia e do British Museum de Londres, alguns ainda podem ser vistos no pequeno **Museo Nazionale Cerite**, no centro da cidade.

Arredores: Há muitas peças etruscas para ver em **Norchia**, onde as tumbas têm entalhes em pedra, e em **Sutri**, com um raro anfiteatro.

Necropolis
Via delle Necropoli. ***Tel*** *06 994 06 51.*
ter-dom. alguns feriados.

Museo Nazionale Cerite
Piazza Santa Maria. ***Tel*** *06 994 13 54. ter-dom. feriados.*

Lago Bracciano ❽

Roma. FS Bracciano. Piazza Mazzini 7, Bracciano (06 99 806 018).

A medieval Anguillara, no lago Bracciano

Bracciano é um lago famoso por seus peixes e bem procurado para esportes aquáticos e piqueniques.

A medieval **Anguillara**, ao sul, é a mais bela de todas as cidades da região, com românticas paisagens sobre a água. A cidade principal, **Bracciano**, na margem leste, é dominada pela fortaleza Orsini-Odescalchi, uma estrutura pentagonal do século 15 com afrescos de Antoniazzo Romano e outros artistas toscanos e úmbrios.

Castello Orsini-Odescalchi
Piazza Mazzini 14. ***Tel*** *06 99 80 23 79.*
ter-dom. 1° jan, 25 dez.

Para hotéis e restaurantes nesta região, ver págs. 592-3 e págs. 641-3

Ostia Antica 9

Viale dei Romagnoli 717, Ostia. ***Tel*** *06 56 35 80 99.* M *Piramide até* FS *de Porta San Paolo para Ostia Antica.* **Museu e Escavações** *8h30-1h antes do anoitecer ter-dom.* *1° jan, 25 dez.*

Ostia foi o principal porto de Roma e um agitado centro de comércio por mais de 600 anos. A partir do século 5°, uma desastrosa combinação de malária e competição comercial marcou o início de seu declínio.

As ruínas de Ostia dão uma clara ideia da vida na era clássica. A principal via de acesso, a **Decumanus Maximus**, passa pelo Fórum, que abriga o maior templo da cidade, o **Capitólio**, e pelo restaurado **teatro**, ainda usado para concertos ao ar livre no verão. Ao longo da estrada há ainda saunas, lojas, prédios com diversos andares. Uma atração à parte é a **Thermopolium**, um interessante bar com balcão de mármore e pinturas que anunciam comidas e bebidas.

Ruínas de lojas ao longo de Decumanus Maximus

APARTAMENTOS
Boa parte da população de Ostia vivia em prédios residenciais como este, baseados na Casa di Diana (século 2°).

Frascati e os Castelli Romani 10

Roma. FS *Frascati.* i *06 9418 42 56.* **Jardins Villa Aldobrandini** *seg-sex, ligar 06 9422 560 com alguns dias de antecedência.*

As colinas albanas têm sido um eterno local de retiro para os romanos. Na era clássica, foram ocupadas por mansões; na Idade Média por castelos fortificados (daí o nome); e nos séculos 16 e 17 por luxuosas residências de campo e espetaculares parques e jardins. Na Segunda Guerra Mundial, as defesas alemãs ficaram baseadas aqui, e muitas cidades foram castigadas pelas bombas aliadas. Atualmente as 13 colinas são parada obrigatória das viagens de um dia e se destacam pela produção de vinho branco.

A *piazza* central de **Frascati** é um belvedere de onde se vê a majestosa mansão Aldobrandini, construção do século 17 dentro de um esplêndido parque cheio de grutas secretas, fontes e estátuas.

A Abbazia di San Nilo em **Grottaferrata**, 3km ao sul, foi fundada em 1004 e contém afrescos do século 17 pintados na capela por Domenichino.

Com vista para o lago Albano, 6km ao sul, está o lindo **Castelo Gandolfo**, palácio de verão do papa. Em suas temporadas aqui, o papa costuma saudar a multidão de fiéis.

Aglomerada em torno de um poderoso castelo do século 9°, e famosa por seus morangos, **Nemi**, 10km a sudeste, se reflete nas águas do lago Nemi.

As margens arborizadas do pequeno lago Nemi, vulcânico

Tivoli, lugar disputado por quem quer escapar do agitado verão romano

Tivoli ⓫

Roma. 57.000. FS *0774 45 35 62.* *qua.*

A cidade de Tivoli, na montanha, talvez seja hoje a melhor opção de passeio para quem sai de Roma. Já foi um refúgio disputado pelos antigos romanos, atraídos pelas águas sulfurosas e belas paisagens rurais. Os templos que antes se situavam no alto da colina ainda têm partes visíveis. Alguns estão semienterrados por construções medievais, mas outros, como os Templos de Sibila e de Vesta, nos jardins do restaurante de Sibilla (na Via Sibilla), mostram-se relativamente preservados.

Maravilhas de todo o mundo foram reproduzidas na Villa de Adriano

A atração mais famosa da cidade é a **Villa d'Este**, uma luxuosa casa de interior criada no século 16 por Pirro Ligorio para o cardeal Ippolito d'Este, a partir da estrutura de um mosteiro beneditino. O local se destaca por seus jardins, arranjados em terraços, e enfeitados por fontes espetaculares, embora um pouco descoloridas. Apesar de sofrer as consequências da redução da pressão da água e da poluição após séculos de descaso, os jardins mostram o luxo e a frivolidade desfrutados pelas famílias dos papas. Entre os destaques estão o Viale delle Cento Fontane e a Fontana dell'Organo Idraulico, que, graças a um sistema hidráulico, tocava música. Na outra extremidade da cidade, a **Villa Gregoriana**, agora um hotel, situa-se em um exuberante vale, cujos caminhos conduzem a um desfiladeiro profundo.

Arredores: A cerca de 5km a oeste de Tivoli estão as ruínas da **Villa Adriana**, uma das maiores e mais belas mansões tipo *villa* já construídas no Império Romano.

Adriano era um viajante entusiasmado e teve por objetivo reproduzir nesta *villa* algumas das maravilhas que havia visto pelo mundo. O Stoa Poikile, por exemplo, um caminho que cercava uma piscina retangular e um jardim, lembra a colunata dos filósofos estoicos de Atenas, na Grécia. O Canopus evoca o grande santuário de Serapis, em Alexandria, no Egito. Existem ainda ruínas de dois complexos de termas, uma biblioteca grega e uma latina, um teatro grego e um estúdio privativo situado numa ilhota em um lago, o Teatro Marittimo.

Aproveite as ruínas, cheias de sombras e cantos escondidos, também para descansar e fazer piqueniques.

Villa d'Este
Piazza Trento 1. **Tel** *0774 31 20 70.* *ter-dom.* *1° jan, 1° mai, 25 dez.*

Villa Gregoriana
Largo Sant'Angelo. **Tel** *0639 96 77 01.* *ter-dom.* *dez-fev.*

Villa Adriana
Tel *0774 53 02 03.* *feriados.*

Palestrina ⓬

Roma. *18.000.*
Santa Maria degli Angeli 2 (06 957 31 76).

Mosaico do Nilo inundado, Museo Archeologico, Palestrina

A Palestrina medieval cresceu sobre os terraços de um enorme templo dedicado à deusa Fortuna Primigenia, mãe de todos os deuses. O templo, fundado no século 8° a.C. e reconstruído no século 2° por Sulla, abrigava um dos oráculos mais importantes da Antiguidade. Os terraços do santuário, que exibem fragmentos de colunas e pórticos, levam até o **Palazzo Barberini**. Construído no local de um templo circular, hoje abriga o **Museo Nazionale Archeologico**, famoso por um mosaico do século 1° a.C. que retrata o Nilo em uma enchente.

Museo Nazionale Archeologico
Via Barberini. **Tel** *06 953 81 00.* *diariam.* *1° jan, 1° mai, 25 dez.*

Para hotéis e restaurantes nesta região, ver págs. 592-3 e págs. 641-3

Subiaco 13

Roma. 9.000. *Biblioteca Municipal, Via della Repubblica 26 (0774 82 28 00).* *sáb.*

No século 6°, cansado da decadência de Roma, são Benedito abandonou a cidade para se tornar ermitão e viver em uma caverna perto de Subiaco. Outros juntaram-se a ele e 12 mosteiros surgiram.

Só dois deles sobraram: o **Santa Scolastica**, dedicado à irmã de Benedito, organiza-se ao redor de três claustros, um renascentista, outro do início do período gótico e um terceiro cosmatesco. Mais no alto, o mosteiro de **San Benedetto**, do século 12, vale mais a pena. Situado à beira de um desfiladeiro profundo, é formado por duas igrejas erguidas uma sobre a outra. A igreja de cima exibe afrescos de Siena do século 14, e a inferior, em vários níveis, incorpora a caverna original na qual Benedito permaneceu três anos após sair de Roma.

Santa Scolastica
3km a leste de Subiaco. ***Tel*** *0774 822 862.* *diariam.*

San Benedetto
3km a leste de Subiaco. ***Tel*** *0774 819 800.* *diariam.*
(apenas a igreja mais ao alto)

Montecassino 14

Cassino. ***Tel*** *0776 31 15 29.*
FS *Cassino e depois ônibus.*
9h-12h30, 15h30-18h30 diariam (nov-mar: 17h).

A abadia de Montecassino, igreja-mãe da Ordem Beneditina e polo de arte medieval, foi fundada em 529 por são Benedito. Por volta do século 8°, foi um importante centro de ensino e aproximadamente no século 11 era um dos mosteiros mais ricos da Europa.

Em 1944, o local serviu de fortaleza para os alemães e foi alvo do bombardeio dos aliados. A maior parte do complexo foi destruída, como a igreja barroca, mas as muralhas ficaram intactas. A abadia resistiu por três meses antes de cair em poder dos aliados e o cemitério vizinho homenageia os 30 mil soldados mortos.

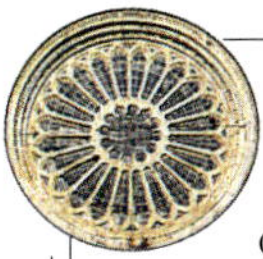

Rosácea, Fossanova

MOSTEIROS LÁCIO

São Bento fundou a Abadia de Montecassino por volta de 529 e aqui escreveu suas famosas leis. Com base nos princípios da oração, trabalho manual e estudo, elas se tornaram o código monástico fundamental da Europa Ocidental. Já a Ordem dos Cistercienses chegou à Itália no século 12, vinda da Borgonha. Esses religiosos eram seguidores de são Bernardo, cuja doutrina pregava a austeridade e a autossuficiência, qualidades que se refletem na arquitetura simples do início do período gótico de seus mosteiros. Sua primeira abadia foi a de Fossanova. Outras abadias cistercienses no Lácio são a de Valvisciolo (nordeste de Sermoneta) e San Martino en Cimino (perto do lago di Vico).

A Abadia de Montecassino *original, do século 17, foi destruída durante a Segunda Guerra. A atual é uma cópia.*

A Abadia de San Benedetto, *em Subiaco, foi fundada no século 11 sobre a caverna de são Bento. Uma escadaria na rocha leva até a gruta na qual ele pregava para os pastores.*

A Abadia de Casamari, *14km a leste de Frosinone, foi fundada por monges beneditinos em 1035 e depois pertenceu aos cistercienses, que a reconstruíram em 1203.*

Ninfa, aldeia medieval abandonada e hoje um belíssimo jardim

Anagni ⓯

Frosinone. 20.000. FS *Piazza Innocenzo III (0775 72 78 52).* *qua.*

Segundo uma lenda, Saturno fundou cinco cidades no sudeste do Lácio, entre elas Anagni, Alatri e Arpino. A área que as envolve hoje é conhecida como La Ciociaria, a terra dos *ciociari*, camponeses que usavam *cioci* (tamancos de madeira) até não mais do que 30 anos atrás.

Antes de os romanos chegarem aqui, esta parte do Lácio era habitada por diferentes povos: volcos, samnitas e hérnicos. Pouco se sabe sobre eles, exceto que erguiam muralhas extraordinárias para proteger seus domínios. Em épocas posteriores chegou-se a acreditar que as edificações tinham sido erguidas por ciclopes, gigantes lendários, e por isso elas hoje são chamadas de Muralhas Ciclópicas.

Anagni era o centro mais sagrado dos hérnicos até ser destruída pelos romanos, em 306 a.C. Na Idade Média, este era o local de nascimento de diversos papas (e de residência de famílias papais), e sobrevivem muitas construções dessa época. O maior destaque cabe ao palácio de Bonifácio VIII, do século 13.

O magnífico **Duomo**, Santa Maria, em estilo românico, foi construído sobre a antiga acrópole hérnica e exibe belo piso de mosaicos cosmatescos, do século 13, e afrescos de Siena, do século 14. A cripta de são Magno é decorada com um dos ciclos mais completos de afrescos, dos séculos 12 e 13.

Arredores: Alatri, no alto de uma colina coberta por oliveiras a 28km a leste de Anagni, era uma importante cidade hérnica. O local preserva um notável trecho de Muralhas Ciclópicas, com 2km de extensão e 3m de altura, a partir da acrópole do século 7° a.C. Na cidade medieval abaixo das muralhas fica a igreja românica Santa Maria Maggiore.

Arpino, 40km a leste de Alatri, cidade natal do orador Cícero, tem um centro medieval e é agitada. A cerca de 3km acima de Arpino, no local da antiga Civitavecchia, vê-se outro grande trecho das Muralhas Ciclópicas, com um raro portão em arco pontudo.

Porta em arco pontudo das Muralhas Ciclópicas, em Arpino

Sermoneta e Ninfa ⓰

Latina. FS *Latina Scalo.* *a partir de Latina.* *Via Duca di Mare 19, Latina (0773 69 54 04).* **Ninfa** ***Tel*** *0773 63 39 073 63 39 35 (para reserva de grupos).* *abr-out: 1° sáb e 1° dom mês (para outras datas, ligar).*

Sermoneta é uma graciosa cidade no alto das colinas com vista para as planícies pontinas, com estreitas ruas cobertas de pedras se entortando por entre casas, palácios e igrejas medievais. O **Duomo** tem um painel do século 15 pintado por Benozzo Gozzoli, que mostra a Virgem embalando Sermoneta. No alto da cidade vê-se o Castello Caetani, cercado por valas e similar aos dos contos de fadas –tem afrescos de cenas mitológicas pintados por um discípulo de Pinturicchio.

No vale logo abaixo fica a aldeia medieval de **Ninfa**, transformada em um jardim botânico pela família Caetani em 1921. O jardim, com fontes e riachos, convive com ruínas.

Terracina 17

Latina. 40.000. Via Leopardi (0773 72 77 59). qui.

Terracina era um importante centro comercial situado na Via Appia. Localizada nas colinas Ausonianas, tornou-se um concorrido balneário, com mescla de construções medievais e ruínas romanas (no centro histórico). A parte mais moderna da cidade oferece diversos restaurantes, bares e hotéis.

Os bombardeios da Segunda Guerra atingiram diversas estruturas antigas da cidade, em especial o trecho da Via Appia e o calçamento original do Fórum Romano na Piazza del Municipio. O **Duomo**, do século 11, foi erguido sobre a estrutura de um templo romano, e ainda pode-se entrar pela escadaria original. O pórtico medieval é enfeitado com um mosaico do século 12 e o interior conserva o piso de mosaicos do século 13. Ao lado, o moderno saguão abriga o **Museo Archeologico**, que reúne achados locais gregos e romanos.

Duomo de Terracina, com escadaria romana original

Andando cerca de 3km acima da cidade encontram-se o pódio e as estruturas que antigamente sustentavam o Templo de Jove Anxur, que remonta ao século 1° a.C. Esta enorme plataforma com arcos é iluminada a noite e proporciona lindas vistas de Terracina e da baía.

Museo Archeologico
Piazza Municipio. ***Tel*** *0773 70 72 77.*
seg tardes-dom. feriados.

Sperlonga 18

Latina. 4.000. Corso San Leone 22 (0771 55 70 00). sáb.

Sperlonga é um balneário de grande popularidade, cercado de praias de areia. A cidade antiga situa-se em um promontório rochoso, num peculiar labirinto de construções brancas, ruelas estreitas, *piazzette* e balcões de onde se têm vistas ocasionais do mar. Hoje abriga muitos bares, restaurantes e lojas. A parte moderna da cidade fica de frente para o mar.

A área ao redor de Sperlonga era um dos refúgios favoritos dos antigos romanos nos meses quentes de verão. Eles construíram mansões à beira-mar e transformaram as cavernas naturais dos rochedos vizinhos em locais de jantar e descanso.

Em 1957, os arqueólogos que exploravam o enorme complexo da luxuosa *villa* de Tibério, a 1km ao sul nos arredores da cidade, encontraram maravilhosas esculturas helenísticas do século 2° a.C. em uma grande caverna com abertura para o mar. Acredita-se que essas peças, que representavam passagens da *Odisseia* de Homero, tenham sido feitas pelos mesmos artistas de Rodes (onde viveu o imperador Tibério), responsáveis por *Laocoonte (pág. 417)*. Elas estão junto com outros achados locais no **Museo Archeologico Nazionale**, na zona arqueológica.

Praia de areia no litoral entre Gaeta e Terracina

Torre de sino (séc. 12), em Gaeta

Zona Archeologica
Via Flacca. ***Tel*** *0771 54 80 28.*
diariam. 1° jan, 25 dez.

Gaeta 19

Latina. 22,000. Via Emanuele Filiberto 5 (0771 46 11 65). qua.

Segundo Virgílio, Gaeta recebeu esse nome por causa da ama de Eneias, Caieta, que teria sido enterrada aqui. A cidade fica no promontório sul do golfo de Gaeta, encravado no Monte Orlando. No centro histórico, destacam-se um vistoso castelo aragonês e os pináculos de San Francesco, em estilo falso gótico. Ao norte, o moderno quarteirão liga Gaeta à baía de Serapo, um balneário praiano peculiar.

O ponto mais apreciado de Gaeta é a elegante torre do sino do **Duomo**, estilo românico, com seu topo adornado por azulejos coloridos. De frente para o mar, a minúscula igreja do século 10° de **San Giovanni a Mare** tem afrescos já pálidos, um domo hemisférico e um piso irregular para permitir que a água do mar escoe após as inundações.

SUL DA ITÁLIA

O Sul da Itália em Destaque

Quem vem ao Sul da Itália encontra grande variedade de ruínas arqueológicas. Embora as mais famosas sejam as ruínas romanas de Pompeia, há muitos remanescentes gregos espalhados na Sicília e na costa sul, além de misteriosas construções antigas na Sardenha, chamadas *nuraghe*. Campanha, Puglia e Sicília impressionam por sua arquitetura, enquanto o sul cativa por suas paisagens, vida selvagem diversificada e inúmeras opções de atividades ao ar livre. A cozinha regional, eclética por herança, serve de delicioso pretexto para explorar o litoral e as rústicas aldeias nas montanhas.

No Parco Nazionale d'Abruzzo, *uma imensa área inexplorada, vivem lobos, ursos e diversas espécies de aves* (págs. 506-7).

Su Nuraxi, em Barumini, *foi erguido por volta de 1500 a.C. e é o mais famoso monumento de rochas nurague da Sardenha* (pág. 549).

A decoração do claustro *da catedral de Monreale é uma reminiscência do passado árabe da Sicília, com colunas enfeitadas com belos mosaicos e capitéis esculpidos* (págs. 530-1).

No Vale dos Templos, em Agrigento, Sicília, *encontram-se algumas das mais bem preservadas ruínas gregas. A maioria apresenta estilo dórico, sendo datada dos séculos 5° e 6° a.C.* (pág. 536).

0 quilômetros 100

◁ Vinhedos e laranjeiras da Costa Amalfitana, na Campanha

O Museo Archeologico Nazionale *de Nápoles é um dos mais importantes da Itália. Ele abriga os tesouros de Pompeia, como esculturas e vasos, além de utensílios do dia a dia, que dão uma ideia minuciosa da vida rotineira dos romanos* (págs. 490 1).

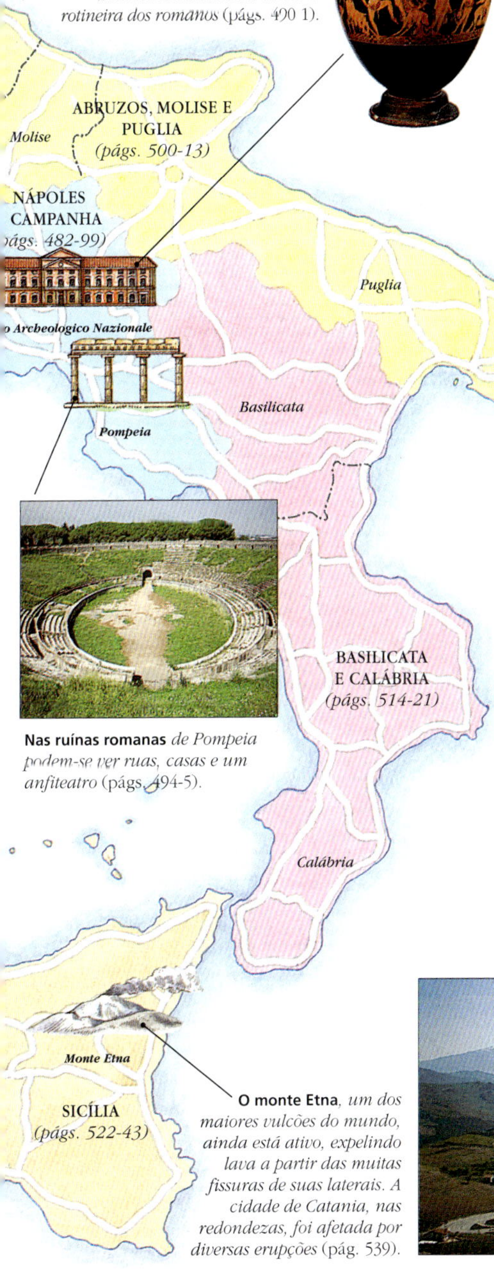

Nas ruínas romanas *de Pompeia podem-se ver ruas, casas e um anfiteatro* (págs. 494-5).

A igreja de Santa Croce, *em Lecce, constitui excelente exemplo do exuberante estilo barroco local, com elaboradas rosáceas e capitéis esculpidos com detalhes* (págs. 512-3).

O monte Etna, *um dos maiores vulcões do mundo, ainda está ativo, expelindo lava a partir das muitas fissuras de suas laterais. A cidade de Catania, nas redondezas, foi afetada por diversas erupções* (pág. 539).

Os Sabores do Sul da Itália

“Terra do sol do meio-dia”, o *Mezzogiorno* é majestoso e fértil, embora tenha trechos áridos e pobres. Esta é a terra da dieta mediterrânea, baseada em frutos do mar frescos, ervas aromáticas e saborosos azeites de oliva. A Puglia produz mais uvas e azeitonas do que qualquer outra região da Itália, enquanto o fértil solo vulcânico em torno do Vesúvio e do Etna é ideal para o cultivo de robustos legumes, frutas e vinhedos. Nápoles é o berço da pizza e a região da Campanha produz a melhor mussarela de búfala do país.

Ervas misturadas

Queijeiro siciliano com cesta de ricota fresca

CAMPANHA

Nápoles é famosa pela pizza, sendo também a terra do molho de tomate para massas. Especialmente apreciados, os tomates de San Marzano, em Salerno, são longos e cônicos. A tradição de combinar mussarela com tomate surgiu aqui. A massa é tubular (no norte tende a ser em tiras). Outros ingredientes-chave da Campanha são azeite de oliva, alho, manjericão, pimentas e limões. Há excelentes frutos do mar, incluindo polvo, lula, anchovas, mariscos e mexilhões, a maioria dos quais é preparada de forma simples com limão, alho e pimenta. Cordeiro, cabrito, búfalo e cavalo são as carnes mais populares. Há também uma longa tradição de preparo de maravilhosos doces e sorvetes.

PUGLIA

Esta região é responsável por 80% das massas da Itália e é a fonte da maioria dos peixes do país. Assim como no resto do sul da Itália, carnes de porco, aves e cabrito geralmente são assadas com ervas aromáticas. A massa local em forma de orelha, *orecchiette*, é muito popular. Legumes, frutas, especialmente figos e marme-

Ótimos frutos do mar da costa do Sul

PRATOS E ESPECIALIDADES REGIONAIS

Figos

Os napolitanos se autointitulam de *mangia macaroni* (comedores de macarrão). Alguns molhos clássicos surgiram aqui, como o *puttanesca* de tomate, anchovas, pimenta, alcaparras e azeitonas. A especialidade da costa da Campanha é a *zuppa di cozze* (mariscos em molho apimentado). Sempre excelente, o polvo aparece em pratos como *polpo alla luciana*, no qual é cozido lentamente com tomates, azeite de oliva, salsa e alho. *Orecchiette con cime di rapa* (massa coberta com nabos) é um carro-chefe da Puglia, assim como *agnello allo squero* –cordeiro assado no espeto e temperado com tomilho e ervas. Para quem adora doces, a pedida é a tentadora cassata siciliana, um bolo esponjoso que leva ricota, licor, frutas cristalizadas e pistache.

Maccheroncini con le sarde
Macarrão com sardinha, funcho, nozes, passas, miolo de pão e açafrão.

Tomates pendurados em barraca de mercado do sul

los, e nozes crescem sem requerer grandes cuidados. A costa de 400km é pródiga em peixes e mariscos. Além da mussarela, há outros queijos bons como ricota, o de cabra e alguns defumados.

SICÍLIA

Refletindo a longa lista de invasores da ilha, há muitas influências evidentes na cozinha da Sicília. Colonizadores gregos no 8° século a.C. ficaram surpresos com a fertilidade do solo vulcânico. O arroz foi introduzido na área pelos árabes, enquanto a influência da cozinha norte-africana é vista no *cuscusu* (cuscuz) e em outros sabores árabes que aparecem em pratos adocicados e condimentados. O cordeiro e o porco são excepcionalmente bons. Os peixes são excelentes, em especial sardinhas, atum, anchovas e espadarte. Os legumes são muito apreciados. A ricota de leite de ovelha entra em doces e pudins, como a rica *cassata siciliana*.

Azeitonas recém-colhidas, prontas para o preparo de azeite de oliva

OUTRAS REGIÕES

As montanhosas Abruzzo e Molise são propícias à criação de caprinos, o que tornou o cordeiro uma especialidade daqui, assim como a massa em forma de guitarra *(maccheroni alla chitarra)*. A comida da Calábria e da Basilicata é forte em especiarias, sobretudo a pimenta *(pepedinie)* que é tida como remédio para todos os males. A Sardenha tem um pão fino como hóstia e sem fermento chamado *carta da musica*. Mel, presunto de javali e tordos também figuram, assim como o *torrone*, delicioso nougat de amêndoas.

NO MENU

Arancini Bolinhos de arroz da Campanha, em geral recheados com carne, queijo ou legumes.

Caciocavallo Queijo de leite de vaca, especialmente bom quando é de Avelino na Campanha.

Insalata caprese Salada da Campanha com mussarela, tomate, manjericão, azeitonas e orégano.

Maccheroni di fuoco Massa da Basilicata com bastante alho e pimenta.

Soppressata Salame curado e apimentado da Calábria.

Sebadas Roscas fritas da Sardenha, cobertas de mel.

Pizza Napoletana *Pizza de massa fina coberta com tomate, alho, orégano, manjericão e anchovas.*

Pesce spa da *Na Campanha, Puglia, Calábria e Sicília, o filé de espadarte é grelhado com limão e orégano.*

Sfogliatella *Camadas finas de massa que levam manteiga, açúcar, canela, raspas de casca de laranja e ricota.*

A Arquitetura do Sul da Itália

O estilo românico do Sul da Itália deve muito aos normandos, que no século 11 trouxeram da França os traços da arquitetura e da escultura locais. No lado leste, observam-se fortes características bizantinas. A Sicília apresenta marcantes motivos islâmicos, exibindo preferência por cores, padrões e ornamentos vistosos. Esses elementos aparecem mais tarde no barroco siciliano, que se soma ao dinamismo típico do barroco romano, embora seja mais intenso. O barroco napolitano é mais sofisticado e mostra maior interesse pelo uso criativo do espaço.

Obras barrocas, Villa Palagonia, em Bagheria

ESTILO BIZANTINO E ROMÂNICO

Cefalù, *iniciada em 1131 por Rogério II, é uma das mais destacadas catedrais normandas da Sicília* (pág. 535). *A fachada oeste exibe traços românicos do Norte, como as torres.*

Cristo Pantocrator, *mosaico bizantino (1132), decora a abside da Capela Palatina* (pág. 526).

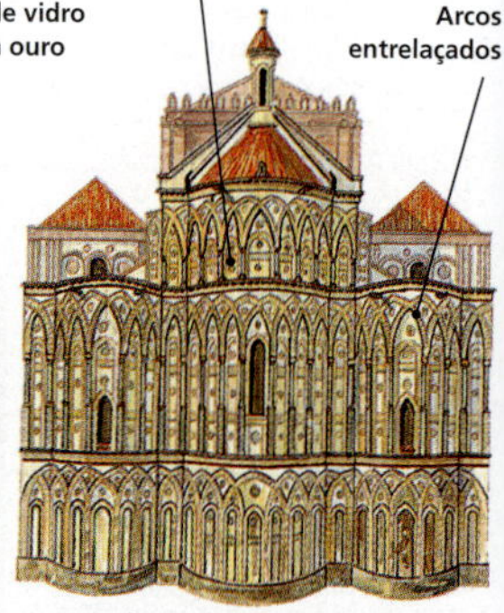

A parte leste da catedral *normanda de Monreale, fundada em 1172 por Guilherme II, apresenta materiais coloridos e arcos entrelaçados* (págs. 530-1).

ESTILO BARROCO

O Palazzo Reale, de Caserta, *um suntuoso palácio real cuja construção foi iniciada por Carlos III em 1752, destaca-se por seu tamanho monumental* (pág. 496). *Antes de chegar ao interior ricamente decorado, o visitante atravessa inúmeras portas e lindas escadarias. O grandioso edifício foi projetado por Luigi Vanvitelli.*

Os relevos de estuque *de Giacomo Serpotta (c.1690), no Oratório de Santa Zita, em Palermo, revelam o exuberante gosto local* (pág. 529).

ONDE VER A ARQUITETURA

Para observar a arquitetura românica, os melhores lugares são a Puglia e as cidades com catedral do noroeste da Sicília. As mais belas igrejas da Puglia estão em Trani *(pág. 509)*, Canosa, Molfetta e Bitonto, próximas entre si; Ruvo di Puglia *(pág. 510)*, San Leonardo di Siponto, na península Gargano; e Martina Franca, perto de Alberobello. O estilo barroco está sintetizado nas mansões tipo *villa*, palácios e igrejas de Nápoles e Sicília, além das fachadas das igrejas em Lecce *(págs. 512-3)*, na Puglia. Na Sicília, destacam-se as obras barrocas de Palermo *(págs. 526-9)*, Bagheria *(pág. 532)*, Noto, Modica e Ragusa *(pág. 543)* e Siracusa *(págs. 542-3)*. Merecem visita ainda as igrejas de Piazza Armerina *(pág. 537)*, Trapani *(pág. 532)*, Palazzolo Acreide, perto de Siracusa, e Acireale, próximo a Catania.

Porta da catedral de Ruvo di Puglia

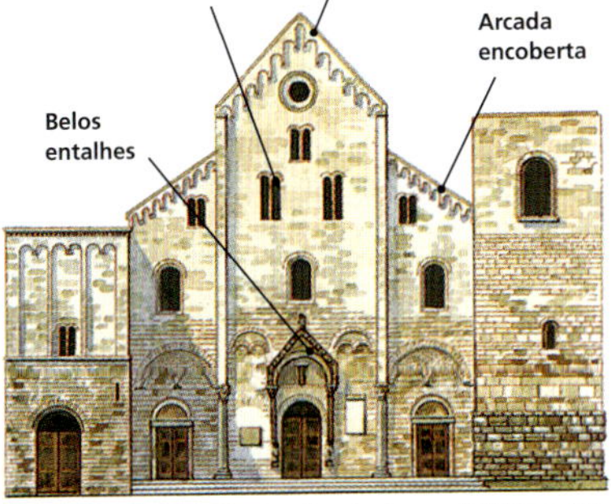

A Basilica de San Nicola, *fundada em 1087 em Bari, serviu de modelo para igrejas posteriores da Puglia* (pág. 510). *Baseada na arquitetura normanda, exibe uma fachada com torres, dividida em três faixas verticais, refletindo o desenho do projeto.*

A fachada da catedral de Troia *(1093-1125) foi inspirada na arquitetura de Pisa. Sua rica decoração vem de modelos árabes e bizantinos* (págs. 508-9).

A fachada *da catedral de Siracusa, iniciada em 1728 por Andrea Palma, tem elementos curvos e abruptos* (págs. 542-3).

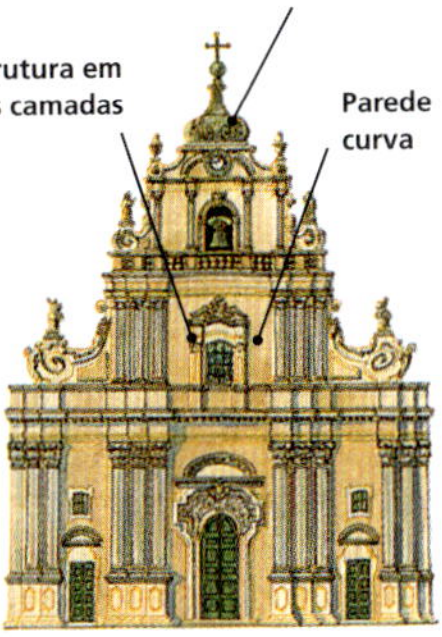

San Giorgio, em Ragusa, *(1744) exibe fachada criada por Gagliardi. A ornamentação em camadas culmina na torre* (pág. 543).

A Chiesa del Rosario, *em Lecce, começou a ser construída em 1691 por Lo Zingarello. Seguiu o estilo barroco local, que utiliza muitos entalhes* (págs. 512-3).

Os Gregos Antigos no Sul da Itália

Algumas das mais belas ruínas da Grécia Antiga situam-se no Sul da Itália: Siracusa, Segesta, Selinunte e Gela estão entre os lugares mais conhecidos da Sicília e, no continente, há Crotone, Locri e Pesto. Essas antigas colônias gregas recebem o nome genérico de Magna Grécia, e a mais antiga delas foi fundada na região de Nápoles no século 11 a.C. Diversos personagens famosos da época, como Pitágoras, Arquimedes e Ésquilo, viveram nessas colônias. Foi aqui que floresceu a arte de produzir vinho. Nos excelentes museus arqueológicos de Nápoles, Siracusa e Taranto podem ser admirados objetos dessa época.

A antiga Heracleia *(atual Herculano) foi batizada em homenagem a seu patrono, o poderoso Hércules. A erupção do Vesúvio em 79* (pág. 495) *cobriu a cidade.*

Poseidonia *(atual Pesto) era a cidade de Posêidon, deus do mar. Suas ruínas, do século 6° a.C., incluem remanescentes de dois dos mais belos templos dóricos na Europa* (págs. 498-9).

O monte Etna *era considerado a fornalha de Vulcano (Hefesto), deus do fogo, ou o Ciclope, gigante de um olho só* (pág. 539).

Tyndaris foi uma das últimas cidades gregas fundadas na Sicília.

Eryx, o criador da cidade, era filho de Afrodite e Posêidon.

Segundo a lenda, o fundador de Agrigento foi Dédalo, que fabricou asas para que ele e seu filho Ícaro pudessem voar.

Egesta, *construída em 426-416 a.C., foi colonizada pelos élimos, que podem ter vindo de Troia. Entre as ruínas dessa cidade, há um templo semiacabado e um teatro* (pág. 534). *Para os gregos antigos, os teatros eram local de lazer e cultura e não de lutas.*

Gela, sob o comando de Hipócrates, prosperou muito no século 5° a.C.

M
Archeolo
Regio
Paolo

O dramaturgo Ésquilo *morreu em Gela em 456 a.C. Considerado o criador da tragédia grega, escreveu* Os Sete Contra Tebas, Os Persas *e* Prometeu Acorrentado.

Em Metaponto (Metapontum) viveu Pitágoras depois de ser expulso de Crotone. Suas ruínas incluem templos dóricos, a Tavole Palatina e um teatro *(pág. 519)*.

Em Taranto viveram Arquitas, filósofo e cientista, e Aristóxenes, autor do primeiro tratado sobre música.

GRÉCIA E COLÔNIA

Séculos 7° a 5° a.C.

Fundada por gregos espartanos no século 8° a.C., Taras era rica e poderosa.

Os habitantes de Síbaris eram famosos por sua vida luxuosa, o que deu origem ao adjetivo "sibarita". Eles enriqueceram graças aos negócios com os etruscos.

Por volta de 540 a.C., *Crotone tornou-se a principal escola da filosofia de Pitágoras. O grande pensador e matemático viveu aqui por 30 anos. Quando o governo que apoiava caiu, Pitágoras foi expulso.*

Locri Epizefiri foi a primeira cidade grega a ter um código de leis escrito.

O estreito de Messina *desafiou Ulisses, o herói da* Odisseia, *de Homero. No ponto de encontro de dois mares, um redemoinho, Charybdis, ameaçava a segurança da entrada para Messina* (pág. 538). *Outro perigo eram as sereias, que, com seu canto, atraíam os viajantes para as rochas. Ao lado, Ulisses aparece amarrado ao mastro, resistindo aos chamados sedutores*

O filósofo Platão visitou Siracusa e deu conselhos ao governante, Dionísio II.

O matemático *e inventor Arquimedes nasceu em Siracusa em 287 a.C. Entre suas invenções estão o famoso parafuso de Arquimedes, além de várias catapultas para combater os romanos* (págs. 542-3).

DEMÉTER E PERSÉFONE

As complexas histórias da mitologia grega eram parte do dia a dia dos antigos. Enna era o local de culto a Deméter, a deusa da terra e, em 480 a.C., foi erguido aqui um templo em sua homenagem. Segundo a lenda, Perséfone, filha de Deméter e Zeus, foi raptada por Hades e levada para o mundo dos mortos. Deméter deixou o Olimpo e vasculhou o mundo procurando em vão por sua filha. Ao descobrir que Zeus havia permitido o rapto, Deméter lançou uma maldição sobre a Sicília: seria uma terra improdutiva até que Perséfone retornasse. Finalmente, Hades permitiu que a jovem deixasse o mundo dos mortos durante alguns meses do ano –da primavera ao outono. Deméter, satisfeita com o resultado, fez da Sicília o lugar mais fértil da Terra.

Escultura de Perséfone

SERENA

NÁPOLES E CAMPANHA

Capital da Campanha, Nápoles é uma das poucas cidades europeias do mundo antigo que nunca foi totalmente destruída. Fundada pelos gregos e ampliada e melhorada pelos romanos, tornou-se nos séculos seguintes um prêmio cobiçado por diferentes invasores estrangeiros e imperialistas, como os normandos, a dinastia alemã dos Hohenstaufen, os franceses e os espanhóis.

Hoje, Nápoles é uma metrópole caótica, mas espetacular. Estende-se ruidosamente ao redor do extremo da baía de Nápoles. De um lado, fica frente a frente com o monte Vesúvio; de outro, olha para o mar, onde repousam as belas ilhas de Capri, Ischia e Procida. Pompeia e Herculano, à sombra do vulcão que as destruiu, abrigam as ruínas mais reveladoras da Itália.

Por séculos Nápoles dominou o Sul da Itália –o *Mezzogiorno* ou terra do sol do meio-dia. Desemprego, pobreza e criminalidade são um problema –os crimes da Camorra aqui se assemelham aos da Máfia na Sicília–, mas sua agitação, apesar de rude, é atraente.

A história antiga da Campanha está relacionada aos etruscos e gregos, que deixaram ruínas enormes em Pesto. Sob os romanos, a região viveu um período de muita prosperidade –há reminiscências dessa época em Benevento, Santa Maria Capua Vetere e Pozzuoli. O interior, com planícies férteis bastante cultivadas, é ofuscado pela linda Costa (*Costiera*) Amalfitana, que oferece o maravilhoso litoral de Cilento. A região montanhosa, distante e pouco visitada, esconde pequenas cidades fundadas pelos gregos, desenvolvidas pelos romanos e muitas vezes abandonadas após uma onda de malária ou um ataque sarraceno.

Ruas estreitas cortam o Quartieri Spagnoli, ou Bairro Espanhol, em Nápoles

◁ **Antigo bairro de pescadores na ilha de Procida, na baía de Nápoles**

Como Explorar Nápoles e Campanha

O melhor ponto de partida para conhecer bem a Campanha é a cidade de Nápoles. Ao norte, verdes planícies levam até Santa Maria Capua Vetere. Na direção leste, a montanhosa província de Benevento fica em frente ao vale, enquanto na área plana ao pé do Vesúvio, escondem-se Avellino e suas redondezas destruídas por um terremoto. A região de Campi Flegrei, a oeste de Nápoles, é famosa pelas ruínas romanas de Cuma. Mais ao sul fica a explendida e acidentada Costa Amalfitana. Belas praias localizam-se logo abaixo da ponta da península sorrentina e ao longo da costa de Cilento, assim como em Capri, Ischia e Procida, no golfo Nápoles.

PRINCIPAIS ATRAÇÕES

Benevento ❺
Capri ❾
Caserta ❹
Costa Amalfitana ❻
Ischia e Procida ❿
Nápoles págs. 486-93 ❶
Pesto ❽
Pompeia págs. 494-5 ❷
Salerno ❼
Santa Maria Capua Vetere ❸

LEGENDA

- Rodovia
- Estrada principal
- Estrada secundária
- Estrada vicinal
- Percurso com paisagem
- Ferrovia principal
- Ferrovia secundária
- Fronteira municipal
- △ Cume

0 quilômetros 25

Típica rua de Nápoles, vista da Santa Maria Maggiore

Vista da Costiera Amalfitana a partir da cidade de Ravello

COMO CHEGAR

O norte da Campanha é de fácil acesso a partir de Nápoles, pela A1. A A16 ruma para leste, em direção à Puglia. Para chegar a Salerno e Cilento, deve-se usar a A3. Uma ramificação da A3, a S18, leva até Cilento. Para chegar à costa, pegue a S267. As cidadezinhas da Costa Amalfitana situam-se ao longo da panorâmica S163, à qual se chega pela S145. Os barcos para as ilhas de Capri, Ischia e Procida saem de Mergellina e Porto di Massa em Nápoles, Sorrento, Positano, Amalfi e Salerno. As cidades mais importantes da Campanha e as principais atrações são ligadas por trem. O serviço de ônibus é abrangente, mas pouco frequente no interior de Cilento.

VEJA TAMBÉM

- ***Onde Ficar*** págs. 593-6
- ***Onde Comer*** págs. 643-6

Nápoles ❶

San Gennaro, protetor de Nápoles

Os muitos palácios, igrejas e mosteiros do centro de Nápoles concentram-se em poucas ruas. Saindo da Piazza del Plebiscito, a Via Toledo (ou Via Roma) vai para o norte em direção à Piazza Dante. A leste, a estreita Via del Tribunale e Via San Biagio dei Librai entram no barulhento centro histórico da cidade, o *Spaccanapoli*. Ao sul do Palazzo Reale fica o bairro de Santa Lucia e, a oeste, o porto de Mergellina. A imperatriz brasileira Teresa Cristina, mulher de D. Pedro II, nasceu aqui em 1822.

Vista da baía de Nápoles e o monte Vesúvio

Como Explorar o Nordeste de Nápoles

Muitas preciosidades artísticas e arquitetônicas da cidade situam-se nesta área, entre elas o Museo Archeologico Nazionale e os tesouros romanos trazidos de Herculano e Pompeia. Os prédios têm diferentes estilos arquitetônicos –do gótico francês (do Duomo) ao renascentista florentino (da Porta Capuana).

San Giovanni a Carbonara

Via Carbonara 5. **Tel** *081 29 58 73.*
usualmente 9h-13h seg-sáb.
Um raro sucesso das restaurações napolitanas, San Giovanni a Carbonara (erguida em 1343) está hoje intacta, apesar dos danos sofridos em 1943 e do longo descuido. Em seu interior, podem ser admirados belos monumentos medievais e renascentistas, como a obra-prima de Marco e Andrea da Firenze, o Túmulo de Ladislau, situado atrás do altar da igreja. Erguido para receber o corpo do rei Ladislau o Magnânimo (1386-1414), que ampliou a igreja, o túmulo apresenta três andares, muitas estátuas e arcos. É coroado com uma figura equestre.

Túmulo de Ladislau, em San Giovanni

Porta Capuana, belíssimo portal renascentista

Castelo Capuano e Porta Capuana

Piazza Enrico de Nicola.
Iniciado pelo rei normando Guilherme I e concluído por Frederico II, o Castelo Capuano foi palácio real até 1540, quando tornou-se sede da Corte de Justiça. Até hoje é sede do tribunal Próximo, entre as torres aragonesas e a Porta Capuana, em frente a um mercado, há uma rara escultura em estilo renascentista florentino. A Porta Capuana, criada por Giuliano da Maiano e concluída em 1490 por Luca Fancelli como portão de defesa, talvez seja o pórtico renascentista mais belo de toda a Itália.

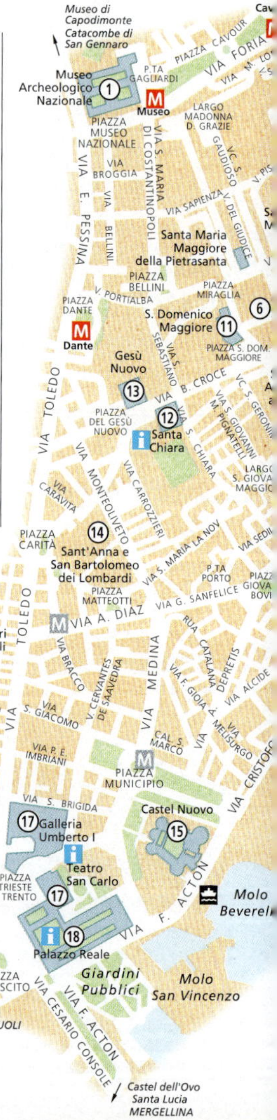

PRINCIPAIS ATRAÇÕES

Legenda dos símbolos *no fina do guia*

Interior do Duomo

Duomo

Via Duomo 147. ***Tel*** *081 44 90 97.* *8h-12h30, 16h-19h diariam.*

Construída entre 1294 e 1323, a Catedrale di Santa Maria Assunta, ou Duomo, esconde-se atrás de uma fachada predominantemente do século 19. Na nave, podem ser vistas colunas antigas, uma coleção de monumentos a governantes e pinturas de Lanfranco e Domenichino. A catedral abriga as relíquias de San Gennaro de Nápoles, martirizado em 305. A Cappella San Gennaro guarda frascos com seu sangue coagulado. Os fiéis acreditam que o sangue torna-se líquido três vezes por ano (1° dom mai, 19 set e 16 dez). A Cappella Carafa, obra-prima renascentista erguida de 1497 a 1506, guarda o túmulo do santo. A partir da ala norte do Duomo chega-se à Capella di Santa Restituta, fundada no século 4° no local do antigo Templo de Apolo e reconstruída no século 14. O teto da basílica tem pinturas de Luca Giordano (1632-1705). No final da ala direita, encontra-se um batistério do século 5°. Ao lado, o Museo del Torsoro di San Gennaro (***Tel*** *081 29 49 80*) tem uma boa coleção de joias, prataria, ourivesaria, estátuas e arte.

PREPARE-SE

1.300.000. *Capodichino 4km noroeste.* *Centrale, P. Garibaldi.* *P. Garibaldi.* *Stazione Marittima, Molo Beverello e Mergellina.* *P. del Gesù Nuovo (081 551 2701), Via San Carlo (081 40 23 94).* *diariam.* *S Gennaro: 19 set.* **www**.inaples.it

Pio Monte di Misericordia

Via dei Tribunali 253. ***Tel*** *081 44 69 44.* **Igreja e galeria** *9h-14h seg-ter, qui-dom.* *feriados.* *galeria.* **www**.piomontedellamisericordia.it

Esta igreja do século 17 pertence a uma instituição de caridade. Seu interior abriga a tela de Caravaggio *Sete Atos de Misericórdia* (1607). Na galeria há um acervo de pinturas, com obras de Luca Giordano e Mattia Preti.

Cappella Sansevero

Via Francesco de Santis 19. ***Tel*** *081 551 84 70.* *10h-17h40 qua-dom (dom e feriados até 13h10).* *igreja*

Nesta pequena capela do século 16, foram enterrados os príncipes de Sangro di Sansevero. O local exibe elementos cristãos e maçônicos, criando um conjunto curioso. No interior, destaca-se uma escultura do século 18 –*Modéstia*, de Antonio Corradini, que representa uma mulher voluptuosa cuidadosamente coberta. *A Ressurreição do Príncipe*, de autoria desconhecida, espelha-se na obra que representa a ascensão de Cristo, acima do altar. A escultura *Cristo Morto*, de Giuseppe Sammartino, feita de alabastro sob um véu de mármore, impressiona por sua qualidade técnica. A história do príncipe Raimundo, um alquimista do século 18, está associada à capela. Ele foi excomungado por fazer experiências com corpos humanos. Os resultados de alguns de seus experimentos estão na cripta.

Cristo Morto **(1753), de Sammartino, na Cappella Sansevero**

Como Explorar o Centro de Nápoles

O velho coração de Nápoles é a área de Santa Lucia, limitada pela Via Duomo a leste, Via Tribunali ao norte, Via Toledo (ou Via Roma) a oeste e pelo mar ao sul. Especialmente rica em igrejas dos séculos 14 e 15, a área oferece grande quantidade de atrações.

Interior da San Gregorio Armeno

San Lorenzo Maggiore

Via dei Tribunali 316. ***Tel*** *081 211 08 60.* ***Igreja*** *8h-13h, 15h-18h diariam.* ***Escavações*** *9h30-17h30 diariam (até 13h30 dom).*

Esta igreja franciscana, predominantemente do século 14 e com fachada do século 18, foi construída durante o reinado de Roberto o Sábio. Acredita-se que o escritor Giovanni Boccaccio (1313-75) inspirou-se em Maria, filha do rei Roberto, que ele viu aqui no Sábado de Aleluia de 1334, para criar sua personagem Fiammetta. A igreja é uma construção gótica, rara no cenário de Nápoles. Sua nave e o deambulatório da abside caracterizam-se pela impressionante simplicidade. A igreja abriga alguns túmulos medievais, incluindo o de Catarina da Áustria, morta em 1323, feito por um aluno de Giovanni Pisano. Escavações feitas no claustro –que já acolheu o poeta e erudito Petrarca *(pág. 159)*– revelaram vestígios de uma basílica romana.

Interior austero da igreja de San Lorenzo Maggiore

San Gregorio Armeno

Via San Gregorio Armeno 1. ***Tel*** *081 552 01 86. manhã diariam. claustro.*

Freiras beneditinas ainda cuidam desta igreja. No passado, o convento anexo tinha fama de local luxurioso, onde as religiosas, vindas geralmente de famílias nobres, seguiriam a vida libertina a que estavam acostumadas. No suntuoso interior barroco da igreja, podem-se ver afrescos do artista Luca Giordano. O claustro é um refúgio silencioso nesta área barulhenta, A Via San Gregorio Armeno é lotada de vendedores de presépios.

Museo Filangieri

Palazzo Cuomo, Via Duomo 288. ***Tel*** *081 20 31 75.* *para restauração até 2012.*

O Palazzo Cuomo, construído no século 15 em estilo renascentista, abriga o Museo Filangieri. Fundado em 1881, guardava um acervo reunido pelo príncipe Gaetano Filangieri, que foi destruído durante a Segunda Guerra Mundial. O acervo reúne peças interessantes e variadas, como porcelanas, bordados, manuscritos, armas italianas e espanholas e objetos de escavações arqueológicas, além de quadros de artistas como Luca Giordano, Ribera e Mattia Preti.

Sant'Angelo a Nilo

Piazzetta Nilo. ***Tel*** *081 290 034.* *8h-13h, 16h30-19h30 diariam.*

Túmulo renascentista do cardeal Brancaccio, em Sant'Angelo a Nilo

Esta igreja do século 14 abriga uma bela escultura renascentista: o túmulo do cardeal Rinaldo Brancaccio. Projetado por Michelozzo, foi esculpido em Pisa e enviado para Nápoles em 1428. Acredita-se que Donatello tenha esculpido tanto o anjo da direita que segura a cortina como o baixo-relevo *Assunção* e a cabeça do cardeal.

Para hotéis e restaurantes nesta região, ver págs. 593-6 e págs. 643-6

San Domenico Maggiore

Piazza San Domenico Maggiore.
Tel 081 45 91 88. diariam.
***Tesouro** diariam.*

Esta igreja gótica (1289-1324) abriga alguns dos mais belos monumentos e esculturas renascentistas de Nápoles, como a laje do túmulo de João de Durazzo (morto em 1335), feita por Tino da Camaino e situada no transepto sul. O teto da sacristia preserva o afresco *Apoteose da Fé*, do século 18, de Solimena. No coro, há um castiçal de Páscoa apoiado em figuras feitas por Camaino. Na Cappellone del Crocifisso, está a *Crucificação*, obra medieval que teria falado a são Tomás de Aquino. A Chiesa Antica abriga o túmulo de Brancaccio, criado por Jacopo della Pila (1492).

Detalhe da fachada de Gesù Nuovo

Santa Chiara

Via Benedetto Croce. **Igreja** *7h30-12h30, 16h30-19h30 diariam. **Tel** 081 552 62 09.*
Claustro *9h30-17h30 seg-sáb, 10h-14h30 dom. **Tel** 081 552 15 97.*

A estrutura original desta igreja do século 14 apareceu durante sua restauração após a Segunda Guerra Mundial e guarda túmulos dos monarcas angevinos. O de Roberto o Sábio (morto em 1343) foi feito por Giovanni e Pacio Bertini e o de Carlos da Calábria (morto em 1328) por Tino da Camaino. O de Maria de Valois, mulher de Carlos, morta em 1331, foi criado por Camaino e seus discípulos. O convento tem um claustro angevino projetado por Vaccaro (1742) e enfeitado com lindos azulejos. Há também um museu de arte medieval e uma casa de banhos romana.

Gesù Nuovo

Piazza del Gesù Nuovo 2.
***Tel** 081 55 78 11. diariam.*

Esta igreja jesuíta do século 16 foi construída por Valeriano (e mais tarde por Fanzago e Fuga) fora do palácio Severini, do século 15, do qual resta apenas a fachada de pedra. O interior, do século 17, é ricamente decorado com mármores coloridos e enormes quadros, alguns feitos pelo espanhol Ribera e Solimena. Esta decoração atendia o propósito dos jesuítas em atrair e envolver os fiéis por meio de drama e emoção. Em 1688, um terremoto destruiu o domo de Lanfranco –o atual data do século 18.

Sant'Anna e San Bartolomeo dei Lombardi

Via Monteoliveto.
***Tel** 081 551 33 33.*
9h-12h seg-sáb.

Também conhecida como Santa Maria di Monteoliveto, esta igreja, de 1411, foi reformada após bombardeios da Segunda Guerra e reúne peças de arte renascentista. Na entrada, passando pelo túmulo de Domenico Fontana (que completou a cúpula da Basílica de São Pedro após a morte de Michelangelo), o interior impressiona o visitante. A Cappella Mastrogiudice abriga um painel da *Anunciação* do escultor florentino Benedetto da Maiano (1489). Na Cappella Piccolomini, há um monumento de Antonio Rossellino (c.1475) a Maria d'Aragona. A Cappella del Santo Sepolcro guarda a *Pietà* de Guido Mazzoni (1492) –suas oito figuras de terracota parecem representar pessoas contemporâneas do artista. A velha sacristia, decorada com afrescos de Vasari (1544), possui coro de Giovanni da Verona (1510).

***Pietà* (1492) de Mazzoni, na igreja de Sant' Anna e San Bartolomeo**

Azulejos de cerâmica maiólica mostram cenas da vida rural no claustro de Santa Chiara

Nápoles: Museo Archeologico Nazionale

Este edifício, que abriga um dos mais importantes museus arqueológicos do mundo, é do fim do século 16, quando sediava a cavalaria real, e foi reconstruído no início do século 17 para abrigar a Universidade de Nápoles. Em 1777, Fernando IV transferiu a universidade para o antigo mosteiro de Gesù Vecchio, e o prédio foi de novo adaptado para abrigar o Real Museo Borbonico e a biblioteca. O terremoto de 1980 danificou bastante as coleções. A restauração e a reorganização das mostras ainda estão em curso, mas quase todas as áreas do museu ficam abertas aos domingos.

Primavera
Este afresco, removido da Villa Stabia, na planície de Varano, mostra uma mulher, com cores suaves e delicadas. Está em restauração.

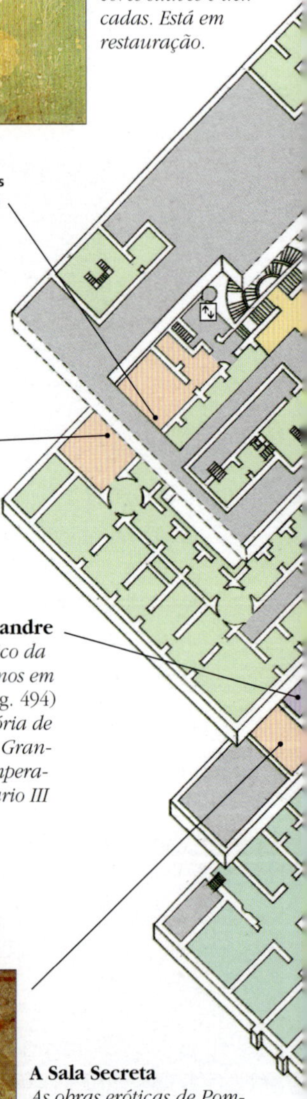

Busto de "Sêneca"
Encontrada na Villa dei Papiri, em Herculano, esta cabeça de bronze do século 1º a.C. foi tida por muito tempo como uma representação do filósofo Sêneca o Velho (c.55 a.C.-39). Hoje, porém, sua identidade é controversa.

★ A Batalha de Alexandre
Este esplêndido mosaico da Casa dos Faunos em Pompeia (pág. 494) *retrata a vitória de Alexandre o Grande sobre o imperador persa Dario III (333 a.C.).*

LEGENDA

- Epígrafos
- Coleção egípcia
- Pedras esculpidas
- Esculturas
- Mosaicos
- Numismática
- Didáticos
- Herculano e Pompeia
- Sala do relógio de sol
- Coleções pré-históricas, gregas e etruscas
- Espaço sem exposição

A Sala Secreta
As obras eróticas de Pompeia e Herculano reunidas nesta sala causavam constrangimento na época dos Bourbons. Mas hoje estão abertas à visitação pública (reservar antes).

Vaso Azul
Este jarro de vinho encontrado num túmulo em Pompeia foi feito com a chamada técnica do camafeu: uma camada de pasta branca opaca é colocada sobre vidro colorido e então entalhada com motivos decorativos.

PREPARE-SE

Piazza Museo Nazionale 19.
Tel *081 44 22 149.*
M Piazza Cavour-Museo.
C64, C83, E1, R1, R4, 24, 47, 110, 135. *9h-19h30 qua-seg.*
www.archeona.arti.beniculturali.it

Sacrifício de Ifigênia
Neste afresco de Pompeia, a filha de Agamenon seria sacrificada à deusa Ártemis, que a salvou aceitando um cervo em seu lugar.

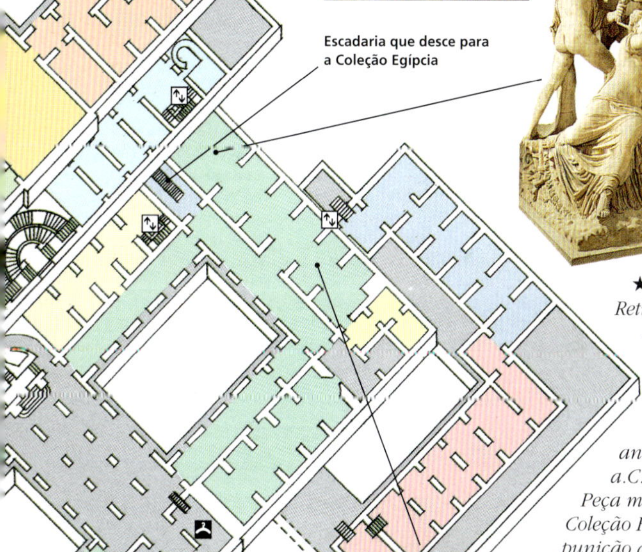

★ Touro Farnese
Retirado das Termas de Caracalla, em Roma (pág. 437), *este é o maior grupo de esculturas da antiguidade (c. 200 a.C.) que sobreviveu. Peça mais conhecida da Coleção Farnese, mostra a punição de Dirce, que, por ter tratado mal a Antíope, foi punida pelos filhos dele sendo atada a um touro enfurecido.*

★ Hércules Farnese
Feita por Glícon de Atenas, esta estátua é uma cópia ampliada de uma escultura do mestre grego Lisipo. Diz-se que Napoleão se arrependeu de não tê-la levado quando saqueou a Itália em 1797.

PONTOS ALTOS

★ A Batalha de Alexandre

★ Touro Farnese

★ Hércules Farnese

Como Explorar o Sudoeste de Nápoles

Ao sul da Via A Diaz, encontram-se castelos, o palácio real de Nápoles e o populoso Quartieri Spagnoli ou Bairro Espanhol. Nos arredores da cidade antiga, vários museus abrigam-se em edifícios históricos.

Castel Nuovo

Piazza Municipio. ***Tel*** *081 795 20 03.* *9h-19h seg-sáb, últ. 18h.* *alguns feriados.* **Museo Civico** *seg-sáb.*

Também conhecida como Maschio Angioino, esta fortaleza angevina foi construída por Carlos de Anjou de 1279 a 1282. Mas, com exceção das torres e da Cappella Palatina (onde está a *Madonna* de Francesco Laurana, de 1474, sobre o portal), a maior parte da estrutura é aragonesa.

O castelo era a principal residência real. Na Sala dei Baroni, Fernando I de Aragão eliminou os líderes da Revolta dos Barões, em 1486. Mas, apesar de violentos, os aragoneses protegiam as artes.

O arco da entrada do castelo (iniciado em 1454) é herança aragonesa. Foi erguido para comemorar a entrada de Afonso de Aragão em Nápoles, em 1443 –algumas partes da obra foram trabalhadas por Laurana. O portão de bronze original, executado por Guillaume le Moine (1468), foi levado para o Palazzo Reale. Atualmente parte do castelo abriga o Museo Civico.

O colorido e denso Quartieri Spagnoli

Quartieri Spagnoli

Via Toledo (Roma) até Via Chiaia.

O "Bairro Espanhol" fica a oeste da Via Toledo e vai até San Martino e Vomero, sendo uma das áreas mais populosas da cidade. Recebeu esse nome por causa das tropas espanholas que no século 17 construíram sua teia de ruas estreitas. O bairro pode ser considerado um exemplo da mais típica vida napolitana, com varais de roupas estendidos nas ruas. Durante o dia é bastante animado, mas pode parecer assustador à noite.

Museo Nazionale di San Martino

Largo di San Martino 5. ***Tel*** *081 578 17 69.* **Museu** *8h30-19h30 qui-ter.* **Castel Sant'Elmo** *8h-19h30 qui-ter.*

Acima de Santa Lucia, a Certosa di San Martino, fundada no século 14 como um mosteiro cartuxo, oferece lindas vistas da baía. Em estilo barroco, a construção abriga um museu com presépios típicos de Nápoles. O claustro foi projetado por Dosio no século 16 e concluído entre 1623 e 1629 por Cosimo Fanzago (o criador do estilo barroco napolitano). A igreja e o coro também são exemplos da grandeza de Dosio. Perto de Certosa está o **Castelo de Sant'Elmo**, erguido entre 1329 e 1343 e reconstruído no século 16. Daqui também se têm vistas da baía.

Museo Principe di Aragona Pignatelli Cortes

Riviera di Chiaia 200.
Tel *081 669 675.* *9h-13h30 seg, ter, qui, sex; 11h-19h30 sáb-dom.* *1º jan, 1º mai, 15 ago.*

A neoclássica Villa Pignatelli, onde viveram os Rothschilds, abriga este museu que chama a atenção pelo seu interessante acervo de porcelanas, móveis antigos, pinturas e esculturas.

O vistoso Castel Nuovo, com a entrada em arco

Para hotéis e restaurantes nesta região, ver págs. 593-6 e págs. 643-6

Galleria Umberto I

Via Toledo. diariam. **Teatro San Carlo**. ***Tel*** *081 797 23 31.* *ago, ensaios e espetáculos. 8 9h-17h30 diariam (081 66 45 45).*
www.teatrosancarlo.it

Antigo ponto de encontro dos moradores elegantes da cidade, a Galleria Umberto I (1887) foi reconstruída após a Segunda Guerra Mundial. Fica em frente à maior ópera da Itália: o **Teatro San Carlo**, construído em 1737 para Carlos de Bourbon e depois reconstruída. Ela foi motivo de inveja nas cortes europeias da época.

Lindo teto de vidro no interior da Galleria Umberto I

Palazzo Reale

Piazza Plebiscito. **Museu** ***Tel*** *081 40 05 47.* *9h-19h qui-ter (últ: 1h antes de fechar).* *1º jan, 1º mai, 25 dez.* **Biblioteca** ***Tel*** *081 781 92 31.* *8h30-19h30 seg-sex (até 13h30 sáb); necessário documento.*

Construído por Domenico Fontana para os vice-reis da Espanha em 1600 e ampliado pelos moradores posteriores, o Palazzo Reale de Nápoles apresenta salas repletas de móveis, tapeçarias, pinturas e porcelana. Há um pequeno teatro privativo, o Teatro di Corte (1768), construído por Ferdinando Fuga. O edifício abriga as riquezas da Biblioteca Nazionale. O exterior do palácio foi parcialmente restaurado (note as estátuas do século 19, representando as dinastias locais). A enorme Piazza del Plebiscito, situada em frente, foi reformada. Sua extensa colunata leva até **San Fracesco di Paola**, do século 19, inspirado no Pantheon de Roma.

Dânae e a chuva de ouro, **de Ticiano, no Museo di Capodimonte**

Villa Floridiana

Via Cimarosa 77. ***Tel*** *081 229 21 10.* *8h30-13h30 qua-seg.* **Parque** *diariam.* *1º jan, 1º mai, 15 ago, 25 dez.*

Rodeada de lindos jardins, esta *villa* neoclássica abriga o **Museo Nazionale della Ceramica Duca di Martina**, célebre pelo acervo de cerâmicas, que inclui peças maiólicas.

Museo di Capodimonte

Parco di Capodimonte. ***Tel*** *081 749 91 11.* *8h30-19h30 qui-ter.*
www.museo-capodimonte.it

Construído em 1738 pelo rei Carlos III para ser um pavilhão de caça, o **Palazzo Reale di Capodimonte** abriga atualmente um magnífico acervo de pinturas italianas. Estão reunidos aqui trabalhos de Ticiano, Botticelli, Rafael e Perugino, muitos vindos dos acervos da família Farnese. Há ainda uma galeria de arte do século 19, com muitas obras do Sul da Itália.

Catacumbas de San Gennaro

Via di Capodimonte 13. ***Tel*** *081 544 13 05* *10h-17j diariam (até 13h dom).* *ligar para agendar visita.*

Nestas catacumbas, perto da igreja de San Gennaro, em Moenia, está enterrado o corpo do santo. A pequena igreja foi fundada no século 8º e mantém anexo um asilo do século 17. No subsolo, há duas filas de catacumbas do século 2º, onde podem ser vistos antigos mosaicos e afrescos cristãos primitivos. Um pouco mais à frente na rua, encontram-se as Catacumbas de São Gaudioso, lembrando o santo que no século 5º fundou um mosteiro no local. Acima, fica a igreja de Santa Maria della Sanità, do século 17.

Castel dell'Ovo

Borgo Marinari. ***Tel*** *081 795 45 93.* *9h-17h30 diariam (até 14h dom e feriados).* *para exposições.*

Este castelo ocupa uma pequena ilha em frente ao distrito de Santa Lucia, onde antigamente se montava o mercado de peixes de Nápoles. A construção do castelo começou em 1154. Residência real durante a ocupação dos normandos e Hohenstaufen, hoje pertence às Forças Armadas. Exposições interessantes têm lugar aqui.

A Porta Santa Lucia leva a diversos restaurantes de frutos do mar.

Fachada do Palazzo Reale, o palácio real de Nápoles

Pompeia ❷

O terremoto de 62 que danificou vários prédios da antiga Pompeia foi apenas um prelúdio do trágico dia, em 79, quando o monte Vesúvio entrou em erupção, soterrando a cidade sob 6m de lava e cinzas. Apesar de descoberta no século 16, escavações de verdade só começaram em 1748, revelando uma cidade congelada no tempo. Em alguns prédios, podem-se encontrar pinturas, esculturas e até mesmo grafite nos muros.

★ Casa dos Vettii
Esta villa, *fechada para restauro até 2010, pertenceu aos ricos negociantes Aulus Vettius Conviva e Aulus Vettius Restitutus. Ainda exibe afrescos* (págs. 48-9). Está fechada para reforma.

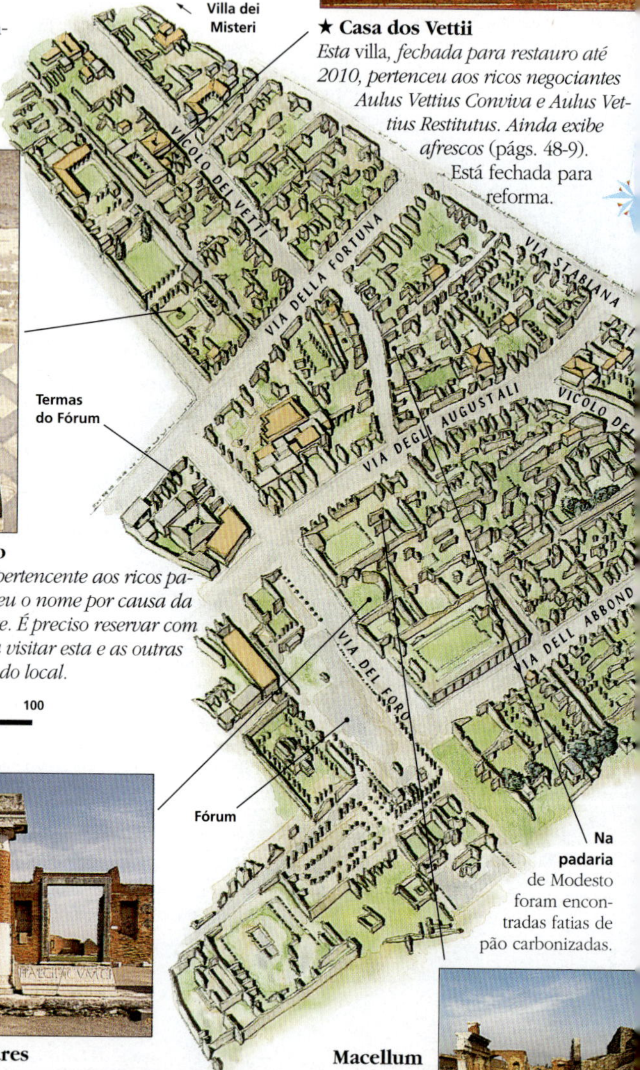

★ Casa de Fauno
Esta famosa villa, *pertencente aos ricos patrícios Casii, recebeu o nome por causa da estatueta de bronze. É preciso reservar com antecedência para visitar esta e as outras casas particulares do local.*

0 metros 100

Santuário dos Lares
Perto do Templo de Vespasiano, este santuário abrigava estátuas dos deuses protetores da cidade, os Lares Publici.

PONTOS ALTOS

★ Casa de Fauno

★ Casa dos Vettii

Macellum
Em frente ao mercado havia um pórtico com dois quiosques para troca de dinheiro.

Na padaria de Modesto foram encontradas fatias de pão carbonizadas.

Para hotéis e restaurantes nesta região, ver págs. 593-6 e págs. 643-6

PLANTA DE POMPEIA

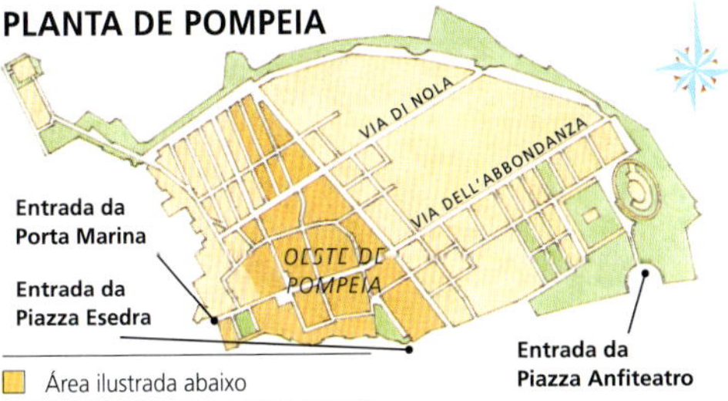

PREPARE-SE

Piazza Esedra 5. ***Tel*** *081 857 53 47.* FS *FS Napoli-Salerno: estação Pompei Scavi; Circumvesuviana Napoli-Sorrento: estação Pompei Villa dei Misteri.* *abr-out: 8h30-19h30 diariam (últ: 18h). Nov-mar: até às 17h (últ: 15h30).* *25 dez.* **www**.pompeiisites.org *e* **www**.arethusa.net *para reservar.*

OESTE DA POMPEIA

Esta ilustração mostra a área oeste, onde ficam as ruínas romanas mais importantes e bem preservadas. Na parte leste há várias grandes *ville* de patrícios, pois os moradores ricos construíam suas casas fora do centro da cidade. Muito da parte leste de Pompeia ainda falta ser escavado.

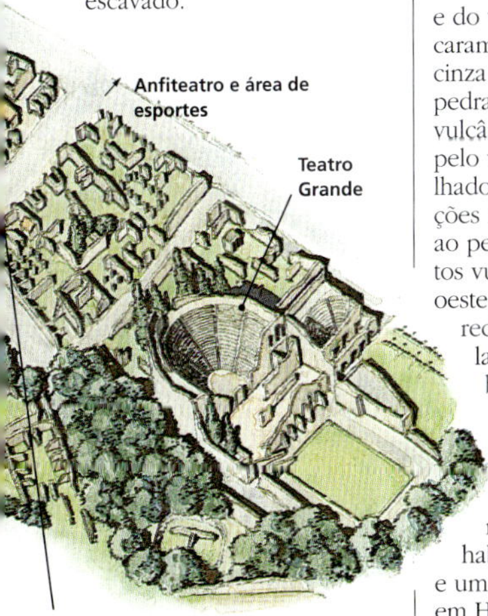

Via dell'Abbondanza
Esta era uma das mais importantes estradas da antiga Pompeia. Na beira dela, existiam diversas pousadas.

O VESÚVIO E AS CIDADES DA CAMPANHA

Aproximadamente 2.000 anos depois da erupção do Vesúvio, cidades romanas existentes perto do monte e encobertas pela lava ainda estão sendo resgatadas. Tanto Pompeia como Stabiae (Castellammare di Stabia), a sudeste de Nápoles e do vulcão, ficaram sob cinza quente e pedra-pome vulcânica, levadas pelo vento. Os telhados das construções não resistiram ao peso dos detritos vulcânicos. A oeste, Herculano desapareceu sob um mar de lama. Muitas casas sobreviveram, porém, com telhados intactos a lama conservou vários objetos domésticos. Morreram cerca de 2.000 habitantes de Pompeia e um número bem menor em Herculano.

Em 79, Plínio o Velho, soldado romano, escritor e naturalista, comandava uma frota em Miseno (a oeste de Nápoles) com seu sobrinho, Plínio o Jovem, e observaram a erupção a distância. Interessado em ver a catástrofe de perto, Plínio o Velho dirigiu-se a Stabiae, mas morreu sufocado pela fumaça. Partindo do relato de sobreviventes, Plínio o Jovem registrou detalhadamente as primeiras horas da erupção e a morte de seu tio, em cartas para o historiador romano Tácito. Muito do conhecimento atual sobre a vida dos antigos romanos decorre das escavações de Pompeia e Herculano.

Vaso de Pompeia, no Museo Archeologico

A maioria dos achados destes locais e de Stabiae foi levada para o Museo Archeologico Nazionale, em Nápoles *(págs. 490-1)*, que formou um dos acervos arqueológicos mais fascinantes do mundo.

O jornalista brasileiro Antônio da Silva Jardim (1860-91) morreu em uma erupção do Vesúvio, mas o vulcão não entra em erupção desde 1944, apesar de às vezes provocar leves tremores de terra. É possível chegar ao local de carro ou de trem para Castellammare di Stabia. O site www.guidevesuvio.it tem informações úteis.

Molde de mãe e filho mortos, em Pompeia

Santa Maria Capua Vetere ❸

Caserta. 34.000. FS *Palazzo Reale, Caserta (0823 32 22 33).* *qui e dom.*

A principal atração desta cidade é o **anfiteatro** romano (século 1°), que já foi o maior da Itália depois do Coliseu, com túneis bem-conservados. Santa Maria ocupa o lugar da antiga cidade etrusca de Capua que prosperou durante o Império Romano. Foi aqui que, em 73 a.C., Espártaco liderou a Revolta dos Gladiadores e o museu conta a história dessa época. Perto da cidade, encontra-se o **Mithraeum** (séculos 2° e 3°), com afrescos bem preservados. Achados locais estão no **Museo Archeologico dell' Antica Capua.**

Anfiteatro
Piazza 1 Ottobre. ***Tel*** *0823 844 206.* *9h-1h antes de anoitecer ter-dom.* *válido para o* **Mithraeum.** *diariam.*

Museo Archeologico dell' Antica Capua
Via Roberto d'Angio 48, Capua. ***Tel*** *0823 84 42 06.* *9h-19h ter-dom.* *feriados.*

Túneis sob o anfiteatro, em Santa Maria Capua Vetere

Caserta ❹

66.000. FS *Palazzo Reale (0823 32 22 33).* *qua e sáb.* **www**.casertaturism.com

O colossal Palazzo Reale domina a paisagem de Caserta. Erguido pelo extravagante rei Carlos III, da família Bourbon, o maior palácio real da Itália apresenta cerca de mil salas, grandes escadarias e aposentos ricamente decorados. O projeto foi realizado pelo arquiteto Luigi Vanvitelli, e a obra começou em 1752. O extenso parque que rodeia o palácio é uma atração à parte, com fontes, chafarizes, estátuas e um jardim inglês. Show de luzes acontecem no verão.

Fonte nos jardins do Palazzo Reale, em Caserta

Arredores: A cidade medieval de **Caserta Vecchia** fica 10km a nordeste. Sua catedral do século 12 constitui um belo exemplo de arquitetura normanda do Sul. San Leucio, 3km a noroeste de Caserta, é uma cidade-modelo construída por Fernando IV, que também fundou a indústria da seda.

Palazzo Reale
Piazza Carlo III. ***Tel*** *0823 45 62 13.* *8h30-19h30 qua-dom.* *1° jan, 1° mai, 25 dez.* **Parque** *8h30-1h antes de anoitecer.*

Benevento ❺

62.000. FS *Via Sala 31 (0824 31 99 11/38).* *seg, qua-sáb.* **www**.eptbenevento.it

Em uma região solitária e montanhosa, Benevento possui um dos mais interessantes monumentos da Roma Antiga no Sul da Itália: o Arco de Trajano, na Via Traiano. A cidade romana de Beneventum foi bastante importante na época, estando situada no fim da primeira parte da Via Appia de Capua. O arco foi erguido sobre a antiga estrada em homenagem a Trajano. Construído entre 114 e 166 com mármore, continua bem preservado, sendo possível distinguir até mesmo as cenas sobre a vida de Trajano e antigos mitos esculpidos em relevo.

Vestígios romanos também estão presentes nas ruínas do **Teatro Romano**, construído durante o reinado de Adriano, e no **Museo del Sannio**, que reúne um variado acervo local, de achados gregos antigos até obras de arte moderna.

Durante a Segunda Guerra Mundial, a cidade estava bem no meio do caminho dos aliados que avançavam do Sul, sendo muito bombardeada –o que explica suas características modernas. O Duomo do século 13 foi reconstruído após o conflito, exibindo uma fachada restaurada. O que restou de sua porta bizantina de bronze está guardado no interior. Há séculos, cultos pagãos fazem

O elaborado arco romano do século 2° em Benevento, erguido em homenagem a Trajano

Para hotéis e restaurantes nesta região, ver págs. 593-6 e págs. 643-6

parte da vida da cidade, onde é produzido o famoso licor Strega (bruxa, em italiano).

Teatro Romano
Piazza Caio Ponzio Telesino. ***Tel*** *0824 24 72 13.* *9h-1h antes de anoitecer diariam.* *feriados.*

Museo del Sannio
Piazza Santa Sofia. ***Tel*** *0824 218 18.* *9h-13h ter-dom.* *1º jan, 25 dez.*

A pequena cidade de Atrani, na Costa Amalfitana

Costa Amalfitana ❻

Salerno. *Amalfi.* *Corso delle Repubbliche Marinare 27, Amalfi (089 87 11 07).* **www**.ravellotime.it; **www**.aziendaturismopositano.it

O mais belo e percorrido caminho da Campanha é o que acompanha a península de Sorrento: Costiera Amalfitana. Entre os prazeres locais, está incluída a degustação de peixes grelhados enquanto se aprecia o Lacrima Christi –dos vinhedos do Vesúvio– servido gelado, sob paisagens deslumbrantes.

De **Sorrento**, um estruturado balneário de férias, há uma estrada para a vila de **Positano**, situada na beira do mar. Frequentada pelos ricos e famosos, é uma boa opção para quem quer nadar ou pegar um hidrofólio ou ferry-boat para a ilha de Capri. Um pouco adiante, **Praiano** é igualmente elegante.

Amalfi é a maior cidade da costa e foi uma potência marítima até ser conquistada pelo rei Rogério de Nápoles, em 1131. O *Tavole Amalfitane*, o código marítimo mais antigo do mundo, veio daqui. O Chiostro del Paradiso (século 13) fica ao lado do Duomo, magnífica construção do século 9º com fachada colorida do século 13, de frente para a cidade no alto de uma escadaria. Segue o estilo lombardo-normando, mas o claustro revela inspiração sarracena.

Ravello tem as melhores vistas da costa. As mais privilegiadas se obtêm dos jardins de Villa Cimbrone e Villa Rufolo. As paisagens desta última inspiraram a obra *Parsifal*, de Wagner. O Duomo, do século 11, preserva uma porta de entrada (1179) de Barisano da Trani. Em seu interior, há um ornamentado púlpito do século 13, apoiado em seis colunas espirais. Na capela de San Pantaleone, está guardado o sangue desse santo, que viveu no século 4º. Acredita-se que, em maio e agosto, o sangue torna-se líquido.

Adiante, perto de **Atrani**, as ruínas de uma *villa* romana em **Minori** mostram que esta parte da costa sempre foi um apreciado local de veraneio.

Impressionante vista da cidade de Positano, na Costa Amalfitana

Salerno 7

Salerno. Salerno. Piazza Ferrovia (089 23 14 32) ou Lungomare Trieste (089 22 47 44).

Grande e movimentado porto, onde, em 1943, os Aliados desembarcaram, deixando um rastro de destruição. Salerno já foi famosa por sua Escola de Medicina (século 12) e hoje atrai os turistas especialmente por seu **Duomo**, do século 11, erguido sobre fundações anteriores. Seu principal destaque é o Atrium, cujas colunas vieram de Pesto, uma cidade vizinha. Na cripta está o túmulo de são Mateus, trazido em 954.

O **Museo Diocesano** abriga a maioria dos tesouros da catedral. Uma boa opção é passear pelo agitado Corso Vittorio Emanuele, mas antes aprecie o acervo arqueológico exposto no **Museo Provinciale**.

Arredores: Cilento é uma região montanhosa ao sul de Salerno, com interior isolado e atraente litoral, só um pouco mais povoado. Entre as cidades costeiras, **Agropoli** é um balneário animado, 42km ao sul de Salerno. Nos arredores de Castellammare di Velia, a 28km a sudeste, encontram-se ruínas da cidade grega de **Elea** (fundada no século 6º a.C.), famosa na Antiguidade por sua Escola de Filosofia. O local costumava ser visitado pelos romanos –Cícero esteve aqui, e Horácio veio sob ordem médica para se tratar nas águas do mar. Escavações revelaram um lindo portal romano do século 4º, a Porta Rosa, e ruínas de uma antiga acrópole. O industrial Francisco Matarazzo, que foi para o Brasil em 1881 e criou um imenso complexo fabril, nasceu nesta região em 1854.

O movimentado porto de Salerno

Templo de Hera I (esquerda) e Templo de Netuno, em Pesto

Museo Diocesano
Largo Plebiscito. ***Tel*** *089 23 91 26.* *9h-13h seg-sáb; 9h-13h, 15h-19h dom.*

Museo Provinciale
Via San Benedetto. ***Tel*** *089 23 11 35.* *8h-13h15, 14h-15h ter-sáb.*

Pesto 8

Zona Archeologica. *Via Magna Grecia 887.* ***Tel*** *0828 811 016.* *a partir de Salerno.* *Pesto.* *9h até 1h antes de anoitecer diariam.* **Museu** ***Tel*** *0828 81 10 23.* *9h-19h diariam (até 14h dom e feriados).* *1ª e 3ª seg do mês, 1º jan, 25 dez.*

Pesto reúne o conjunto de construções gregas antigas mais importante da Campanha ao sul de Nápoles. Os

Capri 9

Napoli. *Capri.* *Piazza Umberto I, Capri (081 837 06 86).* **Grotta Azzurra** *a partir de Marina Grande.* *de Anacapri.* *tempo calmo.* **Certosa** Via Certosa, Capri. ***Tel*** *081 837 62 18.* *9h-14h ter-dom.* **Villa Jovis** Via Tiberio. *diariam.* **www**.capritourism.com

Muitos visitantes vêm a Capri não mais em busca do paraíso sibarita, e sim atraídos pela badalação. Mas, mesmo com o intenso movimento, ela continua encantadora. Terra de imperadores, exilados e monges, Capri teve seu destino alterado no século 19 quando ingleses e alemães descobriram os atrativos da ilha. Agricultores locais passaram a cuidar de pequenos hotéis, e os pescadores a alugar seus barcos para passeio. Capri parece estar sempre em alta estação, revivendo sua fama de paraíso.

A Grotta Azzurra, ou Gruta Azul, é iluminada por uma claridade resplandecente. Chega-se aqui de barco a partir da Marina Grande.

Anacapri é a segunda cidade de Capri

gregos, que fundaram a cidade na beira do Piana del Sele, no século 6º a.C., a chamavam de Poseidonia, Cidade de Posêidon. Em 273 a.C., foi conquistada pelos romanos e rebatizada. No século 9º, após um surto de malária e um ataque sarraceno, Pesto entrou em decadência e foi abandonada, sendo redescoberta apenas no século 18.

Pesto tem três templos dóricos em ótimo estado de conservação: a **Basilica** ou **Templo de Hera I** (meados do século 6º a.C.), o **Templo de Netuno** (século 5º a.C.), o maior e mais completo dos três, e o **Templo de Ceres**, de uma época intermediária.

As escavações revelaram ruínas da cidade antiga, seus prédios públicos e religiosos, estradas e muralhas. Um museu abriga os diversos achados locais, como pinturas e tesouros de túmulos, oferendas em terracota e esculturas.

Vista a partir do ponto mais alto de Procida, a Terra Murata

Ischia e Procida ⑩

Napoli. *Ischia & Procida.* *Via Sogliuzzo 72, Ischia (081 507 42 11). Via V. Emanuele 168, Procida (081 810 19 68).* **La Mortella** ***Tel*** *081 98 62 20.* *abr-out: 9h-19h ter, qui, sáb-dom.* **www**.infoischiaprocida.it

Ischia é a maior ilha da baía de Nápoles. Seus balneários praianos, fontes termais e banhos de lama terapêuticos atraem quase tantos turistas quanto Capri, sua glamourosa vizinha. Os ferryboats atracam no **Porto de Ischia**, na parte moderna da cidade principal. **Ischia Ponte**, a área mais antiga, fica perto daqui. As costas norte e oeste são bem movimentadas, enquanto a sul permanece mais tranquila. Aqui, a aldeia de **Sant'Angelo** situa-se aos pés de um vulcão extinto há tempo, o **Monte Epomeo**. De seu topo, a 788 metros de altura, há lindas vistas da baía. Os jardins de **La Mortella**, em Forio, valem uma visita.

A pequena e pitoresca ilha de Procida é menos procurada pelos turistas e muito tranquila. Como Ischia, esta ilha oferece locais baratos de hospedagem. Para quem quer nadar, **Chiaiolella** é uma boa opção. Na descuidada cidade principal, também chamada **Procida**, fica o principal porto local –a **Marina Grande.**

Marina Grande
Este é o maior porto de Capri, com barcos para Nápoles e outros portos do mar Tirreno. Em frente ao porto ergue-se um conjunto de casas coloridas.

Villa Jovis
Em seus últimos anos de vida, Tibério governou o Império Romano a partir desta villa *imperial, que se estende por uma área enorme.*

Certosa di San Giacomo
Fundado em 1371 no local de uma villa *de Tibério, este mosteiro cartuxo foi fechado em 1808. Parte dele abriga atualmente uma escola. Os rochedos ao fundo são I Faraglioni.*

ABRUZOS, MOLISE E PUGLIA

Olhando para a "bota" italiana, a Puglia fica no "salto", a península de Gargano é a "espora", e Abruzos e Molise formam juntas o "tornozelo". Ao longo da costa sudeste da Itália, frente a frente com os Bálcãs, as regiões montanhosas de Abruzos e Molise (unidas até 1963) são bem diferentes da Puglia, a mais rica das três.

Bastante serenas, Abruzos e Molise têm população esparsa e paisagens envolventes. Fundadas por diversas tribos apeninas durante a Idade do Bronze, as áreas foram dominadas pelos romanos, unidas no século 12 pelos normandos e depois governadas por diversas dinastias sediadas em Nápoles. Abruzos, marcada pelos montes Apeninos, é uma introspectiva região de pastores. Descidas vertiginosas anunciam íngremes subidas até as cidades nas encostas de altas montanhas, muitas semiabandonadas e pobres. A paisagem de Molise é menos dramática. Ainda fazem parte da vida de ambas as regiões lendas de bruxas, ritos de fertilidade e rituais de mudança de estação.

Ao ocupar uma área plana e altamente fértil, a Puglia conseguiu destacar-se em relação às vizinhas. Apresenta a maior produção de azeite de oliva da Itália, e suas cidades principais –Lecce, Bari e Taranto– são centros comerciais ativos. A região sofreu longa influência grega, embora o tempo áureo da Puglia tenha ocorrido sob o comando dos normandos e depois no reinado de Frederico II. Esse imperador ficou apenas quatro anos afastado daqui durante todo o período entre seu retorno da Alemanha em 1220 e sua morte três décadas depois.

A Puglia exibe uma arquitetura gloriosa, especialmente nas igrejas e nos castelos do norte. As curiosas casas *trulli* no centro da Puglia, as obras barrocas de Lecce e a atmosfera levantina de suas cidades completam a imagem da região, mais sujeita às influências de fora da Itália do que às internas.

Traje tradicional usado na cidade de Scanno, em Abruzos

◁ **Curiosas casas trulli encontradas no centro da Puglia, sobretudo perto de Alberobello e Locorotondo**

Como Explorar Abruzos, Molise e Puglia

Casas *trulli* em Alberobello, centro da Pu[...]

Dominado pela cadeia dos Apeninos, o interior de Abruzos e Molise apresenta-se como uma das últimas áreas inexploradas da Itália. Seu ponto mais alto é o Gran Sasso, com 2.912m de altitude. Bosques cobrem boa parte de Abruzos. Molise, por sua vez, caracteriza-se por grandes planícies, vales suaves e montanhas solitárias. O litoral da península Gargano, na Puglia, é repleto de montes, cavernas e ilhotas. Ao sul, fica a fértil planície Tavoliere, e ainda mais ao sul começa o extenso planalto de Murge, que vai até a seca península Salentina, chegando ao mar Adriático.

COMO CHEGAR

O norte de Abruzos é bem servido pelas estradas A24 e A25-E80, e a S17 percorre o interior de Abruzos e Molise. A rodovia costeira A14-E55 vai para o sul, cruzando Abruzos e Molise até a Puglia. Passando Foggia, une-se à S16 para Taranto. Daqui ou de Bari, chega-se a Brindisi, principal porto de ligação com a Grécia. As estradas da região são boas. Há ônibus e trens para os maiores centros, mas para os locais mais remotos a única opção é o ônibus.

Costa de Vieste na bela península Gargano, na Puglia

LEGENDA

- Rodovia
- Estrada principal
- Estrada secundária
- Estrada em construção
- Estrada vicinal
- Percurso com paisagem
- Ferrovia principal
- Ferrovia secundária
- Fronteira municipal
- Cume

PRINCIPAIS ATRAÇÕES

- Alberobello 15
- Atri 2
- Bari 14
- Castel del Monte 12
- Galatina 18
- Ilhas Tremiti 7
- Lanciano 6
- L'Aquila 1
- *Lecce* págs. 512-3 17
- Lucera 9
- Otranto 19
- *Parco Nazionale d'Abruzzo, Lazio e Molise* págs.506-7 5
- Península Gargano 8
- Ruvo di Puglia 13
- Scanno 4
- Sulmona 3
- Taranto 16
- Trani 11
- Troia 10

Montanhas Gran Sasso, ao norte de L'Aquila, em Abruzos

Esta linda rosácea de Santa Croce exemplifica a exuberante arquitetura barroca de Lecce

VEJA TAMBÉM

- ***Onde Ficar*** págs. 597-8
- ***Onde Comer*** págs. 646-8

Fachada de pedra da Santa Maria di Collemaggio, em L'Aquila

L'Aquila ❶

70.000. FS Via XX Settembre 10 (0862 223 06). diariam. **www**.abruzzoturismo.it

A capital de Abruzos, fica aos pés do **Gran Sasso** (2.912m), o ponto culminante do país ao sul dos Alpes e ótimo local para a prática de esqui. Muitas igrejas espalham-se por suas ruas.

Em abril de 2009 um forte terremoto atingiu o centro da Itália, e seu epicentro foi próximo a L'Aquila. Muitas das igrejas e construções históricas descritas aqui foram seriamente danificadas, e muitas atrações estão sendo restauradas. Portanto, contate o escritório de turismo antes de visitá-las.

A **Santa Giusta** (1257), na Via Santa Giusta, exibe uma rosácea e o *Martírio de Santo Estêvão* (1615), de Cavalier d'Arpino. Na **Santa Maria di Paganica**, na Via Paganica, destaca-se a fachada do século 14, com portal esculpido. O **Duomo**, na Piazza del Duomo, foi erguido em 1257 e reconstruído no século 18. A imponente igreja de **Santa Maria di Collemaggio**, na Piazza di Collemaggio, possui uma fachada de pedra em tons rosa e branco. Foi construída no século 13 por Pietro dal Morrone, que mais tarde se tornou o papa Celestino V.

Detalhe da Fontanelle delle Novantanove Cannelle, em L'Aquila

A igreja de **San Bernardino**, na Via di San Bernardino, abriga o túmulo (1505) de são Bernardino de Siena, de Silvestro dell'Aquila. A igreja, construída entre 1454 e 1472, tem uma fachada feita em 1527 por Cola dell' Amatrice e um teto do século 18, esculpido por Ferdinando Mosca. A segunda capela na ala sul preserva uma peça de altar do artista renascentista Andrea della Robbia.

A **Fontanelle delle Novantanove Cannelle**, no fim da Via San Iacopo, é uma fonte medieval em homenagem às 99 vilas que Frederico II teria reunido para fundar L'Aquila, em 1240.

O **Museo Nazionale d'Abruzzo**, sediado em um castelo do século 16, exibe resquícios de um elefante pré-histórico, artefatos romanos e obras sacras.

Museo Nazionale d'Abruzzo
Castello Cinquecentesco. ***Tel*** *0862 63 32 29.* *8h30-19h30 ter-dom.* *1° mai, 25 dez.*

Atri ❷

Teramo. *11.000.* *0861 24 42 22.* *seg.* **www**.comune.atri.te.it

A mais bela de uma série de cidades de montanha em Abruzos, Atri compõe um lindo conjunto de ruelas e passagens com casas e igrejas de pedra e tijolos. O **Duomo**, construído no século 13, foi erguido sobre uma terma romana. A atual cripta era uma piscina, e na abside podem ser vistos fragmentos do mosaico original, além de um afresco do século 15 pintado por Andrea Delitio, que combina paisagens e arquitetura em várias passagens do Novo e do Velho Testamentos. Do claustro se vê o campanário de tijolos do século 15.

Arredores: Ao sul de Atri, encontra-se **Penne**, cidade de montanha com construções homogêneas de tijolo aver-melhado que criam uma lu-minosidade intensa. A leste de Atri, **Loreto Aprutino** é conhecida pelo afresco *Juízo Final* (século 14), pintado na Santa Maria in Piano.

Detalhe do afresco (século 15) de Andrea Delitio, no Duomo de Atri

Sulmona ❸

L'Aquila. *26.000.* FS *Corso Ovidio 208 (0864 532 76).* *qua e sáb.* *set: Exposição Internacional de Arte Contemporânea.* **www**.comune.sulmona.aq.it

Esta cidade celebrizou-se como terra natal do poeta Ovídio e casa matriz dos *confetti* (amêndoas açucaradas). Ainda hoje os recém-casados da cidade recebem caixinhas cheias de *confetti*, como desejo de boa sorte. Há diversos edifícios antigos, sobretudo na **Via dell' Ospedale**. Seu maior destaque é o

Palazzo dell'Annunziata. Fundado em 1320, tem traços góticos e renascentistas. O **Museo Civico**, com antiguidades, vestuário, pinturas e ourivesaria local, fica em um palácio. A igreja anexa, **Annunziata**, reconstruída no século 18, ostenta uma fachada marcante. Atrás da igreja há ruínas romanas datadas entre os séculos 1° a.C. e 2°. No fim da Viale Matteotti, está a catedral de **San Panfilo**, erguida sobre um antigo templo romano. A **San Francesco della Scarpa**, na Piazza del Carmine, exibe um portal do século 13. Ao redor da **Fontana dell Vecchio** (1474), há um aqueduto que abastecia a indústria local.

Arredores: A leste de Sulmona está o Maiella National Park, um grupo de 61 montanhas e amplos vales com florestas – bom para caminhadas, observação de aves, escaladas e esqui. A oeste fica Cocullo, onde se realiza em maio a Processione dei Serpari (a estátua do patrono, São Domingos, é coberta por cobras e carregada pela cidade). Acredita-se que, no século 11, o santo tenha livrado a cidade de serpentes venenosas.

Museo Civico
Pallazo dell'Annunziata, Corso Ovidio ***Tel*** *0864 21 02 16. ter-dom (dom e feriados somente manhãs).*

O POETA OVÍDIO

Nascido em 43 a.C., Ovídio –Publius Ovidius Naso– é o mais ilustre filho de Sulmona. As marcas de sua presença foram quase todas apagadas com exceção da **Corso Ovídio**, uma estátua do poeta feita no século 20, colocada na Piazza XX Settembre. Nos arredores da cidade, há uma ruína conhecida como **Villa de Ovídio**. Considerado um dos grandes poetas da Roma clássica, escreveu sobre o amor *(Arte de Amar)* e a mitologia *(Metamorfoses)*, entre outros temas. Em 8, foi exilado para o mar Negro, parte remota do Império Romano, por causa de um escândalo de adultério com Júlia, neta do imperador Augusto *(págs. 48-9)*. Ovídio continuou a escrever sobre seu infortúnio, morrendo no exílio em 17 d.C.

Scanno ❹

L'Aquila. 2.400. Piazza Santa Maria della Valle 12 (0864 743 17). ter. **www**.scanno.org

Maravilhosamente conservada em uma linda e inexplorada área montanhosa, esta cidade medieval é uma das maiores atrações de Abruzos. Entre suas estreitas ruas e escadarias, encontram-se pátios peculiares que abrigam pequenas igrejas e antigas casas onde mulheres continuam fazendo lindos bordados. À sombra dos Apeninos e ao lado do **Lago di Scanno**, a cidade é uma agradável parada no caminho do Parco Nazionale d'Abruzzo *(págs. 506-7)*. Nos meses de verão, são muitas as opções de lazer –de passeios a cavalo ou de barco e camping na beira do lago ao festival de música, realizado em agosto.

Traje típico de Scanno

Durante a Festa di Sant'Antonio Abate, em janeiro, é preparada e servida para quem chega antes um grande prato de lasanha na igreja de **Santa Maria della Valle**, erguida sobre as ruínas de um antigo templo pagão.

A cidade medieval de Scanno, aos pés dos Apeninos, em Abruzos

Parco Nazionale d'Abruzzo, Lazio e Molise ❺

Íris

Uma das reservas naturais mais importantes da Europa, este imenso parque, inaugurado em 1922, preserva ricas paisagens de montanha, rios, lagos e florestas. A área fazia parte de uma reserva real de caça até 1877 e hoje é um refúgio para mais de 2.000 tipos de plantas, 66 espécies de mamíferos, 52 de répteis, anfíbios e peixes, e 230 de aves, como a águia-real e o pica-pau-de-costas-brancas. O parque oferece extensa rede de trilhas, além de passeios a cavalo, alpinismo e trekking.

Águias-reais podem ser vistas perto do rio Sangro.

As florestas de faia e pinheiro negro formam uma linda paisagem.

Camurça jovem
A densa floresta de faia e bordo esconde a camurça-jovem. Há também veados e corços.

Pescasseroli
Esta cidade é o maior centro de informações sobre a região. Tem boa estrutura turística e um pequeno jardim zoológico com os animais da região, como ursos e lobos.

Lobo-dos-Apeninos
O parque oferece proteção para quase 60 lobos dessa espécie. Mas é pouco provável que o visitante consiga ver um deles.

Urso-pardo
Extensamente caçados até quase serem extintos, agora entre 80 e 100 ursos encontram proteção aqui.

Para hotéis e restaurantes nesta região, ver págs. 597-8 e págs. 646-8

PREPARE-SE

L'Aquila. FS *Avezzano ou Castel di Sangro, depois ônibus até Pescasseroli.* ℹ *Pescasseroli (0863 911 32 21).* *horários no site.* **www**.parcoabruzzo.it

Passeios a Cavalo
Esta é uma excelente opção para explorar as áreas mais remotas do parque.

Camosciara é uma linda área, onde vivem muitos animais selvagens.

Lago Barrea
Criado a partir de uma barragem no rio Sangro, este lago está cercado por vales e florestas. Suas margens proporcionam agradáveis passeios.

Densas florestas
de faia e bordo, entremeadas por pirliteiros, freixos, cerejeiras, macieiras e árvores de pera selvagem, acolhem ursos e lobos.

LEGENDA

- Estrada pricipal
- Estrada secundária
- Trilha para caminhada
- Vista panorâmica
- Informação turística

0 quilômetros 5

Lanciano ❻

Chieti. *35.000.* FS ℹ *Piazza Plebiscito 50 (0872 71 78 10).* *qua e sáb.* **www**.lanciano.it

Grande parte da área antiga de Lanciano parece continuar na Idade Média. No agitado bairro de Civitanova, fica a igreja de Santa Maria Maggiore (século 13), com um lindo portal do século 14 e uma cruz de procissão de prata, de 1422. Na mesma área, encontram-se a igreja de San Biagio (iniciada em cerca de 1059), perto da Porta San Biagio (século 11), um dos únicos portões restantes na cidade. O Duomo fica no alto das ruínas de uma ponte romana. Uma passagem subterrânea leva ao Santuário do Milagre Eucarístico, onde se guardam uma hóstia e o vinho que se transformaram em carne e sangue, no século 8°. O Ripa Sacca (bairro judaico) era um agitado centro comercial na Idade Média. As pesadas muralhas da **Torri Montanara** foram erguidas pelos aragoneses para defender a cidade.

Ilhas Tremiti ❼

Foggia. *400.* *San Nicola.* ℹ *Via Perrone 17, Foggia (0881 72 31 41); Via Sant'Antonio Abate 21, Monte Sant'Angelo (0884 56 89 11).* **http://**tremiti.planetek.it

Das ilhas da costa italiana, estas são as menos visitadas por estrangeiros. **San Domino** é a maior, com praias arenosas e enseadas. Júlia, neta de Augusto, ficou exilada aqui em 8 acusada de adultério e morreu na ilha em 28. O escândalo também teria envolvido o poeta Ovídio *(pág. 505)*.

Santa Maria a Mare, em **San Nicola**, o centro administrativo do arquipélago, é uma abadia-fortaleza fundada no século 8°. Mais tarde, no século 18, foi transformada em prisão e, até 1945, recebeu presos.

Ambas as ilhas atraem muitos visitantes italianos, que aproveitam para entrar no mar, apesar de a costa de San Nicola ser bastante rochosa.

Costa perto de Peschici, na península Gargano

Península Gargano ❽

Foggia. FS *Piazza del Popolo 10, Manfredonia (0884 58 19 98); Via Sant'Antonio Abate 21, Monte Sant'Angelo (0884 56 89 11).*
www.parcogargano.it

Esta formação rochosa elevada invade o mar Adriático e constitui uma área selvagem de enseadas e penhascos. As cidades costeiras de **Rodi Garganico, Peschici, Vieste e Manfredonia** recebem muitos visitantes. A leste, encontra-se a **Foresta Umbra**, uma extensa floresta de faias, carvalhos, teixos e pinheiros, e, ao norte, os lagos salgados de **Lesina** e **Varano**, importantes refúgios para aves aquáticas. Uma rota de peregrinos (S272) corta a península, ligando San Severo, a oeste, ao santuário de **Monte Sant'Angelo**, a leste. A primeira parada é **San Marco in Lamis**, onde se destaca um enorme convento do século 16. Mais adiante, **San Giovanni Rotondo** recebe fiéis visitando o túmulo de Padre Pio (1887-1968). A última parada é o **Monte Sant'Angelo** –em uma de suas grutas o arcanjo Miguel teria aparecido para o bispo de Sipontum, em 493. Ao sul de Manfredonia, ao lado das ruínas da antiga cidade de Siponto, está a igreja de **Santa Maria di Siponto** (século 12), de inspiração oriental.

Típica rua da cidade de Vieste, na península Gargano

Lucera ❾

Foggia. *35.000.* *Piazza Nocelli 6 (0881 52 27 62).* *qua.*
www.comune.lucera.fg.it

Próspera colônia no período romano, Lucera ainda preserva as ruínas de um **anfiteatro** (fechado para restauração). Lucera foi reconstruída no século 13 por Frederico II, que a povoou com 20 mil muçulmanos sicilianos. O local tornou-se uma das fortalezas mais poderosas do Sul da Itália, com um dos mais belos castelos da Puglia. Construída por Frederico II em 1233 e ampliada após 1269, ostenta muralhas de 900m, intercaladas por 24 torres. Do palácio original, restam apenas a base e algumas abóbadas.

Em 1300, Carlos II, que massacrou a população muçulmana de Lucera, começou a construir o lindo **Duomo** no lugar da mesquita principal. A nave alta da catedral está repleta de afrescos e entalhes dos séculos 15 e 16.

O **Museo Civico Fiorelli** conta vários dos episódios históricos de Lucera.

Museo Civico Fiorelli
Via de Nicastri 44. ***Tel*** *0881 54 70 41.* *para restauração.*

Ruínas do castelo de Lucera

Troia ❿

Foggia. *33.000.* *0881 97 82 41.* *1° e 3° sáb do mês.*
www.comune.troia.fg.it

Fundada em 1017 para ser uma fortaleza bizantina contra os lombardos, Troia foi conquistada pelos normandos em 1066. Até ser destruída por Frederico II em 1229, a cidade foi governada por poderosos bispos, responsáveis por algumas das mais belas construções da Puglia, como o **Duomo** de Troia *(págs. 478-9)*.

Iniciada em 1093 e construída em 30 anos, a catedral exibe uma extraordinária diversidade de estilos. Mescla equilibradamente elementos lombardos, sarracenos, bizantinos e românicos de Pisa.

Elegantes arcadas caracterizam o andar inferior da catedral. A parte superior exibe esculturas entalhadas de leões e touros. Na fachada superior, vê-se uma rosácea com marcante estilo sarraceno.

Na entrada principal, com porta de bronze feita por Oderisio da Beneventano (1119), destacam-se capitéis esculpidos e um epistílio, em estilo bizantino. No interior, pode-se ver um púlpito românico (1169).

Trani ⓫

Bari. 55.000. FS
Piazza Sacra Regia Udienza II (0883 58 88 30). *ter.*
www.traniweb.it

Durante a Idade Média, este pequeno e movimentado porto era disputado por mercadores e comerciantes de Gênova e Pisa. A cidade atingiu o ápice de sua prosperidade no reinado de Frederico II.

Hoje os visitantes vêm a Trani conhecer seu **Duomo** normando, erguido de 1159 a

Fachada do Duomo de Trani

1186 sobre outra igreja, que ocupava o local de outra, Ipogei di San Leucio, do século 7°. A catedral é dedicada a são Nicolau o Peregrino, um santo milagroso pouco lembrado, que morreu em 1094. Ele foi canonizado por uma questão de rivalidade com a cidade de Bari, que guardava os ossos de um santo mais conhecido, são Nicolau. Os principais destaques da fachada do Duomo são as esculturas, particularmente as que envolvem a rosácea e a janela em arco abaixo dela, além da entrada com porta de bronze (1175-9), feita por Barisano da Trani. Após restauração, o interior parece revigorado. Próximo à catedral está o **castelo** da cidade. Erguido entre 1233e 1249 e fundado por Frederico II, foi reconstruído nos séculos 14 e 15, e ainda está bem preservado.

O **Palazzo Caccetta**, na Piazza Trieste, é uma construção gótica-renascentista do século 15. Perto dele, na Via Ognissanti, há uma igreja românica do século 12 dos **Ognissanti**, que era capela dos Cavaleiros Templários. Erguida no quintal do hospital deles, destaca-se pelo pórtico. Vale a pena visitar também a igreja de Santa Teresa e o monastério La Colonna.

Castel del Monte ⓬

Località Andria, Bari. *Beni Culturali (0883 56 99 97).*
9h-18h. *1° jan, 25 dez.*
www.casteldelmonte.beniculturali.it

Frederico II

Sozinho nas infinitas planícies de Ruvo di Puglia, o Castel del Monte supera todos os demais castelos relacionados a Frederico II. Começou a ser construído em meados do século 13 e resultou em uma das obras leigas mais sofisticadas da Idade Média. O imperador usava seus castelos como pavilhão de caça. Afastava-se da vida na corte, levando seus falcões e livros. O Castel del Monte tem dois andares, cada um com oito salas abobadadas, algumas revestidas com mármore. Este detalhe –somado aos frisos de mármore, na entrada e no andar superior, e aos sofisticados dos adornos nos lavatórios– faz do local um verdadeiro palácio.

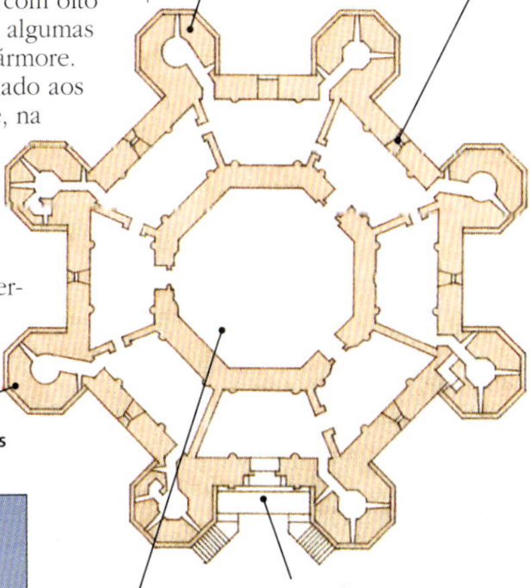

O solitário castelo, no alto de uma pequena colina

PLANTA DO PISO TÉRREO

O prédio de dois andares, com oito salas cada um, revela um harmonioso estudo geométrico. Até hoje não se sabe o que levou o imperador a fazer um projeto tão preciso.

Ruvo di Puglia ⓭

Bari. 24.000. FS *Via Vittorio Veneto 48 (080 361 54 19).* *sáb.* **www**.ruvodipugliaweb.it

Célebre no passado por seus vasos, a indústria cerâmica de Ruvo di Puglia prosperou até o século 2° a.C. Os artigos "da Puglia" seguiam modelos áticos e coríntios arcaicos, especialmente na escolha das cores preta e vermelha. Uma amostra pode ser vista no **Museo Archeologico Nazionale Jatta**.

A **Cattedrale** do século 13 é um exemplo do estilo românico da Puglia. O portal é uma rica mistura de elementos bizantinos, sarracenos e clássicos.

Museo Archeologico Nazionale Jatta
Piazza Bovio 35. ***Tel** 080 361 28 48. 8h30-19h30 diariam (até 13h30 dom-qua).* *1° jan, 1° mai, 25 dez.* **www**.palazzojatta.org

Detalhe do portal do Duomo de Ruvo di Puglia

Bari ⓮

400.000. FS *Piazza Aldo Moro 33a (080 524 23 61). diariam.* **www**.puglia.org

Na época dos romanos, Barium era apenas um centro comercial, mas durante a ocupação sarracena em 847 tornou-se uma capital regional e, mais tarde, recebeu o *catapan*, o governador bizantino do Sul da Itália. Sob o domínio dos normandos, que tomaram a cidade em 1071, Bari foi promovida a importante centro naval, com ferryboats de ida e volta para Croácia e Grécia. Hoje, é a animada capital da Puglia.

A **Basilica di San Nicola**, uma das primeiras grandes igrejas normandas da Puglia, começou a ser construída em 1087 e exibe um exterior simples com frontão alto e torres. O portal apresenta estilo românico da Puglia, com entalhes nos batentes e arco em estilo árabe, bizantino e clássico. Além da tribuna do coro, há um belo dossel de altar do século 12 e um trono episcopal do século 11. As relíquias de são Nicolau, padroeiro da cidade (e também da Rússia), estão enterradas na cripta. A **Cattedrale**, do final do século 12, segue o estilo românico da Puglia. Inspirada na Basilica de San Nicola, ostenta domo e uma torre (a outra desabou durante terremoto em 1613). Os portais barrocos incorporaram portas do século 12. Uma restauração devolveu ao interior sua simplicidade medieval. O dossel sobre o altar, o púlpito e o trono episcopal foram reconstruídos a partir de fragmentos originais. A sacristia, feita para ser um batistério, é conhecida como *Trulla*. Na cripta estão os restos de são Sabino, padroeiro original de Bari.

Escultura do castelo de Bari

O **castelo** da cidade, fundado por Rogério II, sofreu adaptações de Frederico II entre 1233-9. No saguão há fragmentos de vários monumentos românicos da região.

Castelo de Bari, situado no velho bairro de Città Vecchia, onde há muralhas

Para hotéis e restaurantes nesta região, ver págs. 597-8 e págs. 646-8

Alberobello ⓯

Bari. 11.000 FS para Alberobello e Ostuni. Piazza Ferdinando IV 4 (080 432 51 71). em inglês, francês e alemão pela Trulli e Natura (080 432 38 29). out/nov: Frantoi Aperti (visita às principais fábricas de azeite de oliva). **www**.alberobello.net

A árida paisagem de **Murge dei Trulli** exibe oliveiras, pomares, vinhedos e *trulli*, curiosas construções circulares com tetos e cúpulas cônicas, feitas de calcário local e sem argamassa. As paredes, janelas e portas são geralmente brancas, enquanto os telhados de pedra podem estar decorados com símbolos religiosos, pagãos ou mágicos. Não se conhece a origem destas casas, embora o nome *trulli* designe tradicionalmente antigos túmulos circulares encontrados na área rural romana. Hoje a maioria das *trulli* é loja de suvenires.

Alberobello, patrimônio mundial da Unesco, é a capital das *trulli*. As ruas estreitas estão repletas de *trulli* brancas, que abrigam restaurantes, lojas e até mesmo uma catedral.

As típicas e misteriosas casas trulli, em Alberobello

Arredores: Situada nas montanhas, a cidade de **Locorotondo** é um importante centro de vinhos. As elegantes ruas da **Martina Franca** são enfeitadas por balcões rococós. A espetacular **Grotte di Castellana** tem cerca de 50 milhões de anos.

***Afrodite*, no Museu de Taranto**

Taranto ⓰

220.000. FS Corso Umberto I (099 453 23 92). qua, sex e sáb. **www**.comune.taranto.it

Pouco restou da antiga cidade de Taras, fundada pelos espartanos em 708 a.C. e que teve seu auge de prosperidade em meados do século 4° a.C. O **Museo Archeologico Nazionale**, fundado em 1887, reúne peças que ilustram boa parte da história da região. Desde então o museu foi ampliado para abrigar a crescente coleção de obras de interesse histórico. Taranto foi muito bombardeada na Segunda Guerra e hoje abriga muitas indústrias. Na pitoresca **Città Vecchia**, uma ilha que divide o Mare Grande do Mare Piccolo, existiu a cidadela romana de Tarentum. O animado mercado de peixes oferece os mariscos que fizeram a fama da cidade e fica em um edifício estilo Art Nouveau. Também merece atenção especial o **Duomo**, fundado em 1071 e submetido a diversas reformas desde então. Entre seus principais destaques estão a cripta (parecida com uma catacumba), com sarcófagos e fragmentos de afrescos, e as antigas colunas de mármore da nave. Atrás da catedral está a **San Domenico Maggiore**, do século 11, que ganhou uma escadaria dupla em estilo barroco. O enorme **castelo** da cidade, construído por Frederico de Aragão no século 15, ocupa o extremo leste da Città Vecchia. Agora uma área militar, está fechado ao público.

Museo Archeologico Nazionale
Via Cavour 10. ***Tel*** *0994 53 21 12.*
8h30-19h30 diariam.

A TARANTELLA

A alegre dança popular italiana da *tarantella* surgiu do tarantismo –uma histeria coletiva que ocorreu entre os séculos 15 e 17, sobretudo em Galatina *(pág. 513)*. Acreditava-se que as vítimas de picadas das tarântulas poderiam curar-se se dançassem freneticamente, expelindo o veneno pelo suor. Por isso, os passos da *tarantella* são leves e rápidos. O curioso ritual pode ser visto todos os anos, no dia 29 de junho às 6h, durante as festas de são Pedro e são Paulo, em Galatina, o único lugar da península Salentina onde o tarantismo sobreviveu.

Rua a Rua: Lecce ⑰

Fachada de Santa Croce

Lecce foi originalmente uma colônia grega messapi. Tornou-se importante centro do Império Romano, e na Idade Média ganhou tradição cultural. Grande parte de sua arquitetura segue o estilo barroco de Lecce, que atingiu seu apogeu no século 17 a ponto de a cidade ser chamada de Florença do Sul. A rica decoração foi possível graças ao material usado, a *pietra di Lecce*, que podia ser esculpida com facilidade. Giuseppe Zimbalo (Lo Zingarello) foi o maior representante do estilo. Lecce é famosa também pelas oficinas de *papier-mâché*.

★ Palazzo Vescovile e Duomo
O palácio episcopal (reconstruído em 1632), o Duomo (feito por Lo Zingarello após 1659) e um seminário cercam a Piazza Duomo.

Chiesa del Rosario
Considerada por muitos a mais bela obra de Lo Zingarello, o exterior desta igreja, iniciado em 1691, é peculiar nos detalhes.

Porta Rudiae
Este portão do século 18 leva aos bairros mais afastados e às ruínas da Rudiae *romana.*

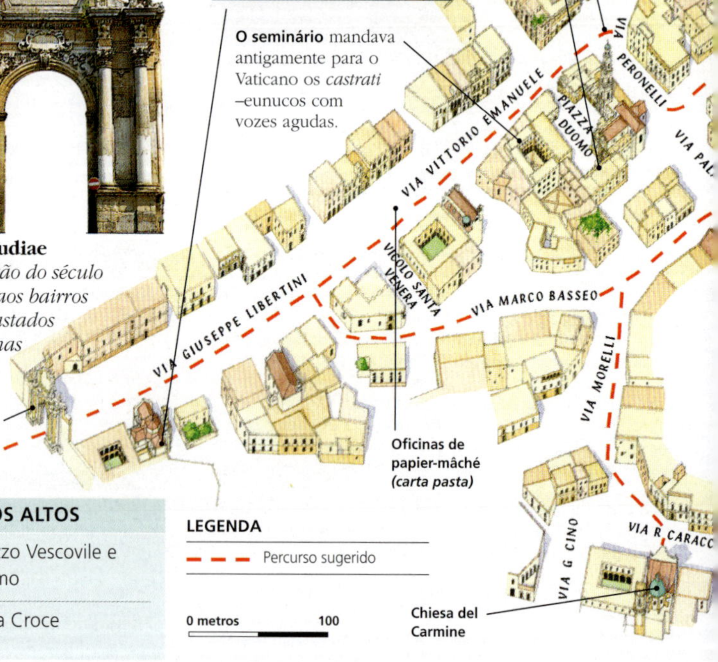

Informação turística

O seminário mandava antigamente para o Vaticano os *castrati* –eunucos com vozes agudas.

Oficinas de papier-mâché ***(carta pasta)***

Chiesa del Carmine

PONTOS ALTOS

- ★ Palazzo Vescovile e Duomo
- ★ Santa Croce

LEGENDA

- - - Percurso sugerido

0 metros 100

★ Santa Croce
Erguida entre 1549 e 1679, esta igreja foi iniciada por Gabriele Riccardi. Zingarello criou a rosácea. Ao lado fica o ex-convento dos celestinos.

PREPARE-SE

105.000. FS Viale Oronzo Quarta. Via Boito e Via Adua. Via Vittorio Emanuele 23 (0832 33 24 63). seg e sex. 24-26 ago: Sant'Oronzo; 13-24 dez: Fiera dei Pupi e Pastori. **www.**pugliaturismo.it

O castelo do século 16 fica entre a cidade antiga e os bairros modernos. Uma estrutura do século 12 foi cercada pela muralha erguida posteriormente por Carlos V. Somente um andar está aberto para o público.

Colonna di Sant'Oronzo
Santo Orêncio foi nomeado bispo de Lecce por são Paulo em 57 e depois martirizado pelo imperador romano Nero. Esta estátua é de 1739.

Um teatro romano foi descoberto quase intacto, com orquestra e assentos.

Anfiteatro romano
Pode-se ver apenas parte deste anfiteatro do século 1° a.C., escavado em 1938. Ele está fechado ao público, em restauração.

Detalhe de um afresco do século 15, em Santa Caterina d'Alessandria

Galatina ⓲

Lecce. 28.000. FS Sala dell'Orologio (0836 56 99 84). qui. Festa de São Pedro e Paulo (29 jun). **www.**comune.galatina.le.it

Importante colônia grega na Idade Média, esta *cittè d'arte* (cidade de arte, um título dado pela região) mantém o ar de seus colonizadores. É hoje o centro de uma das principais regiões produtoras de vinho da Puglia, embora seja ainda mais famosa pelo ritual de tarantismo *(pág. 511)*.

A igreja **Santa Caterina d'Alessandria**, na Piazza Orsini, começou a ser construída em 1348, em estilo gótico. Ela preserva afrescos do início do século 15, com passagens do Velho e do Novo Testamentos.

Otranto ⓳

Lecce. 5.500. FS Piazza Castello (0836 84 14 36). qua. **www.**comune.otranto.le.it

Durante a República Romana, Otranto tornou-se um dos mais importantes portos de comércio com Ásia Menor e Grécia e, sob o domínio bizantino, constituiu apoio essencial para o Império Oriental na Itália. Em 1070, caiu em poder dos normandos e, em 1480, foi atacada pelos turcos, que dizimaram sua população –aos 800 sobreviventes foi oferecida a libertação em troca da renúncia ao cristianismo, o que todos se re-cusaram a fazer. O **Duomo** (1080), na Via Duomo, guarda os ossos dos mártires e exibe um piso de mo-saicos e uma bela crip-ta. A cidade também se orgulha do **castelo** (1485-98), construído pelos aragoneses. Há boas praias perto.

BASILICATA E CALÁBRIA

Isolada e selvagem, a Basilicata é uma das regiões mais pobres da Itália. Bastante precária, suas áreas rurais ainda hoje recebem poucos visitantes. A vizinha Calábria foi imortalizada pelos desenhos de Edward Lear, que, ao percorrê-la montado em um burro em 1847, ficou impressionado com o "horror e grandeza" da paisagem.

Hoje separadas, estas duas regiões dividem uma história comum –junto com a Sicília e a Puglia, foram parte da Magna Grécia. A antiga cidade de Metaponto, na Basilicata, foi um importante centro na época, assim como Crotona e Locri Epizephiri, na Calábria.

Depois dos gregos vieram os romanos, seguidos pelos monges basilianos, que eram membros da igreja greco-bizantina, expulsos de seu território pela invasão muçulmana. Eles deixaram um conjunto de monumentos interessantes, como a Cattolica, em Stilo, e Matera, onde os monges buscavam refúgio nas cavernas.

Muitos dos resquícios históricos da região são normandos, mas é possível encontrar alguns vestígios das dinastias dos suabianos e dos angevinos, e dos aragoneses e espanhóis.

Os séculos de comando por parte de Nápoles levaram à marginalização da Basilicata e da Calábria. Atualmente, a Calábria possui uma reputação não muito boa graças à *'ndrangheta*, a feroz variante da máfia italiana que constitui uma ameaça constante. Ainda há violência, mas o visitante tem pouco a temer.

Por causa da migração, a Basilicata e a Calábria são esparsamente povoadas e têm muitas áreas inexploradas. Além das atrações históricas, as duas regiões oferecem extenso litoral com belas praias e um interior cortado pelas montanhas de Aspromonte e Sila.

A paisagem muda bastante na baía. A isolada Pentedattilo, por exemplo, preserva traços da origem bizantina, enquanto San Giorgio Albanese aglomera pequenas comunidades albanesas, cujos ancestrais refugiaram-se aqui no século 15.

Região árida e pouco povoada perto de Stilo, no sul da Calábria

◁ **Tranquilo bairro de Sassi em Matera, onde casas e rochas se confundem**

Como Explorar Basilicata e Calábria

Bastante acidentada, a região de Basilicata (ou Lucania, como também é conhecida) preserva ruínas gregas (como as de Metaponto), abadias medievais e castelos normandos (como o de Melfi). Matera, a principal cidade, situa-se no meio de uma paisagem árida, com vales vazios. A Calábria é frequentemente descrita como uma "terra em meio a dois mares". As belas praias e as áreas intactas entre Tropea e Maratea atraem muitos visitantes. A principal atração do litoral jônico são as ruínas gregas, como Locri Epizephiri, e as cidades de montanha, como Stilo e Gerace.

Conserto de redes de pesca, em Pizzo, nordeste de Tropea

PRINCIPAIS ATRAÇÕES

- Gerace 10
- Lagopesole 3
- Maratea 6
- Matera 4
- Melfi 1
- Metaponto 5
- Reggio di Calabria 11
- Rossano 7
- Stilo 9
- Tropea 8
- Venosa 2

VEJA TAMBÉM

- ***Onde Ficar*** pág. 598-9
- ***Onde Comer*** pág. 648-9

A pitoresca cidade Rivello, ao norte de Maratea, na Basilicata

LEGENDA

- Rodovia
- Estrada principal
- Estrada secundária
- Estrada vicinal
- Percurso com paisagem
- Ferrovia principal
- Ferrovia secundária
- Fronteira municipal
- Cume

Porto de Maratea, na costa do mar Tirreno, na Basilicata

COMO CIRCULAR

A costa do mar Tirreno, na Calábria, está bem atendida pela A3-E45, que se ramifica até Potenza, na Basilicata. Para alcançar a costa do mar Jônico, é melhor contornar Aspromonte pela S106-E90 a partir de Reggio até a Basilicata. Ainda que a S280-E848 atravesse as montanhas para Catanzaro, as estradas são estreitas e passam por áreas isoladas. Grande parte da Basilicata tem acesso ainda mais difícil e, para chegar ate Matera, é mais fácil vir da Puglia. Há aeroportos em Reggio di Calabria, Lamezia Terme (oeste de Catanzaro), Crotone, Bari e Brindisi (Puglia). Trens ligam os grandes centros e ônibus atendem as cidades menores.

Área interiorana perto de Miglionico, no sul de Matera

Impressionante castelo em Melfi, com traços de arquitetura angevina e posterior

Melfi ❶

Potenza. 16.600. FS Piazza Umberto 1 (0972 23 97 51). *qua e sáb.* **www**.aptbasilicata.it

Intrigante cidade medieval hoje quase abandonada, Melfi destaca-se por seu **castelo**, onde o papa Nicolau II reconheceu o domínio de Roberto Guiscardo em 1059, legitimando a presença normanda no Sul. Melfi tornou-se a capital normanda. Foi aqui que Frederico II proclamou as *Constitutiones Augustales* (1231), que unificaram o reinado e criaram o Estado. No castelo fica o **Museo Nazionale del Melfese**, com lindo acervo de joias bizantinas. O **Duomo**, perto da Via Vittorio Emanuele, foi erguido em 1155 por Guilherme I o Malvado e reconstruído no século 18. Hoje sobrou apenas o campanário.

Museo Archeologico Nazionale del Melfese
Castello di Melfi, Via Castello. ***Tel*** *0972 23 87 26.* *9h-20h diariam.* *manhã seg, 1° jan, 25 dez.* *(sáb e dom).*

Venosa ❷

Potenza. *12.200.* FS *Piazza Castello 47 (0972 316 09).* *1° sáb e 3ª qui mês.* **www**.comune.venosa.pz.it

Venosa foi uma das mais importantes colônias romanas por volta de 290 a.C., e remanescentes das termas e de um anfiteatro ainda são vistos na área arqueológica, perto da Via Vittorio Emanuele. Aqui nasceu o poeta Horácio (65-8 a.C.), onde também o general romano Marcelo foi morto por Aníbal em 208 a.C. O **túmulo** de Marcelo fica na Via Melfi. Para ver mais, visite o **Museo Archeologico Nazionale**.

O **Duomo**, também na Via Vittorio Emanuele, e o enorme **castelo** na Piazza Umberto I datam do século 16.

Uma abadia parcialmente em ruínas que inclui uma antiga igreja, **La Trinità**, possivelmente do início do cristianismo (séculos 5° e 6°) encobre uma construção inacabada do século 11, onde Roberto Guiscardo (morto em 1085) foi enterrado com seus meio-irmãos e Alberada, a primeira mulher. Restou apenas o túmulo dela.

Museo Archeologico Nazionale
Piazza Castello. ***Tel*** *0972 360 95.* *9h-20h diariam.*

Lagopesole ❸

Potenza. ***Tel*** *0971 860 83.* FS *para Lagopesole Scalo e ônibus até a cidade.* *9h30-13h, 16h-19h diariam (inverno 15h-17h).* **www**.aptbasilicata.it

Sobre uma colina, o **castelo** de Lagopesole, construído entre 1242 e 1250, foi o último castelo erguido por Frederico II. Acredita-se que os bustos entalhados sobre a porta retratam Frederico Barba-Roxa (avô de Frederico II), e a mulher de Frederico, Beatriz. No interior podem-se visitar os aposentos reais e a capela.

Matera ❹

56.900. FS *Via de Viti de Marco 9 (0835 33 19 83).* *0835 31 94 58.* *sáb.* **www**.materaturismo.it

Bairro de Sassi, em Matera

Erguida à beira de um desfiladeiro, esta cidade é formada por um agitado bairro alto e um calmo bairro baixo, **Sassi** (cavernas), dividido em Sasso Barisano e o mais pitoresco Sasso Caveoso. As duas partes são distintas, o que faz de Matera uma das cidades mais fascinantes do Sul da Itália. Além de tudo, os antigos habitantes de Matera viviam em casas esculpidas nas rochas.

Para apreciar as lindas paisagens das redondezas, caminhe pela **Strada Panoramica dei Sassi** e olhe para baixo, em direção às cavernas. Entre os sé-

hotéis e restaurantes nesta região, ver págs. 598-9 e págs. 648-9 culos 8° e 13, elas provavelmente serviram de refúgio para os monges do império bizantino. Muitas capelas esculpidas nas rochas foram ocupadas no século 15 por camponeses. A cidade desenvolveu-se e, no século 18, algumas construções já tinham se tornado grandes mansões e conventos. Nas décadas de 1950 e 1960, Sassi foi tomada pela pobreza, e os habitantes forçados a se mudar. Carlo Levi (1912-75) chamou a atenção para suas condições de vida no livro *Cristo Parou em Eboli*, no qual comparava os bairros de Sassi ao inferno de Dante. Em 1993, a Unesco tornou a área de Sassi patrimônimo da humanidade.

Das 120 *chiese rupestri* (igrejas nas rochas; www.parcomurgia.it) dos distritos de Sassi e de Adri, fora da cidade, **Santa Maria di Idris**, em Monte Errone, e **Santa Lucia alle Malve**, no bairro albanês, têm afrescos do século 13.

Igreja de San Francesco in Matera

O **Museo della Tortura**, na Via San Biagio, tem peças da época da Inquisição, ao passo que o **Museo Nazionale Ridola** registra parte da história de Matera e de Sassi com objetos retirados de cidades neolíticas, necrópoles e outros lugares antigos descobertos na região.

O **Duomo** (século 13), na Piazza Duomo, segue o estilo românico da Puglia. No seu interior há interessantes esculturas e uma pintura (século 12) da *Madonna della Bruna*, padroeira de Matera.

A Via Duomo leva até a **San Francesco d'Assisi**, construída no século 13, que tem revestimento barroco. Vale a pena ver também as igrejas de **San Domenico** e de **San Giovanni Battista** (ambas do século 13), na Via San Biagio, e o **Purgatorio** (1770), na Via Ridola.

Boa parte do filme *A Paixão de Cristo* (2004), de Mel Gibson, foi filmada em Matera.

Museo Nazionale Ridola
Via Ridola 24. ***Tel*** *0835 31 00 58.*
9h-20h diariam (a partir 14h seg).
1° jan, 25 dez

Tavole Palatine, em Metaponto

Metaponto ❺

Metaponto Borgo. *para Metaponto.* *Via Apollo Licio (0835 74 52 20).* *9h-1h antes de anoitecer diariam.* *manhã seg, 1° jan, Páscoa, 25 dez.*
www.aptbasilicata.it

Fundada no século 7° a.C., a antiga Metapontum foi o centro de uma rica cidade-estado com forte tradição filosófica, característica ressaltada por Pitágoras, que viveu aqui após ser expulso de Crotona. Entre as ruínas estão a **Tavole Palatine** (século 6° a.C.) na ponte do rio Bradano e 15 colunas de um templo dórico, provavelmente dedicado à Hera. O **Museo Nazionale di Metaponto** abriga os achados arqueológicos do local. As ruínas de um teatro e do **Templo de Apollo Lycius** (século 6° a.C.) estão na zona arqueológica. Mais ao sul, **Policoro** ocupa o lugar da antiga Heracleia (fundada entre os séculos 7° e 5° a.C.). O **Museo Nazionale della Siritide** exibe outros achados.

Museo Nazionale di Metaponto
Via Aristea 21. ***Tel*** *0835 74 53 27.*
9h-20h diariam. *feriados e seg manhã.* *válido também para a zona arqueológica.*

Museo Nazionale della Siritide
Via Colombo 8, Policoro. ***Tel*** *0835 97 21 54.* *9h-19h diariam.* *manhã ter, 1° jan, 1° mai, 25 dez*

Maratea ❻

Potenza. *5.000.*
Piazza del Gesù 32 (0973 87 69 08). *1° e 3° sáb mês.*

Uma pequena faixa da Basilicata junta-se ao mar Tirreno no golfo de Policastro –e é nesta costa impecável que fica Maratea. O pequeno porto da cidade (Maratea Inferiore) fica abaixo do centro antigo (Maratea Superiore) e ocupa a encosta de uma colina. Daqui, uma estrada vai para o monte Biagio, onde há lindas vistas e uma estátua do **Redentor.**

Arredores: Com localização privilegiada, **Rivello**, 23km ao norte, já teve grande população grega. Nas igrejas de **Santa Maria del Poggio** e **Santa Barbara**, podem ser observadas as influências bizantinas.

O pequeno porto de Marina di Maratea com barcos de pesca

Página do precioso Codex *Purpureus Rossanensis*

Rossano 7

Cosenza. 32.000. FS
Piazza Matteotti (0983 52 09 08).
2ª e 4ª sex mês.

Esta bela cidade de montanha foi um dos principais centros da civilização bizantina na Calábria. Ela tornou-se poderosa quando Reggio di Calabria foi conquistado pelos sarracenos nos séculos 9°, 10° e 11. O **Museo Diocesano** abriga o *Codex Purpureus Rossanensis*, um raro evangelho grego do século 6°, com letras em prata e esplêndidas ilustrações.

A catedral barroca abriga o afresco *Madonna Acheropita*, uma apreciada obra bizantina do século 8° ou do 9°.

Arredores: No topo de uma colina a sudeste está a igreja grega de **San Marco** (século 10°), que sustenta cinco domos. A **Panaghia** (século 12), também grega, fica na Via Archivescovado. Ambas contêm fragmentos de antigos afrescos.

Santa Maria del Patirion, 18km a oeste, também no alto de uma colina, destaca-se por seus coloridos tijolos, ladrilhos e pedras. Daqui podem ser admiradas lindas paisagens da Piana di Sibari, provável local da lendária cidade de Sybaris, destruída em 510 a.C. A igreja permaneceu quase inalterada desde sua construção, em cerca de 1095.

Museo Diocesano
Palazzo Arcivescovile, Via Arcivescovado 5. **Tel** 0983 52 02 82. ter-dom (jul-set: também seg). feriados.

Tropea 8

Vibo Valentia. 7.000. FS
Piazza Ercole (0963 614 75).
sáb. **www**.tropea.biz

Uma das mais charmosas cidades na costa tirrena, na Calábria, Tropea oferece lindas vistas do mar. Situada na encosta de uma colina, fica de frente para uma grande rocha que há muito tempo foi uma ilha –hoje exibe em seu topo o **Santa Maria dell'Isola**, um santuário medieval beneditino. A **catedral** no fim da Via Roma tem origem normanda, mas foi reconstruída várias vezes. O interior guarda a pintura do século 14 *Madonna di Romania,* de autor desconhecido. A **Casa Trampo** (século 14) e o **Palazzo Cesareo** (início do século 20), em Vicolo Manco, são os palácios pequenos mais interessantes de Tropea. No último, podem-se ver lindos balcões com entalhes.

Abaixo da cidade, há belas praias e boas opções de locais para comer. Outras cidades litorâneas interessantes são **Scilla**, ao sul, e **Pizzo**, ao norte.

Stilo 9

Reggio di Calabria. 3.000.
Prefeitura (0964 77 60 06). ter.

Perto da costa, Stilo está situada na encosta do monte Consolino. Mesmo um pouco abandonada e bastante danificada por terremotos, apresenta interessantes atrações. Na saliência de um rochedo, de frente para as oliveiras, pode-se ver a **Cattolica**, um atraente exemplar da arquitetura bizantina. Erguida no século 10° por monges basilianos, a construção de tijolos com telhado de terracota segue um projeto em forma de cruz grega. O interior é dividido por quatro antigas e desproporcionais colunas de mármore, definindo nove quadrantes. Para representar o triunfo do cristianismo sobre o paganismo, os capitéis foram colocados na base (e não no topo) das colunas. Os afrescos, descobertos e restaurados em 1927, datam do século 11.

A Cattolica é a maior atração da cidade, mas na Via Tommaso Campanella destaca-se um **Duomo** medieval, além de ruínas do século 17 do mosteiro de **San Domenico**, onde viveu o filósofo e frei dominicano Tommaso Campanella (1568-1639). A igreja de **San Francesco**, construída em cerca de 1400, abriga um altar de madeira entalhado e a linda pintura *Madonna del Borgo*, do século 16, de origem desconhecida. Bivongi, a noroeste de Stilo, tem duas igrejas para são João: a bizantina-normanda **San Giovanni Theresti** e a normanda **San Giovanni Vechio**.

Cattolica
2 km acima de Stilo na Via Cattolica. Tel 0965 81 22 56.
seg-sáb.

O belo litoral de Tropea

, hotéis e restaurantes nesta região, ver págs. 598-9 e págs. 648-9

A Catollica, com cinco domos, em Stilo

Gerace ⑩

Reggio di Calabria. 3.000. *Pro Loco, Via Regina Margherita 77, Locri (0964 23 27 60).* www.comune.gerace.rc.it

Situada em um penhasco quase inacessível na encosta nordeste do Aspromonte, Gerace foi fundada por refugiados de **Locri Epizephiri**, que escaparam dos ataques sarracenos no século 9°. Muralhas medievais e vestígios de um castelo confirmam a vocação defensiva da cidade.

Além da tranquilidade do local, sua principal atração é o maior **Duomo** da Calábria. Esta grandiosa edificação atesta a importância de Gerace até o tempo dos normandos.

A cripta é o maior tesouro do Duomo: foi construída no início do século 12, reerguida no século 13 e reformada no século 18. Tanto ela como a igreja são simples, decoradas com colunas de mármore e granito, provavelmente roubadas da antiga Locri Epizephiri.

No final da Via Cavour fica a **San Giovanello**, uma igreja do século 12, parte bizantina, parte normanda. Perto daqui, está a igreja gótica de **San Francesco d'Assisi**.

Seus destaques são um altar barroco de mármore (1615) e o túmulo em estilo de Pisa de Niccolò Ruffo (morto em 1372), membro de destacada família calabresa.

Arredores: O sítio arqueológico de **Locri Epizephiri** preserva ruínas de um **teatro**, de diferentes **templos** e de **túmulos** gregos e romanos. Locri foi a primeira cidade grega a adotar um código de leis escrito (660 a.C.), além de ser um famoso local de culto a Perséfone. No **Museo** há uma planta do local, além de estátuas, moedas e fragmentos de esculturas.

Locri Epizephiri
Sudoeste de Locri na S106, Contrada Marasà. *9h-19h ter-dom.* **Museo Nazionale**, Contrada Marasà, SS 106. ***Tel*** *0964 39 00 23.* *ter-dom.* *1° mai, 25 dez.*

Reggio di Calabria ⑪

183.000. *Via estação (0965 271 20).* *sex.* www.prolocoreggiocalabria.it

Uma boa razão para visitar Reggio, já que boa parte da cidade foi reconstruída após o terremoto de 1908, é o **Museo Nazionale della Magna Grecia**, com seu belo acervo da antiga Rhegion (cidade grega que existia no lugar da atual) e de outras colônias gregas.

Entre seus tesouros, destacam-se estátuas gregas de bronze que retratam guerreiros e foram retiradas do mar perto de Riace Marina em 1972.

Acredita-se que a estátua A (460 a.C.) foi feita pelo escultor ateniense Fídias, o maior representante do estilo clássico. Se realmente for de sua autoria, é uma peça muito rara, pois as obras do mestre, citadas e elogiadas pelos antigos escritores, só eram conhecidas graças a cópias romanas. A estátua B é atribuída a Policleto. Possivelmente vieram do Templo de Delphi, monumento que celebrava a vitória de Maratona.

Museo Nazionale della Magna Grecia
Piazza de Nava 26. ***Tel*** 0965 81 22 55. *para restauração.* www.museonazionalerc.it

Bronzes de Riace (séculos 5° e 6° a.C.), Museo Nazionale de Regio

SICÍLIA

Como em uma encruzilhada do mar Mediterrâneo, parte da Europa, parte da África e sem pertencer a nenhuma de fato, a Sicília foi ocupada por metade do mundo antigo civilizado. Da mesma forma como vieram, os conquistadores se foram, deixando uma rica e variada herança cultural. O resultado foi uma sutil mistura de influências em quase todos os aspectos culturais da ilha –língua, costumes, culinária e arte, além da notável arquitetura.

Durante os séculos 6° e 5° a.C., não havia muita diferença entre Atenas e as cidades gregas da Sicília. As ruínas destas últimas estão entre as mais espetaculares do mundo grego antigo. Os romanos assumiram o comando da ilha no século 3° a.C., seguidos pelos vândalos, ostrogodos e bizantinos. Da época dos árabes, que governaram a Sicília entre os séculos 9° e 11, restaram poucos elementos concretos, embora a Vucciria de Palermo se pareça pouco com um mercado ocidental. A era normanda, iniciada em 1061, propiciou brilhantes obras artísticas, como as catedrais de Monreale e Cefalù. Porém, o ecletismo da arquitetura desse período pode ser mais bem apreciado em Santi Pietro e Paolo, fora de Taormina.

O barroco siciliano dos séculos 17 e 18 é muito peculiar. Os palácios e igrejas de Palermo refletem o elaborado ritual da corte de vice-reis espanhóis e tendem para o extravagante. Em Noto, Ragusa, Modica, Siracusa e Catania, as construções compõem um rico mostruário da paixão siciliana por ornamentos, um traço remanescente do envolvimento da ilha com o mundo árabe. O estilo expressa a natureza dos sicilianos, apaixonados por pompa e extrema grandiosidade.

Na verdade, a Sicília ainda é um mistério, com legados do passado espalhados por toda parte. Por ser uma ilha, o impacto cultural de cada ocupante foi ainda mais intenso. Alguns chegam a dizer que há menos sangue italiano nas veias dos sicilianos do que fenício, grego, árabe, normando, espanhol ou francês. Essa mistura, exótica, provocante e altamente inflamável, criou uma nação à parte no pé da Itália.

Detalhe de um mosaico do século 12 do Palazzo dei Normanni, em Palermo

◁ **O preservado templo dórico da Concórdia (c. 430 a.C.), no Vale dos Templos, em Agrigento**

Como Explorar a Sicília

A extensa costa siciliana oferece diversas praias bonitas, sobretudo em Taormina e no Golfo di Castellammare, em San Vito Lo Capo –parte de uma enorme reserva natural. O variado interior da ilha caracteriza-se por isoladas cidades de montanha e planícies alternadas com cadeias de montanhas, famosas pelas flores da primavera e vida selvagem diversificada. No horizonte da ilha, destaca-se o monte Etna, cuja lava expelida durante séculos tornou fértil o solo siciliano, onde hoje florescem nogueiras, árvores de frutas cítricas e vinhedos.

Barcos pesqueiros em Siracusa

PRINCIPAIS ATRAÇÕES

Agrigento 10
Bagheria 3
Catânia 17
Cefalù 9
Enna 12
Erice 5
Marsala 6
Messina 14
Monreale págs. 530-1 2
Monte Etna 16
Noto 20
Palermo págs. 526-7 1
Pantalica 18
Piazza Armerina 11
Segesta 7
Selinunte 8
Siracusa 19
Taormina 15
Tindari 13
Trapani 4

Templo de Segesta ao longe

COMO CIRCULAR

A A19-E932 liga Palermo a Catania, a A18-E45 liga Catania a Messina e a A20-E90 liga Palermo e Messina. Pela A29-E90, chega-se ao lado oeste da ilha a partir de Palermo. Linhas de ferryboat vão de Messina a Reggio di Calabria e de Palermo a Gênova ou Nápoles. Entre as cidades grandes, há eficientes linhas de trem, mas para locais menores os ônibus são mais indicados. Catania, Palermo e Trapani têm aeroportos internacionais.

Duomo normando em Palermo

LEGENDA

- Rodovia
- Estrada em construção
- Estrada principal
- Estrada secundária
- Estrada vicinal
- Percurso com paisagem
- Ferrovia principal
- Ferrovia secundária
- Cume

VEJA TAMBÉM

• ***Onde Ficar*** págs. 600-2

• ***Onde Comer*** págs. 649-52

Palermo ❶

Detalhe da Cappella Palatina

Protegida entre o monte Pellegrino e o monte Alfano (a leste), Palermo fica em um anfiteatro natural chamado Conca d'Oro (Concha de Ouro). A cidade tem uma eclética mistura de influências orientais e europeias antigas, com estilos arquitetônicos que variam do àrabe ao normando, barroco e art nouveau. Este caldeirão cultural é único na Itália, o que faz desta exótica cidade um lugar incrível para se explorar.

Claustro em ruínas em frente da San Giovanni, com domos avermelhados

San Giovanni degli Eremiti

Via dei Benedettini. ***Tel*** *091 651 50 19. 9h-17h ter-dom.*

Refletindo a tradição arquitetônica islâmica nos domos em forma de bulbo, arcos com ponta e janelas filigranadas, esta igreja normanda (1132-48) foi erguida no lugar de uma mesquita. Na frente, podem-se ver as ruínas do claustro de um mosteiro do século 13, ao lado de um gracioso jardim.

Palazzo Reale

Piazza del Parlamento. ***Tel*** *091 626 28 33. 8h15-17h45 diariam (até 13h dom e feriados). Última admissão: 45mins antes de fechar.* **Cappella Palatina** *8h30-12h, 14h30-17h seg-sáb; 8h30-14h dom. durante as missas, Páscoa, 25 abr, 1° mai, 26 dez. dom.*

Também chamado de Palazzo dei Normanni, este local sedia o poder desde o período de dominação bizantina até hoje, abrigando o governo regional da Sicília. A parte central do edifício foi erguida pelos árabes, mas ampliada para acomodar a corte após a conquista normanda (1072). Observe os luxuosos aposentos reais (sobretudo a Sala di Ruggero) e a magnífica Cappella Palatina. Erguida por Rogério II (1132-40), esta linda capela mistura o estilo bizantino, o islâmico e o normando. Apresenta exuberante decoração com mosaicos, além de incrustações de ouro, pedras e vidros. Perto do palácio fica a Porta Nuova (1535), com decoração chamativa.

Gesù

Piazza Casa Professa 21. ***Tel*** *091 607 62 23. 7h-11h30, 17h-18h30 diariam (até 12h30 dom; ago: 7h-10h). durante as missas.*

Esta igreja barroca (1564-1633), também conhecida como a igreja da Casa Professa, é um exemplo do talento artesanal siciliano para esculpir e incrustar o mármore. É a igreja jesuíta mais antiga da Sicília, tendo sido restaurada após a Segunda Guerra.

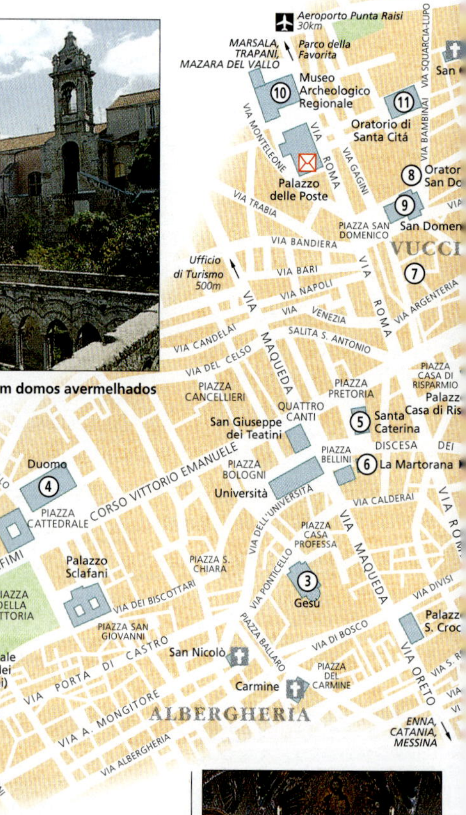

O suntuoso interior da Cappella Palatina, no Palazzo Reale

Exterior do Domo, com estilos diversos

PREPARE-SE

660.000. Punta Raisi 32km oeste. Stazione Centrale, Piazza Giulio Cesare. Via Balsamo. Stazione Marittima, Molo Vittorio Veneto. P. Castelnuovo 35 (091 605 81 11). seg-sáb. 10-15 jul: U Festinu para a padroeira da cidade, Santa Rosalia; 4 set: Procissão para a gruta de Santa Rosalia; Páscoa: celebrações católico-bizantinas na igreja Martorana.
www.palermotourism.com

Legenda dos símbolos *no final do guia*

PRINCIPAIS ATRAÇÕES

Duomo ④
Gesù ③
La Magione ⑭
La Martorana ⑥
Museo Archeologico Regionale ⑩
Oratorio del Rosario di San Domenico ⑧
Oratorio di San Lorenzo ⑫
Oratorio del Rosario di Santa Cità ⑪
Palazzo Abatellis e Galleria Regionale di Sicilia ⑬
Palazzo Reale ②
San Domenico ⑨
San Giovanni degli Eremiti ①
Santa Caterina ⑤
Villa Giulia ⑮
Vucciria ⑦

Duomo

Corso Vittorio Emanuele.
***Tel** 091 33 43 73. 7h-19h seg-sáb, 9h-17h30 dom e feriados. durante missa.*
Tesouro *9h30-13h30, 14h30-17h30 diariam.*
www.cattedrale.palermo.it

Fundada em 1184, a catedral da cidade exibe vários estilos arquitetônicos. Seu exterior mostra o desenvolvimento do estilo gótico nos séculos 13 e 14. O portal sul (1453) é uma obra-prima do estilo catalão, e no final da abside pode-se notar forte presença normanda na decoração de inspiração islâmica. O domo foi construído no século 18.

No interior da catedral, bastante alterado, encontram-se os túmulos dos reis da Sicília. Sob o pórtico sul, estão os restos mortais do imperador Frederico II; sua mulher, Constança de Aragão; sua mãe, Constança, filha de Rogério II (também enterrado aqui); e seu pai, Henrique VI. O Tesouro guarda o diadema imperial do século 12 que pertenceu a Constança de Aragão e foi retirado de seu túmulo no século 18.

Santa Caterina

Piazza Bellini. *9h30-13h diariam (verão: também 17h-19h seg-sáb).*

Apesar de iniciada em 1566, esta igreja apresenta decoração interna principalmente dos séculos 17 e 18. Importante exemplo do barroco de Palermo, a Santa Caterina tem esculturas e incrustações de mármore. Há afrescos ilusionistas, do século 18, no teto da nave (de Filippo Randazzo) e do domo (de Vito d'Anna). Ao lado da igreja fica a Piazza Pretorio, praça dominada pela monumental Fontana Pretorio, fonte maneirista erguida aqui em 1544.

Fontana Pretoria com Santa Caterina ao fundo

Como Explorar Palermo

A leste de Quattro Canti, onde a Via Maqueda encontra o Corso Vittorio Emanuele, concentram-se inúmeros palácios e igrejas. Atrás dessas construções, apertam-se labirínticos bairros medievais, que preservam vários edifícios antigos.

La Martorana

Piazza Bellini. **Tel** *091 616 16 92.* *8h-13h, 15h30-17h30 seg-sáb 8h30-13h dom, feriados (até 19h no verão).*

Também chamada Santa Maria dell' Ammiraglio, esta igreja foi erguida por volta de 1140 por Jorge da Antioquia, almirante de Rogério II. Com projeto de inspiração normanda e islâmica, ela possui mosaicos feitos possivelmente por artesãos gregos. Na ala direita, o rei Rogério recebe de Cristo o diadema imperial e na esquerda está Jorge da Antióquia. Aqui perto encontra-se um convento fundado em 1193 por Eloisa Martorana, onde, em 1295, o Parlamento da Sicília reuniu-se e decidiu passar a coroa da Sicília a Frederico de Aragão. A igreja foi doada ao convento em 1433.

Mosaico de *Cristo com Quatro Anjos*, no domo de La Martorana

Vucciria

Via Roma. *diariam.*

Em nenhum lugar de Palermo seu passado árabe é tão aparente como neste mercado medieval. Em estilo *casbah*, ele se situa no bairro de Loggia, abaixo da Via Roma. Mercadores, ambulantes, compradores e batedores de carteira se aglomeram onde antigamente ficavam os artesãos da cidade. Os nomes das ruas lembram os diferentes ofícios, como prateiro, tintureiro e chaveiro. Hoje, este é o maior mercado da cidade, com muitos utensílios e quinquilharias, além de boa variedade de frutas, verduras, peixes e carnes.

Interior em estuque do Oratorio del Rosario di San Domenico

Oratorio del Rosario di San Domenico

Via Bambinai 2. **Tel** *091 609 03 08 (para marcar hora).* *9h-13h diariam.*

O interior desta pequena capela, construída no século 16, exibe elegante decoração barroca do mestre do estuque Giacomo Serpotta. Criado em cerca de 1720-30, este foi o último e talvez o melhor trabalho do artista. A virtuosidade técnica de Serpotta, sem mencionar o prazer sensorial e a caprichosa fantasia presentes nesta obra, é impecável. A peça de altar é a famosa *Madona do Rosário* (1624-8) de Anthony Van Dyck, além de murais de Luca Giordano e Pietro Novelli.

San Domenico

Piazza San Domenico. **Tel** *091 32 95 88.* *9h-11h30 ter-dom (também 17h-19h sáb e dom).* **Claustro** *ligar antes.* **Museo del Risorgimento** **Tel** *091 58 27 74.* *9h-13h seg, qua, sex.* *ago.* **www**.storiapatria.it

A atual igreja começou a ser construída em 1640, mas já havia uma igreja dominicana aqui desde o século 14. Tommaso Maria Napoli, um dos mestres do barroco siciliano, criou a exuberante fachada (1726) da igreja e a praça (1724) em frente.

No interior da igreja, destaca-se o baixo-relevo de Antonello Gagini *Santa Catarina* (1528), na terceira capela à esquerda. Perto da igreja, encontra-se o claustro do século 14 que leva ao Museo del Risorgimento.

Museo Archeologico Regionale

Piazza Olivella 24. **Tel** *091 611 68 05.* *8h30-13h seg, 8h30-18h45 ter-sáb, 9h-13h dom e feriados.*

Abrigado em um antigo mosteiro dos Filippini, este é o museu mais importante da Sicília. Seu acervo reúne esculturas, fragmentos arquitetônicos, cerâmicas, vasos, bronzes, joias, peças de terracota e armas, todos retirados dos principais sítios arqueológicos da ilha, originados pelos fenícios, gregos e romanos: Tindari, Termini Imerese, Agrigento, Siracusa, Selinunte e Mozia. Destacam-se as esculturas dos frisos de templos gregos de Selinunte.

O barulhento mercado de Vucciria, a leste da Via Roma, em Palermo

Oratorio del Rosario di Santa Cità

Via Valverde 3. **Tel** *091 33 27 79 ou 091 609 03 08 (para marcar hora).* *9h-13h seg-sáb.*

Esta pequena capela foi dedicada à Virgem do Rosário após sua miraculosa intervenção na batalha de Lepanto *(págs. 58-9)*. A decoração com relevos em estuque foi realizada por Giacomo Serpotta (após 1688): o painel na parede posterior retrata a *Batalha*, e outros relevos mostram passagens do Novo Testamento. A igreja vizinha de Santa Zita (século 16), que deu nome à capela, abriga diversas esculturas (1517-27) de Antonello Gagini.

Interior do Oratorio di Santa Cità

Oratorio di San Lorenzo

Via Immacolatella 5. **Tel** *091 611 81 68.* *10h-18h diariam.*

Lindas cenas em estuque sobre a *Vida de São Francisco* e a *Vida de São Lourenço* decoram as paredes desta singela capela, além de figuras alegóricas e *putti* (anjos) de Giacomo Serpotta (1699-1706). Bastante expressivas, essas obras atestam a habilidade de seus artistas. *A Natividade com São Francisco e São Lourenço* (1609), de Caravaggio, foi roubada do altar em 1969. A capela esconde-se perto da igreja de San Francesco d'Assisi (século 13) é rica em esculturas. O destaque inquestionável da igreja é o arco triunfal, na Cappella Mastrantonio, criado em 1468 por Francesco Laurana e Pietro da Bonitate.

Palazzina Cinese (c.1799), no Parco della Favorita

Palazzo Abatellis e Galleria Regionale di Sicilia

Via Alloro 4. **Tel** *091 623 00 11.* *9h30-13h30 ter-sáb, 9h-12h30 dom e feriados (15h-19h30 ter, qui, sex).*

Matteo Carnelivari construiu este palácio no século 15, combinando o gótico tardio espanhol e do renascentista italiano. Hoje é lugar da Galleria Regionale di Sicilia, que inclui uma *Vergine Annunziate* (1476) de Antonello da Messina, um busto de mármore de Eleonor de Aragão (século 15), feito por Francesco Laurana. Aqui perto, na igreja Santa Maria degli Angeli (século 15), há obras de Antonello Gagini e Giacomo Serpotta.

***Vergina Annunziate* (1473), de Da Messina, na Galleria Regionale**

La Magione

Via Magione 44. **Tel** *091 617 05 96 ou 339 377 41 37 (móvel).* *8h45-11h45, 15h-18h seg-sáb; 8h45-12h30 dom.*

Restaurações revelaram a antiga estrutura desta igreja fundada em 1191 por Matteo d'Aiello, chanceler de Rogério II. Apresenta uma nave simples, cercada por colunas góticas. Merece uma visita.

Villa Giulia

Via Abramo Lincoln. *9h-17h diariam.* **Orto Botanico Tel** *800 90 36 31.* *nov-mar: 9h-17h diariam (até 14h dom), no verão fica aberta mais horas por dia.* *feriados.*

Os jardins clássicos desta *villa* foram criados no século 18. Quando tinham estátuas e fontes, evocavam o mundo antigo. Hoje estão diferentes, com vegetação tropical e um ar decadente. De qualquer forma, são uma boa opção para caminhadas. Ao lado, o Orto Botanico (jardim botânico) exibe lindas plantas tropicais e um ginásio em estilo neoclássico de Léon Dufourny (1789). Villa Giulia é o único parque na cidade.

Parco della Favorita

Entrada pela Piazza Leoni e Piazza Generale Cascino. *diariam.* **Museo Etnografico Siciliano Pitré**, Via Duca degli Abruzzi 1. **Tel** *091 740 48 90.* *8h30-19h30 sáb-qui.* *feriados.*

Criado como reserva de caça em 1799 pelo rei Fernando IV, da família dos Bourbon, este parque está cercado por aristocráticas mansões de tipo *villa*. Uma delas, a Palazzina Cinese (c.1799), foi construída em estilo chinês para Fernando III e Maria Carolina, irmã de Maria Antonieta da França. O Museo Etnografico Siciliano Pitré, nos estábulos desta *villa*, reúne objetos do dia a dia siciliano.

Monreale ❷

Capitel do claustro

Com rebuscada decoração e linda vista da Conca d'Oro, o Duomo de Monreale é uma das grandes atrações da Sicília normanda. Fundada em 1172 pelo rei normando Guilherme II, está ao lado de um mosteiro beneditino. O interior da catedral reluz através de seus lindos mosaicos feitos por artistas sicilianos e bizantinos, estimulados por um rei que queria competir com o arcebispo de Palermo. Como em Cefalù e posteriormente em Palermo, este local foi construído para abrigar o túmulo real.

★ Cristo Pantocrator

O desenho em cruz latina da catedral chama a atenção para o mosaico Cristo Todo Poderoso *(séculos 12 e 13).*

Abside externa

Com rica decoração colorida, feita em tufo e mármore, as três absides testemunham o apogeu da ornamentação normanda.

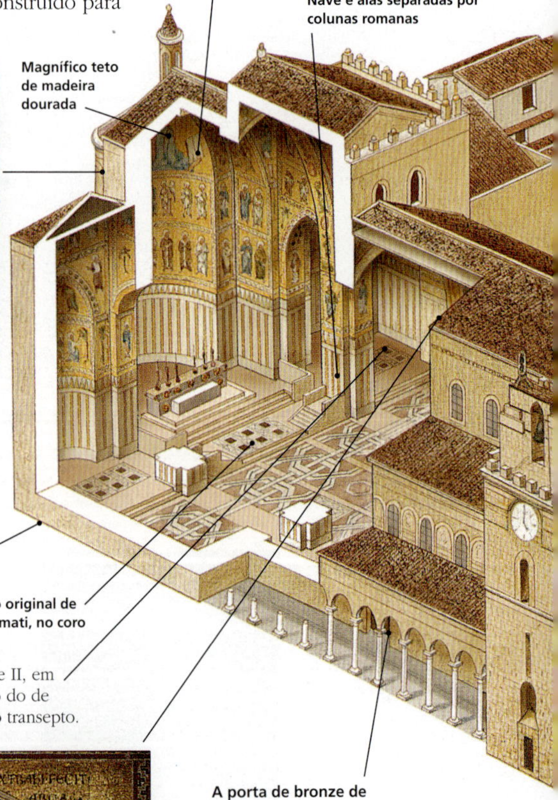

Nave e alas separadas por colunas romanas

Magnífico teto de madeira dourada

Entrada da Cappella del Crocifisso e do Tesouro

Piso original de Cosmati, no coro

Túmulo real de Guilherme II, em mármore branco, ao lado do de Guilherme I, no canto do transepto.

A porta de bronze de Barisano da Trani (1179), no lado norte, está protegida por um pórtico criado por Gian Domenico e Fazio Gagini (1547-69).

★ Ciclo de Mosaicos

Completados em 1182, os ricos mosaicos retrat[am] cenas do Velho Testamento *(nave),* Ensinamentos de Cristo *(corredores, coro e transeptos) e* Evangelhos *(absides laterais). Aqui aparece a* Arca de Noé.

Para hotéis e restaurantes nesta região, ver págs. 600-2 e págs. 649-52

★ Claustro
Obra-prima da arte normanda da época de Guilherme II, as colunas –lisas, entalhadas ou incrustadas com azulejos– do claustro apoiam elaborados capitéis de onde se elevam arcos em estilo sarraceno.

PREPARE-SE

Piazza Duomo. *389, 809, 8/9 e muitos outros no sentido oeste.* **Igreja *Tel*** *091 640 44 13.* *mai-set: 8h-18h; out-abr: 8h-12h30, 15h30-18h diariam.* **Claustro *Tel*** *091 640 44 03.* *9h-18h30 seg-sáb (13h30 feriados).* **Tesouro** *mai-set: 8h-18h; out-abr: 8h-12h30, 15h30-18h diariam.*

A muralha sul e o claustro do mosteiro beneditino foram preservados.

Pequena fonte de inspiração oriental

Colunas
Artesãos de Campanha, Puglia, Lombardia e Sicília trabalharam nas colunas do claustro. Neste detalhe, Adão e Eva.

O pórtico do século 18 está ladeado por duas torres.

Painéis da Porta
A linda porta de bronze, assinada por Bonanno da Pisa (1185), mostra 42 cenas bíblicas, com belas molduras. Este leão e grifo são os símbolos do reinado normando.

PONTOS ALTOS

- ★ Ciclo de Mosaicos
- ★ Cristo Pantocrator
- ★ Claustro

Bagheria ❸

Palermo. 50.000. FS
Pro Loco, Corso Umberto I (091 90 90 20). *qua.*
www.comune.bagheria.pa.it

Hoje, Bagheria é quase um bairro de Palermo, apesar dos laranjais e oliveiras, que um dia separaram os dois lugares. No século 17, Giuseppe Branciforte, príncipe de Butera, construiu aqui uma casa de verão, lançando uma moda rapidamente seguida por outros aristocratas de Palermo. O centro da cidade destaca-se pelas muitas mansões em estilo barroco e neoclássico.

A **Villa Palagonia** foi criada em 1705 pelo arquiteto Tommaso Maria Napoli para Ferdinando Gravina, príncipe da Palagonia. Ainda hoje ostenta marcantes elementos arquitetônicos, como a complexa escadaria externa que leva ao primeiro andar e às salas principais com formatos diferentes, dispostas ao redor de um eixo curvo. Posteriormente, outro príncipe decorou a parede com monstros de pedra, que chamaram a atenção do viajante do século 18 Patrick Brydone e aterrorizaram Goethe, que também passou por aqui e chamou o lugar de "manicômio da Palagonia". Do outro lado da *piazza*, fica a **Villa Valguarnera** (século 18) e a **Villa Trabia** (século 18), ambas fechadas ao público. Na **Villa *Cattolica*** (século 18), há um acervo de arte moderna.

Estátua da Villa Palagonia

Villa Palagonia
Piazza Garibaldi 3. ***Tel*** *091 93 20 88.*
diariam (exceto celebrações).

Villa Cattolica
Via Consolare. ***Tel*** *091 94 39 02.*
ter-dom.

Barcos de pesca e passeio ancorados no porto de Trapani

Trapani ❹

70.000. FS *Piazza Scarlatti 1 (0923 290 00).* *diariam.*
www.apt.trapani.it

Situada em uma península, Trapani destaca-se principalmente por suas igrejas, em particular a catedral de **San Lorenzo** (1635) e a **Chiesa del Collegio dei Gesuiti** (cerca de 1614-40). As fachadas de ambas e a do **Palazo d'Ali** (século 17), no Corso Vittorio Emanuele, exibem com precisão a intensidade da arquitetura barroca siciliana ocidental.

A **Purgatorio**, do século 17, na Via San Francesco d'Assisi, abriga as *Misteri* – estátuas realistas em tamanho natural usadas anualmente na procissão da Sexta-Feira Santa. Visite também a **Santa Maria del Gesù**, na Via Sant'Agostino, e observe a *Madonna degli Angeli*, de Andrea della Robbia (1435-1525), e o dossel (1521) de Antonello Gagini. No bairro judaico, a oeste da Via XXX Gennaio, encontra-se o **Palazzo della Giudecca** (século 16), com inusitada fachada.

O **Museo Pepoli** exibe amplo acervo local de antiguidades. De especial interesse são as peças do coro e os presépios. Perto do museu, o **Santuario di Maria Santissima Annunziata** abriga a *Madonna di Trapani*, que tem a devoção de muitos pescadores e marinheiros por seus poderes milagrosos.

Museo Pepoli
Via Conte Agostino Pepoli.
Tel *0923 55 32 69.* *9h-13h30 seg-sáb, 9h-12h30 dom e feriados (também 15h-17h30 ter e qui.*

Escadaria a céu aberto da extravagante Villa Palagonia, em Bagheria

Para hotéis e restaurantes nesta região, ver págs. 600-2 e págs. 649-52

Erice ❺

Trapani. *29.000.* *Conte a Repoli 11 (0923 86 93 88).* *seg.*

Situada em um penhasco, acima de Trapani, esta cidade era local de culto à Vênus de Erice, deusa da fertilidade. Seu templo ficava onde hoje está o castelo normando, perto dos jardins da **Villa Balio**. Em dias claros, pode-se ver até a Tunísia. A antiga cidade de Eryx foi renomeada como Gebel-Hamed pelos árabes, Monte San Giuliano pelos normandos e finalmente Erice por Mussolini.

O **Duomo** (século 14) exibe um pórtico do século 15 e um campanário com ameias. No interior da catedral, está a bela *Madona e Menino* (c. 1469), atribuída a Francesco Laurana ou Domenico Gagini.

A **San Giovanni Battista** (século 13), na Viale Nunzio Nasi, abriga *São João Evangelista* (1531), de Antonello Gagini, e *São João Batista* (1539), de Antonino Gagini. A **San Cataldo**, uma construção do século 14 na Via Cataldo, guarda uma pia de água benta de Domenico Gagini (c.1474). No **Museo Cordici** pode-se ver a *Anunciação* (1525), pintada por Antonello Gagini, além de muitas ruínas clássicas e uma velha biblioteca.

Museo Cordici
Piazza Umberto I.
Tel *0923 86 91 72.*
8h-13h30 ter, qua e sex; 8h30-13h30, 14h30-17h30 seg e qui.

Típica rua medieval na pequena cidade de Erice

ILHAS DA SICÍLIA

Ao redor da Sicília despontam vários grupos de ilhas. As Ilhas Eólias (Isole Eolie), que incluem Panarea, Lipari, Vulcano e Stromboli, são topos de vulcões, a maioria extintos, na costa de Milazzo. As Ilhas Égadi (Isole Egadi), na costa de Trapani, preservam peculiar atmosfera árabe. Pertencem ao grupo Favignana, Levanzo –onde podem-se ver desenhos e pinturas paleolíticas e neolíticas– e Marettimo, a menor e menos explorada de todas. Ao norte de Palermo está Ustica, famosa por sua natureza marinha, que atrai mergulhadores. Ao sul ficam as Ilhas Pelagie –Lampedusa e Linosa. Deslumbrantes, mas ainda pouco visitadas, apresentam fortes características norte-africanas. Pantelleria, por exemplo, está mais próxima da Tunísia do que da Sicília.

A maior e mais apreciada *das Eólias é Lipari, que conta com um belo porto e boa variedade de hotéis. Perto dela, Vulcano oferece banhos de lama e lindas praias de areias brancas.*

Em Favignana, *a maior e mais populosa das Égadi, ainda ocorre* la mattanza, *uma tradicional pesca de atum. Há séculos ela é realizada em maio. Ao lado, pescadores voltam da pescaria com os barcos cheios.*

Parte das Ilhas Pelagie, *Lampedusa pertenceu à família de Giuseppe Tomasi di Lampedusa, autor do famoso romance siciliano* O Leopardo. *A ilha fica perto de Malta e tem águas límpidas e praias brancas.*

Marsala ❻

Trapani. 👥 *78.000.* FS 🚌 ⛴ ℹ *Via XI Maggio 100 (0923 71 40 97). ter.* 🖳 **www**.consorziovinomarsala.it

A cidade portuária de Marsala é famosa pelo vinho do mesmo nome, produzido desde o século 18. Começou a ganhar fama em 1798, quando o almirante inglês Nelson encomendou grande quantidade da bebida após a batalha do Nilo. Inicialmente, três famílias inglesas que viviam na Sicília cuidavam da produção. Uma das velhas casas onde se produzia o vinho abriga atualmente o **Museo Archeologico di Baglio Anselmi**, que expõe objetos fenícios.

Estátua de um jovem grego no Museo di Mozia

Entre outras atrações, estão as ruínas de **Lilybaeum**, um posto fundado pelos fenícios em 397 a.C. Ele foi povoado por sobreviventes do massacre promovido por Dionísio I de Siracusa, em Mozia (antiga Motya). Esta ilha era usada pelos fenícios como centro comercial. O principal destaque, entretanto, são os remanescentes de um navio púnico, que parece ter participado da Primeira Guerra Púnica (263-241 a.C.). O **Museo di Mozia**, na Villa Whitaker, abriga a escultura de um jovem grego, do início do século 5° a.C. As escavações feitas aqui são muito importantes, pois o que se sabe hoje sobre os fenícios deve-se aos relatos da Bíblia e à Mozia. O **Duomo** começou a ser construído no século 17 no lugar de uma igreja dedicada ao padroeiro de Marsala, são Tomás Becket. O interior da catedral está repleto de esculturas da família Gagini –Antonio, Domenico, Antonino e Antonello. O **Museo degli Arazzi**, atrás do Duomo, reúne tapeçarias de Bruxelas do século 16, de lã e seda.

Museo Archeologico di Baglio Anselmi
Via Lungomare. ***Tel*** *0923 95 25 35.* ◯ *9h-18h diariam.*

Museo degli Arazzi
Via Garaffa 57. ***Tel*** *0923 71 13 27.* ◯ *9h-13h, 14h-18h ter-dom.*

Museo di Mozia
Isola di Mozia. ***Tel*** *0923 71 25 98.* ◯ *9h-13h, 15h-18h diariam.*

Segesta ❼

Trapani. 👥 *7.500.* 🚌 *de Trapani e Palermo.* ***Tel*** *0924 95 58 41.* ◯ *9h-18h diariam (até 16h no inverno).*

Segundo a lenda, a antiga cidade de Segesta –em grande parte ainda não escavada– foi fundada pelos seguidores troianos de Eneias. Daqui se tem uma das mais espetaculares vistas da ilha: um belo e inacabado **templo**, esquecido sobre uma remota montanha. A construção foi iniciada entre 426 e 416 a.C. e nunca terminou, pois em 409 a.C. Selinunte foi destruída pelos cartagineses. Os arqueólogos consideram o templo um exemplo de "trabalho em curso". Perto daqui, junto ao cume do monte Barbaro, podem ser visitadas as ruínas de um teatro do século 3° a.C., onde são realizados shows musicais no verão.

O inacabado templo dórico de Segesta, com localização espetacular

Selinunte ❽

Trapani. ***Tel*** *0924 462 77.*
FS *Castelvetrano e depois ônibus* ◯ *9h-18h diariam (até 16h no inverno).* ● *tardes dom.*

Fundada em 651 a.C., Selinunte tornou-se uma das grandes cidades da Magna Grécia –a parte do Sul da Itália que foi colonizada pelos antigos gregos. Hoje suas ruínas estão entre os sítios históricos mais importantes da Sicília.

Seu antigo nome, Selinus, deriva de um planta que ainda cresce por aqui. Selinus era um importante porto, e suas muralhas de defesa ainda podem ser vistas ao redor da acrópole. Os cartagineses, comandados por Aníbal, destruíram completamente a cidade em 409 a.C. em uma batalha famosa por sua crueldade.

A cidade praticamente desapareceu, mas oito de seus templos resistiram, sobretudo os chamados **Templos do Leste** (E, F e G). As colunas do enorme **Templo E** (490-480 a.C.) foram parcialmente reerguidas. O **Templo F** (cerca de 560-540 a.C.) está em ruínas. O **Templo G** (final do século 6° a.C.), que tinha 17 colunas laterais, foi um dos maiores templos gregos já erguidos.

Mais alto, na acrópole, estão as ruínas dos **Templos A, B, C, D** e **O**. Uma escultura da métope do **Templo C** (início do século 6°), originalmente localizada no friso entre os tríglifos, pode ser vista no Museo Archeologico Regionale em Palermo *(pág. 528)*, ao lado de cerâmicas, joias e outros artefatos retirados daqui. No local, um pequeno **museu** abriga achados menos importantes. Há outro acervo em Castelvetrano, 14km ao norte de Selinunte. A cidade antiga ainda está sendo escavada; você pode ver seu **Portão Norte** e, mais ao norte, uma **necrópole**.

Cefalù 9

Palermo. 14.000. *Corso Ruggero 77 (0921 42 10 50).* *sáb.*
www.cefalu.it

Esta bela cidade litorânea, com boas praias e numerosos hotéis e restaurantes, destaca-se pela enorme rocha conhecida como **La Rocca** –onde ficava o Templo de Diana– e por uma das mais belas catedrais normandas da Sicília. O **Duomo** começou a ser construído em 1131 por Rogério II, para ser o principal templo religioso da Sicília. Embora o objetivo não tenha sido alcançado, a catedral nunca perdeu o esplendor. Muitos consideram seus magníficos mosaicos (1148), como a imagem de *Cristo Pantocrator* na abside, uma pura obra de arte bizantina em solo siciliano.

O **Museo Mandralisca** abriga o belo *Retrato de um Homem* (1465), de Antonello da Messina, e um acervo de moedas, cerâmicas, vasos e pedras.

Fachada com duas torres do Duomo normando em Cefalù

Museo Mandralisca
Via Mandralisca. ***Tel*** *0921 42 15 47.*
9h-13h, 15h-19h diariam (verão: até mais tarde).
www.museomandralisca.it

Abside do Duomo, em Cefalù

Agrigento 10

57.000. *Via Empedocle 73 (0922 203 91); Piazzale Aldo Moro (0922 204 54).* *sex.*
www.comune.agrigento.it

A moderna Agrigento ergueu-se no local de Akragas, importante cidade do mundo grego antigo, que, segundo a lenda, foi fundada por Dédalo. Famosa pelo luxuoso modo de vida de seus habitantes, era poderosa rival de Siracusa. Em 406 a.C. caiu em poder dos cartagineses, que a saquearam e incendiaram.

O centro histórico da cidade, com suas estreitas ruas medievais, concentra-se na Via Atenea. A igreja de **Santo Spirito** (século 13) abriga estuques de Giacomo Serpotta (1695). A **Santa Maria dei Greci** foi construída sobre os escombros de um templo do século 5° a.C., como indicam as colunas planas da nave. O **Duomo**, fundado no século 14 e alterado nos séculos 16 e 17, exibe rica mistura de detalhes árabes, normandos e catalães.

Arredores: A principal razão para visitar Agrigento é a área arqueológica conhecida como Vale dos Templos *(pág. 536)*. O **Museo Regionale Archeologico** expõe uma interessante variedade de objetos dos templos e da cidade, entre eles um curioso acervo de vasos, moedas e esculturas gregas e romanas.

Museo Regionale Archeologico
Contrada San Nicola, Viale Panoramica.
Tel *0922 40 15 65.* *9h-19h diariam (até 13h30 dom e seg).*

A MÁFIA SICILIANA

Organização internacional fundada na Sicília, a Máfia surgiu em um contexto em que o Estado era cruel e a pobreza imensa. No fim do século 19, já era uma organização criminosa baseada na especulação de propriedades e no tráfico de drogas. Desde a confissão de Tommaso Buscetta (extraditado do Brasil) e a captura de Totò Riina, ela vem tentando escapar de um Estado que redobra esforços para contê-la. O chefão, Bernardo Provenzano foi preso em 2006 depois de 43 anos como "chefe dos chefes".

A violência não se dirige contra os turistas.

Máfia em ação em cena do filme *O Poderoso Chefão III* (1990)

Vale dos Templos

Ao sul de Agrigento, o Vale dos Templos (Valle dei Templi) é um dos mais impressionantes complexos de construções gregas antigas existentes fora da Grécia. Seus templos dóricos, que remontam ao século 5° a.C., foram destruídos em parte pelos cartagineses em 406 a.C., em parte pelos cristãos, no século 6°, que consideravam os templos pagãos. Terremotos causaram outros danos. Atualmente, nove dos dez templos ainda são visíveis e a região inteira pode ser percorrida em apenas um dia. Para evitar as multidões, visite de manhã cedo (alguns abrem às 8h30) ou no fim da tarde.

Templo de Hefesto ①
Com exceção de algumas esculturas incompletas ainda em pé, muito pouco resta deste templo, de 430 a.C. Também é chamado Templo de Vulcano.

Santuário das Divindades Ctônicas ②
Neste conjunto de templos, eram cultuadas as forças da natureza.

Templo de Zeus do Olimpo ④
Iniciado em 480 a.C., este foi o maior templo dórico jamais construído. Inacabado na época do ataque cartaginês, é hoje uma ruína derrubada. Figuras gigantes conhecidas como "telamones" foram usadas na construção.

Templo de Hércules ⑥
Este é o templo mais antigo do vale (final do século 6° a.C.).

Templo de Juno ⑧
Erguido em cerca de 450 a.C., este templo preservou várias colunas intactas.

Túmulo de Theron ⑤
Aqui estão as ruínas de um túmulo romano (século 1°).

Templo de Castor e Pólux ③
Há indícios de que este templo tenha sido montado com partes de outras construções no século 19. A moderna Agrigento (pág. 535) aparece ao fundo.

LEGENDA

- - - Percurso sugerido
P Estacionamento
— Muralhas antigas

0 metros 500

Templo da Concórdia ⑦
Este preservado templo (430 a.C.) foi convertido em uma igreja cristã no século 4°, e por isso escapou da destruição.

Piazza Armerina ⓫

Enna. 21.000. Via Generale Muscara (0935 68 02 01). qui.
www.piazzaarmerina.org

Parte medieval, parte barroca, Piazza Armerina é uma cidade animada. Em seu ponto mais alto, ergue-se o **Duomo** (século 17), sua construção barroca mais interessante. Em agosto, o animado festival *Palio dei Normanni* atrai muitos visitantes, mas a principal atração, listada pela Unesco, são os mosaicos da **Villa Romana del Casale**, 5km a sudoeste, que só foram explorados no século 20.

Acredita-se que esta enorme *villa,* muito suntuosa no passado, com suas salas, termas e pátios, tenha pertencido a Maximiano, co-imperador de Diocleciano, entre 286 a 305. Seu filho e sucessor, Maxêncio, teria continuado a decoração, sendo substituído na tarefa, após sua morte em 312, por Constantino.

Embora pouco tenha restado do local, o piso é decorado com alguns dos mais lindos mosaicos remanescentes da Antiguidade romana. As cenas mitológicas, domésticas e de caça e as paisagens destacam-se pelo realismo de seus detalhes.

Villa Romana del Casale
Contrada Casale. ***Tel*** *0935 68 00 36.* *9h-16h sex-dom.*

Garotas retratadas em um mosaico romano, na Villa Romana del Casale

Enna ⓬

28.000. FS Piazza Colaianni 6 (0935 50 08 75). ter.
www.apt-enna.com

Enna era o local de culto a Deméter, a deusa da fertilidade. A mais alta cidade (942m) da Sícilia, ela fica em um penhasco acima dos férteis campos onde Perséfone, filha de Deméter, costumava brincar. O templo dedicado à deusa ficava na **Rocca Cerere**, perto do **Castello di Lombardia** (século 13), construído por Frederico II. Ao longo de sua história, a cidade sofreu sucessivas invasões. Muitas das atrações de Enna estão reunidas no centro da cidade antiga, entre as ruas que saem da Via Roma. A igreja de **San Francesco** exibe uma torre do século 16. A **Piazza Crispi**, com bela vista da vizinha Calascibetta, destaca-se por uma cópia de *O Rapto de Proserpina*, de Bernini. O **Duomo** do século 14, modificado nos séculos posteriores, guarda partes do templo de Deméter. O **Museo Alessi** abriga o tesouro da catedral e uma coleção de moedas. O **Museo Varisano** exibe registros da história local –do período neolítico ao romano. Afastada do centro, a **Torre di Federico II** é uma torre de observação (século 13), com forma octogonal.

Arredores: A cidade antiga de **Nicosia**, situada nas montanhas a nordeste de Enna, foi afetada pelo terremoto de 1967, mas mantém algumas igrejas. San Nicola, do século 14, tem um magnífico portal de entrada e, no interior, o venerado crucifixo de madeira (século 17) de Frei Umile di Petralia. Santa Maria Maggiore abriga um políptico de mármore do século 16, de Antonello Gagini, e um trono que pode ter sido usado por Carlos V em 1535. Mais a leste está **Troina**, que em 1602 foi tomada pelos normandos, cuja marca sobrevive na Chiesa Matrice. A sudeste de Enna, **Vizzini** proporciona lindas vistas das redondezas.

Museo Alessi
Via Roma 475. ***Tel*** *0935 50 31 65.* *8h-20h diariam.*

Museo Varisano
Piazza Mazzini. ***Tel*** *0935 528 100.* *9h-18h30 diariam.*

Vizzini no alto da colina, a sudeste de Enna

Teatro grego de Taormina, muito bem situado, com o monte Etna ao fundo

Tindari ⓭

Messina. *Tel 0941 24 11 36.* *Patti ou Oliveri e depois ônibus.* *9h-19h diariam (até 16h inverno).*

No alto de um penhasco com lindas vistas do Golfo di Patti, encontram-se as ruínas de **Tyndaris**, uma das últimas cidades gregas fundadas na Sicília (395 a.C.). Com exceção das muralhas, as ruínas são romanas, entre elas a **basílica** e o **teatro**. No **antiquarium**, há objetos do local. O ingresso permite visitar a **Villa Romana** na Marina Patti. Tindari destaca-se sobretudo pelo santuário a uma imagem bizantina, a **Madona Negra**, na Piazzale Belvedere.

Messina ⓮

250.000. *Piazza Cairoli 45 (090 293 52 92).* *diariam.* **www**.azienturismomessina.it

Messina sofreu terremotos e bombardeios da Segunda Guerra. O **Museo Regionale** abriga muitos tesouros, incluindo trabalhos de Antolello da Messina e Caravaggio. A **Santissima Annunziata dei Catalani**, na Piazza Catalani, exemplifica o ecletismo típico da arquitetura normanda do século 12, com rica decoração. Para visitar o interior da igreja, peça ao centro de informações turísticas. Veja também a **Fontana d'Orione** (1547) de G. A. Montorsoli, é a mais bela fonte em seu estilo da Sicília do século 16. A **Fontana di Nettuno** (1557) comemora a fundação de Messina e sua importância como porto comercial.

Museo Regionale
Via della Libertà 465. ***Tel** 090 36 12 92.* *9h-13h30 qui-ter (12h30 dom e feriados; qui, sáb e ter também à tarde).*

Madona e Menino **(1473), de Antonello da Messina, Museo Regionale**

Taormina ⓯

Messina. *10.000.* *Palazzo Corvaja, Piazza Santa Caterina (0942 232 43).* *qua.* **www**.gate2taormina.com

Esplendidamente situada, Taormina, com suas praias de areia e muitos restaurantes e hotéis, consegue ser o resort siciliano mais conhecido, sem perder o ar de exclusividade.

Sua relíquia mais famosa é o **teatro**. Iniciado no século 3º a.C. pelos gregos, foi reconstruído pelos romanos. Também merecem atenção as ruínas do **odeon** (local para apresentações musicais) e a **naumachia** (lago artificial para falsas batalhas navais). Na Piazza Vittorio Emanuele (local do fórum romano), o **Palazzo Corvaia** foi construído no século 14 com pedras de um antigo templo do local. O **Duomo** (construído no século 13 e reformado em 1636) lembra uma fortaleza.

Arredores: A principal praia de Taormina, **Mazzarò**, é de fácil acesso e possui mar claro e bonito. Ao sul de Taormina, em **Capo Schisò**, estão as ruínas da antiga **Náxos**. A oeste fica o **Gole dell'Alcantara**, um desfiladeiro de basalto de 20m de profundidade, com um rio gelado e quedas d'água.

Para hotéis e restaurantes nesta região, ver págs. 600-2 e págs. 649-52

Monte Etna 16

Catânia. FS *para Linguaglossa ou Randazzo; ferrovia Circumetnea de Catânia para Riposto.* 🚌 *para Nicolosi.* ℹ *P. Vittorio Emanuele 32, Nicolosi (095 91 44 88). Para guias: 095 791 47 55.* **www**.apt.catania.it/etna/index.html

O mais alto (3.370m) e ativo vulcão da Europa, o Etna era considerado pelos romanos a oficina de Vulcano, deus do fogo. Para subir até o cume, deve-se contratar um guia experiente.

A ferrovia Circumetnea, que circula a base do monte, é uma ótima opção para a subida, além de oferecer belas vistas.

Catânia 17

315.000. ✈ FS 🚌 ℹ *Via Cimarosa 10 (095 73 06 211).* *seg-sáb (geral); dom (antiguidades e bricabraque).* **www**.apt.catania.it

Dizimada por um terremoto em 1693, Catânia foi reconstruída e, apesar de não ser uma cidade bonita, abriga algumas das construções mais criativas do barroco da Sicília. Da **Piazza del Duomo**, que exibe um elefante de lava (símbolo da Catânia) carregando um obelisco egípcio, tem-se uma maravilhosa vista do Etna. Em 1736, o **Duomo** normando recebeu uma nova fachada de Vaccarini, que também trabalhou no **Municipio** (1741), na fachada de **Sant'Agata** (1748) e no projeto do **Collegio Cutelli**, construído por volta de 1779, além do **Palazzo Valle** (c. 1740-50).

Fachada do Duomo de Catânia

Stefano Ittar seguiu a tradição de Vaccarini para criar a **San Placido** (1768). Os entalhes de pedra no **Palazzo Biscari** (início do século 18) perdem apenas para a decoração feita por **Antonino Amato** no convento beneditino (1704) e na adjacente igreja de **San Niccolò** (1730). Na Via Vittorio Emanuele, estão o **Museo Belliniano**, situado no local onde nasceu o compositor Vincenzo Bellini (1801-35). As ruínas de lava do **Teatro Romano** (21 a.C.) estão em Piazza Stesicono. A **Casa di Verga**, residência do romancista siciliano Giovanni Verga (1840-1922), fica na Via Sant' Anna. Na Via Crociferi estão as igrejas do século 18 de **San Francesco Borgia, San Benedetto e San Giuliano**, cujos interiores são uma obra-prima (1760) de Vaccarini. Mais adiante, na Via Crociferi, a igreja de **Santo Carcere** preserva a prisão de santa Ágata, martirizada em 253.

A TRADICIONAL CULINÁRIA SICILIANA

A Sicília tem uma das cozinhas mais variadas da Itália. Sua localização singular, entre o Norte da África, a Europa e o leste do Mediterrâneo, e os diversos invasores contribuíram com a diversidade culinária. O mais antigo livro ocidental de culinária (atualmente perdido), *A Arte de Cozinhar*, do século 5º a.C., foi escrito por Mithaecus, um grego de Siracusa. A fertilidade da Sicília atraiu os colonizadores gregos, que exportavam óleo, trigo, mel, queijo, frutas e verduras para sua terra natal. Os árabes introduziram as laranjas, limões, berinjelas e a cana-de-açúcar. Apaixonados por doces, inspiraram a criação da *granita* –gelo com sabor–, e da *cassata* –o bolo com ricota e frutas cristalizadas. Os sicilianos gostam de atribuir aos árabes a origem do sorvete, mas os gregos e romanos já tinham criado uma versão anterior misturando vinho com a neve do Etna. No passado, os aldeões tinham uma dieta de subsistência enquanto a aristocracia desfrutava extravagantes delícias culinárias. Hoje, uma das marcas da comida siciliana é unir trivialidade e bela apresentação. Podem-se provar aqui todos os típicos pratos italianos, mas são mais atraentes os que usam ingredientes locais como peixe-espada, sardinha, ricota, pimenta vermelha, berinjela, alcaparra, azeitonas e pasta de amêndoas.

Colorida banca de frutas e legumes em uma feira na Sicília

Frutas de marzipã

Vista da praia de Mazzarò, perto de Taormina ▷

Litoral de Siracusa, uma das mais belas cidades do mundo grego antigo

Pantalica 18

Siracusa. *De Siracusa a Sortino e depois 5km a pé (acesso parcial) ou ônibus de Siracusa para Feria e depois 10km a pé.* **Necrópole** *Pro Loco, Ferla* ***Tel*** *0931 87 01 36.*

Isolada nos Monti Iblei e com vista para o rio Anapo, a **necrópole** pré-histórica de Pantalica é um local agradável para caminhadas e piqueniques. Os mortos desta cidade inexplorada (ocupada pelos romanos entre os séculos 13 e 8° a.C.) eram enterrados em túmulos escavados na rocha. Mais de 5.000 destes foram dispostos em fileira e cobertos com uma pedra chata. Acredita-se que os moradores de Pantalica tenham origem em **Thapsos**, na costa, cidade abandonada após ataques de tribos guerreiras vindas do continente italiano.

O local voltou a ser habitado no período bizantino, quando alguns túmulos foram transformados em casas e capelas. O Museo Archeologico Regionale de Siracusa exibe objetos da necrópole.

Túmulos escavados na rocha na necrópole de Pantalica

Siracusa 19

125.000. *Via Maestranza (0931 46 42 55).* *qua.*

Interior do Duomo de Siracusa

Siracusa foi a cidade mais importante e poderosa da Grécia entre os séculos 5° e 3° a.C. e, segundo Cícero –o cônsul romano–, a mais bela de todas. A península de **Ortigia** era o eixo da antiga cidade. Em sua parte continental, **Achradina, Tyche e Neapolis** têm uma história de ocupação quase sem intervalos desde a expansão da cidade em 480 a.C., sob Gelon, tirano de Gela. Foi com ele que Siracusa cresceu e ganhou novos templos, teatros e um porto. A cidade se manteve uma potência até 211 a.C., quando os romanos a conquistaram em uma batalha na qual morreu o matemático Arquimedes, o mais famoso dos habitantes de Siracusa.

O destaque de Ortigia é o extraordinário **Duomo**, iniciado em 1728 pelo arquiteto Andrea Palma. A fachada barroca esconde o **Templo de Atena** (século 5° a.C.), incorporado pelo Duomo. Em frente à Puonte Nuovo estão as ruínas do mais antigo dos templos dóricos, o **Templo de Apolo**, que tinha colunas monolíticas.

Em frente ao Duomo ficam o **Palazzo Beneventano del Bosco** (1778-88), um belo exemplo do barroco de Siracusa, e **Santa Lucia alla Badia** (1695-1703). Em Municipio, um pequeno museu registra a história dos templos jônicos, e a coleção de moedas da Gallerie Numismatica registra o rico passado de Siracusa. A bela **Fonte Aretusa** é frequentemente citada pelos escritores clássicos como o local onde Aretusa emergiu do solo e foi transformada em fonte por Ártemis para fugir de Alfeu.

No ponto mais afastado de Ortigia fica o **Castello Maniace**, erguido por Frederico II em cerca de 1239. Aqui também se encontra a **Gallerie Regionale di Palazzo Bellomo**, com belas esculturas e pinturas, como o *Enterro de Santa Lúcia* (1608), de Caravaggio.

O quadro estava originalmente na igreja de **Santa Lucia**, em Achradina, numa área arrasada durante a Segunda Guerra Mundial. Mas a igreja, uma construção predominantemen-

Para hotéis e restaurantes nesta região, ver págs. 600-2 e págs. 649-52

te do século 17, conseguiu escapar das bombas. Tem um interessante campanário normando e ocupa o lugar onde santa Lúcia, padroeira de Siracusa, foi martirizada em 304. Hoje Achradina é o centro da Siracusa moderna.

Ao norte, em Tyche, fica o **Museo Archeologico Regionale Paolo Orsi**, com seu importante acervo de objetos que vão do período paleolítico até a era bizantina, retirados de sítios arqueológicos da Sicília. Entre eles veem-se vasos, moedas, objetos votivos, bustos, esculturas e fragmentos de templos de Siracusa.

O bairro de Neapolis e seu **Parco Archeologico** abrigam o Teatro Romano, o altar de Hieron II e o espetacular Teatro Greco, talhado na montanha. Atrás do Nymphaeum ficam o anfiteatro romano do século 2° e a pedreira Latomia del Paradiso –que tem a **Orelha de Dionísio**. Acredita-se que 7.000 atenienses ficaram presos aqui e deixados à morte em 413 a.C., em uma batalha descrita por Tucídides como "a maior ação da história helênica".

Arredores: Em **Epipolae**, a 8km ao norte de Neapolis, o **Castelo de Euryalus** é a mais importante fortificação grega que sobreviveu.

Gallerie Regionale di Palazzo Bellomo
Palazzo Bellomo, Via Capodieci 14. *Tel 0931 695 11.* *9h-18h30 ter-dom.*

Museo Archeologico Regionale Paolo Orsi
Viale Teocrito 66. Tel 0931 46 40 22. 9h-19h ter-dom (até às 14h dom) entrada até 1h antes fechamento.

Noto 20

Siracusa. *24.000.* *Piazza XVI Maggio (0931 83 67 44).* *seg e 1ª e 3ª ter mês.* **www**.comune.noto.sr.it

Noto foi fundada no início do século 18 para substituir Noto Antica, cidade devastada por um terremoto em 1693. Suas construções, em estilo barroco, utilizam a tufa branca local, calcário que adquire tonalidade marrom após a exposição

Fachada do Duomo de Noto, no alto de uma escadaria

ao sol. Noto é patrimônio mundial da Unesco, mas muito de sua beleza está escondida atrás dos andaimes devido à restauração em curso.

O **Duomo** de duas torres (concluído na década de 1770) é obra de Rosario Gagliardi. Ele projetou também a fachada do seminário de **San Salvatore** (século 18) na Piazza Municipio, a fachada convexa de **San Domenico** (por volta de 1732) na Piazza XVI Maggio e o interior oval de **Santa Chiara** (1730), no Corso Vittorio Emanuele. O belo **Palazzo Trigona** (1781) situa-se na Via Cavour, atrás do Duomo. O **Palazzo Villadorata** (década de 1730), na Via Nicolaci, destaca-se pela fachada decorada com figuras esculpidas. Na extremidade norte da Via Nicolaci, o **Mosteiro de Montevergine** exibe uma notável fachada. Em meados de maio há aqui a Infiorata, um famoso festival de flores. A igreja do **Crocifisso** (1728), também de Gagliardi, está no alto da cidade e abriga uma escultura da *Madona* feita por Francesco Laurana (1471). O **Municipio** (década de 1740), em frente ao Duomo, conta com belo piso "ondulado".

Arredores: O terremoto de 1693 destruiu também as cidades de **Modica**, a cerca de 30km a oeste, e **Ragusa** um pouco mais adiante. Como Noto, ambas foram reconstruídas segundo o rico estilo barroco local. Gagliardi atuou em ambas as cidades: criou a **San Giorgio** de Modica (século 18) e a **San Giorgio** de Ragusa (iniciada por volta de 1746), uma obra-prima. A **San Giuseppe** (século 18) de Ragusa também é sua.

Esculturas da fachada do Palazzo Villadorata, em Noto

SARDENHA

Esquecida no tempo e na história, segundo o escritor inglês D.H. Lawrence, a Sardenha parece realmente seguir um tempo que marcha mais lento, preservando ricas tradições da Europa antiga –legado das invasões dos fenícios, cartagineses, romanos, árabes, bizantinos, espanhóis e saboianos.

As variadas tradições da Sardenha se manifestam em muitas festas –algumas cristãs e outras com raízes pagãs. Diversos dialetos e línguas são falados na região. O catalão pode ser ouvido em Alghero, enquanto na ilha de San Pietro fala-se um dialeto ligúrio. Na verdade, há até reminiscências fenícias. No sul predominam as influências espanholas, enquanto nas montanhas de Gennargentu sobrevivem a língua e outros traços culturais nativos. Povoada por pastores em comunidades isoladas, esta região é tão impenetrável que foi desprezada até mesmo pelos invasores.

Especialmente interessantes são os castelos, aldeias, templos e túmulos *nurague*, do período pré-histórico, que se espalham pelo interior –sobretudo ao redor de Barumini, no norte de Cagliari, e no Valle dei Nurague, ao sul de Sassari. As casas *nurague* foram construídas por um povo cuja origem constitui um dos maiores mistérios do Mediterrâneo. Em Cagliari, a capital da Sardenha, há um museu com excelente acervo arqueológico, que dá algumas pistas sobre esse enigmático grupo.

Sassari, Oristano, Alghero e Olbia são centros locais, com personalidade própria. Algumas notáveis igrejas em estilo românico de Pisa estão localizadas ao redor de Sassari, onde vários dialetos revelam a estreita ligação com as línguas da Toscana. Olbia é uma cidade em ascensão, que está enriquecendo graças ao turismo e à proximidade com a badalada Costa Esmeralda. Ao contrário, em Sober Nuoro, na sombra das montanhas Gennargentu, vê-se pouco da Sardenha dos folhetos turísticos.

Descanso durante o dia em Carloforte, na ilha de San Pietro, perto de Sant'Antioco

◁ Baía de Simius, a leste de Cagliari, na ponta sudeste da Sardenha

Como Explorar a Sardenha

A ilha de "Sardegna", como é chamada em italiano, caracteriza-se por um interior com colinas cobertas de *macchia* –vegetação composta de murta, tomilho selvagem, figos-da-índia e carvalho-anão– e um litoral de mar claro, enseadas solitárias, cavernas e extensas praias de areia. As montanhas Gennargentu, onde fica o cume da ilha, com 1.834m de altitude, servem de proteção para uma área quase impenetrável, formada por aldeias rurais. A nordeste, as montanhas dão lugar à Costa Esmeralda, a mais disputada da Sardenha. Mais ao sul, o litoral ao redor do golfo di Orosei revela-se razoavelmente inexplorado. Na região de Oristano, a oeste, a paisagem é plana até a planície de Campidano –onde se cultivam o milho da ilha, frutas e verduras.

Ruínas nurague, em Su Nuraxi, perto de Barumini

PRINCIPAIS ATRAÇÕES

- Alghero ❸
- Bosa ❹
- Cagliari ❾
- Cala Gonone ❻
- Costa Esmeralda ❶
- Nuoro ❺
- Oristano ❼
- Sant'Antioco ❽
- Sassari ❷

Cena típica nas ruas de Alghero

VEJA TAMBÉM

- ***Onde Ficar*** págs. 602-3
- ***Onde Comer*** pág. 652-3

Costa rochosa da ilha de San Pietro, a noroeste de Sant'Antioco

LEGENDA

- Estrada principal
- Estrada em construção
- Estrada secundária
- Estrada vicinal
- Percurso com paisagem
- Ferrovia principal
- Ferrovia secundária
- Cume

Extremo sul das montanhas Gennargentu

COMO CIRCULAR

Ferryboats partem de diversos portos do continente italiano em direção a Cagliari, Olbia e Porto Torres. Voos charters internacionais e domésticos utilizam os aeroportos de Cagliari, Olbia e Alghero. A S131 praticamente atravessa a ilha, mas se desvia das montanhas Gennargentu, acessíveis apenas por passagens sinuosas. Ramificações da S131 levam até Olbia e Nuoro. Linhas expressas de ônibus ligam as cidades maiores, enquanto as cidades menores são ligadas por tranporte público mais lento e menos frequente.

A linda Costa Esmeralda, com o perfume de *macchia*

Costa Esmeralda ❶

Sassari. FS *Olbia.* *Porto Cervo.* *AAST La Maddalena, Cava Civetta (0789 73 63 21); AAST Palau, Via Nazionale 94 (0789 70 95 70).* **www**.quicostasmeralda.it

A *Costa Smeralda* era um lugar selvagem até ser descoberta por um grupo de magnatas, nos anos 50, tornando-se um dos balneários mais ricos do mundo. Hoje é frequentada por milionários, bilionários, pop stars e a realeza. Estendendo-se do Golfo di Cugnana ao Golfo di Arzachena, tem como principal cidade **Porto Cervo**, onde não faltam butiques, clubes noturnos, ótimos restaurantes e hotéis de luxo.

Arredores: Siga para o norte até a **Baia Sardinia** e **Cannigione**. A partir de Palau, saem ferryboats para **La Maddalena** e **ilha Caprera**, lar de Garibaldi e do **Museo Nazionale Garibaldino**.

Museo Nazionale Garibaldino
Frazione Caprera, La Maddalena.
Tel *0789 72 71 62.* *9h-13h30 ter-dom.* *1º jan, 1º mai, 25 dez.*

Sassari ❷

130.000. FS *Viale Caprera 36 (079 29 95 44; 079 29 94 15).* *seg.* **www**.comune.sassari.it

Fundada por mercadores de Gênova e de Pisa no início do século 13, Sassari é famosa por sua festa *Cavalcata Sarda*, no dia da Ascensão, e por ser local da primeira universidade da Sardenha. Apresenta uma área medieval, rica em igrejas, concentrada ao redor do **Duomo** (século 11, com acréscimos barrocos). Ao norte, fica a bela **Fonte Rosello**, do fim do Renascimento. O **Museo Archeologico Nazionale "GA Sanna"** é um bom ponto de partida para desvendar a fascinante história *nurague* da região.

Fachada da Santissima Trinità di Saccargia

Arredores: Na direção sudeste pela S131 fica uma igreja em estilo românico de Pisa, a **Santissima Trinità di Saccargia** (1116), com o único ciclo de afrescos do século 13 remanescente na Sardenha. Mais adiante, encontra-se a igreja de **San Michele di Salvenero**, do século 12 e, em **Ardara**, a **Santa Maria del Regno**, uma igreja em estilo românico feita de basalto, chamada de "catedral negra".

Museo Archeologico Nazionale "GA Sanna"
Via Roma 64.
Tel *079 27 22 03.* *9h-19h30 ter-dom.*

Alghero ❸

Sassari. *41.000.* FS *Lungomare Dante 1 (079 97 59 96).* *qua.* **www**.comune.alghero.it

Fundada por genoveses no início do século 12 em uma península da baía de Alghero, a cidade foi conquistada pelos aragoneses em 1353 e depois povoada por colonizadores de Barcelona e Valência. Os primeiros habitantes –lígures e sardenhos– foram eliminados completamente, o que explica o fato de a aparência da antiga Alghero ser basicamente espanhola. Até está ocorrendo uma revalorização da língua e da cultura catalãs.

Com um labirinto de vielas e ruas de pedras, o animado porto da cidade antiga está totalmente cercado por muralhas com ameias e torres de defesa, com exceção do lado voltado para a costa. Na frente do Giardino Pubblico fica a **Torre di Porta Terra**, do século 16, também conhecida como Torre Judaica em homenagem a seus construtores. Nos arredores da cidade antiga podem-se ver mais torres, entre elas a **Torre dell' Espero Reial** e a **Torre San Giacomo** em Lungomare Colombo, além da **Torre della Maddalena**, na Piazza Porta Terra.

No **Duomo** do século 16, no final da Via Umberto, predomina o estilo gótico catalão – pode ser visto um portal aragonês. Na Via Carlo Alberto, a

Casa típica de Alghero

Para hotéis e restaurantes nesta região, ver págs. 602-3 e págs. 652-3

Área portuária de Bosa

San Francesco (século 14) preserva um belo claustro e um campanário octogonal. A **San Michele**, em estilo barroco, exi-be um belo domo com azu-lejos. Na Via Principe Umberto fica a **Casa Doria**, onde viveram os governantes locais antes da chegada dos hispânicos. A casa tem um lindo portal renascentista e uma janela gótica com arcos.

Arredores: Pegue um barco ou um carro (a volta é muito íngreme) até a espetacular **Grotta di Nettuno**, perto do Capo Caccia, e à **Grotta Verde**, nas proximidades.

Bosa ❹

Nuoro. 8.500. FS
Pro Loco, Via Azuni 5 (0785 37 61 07). ter.
www.comune.bosa.nu.it

Esta graciosa cidade fica na foz do único rio navegável da Sardenha, o Temo. O bairro histórico de **Sa Costa** formou-se na encosta de uma colina, coroada pelo **Castello di Serravalle** (1122), erguido pela família Malaspina. As estreitas passagens e vielas da cidade mudaram pouco desde a Idade Média. Junto do rio encontra-se a área de **Sas Conzas**, onde ficavam as casas e oficinas dos artesãos. Ao longo do rio, o cosmopolita bairro de **Sa Piatta** abriga o Duomo (século 15), em estilo gótico aragonês, e a **San Pietro Extramuros** (século 11), com estilo românico, mas fachada gótica acrescentada pelos monges cistercienses.

NURAGUES NA SARDENHA

A maior característica da Sardenha são os cerca de 7.000 *nuragues* espalhados pela ilha. Erguidas entre 1800 e 300 a.C., estas estranhas estruturas cônicas foram construídas com enormes blocos de basalto extraídos de vulcões extintos. Até hoje, pouco se sabe sobre a identidade do povo *nurague*. Acredita-se que se destacavam por sua organização e grande habilidade de engenharia, a se julgar por suas obras, mas aparentemente não deixaram nenhum tipo de escrita. O mistério que cerca esse povo tem intrigado os sardenhos há séculos.

Os nuragues *individuais eram pequenos. Alguns, equipados com poços e mecanismos de defesa, serviam como fortalezas.*

Su Nuraxi em Barumini *(acima), Serra Orrios, perto de Dorgali, e Santu Antine, em Torralba, estão entre os conjuntos* nurague *mais importantes. Foram descobertos casas, templos, túmulos e até um teatro.*

Esta figura de bronze, *representando um herói com quatro olhos e quatro braços, está entre as diversas peças descobertas nos sítios arqueológicos nuragues.*

A escritora Grazia Deledda, ganhadora do Nobel, nasceu em Nuoro

Nuoro ❺

38.000. FS Piazza d'Italia 19 (0784 300 83). sex e sáb. 29 ago: Sagra del Redentore. www.enteturismo.nuoro.it

Lindamente localizada aos pés do monte Ortobene e do belo Supramonte, Nuoro é o lar de Grazia Deledda, Prêmio Nobel de Literatura em 1926 por seu retrato do dia a dia do poder e das paixões nas comunidades primitivas que a rodeavam.

Um amplo acervo étnico, que inclui trajes regionais e joias, pode ser visto no excelente **Museo della Vita e delle Tradizioni Popolari Sarde**. Assistir à tradicional festa de *Sagra del Redentore* é o melhor modo de conhecer os dialetos e danças ainda vivos na região.

Arredores: Nuoro situa-se no extremo da região de Barbagia, com aldeias de pastores totalmente isoladas pelas impenetráveis montanhas **Gennargentu**. Esta região era conhecida pelos romanos como a Barbaria, uma área que eles jamais conquistariam. Traços da tradicional insubmissão de Barbagia podem ser vistos em **Orgosolo**, nos murais que reivindicam a independência da Sardenha. Clãs rivais se dedicaram a sangrentas vinganças por quase 50 anos, e atos de bandidagem acabaram se tornando parte do folclore local.

Na *Festa dos Mamuthones*, em **Mamoiada**, homens usando máscaras sinistras e trajes tradicionais apresentam uma dança ritual que termina com um "assassinato" simbólico. O fervor durante o evento indica a força do folclore tradicional.

Museo della Vita e delle Tradizioni Popolari Sarde
Via Mereu 56. ***Tel*** *0784 24 29 00.*
9h-13h, 15h-19h diariam.

Cala Gonone ❻

Nuoro. *800. Pro Loco, via Lamormara 108, Dorgali (0784 962 43). diariam. a partir de Dorgali para as grutas (abr-meados out).* ***Tel*** *0784 933 05.*

A leste de Nuoro, entre o mar e as montanhas, fica o vilarejo de Cala Gonone –agitado balneário à beira-mar e porto de pesca, com belas praias. Na costa pouco explorada veem-se as solitárias enseadas de **Cala Luna**, ligada a Cala Gonone por uma trilha bem demarcada, que leva duas horas para ser percorrida, e **Cala Sisine**. A famosa **Grotta del Bue Marino**, com linda formação rochosa, só é acessível por barco.

Arredores: ao sul, as vilas de **Urzulei, Baunei** e **Santa Maria Navarrese**, ao longo da espetacular rodovia SS125 até Tortoli, oferecem paisagens espetaculares.

Entrada para a Grotta del Bue Marino, ao sul de Cala Gonone

Oristano ❼

Cagliari. *32.000.* FS *EPT, Piazza Eleonora 1 (0783 791 306); Pro Loco, Via Vittorio Emanuele 8 (0783 706 21). ter e sex.*

Tharros, perto de Oristano

Oristano parece corresponder à histórica Arboréa, governada por Leonor *(pág. ao lado)*. A estátua do século 18, situada na **Piazza Eleonora**, homenageia a heroína. No Corso Vittorio Emanuele ficam a **Casa di Eleonora** (século 16) e, perto desta, o **Antiquarium Arborense**, que reúne peças neolíticas, **nuraque**, púnicas e romanas. A **Torre di San Cristoforo** (1291), na Piazza Roma, fez parte das fortificações de Oristano. O **Duomo** (século 13) foi reconstruído no estilo barroco. Mais interessantes são a igreja de **Santa Chiara** (1343), na Via Garibaldi, e a de **San Martino** (século 14), na Via Cagliari.

Arredores: A **catedral** da cidade de Santa Giusa, construída no século 12 em estilo românico de Pisa, tem colunas que

Para hotéis e restaurantes nesta região, ver págs. 602-3 e págs. 652-3

Balneário de Carloforte, capital de Isola di San Pietro

podem ter sido trazidas de Tharros, um povoado púnico do século 8° a.C. cujas ruínas ficam 20km a oeste de Oristano, na península Sinis.

Antiquarium Arborense
Palazzo Parpaglia. ***Tel*** *0783 79 12 62.* *9h-14h, 17h-20h diariam.*

Sant'Antioco ❽

Cagliari. FS *Pro Loco Piazza Repubblica 31a (0781 84 05 92).*

A principal cidade da costa sudeste da Sardenha é **Sant'Antioco**. Antigo porto fenício e importante base romana, ela preserva indícios dessas ocupações nas catacumbas –local de sepultamento dos fenícios, usado mais tarde pelos cristãos– sob a basílica **Sant'Antioco Martire**, do século 12. No **Museo Archeologico** podem ser vistos objetos fenícios. O **Tophet** (santuário da deusa Tanit) e a necrópole ficam perto daqui. De Calasseta pode-se pegar um ferryboat até a pequena **Ilha di San Pietro**.

Catacumbas
Piazza Parrocchia. ***Tel*** *0781 830 44.* *9h-12h, 15h30-18h diariam.* *apenas.*

Museo Archeologico
Via Regina Margherita 113. ***Tel*** *0783 744 33.* *9h-14h, 15h-20h diariam.* *1° jan, Páscoa, 8, 25 e 26 dez.* *(também Tophet e necrópole).*

Cagliari ❾

250.000. FS
Piazza Matteotti 9 (070 66 92 55).
diariam; também dom (mercado-de-pulgas) e 2° dom mês (antiguidades).
www.esit.net

Capital da Sardenha, Cagliari foi ocupada por fenícios, cartagineses e romanos –grandes ruínas da cidade fenícia de Nora podem ser vistas a sudoeste daqui. O **anfiteatro** do século 2° sobrevive desde a era romana, esculpido na rocha. Para conhecer a história antiga da cidade vá até a **Cittadella dei Musei**, antigo arsenal real, que abriga vários museus, incluindo o **Museo Archeologico Nazionale**. O principal destaque do acervo são as peças *nuragues*, especialmente as estatuetas de bronze. Também na Cittadella dei Musei está a **Pinacoteca** de arte. O centro antigo de Cagliari apresenta encantadores traços norte-africanos. No bairro alto de **Castello**, os romanos e posteriormente os habitantes de Pisa construíram suas defesas. O gracioso **Bastione San Remy**, na Piazza Costituzione, oferece belas vistas da cidade e dos arredores. O **Duomo** é uma versão do século 20 de uma construção românica. Ao lado da entrada, ficam dois púlpitos do século 12, originalmente destinados à catedral de Pisa.

Aqui perto se encontra a **Torre San Pancrazio** (século 14). Da **Torre dell'Elefante**, parcialmente em ruínas na Via dell' Università, até o porto, estende-se o bairro da **Marina**, com origem na cidade antiga dos séculos 16 e 17. Na Piazza San Cosimo, a igreja **San Saturnino**, do século 6°, é um monumento à ocupação bizantina.

A igreja de San Saturnino, do século 6°, em Cagliari, apresenta plano em cruz grega

Anfiteatro
Viale Sant'Ignazio. ***Tel*** *070 68 40 00.* *9h-17h (verão: 9h-13h, 15h30-19h30) ter-dom.*

Cittadella dei Musei
Piazza Arsenale. ***Tel*** *070 68 40 00.*

Museo Archeologico Nazionale
9h-20h ter-dom.
Pinacoteca ***Tel*** *070 66 24 96.* *9h-20h ter-dom.* *1° jan, 1° mai, 25 dez.*

LEONOR DE ARBORÉA

Grande contestadora das regras estrangeiras, Leonor foi *giudicessa* (juíza) de Arboréa, uma das quatro divisões administrativas da Sardenha, entre 1383 e 1404. Seu casamento com Brancaleone Doria consolidou os interesses genoveses na Sardenha. Ela reuniu as ilhas para conter os invasores espanhóis que tentavam reivindicar a terra dada ao rei aragonês Jaime II. Seu grande legado foi a conclusão do código de leis iniciado por seu pai. Escrito em idioma da Sardenha, ele estipulou a divisão dos bens no casamento e o direito a indenização em caso de estupro.

CREMERI
COCKTAIL BAR

INDICAÇÕES AO TURISTA

ONDE FICAR

Turistas do mundo todo visitam a Itália, e a maioria dos italianos passa as férias em seu país, sobretudo nas montanhas e praias. Portanto, há variedade de opções de hospedagem, desde esplêndidos hotéis instalados em antigos *palazzi* ou casas históricas até albergues ou *pensioni* de famílias. A maioria das cidades grandes oferece *Bed and Breakfast*. Quem preferir pode alugar uma imponente *villa* (mansão) da Toscana ou algum flat construído para abrigar turistas, perto dos balneários litorâneos. Os hotéis italianos são famosos pelos altos preços e serviços a desejar, mas sempre é possível encontrar boas alternativas em todas as categorias. Os hotéis listados nas páginas 558-603 foram selecionados por cobrar preços adequados a seus serviços, considerando itens como ambiente, conforto e localização.

Placa de hotel de 3 estrelas

O Gritti Palace, um dos históricos palazzi de Veneza *(pág. 560)*

CLASSIFICAÇÃO

Na Itália, os hotéis são classificados em categorias de uma a cinco estrelas. Os critérios usados priorizam as instalações ao ambiente e variam de região a região.

Pode ser que alguns hotéis tenham menos estrelas do que mereçam, seja porque a central de turismo local não atualizou a classificação, seja porque o próprio estabelecimento prefere evitar impostos mais elevados.

ALBERGHI

Albergo significa hotel –no plural, *alberghi*– e em geral designa os locais de categoria mais alta. O tamanho dos quartos varia bastante: no centro da cidade, até mesmo nos hotéis mais caros, eles costumam ser pequenos. Fora das cidades, porém, é provável que pareçam com uma pequena suíte. Os *alberghi* oferecem chuveiros em todos os quartos, e muitos, inclusive alguns hotéis-butique, têm instalações de spa e fitness.

PENSIONI

Embora o termo *pensione* não seja mais usado como termo oficial, ainda designa os hotéis de uma ou duas estrelas, geralmente pequenos e administrados por uma família. Como regra, oferecem excelentes padrões de limpeza e hospitalidade, serviço cordial e quartos básicos, mas totalmente funcionais. Como as *pensioni* costumam ficar em edifícios antigos e históricos, às vezes, são um pouco barulhentos, têm encanamento problemático e pouca iluminação nos quartos. Muitos não têm áreas comuns, a não ser uma sala de café da manhã com poucos móveis. A maioria oferece alguns quartos com chuveiro, mas raramente banheiras. Se você pretende voltar tarde, deve checar se haverá alguém para abrir a porta, pois nem todas as *pensioni* têm porteiro após a meia-noite ou uma da manhã. Muitos dão aos hóspedes uma cópia da chave.

Placas de rua indicando a localização de hotéis

Se for se hospedar durante o inverno, pergunte se há aquecimento central, pois mesmo no sul, faz frio de novembro a fevereiro.

Também pode acontecer de você encontrar o termo *locanda*, sobretudo no Norte e Centro do país. Tradicionalmente designava uma espécie de estalagem que oferecia comida barata e acomodação para os viajantes, mas hoje é sinônimo de *pensione*.

REDES DE HOTEL

Há diversas redes de hotel italianas luxuosas, além das internacionais. Os hotéis da **NH Hoteles** são bem adequados para quem viaja a negócios, e sempre há um ou dois deles nas maiores cidades. Os da rede **Starwood Westin e Best Western** correspondem mais aos hotéis de luxo das redes internacionais, e os da **Notturno Italiano** são econômicos. Acomodações em locais como um castelo, *villa* ou mosteiro são oferecidas pela **Relais et Châteaux**.

◁ Café na Piazza Navona, em Roma

O romântico hotel La Pagoda, em Nervi, Gênova *(pág. 573)*

INFRAESTRUTURA

Em geral, os hotéis italianos oferecem menos recursos do que os de outros países. O ar-condicionado, por exemplo, é raro nos hotéis com menos de cinco estrelas. O mesmo ocorre com o serviço de quarto 24 horas.

Na alta estação, alguns hotéis podem insistir na pensão completa *(pensione completa)* ou meia pensão *(mezza pensione)*, mas convém recusar: há menos que o hotel seja muito isolado, há várias opções de lugar para refeições nas redondezas. O café da manhã dos hotéis de quatro e cinco estrelas consiste em um grande bufê; as *pensioni* servem café, biscoitos ou brioches, manteiga e geleia. Prefira o café em um bar, uma simpática tradição italiana.

Ao pedir um quarto para dois, especifique se deseja duas camas de solteiro *(letti singoli)* ou uma cama de casal *(matrimoniale)*. Com exceção dos hotéis caros, os demais oferecem chuveiros em vez de banheiras.

CRIANÇAS

Para os italianos, como para os brasileiros, é muito comum viajar com crianças. Nem sempre há instalações específicas, mas a garotada é bem recebida, ao contrário de outros países europeus. Alguns dos hotéis mais baratos não têm berços, mas quase todos, dos mais simples aos mais luxuosos, ficarão felizes em oferecer uma cama pequena em um quarto duplo para acomodar a família. Em geral, cobram uma taxa extra de 30% a 40% por cama adicional. Nos hotéis grandes, é comum o serviço de babá.

PREÇOS

Como regra, na Itália, os hotéis não costumam ser baratos, mas os valores variam consideravelmente, dependendo do local e da época. Os serviços de reservas on-line, cada vez mais comuns, oferecem preços melhores, e os sites dos próprios hotéis às vezes trazem ofertas especiais.

O preço se refere a um quarto, incluídos imposto e taxa de serviço. Varia de 60 euros (quarto duplo sem banheiro) a pelo menos 80 (com banheiro, mesmo que o hotel seja simples). Um quarto individual custa cerca de dois terços do quarto duplo. Fora das grandes cidades, por 100 euros o visitante pode encontrar conforto e algumas vezes até charme, mas não espere nenhum tipo de luxo. Hotéis com instalações variadas, localização central agradável e charme histórico costumam custar a partir de 210 euros. Nas cidades grandes e nos balneários, os preços podem subir um pouco.

Nos hotéis maiores normalmente há grande diferença entre os quartos padrão e as suítes de luxo; e isso se reflete no preço. O mesmo acontece nos quartos com vista ou terraço. Quem quer tranquilidade deve evitar quartos voltados para a rua nos movimentados centros das grandes cidades.

Nos balneários, a diferença entre a alta e a baixa estação pode chegar algumas vezes a 100% ou mais. Pela lei, os hotéis devem afixar os preços em cada quarto.

Além disso, preste atenção nas despesas extras: os preços do bar e as taxas de estacionamento, lavanderia e telefonemas feitos do quarto.

Hotel Sant' Anselmo, em Roma *(pág. 587)*

RESERVAS

Reserve com a máxima antecedência possível, sobretudo se fizer questão de comodidades, como quarto com vista especial, longe da rua ou com banheira. Dois meses costumam ser um bom prazo, mas durante a alta estação os hotéis mais procurados podem estar totalmente reservados meio ano antes. No mês de agosto, o movimento é muito grande nos balneários litorâneos e, em fevereiro, as cidades de montanha ficam lotadas. O mesmo ocorre nas cidades, de acordo com seu calendário cultural *(págs. 66-9)*.

Na reserva, será pedido um depósito, em geral efetuado por cartão de crédito (mesmo onde não seja aceito cartão para a conta final) ou ordem de pagamento. Segundo a lei italiana, o hotel deve dar recibo *(ricevuta fiscale)* no pagamento final, que deve ser guardado até o fim da viagem.

Hotel Tornabuoni Beacci, Florença

Entrada do Vaulted Art Nouveau, um hotel em Florença

RECEPÇÃO E SAÍDA

Ao chegar ao hotel, o recepcionista pedirá seu passaporte para registrar sua estada na polícia. É uma formalidade e o documento será devolvido em duas horas.

A diária costuma ir até o meio-dia –hotéis menores podem fechar a conta mais cedo. A maioria dos hotéis permite que o turista deixe as bagagens em um lugar seguro, para pegá-las mais tarde.

Al Sole, Veneza *(pág. 561)*

HOSPEDAGEM RURAL

São várias as opções de hospedagem no interior da Itália. Você pode hospedar-se em uma fazenda, em uma *villa* (mansão tradicional, cercada por um belo jardim) ou ainda em um chalé de montanha. Pode também escolher um hotel. No total, são mais de duas mil opções que fazem parte do esquema do **Agriturismo**. Muitas mansões do tipo *villa* e castelos oferecem instalações de alta qualidade, bem conservadas. Mas você também pode optar por um quarto simples de uma fazenda. Os atrativos são variados: alguns estabelecimentos têm excelentes restaurantes que servem produtos locais, enquanto outros oferecem atividades como pesca e passeios a cavalo *(pág. 658)*. Sobretudo na alta estação, pode haver uma exigência de período mínimo para a estada. Procure o livreto *Agriturist* nas centrais de informação turística de Roma, nos escritórios regionais e em bancas e livrarias. Outra opção são as chamadas *residenze*, encontradas nas listas de acomodação da **ENIT**. São uma alternativa intermediária entre um hotel e as acomodações independentes. Costumam oferecer instalações para cozinhar e serviços de restaurante.

Se você tem planos de ficar vários meses na região, procure uma agência de aluguel de apartamentos no centro comercial das cidades ou nas páginas amarelas *(Pagine Gialle)*, no item *Immobiliari*.

HOSPEDAGEM ECONÔMICA

Os albergues da juventude são uma boa opção para quem não quer gastar muito. O preço da diária é de cerca de 12 euros por pessoa, bem inferior ao das *pensioni* mais baratas. As acomodações são em quartos coletivos masculinos ou femininos, e as instalações extras costumam ser limitadas. Ainda no Brasil, você pode se informar e fazer reservas na **Federação Brasileira de Albergues da Juventude**. Na Itália, procure a Associação Internacional de Albergues da Juventude (**AIG**) ou os centros de informação turística que também informam sobre os albergues particulares.

Outra opção econômica é alugar um quarto em uma casa de família– geralmente o quarto vago pelo filho que não mora mais com os pais. Acomodações do tipo bed and breakfast estão aumentando, mas, como a qualidade varia, procure apenas as bem recomendadas.

Mesmo sem fazer cursos, você pode se alojar em uma universidade italiana, principalmente no verão, quando os alunos residentes estão em férias. Procure o **Centro Turistico Studentesco**.

Uma opção tranquila são os conventos ou mosteiros que recebem hóspedes. Os quartos são limpos e, em geral, situados em local quieto. Mas as regras são rígidas: a maioria tem toque de recolher bem cedo e não admite hóspedes de outro sexo, mesmo quando acompanhados de seus cônjuges. Os escritórios regionais da **ENIT** dão mais informações.

Barco carrega a bagagem de turistas para um hotel, em Veneza

CABANAS E CAMPINGS

Nas regiões montanhosas da Itália há várias cabanas *(rifugio)* que oferecem acomodação básica ao turista, principalmente para quem gosta de caminhadas e trilhas. A maioria pertence e é administrada pelo **Club Alpino Italiano**, sediado em Milão.

Ainda nas montanhas, e também no litoral, outra opção são os campings. Além da área para barracas e trailers, muitos oferecem acomodação em bangalôs. A maioria conta com água encanada, eletricidade, local para lavar roupas e restaurante. Os campings à beira-mar também costumam oferecer opções de lazer, como piscinas, aluguel de barcos e equipamentos náuticos e quadras de tênis.

Um refúgio nas alturas dos Alpes Valsesianos

Mansão San Michele, antigo mosteiro em Fiesole, Toscana *(pág. 580)*

O **Touring Club Italiano** publica uma lista completa das opções em *Campeggi e Villaggi Turistici in Italia*, assim como o **Federcampeggio**.

DEFICIENTES FÍSICOS

Poucos hotéis na Itália oferecem estrutura adaptada para receber portadores de deficiência. Esses poucos estão indicados com um símbolo na lista de hotéis nas *págs. 558-603*. Porém, a maioria dos hotéis faz o possível para tentar acomodar bem usuários de cadeiras de rodas, escolhendo quartos no térreo ou em andar baixo e ajudando a subir escadas e elevadores.

MAIS INFORMAÇÕES

O órgão nacional de turismo italiano (**ENIT**) publica uma lista das opções de hospedagem de cada região. O material é reeditado todo ano, mas nem sempre atualizado (é bom checar antes). Reservas podem ser feitas na APT (Azienda Provinciale per il Turismo).

AGENDA

GERAL

ENIT (Ente Nazionale Italiano per il Turismo)
Via Marghera 2-6, 00185 Roma.
Tel *06 497 11.*
Fax *06 446 33 79.*
www.enit.it

Italian State Tourist Board
1 Princes Street, Londres W1B 2AY.
Tel *020 7408 1254.*
Fax *020 7399 3567.*
www.italiantouristboard.co.uk

REDES DE HOTÉIS

Best Western Hotels
Tel *800 820 080.*
www.bestwestern.it

NH Hoteles
Tel *800 017 703.*
www.nh-hotels.com

Notturno Italiano
Tel *0578 31 118.*
Fax *0578 315 75.*
www.notturnoitaliano.it

Relais & Châteaux
Tel *02 6269 0064.*
www.relaischateaux.com

Starwood Westin
Tel *800 79 05 25.*
www.starwoodhotels.com

HOSPEDAGEM RURAL

Agriturismo
Corso Vittorio Emanuele II 101, 00186 Roma.
Tel *06 685 23 37.*
Fax *06 685 24 24.*
www.agriturist.it

CABANAS E CAMPINGS

Club Alpino Italiano
Via E Petrella 19, Milão.
Tel *02 205 72 31.*
www.cai.it

Federcampeggio
Via Vittorio Emanuele 11, 50041 Calenzano, Florença.
Tel *055 88 23 91.*
www.federcampeggio.it

Touring Club Italiano
Corso Italia 10, 20122 Milão. ***Tel*** *02 852 61.*
www.touringclub.it

HOSPEDAGEM ECONÔMICA

AIG (Associazione Italiana Alberghi per la Gioventù)
Via Cavour 44, 00184 Roma.
Tel *06 487 11 52.*
Fax *06 488 04 92.*
www.aighostels.com

Centro Turistico Studentesco
Via Solferino 6 A, 00185 Roma.
Tel *06 462 0431.*
Fax *06 4620 4326.*
www.cts.it

Bed and Breakfast
www.bed-and-breakfast.it

Federação Brasileira de Albergues da Juventude - FBAJ
Tel *(21) 2286-0303*
www.hostel.org.br
@ info@hostel.org.br

Como Escolher um Hotel

Os hotéis neste guia foram selecionados dentro de uma ampla gama de preços, por sua tarifa compatível, localização, conforto ou estilo excepcional. Estão agrupados por região, começando pelo norte e seguindo para o sul. Veja os mapas de ruas de Veneza, Florença e Roma nos capítulos correspondentes.

CATEGORIAS DE PREÇO
Preços referentes a apartamento de casal por noite, incluindo café da manhã, taxas e serviços:

€ menos de 85 euros
€€ 85-150 euros
€€€ 150-250 euros
€€€€ 250-350 euros
€€€€€ mais de 350 euros

VENEZA

CANNAREGIO Al Saor €
Calle Zotti 3904/A, 30125 ***Tel*** *041 296 06 54* ***Fax*** *041 71 32 87* ***Quartos*** *3* ***Mapa*** *3 A4*

Perto do Ca' D'Oro, esta pousada nova é dirigida por uma família local que serve cookies caseiros no café da manhã. Os hóspedes têm acesso a equipamentos de cozinha e há um apartamento totalmente equipado para dar autonomia a famílias. Oferece passeios no barco a remo dos donos. **www.alsaor.com**

CANNAREGIO Al Gobbo €€
Campo S. Geremia 312, 30121 ***Tel*** *041 71 50 01* ***Fax*** *041 71 47 65* ***Quartos*** *10* ***Mapa*** *2 D4*

O Gobbo (ou "corcunda") é um hotel modesto e confiável, com alguns quartos com vista para o agitado Campo San Geremia. Fica a poucos passos da estação ferroviária. As instalações são muito confortáveis e arejadas, e serve café da manhã continental nos quartos. Fecha final nov-dez. **www.albergoalgobbo.it**

CANNAREGIO Rossi €€
Lista di Spagna 262, 30121 ***Tel*** *041 71 51 64* ***Fax*** *041 71 77 84* ***Quartos*** *14* ***Mapa*** *2 D4*

Reserve lugar antes neste hotel familiar de preço excelente e altamente recomendado. A apenas cinco minutos de caminhada dos trens, fica em uma travessa perto da Lista di Spagna. Vários quartos têm lindas vistas da cidade. O clima é cordial e hospitaleiro. **www.hotelrossi.ve.it**

CANNAREGIO Giorgione €€€
Calle dei Proverbi 4587, 30125 ***Tel*** *041 522 58 10* ***Fax*** *041 523 90 92* ***Quartos*** *76* ***Mapa*** *3 B5*

Este hotel altamente recomendado foi repaginado. É extremamente confortável e bem situado –a dez minutos de caminhada da Piazza San Marco e a cinco minutos do animado mercado Rialto. Várias suítes têm terraço com vistas maravilhosas dos telhados da cidade. **www.hotelgiorgione.com**

CANNAREGIO Palazzo Abadessa €€€
Calle Priuli 4011, 30131 ***Tel*** *041 241 37 84* ***Fax*** *041 521 22 36* ***Quartos*** *15* ***Mapa*** *3 A4*

Charmoso palácio do século 16 escondido em um local tranquilo. No verão o jardim encanta os hóspedes, que podem relaxar depois de um dia de passeio. Táxis aquáticos levam à entrada principal. Antiguidades e cores vivas criam um ambiente relaxante. No inverno o café da manhã é servido em um belo *boudoir*. Fecha jan. **www.abadessa.com**

CANNAREGIO Ca' Sagredo €€€€
Campo Santa Sofia 4198, 30121 ***Tel*** *041 241 31 11* ***Fax*** *041 241 35 21* ***Quartos*** *42* ***Mapa*** *3 A5*

Localizado no Grand Canal, em frente ao mercado de Rialto, este magnífico palazzo do século 13 está mergulhado em história. Foi restaurado no século 18 pela família Sagredo com decoração de Longhi e Tiepolo. Escadaria de estuque, banheiros de mármore e vistas incríveis. Serviço excelente. **www.casagredohotel.com**

CASTELLO Locanda La Corte €€
Calle Bressana 6317, 30121 ***Tel*** *041 241 13 00* ***Fax*** *041 241 59 82* ***Quartos*** *16* ***Mapa*** *3 C5*

Os quartos convidativos deste palácio do século 16, que foi residência de um embaixador, exibem bom gosto. No verão, os hóspedes podem tomar café da manhã no charmoso pátio. Táxis aquáticos podem parar na entrada e há transporte público por perto na Fondamente Nuove. **www.locandalacorte.it**

CASTELLO Pensione Wildner €€€
Riva degli Schiavoni 4161, 30122 ***Tel*** *041 522 74 63* ***Fax*** *041 241 46 40* ***Quartos*** *16* ***Mapa*** *8 D2*

Pequeno hotel de gestão familiar, tem quartos imaculados e um belo terraço onde os hóspedes podem servir-se do bufê de café da manhã e apreciar vistas da Bacia de San Marco até a ilha de San Giorgio. O romancista Henry James esteve aqui em 1881, quando escrevia *Retrato de uma Senhora*. **www.veneziahotels.com**

CASTELLO Londra Palace €€€€
Riva degli Schiavoni 4171, 30122 ***Tel*** *041 520 05 33* ***Fax*** *041 522 50 32* ***Quartos*** *53* ***Mapa*** *8 D2*

Elegância, serviço excelente e quartos espaçosos caracterizam este hotel de classe. Próximo ao monumento ao rei Vittorio Emanuele na ampla e agitada Riva e a poucos passos da piazza, tem vistas esplêndidas das águas. Foi aqui que Tchaikovsky compôs sua Quarta Sinfonia. **www.londrapalace.com**

Legenda dos símbolos *no final do guia*

CASTELLO Metropole €€€€
Riva degli Schiavoni 4149, 30122 **Tel** *041 520 50 44* **Fax** *041 522 36 79* **Quartos** *67* **Mapa** *8 D2*

Quartos luxuosos, mobília suntuosa e antiguidades estão por trás da fachada sem atrativos deste hotel localizado na orla, perto da Piazza San Marco. Os hóspedes podem comer no restaurante Met, premiado pelo guia *Michelin*, e relaxar no jardim. Dizem que Vivaldi compôs *As Quatro Estações* na capela do hotel. **www.hotelmetropole.com**

DORSODURO Istituto Artigianelli €€
Rio Terrà Foscarini 909/A, 30123 **Tel** *041 522 40 77* **Fax** *041 528 62 14* **Quartos** *76* **Mapa** *6 E4*

Esta instituição religiosa tem quartos claros, que foram reformados ganhando banheiros. Fica próxima ao ensolarado Zattere e à galeria Accademia. No inverno, os hóspedes compartilham as instalações com estudantes. Recomenda reservas com antecedência. **www.donorione-venezia.it**

DORSODURO Locanda San Barnaba €€
Calle del Traghetto 2785-2786, 30123 **Tel** *041 241 12 33* **Fax** *041 241 38 12* **Quartos** *13* **Mapa** *6 D3*

Lugar maravilhoso para voltar depois de um dia cheio de programas, este palácio adaptado tem um foyer espaçoso e um belo jardim de verão. A poucos metros da parada do ferryboat de Ca' Rezzonico. Os quartos impecáveis têm nomes de peças do veneziano Goldoni. **www.locanda-sanbarnaba.com**

DORSODURO Montin €€
Fondamenta Eremite 1147, 30123 **Tel** *041 522 71 51* **Fax** *041 520 02 55* **Quartos** *11* **Mapa** *6 D3*

Fora do circuito mais conhecido, mas a poucos minutos do encantador Zattere. Os quartos decorados de forma simples, em sua maioria com banheiro, ficam em um apartamento veneziano em cima de um famoso restaurante e têm vista para um canal, assegurando uma estada prazerosa. O café da manhã é cobrado à parte. **www.locandamontin.com**

DORSODURO Pausania €€
Fondamenta Gherardini 2824, 30123 **Tel** *041 522 20 83* **Fax** *041 522 29 89* **Quartos** *24* **Mapa** *6 D3*

Este hotel tem elegantes quartos minimalistas com comodidades modernas, e oferece um ponto de internet para uso comum. Dispõe de uma varanda para café da manhã, ladeada por um vasto jardim. Localizado no canal do rio San Barnaba, o hotel tem fácil acesso para o Campo S. Margherita, conhecido pela vida noturna. **www.hotelpausania.it**

DORSODURO Agli Alboretti €€€
Rio Terrà Foscarini 884, 30123 **Tel** *041 523 00 58* **Fax** *041 521 01 58* **Quartos** *23* **Mapa** *6 E4*

Em um local tranquilo e próximo à Accademia e ao Zattere para o vaporetto, este hotel aconchegante é frequentado por turistas de língua inglesa. Embora um tanto pequenos, os quartos são bem atrativos. Há um bom restaurante, além de um jardim disponível no verão. Fecha jan. **www.aglialboretti.com**

DORSODURO Locanda Ca' Zose €€€
Calle del Bastion 193/B, 30123 **Tel** *041 522 66 35* **Fax** *041 522 66 24* **Quartos** *12* **Mapa** *6 F4*

Dirigida por duas irmãs, esta pousada fica na virada da esquina do Museu Guggenheim e da parada do vaporetto em La Salute. Os quartos confortáveis e bem equipados exibem bom gosto, e vários têm vistas encantadoras do canal. **www.hotelcazose.com**

DORSODURO Pensione La Calcina €€€
Zattere ai Gesuati 780, 30123 **Tel** *041 520 64 66* **Fax** *041 522 70 45* **Quartos** *27* **Mapa** *6 E4*

Reserve lugar com antecedência nesta pousada merecidamente concorrida. Aqui tudo é perfeito, incluindo o terraço ao lado das águas, o agradável salão de café da manhã, os belos quartos e o excelente serviço. O pôr do sol sobre o canal Giudecca é memorável. Há mais cinco apartamentos por perto. **www.lacalcina.com**

DORSODURO Ca' Pisani €€€€
Rio Terrà Foscarini 979a, 30123 **Tel** *041 240 14 11* **Fax** *041 277 10 61* **Quartos** *29* **Mapa** *6 E4*

Este palácio adaptado do século 15 tem boa localização para quem deseja visitar as galerias da Accademia e a Coleção Peggy Guggenheim. Sua atmosfera é composta por um estupendo design moderno, um terraço e um relaxante banho a vapor. **www.capisanihotel.it**

GIUDECCA Cipriani €€€€€
Giudecca 10, 30133 **Tel** *041 520 77 44* **Fax** *041 520 39 30* **Quartos** *95* **Mapa** *7 C5*

Uma instituição veneziana, o Cipriani é servido por um serviço de transporte privado que parte da Piazza San Marco. Tem spa, piscina ao ar livre e diversos restaurantes. Junto ao Cipriani fica o hotel Palazzo Vendramin, que oferece suítes exclusivas com serviço de mordomo. Luxo sem igual. Fecha nov-mar. **www.hotelcipriani.com**

LIDO DI VENEZIA Villa Mabapa €€
Riviera San Nicolò 16, 30126 **Tel** *041 526 05 90* **Fax** *041 526 94 41* **Quartos** *67*

Residência privada construída na década de 1930, esta villa foi transformada em uma confortável pousada. Um atrativo jardim sombreado acolhe os hóspedes na volta de seus passeios. Perto dos pontos de desembarque do vaporetto, fica em um calçadão com vista para a laguna. **www.villamabapa.com**

LIDO DI VENEZIA Hotel des Bains €€€€€
Lungomare Marconi 17, 30126 **Tel** *041 526 59 21* **Fax** *041 526 01 13* **Quartos** *192*

Maravilhoso ambiente Art Déco, belas arcadas com poltronas macias e serviço de alta categoria. Os quartos têm tudo. Do lado oposto à praia, o Des Bains funciona de meados mar a nov. Thomas Mann ambientou aqui seu famoso romance *Morte em Veneza*. **www.ho10.net**

SAN MARCO Al Gambero €€€
Calle dei Fabbri 4687, 30124 **Tel** *041 522 43 84* **Fax** *041 520 04 31* **Quartos** *30* **Mapa** *7 B2*

Gôndolas deslizam sob as janelas desta pousada, convenientemente situada entre o agitado Rialto e a Piazza San Marco. Os quartos em estilo tradicional oferecem toda a gama de serviços. Há bons restaurantes e lojas nas cercanias. **www.locandaalgambero.com**

SAN MARCO Flora €€€
Via XXII Marzo, Calle Bergamaschi 2283a, 30124 **Tel** *041 520 58 44* **Fax** *041 522 82 17* **Quartos** *43* **Mapa** *7 A3*

Este minúsculo hotel fica em uma rua estreita junto a uma importante rua de lojas de estilistas, perto da Piazza San Marco e de pontos de desembarque do vaporetto. Os quartos são um tanto apertados, mas bem equipados. O jardim pequeno é muito agradável em dias de temperatura amena. É aconselhável reservar. **www.hotelflora.it**

SAN MARCO La Fenice & des Artistes €€€
Campiello Fenice 1936, 30124 **Tel** *041 523 23 33* **Fax** *041 520 37 21* **Quartos** *70* **Mapa** *7 A2*

Em uma praça calma ao lado da renomada casa de ópera La Fenice, este belo hotel é decorado com antiguidades e peças de época. É composto por duas edificações ligadas por um pátio, dispondo de um bar perfeito para um aperitivo relaxante no final do dia. A equipe é muito prestativa. **www.fenicehotels.com**

SAN MARCO Concordia €€€€
Calle Larga San Marco 367, 30124 **Tel** *041 520 68 66* **Fax** *041 520 67 75* **Quartos** *53* **Mapa** *7 B2*

Em meio a lojas de suvenires e perto da piazza, este excelente hotel de gestão familiar tem muitos quartos com ótimas vistas. É decorado com impecáveis peças de época. O sofisticado restaurante é especializado em produtos sazonais. Reserve com antecedência. **www.hotelconcordia.com**

SAN MARCO Rialto €€€€
Riva di Ferro 5149, 30124 **Tel** *041 520 91 66* **Fax** *041 523 89 58* **Quartos** *79* **Mapa** *7 A1*

Este amplo estabelecimento tem quartos bons para famílias, instalações excelentes e um restaurante ao lado do canal nos meses de verão. A localização maravilhosa na base da ponte de Rialto é muito conveniente para o vaporetto e proporciona vistas espetaculares a muitos quartos. **www.rialtohotel.com**

SAN MARCO Saturnia and International €€€€
Via XXII Marzo 2398, 30124 **Tel** *041 520 83 77* **Fax** *041 520 71 31* **Quartos** *91* **Mapa** *7 A3*

Luxuoso hotel com cordial clima familiar, o Saturnia fica em uma famosa rua de lojas de estilistas a poucos minutos da Piazza San Marco. Móveis antigos se espalham por este palácio do século 14. Bufê de café da manhã. O térreo abriga um dos melhores restaurantes da cidade, além de um belo pátio. **www.hotelsaturnia.it**

SAN MARCO Starhotel Splendid €€€€
Mercerie 760, 30100 **Tel** *041 520 07 55* **Fax** *041 528 64 98* **Quartos** *165* **Mapa** *7 B7*

A alguns minutos da Piazza San Marco, este discreto hotel esbanja luxo. Fica na principal área de compras da cidade, a Mercerie. Os hóspedes podem chegar à entrada de gôndola ou táxi aquático. O restaurante Le Maschere, no átrio, é perfeito tanto para o café da manhã como para outras refeições. **www.starhotels.it**

SAN MARCO Bauer €€€€€
Campo San Moisè 1459, 30124 **Tel** *041 520 70 22* **Fax** *041 520 75 57* **Quartos** *117* **Mapa** *7 A3*

Este hotel de luxo fica bem no coração de Veneza, em meio a butiques sofisticadas. É possível contratar gôndolas diante da porta da frente. Muitos quartos têm vistas maravilhosas do Grande Canal estendendo-se até a igreja Salute. O restaurante defronte às águas oferece um bufê gastronômico. **www.bauerhotels.com**

SAN MARCO Europa & Regina €€€€€
Calle Larga XXII Marzo 2159, 30124 **Tel** *041 520 04 77* **Fax** *041 523 1533* **Quartos** *185* **Mapa** *7 A3*

Este esplêndido estabelecimento era a casa do artista Tiepolo no século 18. Com localização inspiradora no Grande Canal, perto da Piazza San Marco, tem quartos espaçosos belamente decorados e suntuosas áreas de uso comum. O excelente restaurante ao ar livre junto às águas é recomendado. **www.westin.com/europaeregina**

SAN MARCO Gritti Palace €€€€€
Santa Maria del Giglio 2467, 30124 **Tel** *041 79 46 11* **Fax** *041 520 09 42* **Quartos** *91* **Mapa** *7 A3*

Ernest Hemingway descreveu-o como "o melhor hotel em uma cidade de grandes hotéis". Neste suntuoso palácio do século 15 padrões luxuosos se aliam a um estupendo cenário no magnífico Grande Canal. O serviço é meticuloso e uma refeição no restaurante junto às águas é altamente recomendado. **www.luxurycollection.com/grittipalace**

SAN MARCO Luna Hotel Baglioni €€€€€
Calle Larga dell'Ascension 1243, 30124 **Tel** *041 528 98 40* **Fax** *041 528 71 60* **Quartos** *104* **Mapa** *7 B3*

Ao lado da Piazza San Marco, este hotel sofisticado e surpreendentemente espaçoso outrora abrigava cavaleiros a caminho da Terra Santa no século 12. Hoje lustres faiscantes e afrescos de aprendizes de Tiepolo fazem companhia aos hóspedes no café da manhã. Uma adição recente deste grupo hoteleiro de luxo. **www.baglionihotels.com**

SAN MARCO San Clemente Palace €€€€€
Isola di San Clemente 1, 30124 **Tel** *041 244 50 01* **Fax** *041 244 58 00* **Quartos** *200*

Refúgio especial da agitação de Veneza, o luxuoso San Clemente tem sua própria ilha dotada de vastos jardins, piscina, quadras de tênis, sala de conferências e centro de fitness. Os quartos estupendos são muito espaçosos e claros. Uma lancha privada leva e traz os hóspedes de San Marco. **www.sanclementepalacevenice.com**

Categorias de preço *pág. 558* **Legenda dos símbolos** *no final do guia*

SAN MARCO Santo Stefano €€€€€

Campo Santo Stefano 2957, 30124 **Tel** *041 520 01 66* **Fax** *041 522 44 60* **Quartos** *11* **Mapa** *6 F3*

Charmoso estabelecimento que ocupa um prédio alto e estreito com vista para o Campo Santo Stefano que, à tarde, é frequentado por crianças. Os quartos são inteiramente equipados, embora vários sejam pequenos. Fica a dez minutos de caminhada da Piazza San Marco e do bairro de Rialto. **www.hotelsantostefanovenezia.com**

SAN POLO Al Campaniel €

Calle del Campaniel 2889, 30125 **Tel** *041 275 07 49* **Fax** *041 275 07 49* **Quartos** *4* **Mapa** *6 E2*

Em uma rua calma a poucos metros da parada do vaporetto em San Tomà, esta pousada aconchegante é dirigida por um casal hispano-veneziano. Os hóspedes contam com equipamentos para chá e café nos quartos, e há também um prático apartamento equipado para famílias que preferem autonomia. Fecha ago. **www.alcampaniel.com**

SAN POLO Alex €

Rio Terrà Frari 2606, 30125 **Tel** *041 523 13 41* **Fax** *041 523 13 41* **Quartos** *11* **Mapa** *6 E1*

Embora apenas alguns quartos tenham banheiro e não haja ar-condicionado, este hotel de gestão familiar, cordial e simples tem preço compatível. Na vizinhança da igreja de Frari, tem fácil acesso para os mercados de Rialto. A parada de vaporetto mais próxima é na Piazzale Roma ou em San Tomà. **www.hotelalexinVeneza.com**

SAN POLO Hotel Marconi €€

Riva del Vin 729, 30125 **Tel** *041 522 20 68* **Fax** *041 522 97 00* **Quartos** *26* **Mapa** *7 A1*

Frequentado por turistas de língua inglesa, o Marconi tem um ótimo café de calçada no animado Grande Canal, perto da ponte de Rialto. Palácio do século 16 reformado, dispõe de uma opulenta área de recepção, mas os quartos são um tanto acanhados e decepcionantes. É essencial reservar antes. **www.hotelmarconi.it**

SAN POLO Oltre il Giardino €€€

Fondamenta Contarini 2541, 30125 **Tel** *041 275 00 15* **Fax** *041 79 54 52* **Quartos** *6* **Mapa** *6 E1*

Ao dobrar a esquina na igreja Frari, uma porta leva a um calmo jardim e a este pequeno hotel-butique que oferece confortos caseiros em vez de luxo. Os quartos amplos e claros têm vista para o jardim. É aconselhável reservar com boa antecedência, pois é bastante concorrido. Fecha 6 jan-6 fev. **www.oltreilgiardino-venezia.com**

SANTA CROCE Al Sole €€

Fondamenta Minotto 136, 30135 **Tel** *041 244 03 28* **Fax** *041 72 22 87* **Quartos** *51* **Mapa** *5 C1*

Faça reserva antes neste encantador palácio do século 14, que conta com uma recepção com piso de mármore e uma fachada fotogênica. Seu pátio fica florido no verão. Prático para a Piazzale Roma onde há ônibus e vaporetti. Os quartos convidativos têm vistas para o canal ou um jardim privado. **www.tambémlehotels.com**

SANTA CROCE Hotel Falier €€

Salizzada San Pantalon 130, 30135 **Tel** *041 71 08 82* **Fax** *041 520 65 54* **Quartos** *19* **Mapa** *5 C1*

Simpático estabelecimento com um jardim repleto de glicínias para uso dos hóspedes no verão. Os quartos agradáveis são bem equipados. A uma curta caminhada do eixo de transportes da Piazzale Roma, fica próximo a San Rocco e a outras atrações. A equipe é extremamente cordial e prestativa. Café da manhã incluído. **www.hotelfalier.com**

TORCELLO Locanda Cipriani €€€

Piazza Santa Fosca 29, 30012 **Tel** *041 73 01 50* **Fax** *041 73 54 33* **Quartos** *6*

Na ilha de Torcello, esta confortável locanda de estilo antigo teve hóspedes ilustres como Hemingway e a família real britânica. Oferece muito material de leitura e os quartos são confortavelmente equipados. É aconselhável reservar com antecedência. Fecha jan. **www.locandacipriani.com**

VÊNETO E FRIÚLI

ASOLO Hotel Duse €€

Via R. Browning 190, 31011 **Tel** *0423 55 24 1* **Fax** *0423 95 04 04* **Quartos** *14*

Bem no centro de Asolo, este hotel pequeno e charmoso hotel tem qualidade e bom preço. Os quartos são atrativamente decorados, embora alguns sejam um tanto apertados, assim como o hall de entrada. A maioria deles tem vista para a praça principal ou para os telhados. A equipe é prestativa e cordial. Fecha meados jan-fev **www.hotelduse.com**

ASOLO Hotel Al Sole €€€

Via Collegio 33, 31011 **Tel** *0423 95 13 32* **Fax** *0423 95 10 07* **Quartos** *23*

De fachada laranja com persianas verdes, este hotel tem muitos quartos com vista para a praça principal e os velhos muros da cidade. As áreas comuns são impessoais, mas os quartos são espaçosos e bem equipados. Tem terraço agradável, ideal para um drinque antes do jantar. Fecha 2 semanas entre Natal e Ano-Novo. **www.albergoalsoleasolo.com**

ASOLO Villa Cipriani €€€

Via Canova 298, 31011 **Tel** *0423 52 34 11* **Fax** *0423 95 20 95* **Quartos** *31*

Este hotel extremamente confortável fica em uma villa do século 16 que foi residência de Robert Browning. Uma de suas atrações é o belo jardim com vista para os campos. Tem ainda um ótimo restaurante de especialidades venezianas e com uma boa carta de vinhos. Uma base excelente para explorar a área. **www.villaciprianiasolo.com**

BASSANO DEL GRAPPA Victoria €

Viale Diaz 33, 36061 ***Tel*** *0424 50 36 20* ***Fax*** *0424 50 31 30* ***Quartos*** *21*

Fora dos muros da cidade, este agradável hotel tem quartos confortáveis e de decoração simples. Sempre lotado, às vezes torna-se barulhento. Sua localização, porém, é ideal para os pontos turísticos, estando a alguns passos da ponte de Palladio e do centro histórico da cidade. **www.hotelvictoria-bassano.com**

BASSANO DEL GRAPPA Bonotto Hotel Belvedere €€

Piazzale G Giardino 14, 36061 ***Tel*** *0424 52 98 45* ***Fax*** *0424 52 98 49* ***Quartos*** *83*

Em uma das praças principais de Bassano, este hotel requisitado é o mais bem equipado da área e tem localização ideal para explorar a cidade. Os quartos são belos e confortáveis. Dispõe de um restaurante moderno, espaçosas salas de recepção e um bar. Excelente serviço. **www.bonotto.it**

BELLUNO Albergo Capello e Cadore €

Via Ricci 8, 32100 ***Tel*** *0437 94 02 46* ***Fax*** *0437 29 73 19* ***Quartos*** *31*

Centralmente situado, este hotel é requisitado por esquiadores no inverno e por trilheiros no verão. Os quartos são bem projetados e confortáveis, tendo aquecimento e ar condicionado independente. A maioria dos quartos tem vista para a praça, mas alguns estão virados para as montanhas. **www.albergocapello.com**

CHIOGGIA Grande Italia €€

Rione S. Andrea 597, 30015 ***Tel*** *041 40 05 15* ***Fax*** *041 40 01 85* ***Quartos*** *56*

Este hotel antigo e despretensioso no alto da rua principal tem uma adorável fachada em estilo Liberty. Oferece quartos elegantes e confortáveis, além de um moderno centro de bem-estar. Tem fácil acesso para os barcos que circulam em Veneza. Fecha meados set-nov. **www.hotelgrandeitalia.com**

CIVIDALE DEL FRIULI Locanda Al Pomodoro €

Piazzetta San Giovanni 20, 33043 ***Tel*** *0432 73 14 89* ***Fax*** *0432 70 12 57* ***Quartos*** *17*

Hotel romântico com um belo tom rosa, fica em uma hospedaria do século 12. Escondido na esquina de uma piazza tranquila no centro histórico, é próximo ao Duomo. Seus 17 quartos variam de tamanho, mas todos têm banheiro. **www.alpomodoro.com**

CIVIDALE DEL FRIULI Locanda al Castello €€

Via del Castello 12, 33043 ***Tel*** *0432 73 32 42* ***Fax*** *0432 70 09 01* ***Quartos*** *27*

Nas cercanias de Cividale, esta confortável hospedaria campestre foi construída nos anos de 1800 como retiro de verão de jesuítas. Os 17 quartos individualmente decorados têm vista para os encantadores campos de Friuli. Tem um centro de bem-estar, incluindo sauna e spa. **www.alcastello.net**

CONEGLIANO Il Faè €

Via Faè 1, San Pietro di Feletto, 31020 ***Tel*** *0438 78 71 17* ***Fax*** *0438 78 78 17* ***Quartos*** *8*

Esta confortável pousada fica em uma casa de fazenda reformada, em meio a colinas e vinhedos. Tem lindas vistas do sopé dos Alpes e fica a dez minutos de carro de Conegliano. Os anfitriões organizam atividades para os hóspedes, incluindo aulas de culinária. **www.ilfae.com**

CORNO DI ROSAZZO Villa Butussi €

Via San Martino 29, Visinale dello Judrio, 33040 ***Tel*** *0432 75 99 22* ***Fax*** *0432 75 31 12* ***Quartos*** *8*

Esta villa do século 17 foi finamente transformada em uma pousada de seis quartos. Todos são espaçosos e confortáveis e têm vista para os vinhedos ao redor. O jardim bem cuidado é agradável para relaxar. As acomodações charmosas valem o que se cobra. **www.butussi.it**

CORTINA D'AMPEZZO Montana €€€

Corso Italia 94, 32043 ***Tel*** *0436 86 04 98* ***Fax*** *0436 86 82 11* ***Quartos*** *31*

Este hotel é convenientemente situado no centro da cidade, próximo à principal área de lojas. Como a área é para pedestres, o hotel é tranquilo e muito requisitado. Alguns quartos são bem pequenos, embora atrativamente decorados. Oferece café da manhã sem glúten. O preço é compatível. Fecha 3 semanas jun, nov. **www.cortina-hotel.com**

CORTINA D'AMPEZZO Hotel Cristallo €€€€€

Via R Menardi 42, 32043 ***Tel*** *0436 88 11 11* ***Fax*** *0436 87 01 10* ***Quartos*** *74*

Único hotel de luxo em Cortina, o Cristallo tem spa, academia de última geração, piscina coberta e um campo de golfe de nove buracos, além das vistas de tirar o fôlego para qualquer lado que se olhe. Serviços como mordomo pessoal, babá e limusine. Fecha mai, jun, out, nov. **www.cristallo.it**

FOLLINA Villa Abbazia €€€

Via Martiri della Liberta, 31051 ***Tel*** *0438 971277* ***Fax*** *0438 970001* ***Quartos*** *18*

Esta encantadora villa do século 17 foi restaurada com bom gosto pela família Zanon. Os quartos espaçosos são individualmente decorados em estilo campestre inglês. O pequeno jardim, com sua jacuzzi, é ótimo para relaxar ou tomar um drinque. Uma ótima base para explorar a área. Fecha jan-início mar. **www.villaabbazia.it**

GARDA Locanda San Vigilio €€€€

San Vigilio, 37016 ***Tel*** *045 725 66 88* ***Fax*** *045 627 81 82* ***Quartos*** *7*

Um dos hotéis mais encantadores e exclusivos do Lago Garda, exala o charme do Velho Mundo. Fica em uma área tranquila com uma pequena igreja dedicada a São Virgílio. Conforto e serviço cumprem todas as expectativas. Há uma praia particular e um ancoradouro grátis para hóspedes que têm barco. Fecha dez-mar. **www.punta-sanvigilio.it**

Categorias de preço *pág. 558* **Legenda dos símbolos** *no final do guia*

MALCESINE Sailing Center Hotel €€

Via Gardesana 187, 37018 ***Tel*** *045 740 00 55* ***Fax*** *045 740 03 92* ***Quartos*** *32*

Hotel moderno fora da cidade e isolado das multidões. Os quartos são frescos e agradáveis, e há quadra de tênis e praia privada. O serviço é discreto e as instalações ficam em uma área impecável. Seu cenário junto ao lago o torna uma base ideal para hóspedes adeptos de esportes aquáticos. Fecha meados out-mar. **www.hotelsailing.com**

PÁDUA Augustus Terme €€

Viale Stazione 150, Montegrotto Terme, 35036 ***Tel*** *049 79 32 00* ***Fax*** *049 79 35 18* ***Quartos*** *120*

Hotel grande e confortável com quartos opulentos e um vasto restaurante. Tem áreas de uso comum espaçosas e acolhedoras, assim como quadras de tênis. No entanto, as principais atrações deste complexo hoteleiro são seu excepcional centro de beleza e bem-estar e suas fontes de águas termais. **www.hotelaugustus.com**

PÁDUA Grand'Italia €€

Corso del Popolo 81, 35131 ***Tel*** *049 876 11 11* ***Fax*** *049 875 08 50* ***Quartos*** *61*

Próximo a muitos pontos turísticos da cidade, este hotel tem preço bem compatível. Em um claro contraste com o restaurante e o hall principal de estuque e revestimentos dourados, os quartos confortáveis são limpos, modernos e têm ar-condicionado. **www.hotelgranditalia.it**

PÁDUA Donatello €€€

Via del Santo 102, 35123 ***Tel*** *049 875 06 34* ***Fax*** *049 875 08 29* ***Quartos*** *44*

Em um prédio antigo, este hotel moderno tem quartos elegantemente decorados e ensolarados. Seu nome homenageia o escultor da estátua equestre de Gattamelata na praça. Sua localização central permite ir a pé a muitos dos principais pontos da cidade. Fecha 8 dez-7 jan. **www.hoteldonatello.net**

PÁDUA Plaza €€€

Corso Milano 40, 35139 ***Tel*** *049 65 68 22* ***Fax*** *049 66 11 17* ***Quartos*** *139*

Dirigido com eficiência, este hotel merece sua boa reputação. Embora seu exterior da década de 1970 pareça pouco atrativo, o interior conta com avançadas tecnologias e confortos modernos. Oferece uma gama completa de serviços e uma cálida acolhida. **www.plazapadova.it**

PESCHIERA DEL GARDA Peschiera €€€

Via Parini 4, 37010 ***Tel*** *045 755 05 26* ***Fax*** *045 755 04 44* ***Quartos*** *26*

O hotel fica em uma verdejante área própria e tem quartos espaçosos e frescos. Há belas vistas do lago, embora alguns quartos estejam voltados para colinas não menos belas. Dispõe de terraço ao ar livre e piscina privada. Organiza passeios nas colinas ou partidas de golfe no novo campo na vizinhança. Fecha nov-fev. **www.hotel peschiera.com**

PIEVE D'ALPAGO Albergo Dolada €€

Via Dolada 21, 32010 ***Tel*** *0437 479 141* ***Fax*** *0437 478 068* ***Quartos*** *7*

Hotel pequeno e elegante, com um excelente restaurante muito frequentado por venezianos. Seus quartos são modernos e alegres, e cada um é decorado com uma cor do arco-íris. A maioria deles tem vista para os campos ao redor. Os pratos criativos são preparados de acordo com um menu sazonal. Fecha jan. **www.dolada.it**

PORDENONE Palace Hotel Moderno €€

Viale Martelli 1, 33170 ***Tel*** *0434 282 15* ***Fax*** *0434 52 03 15* ***Quartos*** *96*

Este hotel tradicional e confortável oferece muitas comodidades em todos os seus quartos. Bem central, fica próximo à estação. O restaurante (cuja direção é autônoma) é especializado em cozinha tradicional, sobretudo em pratos à base de peixe. **www.palacehotelmoderno.it**

POVOLETTO La Faula €

Via Faula 5, 33040 ***Tel*** *3343 399 67 34* ***Quartos*** *9*

Tradicional casa de fazenda de Friuli, passou por uma bela restauração. Fica em meio a vinhedos e plantações. Quartos espaçosos, bem decorados e com banheiros modernos completam o quadro de um confortável retiro rural. O restaurante em estilo bistrô utiliza produtos e vinhos da própria fazenda. Aberto 1 mar-1 out. **www.faula.com**

SAN FLORIANO DEL COLLIO Golf Hotel Castello Formentini €€

Via Oslavia 2, 34070 ***Tel*** *0481 88 40 51* ***Fax*** *0481 88 40 52* ***Quartos*** *14*

Encantadora edificação do século 18, é decorada com antiguidades e fica em um terreno próprio que conta com um campo de golfe de nove buracos e quadras de tênis. Do lado oposto ao hotel, há um restaurante muito bom. Vale a pena visitar o museu do vinho ao lado. Boa base para explorar a área vinícola ao redor. **www.golfhotelformentini.com**

SARCEDO Casa Belmonte €€€

Via Belmonte 2, 36030 ***Tel*** *0445 88 48 33* ***Fax*** *0445 88 41 34* ***Quartos*** *6*

Pequeno hotel no topo de uma colina cercada por vinhedos e oliveiras. Os quartos são luxuosamente decorados com antiguidades e ricos cortinados. No verão o café da manhã é servido ao ar livre ou na estufa. Há uma grande piscina para os hóspedes. Uma boa base para explorar as villas da região. **www.casabelmonte.com**

TORRI DEL BENACO Hotel Gardesana €€

Piazza Calderini 20, 37010 ***Tel*** *045 722 54 11* ***Fax*** *045 722 57 71* ***Quartos*** *34*

Com vista para o Lago Garda, a casa do capitão do porto no século 15 foi transformada em um hotel simpático e confortável. Graças a esta localização privilegiada, o restaurante no terraço descortina vistas espetaculares do castelo, ao passo que os quartos no terceiro andar têm vista para o lago. Fecha nov-fev. **www.gardesana.eu**

TREVISO Ca' del Galletto €€

Via Santa Bona Vecchia 30, 31100 **Tel** *0422 43 25 50* **Fax** *0422 43 25 10* **Quartos** *67*

Em um terreno próprio e a apenas dez minutos de caminhada dos muros da cidade, este hotel tem quartos espaçosos e modernos, embora não muito charmosos. No entanto, a equipe cordial e as excelentes instalações esportivas, assim como as cercanias tranquilas, asseguram uma estada agradável. **www.hotelcadelgalletto.it**

TREVISO Il Focolare €€

Piazza Ancillotto 4, 31100 **Tel** *0422 566 01* **Fax** *0422 566 01* **Quartos** *14*

Um dos melhores hotéis econômicos de Treviso, é limpo, hospitaleiro e situado no coração do centro histórico. Os quartos são pequenos, assim como os banheiros, mas a localização compensa. Do lado oposto há um excelente restaurante que serve pratos regionais. **www.albergoilfocolare.net**

TRIESTE Grand Hotel Duchi d'Aosta €€€

Piazza Unità d'Italia 2, 34121 **Tel** *040 760 00 11* **Fax** *040 36 60 92* **Quartos** *55*

Outrora um palácio, este hotel tem quartos amplos dotados de todas as comodidades modernas, além de uma piscina. Fica na parte antiga da cidade, e seu terraço com restaurante descortina vistas magníficas da praça. No verão os hóspedes podem usar o resort praiano privado do hotel. **www.duchi.eu**

TRIESTE NH €€€

Corso Cavour 7, 34132 **Tel** *040 760 00 55* **Fax** *040 36 26 99* **Quartos** *174*

Hotel grande e moderno voltado a executivos e a hóspedes em férias. Os quartos bem equipados são espaçosos, embora decorados de forma impessoal. Apesar da falta de personalidade, fica centralmente localizado e é muito próximo à famosa orla da cidade. **www.nh-hotels.com**

UDINE Quo Vadis €

Piazzale Cella 28, 33100 **Tel** *0432 210 91* **Fax** *0432 210 92* **Quartos** *38*

Hotel confortável em uma tranquila rua arborizada, bem próxima ao centro da cidade. O exterior é elegante, mas a decoração interna é prolixa e repleta de plantas. Com decoração simples, os quartos são limpos e muitos têm vista para um pátio privado. Fecha Natal. **www.hotelquovadis.it**

VALPOLICELLA Villa del Quar €€€€€

Via Quar 12, Pedemonte, 37029 **Tel** *045 680 06 81* **Fax** *045 680 06 04* **Quartos** *25*

Perto de Verona, este hotel e seu excelente restaurante ocupam uma villa histórica tombada, cercada por um parque. Os confortáveis quartos são belamente decorados com tecidos requintados e mobília de época, e contam com banheiros de mármore. Muitos têm vigas de madeira à vista. Fecha nov-meados mar. **www.hotelvilladelquar.it**

VERONA Giulietta e Romeo €€

Vicolo Tre Marchetti 3, 37121 **Tel** *045 800 35 54* **Fax** *045 801 08 62* **Quartos** *41*

Este hotel fica em uma rua tranquila logo atrás da Sarena, à qual se chega em poucos minutos de caminhada. As principais atrações da cidade também ficam próximas. Os quartos são claros e confortáveis e têm acabamentos modernos. O café da manhã é servido no bar. Disponibiliza bicicletas gratuitamente. **www.giuliettaeromeo.com**

VERONA Il Torcolo €€

Vicolo Listone 3, 37121 **Tel** *045 800 75 12* **Fax** *045 800 40 58* **Quartos** *19*

De gestão familiar, este pequeno hotel fica a um pulinho da Arena, o que o torna muito requisitado durante a temporada de ópera. Embora algumas áreas da recepção sejam apertadas, os quartos são belos e tradicionais. Tem um terraço para café da manhã. Fecha 3 semanas final jan-meados fev. **www.hoteltorcolo.it**

VERONA Byblos Art Hotel €€€€

Via Cedrare 78, Corrubbio di Negarine, 37020 **Tel** *045 685 55 55* **Fax** *045 685 55 00* **Quartos** *60*

Este hotel está instalado em uma suntuosa villa do século 18 nos arredores de Verona, servida por transporte gratuito. Obras de artistas contemporâneos dão charme. No verão os hóspedes podem aproveitar a piscina e o amplo parque com fontes de mármore. Organiza degustações de vinho e noites na ópera. **www.byblosarthotel.com**

VERONA Due Torri Hotel Baglioni €€€

Piazza Sant'Anastasia 4, 37121 **Tel** *045 595 04 44* **Fax** *045 800 41 30* **Quartos** *90*

Ao lado de uma linda igreja no coração da Verona medieval, esta suntuosa edificação do século 14 é um dos hotéis mais excêntricos da Itália. Cada quarto é decorado no estilo de uma época diferente. As áreas de uso comum são igualmente opulentas. **www.baglionihotels.com**

VICENZA Casa San Raffaele €

Viale X Giugno 10, 36100 **Tel** *0444 54 57 67* **Fax** *0444 54 22 59* **Quartos** *29*

Hotel tranquilo em uma área charmosa, tem vistas excelentes dos declives do Monte Berico. Os quartos confortáveis têm banheiro. A equipe cordial e o estilo simples são marcas deste hotel central. Sem alta temporada, esta é uma das melhores opções econômicas da área.

VICENZA Albergo Due Mori €€

Contrà Do Rode 24, 36100 **Tel** *0444 32 18 86* **Fax** *0444 32 61 27* **Quartos** *53*

Acolhedor hotel familiar localizado na área de pedestres central de Vicenza, ao lado da Piazza dei Signori. Os quartos, espaçosos, têm mobília simples de época e antiguidades. Não há televisão. Pode-se tomar o café da manhã no hotel ou em um dos cafés da vizinhança. Fecha final jul-meados ago, 22 dez-2 jan. **www.hotelduemori.com**

Categorias de preço *pág. 558* **Legenda dos símbolos** *no final do guia*

TRENTINO-ALTO ADIGE

ANTERSELVA DI SOTO (ANTHOLZ NIEDERTAL) Bagni di Salomone €

Anterselva di Sotto, 39030 ***Tel*** *0474 49 21 99* ***Fax*** *0474 49 23 78* ***Quartos*** *33*

Este hotel charmoso fica fora da cidade, com um parque ecológico ao lado. O hotel tem um spa que data de 1559 e os hóspedes podem beber a água mineral restauradora. Também podem pegar uma bicicleta emprestada ou pescar no verão. No inverno, esqui pode ser praticado perto do hotel. Fecha mai, nov. **www.badsalomonsbrunn.com**

BOLZANO (BOZEN) Cappello di Ferro €

Via Bottai 21, 39100 ***Tel*** *0471 97 83 97* ***Fax*** *0471 31 20 70* ***Quartos*** *50*

Localizado no centro histórico de Bolzano, o recentemente reformado Capelo di Ferro é um charmoso hotel de cidade pequena. No inverno, o hotel organiza passeios às feiras de Natal e para esquiar e ver neve. No verão, você pode alugar bicicletas ou subir a montanha a pé com um guia. Restaurante excelente. **www.cappellodiferro.com**

BOLZANO (BOZEN) Engel €€€

Via San Valentino 3, Nova Levante, 39056 ***Tel*** *0471 61 31 31* ***Fax*** *0471 61 34 04* ***Quartos*** *70*

Em uma cidadezinha perto de Bolzano, o Engel é uma boa opção para famílias e adeptos de esportes, com caminhadas e esqui disponíveis por perto. Seu centro de bem-estar tem sauna e salão de beleza. Centro de recreação para crianças. Atividades de verão incluem golfe e passeios. Fecha em abril. **www.hotel-engel.com**

BOLZANO (BOZEN) Luna-Mondschein €€€

Via Piave 15, 39100 ***Tel*** *0471 97 56 42* ***Fax*** *0471 97 55 77* ***Quartos*** *77*

O hotel data de 1798, embora as edificações tenham sido bastante alteradas desde então. Um agradável jardim propicia refeições ao ar livre no verão. Um dos hotéis mais antigos do centro histórico de Bolzano, foi reconstruído após a guerra em 1946 e passou por uma reforma recentemente. Ar condicionado em alguns quartos. **www.hotel-luna.it**

BRESSANONE (BRIXEN) Dominik €€

Via Terzo di Sotto 13, 39042 ***Tel*** *0472 83 01 44* ***Fax*** *0472 83 65 54* ***Quartos*** *35*

O Dominik é repleto de antiguidades, embora suas edificações sejam da década de 1970. No bairro mais antigo de Bressanone, fica próximo aos jardins Rapp e à praça principal. A piscina têm lindas vistas da cidade e dos campos ao redor. Fecha nov e 2 semanas jan. **www.hoteldominik.com**

BRESSANONE (BRIXEN) Elephant €€€

Via Rio Bianco 4, 39042 ***Tel*** *0472 83 27 50.* ***Fax*** *0472 83 65 79* ***Quartos*** *44*

Hotel elegante, seu nome se deve a um elefante de Goa enviado a Gênova que ficava no estábulo da hospedaria no século 16. Embora ofereça todos os confortos modernos, a exemplo da sauna, mantém uma forte atmosfera tradicional. É cercado por belos jardins com vistas panorâmicas. Fecha jan-22 mar. **www.hotelelephant.com**

BRUNICO (BRUNECK) Andreas Hofer €€

Via Campo Tures 1, 39031 ***Tel*** *0474 55 14 69* ***Fax*** *0474 55 12 83* ***Quartos*** *48*

Chalé de gestão familiar, a curta distância do centro de Brunico, seus móveis de madeira têm estilo alpino. Fica em uma área ajardinada própria e alguns quartos têm sacada. O restaurante serve especialidades tirolesas que podem ser degustadas no terraço ao ar livre no verão. Fecha meados abr-meados mai. **www.andreashofer.it**

CALDARO (KALTERN) Leuchtenburg €€

Campi al Lago 100, 39052 ***Tel*** *0471 96 00 93* ***Fax*** *0471 96 01 55* ***Quartos*** *13*

Em uma bela casa de fazenda do século 16 cercada por vinhedos, tem quartos simples, sendo que alguns contam com móveis pintados tradicionais. Perto daqui há um lindo lago para relaxar, com uma prainha e um terraço para desfrutar o clima alpino na sombra. Apenas meia-pensão. Fecha nov-meados mar. **www.leuchtenburg.it**

CANAZEI Dolomites Inn €€

Via Antersies 3, Penia, 38032 ***Tel*** *0462 60 22 12* ***Fax*** *0462 60 24 74* ***Quartos*** *27*

Os donos ítalo-britânicos, Bob e Lucia, oferecem serviço cordial e profissionalismo. Situado em um dos trechos mais belos das Dolomitas, o hotel tem quartos cujas sacadas descortinam vistas esplêndidas. Excelente para excursões nas montanhas; tem também quadras de squash, jacuzzi e sauna. Fecha depois da Páscoa-mai e out-nov. **www.dolomitesinn.com**

CASTELROTTO (KASTELRUTH) Cavallino d'Oro €€

Piazza Kraus 1, 39040 ***Tel*** *0471 70 63 37* ***Fax*** *0471 70 71 72* ***Quartos*** *23*

A 26km de Bolzano, este charmoso hotel fica em uma bela aldeia onde ainda se usa o traje tradicional. Tem um clima aconchegante e intimista, com salas de uso comum revestidas de madeira e móveis em estilo tirolês. O bar tem uma grande seleção de vinhos da região. Alguns quartos têm ar condicionado. **www.cavallino.it**

COLFOSCO Cappella Romantik Hotel €€€

Strada Pecei 17, 39030 ***Tel*** *0471 83 61 83* ***Fax*** *0471 83 65 61* ***Quartos*** *46*

Este chalé nas Dolomitas foi aberto pelo avô do atual proprietário. O hotel também tem uma galeria de arte. Conta com muito espaço ao ar livre descortinando vistas impressionantes das Dolomitas e uma área de lazer para crianças. Há vários estilos de suítes à disposição. Oferece meia-pensão. Fecha abr-mai, out-nov. **www.hotelcappella.com**

FIE ALLO SCILIAR Romantik Hotel Turm €€€€

Piazza della Chiesa 9, 39050 ***Tel*** *0471 72 50 14* ***Fax*** *0471 72 54 74* ***Quartos*** *40*

O Hotel Turm abrange três casas e duas torres, uma delas datada do século 13. Tem também uma bela coleção de arte que inclui obras de Beuys e Kokoschka. As principais atrações deste local simpático são o acervo artístico e o restaurante (um dos melhores da Itália). Fecha 3 semanas abr, nov-Natal. **www.hotelturm.it**

LA VILLA Hotel La Villa €€€

Strada Boscdaplan 176, 39030 ***Tel*** *0471 84 70 35* ***Fax*** *0471 84 73 93* ***Quartos*** *31*

No esplêndido cenário do Val Badia, este elegante hotel oferece hospitalidade cordial o ano inteiro. É atrativamente decorado com madeira entalhada e ricos tecidos. Muitos quartos têm sacada, embora alguns sejam bem pequenos. Serve um abundante bufê de café da manhã. Fecha abr-20 jun, 20 set-1º dez. **www.hotel-lavilla.it**

MADONNA DI CAMPIGLIO Albergo Dello Sportivo €€

Via Pradalago 29, 38084 ***Tel*** *0465 44 11 01* ***Fax*** *0465 44 08 00* ***Quartos*** *11*

Pertencente a uma família, esta pensão pequena fica no coração da aldeia. Os quartos são confortáveis e decorados com simplicidade. Alguns têm sacada, embora os de solteiro sejam bem pequenos. Serve um bom bufê de café da manhã. O preço é compatível e os donos muito hospitaleiros. Fecha mai-3 semanas jun, out-nov. **www.dellosportivo.com**

MADONNA DI CAMPIGLIO Grifone €€

Via Vallesinella 7, 38084 ***Tel*** *0465 44 20 02* ***Fax*** *0465 44 05 40* ***Quartos*** *40*

Este espaçoso hotel em estilo alpino oferece ótima estrutura para férias com esportes de verão e inverno. Há vários espaços de uso comum, incluindo um piano-bar, sala de leitura e sala de jogos para crianças. Alguns quartos têm sacada. Apenas meia-pensão. Fecha 10 set-dez, depois da Páscoa-jun. **www.hotelgrifone.it**

MADONNA DI CAMPIGLIO Chalet Hermitage €€€

Via Casteletto 69, 38084 ***Tel*** *0465 44 15 58* ***Fax*** *0465 44 16 18* ***Quartos*** *25*

Neste "bio hotel", a edificação e o interior adotam parâmetros ambientais aproveitando ao máximo o magnífico cenário. O hotel é extremamente confortável e os quartos espaçosos e bem decorados. O restaurante excelente serve comida orgânica. Boas instalações. Fecha depois da Páscoa-jun, out-nov. **www.biohotelhermitage.it**

MALLES VENOSTA (MALS IM VINSCHGAU) Garberhof €€

Via Nazionale 25, 39024 ***Tel*** *0473 83 13 99* ***Fax*** *0473 83 19 50* ***Quartos*** *40*

Situado no belo Vale Vinschgau, este hotel moderno em estilo chalé com amplos terraços panorâmicos tem boa estrutura para esportes e lazer. O restaurante serve cozinha sul-tirolesa tradicional com um toque internacional. O bufê de café da manhã é complementado por um bar de sucos. Meia-pensão disponível. Fecha nov-20 dez. **www.garberhof.com**

MERANO (MERAN) Der Pünthof €€

Via Steinach 25, Lagundo, 39022 ***Tel*** *0473 44 85 53* ***Fax*** *0473 44 99 19* ***Quartos*** *12*

Em meio a jardins tranquilos e atrativos, esta casa de fazenda é datada da Idade Média e tem um afresco do século 13. Os pisos e tetos de madeira combinam com os móveis alpinos. Apesar de seu aparente isolamento, o hotel fica a apenas cinco minutos do centro da cidade. Há um spa para os hóspedes. Fecha nov-mar. **www.puenthof.com**

MERANO (MERAN) Castel Rundegg €€€

Via Scena 2, 39012 ***Tel*** *0473 23 41 00* ***Fax*** *0473 23 72 00* ***Quartos*** *30*

Partes deste castelo de contos de fadas são do século 12. Cercado por um terreno amplo com lindas vistas de Merano, seu interior tem um clima tradicional valorizado por móveis de madeira, tetos com vigas e pisos de parquete. No verão os hóspedes podem fazer refeições ao ar livre. **www.rundegg.com**

MERANO (MERAN) Castello Labers €€€€

Via Labers 25, 39012 ***Tel*** *0473 23 44 84* ***Fax*** *0473 23 41 46* ***Quartos*** *35*

O Castello Labers do século 11 é o cenário deste hotel campestre de alta classe, com lindas vistas dos vinhedos e matas ao redor. Os hóspedes podem pedir o vinho produzido na propriedade, e massas, doces e geleias caseiros são especialidades do restaurante. Há também uma capela. Fecha meados nov-meados abr. **www.castellolabers.it**

MERANO (MERAN) Hotel Castel Fragsburg €€€€

Via Fragsburger Strasse 3, 39012 ***Tel*** *0473 24 40 71* ***Fax*** *0473 24 44 93* ***Quartos*** *16*

Construído originalmente como abrigo de caça para os fidalgos locais, este hotel de ótima localização tem linda vista das montanhas e de Merano. Áreas de uso comum são claras e bem decoradas. Os quartos espaçosos são todos diferenciados. Os jardins são bem cuidados e perfeitos para relaxar. Fecha meados nov-mar. **www.fragsburg.com**

ORTISEI Adler Dolomiti Spa & Sport Resort €€€€

Via Rezia 7, 39046 ***Tel*** *0471 77 50 01* ***Fax*** *0471 77 55 55* ***Quartos*** *110*

Com ótima localização, o Adler serve tanto para quem o visita no inverno para esquiar como para quem vem no verão para caminhar ou aproveitar a piscina ao ar livre, o spa e as instalações para ginástica. É cercado por um parque privado e oferece conforto com um serviço de alto nível. Meia-pensão. Fecha início abr-meados mai. **www.adler-dolomiti.com**

PERGINE VALSUGANA Castel Pergine €€

Via al Castello 10, 38057 ***Tel*** *0461 53 11 58* ***Fax*** *0461 53 13 29* ***Quartos*** *21*

Funcionando como hotel desde o início do século 20, este castelo do século 13 tem esplêndidas vistas dos campos. O interior tem decoração simples e móveis de madeira tradicionais. Exibe também exposições de arte contemporânea em seus jardins e no pátio interno. Fecha nov-mar. **www.castelpergine.it**

Categorias de preço *pág. 558* **Legenda dos símbolos** *no final do guia*

RENON Ploerr €

Oberinn 45, 39050 ***Tel*** *0471 602 118* ***Quartos*** *11*

Pousada em uma fazenda de laticínios em idílico cenário montanhês. Os quartos são simples, porém muito confortáveis, e revestidos de pinho. A maioria tem sacada. O café da manhã é farto para prepará-lo para um dia nas montanhas. Lugar perfeito para férias em família, oferece uma ótima acolhida. Fecha jan. **www.ploerr.com**

RIVA DEL GARDA Europa €€

Piazza Catena 13, 38066 ***Tel*** *0464 55 54 33* ***Fax*** *0464 52 17 77* ***Quartos*** *63*

Este hotel tradicional em uma edificação de tom pálido tem vista para a praça principal. Fica entre o porto histórico e o Monte Oro, próximo ao agitado centro da cidade. Os quartos são simples e confortáveis e muitos têm vista para o lago. O restaurante tem um terraço junto às águas. Fecha nov-fev. **www.hoteleuropariva.it**

RIVA DEL GARDA Du Lac et Du Parc €€€

Viale Rovereto 44, 38066 ***Tel*** *0464 56 66 00* ***Fax*** *0464 56 65 66* ***Quartos*** *159*

Este hotel na beira do lago tem praia particular e clube de vela. Escolha entre quartos no prédio principal, bangalôs no jardim ou as elegantes suítes Murialdo. Oferece diversos tratamentos de beleza e instalações de spa. As crianças são bem tratadas aqui. Fecha nov-mar. **www.dulacetduparc.com**

SAN CASSIANO Rosa Alpina €€€€€

Str Micura de Ru 20, 39030 ***Tel*** *0471 84 95 00* ***Fax*** *0471 84 93 77* ***Quartos*** *54*

Este hotel é um oásis de luxo e conforto servindo de base para explorar as magníficas Dolomitas. Tem tudo o que se pode desejar, incluindo quatro excelentes restaurantes, jardins bem cuidados, sauna, piscina coberta e salão de beleza. Os membros da família Pizzinini são anfitriões maravilhosos. Fecha abr-jun, out, nov. **www.rosalpina.it**

SAN PAOLO Schloss Korb €€

Via Castel d'Appiano 5, Missiano, 39050 ***Tel*** *0471 63 60 00* ***Fax*** *0471 63 60 33* ***Quartos*** *50*

Parcialmente instalado em um castelo do século 13, este hotel tem também um anexo mais moderno e quadras de tênis. É ideal para férias plenas de atividades, com piscinas, campos de golfe por perto e área de recreação infantil. Os hóspedes podem relaxar no terraço com vista para o pomar. Fecha jan-mar. **www.schloss-hotel-korb.com**

SAN VIGILIO Hotel Monte Sella €€€

Via Catarina Lanz 7, 39030 ***Tel*** *0474 50 10 34* ***Fax*** *0474 50 17 14* ***Quartos*** *35*

Hotel Art Déco encantador, construído em 1901 pela família Cristofolini. Apesar de ter sido reformado, mantém muitas das características originais. As áreas de uso comum são bem decoradas e aproveitam a vista magnífica. O dono Norbert Cristofolini é um anfitrião genial. Fecha após Páscoa-mai, out, nov. **www.monte-sella.com**

SIUSI ALLO SCILIAR Albergo Tschoetscherhof €

San Osvaldo 19, 39040 ***Tel*** *0471 70 60 13* ***Fax*** *0471 70 48 01* ***Quartos*** *8*

Esta encantadora pousada montanhesa fica em meio a ondulados pastos verdes. É bem simples, quase austera, com tetos baixos, pisos de madeira e paredes caiadas. Os quartos são modestos, porém impecavelmente limpos e muito confortáveis. A tranquilidade reina neste retiro perfeito. Fecha dez-fev. **www.tschoetscherhof.com**

TIRES Stefaner €€

San Cipriano 65, 39050 ***Tel*** *0471 64 21 75* ***Fax*** *0471 64 23 02* ***Quartos*** *20*

Simpático chalé na orla das Dolomitas do oeste, com belos panoramas do Vale Tires. Os quartos são espaçosos e as sacadas enfeitadas com flores. No inverno há um grande fogão antigo em torno do qual as pessoas se agrupam. Apenas meia-pensão. Fecha nov-meados dez. **www.stefaner.com**

TRENTO Accademia €€€

Vicolo Colico 4-6, 38100 ***Tel*** *0461 23 36 00* ***Fax*** *0461 23 01 74* ***Quartos*** *42*

Em uma edificação medieval restaurada no centro histórico de Trento, fica perto da Santa Maria Maggiore e da Piazza Duomo. O interior deste relaxante hotel, embora essencialmente moderno, mantém muitas características originais, como o pátio interno e antigas abóbadas. Fecha Natal-6 jan. **www.accademiahotel.it**

VIPITENO Romantik Hotel Stafler €€

Campo di Trens, Mules, 39040 ***Tel*** *0472 77 11 36* ***Fax*** *0472 77 10 94* ***Quartos*** *12*

Em meio às montanhas, logo na saída de Vipiteno, este agradável hotel familiar quatro-estrelas fica em um cenário fabuloso. É ideal para quem gosta de praticar esportes tanto no verão como no inverno. Para os mais sedentários há o luxuoso centro de bem-estar. No restaurante, o premiado chef cria pratos italianos com um toque alpino. **www.stafler.com**

LOMBARDIA

BELLAGIO La Pergola €€

Piazza del Porto 4, 22021 ***Tel*** *031 95 02 63* ***Fax*** *031 95 02 53* ***Quartos*** *11*

Reformado, este antigo convento de 1500 tem localização tranquila ao lado de um lago em uma aldeia de pescadores. Características interessantes incluem tetos abobadados, afrescos e móveis antigos. O restaurante no belo terraço tem vistas do lago e serve cozinha regional típica. Fecha dez-meados mar. **www.lapergolabellagio.it**

BELLAGIO Hotel Florence €€€

Piazza Mazzini 46, 22021 **Tel** *031 95 03 42* **Fax** *031 95 17 22* **Quartos** *30*

Excelente localização às margens do Lago Como. Este hotel tem elegante decoração moderna com camas de dossel, banheiras de tampa corrediça, um bar charmoso e restaurante de gastronomia. O terraço sombreado tem vistas maravilhosas do lago. Há também spa com sauna, banho turco, jacuzzi e massagem. **www.hotelflorencebellagio.it**

BORMIO Palace €€

Via Milano 54, 23032 **Tel** *0342 90 31 31* **Fax** *0342 90 33 66* **Quartos** *85*

Em meio a jardins privados perto do centro de Bormio, que desde os tempos romanos tem fama por suas fontes termais. Todos os elegantes quartos têm banheiro próprio. O restaurante oferece especialidades de Valtellina e ampla adega de vinhos. Há uma piscina interna. Fecha mai-nov. **www.palacebormio.it**

BRATTO (BERGAMO) Hotel Milano €€€€

Via Silvio Pellico 3, Costione della Presolana, 24020 **Tel** *0346 312 11* **Fax** *0346 362 36* **Quartos** *67*

Grande resort alpino com muito conforto e estilo. Em meio a belezas naturais, oferece tratamentos de spa e é uma ótima base para as montanhas locais, esportes aquáticos e golfe. O restaurante, o bar lounge e a adega de vinhos garantem noites agradáveis e fina cozinha regional. **www.hotelmilano.com**

BRESCIA Park Hotel Cà Noa €€

Via Triumplina 66, 25123 **Tel** *030 39 87 62* **Fax** *030 39 87 64* **Quartos** *79*

Em um parque tranquilo a nordeste da cidade, seu exterior funcional e modernista esconde um interior elegante. Os quartos têm móveis de madeira escura, paredes creme e pinturas antigas. Lindas vistas e uma piscina externa. Fecha Natal e Ano-Novo; 2 semanas ago. **www.hotelcanoa.it**

CERNOBBIO Villa d'Este €€€€€

Via Regina 40, 22012 **Tel** *031 34 81* **Fax** *031 34 88 73* **Quartos** *152*

Suntuoso hotel, numa área verde de 10ha. Móveis de época, belas pinturas, lustres, lareiras de mármore e finas sedas de Como dão o ar de villa principesca. Excelente serviço e instalações modernas, além de vistas maravilhosas. Duas villas podem ser alugadas para fim de semana. Fecha meados nov-fev. **www.villadeste.it**

CERVESINA Hotel Castello di San Gaudenzio €€€

Via Mulino 1, Località San Gaudenzio, 27050 **Tel** *0383 33 31* **Fax** *0383 33 34 09* **Quartos** *45*

Glorioso castelo do século 15 com maravilhosa área verde, quartos românticos, academia, piscina e um sofisticado restaurante. Explore o magnífico esplendor das fontes, folhagens, bosques e pátios de pedra, assim como os afrescos, estampas antigas e móveis de época em seu interior. O apartamento na torre é um sonho. **www.castellosangaudenzio.com**

COLOGNE/FRANCIACORTA Cappuccini €€€

Via Cappuccini 54, 25033 **Tel** *030 715 72 54* **Fax** *030 715 72 57* **Quartos** *14*

Este antigo monastério foi construído em 1569 e o clima monástico ecoa nos quartos brancos e nos longos corredores. Os magníficos campos ao redor são tranquilos. Além de um terraço e jardins relaxantes, há também um centro de bem-estar com uma piscina externa. O restaurante serve pratos locais como risoto e polenta. **www.cappuccini.it**

COMO In Riva al Lago €

Via Crespi 4, 22100 **Tel** *031 30 23 33* **Fax** *031 30 01 61* **Quartos** *10*

Hotel básico, porém impecável, perto do lago. Próximo às estações rodoviária e ferroviária, os quartos de frente para a rua são mais ruidosos. Nem todos os quartos têm banheiro ou ar-condicionado. Com clima cordial e familiar, há um pub por perto para lanches e cervejas. Fecha 2 semanas entre jan e mar. **www.inrivaallago.com**

COMO Hotel Firenze €€

Piazza Volta 16, 22100 **Tel** *031 30 03 33* **Fax** *031 30 01 01* **Quartos** *44*

Recentemente reformado, este hotel neoclássico fica em uma praça para pedestres no centro da cidade. Todos os quartos com banheiro e design contemporâneo. Alguns preservam vigas ou o piso de parquete original. Os voltados para o pátio interno são mais silenciosos. A uma curta caminhada do lago. Fecha Natal. **www.albergofirenze.it**

COMO Hotel Metropole Suisse €€€

Piazza Cavour 19, 22100 **Tel** *031 26 94 44* **Fax** *031 30 08 08* **Quartos** *71*

Localizado no coração de Como defronte às águas, este hotel tem lindas vistas do lago. A fachada assinada pelo famoso arquiteto Giuseppe Terragni é datada de 1892 e há sacadas de ferro batido na maioria dos quartos. Barcos saem do pier em frente ao hotel para passeios. Fecha 3 semanas dez-jan. **www.hotelmetropolesuisse.com**

CREMONA Dellearti Design Hotel €€

Via Bonomelli 8, 26100 **Tel** *0372 231 31* **Fax** *0372 216 54* **Quartos** *33*

Único hotel-butique de Cremona, o Dellearti tem visual moderno. Tem estacionamento coberto na frente e o serviço de quarto é ágil e eficiente. Fica perto da catedral, do campanário medieval e das lojas. Toques artísticos dourados e cores vivas aquecem o design despojado, quase industrial. **www.dellearti.com**

CREMONA Hotel Impero €€

Piazza della Pace 21, 26100 **Tel** *0372 41 30 13* **Quartos** *53*

Hotel pequeno e acolhedor muito bem localizado, bem no centro histórico da cidade. Os quartos são claros, espaçosos e decorados em tons relaxantes de bege e azul. Alguns têm vista para a catedral. As áreas comuns são decoradas com peças contemporâneas e antiguidades. **www.hotelimpero.cr.it**

Categorias de preço *pág. 558* **Legenda dos símbolos** *no final do guia*

DESENZANO DEL GARDA Piroscafo €€

Via Porto Vecchio 11, 25015 ***Tel*** *030 914 11 28* ***Fax*** *030 991 25 86* ***Quartos*** *32*

Localizado bem nas docas antigas da cidade em uma edificação histórica. O terraço no térreo fica sob um pórtico em arco. Escolha um quarto de frente para as docas ou observe os barcos do terraço. Os quartos têm decoração simples, mas são muito confortáveis. Estacionamento por perto. Fecha jan-fev. **www.hotelpiroscafo.it**

DESENZANO DEL GARDA Park Hotel €€€

Lungolago Cesare Battisti 19, 25015 ***Tel*** *030 914 34 94* ***Quartos*** *56*

Elegante hotel na orla, perto do centro da cidade. As áreas comuns são decoradas com tecidos requintados, antiguidades e sofás confortáveis. Os quartos têm mobília clássica e equipamentos modernos. Alguns contam com uma pequena varanda com vista para o lago. A piscina no terraço dá um toque de glamour. **www.gardalake.com/park-hotel**

GARDONE RIVIERA Villa del Sogno €€

Via Zanardelli 107, 25083 ***Tel*** *0365 29 01 81* ***Fax*** *0365 29 02 30* ***Quartos*** *33*

Esta esplêndida villa neoclássica tem posição panorâmica em uma área própria, não distante do centro da cidade. Tem localização ideal para explorar os campos e cidades nas cercanias. Oferece quadras de tênis e uma ótima piscina ao ar livre. O restaurante oferece criativa cozinha italiana. **www.villadelsogno.it**

GARDONE RIVIERA Dimora Bolsone Bed & Breakfast €€€

Via Panoramica 23, 25083 ***Tel*** *0365 210 22* ***Fax*** *0365 29 30 42* ***Quartos*** *3*

No topo de uma colina, todos os seus quartos em estilo de época têm vistas magníficas de Gardone Riviera. O solar de pedra foi do Il Vittoriale, a casa do poeta Gabriele d'Annunzio. Não é, porém, adequado para menores de 12 anos. Estada mínima de duas noites. Fecha dez-fev. **www.dimorabolsone.it**

GARDONE RIVIERA Villa Fiordaliso €€€€

Corso Zanardelli 132, 25083 ***Tel*** *0365 201 58* ***Fax*** *0365 29 00 11* ***Quartos*** *5*

Esta linda villa de três andares fica a dez minutos do centro de Gardone e tem vista para o Lago Garda. Seu jardim encantador é repleto de flores e a decoração eclética reflete o nome. Prove os pratos da Lombardia e de Veneza no restaurante. Fecha nov-fev. **www.villafiordaliso.it**

LIMONE SUL GARDA Capo Reamol €€€

Via IV Novembre 92, 25010 ***Tel*** *0365 95 40 40* ***Fax*** *0365 95 42 62* ***Quartos*** *58*

Este hotel ao lado do lago fica a 3km de Limone (pegue o ônibus ou use as bicicletas do hotel). Tem uma praia privada, escola de surfe, piscina, sacadas e terraços com vistas do lago, assim como todos os quartos. Ou seja, é ideal para famílias que gostam de esportes. Estada mínima de três noites. Fecha meados out-meados abr. **www.hotelcaporeamol.it**

LIVIGNO Hotel Capriolo €€

Via Borch 96, 23030 ***Tel*** *0342 99 67 23* ***Fax*** *0342 99 69 98* ***Quartos*** *12*

Próxima às lojas, traslados de esqui, escola de esqui, trilhas de verão e restaurantes do tranquilo bairro de San Rocco em Livigno. De gestão familiar, esta residência aconchegante é repleta de charme rústico básico. Tem um *bar-stube* com cozinha veltina tradicional, solário e estacionamento coberto. Fecha mai; out-fim nov. **www.capriololivigno.com**

LIVIGNO Hotel Intermonti €€€

Via Gerus 310, 23030 ***Tel*** *0342 97 21 00* ***Fax*** *0342 97 25 00* ***Quartos*** *160*

Este grande hotel alpino oferece ótimas comodidades, desde depósito e aluguel de esquis a sauna, solário e piscina. O ônibus cortesia o leva aos traslados de esqui e ao centro de Livigno. A maioria dos quartos tem vista para o vale e alguns têm sacada. Estada mínima de três noites. Fecha meados abr-meados jun, set-nov. **www.hotelintermonti.it**

MÂNTUA Antica Locanda Matilda B&B €

Via Rismondo 2, Castelletto Borgo, 46100 ***Tel*** *335 639 06 24 (celular)* ***Fax*** *0376 30 24 18* ***Quartos*** *3*

Nas cercanias de Mântua, esta pequena pousada em um solar antigo tem jardins encantadores. Os três quartos são decorados com antiguidades, mas a atmosfera é alegre, moderna e familiar. Dois quartos compartilham um banheiro. Comodidades básicas a um preço acessível, incluindo estacionamento próprio. **www.locandamatilda.it**

MÂNTUA Casa Poli €€€

Corso Giuseppe Garibaldi 32, 46100 ***Tel*** *0376 28 81 70* ***Quartos*** *27*

Hotel-butique a uma pequena caminhada do centro histórico. Os aconchegantes quartos, elegantes e minimalistas, são decorados com tons quentes, mobília contemporânea e assoalho de tacos. O hotel tem um pátio interno com jardim onde os hóspedes podem relaxar ou tomar um drinque. **www.hotelcasapoli.it**

MILÃO Antica Locanda Leonardo €€€

Corso Magenta 78, 20123 ***Tel*** *02 48 01 41 97* ***Fax*** *02 48 01 90 12* ***Quartos*** *14*

Esta pousada chique tem bar e salão de jantar, além de um jardim em níveis nos fundos. Originalmente um palazzo do século 19, mistura antiguidades com peças mais contemporâneas, e fica próxima à *Última Ceia*, de Leonardo da Vinci. Fecha 3 semanas ago, 1º-6 jan. **www.anticalocandaleonardo.com**

MILÃO Gran Duca di York €€€

Via Moneta 1a, 20123 ***Tel*** *02 87 48 63* ***Fax*** *02 869 03 44* ***Quartos*** *33*

Localização muito central, próxima ao Duomo e a minutos das lojas de design. Este hotel fica em um palazzo do século 18 reformado; quatro quartos têm terraço. Tem um belo jardim, um saguão espaçoso e quartos mais compactos. Há um estacionamento por perto. **www.ducadiyork.com**

MILÃO Spadari €€€

Via Spadari 11, 20123 ***Tel*** *02 72 00 23 71* ***Quartos*** *39*

Um dos segredos mais bem guardados de Milão, este hotel fica bem no coração da cidade, a alguns quarteirões do Duomo. Os quartos têm vários tamanhos, mas todos dispõem de equipamentos modernos. A decoração é discreta e de bom gosto. O café da manhã é particularmente notável. **www.spadarihotel.com**

MILÃO Antica Locanda Solferino €€€€

Via Castelfidardo 2, 20121 ***Tel*** *02 657 01 29* ***Fax*** *02 657 13 61* ***Quartos*** *11*

Esta pousada com charme do Velho Mundo mistura antiguidades com peças retrô. Pequenas sacadas de ferro batido, assoalhos rangentes e corredores estreitos. A maioria dos quartos fica de frente para a rua, o que pode ser barulhento. Fecha 5-20 ago. **www.anticalocandasolferino.it**

MILÃO Manzoni €€€€

Via Santo Spirito 20, 20121 ***Tel*** *02 76 00 57 00* ***Quartos*** *45*

Belo hotel em localização calma, mas central, perto do centro da moda da cidade. O interior conta com materiais luxuosos, como mármore e assoalhos de tacos. Os quartos, clássicos e elegantes, variam de tamanho, e alguns têm sacada. Discreto e com serviço atencioso e cordial. **www.hotelmanzoni.com**

MILÃO Straf €€€€

Via San Raffaele 3, 20121 ***Tel*** *02 80 50 81* ***Fax*** *02 89 09 52 94* ***Quartos*** *64*

A fachada neoclássica de 1883 esconde o interior ultramoderno. Luxuosos materiais naturais crus dão o tom minimalista do design. Tem cinco salas exclusivas de cromoterapia e aromaterapia. Ao lado do Straf, há um lounge bar muito animado. Fecha últimas 3 semanas ago. **www.straf.it**

MILÃO Exedra €€€€€

Corso Giacomo Matteotti 4, 20121 ***Tel*** *02 77 67 96 11* ***Quartos*** *154*

Inaugurado em 2009, este luxuoso hotel de design fica em um antigo banco da década de 1920. As áreas comuns são ultracontemporâneas e os quartos, incrivelmente estilosos. O Exedra tem localização central e conta com todas as comodidades que se espera de um hotel de sua classe. **www.boscolohotels.com**

MILÃO Park Hyatt Milano €€€€€

Via Tommaso Grossi 1, 20121 ***Tel*** *02 88 21 12 34* ***Fax*** *02 88 21 12 35* ***Quartos*** *117*

Instalado em um antigo banco, este hotel é uma adição moderna e elegante aos congêneres mais tradicionais de Milão. Sua localização é bem central: saindo pela frente você já pisa na Galleria coberta, com sua série de lojas ao lado do Duomo. Restaurante, bar, instalações (incluindo academia e spa) e serviço excelentes. **www.milano.park.hyatt.com**

PAVIA Hotel Italia €

Corso Partigiani 48, Certosa di Pavia, 27012 ***Tel*** *0382 92 56 56* ***Quartos*** *30*

Perto da esplêndida Certosa, este hotel familiar oferece ótimo custo-benefício. Os quartos têm decoração simples, mas de bom gosto, com paredes caiadas e antiguidades rurais. De bônus, há um excelente restaurante. Uma linha de ônibus de Pavia tem parada fora da propriedade. **www.italiacertosa.pavia.it**

RANCO Il Sole di Ranco €€€€

Piazza Venezia 5, 21020 ***Tel*** *0331 97 65 07* ***Fax*** *0331 97 66 20* ***Quartos*** *14*

Localizado na aldeia de Ranco em uma área própria perto das margens do Lago Maggiore. Tem jardim próprio, vistas panorâmicas a partir do restaurante sob uma pérgula no verão, estacionamento seguro e área de pouso de helicópteros. Novas atrações incluem uma piscina, sauna e *hammam*. Fecha meados dez-jan. **www.ilsolediranco.it**

RIVA DI SOLTO Albergo Ristorante Miranda €€

Via Cornello 8, 24060 ***Tel*** *035 98 60 21* ***Fax*** *035 98 00 55* ***Quartos*** *25*

De gestão familiar, esta pensione simples, na encosta de uma colina com vista para o lago Iseo, oferece quartos confortáveis com sacadas. Dois são adaptados para deficientes. Tem uma excelente piscina em meio a oliveiras e área de recreação infantil. O restaurante no terraço serve pratos à base de peixes frescos. **www.albergomiranda.it**

RODIGO Hotel Villa dei Tigli €€€

Via Cantarana 20, 46040 ***Tel*** *0376 65 06 91* ***Fax*** *0376 65 06 49* ***Quartos*** *30*

Antiga villa aristocrática construída na virada do século 20, fica a 15km de Mântua, na área rural de Rodigo numa extensão de terras verdes. Há estrutura de bem-estar e beleza, além de um restaurante de primeira classe que serve saudável comida regional, orgânica e vegetariana. **www.hotelvilladeitigli.it**

SABBIONETA Al Duca €

Via della Stamperia 18, 46018 ***Tel*** *0375 524 74* ***Fax*** *0375 22 00 21* ***Quartos*** *10*

Esta edificação renascentista, escondida em uma rua perto da Porta Imperiale no centro da cidade, é calma e despretensiosa. O saguão impressionante tem colunas e mármore rosa, embora a decoração dos quartos seja simples. O restaurante serve comida de Mântua a bons preços. Fecha jan-10 fev.

SALO Romantik Hotel Laurin €€€

Viale Landi 9, 25087 ***Tel*** *0365 220 22* ***Fax*** *0365 223 82* ***Quartos*** *30*

Ao lado de um lago, esta romântica villa na encosta de uma colina tem vista para o Lago Garda, amplos jardins, quartos espaçosos, uma piscina ao ar livre, além de uma pequena praia e quadras de tênis nas proximidades. Jante sob afrescos no elegante restaurante ou no terraço sob as estrelas. Fecha meados nov-fev. **www.laurinsalo.com**

Categorias de preço *pág. 558* **Legenda dos símbolos** *no final do guia*

SIRMIONE SUL GARDA Villa Cortine Palace €€€€€

Via Grotte 6, 25019 ***Tel*** *030 990 58 90* ***Fax*** *030 91 63 90* ***Quartos*** *54*

Vasta e luxuosa villa neoclássica em um tranquilo cenário ajardinado. Trilhas esplêndidas por áreas verdes, laguinhos, fontes, um bosque de ciprestes junto ao lago, estátuas e um pier com bancos. Almoce no terraço ao lado do lago no verão. Fecha meados out-Páscoa. **www.hotelvillacortine.com**

TREMEZZO Hotel La Darsena €€€

Via Regina 3, Lenno, 22016 ***Tel*** *0344 431 66* ***Quartos*** *13*

Este restaurante e hotel fica bem no Lago Como, e seus quartos têm sacadas que oferecem lindas vistas panorâmicas das águas. O restaurante também é altamente recomendado, especialmente o menu de preço fixo. **www.centrohotelslagocomo.it/darsena-tremezzo**

TREMEZZO Tremezzo Palace Hotel €€€€€

Via Regina 8, 22019 ***Tel*** *0344 424 91* ***Fax*** *0344 402 01* ***Quartos*** *94*

Ao lado do lago, este hotel construído em estilo Liberty em 1910 é cercado por jardins e terraços. O ar de época ecoa nos ornamentos dourados e nas antiguidades. Tem também sauna, academia e quadras de tênis, além de golfe por perto. Fecha dez-fev. **www.tremezzopalace.com**

VALSOLDA Stella d'Italia €€€

Piazza Roma 1, 22010 ***Tel*** *0344 681 39* ***Fax*** *0344 687 29* ***Quartos*** *34*

Este hotel fica em um jardim encantador às margens do Lago Lugano e tem um terraço com restaurante sob uma pérgula rosa. Os hóspedes têm acesso a uma praia privada. Parte do hotel fica em uma villa reformada do século 18. O restaurante oferece cozinha mediterrânea e peixes do lago. Fecha meados out-abr. **www.stelladitalia.com**

VARENNA Hotel du Lac €€

Via del Prestino 11, 23829 ***Tel*** *0341 83 02 38* ***Fax*** *0341 83 10 81* ***Quartos*** *16*

Hotel tranquilo, seus quartos de frente para o lago têm ótimas vistas. O restaurante no terraço fica de frente para a água. Itens charmosos incluem colunas de mármore, balaustradas de ferro batido e quartos com nomes de flores. Tranquilo e relaxante. Fecha meados nov-fim fev. **www.albergodulac.com**

VALE D'AOSTA E PIEMONTE

ACQUI TERME Roma Imperiale €€€

Via Passeggiata dei Colli 1, 15011 ***Tel*** *0144 35 65 03* ***Quartos*** *26*

O Roma Imperiale fica em uma bela villa do século 19 com jardins próprios, perto do centro da cidade. Os quartos espaçosos são decorados em estilo clássico e elegante com paredes caiadas, tetos de gesso, vigas de madeira e chão de mármore. O restaurante abobadado serve excelente comida. **www.dimorestoriche.com**

ALESSANDRIA Mercure Alessandria Alli Due Buoi Rossi €€

Via Cavour 32, 15100 ***Tel*** *0131 51 71 71* ***Fax*** *0131 51 71 72* ***Quartos*** *46*

Hotel muito acolhedor, com acesso grátis à internet, garagem e quatro quartos para deficientes. A decoraçao é simples e tradicional. Desde 1920 sua trattoria é uma instituição em Alessandria, tendo inclusive sediado um lendário banquete de Orson Welles. **www.hotelalliduebuoirossi.com**

AOSTA Albergo Mancuso €

Via Voison 32, 11100 ***Tel*** *0165 345 26* ***Fax*** *0165 23 66 39* ***Quartos*** *12*

De gestão familiar, esta residência é próxima ao centro da cidade e ao bondinho que sobe as encostas. É básica e simples, porém limpa e muito acessível. Todos os quartos têm camas separadas e banheiro. Há também estacionamento. **www.albergomancuso.com**

AOSTA Hotel Milleluci €€

Località Porossan-Roppoz 15, 11100 ***Tel*** *0165 23 52 78* ***Fax*** *0165 23 52 84* ***Quartos*** *31*

Fica em uma área calma com vista para as luzes de Aosta, o que deu origem ao nome de mil luzes. As instalações desta casa de fazenda foram reformadas dando ao hotel um charme rústico, valorizado por móveis de época e vigas expostas. Tem também piscina, jardim, estacionamento e um belo terraço. **www.hotelmilleluci.com**

ARONA Giardino €€€

Corso Repubblica 1, 28041 ***Tel*** *0322 459 94* ***Fax*** *0322 24 94 01* ***Quartos*** *56*

No centro da pequena cidade de Arona, de frente para o lago, este hotel é confortável, mas espartanamente decorado, o que lhe dá um ar de leveza. Um jardim amplo e um grande terraço proporcionam uma esplêndida vista para o Lago Maggiore. **www.giardinoarona.com**

PINO TORINESE Hotel Aston €€

Strada Traforo del Pino 23, 10025 ***Tel*** *011 899 87 33* ***Fax*** *011 898 94 72* ***Quartos*** *40*

Em um parque tranquilo nas colinas acima de Turim, dominadas pela esplêndida basílica de Juvarra, este hotel fica a poucos minutos do centro. A decoração minimalista contemporânea incorpora um saguão com recepção de mármore, corredores de mármore claro e quartos em tons de marrom e creme. Fecha 2 semanas ago. **www.astonhotel.it**

TURIM Albergo Serenella €

Via Tarino 4, 10124 **Tel** *011 83 70 31* **Fax** *011 83 70 31* **Quartos** *7*

Com preços imbatíveis para o centro da cidade, este hotel simples e cordial fica em uma rua atrás do Palazzo Reale e do parque, perto do Mole Antonelliana, das lojas e museus. Seu restaurante intimista serve cozinha regional caseira. Os quartos são limpos e básicos. **www.albergoserenella.com**

TURIM Hotel Conte Biancamano €€

Corso Vittorio Emanuele 73, 10128 **Tel** *011 562 32 81* **Fax** *011 562 37 89* **Quartos** *24*

Um hotel intimista instalado no terceiro andar de uma mansão no coração da cidade. O palazzo clássico mantêm um charme antiquado com pisos de madeira de lei, detalhes em estuque e lustres de cristal. Bem perto da Porta Nuova e da Piazza Carlo Felice. Fecha ago; 25 dez-1° jan. **www.hotelcontebiancamano.it**

TURIM Grand Hotel Sitea €€€

Via Carlo Alberto 35, 10123 **Tel** *011 517 01 71* **Fax** *011 54 80 90* **Quartos** *120*

Perto da área central de lojas da Via Roma, o Grand Hotel Sitea ocupa orgulhosamente um palazzo neoclássico no centro histórico de Turim. O serviço é excelente e o hotel também é renomado por seu restaurante de primeira classe, o Carignano. Imperdível para quem aprecia tradição, estilo Império e suítes elegantes. **www.sitea.thi.it**

TURIM Hotel Victoria €€€

Via Nino Costa 4, 10123 **Tel** *011 561 19 09* **Fax** *011 561 18 06* **Quartos** *106*

Localizado em uma rua calma defronte a um jardim no coração de Turim, perto de lojas, restaurantes, teatros e museus. Tem um completo centro de fitness, piscina interna e um café em um pátio. Lindas vistas da montanha a partir dos quartos com terraço no último andar. A decoração é em eclético estilo campestre inglês. **www.hotelvictoria-torino.com**

TURIM Turin Golden Palace €€€€

Via Dell' Arcivescovado 8, 10128 **Tel** *011 551 2111* **Fax** *011 551 2800* **Quartos** *195*

Serviço impecável e luxo tradicional são encontrados neste hotel abrigado em um belo palazzo datado de 1872. A refinada atmosfera também conta com comodidades modernas. Localização central para lojas, museus e pontos turísticos. **www.turinpalace.thi.it**

TURIM Villa Sassi €€€

Strada al Traforo di Pino 47, 10132 **Tel** *011 898 05 56* **Fax** *011 898 00 95* **Quartos** *15*

Esta luxuosa villa de cor pessego do século 17 ainda mantém muitas características originais como lareiras de mármore e lustres. Os quartos são elegantes e o refinado restaurante é de alta gastronomia. Desfrute o terraço e os belos jardins ao redor. Fecha ago; 25 dez-31 jan. **www.villasassi.com**

VARALLO SESIA Albergo Sacro Monte €€

Località Sacro Monte 14, 13019 **Tel** *0163 542 54* **Fax** *0163 511 89* **Quartos** *24*

Hotel pequeno e charmoso em uma edificação do século 16, na entrada para o famoso Sacro Monte. Tem jardim próprio e um terraço tranquilo e encantador. Os quartos são simples e belos e o restaurante abobadado oferece especialidades locais. Fecha dez-2 semanas antes da Páscoa. **www.sacromontealbergo.it**

LIGÚRIA

CAMOGLI Cenobio dei Dogi €€€

Via Cuneo 34, 16032 **Tel** *0185 72 41* **Fax** *0185 77 27 96* **Quartos** *105*

Na orla desta aldeia de pescadores, a villa foi construída para os Doges de Gênova e frequentada por padres e cardeais no século 17. Agora é um vasto hotel de luxo com belos terraços externos com vistas da cidade e do mar, palmeiras e pinheiros mediterrâneos em volta da piscina, e quartos confortáveis. **www.cenobio.it**

CAMOGLI Hotel Portofino Kulm €€€€

Viale Bernardo Gaggini 23, 16030 **Tel** *0185 73 61* **Fax** *0185 77 66 22* **Quartos** *77*

Esta joia Art Nouveau se aninha em um parque verdejante no Monte Portofino, entre Camogli e Santa Margherita. O elegante salão de jantar tem um terraço externo com vistas esplêndidas do pôr do sol sobre a baía. Oferece jacuzzi, piscina coberta, tratamentos de beleza e tênis. **www.portofinokulm.it**

FINALE LIGURE Punta Est €€€€

Via Aurelia 1, 17024 **Tel** *019 60 06 11* **Fax** *019 60 06 11* **Quartos** *40*

Uma villa do século 18 abriga este elegante hotel, que mantém o charme de época em seus móveis e vigas expostas. Em meio a palmeiras, pinheiros e oliveiras, tem vistas majestosas da baía de Ligúria e uma pequena piscina. Trilhas, degraus e terraços sombreados conduzem os hóspedes até o mar. Fecha meados out-meados abr. **www.puntaest.com**

GARLENDA La Meridiana €€€

Via ai Castelli, 17033 **Tel** *0182 58 02 71* **Fax** *0182 58 01 50* **Quartos** *28*

Casa relaxante em estilo campestre com jardims maravilhosos. No coração da área rural da Ligúria, a 4km do mar. Perfeito para caminhadas e outras atividades ao ar livre. Os quartos e o restaurante têm decoração elegante, e o serviço e as instalações são excelentes. Fecha fim out-fim mar. **www.lameridiansãosort.com**

GÊNOVA Best Western Metropoli €€€

Piazza Fontane Marose, 16123 ***Tel*** *010 246 88 88* ***Fax*** *010 246 86 86* ***Quartos*** *48*

Localizado no coração da cidade em uma das piazzas mais belas, o hotel é próximo a museus, ao Palazzo Ducale, à ópera, ao teatro e ao aquário. Há paradas de ônibus e metrô por perto. Os quartos são decorados em estilo moderno proporcionando conforto e comodidades básicas. **www.bestwestern.it/metropoli_ge**

GÊNOVA Hotel Bentley €€€

Via Corsica 4, 16128 ***Tel*** *010 531 51 11* ***Quartos*** *99*

O Bentley é um esplêndido hotel instalado em um notável edifício Art Déco em um bairro residencial. Tem estilo contemporâneo, design de alto nível e muito conforto. Os quartos são belamente decorados com tecidos de qualidade e tons neutros e metálicos. **www.thi.it**

ISOLA PALMARIA Locanda Lorena €€

Via Cavour 4, 19025 ***Tel*** *0187 79 23 70* ***Fax*** *0187 76 60 77* ***Quartos*** *7*

Pequeno hotel praiano em Palmaria, a ilha defronte a Portovenere. Elegantes barcos a motor venezianos levam e trazem os hóspedes. Quartos encantadores em estilo simples e alegre, com cores vivas e vistas do mar. Veja os pescadores trazendo a pesca do dia para ser preparada no almoço. Fecha nov-meados fev. **www.locandalorena.com**

MONTEROSSO AL MARE Porto Roca €€€€

Via Corone 1, 19016 ***Tel*** *0187 81 75 02* ***Fax*** *0187 81 76 92* ***Quartos*** *43*

Em meio à afamada beleza natural da área, este hotel de porte médio fica em um penhasco com magníficas vistas, perto da aldeia de pescadores de Cinque Terre. É um oásis de tranquilidade, com um terraço ajardinado, praia própria com guarda-sóis e espreguiçadeiras nos meses de verão e um restaurante. Fecha nov-fim mar. **www.portoroca.it**

NERVI La Pagoda €€€

Via Capolungo 15, 16167 ***Tel*** *010 372 61 61* ***Fax*** *010 32 12 18* ***Quartos*** *17*

Este hotel muito romântico foi a villa de um negociante do século 18 que optou pelo estilo oriental ao apaixonar-se por uma chinesa. Pisos de mármore, lustres, telas antigas, palmeiras e terraços em vários níveis estão entre os toques encantadores. Fecha dez-fim jan. **www.villapagoda.it**

PORTOFINO Splendido €€€€€

Salita Baratta 16, 16034 ***Tel*** *0185 26 78 01* ***Fax*** *0185 26 78 06* ***Quartos*** *64*

Posicionado em uma série de terraços e instalado em um antigo mosteiro com vista para o luxuoso resort de Portofino em uma aldeia de pescadores, este é um lugar magnífico para hospedar-se. O serviço é impecável e todos os quartos têm vistas inesquecíveis. Fecha meados nov-fim mar. **www.hotelsplendido.com**

PORTOFINO Splendido Mare €€€€€

Via Roma 2, 16034 ***Tel*** *0185 26 78 02* ***Fax*** *0185 26 78 07* ***Quartos*** *16*

Hotel aconchegante, no coração da praça do porto de Portofino, que tem quartos bem decorados, a cobiçada suíte Ava Gardner no último andar com terraço privado, e um excelente restaurante em terraço ajardinado. Os hóspedes podem jantar aqui ou no Splendido. Fecha meados out-fim mar. **www.hotelsplendido.com**

PORTOVENERE Genio €€

Piazza Bastreri 8, 19025 ***Tel*** *0187 79 06 11* ***Fax*** *0187 79 06 11* ***Quartos*** *7*

Aconchegante, simples e pitoresco, este hotel de gestão familiar fica incrustado no muro de hera de um antigo castelo. Tem vários níveis com pequenos terraços e vistas do mar. Hotel desde 1813, tem muita personalidade e é próximo às antigas muralhas e à igreja de São Pedro. Fecha meados jan-meados fev. **www.hotelgenioportovenere.com**

RAPALLO Hotel Stella €

Via Aurelia Ponente 6, 16035 ***Tel*** *0185 503 67* ***Fax*** *0185 27 28 37* ***Quartos*** *28*

Pequeno hotel rosa no centro de Rapallo, perto da praia e do calçadão defronte ao mar, instalado em uma construção da virada do século 20 em estilo genovês. Os quartos são claros e pitorescos. Tem também um terraço no quinto andar, um pequeno bar e uma garagem. Fecha meados jan-fim fev. **www.hotelstella-riviera.com**

RAPALLO Hotel Italia e Lido €€

Lungomare Castello 1, 16035 ***Tel*** *0185 504 92* ***Fax*** *0185 504 94* ***Quartos*** *50*

Lugar perfeito entre Portofino e Cinque Terre, este hotel tem vista para o calçadão, o velho castelo medieval e o Golfo de Tigullio. Tome sol no terraço à beira d'água. Não deixe de reservar um quarto com vista para o mar. Fecha nov-Natal. **www.italiaelido.com**

SAN REMO Hotel Nazionale €€

Corso Matteotti 3, 18038 ***Tel*** *0184 57 75 77* ***Quartos*** *83*

No coração de San Remo e a poucos minutos do mar, das lojas e do cassino, o Nazionale oferece serviço tradicional de alto nível com um restaurante de qualidade. Os quartos têm mobília clássica, a maioria com sacada e muitos com vista para o mar. A equipe é atenciosa e cordial. **www.hotelnazionalesanremo.com**

SAN REMO Royal Hotel €€€€

Corso Imperatrice 80, 18038 ***Tel*** *0184 53 91* ***Fax*** *0184 661 445* ***Quartos*** *126*

Defronte ao mar, este hotel imponente é renomado por seus jardins e pelos três restaurantes excepcionais. O serviço e as instalações maravilhosas incluem acesso à internet, piscina ao ar livre, espreguiçadeiras para tomar sol, salas de leitura, quadras de tênis, cabeleireiros e muito mais. Fecha nov-fev. **www.royalhotelsanremo.com**

SESTRI LEVANTE Grand Hotel dei Castelli €€€€

Via Penisola di Levante 26, 16039 **Tel** *0185 48 70 20* **Fax** *0185 447 67* **Quartos** *50*

Velho castelo transformado em um lindo hotel, têm quartos em estilo antigo com decoração e móveis modernos, mosaicos mouriscos, mármore e pilares. Fica em um parque com vista para a baía, e dispõe de escadas em caracol, de uma praia privada e de um terraço ao ar livre. Fecha meados out-mar. **www.hoteldeicastelli.com**

VENTIMIGLIA La Riserva €€€

Località Peidago 71, località Castel d'Appio, 18039 **Tel** *0184 22 95 33* **Fax** *0184 22 97 12* **Quartos** *19*

Localizado em um vilarejo acima de Ventimiglia, a apenas 5km da fronteira com a França, este hotel oferece quartos e suítes com vista panorâmica da Riviera italiana e da Côte d'Azur. Há uma piscina, um pequeno centro de fitness, internet sem fio e transporte para Ventimiglia. Fecha out-Páscoa. **www.hoteldeicastelli.com**

EMÍLIA-ROMANHA

BOLONHA Centrale €€

Via della Zecca 2, 40121 **Tel** *051 225 114* **Fax** *051 235 162* **Quartos** *25*

No terceiro andar de um palazzo nobre, em uma rua lateral a poucos minutos da praça principal, esta pequena e conhecida pensione tem quartos limpos, alguns com vistas charmosas. Alguns não têm banheiro nem ar-condicionado, mas todos têm TV por satélite e telefone. Uma boa opção central. **www.albergocentralebologna.it**

BOLONHA Touring €€€

Via De Mattuiani 1-2, 40124 **Tel** *051 584 305* **Fax** *051 334 763* **Quartos** *38*

Charmoso e bem administrado, este hotel fica em uma área calma e pitoresca da cidade. Áreas de uso comum são alegres, os quartos são bonitos e compactos, alguns com vista. O terraço, onde o café da manhã é servido no verão, tem uma pequena jacuzzi. Há bicicletas e acesso para deficientes. **www.hoteltouring.it**

BOLONHA De Commercianti €€€€

Via De'Pignattari 11, 40124 **Tel** *051 745 75 11* **Fax** *051 745 75 22* **Quartos** *36*

No coração da cidade, junto à Piazza Maggiore, esta edificação histórica é datada do século 12. Quartos e suítes encantadores, alguns com vigas de madeira ou afrescos, outros com terraço privado de frente para a igreja de San Petronio. Preços oscilam durante feiras de negócios. Oferece bicicletas e acesso à internet. **www.bolognarthotels.it**

COMACCHIO Hotel Gallia €

Viale Leonardo da Vinci 45, Lido di Spina, 44024 **Tel** *0533 33 34 00* **Fax** *0533 33 35 00* **Quartos** *48*

Em um belo pinheiral a uma curta caminhada da praia, este hotel moderno é ideal para usufruir a tranquilidade da área. Com uma sala de jogos e área de recreação para crianças, é uma boa opção para famílias. Não aceita cartões de crédito Amex e Diners. **www.hotelgallia.it**

FAENZA Hotel Vittoria €€

Corso G Garibaldi 23, 48018 **Tel** *0546 215 08* **Fax** *0546 291 36* **Quartos** *50*

No centro da cidade de fama internacional por suas cerâmicas e faiança, o Vittoria funciona desde 1861. Em estilo Liberty, tem elegantes áreas de uso comum, tetos com afrescos, mármore, azulejos e antiguidades. Quartos e suítes combinam o velho e o novo. Dispõe de um jardim e de um bom restaurante. **www.hotel-vittoria.com**

FERRARA Europa €€€

Corso Giovecca 49, 44100 **Tel** *0532 20 54 56* **Fax** *0532 21 21 20* **Quartos** *43*

Perto do Castello Estense, este hotel charmoso tinha Giuseppe Verdi como hóspede habitual. Alguns quartos são adornados com afrescos e antiguidades, outros são mais simples. Há quartos e apartamentos com acesso para deficientes. Tem um belo pátio com jardim e sala de estar com afrescos. **www.hoteleuropaferrara.com**

FERRARA Ripagrande €€€

Via Ripagrande 21, 44100 **Tel** *0532 76 52 50* **Fax** *0532 76 43 77* **Quartos** *40*

Este palazzo do século 15 transformado em hotel oferece acomodação confortável no coração medieval da cidade. Os quartos são espaçosos, com decoração tradicional e ar-condicionado. O restaurante é conhecido por servir boa culinária regional. Ligue para reservar uma das quatro vagas cobertas de estacionamento. **www.ripagrandehotel.it**

MODENA Hotel Cervetta 5 €€

Via Cervetta 5, 41100 **Tel** *059 23 84 47* **Fax** *059 23 72 09* **Quartos** *22*

Este hotel central fica a apenas alguns passos da catedral. O uso da cor branca cria uma atmosfera clean, moderna e espaçosa. Apesar do hotel não ter garagem própria, os funcionários fornecem um cartão para estacionar em um local próximo de graça. Há ainda internet sem fio. **www.hotelcentrale.com**

MODENA Canalgrande €€€

Corso Canalgrande 6, 41100 **Tel** *059 21 71 60* **Fax** *059 22 16 74* **Quartos** *69*

Villa nobre do século 16, dentro de um belo parque logo após o centro da cidade. As áreas de uso comum têm afrescos encantadores e decoração neoclássica. Os quartos são espaçosos, elegantes e confortáveis. Os jardins relaxantes são ótimos para tomar sol e o restaurante é altamente prestigiado. **www.canalgrandehotel.it**

Categorias de preço *pág. 558* **Legenda dos símbolos** *no final do guia*

PARMA Brenta €

Via GB Borghesi 12, 43100 ***Tel*** *0521 20 80 93* ***Fax*** *0521 20 80 94* ***Quartos*** *15*

Pequeno hotel familiar com donos cordiais. Os quartos são confortáveis e têm banheiro, embora não contem com ar-condicionado –uma boa noite de sono é a prioridade. Quartos duplos ficam defronte a um pátio interno, ao passo que os de solteiro dão para uma rua estreita. Dispõe de serviço de guia e bicicletas. **www.hotelbrenta.it**

PARMA Albergo Park Hotel Stendhal €€€

Via GB Bodoni 3, 43100 ***Tel*** *0521 20 80 57* ***Fax*** *0521 28 56 55* ***Quartos*** *62*

Em localização bem central, a uma curta caminhada da Piazza della Pilotta, este hotel agora integra a rede italiana Jolly. As áreas de uso comum e os quartos são muito elegantes, misturando o antigo e o novo, com pisos de madeira. Este hotel é muito procurado por executivos. **www.hotelsthendal.it**

PIACENZA Ostello di Don Zermani €

Via Zoni 38, 29100 ***Tel*** *0523 71 23 19* ***Fax*** *0523 71 23 19* ***Quartos*** *16*

Albergue muito agradável com camas disponíveis em quartos *single*, duplos e para famílias, alguns com banheiro, assim como em dormitórios coletivos. Em um oásis verde a oeste da cidade, é requisitado por famílias. O café da manhã e as refeições da noite são servidos na sala de jantar. Preço compatível. **www.ostellodipiacenza.it**

PIACENZA Grande Albergo Roma €€€

Via Cittadella 14, 29100 ***Tel*** *0523 32 32 01* ***Fax*** *0523 33 05 48* ***Quartos*** *76*

No coração da parte antiga de Piacenza, defronte à Piazza Cavalli, este é o hotel mais grandioso da cidade. As áreas comuns e os amplos quartos são decorados em estilo *belle époque*. Há quatro apartamentos. Tem um terraço com bar, onde é servido o café da manhã, e um bom restaurante. Oferece bicicletas para alugar. **www.grandealbergoroma.it**

PORTICO DI ROMAGNA Al Vecchio Convento €

Via Roma 7, 47010 ***Tel*** *054 396 70 53* ***Fax*** *054 396 71 57* ***Quartos*** *15*

No limite entre a Toscana e Emília-Romanha, este hotel de uma família, em um ex-convento do século 19, tem um excelente restaurante e uma escola de culinária. Os quartos têm móveis de cerejeira ou nogueira e camas de ferro batido. No verão, os hóspedes podem tomar café da manhã no belo jardim. **www.vecchioconvento.it**

RAVENNA Centrale Byron €€

Via IV Novembre 14, 48100 ***Tel*** *0544 21 22 25* ***Fax*** *0544 341 14* ***Quartos*** *54*

Este hotel é muito requisitado por famílias. Tem quartos econômicos ou standard –de duplos a quádruplos. Embora ambos os tipos sejam igualmente confortáveis, os standard são maiores e com móveis e decoração um pouco mais bonitos. **www.hotelbyron.com**

RAVENNA Hotel Diana €€

Via Girolamo Rossi 47, 48100 ***Tel*** *0544 391 64* ***Fax*** *0544 300 01* ***Quartos*** *33*

Villa amarela do século 18, oferece serviço cordial em uma boa localização tranquila, próxima ao túmulo de Galla Placidia. Tem quartos standard, superior ou de luxo (os últimos têm acesso de banda larga à internet e frigobar). O saguão é discreto e acolhedor. Estacionamento por perto. Há bicicletas disponíveis. **www.hoteldiana.ra.it**

RAVENNA Albergo Cappello €€€

Via IV Novembre 41, 48100 ***Tel*** *0544 21 98 13* ***Fax*** *0544 21 98 14* ***Quartos*** *7*

Em uma rua bem central para pedestres, este pequeno hotel-butique é o mais belo de Ravenna, embora os quartos sejam bem pequenos. Cada quarto é decorado de uma maneira, mas todos exibem antiguidades. Renomado restaurante e bar de vinhos. Tem quartos para não fumantes e acesso para deficientes. **www.albergocappello.it**

REGGIO EMILIA Hotel Posta €€

Piazza del Monte 2, 42100 ***Tel*** *0522 43 29 44* ***Fax*** *0522 45 26 02* ***Quartos*** *38*

No coração de Reggio Emilia, o antigo Palazzo del Capitano del Popolo funciona como hotel há mais de 500 anos. Charmoso e de gestão familiar, tem equipe profissional. Quartos duplos standard ou superiores e uma suíte. Seu anexo, o Albergo Reggio, tem quartos mais baratos com quitinete. Há bicicletas disponíveis. **www.hotelposta.re.it**

RIMINI Esedra Hotel €

Viale Caio Duilio 3, 47900 ***Tel*** *0541 234 21* ***Fax*** *0541 244 24* ***Quartos*** *47*

Charmosa villa em estilo Liberty em um belo jardim na Marina Center, não distante da animada orla de Rimini. O hotel tem uma praia privada e uma pequena piscina com hidromassagem. Os quartos são simples, porém confortáveis, com comodidades modernas. Há também apartamentos com capacidade para quatro pessoas. **www.esedrahotel.com**

RIMINI Hotel Card €€

Via Dante Alighieri 50, 47900 ***Tel*** *0541 264 12* ***Fax*** *0541 543 74* ***Quartos*** *54*

Pequeno hotel de gestão familiar, é convenientemente situado para a estação ferroviária e para explorar a encantadora cidade antiga de Rimini. Os quartos são limpos e alguns são de bom tamanho para famílias. Nem todos têm banheiro. Sem ar-condicionado, fornece ventiladores sob pedido. Boa opção econômica. **www.hotelcard.it**

RIMINI Le Meridien Rimini €€€

Viale Lungomare Murri 13, 47900 ***Tel*** *0541 39 66 00* ***Fax*** *0541 39 66 01* ***Quartos*** *111*

Resort projetado pelo arquiteto italiano Paolo Portoghesi. Este edifício elegante fica bem na praia, sendo dotado de quartos grandes e arejados –alguns interligados–, perfeitos para famílias. Quartos superiores/de luxo têm vista para o mar e terraços. O bar é bem moderno e há um restaurante de peixes. **www.lemeridien.com/rimini**

SANTARCANGELO DI ROMAGNA Hotel della Porta €€

Via Andrea Costa 85, 47822 **Tel** *0541 62 21 52* **Fax** *0541 62 21 68* **Quartos** *22*

Em uma aldeia medieval não distante de Rimini, este hotel tem um pequeno pátio e jardim com terraço. As áreas de uso comum e os quartos são charmosos, alguns com antiguidades, e todos têm nomes curiosos como Bluebell e Grapefruit. Há quartos para não fumantes e para deficientes. No anexo há quartos mais modernos. **www.hoteldellaporta.com**

SORAGNA Locanda del Lupo €€€

Via Garibaldi 64, 43019 **Tel** *0524 59 71 00* **Fax** *0524 59 70 66* **Quartos** *45*

Em uma área muito calma a 30km de Parma, esta pequena estalagem tem um renomado restaurante com mesas externas em um belo pátio durante o verão. As áreas de uso comum têm antiguidades, lareiras do século 18 e vigas de madeira; os quartos são igualmente charmosos. Há um relaxante terraço ao ar livre. **www.locandadellupo.com**

FLORENÇA

Il Bargellino €

Via Guelfa 87, 50129 **Tel** *055 238 26 58* **Fax** *055 21 21 90* **Quartos** *10* **Mapa** *1 C4*

Este hotel com dez quartos tem um vasto terraço com plantas na primeiro andar, onde os hóspedes podem tomar café da manhã no verão. A apenas cinco minutos da estação, mas bem distante da agitação da cidade. Reserve antes um dos quatro quartos com vista para o terraço. **www.ilbargellino.com**

Istituto Gould €

Via dei Serragli 49, 50100 **Tel** *Tel: 055 21 25 76* **Fax** *055 28 02 74* **Quartos** *39* **Mapa** *3 B2*

A combinação de tarifas incrivelmente baixas com sua contribuição para uma boa causa (crianças carentes) torna mais fácil apreciar a aparência despojada deste albergue. Os quartos são impecáveis e os jardins proporcionam uma visão muito atrativa. Ideal para quem quer segurança e conforto sem gastar muito. **www.istitutogould.it**

Locanda Orchidea €

Via Borgo degli Albizzi 11, 50122 **Tel/Fax** *055 248 03 46* **Quartos** *7* **Mapa** *6 F3*

Esta pequena locanda em um palazzo do século 12 no centro de Florença é a melhor opção para quem viaja com o orçamento apertado. Os funcionários falam inglês e dão orientações para quem quer ir à Piazza della Signoria, à Santa Croce ou ao Duomo –todos a cinco minutos a pé. Os quartos dos fundos são mais silenciosos. **www.hotelorchideaflorence.it**

Cestelli €€

Borgo Santi Apostoli 25, 50123 **Tel** *055 21 42 13* **Fax** *055 21 42 13* **Quartos** *8* **Mapa** *3 C1*

Este hotel em uma edificação do século 15 virando a esquina da Piazza Santa Trinità foi amplamente repaginado. Tem oito quartos, sendo que os três que têm banheiro privado contam com pisos de parquete originais do século 17. No café da manhã, os donos dão uma lista de seus bares e cafés locais favoritos. **www.hotelcestelli.com**

Dei Mori Bed & Breakfast €€

Via D Alighieri 12, 50122 **Tel** *055 21 14 38* **Fax** *055 238 22 16* **Quartos** *5* **Mapa** *4 D1*

Esta pousada bem arrumada, limpa e aconchegante foi inaugurada em 1996, sendo a primeira de Florença. Uma escada pouco iluminada conduz aos quartos espaçosos e bem decorados; todos os acabamentos dos banheiros (pequenos) são novos. Os quartos ficam de frente para um pátio tranquilo. **www.deimori.com**

Della Robbia €€

Via dei Della Robbia 7/9, 50132 **Tel** *055 263 85 70* **Fax** *055 246 63 71* **Quartos** *24*

Do outro lado da *viale* (bulevar) que marca a beira da cidade antiga, esta edificação do final do século 19 foi restaurada. Os quartos são no estilo Art Nouveau italiano chamado Liberty (uma raridade em Florença). Há várias suítes e um anexo. Basta descer a Borgo Pinti para chegar à Santa Croce. **www.hoteldellarobbia.it**

Emma €€

Via A. Pacinotti 20, 50131 **Tel** *055 57 59 01* **Fax** *Fax 055 504 89 14* **Quartos** *9*

Há um clima caseiro neste hotel de nove quartos dirigido por uma norueguesa e seu marido italiano. O trajeto de ônibus de dez minutos vindo da Piazza di San Marco vale a pena. Dois quartos têm vista para a rua e os demais para o pátio. Há um pequeno terraço onde o café da manhã é servido no verão. **www.hotelemma.net**

Hotel Casci €€

Via Cavour 13, 50129 **Tel** *055 21 16 86* **Fax** *055 239 64 61* **Quartos** *29* **Mapa** *2 D4*

Localizado no segundo andar de um edifício do século 15 na agitada Via Cavour entre o Duomo e San Lorenzo, este hotel de uma família foi a casa do compositor Gioacchino Rossini em meados da década de 1850. Oferece quartos grandes, limpos e silenciosos, havendo cinco para não fumantes. Acesso grátis à internet. **www.hotelcasci.com**

Silla €€

Via dè Renai 5, 50126 **Tel** *055 234 28 88* **Fax** *055 234 14 37* **Quartos** *35* **Mapa** *6 F5*

Localizado em uma edificação do século 16, este hotel de gestão familiar no lado *Oltrarno* do rio é acessado por um pátio elegante. Uma grande escadaria (ou um elevador) conduz à entrada deste hotel. No verão o café da manhã é servido no terraço, onde há vista para o rio e a cidade. **www.hotelsilla.it**

Alessandra €€€

Borgo Santi Apostoli 17, 50123 ***Tel*** *055 28 34 38* ***Fax*** *055 21 06 19* ***Quartos*** *27* ***Mapa*** *5 C3*

Localizado no segundo e terceiro andares de um edifício do século 16. Os quartos com vista para o Arno são maiores e mais caros: a única suíte, com sacada, tem preço compatível. Os outros quartos têm vista para a Piazzetta del Limbo e a igreja dos Santi Apostoli. **www.hotelalessandra.com**

Firenze €€€

Piazza dei Donati 4 (Via del Corso), 50133 ***Tel*** *055 21 42 03* ***Fax*** *055 21 23 70* ***Quartos*** *57* ***Mapa*** *2 D5*

Este hotel de 57 quartos é uma excelente opção econômica. A decoração é um tanto espartana, mas atende aos requisitos básicos. Há também vários quartos grandes que acomodam até quatro pessoas. Localização tranquila em uma ruazinha lateral saindo da Via del Corso para pedestres. **www.hotelfirenze-fi.it**

Grand Hotel Minerva €€€

Piazza Santa Maria Novella 16, 50123 ***Tel*** *055 272 30* ***Fax*** *055 26 82 81* ***Quartos*** *102* ***Mapa*** *1 B5*

Único hotel de Florença com piscina no terraço. Assistir ao pôr do sol daqui ou do bar adjacente é uma experiência absolutamente memorável. Este hotel já recebeu uma longa lista de hóspedes famosos, incluindo Henry James. Suítes para famílias têm dois banheiros. **www.grandhotelminerva.com**

Hermitage €€€

Vicolo Marzio 1, 50122 ***Tel*** *055 28 72 16* ***Fax*** *055 21 22 08* ***Quartos*** *28* ***Mapa*** *6 D4*

Este hotel ocupa quatro andares de uma torre medieval: a recepção e as áreas de uso comum ficam no quinto andar; o jardim no sexto tem vista panorâmica do Corredor Vasari, da Ponte Vecchio, do Arno e além. Os quartos de frente para o Duomo são mais silenciosos. **www.hermitagehotel.com**

Hotel Botticelli €€€

Via Taddea 8, 50123 ***Tel*** *055 29 09 05* ***Fax*** *055 29 43 22* ***Quartos*** *34* ***Mapa*** *1 C4*

Localizado em uma edificação do século 16 recentemente reformada, o Botticelli tem tetos abobadados com afrescos, assim como um pórtico com vistas espetaculares dos domos do Duomo e de San Lorenzo. Outra vantagem é sua localização próxima ao mercado de San Lorenzo, no centro histórico. **www.hotelbotticelli.it**

Hotel Davanzati €€€

Via Porta Rossa 5, 50123 ***Tel*** *055 28 66 66* ***Fax*** *055 265 82 52* ***Quartos*** *21* ***Mapa*** *5 C3*

Serviço cinco-estrelas com preço de três neste palazzo renascentista reformado. O hotel pertence à família Fuzier Cayla, que se preocupa em atender todas as necessidades dos hóspedes. Os quartos são arejados e modernos e oferecem empréstimo de laptop e acesso à internet gratuitos. **www.hoteldavanzati.it**

Hotel Villa Belvedere €€€

Via Bernardo Castelli 3, 50124 ***Tel*** *055 22 25 01* ***Fax*** *055 22 31 63* ***Quartos*** *26* ***Mapa*** *3 A5*

Localizada no Poggio Imperiale, na primeira colina fora da Porta Romana ao sul da cidade, esta espaçosa villa da década de 1930, com adições da década de 1950, fica em meio a belos jardins. As vistas das colinas e da cidade são especialmente impressionantes nos terraços do primeiro andar. Quartos elegantemente decorados. **www.villa-belvedere.com**

Loggiato dei Serviti €€€

Via dei Servi 49 (Piazza Santissima Annunziata 3), 50122 ***Tel*** *055 28 95 92* ***Fax*** *055 28 95 95* ***Quartos*** *39* ***Mapa*** *2 D4*

Construído no século 16 pela ordem dos padres Serviti para hospedar prelados de fora. Do outro lado da praça há uma imagem refletida do Spedale degli Innocenti, de Brunelleschi. Todos os quartos são diferentes e têm vista para a piazza ou para o jardim da Accademia delle Belle Arti. É essencial reservar com antecedência. **www.loggiatodeiservitihotel.it**

Morandi alla Crocetta €€€

Via Laura 50, 50121 ***Tel*** *055 234 47 47* ***Fax*** *055 248 09 54* ***Quartos*** *10* ***Mapa*** *2 E4*

Apenas dez quartos, cada um com um estilo, e uma reputação consolidada faz com que reservas antecipadas sejam essenciais. Há escadas para a recepção no primeiro andar onde encontram-se todos os quartos. Três têm vista para o pátio e os demais para a rua. Como não há porteiro à noite, leve as chaves se você sair. **www.hotelmorandi.it**

Orto dei Medici €€€

Via San Gallo 30, 50129 ***Tel*** *055 48 34 27* ***Fax*** *055 46 12 76* ***Quartos*** *42* ***Mapa*** *2 D4*

A dez minutos de caminhada do Duomo e a cinco da Piazza San Marco e da Accademia, esta edificação do século 19 tem grandes áreas de uso comum com afrescos. Um belo terraço tem vista para a San Marco. Todos os quartos são para não fumantes e há quatro no quarto andar com vista para o Duomo e San Lorenzo. **www.ortodeimedici.it**

Palazzo Benci €€€

Piazza Madonna Aldobrandini 3, Via Faenza 6/r, 50123 ***Tel*** *055 21 38 48* ***Fax*** *055 28 83 08* ***Quartos*** *35* ***Mapa*** *1 C5*

Este palazzo do século 16, com um belo jardim em um pátio, pertence à família Benci. Acabamentos contemporâneos realçam os elementos originais, que foram cuidadosamente restaurados em 1989. Todos os quartos têm janelas de vidro duplo, sendo que os de trás têm vista para as Capelas Medici. A tarifa inclui café da manhã. **www.palazzobenci.com**

Pitti Palace €€€

Borgo San Jacopo 3, 50125 ***Tel*** *055 239 87 11* ***Fax*** *055 239 88 67* ***Quartos*** *72* ***Mapa*** *3 C1*

Muito perto da Ponte Vecchio, este hotel moderno tem dois terraços no sexto andar com esplêndidas vistas da cidade, especialmente dos Jardins de Boboli. Pequeno e funcional, tem bom preço considerando sua conveniente localização. A maioria dos quartos fica entre o primeiro e o quinto andar, e há um no sétimo. **www.vivahotels.com**

Tourist House Ghiberti €€€

Via M Bufalini 1, 50122 **Tel** *055 28 48 58* **Fax** *055 26 41 70* **Quartos** *5* **Mapa** *6 E2*

Perto do Duomo, este B&B tem um ambiente arejado e moderno. Os quartos são espaçosos e decorados com mosaicos em estilo florentino. Uma das áreas comuns tem hidromassagem e sauna para quem se cansa nos passeios. Todos os quartos têm TV LCD e computador, e o acesso à internet sem fio é gratuito. **www.touristhouseghiberti.com**

Roma €€€€

Piazza Santa Maria Novella 8, 50123 **Tel** *055 21 03 66* **Fax** *055 21 53 06* **Quartos** *57* **Mapa** *1 B5*

Este grande hotel exibe toques elegantes como pisos de mármore, painéis de madeira e vitrais de Galileo e Tito Chini. Tem quartos em cinco andares, sendo que quatro em cada andar ficam de frente para a piazza. Embora sejam maiores, estes quartos às vezes são barulhentos. **www.hotelromaflorence.com**

Serristori Palace Residence €€€€

Lungarno Serristori 13, 50125 **Tel** *055 200 16 23* **Fax** *055 234 78 28* **Quartos** *12* **Mapa** *6 F5*

Este é o lugar perfeito se você deseja ficar em paz em um local com muito estilo na decoração dos apartamentos e a uma curta distância do centro da cidade. Fica em uma estrada movimentada, mas alguns apartamentos têm vista espetacular para o outro lado do rio (Duomo). Há um salão com bar e TV na adega. **www.serristoripalace.com**

Torre di Bellosguardo €€€€

2,5km SO Florence. Via Roti Michelozzi 2, 50124 **Tel** *055 229 81 45* **Fax** *055 22 90 08* **Quartos** *16*

Os belos jardins desta villa do século 14, com uma torre do século 16, descortinam vistas incomparáveis da cidade. O interior é igualmente fabuloso, com vastas áreas de uso comum e quartos imensos dotados de móveis antigos e tapetes persas. Há uma piscina cercada de verde e um centro de fitness. **www.torrebellosguardo.com**

Balestri €€€€€

Piazza Mentana 7, 50122 **Tel** *055 21 47 43* **Fax** *055 239 80 42* **Quartos** *51* **Mapa** *4 D1*

Localizado em uma pracinha defronte ao rio a meio caminho entre a Ponte Vecchio e a Santa Croce, este hotel foi inaugurado em 1888. Amplamentes reformados, todos os quartos têm frigobar. Trinta deles ficam de frente para o Arno e os demais para um pátio tranquilo. Próximo ao Museu de História da Ciência. **www.hotel-balestri.it**

Excelsior €€€€€

Piazza Ognissanti 3, 50123 **Tel** *055 271 51* **Fax** *055 21 02 78* **Quartos** *171* **Mapa** *5 A2*

O Excelsior é um luxuoso hotel com piso e colunas de mármore, escadarias grandiosas, vitrais, estátuas e pinturas de época. Os quartos são igualmente opulentos e o serviço impecável. O restaurante Il Cestello serve cozinha toscana e internacional. O terraço no térreo tem vistas esplêndidas. **www.westin.com/excelsiorflorence**

Four Seasons Hotel €€€€€

Borgo Pinti 99, 50121 **Tel** *055 262 62 50* **Fax** *055 262 65 00* **Quartos** *116* **Mapa** *2 E4*

Uma das maiores novidades de hospedagem em Florença, o Four Seasons foi inaugurado após uma reforma que incluiu a restauração de afrescos originais do século 15. Suítes superluxuosas, bons restaurantes e um spa já fazem deste hotel o número um na cidade. Provém todas as necessidades para os executivos. **www.fourseasons.com/florence**

Grand Hotel Villa Medici €€€€€

Via Il Prato 42, 50123 **Tel** *055 238 13 31* **Fax** *055 238 13 36* **Quartos** *100* **Mapa** *1 A4*

Esta villa do século 18 adaptada é o único hotel dentro da cidade que tem uma piscina ao ar livre em seus próprios jardins. Os quartos são decorados com antiguidades. O clube de fitness inclui sauna e banho turco. Localizado junto à Porta al Prato, daqui é possível ir a pé ao centro da cidade. **www.villamedicihotel.com**

Helvetia & Bristol €€€€€

Via dei Pescioni 2, 50123 **Tel** *055 266 51* **Fax** *055 28 83 53* **Quartos** *67* **Mapa** *5 C2*

Este suntuoso palazzo na Via de' Tornabuoni é perfeito para quem procura luxo à moda antiga. Os quartos são decorados individualmente com mobília de época. Porteiros uniformizados, jardim de inverno e um restaurante refinado completam o esplendor Belle Époque deste hotel. Visite o site para descontos ocasionais. **www.royaldemeure.com**

JK Place €€€€€

Piazza Santa Maria Novella 7, 50123 **Tel** *055 264 51 81* **Fax** *055 265 83 87* **Quartos** *20* **Mapa** *5 B2*

Inspiração neoclássica, interior moderno, porém aristocrático, e arquitetura premiada fazem da estada no JK Place uma experiência inesquecível. Os quartos são mais calorosos do que as elegantes e monocromáticas áreas comuns fazem crer, e têm todas as comodidades que se espera de um hotel de alto nível. **www.jkplace.com**

Palazzo Niccolini al Duomo €€€€€

Via dei Servi 2, 50122 **Tel** *055 28 24 12* **Fax** *055 29 09 79* **Quartos** *10* **Mapa** *2 D5*

Defronte ao Duomo, este palazzo do século 16 é dirigido por descendentes dos donos originais. A recepção e os quartos ficam no segundo andar. As áreas de uso comum têm pinturas e antiguidades. Os quartos têm banheiros de mármore. A sala de estar da suíte tem uma linda vista do domo de Brunelleschi. **www.niccolinidomepalace.com**

Savoy €€€€€

Piazza della Repubblica 7, 50123 **Tel** *055 273 51/28 33 13* **Fax** *055 273 58 88* **Quartos** *102* **Mapa** *6 D3*

Arquitetonicamente magnífico, tem interiores luxuosos e quartos elegantemente decorados, incluindo 14 suítes (duas das quais têm um *hammam*). A academia no sexto andar tem vistas espetaculares do Duomo e da *campanile* de Giotto. O bar L'Incontro na piazza é ponto de encontro dos florentinos. **www.hotelsavoy.it**

Categorias de preço *pág. 558* **Legenda dos símbolos** *no final do guia*

TOSCANA

AREZZO Hotel Il Patio €€€

Via Cavour 23, 52100 **Tel** *0575 40 19 62* **Fax** *0575 274 18* **Quartos** *10*

Na Via Cavour com sua profusão de antiquários e a poucos metros da Chiesa di San Francesco, este hotel carismático fica em um palazzo do século 18. A decoração de cada quarto reflete as viagens do escritor Bruce Chatwin pela China, Austrália, Marrocos e outros países. **www.hotelpatio.it**

AREZZO Vogue €€€

Via Guido Monaco 54, 52100 **Tel** *0575 243 61* **Fax** *0575 243 62* **Quartos** *26*

Adorável hotel-butique perto da igreja de San Francesco. Os quartos não são enormes, mas têm acessórios de grife, banheiros luxuosos e comodidades modernas como iluminação ambiente e TVs de tela plana. Animais de estimação são bem-vindos. **www.voguehotel.it**

ARTIMINO Hotel Paggeria Medicea €€€

Via Papa Giovanni XXIII 1, 59015 **Tel** *0558 751 41* **Fax** *0558 75 14 70* **Quartos** *37*

Nos antigos alojamentos da criadagem da famosa Villa 'La Ferdinanda' dos Medici, este hotel quatro-estrelas exibe móveis originais, tetos com vigas de madeira, pisos de terracota e afrescos decorativos. Tem cavalos, um bem conceituado restaurante e uma loja que vende vinhos e azeite de oliva locais. **www.artimino.com**

CASTELLINA IN CHIANTI Colle Etrusco Salivolpi €€

Via Fiorentina 89, 53011 **Tel** *0577 74 04 84* **Fax** *0577 74 09 98* **Quartos** *19*

Elegante hotel em uma casa campestre cercada de vinhedos, oliveiras e ciprestes, sendo possível ir a pé a Castellina in Chianti. Os quartos têm decoração cálida, com autênticos móveis toscanos, camas de ferro batido, pisos de terracota e vigas de madeira. Há um grande salão de estar e um jardim. **www.hotelsalivolpi.com**

CASTELLINA IN CHIANTI Tenuta di Ricavo €€€

Loc. Scotoni, 53011 **Tel** *0577 74 02 21* **Fax** *0577 74 10 14* **Quartos** *22*

Charmoso resort em uma aldeia medieval restaurada no meio de um parque ecológico. Oferece uma combinação única de história e natureza. Os quartos mantêm parte das características originais, incluindo pedra, azulejos de terracota e vigas de madeira. O restaurante Pecora Nera é de alta gastronomia. Fecha out-Páscoa. **www.ricavo.com**

CORTONA Hotel Italia €€

Via Ghibellina 5-7, 52044 **Tel** *0575 63 02 54* **Fax** *0575 60 57 63* **Quartos** *26*

Na saída da praça principal desta cidade medieval, o hotel fica em um palácio datado do início do século 17. Embora não esteja mais sob gestão familiar, o serviço é extremamente personalizado e cordial. O grande terraço tem vistas panorâmicas do Vale Chiana e do Lago Trasimeno. **www.planhotel.com**

CORTONA Relais San Pietro in Polvano €€€

Loc. Polvano 3, 52043, Castiglion Fiorentino **Tel** *0575 65 01 00* **Fax** *0575 65 02 55* **Quartos** *10*

Encantadora casa de fazenda do século 17 de localização idílica no topo de uma colina. De gestão familiar, aqui todos os detalhes são bem pensados e o lugar é perfeito para quem busca um refúgio tranquilo. No verão o jantar é servido no terraço. Seu café da manhã de frutas frescas, queijos e bolos é recomendado. **www.polvano.com**

CORTONA Villa Marsili €€€

Viale Cesare Battisti 13, 52044 **Tel** *0575 60 52 52* **Fax** *0575 60 56 18* **Quartos** *27*

Esta villa do século 18 transformada em hotel oferece vistas infindáveis do Valdichiana a partir de sua localização, sobre o portão da cidade de Cortona. A decoração é sofisticada e de bom gosto tanto nas áreas comuns como nos amplos e elegantes quartos, e há um charmoso terraço. Serviço de babá disponível. **www.villamarsili.net**

ELBA Hotel Montecristo €€

Lungomare Nomelli 11, Campo nell'Elba, 57034 **Tel** *0565 97 68 61* **Fax** *0565 97 65 97* **Quartos** *43*

Hotel quatro-estrelas mobiliado com simplicidade, tem um belo terraço ao lado da piscina e vistas da baía de Marina di Campo. Fica a poucos passos da praia e da floresta de pinheiros adjacente. Alguns quartos têm vista para o mar. Há um restaurante ao lado da piscina, spa e um centro de bem-estar. **www.hotelmontecristo.it**

ELBA Hotel Ilio €€€

Via Sant'Andrea 5, Loc. S.Andrea, Marciana, 57030 **Tel** *0565 90 80 18* **Fax** *0565 90 80 87* **Quartos** *20*

Fabuloso hotel-butique localizado na orla de um parque ecológico. Os quartos têm nomes de plantas locais como oleandro, gerânio e romã. A praia fica a uma curta caminhada de distância. Os donos organizam caminhadas em volta do parque. O restaurante serve pratos locais, usando peixes e legumes da região. **www.ilio.it**

ELBA Hotel Hermitage €€€€€

Loc. La Biodola, Portoferraio, 57037 **Tel** *0565 97 40* **Fax** *0565 96 99 84* **Quartos** *130*

Hotel mais luxuoso de Elba e na baía mais exclusiva da ilha, o Hermitage tem uma praia privada de areia dourada, três piscinas, três restaurantes, um piano-bar, um campo de golfe de seis buracos e nove quadras de tênis. As acomodações se dividem entre a sede e chalés menores. Estada mínima de três dias. **www.hotelhermitage.it**

FIESOLE Pensione Bencista' €€€

Via Benedetto da Maiano 4, Fiesole, 50014 ***Tel/Fax*** *055 591 63* ***Quartos*** *40*

Inovações recentes nesta villa do século 14 incluem um elevador e alguns quartos mais grandiosos. Embora a meia-pensão seja opcional, o lugar é tão hospitaleiro e as vistas tão encantadoras que as pessoas preferem ficar. O índice de retorno é alto, portanto, é aconselhável fazer reserva antecipada. **www.bencista.com**

FIESOLE Villa San Michele €€€€€

Via Doccia 4, Fiesole, 50014 ***Tel*** *055 567 82 00* ***Fax*** *055 567 82 50* ***Quartos*** *46*

Em uma área própria, o Villa San Michele tem vistas espetaculares, sendo que a melhor é a da arcada, onde o jantar é servido no verão. Peça um quarto com vista para a cidade. O terraço da suíte é perfeito para um jantar privado. A suíte mais baixa tem jardim. Fecha fim nov-meados mar. **www.villasanmichele.orient-express.com**

GAIOLE IN CHIANTI Residence San Sano €€

Loc. San Sano 21, 53100 ***Tel*** *0577 74 61 30* ***Fax*** *0577 74 68 91* ***Quartos*** *16*

Hotel-restaurante em uma casa de sentinela reformada do século 13. No alto da antiga escadaria, os quartos charmosos têm paredes caiadas e tetos com vigas de madeira. O menu de três pratos com especialidades toscanas é servido sob os arcos de pedra do restaurante, o qual tem um terraço ajardinado para o verão. **www.sansanohotel.it**

GAIOLE IN CHIANTI Castello di Spaltenna €€€

Loc. Spaltenna, 53013 ***Tel*** *0577 74 94 83* ***Fax*** *0577 74 92 69* ***Quartos*** *30 quartos and 8 suites*

Em uma antiga aldeia feudal com uma esplêndida igreja e um campanário medievais, este belo mosteiro adaptado tem vistas fabulosas do vale coberto de vinhedos. Os quartos luxuosos têm camas de dossel, grandes áreas de estar e banheiras de hidromassagem. Restaurante de gastronomia. Pode agendar passeios a cavalo. **www.spaltenna.it**

LUCCA Piccolo Hotel Puccini €€

Via di Poggio 9, 55100 ***Tel*** *0583 554 21* ***Fax*** *0583 534 87* ***Quartos*** *14*

Hotel pequeno e simpático em um edifício de pedra no centro de Lucca, logo acima da rua onde fica a casa em que Giacomo Puccini nasceu (hoje um museu) e da praça central de San Michele. Os quartos são pequenos, mas têm bom preço considerando a localização. Carro de cortesia para o aeroporto e a estação de trem. **www.hotelpuccini.com**

LUCCA Locanda L'Elisa €€€

Via Nuova per Pisa 1952, Massa Pisana, 55050 ***Tel*** *0583 37 97 37* ***Fax*** *0583 37 90 19* ***Quartos*** *10*

Com acomodações cinco-estrelas em uma casa imponente do século 18, este hotel Relais & Chateaux fica ao pé de uma cadeia de colinas perto de Lucca. Os quartos de luxo são espaçosos, com áreas de estar com móveis, pinturas e cortinados antigos. Muito requisitado para escapadas românticas. **www.locandalelisa.it**

LUCCA Villa Romantica €€€

Via Barbaranti 246, 55100 ***Tel*** *0583 49 68 72* ***Fax*** *0583 95 76 00* ***Quartos*** *6*

Villa tranquila do século 19 fora dos muros de Lucca. Este hotel tem apenas quatro quartos duplos, uma suíte e uma suíte junior. Todos têm decoração moderna, em harmonia com o estilo Liberty da edificação. A suíte tem cama de dossel e uma grande sala de estar. Há um amplo jardim com árvores antigas e quadras de tênis. **www.villaromantica.it**

LUCCA San Luca Palace €€€€

Via San Paolino 103, 55010 ***Tel*** *0583 31 74 46* ***Fax*** *0583 58 30 85* ***Quartos*** *26*

Este belo palazzo renascentista abriga acomodações modernas e instalações para executivos. O San Luca Palace aumentou o nível de conforto dentro dos muros da cidade. Os quartos (a maioria deles suítes) são espaçosos e contam com comodidades modernas como ar-condicionado e TV de tela plana. **www.sanlucapalace.com**

MONTALCINO Porta Castellana €

Via Santa Lucia, 53024 ***Tel/Fax*** *0577 83 90 01* ***Quartos*** *3*

Este romântico B&B, instalado em um antigo moinho, fica a uma pequena caminhada da rua principal de Montalcino. Os quartos amplos mantêm as abóbadas de tijolo à vista, e são incrementados com mobiliário moderno. Há um incrível terraço para tomar o café da manhã no verão com vista para o Val d'Orcia. **www.portacastellana.it**

PIENZA Chiostro di Pienza €€€

Corso Rossellino 26, 53026 ***Tel*** *0578 74 84 00* ***Fax*** *0578 74 84 40* ***Quartos*** *37*

É impossível dormir mais perto da Piazza Pio II do que neste mosteiro transformado em hotel no coração de Pienza. Os quartos têm mobília tradicional (alguns com piso de terracota) e estão instalados em torno de um claustro. A piscina, o restaurante e o jardim ficam em um terraço com vista para o glorioso Val d'Orcia. **www.relaisilchoistrodipienza.com**

PISA Hotel Francesco €€

Via Santa Maria 129, 56126 ***Tel*** *050 55 54 53* ***Fax*** *050 55 61 45* ***Quartos*** *13*

Hotel pequeno e hospitaleiro fica a alguns passos da torre inclinada de Pisa. O terraço deste três-estrelas tem vistas lindas da cidade. Os quartos são limpos, claros e minimamente mobiliados. Há quartos para não fumantes sob pedido. Oferece aluguel de bicicleta e motoneta. **www.hotelfrancesco.com**

PISA Novecento €€

Via Roma 37, 56126 ***Tel*** *050 50 03 23* ***Fax*** *050 220 91 63* ***Quartos*** *10*

Esta villa colonial fechada perto do jardim botânico de Pisa tem bom custo-benefício e trouxe estilo à cena hoteleira da cidade. A caótica Piazza del Campo fica a alguns minutos a pé, mas você nem percebe quando está em um dos tranquilos (porém em sua maioria pequenos) quartos com ar-condicionado em volta do pátio. **www.hotelnovecento.pisa.it**

Categorias de preço *pág. 558* **Legenda dos símbolos** *no final do guia*

PISA Royal Victoria Hotel €€

Lungarno Pacinotti 12, 56126 ***Tel*** *050 94 01 11* ***Fax*** *050 94 01 80* ***Quartos*** *48*

O Royal Victoria ocupa uma torre do século 10º construída para abrigar a Corporação dos Produtores de Vinho. Tornou-se o primeiro hotel de Pisa em 1837, incorporando várias casas medievais no processo. Dirigido pela família Piegaja, tem quartos de tamanho e decoração charmosos. Aluga bicicletas e conta com garagem privativa. **www.royalvictoria.it**

PISA Hotel Relais dell'Orologio €€€€€

Via della Faggiola 12/14, 56126 ***Tel*** *050 83 03 61* ***Fax*** *050 55 18 69* ***Quartos*** *21*

Hotel cinco-estrelas em um solar reformado com o que restou de uma torre do século 14. Os quartos são decorados com tapetes e cortinas xadrezes, móveis antigos e lareiras originais. Alguns têm hidromassagem. O café da manhã é servido no jardim e há um bom restaurante. **www.hotelrelaisorologio.com**

PISTOIA Villa Cappugi €€

Via Collegigliato 45, 51100 ***Tel*** *0573 45 02 97* ***Fax*** *0573 45 10 09* ***Quartos*** *70*

Aninhado entre a cidade e as montanhas, este hotel-villa com instalações para conferências é uma ótima base para explorar a região. Os quartos são claros, espaçosos e equipados com TV LCD, ar-condicionado e amplos banheiros. Traga seu equipamento de esportes: há quadras de tênis e de futebol. **www.hotelvillacappugi.com**

PRATO Hotel Hermitage €€

Via Ginepraia 112, Loc. Poggio a Caiano, 59016 ***Tel*** *0558 772 44* ***Fax*** *0558 79 70 57* ***Quartos*** *59*

Localizado em uma calma área residencial perto da Villa Ambra dos Medicis do século 15, este três-estrelas fica no topo de uma colina. Os quartos são simples, porém confortáveis, e alguns têm lindas vistas. O restaurante serve comida toscana. Uma ótima base para explorar os vinhedos por perto. Aluga mountain-bikes. **www.hotelhermitageprato.it**

RADDA IN CHIANTI La Locanda €€€

Loc. Montanino, 53017 ***Tel*** *0577 73 88 32/33* ***Fax*** *0577 73 92 63* ***Quartos*** *6 quartos and 1 suite*

Pequeno hotel de gestão familiar em uma antiga casa de fazenda do século 16, com vistas incríveis dos campos de Chianti. Ao lado, uma edificação de pedra tem uma aconchegante sala de visitas com bar e espaço para jantar. Há um grande terraço ao lado da piscina e um grande jardim. Estada mínima de duas noites. **www.lalocanda.it**

REGELLO I Bonsi €€€

Via I Bonsi 47, Località Sant'Agata, 50066 ***Tel*** *0577 28 73 42* ***Fax*** *0577 28 73 42* ***Quartos*** *6 apartments*

Uma avenida arborizada leva a uma villa torreada construída em 1400 e a uma área verde com vista para o Vale do Arno. Durante o século 17 foi transformada em um convento, mas hoje é usada como residência campestre. Belamente mobiliada, tem encantadoras trilhas na área ao redor. Estada mínima de três noites. **www.agriturismoibonsi.it**

SAN GIMIGNANO La Cisterna €€

Piazza della Cisterna 23, 53037 ***Tel*** *0577 94 03 28* ***Fax*** *0577 94 20 80* ***Quartos*** *50*

Em um palazzo do século 14 no centro da cidade, tem lindas vistas da praça principal e dos campos ao redor. Os quartos são decorados em estilo florentino tradicional. Aberto em 1918, o restaurante se divide em duas partes –uma delas, a Loggia Rustica, tem forros de madeira gloriosamente altos. **www.hotelcisterna.it**

SAN GIMIGNANO La Collegiata €€€€

Loc. Strada 27, 53037 ***Tel*** *0577 94 32 01* ***Fax*** *0577 94 05 66* ***Quartos*** *21*

Exclusividade e serenidade são as palavras-chave neste retiro da Relais & Châteaux nos arredores de San Gimignano. Os quartos com ar-condicionado neste antigo mosteiro capuchinho do século 16 são decorados individualmente com materiais e cores tradicionais da Toscana. O restaurante fino tem ótima reputação. Fecha nov-fev. **www.lacollegiata.it**

SIENA Antica Torre €€

Via di Fiera Vecchia 7, 53100 ***Tel*** *0577 22 22 55* ***Fax*** *0577 22 22 55* ***Quartos*** *8*

Hotel pequeno em uma estupenda torre do século 16. Os quartos silenciosos e românticos exalam personalidade com uma antiga escadaria de pedra travertina, vigas de madeira e abóbadas de tijolo originais. A aconchegante sala de café da manhã ocupa a oficina de um oleiro medieval. Estacionamento grátis. **www.anticatorresiena.it**

SIENA Hotel Arcobaleno €€

Via Fiorentina 32/40, 53100 ***Tel*** *0577 27 10 92* ***Fax*** *0577 27 14 23* ***Quartos*** *19*

Tranquila villa campestre de meados de 1800, foi transformada em um simpático hotel com um terraço e quartos intimistas. Localizada nos portões da cidade, fica a dez minutos de caminhada do centro histórico de Siena. À noite o romântico restaurante é acessado por uma bela escadaria em caracol. Oferece babás. **www.hotelarcobaleno.com**

SIENA Hotel Chiusarelli €€

Viale Curtatone 15, 53100 ***Tel*** *0577 28 05 62* ***Fax*** *0577 27 11 77* ***Quartos*** *48*

Perto da Piazza del Campo, esta villa tranquila de 1870 foi construída pela família Chiusarelli e é um dos hotéis mais antigos da cidade. Os quartos são decorados em estilo neoclássico e têm vistas da igreja de San Domenico. Peça um quarto com sacada. O generoso café da manhã é servido na varanda. Aluguel de mountain-bikes. **www.chiusarelli.com**

SIENA Hotel Athena €€€

Via P Mascagni 55, 53100 ***Tel*** *0577 28 63 13* ***Fax*** *0577 481 53* ***Quartos*** *100*

Moderno quatro-estrelas a poucos passos do Siena Duomo, em uma tranquila área residencial perto da Porta S. Marco. Tem um bar e terraço com vistas de Siena e mais além. Os quartos grandes têm decoração contemporânea ou clássica. O fino restaurante oferece cozinha local. **www.hotelathena.com**

SIENA Pensione Palazzo Ravizza €€€

Pian dei Mantellini 34, 53100 **Tel** *0577 28 04 62* **Fax** *0577 22 15 97* **Quartos** *30*

Pensione em um palácio renascentista no centro histórico de Siena. Os quartos mantêm pisos de terracota, tetos com afrescos, portas com madeira entalhada e móveis antigos originais. As suítes têm salas de estar. O excelente restaurante abre à noite e há um terraço ajardinado com vista para as colinas toscanas. **www.palazzoravizza.it**

SIENA Hotel Certosa di Maggiano €€€€€

Strada di Certosa 82, 53100 **Tel** *0577 28 81 80* **Fax** *0577 28 81 89* **Quartos** *17*

Parte da rede de hotéis de luxo Relais & Chateaux, este antigo mosteiro de 1314 fica nos campos nos arredores de Siena. O hotel tem renome mundial por suas pinturas antigas e finos móveis revestidos de seda. Sua vasta área inclui bosques de oliveiras, vinhedos e um heliponto. **www.certosadimaggiano.it**

SINALUNGA Locanda dell'Amorosa €€€€€

Loc. L'Amorosa, 53048 **Tel** *0577 67 72 11* **Fax** *0577 63 20 01* **Quartos** *20*

Esta villa do século 14 nas colinas de Siena tem quartos individualmente decorados em típico estilo rústico toscano, com móveis antigos, estampas e pinturas. Os hóspedes podem usufruir o elegante restaurante, que agora ocupa os antigos estábulos, assim como o parque, a fazenda e os vinhedos por perto. **www.amorosa.it**

VIAREGGIO Hotel President €€€€

Viale Carducci 5, 55049 **Tel** *0584 96 27 12* **Fax** *0584 96 36 58* **Quartos** *39*

Hotel bem-conceituado defronte à praia, foi construído em 1949 no estilo Liberty típico de Viareggio. Quartos modernos e confortáveis com um ar bem litorâneo. O restaurante Gaudì serve um generoso bufê de café da manhã e tem um menu à noite de cozinha toscana e internacional. Há playground e aluguel de bicicletas. **www.hotelpresident.it**

VOLTERRA Albergo Villa Nencini €€

Borgo Santo Stefano 55, 56048 **Tel** *0588 863 86* **Fax** *0588 806 01* **Quartos** *35*

Este hotel campestre de gestão familiar tem ótima localização nos arredores da cidade e vistas que se estendem até o Arquipélago da Toscana. Os quartos arejados têm decoração sóbria. A *enoteca* nos estábulos adaptados serve vários vinhos locais. Você pode nadar na piscina ao lado de um jardim com imponentes carvalhos. **www.villanencini.it**

VOLTERRA Hotel San Lino €€

Via S. Lino 26, 56048 **Tel** *0588 852 50* **Fax** *0588 806 20* **Quartos** *43*

Este convento do início do século 15 dentro dos muros medievais de Volterra foi transformado em um quatro-estrelas em 1982. Os quartos são modernos, mas reverenciam o passado da edificação. As janelas descortinam as ruas de pedra da cidade ou o pequeno jardim do hotel. Seu restaurante famoso acomoda até 20 pessoas. **www.hotelsanlino.com**

ÚMBRIA

ASSIS Hotel Berti €

Piazza San Pietro, 06081 **Tel** *075 81 34 66* **Fax** *075 81 68 70* **Quartos** *10*

Em uma posição central no pé de uma colina em Assis, não distante da parada do ônibus que liga a cidade à estação ferroviária. O lugar é aconchegante e antiquado, com móveis antigos, pisos de parquete e um ensolarado restaurante com terraço. Os quartos de bom tamanho são belamente decorados. Bom café da manhã. **www.hotelberti.it**

ASSIS Hotel Alexander €€

Piazza Chiesa Nuova 6, 06081 **Tel** *075 81 61 90* **Fax** *075 81 61 90* **Quartos** *8*

Este pequeno hotel foi reformado e fica bem no coração da antiga Assis. Tem vigas de madeira, móveis antigos e pé-direito alto. Os quartos são grandes e podem acomodar camas extras, sendo ideais para famílias. Há também um terraço com linda vista. **www.assisi-hotel.com**

ASSIS Fontebella €€

Via Fontebella 25, 06081 **Tel** *075 81 28 83* **Fax** *075 81 29 41* **Quartos** *46*

Dentro de um velho moinho com sete andares, esta encantadora casa de pedra coberta de hera tem jardins tranquilos. Os quartos são grandes, pintados de amarelo e têm banheiros modernos. Há quartos bons para famílias; alguns com sacada própria e vistas charmosas. A sala de estar tem uma bela lareira e tetos com afrescos. **www.fontebella.com**

ASSIS Hotel Umbra €€

Via degli Archi 6 (Piazza del Comune), 06081 **Tel** *075 81 22 40* **Fax** *075 81 36 53* **Quartos** *25*

Escondido em uma ruazinha não distante da Prefeitura, este pequeno hotel e restaurante é muito requisitado. O jardim no pátio propicia refeições ao ar livre no verão. Tranquilo e de gestão familiar, tem pisos de azulejos e antiguidades por todo o espaço. Os quartos arejados têm decoração elegante. **www.hotelumbra.it**

ASSIS Hotel Le Silve €€€

Loc. Armenzano 82, 06081 **Tel** *075 801 90 00* **Fax** *075 801 90 05* **Quartos** *20*

No Parque Nacional Subasio, a 10km de Assis, esta charmosa casa de fazenda do século 10º é um refúgio tranquilo. Em pleno campo, conta com terraços ao ar livre, piscina e passeios a cavalo. Os quartos têm vistas encantadoras, paredes de pedra, pisos de terracota, vigas de madeira, aconchegante lareiras e antiguidades. Fecha nov-mar. **www.lesilve.it**

Categorias de preço *pág. 558* **Legenda dos símbolos** *no final do guia*

CAMPELLO SUL CLITUNNO Il Vecchio Molino €€

Via del Tempio 34, Località Pissignano, 06042 **Tel** *0743 52 11 22* **Fax** *0743 27 50 97* **Quartos** *13*

Antigo moinho e hospedaria do século 15. O moinho, que era movido pelas águas da Fonti del Clitunno e produzia farinha e azeite de oliva, parou de funcionar recentemente. Neste local adorável ao lado do rio caudaloso, o sistema é bed and breakfast. Os quartos são simples, rústicos e confortáveis. Fecha nov-mar. **www.vecchio-molino.it**

CITTÀ DELLA PIEVE Hotel Piccolo Eden €€

Via Santa Lucia 53, 06062 **Tel** *0578 29 70 65* **Fax** *0578 29 70 66* **Quartos** *36*

Este hotel acolhedor, a uma curta caminhada da muralha histórica de Città della Pieve, é um local agradável para relaxar, com uma piscina e um terraço onde, quando o clima permite, os hóspedes podem fazer suas refeições. É uma ótima base para explorar a região, o lago Trasimeno e cidades toscanas como Siena e Arezzo. **www.hotelpiccoloeden.it**

CITTÀ DI CASTELLO Hotel Tiferno €€€

Piazza R Sanzio 13, 06012 **Tel** *075 855 03 31* **Fax** *075 852 11 96* **Quartos** *47*

Em um antigo convento datado do século 11, este é um dos hotéis mais antigos da Úmbria, estando em funcionamento desde 1895. Localizado em uma pracinha no centro storico, tem elegantes áreas de uso comum com lareiras, abóbadas e uma coleção de pinturas de Alberto Burri. Os quartos são modernos e confortáveis. **www.hoteltiferno.it**

DERUTA Antica Fattoria del Colle €

Str. Colle delle Forche 6, 06053 **Tel/Fax** *075 97 22 01* **Quartos** *7*

Nos campos perto de Deruta, em uma colina cercada de oliveiras e vinhedos, este agriturismo pertence a um charmoso casal de Roma. São duas casa de fazenda de tijolo e pedra com antiguidades, pisos de terracota, vigas de madeira e terraços ensolarados. Excelente cozinha com assados caseiros e vinho delicioso. **www.anticafattoriadelcolle.it**

FONTIGNANA Villa Monte Solare €€€€

Via Montali 7, Colle San Paolo, Panicale, 06064 **Tel** *075 83 23 76* **Fax** *075 835 54 62* **Quartos** *25*

Villa nobre em um oásis panorâmico perto do Lago Trasimeno, com ótimo restaurante que serve produtos locais em um jardim murado. As áreas de uso comum têm cornijas, frisos, pisos de terracota, antiguidades e uma bela lareira antiga. Há uma sala de jantar elegante, um bar no terraço com vista e quadra de tênis. **www.villamontesolare.com**

GUBBIO Grotta dell'Angelo €

Via Gioia 47, 06024 **Tel** *075 927 17 47* **Fax** *075 927 34 38* **Quartos** *18*

No coração da antiga Gubbio, este hotel familiar em uma área tranquila oferece acomodações limpas e simples em uma pequena casa medieval de paredes de pedra caiadas e com lareira no inverno. Os quartos são muito asseados e todos têm banheiro. Há um jardim e um ótimo restaurante sob uma pergula no verão. **www.grottadellangelo.it**

GUBBIO Villa Montegranelli €€

Località Monteluiano, 06024 **Tel** *075 922 01 85* **Fax** *075 927 33 72* **Quartos** *21*

Estrutura medieval do século 18 a 4km de Gubbio, pertencia aos condes Guidi di Romana e Montegranelli. Em meio a ciprestes, a edificação é repleta de estuques, afrescos e antiguidades. Os quartos luxuosos têm lindas vistas do vale. Bom restaurante. **www.hotelvillamontegranelli.it**

GUBBIO Relais Ducale €€€

Via Galeotti 19, 06024 **Tel** *075 922 01 57* **Fax** *075 922 01 59* **Quartos** *30*

Esta imponente edificação fica na Piazza della Signoria, a principal de Gubbio. Adornado com antiguidades, tem belas vistas da cidade e das encostas das colinas em volta, e serve o café da manhã em um terraço encantador. O tamanho e a decoração dos quartos variam, mas todos são elegantes e alguns têm sacadas e lindas vistas. **www.mencarelligroup.com**

LAGO TRASIMENO, CASTIGLIONE DEL LAGO Hotel Trasimeno €

Via Roma 174, 06061 **Tel** *075 965 24 94* **Fax** *075 952 52 58* **Quartos** *34*

Hotel moderno na beira do lago Trasimeno, perto do centro histórico da cidade e de ferryboats que levam às ilhas do lago. Há bicicletas disponíveis no verão, além de atividades como tênis, golfe, vela e windsurfe. O hotel organiza excursões para cidades nas redondezas. **www.hotel-trasimeno.it**

LAGO TRASIMENO, CASTIGLIONE DEL LAGO Miralago €€

Piazza Mazzini 6, 06061 **Tel** *075 951 157* **Fax** *075 51924* **Quartos** *19*

Em uma praça central na adorável cidade de Castiglione del Lago, este charmoso edifício vermelho tem quartos antiquados e confortáveis, todos decorados individualmente. Há vistas do lago ou da praça. O jardim do hotel fica defronte ao Lago Trasimeno propiciando refeições ao ar livre no verão. **www.hotelmiralago.com**

MONTEFALCO Albergo Ristorante Ringhiera Umbra €

Corso Mameli 20, 06036 **Tel** *0742 37 91 66* **Fax** *0742 37 91 66* **Quartos** *13*

Charmosa locanda familiar com acomodações e boa comida bem no coração de Montefalco. É dirigido pela mesma família desde que abriu em 1938. Os quartos de solteiro, duplos ou triplos (somente os triplos têm banheiro) são simples, porém aconchegantes. O restaurante é muito concorrido. **www.ringhieraumbra.com**

MONTEFALCO Villa Pambuffetti €€€

Viale della Vittoria 20, 06036 **Tel** *0742 37 94 17* **Fax** *0742 37 92 45* **Quartos** *15*

Esta villa encantadora hospedava regularmente Gabriele d'Annunzio. É repleta de antiguidades. Todos os quartos ficam defronte aos belos jardins e muitos dos que ficam no último andar têm vistas panorâmicas que se estendem até o Monte Subasio e Assis. Há um bom restaurante de pratos regionais. **www.villapambuffeti.com**

NORCIA Grotta Azzurra €

Via Alfieri 12, 06046 ***Tel*** *0743 81 65 13* ***Fax*** *0743 81 73 42* ***Quartos*** *45*

Perto da praça principal, este hotel é um dos vários pertencentes a uma família local. Estalagem datada de 1850, tem um charmoso restaurante e várias opções de quartos. Os mais básicos são pequenos e têm sacadas de frente para a rua; os de luxo são maiores e têm banheiras de hidromassagem (dois têm afrescos). **www.bianconi.com**

NORCIA Il Casale nel Parco €€

Località Fontevena 8, 06046 ***Tel*** *0743 81 64 81* ***Fax*** *0743 81 64 81* ***Quartos*** *12*

Encantador agriturismo nos arredores de Norcia, ao pé do Monte Sibillini. Dentro de uma casa de fazenda de pedra adaptada e outras edificações, os quartos são aconchegantes e charmosos, com vigas de madeira, camas de ferro batido e belas vistas do jardim. Prepara excelentes piqueniques e jantares sob pedido. **www.casalenelparco.com**

ORVIETO Hotel Duomo €€

Vicolo di Maurizio 7, 05018 ***Tel*** *0763 34 18 87* ***Fax*** *0763 39 49 73* ***Quartos*** *18*

Localizado em uma ruazinha perto da catedral, o Duomo oferece quartos muito limpos e modernos, com grandes banheiros. Alguns têm sacada com vista da catedral. A equipe é cordial e prestativa. Com um pequeno jardim, este hotel é muito concorrido e perfeito para uma estada curta. **www.orvietohotelduomo.com**

ORVIETO La Pensiola €€

Loc. Lago di Corbara, SS448 Baschi, 05023 ***Tel*** *0744 95 05 21* ***Fax*** *0744 95 05 24* ***Quartos*** *19*

O que falta de charme a este hotel é compensado pela cordialidade, equipamentos e localização. Os quartos têm mobília simples e terraço ou jardim privativo. Há quadra de tênis, playground e piscina, além de esportes aquáticos no lago artificial próximo daqui. Parada ideal para viajantes. **www.albergolapensiola.it**

ORVIETO Palazzo Piccolomini €€€

Piazza Ranieri 36, 05018 ***Tel*** *0763 34 17 43* ***Fax*** *0763 39 10 46* ***Quartos*** *34*

Palazzo do século 16 em uma parte tranquila da cidade. É o hotel mais grandioso de Orvieto. As áreas de uso comum e os quartos são elegantes, com tetos abobadados, paredes caiadas e candelabros de ferro batido. Os quartos nos andares superiores têm vistas panorâmicas. **www.hotelpiccolomini.it**

PERÚGIA Hotel Sant'Ercolano €

Via del Bovaro 9, 06122 ***Tel/Fax*** *075 572 46 50* ***Quartos*** *15*

Perto da igreja de Sant'Ercolano no centro storico, este hotel econômico fica em uma edificação do século 17. A dois minutos da estação rodoviária, é uma base muito conveniente para explorar a região. Os quartos são simples, mas confortáveis, e têm banheiro e ventiladores no verão. O café da manhã é pago à parte. **www.santercolano.com**

PERÚGIA Albergo Lo Spedalicchio €€

Piazza Bruno Buozzi 3, 06080 ***Tel*** *075 801 03 23* ***Fax*** *075 801 03 23* ***Quartos*** *25*

Fortaleza medieval em um povoado a meio caminho entre Assis e Perúgia, saindo um pouco da estrada principal. Antiga hospedaria usada por viajantes e peregrinos, é um refúgio tranquilo. Os quartos espaçosos têm banheiro, vigas de madeira e móveis antigos. Não inclui café da manhã. O restaurante serve boa comida regional. **www.lospedalicchio.it**

PERÚGIA Hotel La Fortuna €€

Via Luigi Bonazzi 19, 06123 ***Tel*** *075 572 28 45* ***Fax*** *075 573 50 40* ***Quartos*** *52*

Palazzo restaurado com um terraço, instalações modernas e equipe cordial e profissional. Há afrescos no restaurante e em alguns quartos mais caros, muitos dos quais também têm sala de estar e terraço. Os quartos econômicos são básicos e sem ar-condicionado; os standard são maiores e com ar-condicionado. **www.umbriahotels.com**

PERÚGIA Albergo Brufani Palace €€€€€

Piazza Italia 12, 06100 ***Tel*** *075 573 25 41* ***Fax*** *075 572 02 10* ***Quartos*** *94*

Luxuoso hotel de quatro andares em uma colina no centro de Perúgia, com belas vistas dos vales abaixo. É repleto de tetos com afrescos, pisos de parquete, lareiras de pedra, lustres e antiguidades. Os quartos são especialmente suntuosos. A piscina tem um piso de vidro acima de ruínas etruscas. Ótimo restaurante. **www.brufanipalace.com**

SPELLO La Bastiglia €€

Piazza Vallegloria 7, 06038 ***Tel*** *0742 65 12 77* ***Fax*** *0742 30 11 59* ***Quartos*** *33*

Hotel cujo restaurante tem estrelas do *Michelin*, fica nas encostas do Monte Subasio em um velho moinho cercado de ciprestes e oliveiras. Suítes júnior têm terraço privado e banheiras de hidromassagem; os quartos de luxo têm jardim próprio; os superiores têm sacada e os standard têm janelas com vistas. Piscina aquecida. **www.labastiglia.com**

SPELLO Palazzo Bocci €€€

Via Cavour 17, 06038 ***Tel*** *0742 30 10 21* ***Fax*** *0742 30 14 64* ***Quartos*** *23*

Hotel belamente restaurado em um palazzo do século 17 no bairro histórico desta cidade encantadora. Repleto de quartos e áreas de uso comum, com pisos de terracota, afrescos, lareiras e vigas de madeira. Na parte externa há uma fonte, um jardim suspenso, palmeiras e terraços ensolarados. **www.palazzobocci.com**

SPOLETO Hotel Aurora €

Via Apollinaire 3, 06049 ***Tel*** *0743 22 03 15* ***Fax*** *0743 22 18 85* ***Quartos*** *23*

Pequeno hotel de gestão familiar em localização bem central, perto da parada do ônibus que liga a antiga Espoleto com a estação ferroviária. Afastados da rua, os quartos são silenciosos, limpos e confortáveis, com vistas para os telhados da cidade. Os hóspedes podem comer a preços especiais no restaurante Apollinaire ao lado. **www.hotelauroraspoleto.it**

Categorias de preço *pág. 558* **Legenda dos símbolos** *no final do guia*

SPOLETO Palazzo Dragoni €€

Via del Duomo 13, 06049 ***Tel*** *0743 22 22 20* ***Fax*** *0743 22 22 25* ***Quartos*** *15*

Residenza d'epoca perto da catedral. Esta edificação do século 14 tem quartos espaçosos, pisos de azulejos, camas de ferro batido, tetos abobadados e antiguidades. Alguns quartos têm janelas de batente com vistas para os telhados e o vale; outros têm camas de dossel. Há uma elegante sala de jantar e um pequeno jardim. **www.palazzodragoni.it**

SPOLETO Hotel Gattapone €€€

Via del Ponte 6, 06049 ***Tel*** *0743 22 34 47* ***Fax*** *0743 22 34 48* ***Quartos*** *15*

Em um local romântico debaixo da Rocca Albornoziana, do lado oposto à famosa Ponte delle Torri. Com o nome do arquiteto da ponte, esta antiga villa tem sobretudo quartos standard, ao passo que um anexo moderno tem acomodações com banheiro. Há também um jardim e um terraço com vistas do vale. **www.hotelgattapone.it**

SPOLETO Hotel San Luca €€€

Via Interna delle Mura 21, 06049 ***Tel*** *0743 22 33 99* ***Fax*** *0743 22 38 00* ***Quartos*** *35*

Charmoso hotel de gestão familiar em um curtume datado do século 18, com jardins e um pátio ensolarado onde o café da manhã é servido no verão. Os quartos são grandes, com isolamento acústico e ótimos banheiros, sendo que alguns têm banheiras de hidromassagem. Outros têm paredes com afrescos ou sacada privada. **www.hotelsanluca.com**

TODI San Lorenzo Tre €€

Via San Lorenzo 3, 06059 ***Tel*** *075 894 45 55* ***Fax*** *075 894 45 55* ***Quartos*** *6*

Ficar nesta pequena estalagem é como voltar no tempo. A atmosfera é totalmente de outra época. Uma casa de família com poucas comodidades modernas, mas repleta de antiguidades, pinturas e com uma ampla biblioteca. Todos os quartos têm lindas vistas dos telhados e das colinas ao norte de Todi –três deles têm banheiro. **www.sanlorenzos.it**

TODI Fontecesia €€€

Via Lorenzo Leonj 3, 06059 ***Tel*** *075 894 37 37* ***Fax*** *075 894 46 77* ***Quartos*** *37*

No centro de Todi, ao lado da antiga igreja de San Benedetto, este palazzo reformado do século 17 tem quartos standard grandes e confortáveis, além de cinco suítes diferentes e bastante suntuosas. Alguns quartos têm vista para a cidade antiga e outros para os campos. **www.fontecesia.it**

TODI Relais Todini €€€€

Fraz. Collevalenza, 06050 ***Tel*** *075 88 75 21* ***Fax*** *075 88 71 82* ***Quartos*** *12*

Um dos mais celebrados refúgios da Úmbria. Este hotel intimista, instalado em uma villa do século 14 no topo de uma colina, tem um famoso restaurante e spa. Os elegantes quartos são mobiliados com antiquidades, e o restaurante e a piscina proporcionam vistas espetaculares dos vinhedos até Todi. Puro requinte. **www.relaistodini.com**

TORGIANO Le Tre Vaselle €€€€

Via Garibaldi 48, 06089 ***Tel*** *0759 88 04 47* ***Fax*** *0759 88 02 14* ***Quartos*** *60*

Em meio a vinhedos, esta encantadora casa do século 17 tem amplos terraços e jardins, um spa e duas piscinas. Os quartos são elegantes, com tecidos feitos a mão e pisos de terracota; as suítes têm lareira. Excelente restaurante. Há apartamentos para alugar na área. Oferece serviço de traslado para Perúgia e Assis. **www.3vaselle.it**

TREVI Casa Giulia €€

Via Corciano 1, Bovara, 06039 ***Tel*** *0742 782 57* ***Fax*** *0742 38 16 32* ***Quartos*** *9*

Perto das fontes de Clitunno, esta casa do século 17 pertence à mesma família há gerações. Os quartos são decorados com antiguidades e têm vigas de madeira, paredes brancas e camas de ferro batido. Alguns têm afrescos originais retratando os campos ao redor da casa. A piscina fica em meio a oleandros. **www.casagiulia.com**

MARCHE

ACQUAVIVA PICENA Hotel O'Viv €

Via Marziale 43, 63030 ***Tel*** *0735 76 46 49* ***Fax*** *0735 76 50 54* ***Quartos*** *12*

Em uma cidade no alto de uma colina com vistas das praias a 6km em San Benedetto del Tronto e das montanhas de Sibillini, esta casa charmosamente restaurada tem um relaxante jardim e um restaurante. Espaçosos e repletos de antiguidades, os quartos têm belos afrescos. Tem acesso para uma praia particular. **www.oviv.it**

AMANDOLA Affittacamere Il Palazzo €

Via Indipendenza 61, 63021 ***Tel*** *0736 84 70 82* ***Fax*** *0736 84 70 82* ***Quartos*** *8*

Em uma bela aldeia medieval que tem entrada para o parque do Monte Sibillini, conta com uma excelente trilha por perto e vistas encantadoras. Com pisos de terracota e uma bela lareira na sala de estar, este palazzo do século 15 é fresco no verão e aconchegante no inverno. Todos os quartos são charmosos e têm banheiro. **www.palazzopecci.com**

ANCONA Hotel Fortuna €€

Piazza Fratelli Rosselli 15, 60126 ***Tel*** *071 426 63* ***Fax*** *071 426 62* ***Quartos*** *56*

Boa opção econômica do lado oposto à estação ferroviária, o Fortuna tem quartos simples, limpos e confortáveis, e um ar hospitaleiro. Extremamente conveniente para transporte até o centro e o porto, assim como para explorar o centro storico de Ancona. Dois quartos têm acesso para deficientes. **www.hotelfortuna.it**

ANCONA Grand Hotel Palace €€€

Lungomare Vanvitelli, 60210 **Tel** *071 20 18 13* **Fax** *071 20 748 32* **Quartos** *40*

Melhor opção no centro de Ancona dentro de um palazzo adaptado, tem um maravilhoso terraço com vista para o porto e a cidade antiga. Daqui dá para ir a pé a todos os pontos turísticos da cidade. Os quartos são elegantes e muito confortáveis. Há também apartamentos com vista para o mar para aluguel semanal. **www.hotelancona.it**

ASCOLI PICENO Palazzo Guiderocchi €€

Via Cesare Battisti 3, 63100 **Tel** *0736 24 40 11* **Fax** *0736 24 34 41* **Quartos** *32*

No coração da antiga Ascoli e perto do Palazzo del Popolo, este edifício histórico meticulosamente restaurado era a casa de um notório nobre tirano. Com belos quartos românticos agrupados em torno de dois pátios internos, quartos/suítes de luxo têm camas de dossel e afrescos. Excelente restaurante. **www.palazzoguiderocchi.com**

FABRIANO Hotel Relais Le Marchese del Grillo €€€€

Via Rochetta 73, 60044 **Tel** *0732 62 56 90* **Fax** *0732 62 79 58* **Quartos** *20*

Romântico restaurante e hotel em uma villa rosada nos campos verdejantes a 5km de Fabriano –não distante da famosa Grotte di Frasassi. Os quartos na sede são grandiosos e têm antiguidades originais, ao passo que o belo anexo tem quartos mais rústicos com paredes de pedra e pisos de terracota. **www.marchesedelgrillo.com**

FANO Hotel Augustus €€

Via Puccini 2, 61032 **Tel** *0721 80 97 81* **Fax** *0721 82 55 17* **Quartos** *22*

Hotel praiano logo após os muros da cidade medieval, não distante do mar. Seu exterior moderno esconde um oásis de tranquilidade, com charmosas áreas de uso comum repletas de antiguidades. Os quartos em tons quentes de amarelo são espaçosos, claros e adornados com antiguidades. **www.hotelaugustus.it**

JESI Albergo Mariani €

Via dell'Orfanatrofio 10, 60035 **Tel** *0731 20 72 86* **Fax** *0731 20 00 11* **Quartos** *33*

Hotel central de gestão familiar, aberto em 1951. Os quartos são elegantes, silenciosos e confortáveis, com isolamento acústico. Há cinco minissuítes, das quais três têm banheiras em vez de duchas; alguns quartos têm acesso para deficientes. Oferece acesso à internet, serviço de quarto 24 horas e um restaurante. **www.hotelmariani.com**

MACERATA Hotel Lauri €€

Via Tommaso Lauri 6, 62100 **Tel/Fax** *0733 23 23 76* **Quartos** *28 + 6 apartamentos*

Bem no centro da cidade e perto da universidade, fica em uma charmosa edificação do século 19. Oferece quartos duplos e miniapartamentos com cozinha e sala de estar. O tamanho deles varia, mas todos são confortáveis, de estilo antiquado e têm pisos de azulejos. **www.albergolauri.it**

MONTEMAGGIORE AL METAURO 2 Campanili Relais €€€

Via Panoramica 4, 61030 **Tel** *0721 89 23 01* **Fax** *0721 87 84 29* **Quartos** *35*

Os 35 quartos deste hotel estão espalhados em um vilarejo de pequenas casas de tijolos em alamedas do século 15, permitindo que os hóspedes aproveitem o luxo do local com contato mais direto com os locais. O relaxante spa é cercado de pinheiros e cada quarto decorado de um jeito diferente. **www.duecampanili.it**

PESARO Albergo Ristorante Villa Serena €€€

Via San Nicola 6/3, 61100 **Tel** *0721 552 11* **Fax** *0721 559 27* **Quartos** *8*

Palazzo escondido nos campos entre Pesaro e Fano, tem quartos elegantes e um prestigioso restaurante em uma bela área. Sob a direção do *chef* e conde Renato Pinto e de seu filho Stefano, a cozinha é excelente e criativa. Jantares românticos à luz de velas, antiguidades, um jardim ensolarado e suítes suntuosas. **www.villa-serena.it**

PESARO Hotel Vittoria €€€€

Piazzale della Libertà 2, 61100 **Tel** *0721 343 43* **Fax** *0721 652 04* **Quartos** *27*

Aberto em 1908 em uma localização central, tem uma lista de hóspedes impressionante. Seu terraço tem vista para o mar e há uma pequena piscina. Os quartos têm decoração elegante, com antiguidades e banheiros de mármore. Muitos têm sacada com vista para o mar e banheiras de hidromassagem. A equipe é cordial e eficiente. **www.viphotels.it**

PORTONOVO (CONERO PENINSULA) Fortino Napoleonico €€€€€

Via Poggio 166, 60020 **Tel** *071 80 14 50* **Fax** *071 80 14 54* **Quartos** *33*

Originalmente um forte napoleônico construído para deter os saqueadores ingleses na baía, este hotel fica em posição privilegiada com uma praia privada em uma enseada no coração da Península de Cornero. Belos jardins e terraços, um excelente restaurante com adega e o som das ondas garantem noites excelentes. **www.hotelfortino.it**

PORTONOVO (CONERO PENINSULA) Hotel Emilia €€€€€

Poggio di Portonovo, 60020 **Tel** *071 80 11 17* **Fax** *071 80 13 30* **Quartos** *30*

Em meio a carvalhos, gestas e campos de lavanda no topo de um rochedo acima do mar, este hotel encantador e de gestão familiar é repleto de antiguidades e arte contemporânea. Um ônibus leva os hóspedes até a praia privada logo abaixo. No verão os belos jardins abrigam um festival de jazz. **www.hotelemilia.com**

SAN MARINO Hotel Ristorante Titano €€€

Contrada del Collegio 31, 47890 **Tel** *0549 99 10 06* **Fax** *0549 99 13 75* **Quartos** *48*

Este hotel-restaurante datado de 1894 fica em um local tranquilo no centro do principal *borgo* da Città di San Marino. Os quartos e o terraço com sala de jantar têm lindas vistas das planícies de Montefeltre abaixo e dos Apeninos mais além. Você pode optar por meia-pensão ou pensão completa. **www.hoteltitano.com**

Categorias de preço *pág. 558* **Legenda dos símbolos** *no final do guia*

URBINO Albergo Italia €€

Corso Garibaldi 32, 61029 ***Tel*** *0722 27 01* ***Fax*** *0722 32 26 64* ***Quartos*** *43*

Um hotel convenientemente localizado no centro histórico de Urbino. Alguns quartos têm vista para a catedral e o Ducal Palace, enquanto o forte Albornoz pode ser visto do terraço onde o café da manhã é servido nos meses de verão. Todos os confortos modernos neste aconchegante hotel. **www.albergo-italia-urbino.it**

URBINO Albergo Raffaello €€

Vicolino S. Margherita 40, 61029 ***Tel*** *0722 47 84* ***Fax*** *0722 32 85 40* ***Quartos*** *14*

No coração do bairro histórico e a alguns passos do local de nascimento do pintor Rafael, este hotel foi um seminário religioso. Tem quartos simples e confortáveis, alguns com janelas de batente e pequenas sacadas com vista para os telhados da velha cidade e as colinas mais além. Dirigido por uma família cordial. **www.albergoraffaello.com**

URBINO Hotel Bonconte €€

Via delle Mura 28, 61029 ***Tel*** *0722 24 63* ***Fax*** *0722 47 82* ***Quartos*** *23*

A uma curta caminhada do centro storico e dentro dos muros da cidade, este hotel tem lindas vistas dos campos ao redor de Urbino. Villa antiga e elegante abaixo da cidade, é repleta de antiguidades e fica em um oásis ajardinado, onde o café da manhã é servido no verão e cobrado à parte. Bom restaurante. **www.viphotels.it**

ROMA

AVENTINO Domus Aventina €€€

Via di Santa Prisca 11b, 00153 ***Tel*** *06 574 61 35* ***Fax*** *06 57 30 00 44* ***Quartos*** *26* ***Mapa*** *6 E2*

Este hotel imaculado ocupa um convento do século 14 ao pé da Colina Aventino. Os quartos são grandes, em tons pastel e com decoração simples. Muitos deles, assim como o imenso terraço, têm vistas maravilhosas da Colina Célio. **www.hoteldomusaventina.com**

AVENTINO Sant'Anselmo €€€

Piazza di Sant'Anselmo 2, 00153 ***Tel*** *06 570 057* ***Fax*** *06 578 36 04* ***Quartos*** *34* ***Mapa*** *6 E3*

Esta bela villa fica em uma praça tranquila na subida da Colina Aventino. Desde que foi reformado, os quartos estão elegantemente decorados. O lounge é voltado para o jardim do hotel. Muitos quartos têm terraço. A equipe atende de forma simpática. **www.aventinohotels.com**

AVENTINO FortySeven €€€€

Via Petroselli 47, 00186 ***Tel*** *06 678 78 16* ***Fax*** *06 69 19 07 26* ***Quartos*** *61* ***Mapa*** *6 E1*

O FortySeven tem vista para o templo de Hércules e para a encantadora igreja de Santa Maria in Cosmedin. Moderno e muito elegante, dispõe de um maravilhoso terraço com bar. Os quartos são espaçoso e dotados de muitos toques luxuosos. Equipe muito cordial. **www.fortysevenhotel.com**

AVENTINO Kolbe Hotel €€€€€

Via di San Teodoro 44, 00186 ***Tel*** *06 69 92 42 50* ***Fax*** *06 679 49 75* ***Quartos*** *72* ***Mapa*** *6 E1*

Perfeitamente situado para visitar o Palatino e o Fórum, este antigo mosteiro franciscano foi minuciosamente restaurado e elegantemente mobiliado com estilo minimalista. Alguns quartos têm vista para o Palatino, mas os com vista para o jardim e os claustros são mais silenciosos. Area externa charmosa. **www.kolbehotelrome.com**

CAMPO DE' FIORI Arenula €€

Via S Maria de' Calderari 47, 00186 ***Tel*** *06 687 94 54* ***Fax*** *06 689 61 88* ***Quartos*** *50* ***Mapa*** *10 D5*

Com excelente localização próxima às ruínas no Largo Argentina, entre o Campo de' Fiori e a Piazza Venezia, não distante do Trastevere, este hotel modesto tem preço compatível. Os quartos são claros e espaçosos, com banheiro e ar-condicionado. A decoração e os móveis são acima da média. **www.hotelarenula.com**

CAMPO DE' FIORI Smeraldo €€

Vicolo dei Chiodaroli 9, 00186 ***Tel*** *06 687 59 29* ***Fax*** *06 68 80 54 95* ***Quartos*** *50* ***Mapa*** *10 D4*

Em local encantador, a meio caminho entre o Campo e o Largo Argentina. Os quartos são pequenos, porém charmosos; um deles adaptado a deficientes. O terraço, embora ruidoso, é ótimo para um drinque ao ar livre, mas traga sua bebida. O café da manhã é substancioso e a equipe cordial. **www.smeraldoroma.com**

CAMPO DE' FIORI Suore di Santa Brigida €€€

Piazza Farnese 96, 00186 ***Tel*** *06 68 89 25 96* ***Fax*** *06 68 89 15 73* ***Quartos*** *20* ***Mapa*** *2 E5, 9 C4*

As freiras deste hotel de apelo discreto oferecem quartos duplos com banheiro. B&B ou meia-pensão são disponíveis. Outras vantagens são ar-condicionado, internet e acesso à capela e à biblioteca. Diferente de muitas instituições religiosas, aqui não há toque de recolher. Bem na prestigiosa Piazza Farnese. **www.brigidine.org**

CAMPO DE' FIORI Teatro di Pompeo €€€

Largo del Pallaro 8, 00186 ***Tel*** *06 687 28 12* ***Fax*** *06 68 80 55 31* ***Quartos*** *12* ***Mapa*** *9 C4*

Hotel pequeno e encantador construído sobre as ruínas do antigo teatro de igual nome, onde dizem que Júlio César encontrou seu destino. Os quartos grandes e confortáveis têm vigas de madeira e móveis de madeira escura. O café da manhã é servido no porão sob uma abóbada romana. **www.hotelteatrodipompeo.it**

CAMPO DE' FIORI Ponte Sisto €€€€

Via dei Pettinari 64, 00186 ***Tel*** *06 68 63 10* ***Fax*** *06 68 30 17 12* ***Quartos*** *103* ***Mapa*** *2 E5, 9 C5*

Idealmente situado para o Campo de' Fiori e o Trastevere, o Ponte Sisto tem acesso para cadeira de rodas. Complexo monástico adaptado, tem ar moderno, muitos terraços e um belo claustro com restaurante e bar. A suíte Belvedere no último andar é muito concorrida. **www.hotelpontesisto.it**

FÓRUM Paba €€

Via Cavour 266, 2nd Floor, 00184 ***Tel*** *06 47 82 49 02* ***Fax*** *06 47 88 12 25* ***Quartos*** *7* ***Mapa*** *3 B5*

Dirigida por uma senhora charmosa, esta pequena pensione fica no segundo andar de uma elegante edificação, a uma curta caminhada da Piazza Venezia e do Fórum. Os quartos limpos e espaçosos têm isolamento acústico, pisos de parquete e frigideiras e chaleiras para o preparo de bebidas quentes. Internet. **www.hotelpaba.com**

FÓRUM Hotel Celio €€€

Via SS Quattro 35C, 00184 ***Tel*** *06 70 49 53 33* ***Fax*** *06 709 63 77* ***Quartos*** *20* ***Mapa*** *7 A1*

Tem decoração suntuosa, ótima localização e equipe cordial. Os quartos são talentosamente decorados com afrescos no estilo de pintores renascentistas como Ticiano e Cellini. Os do último andar têm hidromassagem e a suíte tem um terraço privado com vista panorâmica. Há também um jardim no terraço. **www.hotelcelio.com**

FÓRUM Lancelot €€€

Via Capo d'Africa 47, 00184 ***Tel*** *06 70 45 06 15* ***Fax*** *06 70 45 06 40* ***Quartos*** *60* ***Mapa*** *7 A1*

Local concorrido, é próximo ao Coliseu e tem uma equipe muito cordial e prestativa. Os quartos são espaçosos e charmosos. Alguns têm terraço privado com vista e dois são especialmente adaptados para deficientes. Há meia pensão disponível e um substancioso café da manhã é servido no jardim do pátio. **www.lancelothotel.com**

PIAZZA DELLA ROTONDA Al Centro di Roma B&B €€

Piazza Sant'Andrea della Valle 3, 00186 ***Tel*** *06 68 13 59 46* ***Quartos*** *3* ***Mapa*** *2 F4*

Instalado no último andar de um edifício com um pátio charmoso perto do Pantheon, o Al Centro di Roma tem vista para a Sant'Andrea della Valle, famosa pela ópera *Tosca*. Este pequeno B&B desfruta de ótima reputação graças a seu serviço, limpeza e custo-benefício. **www.bbalcentrodiroma.com**

PIAZZA DELLA ROTONDA Cesari €€€

Via di Pietra 89a, 00186 ***Tel*** *06 674 97 01* ***Fax*** *06 67 49 70 30* ***Quartos*** *47* ***Mapa*** *10 E2*

O histórico Cesari fica em uma praça romântica, a poucos passos do Panteão e ao lado do templo de Adriano. Aberto em 1787, pertence à mesma família desde 1899 e era frequentado por Stendhal. Os quartos são elegantes e espaçosos. Há andares para não fumantes, um terraço no alto e acesso grátis à internet. **www.albergocesari.it**

PIAZZA DELLA ROTONDA Santa Chiara €€€

Via di Santa Chiara 21, 00186 ***Tel*** *06 687 29 79* ***Fax*** *06 687 31 44* ***Quartos*** *96* ***Mapa*** *2 F4, 10 D3*

Sólido hotel familiar instalado em um palazzo de cor salmão. O elegante saguão de mármore tem candelabros de vidro e os quartos são confortáveis, com assoalho de tacos e decoração sóbria à moda antiga. As três unidades do andar superior são pequenos apartamentos com terraço. **www.albergosantachiara.com**

PIAZZA DELLA ROTONDA Albergo del Senato €€€€

Piazza della Rotonda 73, 00186 ***Tel*** *06 678 43 43* ***Fax*** *06 69 94 02 97* ***Quartos*** *56* ***Mapa*** *2 F4, 10 D3*

Velho hotel nobre e grandioso, tem vista lateral para o Panteão e a Piazza. O serviço é antiquado e discreto, e os quartos elegantes. Alguns deles têm banheira ou terraço privado, e o teto da suíte exibe belos afrescos. As janelas têm isolamento acústico e há um jardim encantador no terraço. **www.albergodelsenato.it**

PIAZZA DELLA ROTONDA Grand Hotel de la Minerve €€€€€

Piazza della Minerva 69, 00186 ***Tel*** *06 69 52 01* ***Fax*** *06 679 41 65* ***Quartos*** *135* ***Mapa*** *2 F4, 10 D3*

Apreciado pelos primeiros Grandes Turistas da Itália, com gerações se sucedendo desde então, o carismático Minerve alia a elegância do Velho Mundo a um estilo contemporâneo. Tem uma profusão de mármores, lustres e afrescos em harmonia com o design arrojado. Excelente bar e restaurante no terraço. **www.grandhoteldelaminerve.com**

PIAZZA DI SPAGNA Panda €€

Via della Croce 35, 00187 ***Tel*** *06 678 01 79* ***Fax*** *06 69 94 21 51* ***Quartos*** *28* ***Mapa*** *3 A2*

Pequeno hotel charmoso com uma clientela fiel, oferece acomodações despretensiosas e baratas em uma das áreas mais caras de Roma. Há quartos limpos com ou sem banheiro, mas todos têm ar-condicionado, telefone e acesso à internet. Dois deles têm afrescos originais do século 19. **www.hotelpanda.it**

PIAZZA DI SPAGNA Casa Howard €€€

Via Capo le Case 18, 00187 ***Tel*** *06 69 92 45 55* ***Fax*** *06 679 46 44* ***Quartos*** *5* ***Mapa*** *3 A3, 10 F1*

Perto da Scalinata di Spagna, este hotel-butique extremamente moderno pertence a um inglês e foi projetado por Tommaso Ziffer. Os quartos têm temas diferentes, mas são pequenos e nem todos têm banheiro. Há um ótimo zelador. Oferece serviços extras como o uso de uma sauna e de um *hammam*. **www.casahoward.com**

PIAZZA DI SPAGNA Hotel Art by the Spanish Steps €€€

Via Margutta 56, 00187 ***Tel*** *06 32 87 11* ***Fax*** *06 36 00 39 95* ***Quartos*** *46* ***Mapa*** *2 F1*

Elegante e moderno hotel de luxo perto da Scalinata di Spagna, localizado na Via Margutta, a "rua dos artistas". O Hotel Art orgulha-se de seu design de primeira, com obras de arte contemporâneas nas paredes do saguão. Os quartos são pequenos, mas têm todas as comodidades de que você possa precisar. Serviço cordial. **www.hotelart.it**

Categorias de preço *pág. 558* **Legenda dos símbolos** *no final do guia*

PIAZZA DI SPAGNA Locarno €€€

Via della Penna 22, 00186 **Tel** *06 361 08 41* **Fax** *06 321 52 49* **Quartos** *66* **Mapa** *2 F1*

Belo hotel Art Déco com muitos acessórios originais em suas áreas de uso comum e quartos. Fica muito próximo à Piazza del Popolo. Mais que um lugar para descansar, este hotel tem uma agradável sala de estar com lareira, um ensolarado pátio repleto de flores e um jardim no terraço. Há bicicletas disponíveis para os hóspedes. **www.hotellocarno.com**

PIAZZA DI SPAGNA Parlamento €€€

Via delle Convertite 5, 00187 **Tel/Fax** *06 69 92 10 00* **Quartos** *23* **Mapa** *10 E1*

Este hotel encantador fica nos andares superiores de um edifício próximo ao agitado Corso. O dono afável e elegante supervisiona tudo de perto oferecendo quartos espaçosos e antiquados, com pesados móveis de madeira e banheiros belamente decorados. Ar-condicionado disponível sob pedido. Agradável terraço. **www.hotelparlamento.it**

PIAZZA DI SPAGNA San Carlo €€€

Via delle Carozze 93, 00187 **Tel** *06 678 45 48* **Fax** *06 69 94 11 97* **Quartos** *50* **Mapa** *3 A2*

Em uma rua charmosa na saída do Corso e a uma curta caminhada da Scalinata di Spagna, na meca de consumo de Roma, o San Carlo tem preço bom considerando sua localização, embora seja às vezes barulhenta. Os quartos variam; aqueles nos andares superiores têm padrão melhor e alguns contam com terraço. **www.hotelsancarloroma.com**

PIAZZA DI SPAGNA Hotel Piranesi €€€€

Via del Babuino 196, 00187 **Tel** *06 32 80 41* **Fax** *06 361 05 97* **Quartos** *32* **Mapa** *2 F1*

Ao lado da Piazza del Popolo, em um histórico palazzo construído por Valadier restaurado, o Piranesi é um hotel-butique com um encantador terraço, academia e sauna. Os quartos são grandes e luxuosamente decorados com madeira escura e tecidos opacos dourados. **www.hotelpiranesi.com**

PIAZZA DI SPAGNA Hassler €€€€€

Piazza Trinità dei Monti 6, 00187 **Tel** *06 69 93 40* **Fax** *06 678 99 91* **Quartos** *95* **Mapa** *3 A2*

No topo da Scalinata di Spagna, este é o favorito dos ricos e famosos, e a *grande dame* dos hotéis de Roma. O serviço é impecável e as áreas de uso comum são luxuosas, com mármore, lustres e painéis de madeira. Os luxuosos quartos e suítes têm decoração personalizada, e a maioria tem vistas. Lendário restaurante no terraço. **www.hotelhasslerroma.com**

PIAZZA NAVONA Due Torri €€€

Vicolo del Leonetto 23, 00186 **Tel** *06 687 69 83* **Fax** *06 686 54 42* **Quartos** *26* **Mapa** *2 E3, 9 C1*

Escondido em uma calma rua de pedra que leva ao rio, o Due Torri é decorado com veludo vermelho e brocado contrastando com as paredes amarelas, o mármore e o parquete. Antiga casa de cardeais, é aconchegante e cordial, com quartos pequenos, alguns com terraço privado e outros com belas sacadas com vistas. **www.hotelduetorriroma.com**

PIAZZA NAVONA Teatro Pace €€€

Via del Teatro Pace 33, 00186 **Tel** *06 687 90 75* **Fax** *06 68 19 23 64* **Quartos** *23* **Mapa** *9 C3*

O Teatropace abriu em 2004. Belo palazzo ocre minuciosamente restaurado, suas características originais –vigas de madeira, estuque e escadaria de pedra em espiral– estão intactas. Os quartos variam, mas todos são espaçosos e elegantemente decorados. A suíte tem um pequeno terraço. Bom serviço. **www.hotelteatropace.com**

PIAZZA NAVONA Raphael €€€€

Largo Febo 2, 00186 **Tel** *06 68 28 31* **Fax** *06 687 89 93* **Quartos** *59* **Mapa** *9 C2*

Lindo palazzo castanho-avermelhado, salpicado de hera e luzes encantadoras na saída da piazza. Há vistas estupendas no terraço, onde as refeições são servidas no verão. Os quartos são bem decorados, embora pequenos. O saguão é repleto de obras de arte, incluindo uma coleção de porcelanas de Picasso. **www.raphaelhotelrome.com**

QUIRINAL Giardino €€

Via XXIV Maggio 51, 00187 **Tel** *06 679 997* **Fax** *06 679 51 55* **Quartos** *11* **Mapa** *3 B4*

A uma agradável distância a pé da Fontana di Trevi e do Fórum, o Giardino compartilha a rua com o Palácio Quirinal, residência do presidente da República. Os quartos são espaçosos e bem-decorados. O café da manhã é servido em um belo salão com vista para um pequeno jardim num pátio. **www.hotel-giardino-roma.com**

QUIRINAL Fellini Inn €€€

Via Rasella 55–56, 00187 **Tel** *06 42 74 27 32* **Fax** *06 42 39 16 48* **Quartos** *6* **Mapa** *3 B3*

As ruas perto deste B&B são um pouco barulhentas, mas esse é o preço que se paga para ficar a literalmente dois minutos da Fontana de Trevi. O Fellini Inn oferece quartos simples e limpos com banheiros e belas vistas. Reserve o apartamento do sótão se quiser mais privacidade e um terraço com cadeiras e mesa. Serviço cordial. **www.fellinibnb.com**

QUIRINAL Tritone €€€

Via del Tritone 210, 00187 **Tel** *06 69 92 25 75* **Fax** *06 678 26 24* **Quartos** *43* **Mapa** *3 A3, 10 F1*

Perto da Piazza Barberini e da Fontana di Trevi, o Tritone tem quartos confortáveis e bela decoração. Os quartos superiores têm elegantes paredes de madeira envernizadas, TV de tela plana e MP3 player, além de banheiros com ótimas duchas. O terraço é usado para café da manhã no verão. **www.tritonehotel.com**

QUIRINAL Fontana €€€€

Piazza di Trevi 96, 00187 **Tel** *06 678 61 13* **Fax** *06 679 00 24* **Quartos** *25* **Mapa** *10 F2*

O fabuloso Fontana fica do lado oposto à Fontana di Trevi. Antes de tornar-se hotel no início do século 18, a edificação foi um mosteiro e até hoje nem todos os quartos têm ar-condicionado. É antiquado, mas oferece serviço carismático e um encantador terraço. Apesar do barulho das multidões embaixo, há ótimas vistas. **www.hotelfontana-trevi.com**

TERMINI The Beehive €

Via Marghera 8, 00185 **Tel** *06 44 70 45 53* **Fax** *06 97 27 94 31* **Quartos** *7* **Mapa** *4 E3*

Pequeno hotel-butique administrado por um casal norte-americano. Os quartos são simples –sem TV ou ar-condicionado–, mas têm decoração em estilo divertido. Os banheiros são compartilhados. Conta com jardim privativo, local para café da manhã (não incluso) e exposições de arte. Há três apartamentos com cozinha disponíveis. **www.the-beehive.com**

TERMINI Italy B&B €€

Via Palestro 49, 00185 **Tel** *06 445 26 29* **Fax** *06 445 74 16* **Quartos** *3* **Mapa** *4 E2*

Altamente elogiada por antigos hóspedes, a família siciliana Restivo mudou de sua velha pensione e abriu uma pequena pousada virando a esquina. Os padrões continuam altos, com quartos extremamente limpos e bem cuidados, com ou sem banheiro. **www.italybnb.it**

TERMINI Piccolo Principe B&B €€

Via Giovanni Giolitti 255, 00185 **Tel** *06 99 31 10* **Fax** *06 97 99 99 62* **Quartos** *8* **Mapa** *4 E4*

Este bed-and-breakfast oferece muitas comodidades de um grande hotel. Os quartos são decorados com cores vivas, alguns voltados para a estação de trem (com varanda) e outros para o pátio interno. Há uma cozinha comunitária disponível para os hóspedes, e o café da manhã é self-service. **www.bebromatermini.it**

TERMINI Canada €€€

Via Vicenza 58, 00185 **Tel** *06 445 77 70* **Fax** *06 445 07 49* **Quartos** *70* **Mapa** *4 E2*

Agora da rede Best Western, este hotel tem quartos encantadores e excelente serviço. O tamanho dos quartos varia, mas todos têm pisos azulejados e móveis antigos, e alguns têm teto com afrescos. Os quartos de luxo são plenos de detalhes românticos. Muito conveniente para a estação. **www.hotelcanadaroma.com**

TERMINI Hotel Columbia €€€

Via del Viminale 15, 00184 **Tel** *06 488 35 09* **Fax** *06 474 02 09* **Quartos** *43* **Mapa** *3 C3*

Uma joia de tranquilidade em um dos bairros mais agitados de Roma. Madeira escura e tecidos de cores alegres dão aos quartos (alguns com sacada) um ar mediterrâneo. O farto bufê de café da manhã pode ser desfrutado no belo terraço. **www.hotelcolumbia.com**

TERMINI Oceania €€€

Via Firenze 38, 00184 **Tel** *06 482 46 96* **Fax** *06-488 5586* **Quartos** *9* **Mapa** *3 C3*

Pequeno e muito concorrido, o Oceania tem boa localização do lado oposto à casa de ópera de Roma. Os quartos grandes e imaculados têm decoração alegre, banheiro, aquecimento e ar-condicionado. Há também uma garagem para os hóspedes. A equipe é muito solícita. **www.hoteloceania.it**

TERMINI Palladium Palace €€€

Via Gioberti 36, 00185 **Tel** *06 446 69 17* **Fax** *06 446 69 37* **Quartos** *81* **Mapa** *4 D4*

Convenientemente situado para o Termini e o transporte público, fica a uma curta caminhada da Santa Maria Maggiore e da Colina Esquilino. Os quartos são grandes e decorados com bom gosto. Os dos andares superiores têm banheiras de hidromassagem. Há também um terraço. Equipe excelente. **www.hotelpalladiumpalace.it**

TERMINI Residenza Cellini €€€

Via Modena 5, 00185 **Tel** *06 47 82 52 04* **Fax** *06 47 88 18 06* **Quartos** *6* **Mapa** *3 C3*

Ao lado da Piazza della Repubblica, o Cellini é um grande achado, embora não pareça promissor do lado de fora. Romântica e muito cordial, esta pensione tem seis quartos belamente decorados com antiguidades, flores frescas e todos os detalhes imagináveis. Equipe muito prestativa. **www.residenzacellini.it**

TERMINI Radisson €€€€

Via Filippo Turati 171, 00185 **Tel** *06 44 48 41* **Fax** *06 44 34 13 96* **Quartos** *232* **Mapa** *4 E4*

O Radisson é um fabuloso hotel com vidro, madeira e aço resplandescentes, e iluminação multicolorida à noite. Seu elegante bar e restaurante no terraço, ao lado de uma piscina (com academia e spa), dá a sensação de estar em um navio. Quartos modernos. Localizado ao lado da estação Termini. **www.radissonblu.com/eshotel-rome**

TERMINI St Regis Grand Hotel €€€€€

Via Vittorio Emanuele Orlando 3, 00185 **Tel** *06 470 91* **Fax** *06 474 73 07* **Quartos** *161* **Mapa** *3 C3*

Tão grandioso quanto seu nome, este hotel foi construído em 1894 como o primeiro de luxo de Roma. Restaurado, é um dos melhores hotéis do mundo, atraindo chefes de estado, celebridades e a realeza. Seu restaurante Vivendo é citado como um dos mais finos de Roma. Quartos suntuosos e serviço impecável. **www.starwoodhotels.com/stregis**

TRASTEVERE Domus Tiberina €€

Via in Piscinula 37, 00153 **Tel/Fax** *06 580 30 33* **Quartos** *10* **Mapa** *6 D1*

Não distante do rio e da Isola Tiberina, o Domus Tiberina dispõe de serviço de recepção 24 horas e dez flats com ar-condicionado e banheiros. Os quartos são aconchegantes e ricamente decorados, com colchas de brocado dourado, paredes em amarelo escuro e vigas de madeira originais no teto. **www.hoteldomustiberina.it**

TRASTEVERE San Francesco €€€

Via Jacopa de' Settesoli 7, 00153 **Tel** *06 58 30 00 51* **Fax** *06 58 33 34 13* **Quartos** *24* **Mapa** *5 C2*

Pequeno hotel encantador e isolado das multidões, fica em um antigo convento franciscano. Tem um terraço perfeito, quartos muito elegantes e modernos, e equipe eficiente e cordial. Um microônibus na praça adjacente o leva ao coração do Trastevere e um bonde vai ao centro do outro lado do rio. **www.hotelsanfrancesco.net**

Categorias de preço *pág. 558* **Legenda dos símbolos** *no final do guia*

TRASTEVERE Villa della Fonte €€€

Via della Fonte dell'Olio 8, 00153 **Tel** *06 580 37 97* **Fax** *06 580 37 96* **Quartos** *5* **Mapa** *5 C1*

Encantadora pousada supervisionada por um dono charmoso, a Villa della Fonte fica a poucos passos da Piazza Santa Maria di Trastevere. Os quartos têm banheiro e ar-condicionado. O café da manhã é servido em um belo pátio florido, onde os hóspedes podem relaxar durante o dia. **www.villafonte.com**

VATICANO Florida €€

Via Cola di Rienzo 243, 00192 **Tel** *06 324 18 72* **Fax** *06 324 18 57* **Quartos** *18* **Mapa** *1 C2*

Lugar calmo para você descansar, o Florida fica no segundo andar de um edifício residencial bem próximo à São Pedro. Decoração confortável a preços muito bons, especialmente fora de temporada. Há quartos com ou sem banheiro, e no primeiro caso todos têm ar-condicionado, mas o café da manhã não está incluído. **www.hotelfloridaroma.it**

VATICANO Bramante €€€

Vicolo delle Palline 24, 00192 **Tel** *06 68 80 64 26* **Fax** *06 68 13 33 39* **Quartos** *16* **Mapa** *1 C3*

Com acesso para a São Pedro e escapando das filas no Vaticano, o Bramante foi o primeiro hotel a abrir na área, no fim da década de 1870. Em uma charmosa edificação do século 16, seus quartos são muito confortáveis, elegantes e dotados de comodidades modernas. **www.hotelbramante.com**

VATICANO Farnese €€€

Via A Farnese 30, 00192 **Tel** *06 321 25 53* **Fax** *06 321 51 29* **Quartos** *23* **Mapa** *2 D1*

Com acesso conveniente para a estação de metrô de Lepanto e a uma curta caminhada do Vaticano, este hotel pequeno e elegante têm pisos de parquete, móveis personalizados de nogueira e banheiros especialmente bons. Um belo terraço oferece vistas incomparáveis do domo da São Pedro. **www.hotelfarnese.com**

VATICANO Orange Hotel €€€

Via Crescenzio 86, 00193 **Tel** *06 686 89 69* **Fax** *06 689 26 10* **Quartos** *26* **Mapa** *2 D2*

O conceito "orange" é o elemento principal na decoração deste hotel-butique: tudo aqui tem cor e perfume de laranja. Convenientemente localizado, o Orange fica a uma curta caminhada do Vaticano. Os quartos são confortáveis e funcionais e o café da manhã é servido no terraço. Equipe solícita. **www.orangehotelrome.com**

VATICANO Palazzo Cardinal Cesi €€€

Via della Conciliazione 51, 00193 **Tel** *06 68 40390* **Fax** *06 68 193 333* **Quartos** *30* **Mapa** *1 C3*

Este antigo palácio de um cardeal pertence a uma associação cultural que organiza eventos e provê alojamentos perto da basílica. Uma verdadeira joia decorada em carmesim e castanho-avermelhado, com pisos de parquete. Os quartos têm comodidades modernas. **www.palazzocesi.it**

VATICANO Sant'Anna €€€

Borgo Pio 133, 00193 **Tel** *06 68 80 16 02* **Fax** *06 68 30 87 17* **Quartos** *20* **Mapa** *1 C3*

Uma edificação ocre do século 15 abriga este adorável hotel familiar. Os quartos são românticos e belamente decorados, com *trompe l'oeil* em tons pastel e banheiros de mármore. Nos andares de cima os quartos ganham terraços. O café da manhã é servido na adega de murais alegres ou no belo pátio ensolarado. **www.hotelsantanna.com**

VATICANO Spring House €€€

Via Mocenigo 7, 00192 **Tel** *06 3972 0948* **Fax** *06 3972 1047* **Quartos** *54* **Mapa** *1 A1*

Muito moderno, o Spring House fica a poucos passos dos Museus do Vaticano sendo ideal para escapar das filas. As áreas de uso comum são claras e alegres, e seus quartos têm decoração simples com faixas cromáticas. Há quartos parcialmente adaptados para deficientes. Bom acesso para transporte. **www.springhousehotelrome.it**

VATICANO Rome Cavalieri €€€€€

Via Cadlolo 101, 00136 **Tel** *06 35 09 20 31* **Fax** *06 35 09 22 41* **Quartos** *370*

A 15 minutos de carro do centro de Roma, este é um dos melhores hotéis da cidade tendo também o restaurante mais fino, La Pergola. Instalado em amplos jardins, tem uma piscina imensa e um suntuoso spa. Os quartos são belamente decorados e alguns têm vistas espetaculares de Roma. Os extras são caros. **www.romecavalieri.it**

VIA VENETO Hotel Golden €€

Via Marche 84, 00187 **Tel** *06 482 16 59* **Fax** *06 482 16 60* **Quartos** *13* **Mapa** *3 B2*

No primeiro andar de um palazzo do século 19, este aconchegante hotel familiar oferece quartos agradáveis, elegantemente mobiliados e com camas confortáveis. É famoso pelo serviço profissional e a equipe solícita. Há um estacionamento do outro lado da rua, e a região é repleta de cafés e restaurantes. **www.hotelgoldenrome.com**

VIA VENETO Lilium €€€

Via XX Settembre 58a, 00187 **Tel** *06 474 11 33* **Fax** *06 23 32 83 87* **Quartos** *14* **Mapa** *4 D2*

No terceiro andar de uma edificação residencial a meio caminho entre Termini e a Via Vêneto, este hotel é charmoso. Seus quartos pequenos e belamente decorados têm nome de flor e são pintados de acordo. As salas de café da manhã e de estar são adornadas com flores e coloridas aves canoras australianas. Equipe excelente. **www.liliumhotel.it**

VIA VENETO Oxford €€€

Via Boncompagni 89, 00187 **Tel** *06 420 36 01* **Fax** *06 42 81 53 49* **Quartos** *58* **Mapa** *3 C1*

Fica em uma via residencial calma perto da Piazza Fiume e a uma curta caminhada da Via Vêneto. O hotel oferece dois apartamentos para estadas breves ou longas e quartos confortáveis. Tem um bom restaurante e um bar simpático. As elegantes áreas de uso comum com sofás são boas para relaxar. **www.hoteloxford.it**

VIA VENETO Hotel Eden €€€€€

Via Ludovisi 49, 00187 **Tel** *06 47 81 21* **Fax** *06 482 15 84* **Quartos** *121* **Mapa** *3 B2*

Um dos hotéis históricos de Roma com um rol de hóspedes ilustres, o Eden é belamente decorado e funciona de forma impecável. Seus quartos e suítes brilham, e o serviço de portaria é impecável. O jardim no terraço tem uma vista maravilhosa e um restaurante com estrelas do *Michelin*. Tudo isso a um preço bem alto. **www.edenroma.it**

VIA VENETO Westin Excelsior €€€€€

Via Veneto 125, 00187 **Tel** *06 470 81* **Fax** *06 482 62 05* **Quartos** *319* **Mapa** *3 B2*

Sacadas exoticamente esculpidas com cariátides anunciam a presença deste hotel extravagante na Via Vêneto. Dentro há butiques, um novo spa maravilhoso com piscina, excelentes restaurantes panorâmicos, um bar e até um clube infantil. Os quartos são classicamente suntuosos. **excelsior.hotelinroma.com**

VILLA BORGHESE Villa Borghese Resort €

Via Tevere 15, 00198 **Tel** *06 854 63 41* **Fax** *06 85 34 59 66* **Quartos** *7* **Mapa** *3 C1*

Este hotel é ideal para quem quer fugir das áreas turísticas –e mesmo assim o centro fica a dez minutos de ônibus. Apesar do nome, não tem cara de "resort", mas os quartos são grandes e limpos e o ambiente é agradável. Equipe solícita e profissional. Alguns funcionários falam inglês. **www.villaborgheseresort.it**

VILLA BORGHESE Villa Mangili €€€

Via G Mangili 31, 00197 **Tel** *06 321 71 30* **Fax** *06 322 43 13* **Quartos** *12*

Em um trecho calmo e agradável de Parioli, o Villa Mangili é próximo ao parque da Villa Borghese, ao auditório e à Villa Giulia. Embora seja pequeno, tem quartos espaçosos e belamente decorados com pisos de parquete. O café da manhã é servido em um adorável jardim. O hotel exibe e vende obras de novos artistas. **www.hotelvillamangili.it**

VILLA BORGHESE Aldrovandi Palace €€€€

Via Aldrovandi 15, 00197 **Tel** *06 322 39 93* **Fax** *06 322 14 35* **Quartos** *108*

Para quem prefere ficar longe do frenético centro de Roma, este relaxante hotel luxuoso tem ótima localização ao lado dos jardins da Villa Borghese. Os quartos elegantemente decorados têm tons suaves. Mas as atrações principais são a ótima piscina e o maravilhoso restaurante Baby. **www.aldrovandi.com**

LÁCIO

ANAGNI Villa La Floridiana €€

Via Casilina, km. 63.7, 03012 **Tel** *0775 769 95 82* **Fax** *0775 77 93 06* **Quartos** *13*

Esta charmosa villa do século 19 –com uma fachada rosa desbotada e persianas verdes– tem quartos grandes, confortáveis e repletos de refinados móveis rústicos do início do século 19. Fica em um pequeno parque a 5km de uma aldeia medieval. O restaurante, cujo teto têm afrescos, serve pratos regionais. **www.villalafloridiana.com**

GROTTAFERRATA Parkhotel Villa Grazioli €€€€

Via Umberto Pavoni 19, 00046 **Tel** *06 94 54 00* **Fax** *06 941 35 06* **Quartos** *62*

Instalado na antiga residência de um cardeal do século 16, este elegante hotel fica na estrada da charmosa cidade de Frascati. Os quartos estão em três villas separadas na mesma propriedade e oferecem vistas de Roma, do mar e de Tivoli. As comodidades incluem salas de reunião, salões de banquete e campo de golfe. **www.villagrazioli.com**

ISOLA DI PONZA Grand Hotel Chiaia di Luna €€€€

Via Panoramica, 04027 **Tel** *0771 801 13* **Fax** *0771 80 98 21* **Quartos** *78*

Os quartos deste quatro-estrelas são pequenos e simples, mas o principal atrativo aqui é a localização, já que o hotel fica aninhado em um anfiteatro natural de rochas. Os hóspedes podem relaxar no terraço, desfrutar das vistas fabulosas do mar enquanto fazem o pedido no restaurante e no bar, ou nadar na piscina. **www.hotelchiaiadiluna.com**

LADISPOLI La Posta Vecchia €€€€€

Località Palo Laziale, 00055 **Tel** *06 994 95 01* **Fax** *06 994 95 07* **Quartos** *19*

Magnífica villa do século 17 junto ao mar, pertenceu a John Paul Getty e é um dos hotéis mais luxuosos da Itália. Todos os quartos são individualmente decorados com antiguidades, incluindo móveis renascentistas dourados, tapeçarias flamengas e banheiras de mármore. Tem um spa e um museu da Roma antiga. **www.lapostavecchia.com**

PALESTRINA Anne's Place €

Via Loreto 220, 00036 **Tel** *06 957 35 54* **Fax** *06 60 51 36 12* **Quartos** *3*

Este B&B oferece quartos simples e agradáveis, com banheiros modernos. Os terraços dos quartos e da casa são voltados para as montanhas de Palestrina, com vistas incríveis. Há uma sala com TV via satélite, DVD e minibar comunitário disponível para os hóspedes. O serviço oferecido pelos donos, Anne e David, é muito elogiado. **www.byanne.com**

SABAUDIA Oasi di Kufra €€€

Lungomare di Sabaudia, km 29.8, 04016 **Tel** *0773 51 91* **Fax** *0773 519 88* **Quartos** *120*

Hotel luminoso em meio a dunas de areia. Além de praia privada, spa e centro de fitness, a maioria dos quartos arejados tem sacada e um clima caseiro. Há suítes com vista para o mar e vários apartamentos com quitinete. De meados jun-fim ago, a estada mínima varia de uma a duas semanas. **www.oasidikufra.it**

Categorias de preço *pág. 558* **Legenda dos símbolos** *no final do guia*

SAN FELICE CIRCEO Punta Rossa €€€€
Via delle Batterie 37, 04017 ***Tel*** *0773 54 80 85* ***Fax*** *0773 54 80 75* ***Quartos*** *33*

Charmoso hotel e spa em um jardim que conduz ao mar. Todos os quartos têm terraço e vista para o mar e as Ilhas Pontine, e são situados em edificações espalhadas pela área verdejante. Há também apartamentos privados em uma velha aldeia de pescadores. **www.puntarossa.it**

SUBIACO Foresteria Santa Scolastica €
Monastero Santa Scolastica, 00028 ***Tel*** *0774 824 21* ***Fax*** *0774 82 28 62* ***Quartos*** *50*

Fundado por são Benedito no 6° século, o mosteiro de santa Escolástica foi amplamente reconstruído para acomodar até cem hóspedes. Os quartos com banheiro têm confortos básicos e alguns contam com lindas vistas da cidade abaixo. Opções de meia-pensão ou pensão completa tornam a estada com os monges econômica. **www.benedettini-subiaco.it**

TARQUINIA Hotel Tarconte €€
Via della Tuscia 19, 01016 ***Tel*** *0766 85 61 41* ***Fax*** *0766 85 65 85* ***Quartos*** *50*

Hotel moderno com vistas panorâmicas da costa. Os quartos tem estilo funcional e as áreas de uso comum têm decoração um tanto datada, mas fica a apenas cinco minutos do Museu Etrusco Nacional e há um túmulo antigo no porão. O restaurante é especializado em carne de caça. **www.hoteltarconte.it**

TARQUINIA LIDO La Torraccia €
Viale Mediterraneo 45, 01016 ***Tel*** *0766 86 43 75* ***Fax*** *0766 86 42 96* ***Quartos*** *18*

Hotel moderno e confortável em meio a pinheirais a cerca de 200m do mar. Todos os quartos são decorados em cores primárias vivas (sobretudo vermelho e amarelo) e têm paredes caiadas e terraços. Há um terraço com jardim para café da manhã e uma praia privada a curta distância a pé. **www.torraccia.it**

TIVOLI Hotel Victoria Terme €€
Via Tiburtina Valerio, Km 22,700, 00011 ***Tel*** *077 440 88* ***Fax*** *077 440 84 08* ***Quartos*** *130*

Situado dentro do parque termal Acque Albule e rodeado por fontes sulfurosas, este moderno hotel fica perto de um famoso spa termal com quatro piscinas quentes, academia e centro de bem-estar. Os quartos são simples, mas confortáveis, e alguns têm banheira e sacada. **www.victoriatermehotel.it**

TIVOLI Palazzo Maggiore €€
Via Domenico Giuliani 89, 00019 ***Tel*** *393 104 49 37 (celular)* ***Quartos*** *3*

No coração da antiga Tivoli, o Palazzo Maggiore, do século 16, oferece quartos bem decorados a ótimos preços. Há também um apartamento de dois cômodos, com capacidade para até 6 pessoas. Pode-se tomar café da manhã no quarto, no pequeno terraço ou na cozinha do proprietário. Roma fica a uma hora de trem. **www.palazzomaggiore.com**

TIVOLI TERME Grand Hotel Duca d'Este €€
Via Tiburtina Valeria 330, 00011 ***Tel*** *0774 38 83* ***Fax*** *0774 38 81 01* ***Quartos*** *184*

Hotel moderno e bem equipado perto de Tivoli e da Villa Adriana, e com acesso fácil a Roma de carro ou trem. Os quartos são grandes, com unidades funcionais finamente construídas. As suítes têm banheira de hidromassagem. Há um spa com sauna e uma piscina interna, além de jardins tropicais com quadras de tênis e piscina. **www.ducadeste.com**

TUSCANIA Al Gallo €€
Via del Gallo 22, 01017 ***Tel*** *0761 44 33 88* ***Fax*** *0761 44 36 28* ***Quartos*** *13*

Casa antiga no centro histórico da cidade. Móveis antigos, papel de parede com desenhos elaborados, grossos tapetes, madeiras escuras e cortinas pesadas dão um ar suntuoso aos quartos bem cuidados. Há também um piano-bar muito confortável com música ao vivo nos fins de semana. **www.algallo.it**

VITERBO Roma €
Via della Cava 26, 01100 ***Tel*** *0761 22 64 74* ***Fax*** *0761 30 55 07* ***Quartos*** *67*

Hotel muito simples e barato no centro da cidade, a meio caminho entre a estação ferroviária e a fortaleza de Rocca. O exterior é fabuloso –um palazzo medieval–, ao passo que os quartos têm estilo moderno e funcional. Oferece descontos para restaurantes da região.

VITERBO Hotel Mini Palace €€
Via Santa Maria della Grotticella 2b, 01100 ***Tel*** *0761 30 97 42* ***Fax*** *0761 34 47 15* ***Quartos*** *40*

Localizado perto da Porta Romana e do centro histórico, este hotel é perfeito para quem procura um local tranquilo. Os quartos são amplos, aconchegantes e mobiliados com elegância, e a equipe é muito cordial. Vale a pena conhecer o restaurante do hotel, Le Chandelier, que serves pratos locais e vinhos da região. **www.minipalacehotel.com**

NÁPOLES E CAMPANHA

AMALFI Floridiana €€
Via Brancia 1, 84011 ***Tel*** *089 873 63 73* ***Fax*** *089 87 39 07* ***Quartos*** *13*

Este hotel fica em um palazzo do século 12 perto do Duomo, de um ponto de ônibus e da praia. O bufê de café da manhã é servido sob o suntuoso teto do salão. Os confortáveis quartos combinam mobília funcional com assoalho de cerâmica colorida. A Junior Suite tem um mezanino com sala de estar e hidromassagem. **www.hotelfloridiana.it**

AMALFI Hotel Amalfi €€

Via dei Pastai 3, 84011 **Tel** *089 87 24 40* **Fax** *089 87 22 50* **Quartos** *40*

Hotel de gestão familiar com um belo terraço, pátio e restaurante em uma área tranquila de Amalfi. Vistas do Duomo por trás dos telhados, sacadas repletas de gerânios e uma sensação de paz, longe das multidões. Os quartos são grandes e confortáveis, a maioria com ar-condicionado. Preço excelente. **www.hamalfi.it**

AMALFI Marina Riviera €€€

Via P Comite 19, 84011 **Tel** *089 87 11 04* **Fax** *089 87 10 24* **Quartos** *34*

Vistas da praia principal de Amalfi e da cidade são desfrutadas no terraço de café da manhã e de muitos quartos, cuja decoração tem tons frios, chão de cerâmica e obras de arte interessantes. Alguns dispõem de banheira de hidromassagem. Há suítes e quartos comunicantes para atender famílias e grupos. **www.marinariviera.it**

AMALFI Hotel Santa Caterina €€€€€

SS Amalfitana 9, 84011 **Tel** *089 87 10 12* **Fax** *089 87 13 51* **Quartos** *66*

Dirigido pela mesma família desde 1880, este hotel de luxo é um dos melhores da Costa de Amalfi, situado em um promontório. Tem amplos jardins e terraços. Os quartos e suítes são suntuosos, com antiguidades, pisos com azulejos de majólica e sacadas e uma praia particular. Spa e excelente restaurante. **www.hotelsantacaterina.it**

BENEVENTO Hotel Villa Traiano €€

Viale Dei Rettori 9, 82100 **Tel** *0824 32 62 41* **Fax** *0824 32 61 96* **Quartos** *19*

Villa privada em estilo Liberty, situada no coração de Benevento, perto do Arco Traiano, da estação ferroviária, de lojas e restaurantes. As áreas de uso comum e os quartos são extremamente elegantes. O ensolarado terraço e o pátio são ótimos para relaxar. **www.hotelvillatraiano.it**

CAPRI Hotel Weber Ambassador €€

Via Marina Piccola 118, 80073 **Tel** *081 837 01 41 ou 800 84 26 23 (grátis)* **Fax** *081 837 88 66* **Quartos** *158*

Acima da Marina Piccola, a melhor praia de Capri com vistas maravilhosas das famosas ilhas Faraglioni. A edificação amarela tem dosséis azuis, gerânios e um terraço encantador onde é servido o farto café da manhã. Há também um jardim no terraço. Quartos e suítes de frente para o mar custam bem mais. **www.hotelweber.com**

CAPRI Pensione Villa La Tosca €€

Via D Birago 5, 80073 **Tel** *081 837 09 89* **Fax** *081 837 09 89* **Quartos** *11*

Aconchegante e antiquada pensione em Capri, com paredes brancas e pisos ladrilhados. Seus terraços têm vista para o mar, as Faraglioni à distância e a Certosa di San Giacomo abaixo. Os quartos claros têm banheiro, ar-condicionado e telefone. Alguns contam com vista do mar. Fecha nov-mar. **www.latoscahotel.com**

CAPRI Hotel La Minerva €€€

Via Occhio Marino 8, 80073 **Tel** *081 837 03 74* **Fax** *081 837 70 67* **Quartos** *18*

Belo hotel de cinco andares com terraços floridos, em um ponto calmo e pitoresco perto do centro de Capri. Pisos com azulejos de majólica, antiguidades e vistas do mar. Os quartos superiores têm terraço, os de luxo contam com banheiras de hidromassagem e terraços defronte ao mar; os standard são bem mais baratos. **www.laminervacapri.com**

CAPRI JK Place €€€€€

Via Prov Marina Grande 225, 80073 **Tel** *081 838 40 01* **Fax** *081 837 04 38* **Quartos** *22*

Com vista para o mar e estilo discreto, o hotel mais chique de Capri é o preferido das revistas de moda. O clima de hotel-butique é alcançado pelas estátuas clássicas, objetos peculiares, fotos preto e branco e livros de arte. Os quartos mesclam tecidos luxuosos com mobília elegante. O spa e o serviço impecável completam o pacote. **www.jkcapri.com**

CAPRI (ANACAPRI) Capri Palace Hotel & Spa €€€€€

Via Capodimonte 2b, Anacapri, 80071 **Tel** *081 978 01 11* **Fax** *081 837 31 91* **Quartos** *81*

Este é um dos hotéis mais belos de Capri. Tem piscina, spa e um restaurante premiado pelo guia *Michelin*. Os quartos são muito elegantes: os clássicos têm vista para o Monte Solare e outros têm sacada com vista para o mar; as suítes têm terraço e piscina. Dispõe de iate e barco a motor. Fecha nov-mar. **www.capripalace.com**

CASERTA Hotel Europa €€€

Via Roma 19, 81100 **Tel** *0823 21 66 23* **Fax** *0823 32 54 00* **Quartos** *57*

Muito perto da estação ferroviária e a uma curta caminhada do palácio de Caserta e do centro da cidade. Sobretudo para executivos, os quartos são belos –os duplos executivos e as suítes contam com sala de estar. Os hóspedes podem usar uma academia e spa por perto a um preço reduzido. **www.hoteleuropacaserta.it**

ERCOLANO Miglio d'Oro Park €€

Corso Resina 296, 80056 **Tel** *081 739 99 99* **Fax** *081 777 70 49* **Quartos** *53*

Uma villa do século 18 transformada em hotel na costa do Vesúvio. Os quartos têm mobília contemporânea. Alguns são voltados para os jardins e outros para o vulcão. Conta com uma sala de estar repleta de obras de arte peculiares. O incrível bufê tem opções como mozarela e doces da região. **www.migliodoroparkhotel.it**

ISCHIA Il Monastero €€

Castello Aragonese, Ischia Ponte, 80070 **Tel** *081 99 24 35* **Fax** *081 99 18 49* **Quartos** *22*

Endereço muito distinto e romântico dentro do castelo em Ischia Ponte, que fica em um velho convento. Em antigas celas, os quartos são frescos, confortáveis e espaçosos, com banheiros modernos e vistas espetaculares do mar. Os hóspedes têm total acesso à linda área do castelo. Fecha nov-abr. **www.albergoilmonastero.it**

Categorias de preço *pág. 558* **Legenda dos símbolos** *no final do guia*

ISCHIA Grand Albergo Mezza Torre €€€€€

Via Mezzatorre 23, Foriò d'Ischia, 80075 ***Tel*** *081 98 61 11* ***Fax*** *081 98 60 15* ***Quartos*** *57*

Luxuoso hotel-spa em uma floresta de pinheiros num penhasco acima do mar, nas cercanias de Foriò. Os quartos standard têm sacada com vista para o parque; as sacadas dos quartos *comfort* dão para o mar; os superiores e as suítes são suntuosos, e alguns ficam na Torre Sarracena. Românticos restaurantes, piscina e praia privada. **www.mezzatorre.it**

NÁPOLES Cappella Vecchia €€

Vico Santa Maria a Cappella Vecchia 11, 81021 ***Tel*** *081 240 51 17* ***Fax*** *081 245 53 38* ***Quartos*** *6*

Pequena pousada em uma área charmosa perto da Piazza dei Martiri em Chiaia. Muito conveniente para explorar Nápoles, é próxima ao terminal de ônibus e não distante da estação de metrô da Piazza Amedeo. Seus seis quartos são alegres e modernos, com banheiro e ar-condicionado. **www.cappellavecchia11.it**

NÁPOLES Donnalbina 7 €€

Via Donnalbina 7, 80134 ***Tel*** *081 1956 7817* ***Fax*** *081 1956 7620* ***Quartos*** *6*

Hotel de bom custo-benefício perto da Piazza Gesù Nuovo e de outras atrações, tem o cheiro e o som de Spaccanapoli. Os quartos são limpos e arejados, com peças de design moderno e obras de arte vibrantes de artistas napolitanos. Entre os luxos, acesso gratuito a internet sem fio e café da manhã na cama até as 10h30. **www.donnalbina7.it**

NÁPOLES Hotel Chiaja de Charme €€

Via Chiaia 216, 81021 ***Tel*** *081 41 55 55* ***Fax*** *081 42 23 44* ***Quartos*** *27*

Hotel intimista com recepção no primeiro andar de um palazzo nobre na rua para pedestres de Via Chiaia, a dois minutos de caminhada da Piazza Plebescito. Todos os quartos são à prova de som e decorados individualmente com antiguidades. Alguns banheiros têm banheiras de hidromassagem. Equipe charmosa e profissional. **www.hotelchiaia.it**

NÁPOLES Piazza Bellini €€

Via Santa Maria di Costantinopoli 101, 80138 ***Tel*** *081 45 17 32* ***Quartos*** *10*

Este pequeno hotel fica em uma praça arborizada famosa por seus cafés e redutos boêmios. Os quartos caiados contam com obras de arte vibrantes e muito estilo. Acima de tudo, o Piazza Bellini vale a pena pela localização. No entanto, a dificuldade para estacionar é um problema para quem carrega muita bagagem. **www.hotelpiazzabellini.com**

NÁPOLES Costantinopoli 104 €€€

Via Santa Maria di Costantinopoli 104, 80138 ***Tel*** *081 557 10 35* ***Fax*** *081 557 10 51* ***Quartos*** *13*

Villa em estilo Liberty com belos vitrais e em meio a um pátio e jardim ensolarados com palmeiras, terraço ao ar livre e uma pequena piscina. No centro storico, a cinco minutos de caminhada do museu arqueológico, em uma rua de antiquários. Os quartos e suítes exibem uma elegância discreta. **www.costantinopoli104.it**

NÁPOLES Micalò €€€

Riviera di Chiaia 88, 80122 ***Tel*** *081 761 71 31* ***Quartos*** *9*

Localizado em frente aos jardins da Villa Comunale, o Micalò oferece pisos de pedra e paredes curvas com intrigantes obras de arte napolitanas. Michelle, o proprietário, adicionou ótimos banheiros e detalhes de luxo aos quartos "cavernosos". O Art Bar é um lugar calmo para desfrutar coqueteis e o farto café da manhã. **www.micalo.it**

NÁPOLES Romeo Hotel €€€

Via Cristoforo Colombo 45, 80133 ***Tel*** *081 017 50 08/9* ***Fax*** *081 017 59 99* ***Quartos*** *83*

Este maravilhoso edifício comercial de aço e vidro transformado em hotel, em frente ao porto de ferryboat, tem design arrojado e acessórios de banheiro de Philippe Stark. O saguão, o restaurante de sushi e a sala de fumar são repletos de obras de arte. Tratamentos de spa e uma jacuzzi completam o ambiente jet-set. Oferece descontos. **www.romeohotel.it**

NÁPOLES Hotel Vesuvio €€€€€

Via Partenope 45, 81021 ***Tel*** *081 764 00 44* ***Fax*** *081 764 44 83* ***Quartos*** *143*

Em Santa Lucia, o Vesúvio é indiscutivelmente o hotel mais luxuoso de Nápoles, com um ático espetacular. Todos os quartos e suítes são extremamente confortáveis, decorados com antiguidades e têm terraço ou sacada com vista para o mar ou a rua. Spa e academia, restaurante num terraço, estrutura para cuidar de bebês e barco. **www.vesuvio.it**

NÁPOLES Palazzo Turchini €€€€

Via Medina 21–22, 80133 ***Tel*** *081 551 06 06* ***Fax*** *081 552 14 73* ***Quartos*** *27*

Instalado no antigo Conservatório Real do século 16, este hotel fica perto do castelo Maschio Angioino e de outras atrações. Seu interior é elegante, com piso de madeira e uma mistura de mobília antiga e moderna. O jardim no terraço oferece excelente vista. O contato por e-mail não é confiável; melhor telefonar. **www.palazzoturchini.it**

PESTO Agriturismo Seliano €€

Via Seliano, Capaccio, 84063 ***Tel*** *0828 72 36 34* ***Fax*** *0828 72 45 44* ***Quartos*** *14*

Fazenda de agriturismo pertencente a uma família aristocrática. Os quartos se distribuem pela área em chalés ou na sede. É também possível hospedar-se na fazenda vizinha que cria búfalos e acompanhar o preparo de mussarela. Belos jardins e piscina. Comida e vinhos excelentes. **www.agriturismoseliano.it**

POMPEIA Hotel Amleto €€

Via Bartolo Longo 10, 80045 ***Tel*** *081 863 10 04* ***Fax*** *081 863 55 85* ***Quartos*** *26*

Hotel muito confortável, elegante e moderno no centro de Pompeia, conveniente para o trem Circumvesuviana entre Nápoles e Sorrento, e a uma curta caminhada das ruínas de Pompeia. De gestão familiar, os quartos são espaçosos e bem decorados. O terraço é agradável para relaxar e admirar as vistas. **www.hotelamleto.it**

POSITANO Palazzo Murat €€€€

Via dei Mulini 23, 84017 **Tel** *089 87 51 77* **Fax** *089 81 14 19* **Quartos** *30*

Era a residência de verão de Joachim Murat, cunhado de Napoleão. Tem um pátio encantador e um excelente restaurante. Os quartos ficam na velha ala do século 18 e exibem estuque, vigas de madeira e afrescos ou no elegante anexo moderno. Concertos de música clássica no pátio. **www.palazzomurat.it**

PRAIANO (COSTA AMALFITANA) Hotel Onda Verde €€€

Via Terramare 3, 84010 **Tel** *089 87 41 43* **Fax** *089 81 31 049* **Quartos** *25*

Em uma cidade tranquila a meio caminho entre Amalfi e Positano, este hotel tem vistas do mar e um terraço panorâmico com restaurante. Os quartos, em cinco pequenas villas agrupadas no topo de um rochedo, têm banheira ou ducha e muitos contam com sacada privada. Praia privada, ao lado de uma pequena praia pública. **www.ondaverde.it**

PROCIDA La Casa sul Mare €€€

Via Salita Castello 13, Terra Murata Corricella 80079 **Tel/Fax** *081 896 87 99* **Quartos** *10*

Pequeno hotel acima do porto pesqueiro de Corricella, ao lado do abandonado forte e prisão Terra Murata. O café da manhã é servido no charmoso jardim defronte ao mar. Há elegantes áreas de uso comum e quartos –todos com vistas do mar e terraços. No verão um barco leva à praia em La Chiaia. **www.lacasasulmare.it**

RAVELLO Palazzo Sasso €€€€

Via San Giovanni del Toro 28, 84010 **Tel** *089 81 81 81* **Fax** *089 85 89 00* **Quartos** *44*

As vistas de tirar o fôlego da Costa Amalfitana fazem deste hotel um lugar especial. Instalações de luxo incluem um restaurante premiado (Rossellini), um suntuoso spa, acesso exclusivo aos terraços na praia e serviço de *concierge*. As acomodações variam de elegantes quartos de casal a suítes palacianas com enormes janelas. **www.palazzosasso.com**

RAVELLO Villa Cimbrone €€€€€

Via Santa Chiara 26, 84010 **Tel** *089 85 74 59* **Fax** *089 85 77 77* **Quartos** *19*

Esta villa do século 12 tem jardins românticos mundialmente famosos em meio a um laranjal. Comprado por um inglês em 1904, era frequentado pelo pessoal de Bloomsbury. Os quartos têm abóbadas, afrescos, azulejos de majólica, lareiras e antiguidades, assim como comodidades modernas. **www.villacimbrone.com**

SALERNO Hotel Plaza €€

Piazza Vittorio Veneto 42 (Piazza Ferrovia), 84123 **Tel** *089 22 44 77* **Fax** *089 23 73 11* **Quartos** *42*

Hotel muito central do lado oposto à estação de trem e a uma curta caminhada do porto, do bairro antigo e dos ônibus para a Costa de Amalfi. Os quartos são grandes, modernos e confortáveis, com banheira ou ducha. Há um bar, uma sala de café da manhã, assim como estacionamento por perto. **www.plazasalerno.it**

SANNIO (SANT'AGATA DEI GOTI) Agriturismo Mustilli €

Via dei Fiori 20, 82019 **Tel** *0823 71 81 42* **Fax** *0823 71 76 19* **Quartos** *6*

Agriturismo no bairro histórico da linda cidade medieval de Sant'Agata dei Goti na área de Sannio, afamada por seus vinho e azeite de oliva. Da mesma família desde o século 16, o palazzo tem terraços ensolarados, jardins e belas salas de recepção. Os quartos são charmosos. Comida e vinhos excelentes. **www.mustilli.com**

SANTA MARIA DI CASTELLABATE Villa Sirio €€€

Via Lungomare de Simone 15, Castellabate, 84072 **Tel** *0974 96 10 99* **Fax** *0974 96 05 07* **Quartos** *19*

Bela cidade pesqueira junto ao mar, no coração do Cilento. Este palazzo de 1904 é pintado de amarelo e tem persianas e portas de madeira verde-escuras. Os quartos ficam de frente para o mar ou a cidade antiga, e alguns têm belas sacadas. No verão o café da manhã e o jantar são servidos no terraço. Fecha nov-mar. **www.villasirio.it**

SAPRI Hotel Mediterraneo €

Via Verdi, 84073 **Tel** *0973 39 17 74* **Fax** *0973 39 20 33* **Quartos** *20*

Hotel com ótima localização no Golfo de Policastro, perto do parque nacional do Cilento. Cercado pelo mar e por campos, este local tranquilo tem um pequeno jardim, terraço ao ar livre e praia privada. Os quartos com vista do mar têm sacada. Área de recreação infantil e restaurante. Meia-pensão apenas em julho e agosto. **www.hotelmed.it**

SORRENTO Hotel Mignon Meublé €€

Via A Sersale 9, 80067 **Tel** *081 807 38 24* **Fax** *081 877 43 48* **Quartos** *22*

No centro histórico, perto da catedral e dos muros antigos, esta charmosa pensione oferece quartos espaçosos com móveis antiquados, pisos de ladrilhos e bons banheiros. Serve café da manhã nos quartos; alguns têm janelas de batente e pequenas sacadas. Vagas limitadas para estacionar. **www.sorrentohotelmignon.com**

SORRENTO La Tonnarella €€€

Via Capo 31, 80067 **Tel** *081 878 11 53* **Fax** *081 878 21 69* **Quartos** *16*

No topo de um rochedo e a 3km de Sorrento, este hotel era a residência de verão de uma família nobre. Belos pisos de majólica, abóbadas e antiguidades por todo o local, e vistas maravilhosas da baía. Quartos com vista do mar, sacada ou banheiro são mais caros. Há um restaurante e transporte para uma praia privada. Fecha nov-mar. **www.latonnarella.it**

SORRENTO Grand Hotel Cocumella €€€€

Via Cocumella 7, Sant'Agnello, 80065 **Tel** *081 878 29 33* **Fax** *081 878 37 12* **Quartos** *53*

Belo hotel antigo em um bairro calmo de Sorrento. Mosteiro jesuíta em meio a lindos jardins. As suítes têm vistas fabulosas da Baía de Nápoles. Há um romântico restaurante, concertos no verão, uma quadra de tênis e um barco para passeios a Capri e Positano. Muitas instalações fecham na baixa temporada. **www.cocumella.com**

Categorias de preço *pág. 558* **Legenda dos símbolos** *no final do guia*

ABRUZZO, MOLISE E PUGLIA

ALBEROBELLO Hotel Ramapendula €€

Via Locorotondo, 70011 ***Tel/Fax*** *080 432 60 69* ***Quartos*** *61*

Cercado por oliveiras e ideal para famílias com crianças pequenas, este hotel apresenta área de recepção em estilo *trulli* e um jardim moderno e confortável com playground. Mais *trulli* pode ser visto na área de conservaçao a apenas dez minutos de caminhada. **www.hotelramapendula.it**

ALBEROBELLO Masseria Montalbano €€€

Contrada Montalbano Vecchio, 72017 ***Tel*** *0831 35 99 45* ***Fax*** *0831 35 99 71* ***Quartos*** *28*

Uma fazenda rústica transformada em refúgio chique. Os quartos têm mobília esculpida que complementa a decoração sem exageros. Nos jardins, uma grande piscina e antigas oliveiras. As praias ficam a 4km e há muitas opções de atividades, como andar de bicicleta, nos arredores rurais. **www.masseriamontalbano.it**

BARI Hotel Adria €€

Via Zuppetta 10, 70121 ***Tel*** *080 524 66 99* ***Fax*** *080 521 32 07* ***Quartos*** *38*

Do lado oposto à estação de trem, esta opção central tem bons preços. Os quartos são espaçosos e muito confortáveis, com acesso à internet e a opção de banheira ou ducha. O jardim no terraço tem um bar sendo um ótimo achado. Animais são bem-vindos. **www.adriahotelbari.com**

BARI Palace Hotel Bari €€€

Via Lombardi 13, 70122 ***Tel*** *080 521 65 51* ***Fax*** *080 521 14 99* ***Quartos*** *197*

Belo hotel na orla do centro storico, próximo aos principais pontos de interesse da antiga Bari. Os quartos são espaçosos e decorados com antiguidades. Há quartos especiais para mulheres, amantes de música, crianças e animais de estimação. Maravilhoso café da manhã e refeições excelentes no terraço. **www.palacehotelbari.it**

FASANO Masseria Torre Maizza €€€€€

Contrada Coccaro, 72015 ***Tel*** *080 482 78 38* ***Fax*** *080 441 40 59* ***Quartos*** *26*

Este hotel fica em uma casa de fazenda tradicional da Puglia, com uma torre mourisca. Entre as impressionantes opções de quartos amplos está a incrível Suite Palme, na torre, que tem um pátio privativo e piscina aquecida com hidromassagem. Os quatro restaurantes do local usam produtos da região. **www.masseriatorremaizza.com**

L'AQUILA Hotel Duomo €€

Via Dragonetti, 67100 ***Tel*** *0862 41 08 93* ***Fax*** *0862 41 30 58* ***Quartos*** *30*

No coração da antiga Áquila, este pequeno hotel fica em um palazzo do século 18, em uma rua lateral com lindas vistas da praça principal. Todos os quartos são elegantes e limpos, com camas de ferro batido, cores quentes e belos tecidos. Farto café da manhã. **www.hotel-duomo.it**

L'AQUILA Hotel San Michele €€

Via dei Giardini 6, 67100 ***Tel*** *0862 42 02 60* ***Fax*** *0862 270 60* ***Quartos*** *32*

Este hotel voltado para executivos perto de todas as atrações principais de L'Aquila, como o Duomo, é uma opção confiável em uma cidade com escassez de acomodação de qualidade. Os pequenos quartos têm pisos de madeira escura e mobília funcional. A equipe cordial conhece bem a região e organiza excursões. **www.stmichelehotel.it**

L'AQUILA/GRAN SASSO D'ITALIA Hotel Nido dell'Aquila €€

Località Fonte Cerreto, Assergi, 67010 ***Tel*** *0862 60 68 40* ***Fax*** *0862 60 88 11* ***Quartos*** *23*

A 20km de Áquila na entrada para o nobre Gran Sasso, perto da cidade medieval de Assergi. Um charmoso chalé montanhês com móveis rústicos, um jardim, terraço ao ar livre e área de recreação infantil. Excelente comida caseira e vinhos de Abruzzo. Perto das pistas de esqui do Campo Imperatore. **www.nidodellaquila.it**

LECCE B&B Prestige €

Via S Maria del Paradiso 4, 73100 ***Tel*** *0832 24 33 53* ***Fax*** *0832 52 10 60* ***Quartos*** *4*

Pousada encantadora em uma rua para pedestres com vista para a basílica de San Giambattista. Todos os quartos têm uma pequena sacada com vista para a rua e acesso à internet, mas alguns não têm banheiro. No verão o café da manhã é servido no ensolarado terraço. **www.bbprestige-lecce.it**

LECCE Risorgimento €€€

Via Augusto Imperatore, 19, 73100 ***Tel*** *0832 24 63 11* ***Fax*** *0832 24 59 76* ***Quartos*** *47*

Elegante hotel-butique instalado em um palazzo do século 18. As áreas comuns incluem um terraço e diversos bares e restaurantes elegantes. A maioria dos quartos-padrão é dominada por madeira escura e tons de bege, enquanto as suítes têm mobiliário contemporâneo com design. Instalações de spa. **www.vestashotels.it**

LORETO APRUTINO (NR Pescara) Castello Chiola €€€

Via degli Aquino 12, 65014 ***Tel*** *085 829 06 90* ***Fax*** *085 829 06 77* ***Quartos*** *36*

Na cidade medieval de Loreto Aprutino, este hotel elegante e confortável fica em um lindo castelo de 864. Em meio a jardins, com terraços ensolarados e uma piscina, o restaurante serve comida e vinhos particularmente finos. Instalações modernas e quartos com vistas maravilhosas. **www.castellochiolahotel.com**

MONOPOLI Melograno €€€€

Contrada Torricella 345, 70043 **Tel** *080 690 90 30* **Fax** *080 74 79 08* **Quartos** *38*

Hotel Relais & Chateaux em meio a oliveiras em uma *masseria* (casa de fazenda fortificada) do século 17. Os quartos são suntuosos e alguns têm pátio privado ou banheira de hidromassagem. O dono, negociante de antiguidades, mobiliou o hotel com apuro. Traslado grátis de ônibus para uma praia privada e uso de dois barcos à vela. **www.melograno.com**

OTRANTO Hotel Rosa Antico €€€

SS116. 16 snc, 73028 **Tel** *0836 80 15 63* **Fax** *0836 80 15 63* **Quartos** *27*

A apenas 800m de Otranto, este hotel fica em um ponto tranquilo do outro lado da baía. É um palazzo familiar do século 16 com uma extensão moderna, ambos pintados de rosa antigo. Quartos claros e alegres, e um bar abobadado para café da manhã. Cercado por um lindo jardim. **www.hotelrosaantico.it**

PENÍNSULA GARGANO-VIESTE Hotel degli Aranci €€

Piazza S Maria delle Grazie 10, 71019 **Tel** *0884 70 85 57* **Fax** *0884 70 73 26* **Quartos** *121*

Moderno resort com serviço cordial e um clima animado fora de Vieste. Os quartos são alegres e confortáveis –a maioria com sacada e a opção de banheira ou ducha. Ideal para famílias, há um clube e menus especiais para crianças. Piscina no local e uma praia privada por perto. Tem ônibus para a cidade. **www.hotelaranci.it**

SCANNO Albergo Mille Pini €

Via Pescara 2, 67038 **Tel/Fax** *0864 743 87* **Quartos** *19*

Perto do traslado em Scanno, o ponto de partida para caminhadas e esqui no Monte Retondo. Hotel rústico próximo ao lago, tem paredes de pedra, pisos de madeira, tapetes e móveis de pinho. Os quartos são aconchegantes; a sala de estar tem lareira no inverno e o restaurante serve boa comida caseira. Fecha out e nov. **www.millepiniscanno.it**

SULMONA Hotel Rojan €€

Via degli Agghiacciati 15, 67039 **Tel** *0864 95 01 26* **Fax** *0864 95 01 29* **Quartos** *20*

Administrado pela família Casaccia, famosa pelo ótimo serviço, este hotel funciona em um elegante palazzo em uma rua de paralelepípedos do centro de Sulmona. Os quartos são bem cuidados, têm mobília simples, e a maioria oferece incríveis vistas da cidade e de suas tranquilas praças. Ótimo bufê de café da manhã. **www.hotelrojan.it**

TARANTO Hotel Europa €€

Via Roma 2, 74100 **Tel/Fax** *099 452 59 94* **Quartos** *43*

Palazzo transformado do século 19, o Hotel Europa tem localização central, com vista para os dois mares da cidade, para o velho porto pesqueiro e uma ponte famosa. Os quartos e suítes em águas-furtadas são modernos e com móveis elegantes; alguns têm cozinha e sacada de frente para o mar. **www.hoteleuropaonline.it**

TERMOLI Hotel Mistral €€

Lungomare C Colombo 50, 86039 **Tel** *0875 70 52 46* **Fax** *0875 70 52 20* **Quartos** *66*

Termoli, um resort praiano ao sul de Molise, tem um belo porto medieval e ferryboat regular para as ilhas Tremiti. Bem na praia, este hotel moderno tem vista da costa e do bairro antigo. Os quartos são espaçosos e confortáveis, e a maioria tem vista para o mar. Animado restaurante-bar no terraço e praia privada. **www.hotelmistral.net**

TRANI Hotel Regia €€

Piazza Monsignor R M Addazi 2, 70059 **Tel/Fax** *0883 58 44 44* **Quartos** *10*

Bem ao lado do porto e oposto à primorosa catedral normanda de Trani, este velho palazzo tem quartos elegantes e arejados, com pisos de parquete, móveis brancos e cremes e lindas vistas. O restaurante muito bom dispõe de um terraço no verão. Serviço cordial. **www.hotelregia.it**

BASILICATA E CALÁBRIA

COSENZA Hotel Royal €€

Via Molinella 24, 87100 **Tel** *0984 41 21 65* **Fax** *0984 41 24 61* **Quartos** *80*

No coração de Cosenza, recebe executivos e turistas. Apesar de seu ar da década de 1980, com pisos de parquete, acessórios e decoração antiquados, é confortável e conveniente. Os quartos espaçosos têm comodidades modernas. Conta com o bom restaurante La Caprice. **www.hotelroyalsas.it**

GERACE La Casa di Gianna €€

Via Paolo Frascà 4, 89040 **Tel** *0964 35 50 24* **Fax** *0964 35 50 81* **Quartos** *10*

Em uma estreita rua medieval no centro de Gerace, esta casa antiga tem quartos em volta de um átrio. Um charmoso restaurante, salão e piano-bar, e um ensolarado terraço no verão. Quartos decorados com elegância antiquada e confortos caseiros –a suíte tem cama de dossel e banheira de hidromassagem. **www.lacasadigianna.it**

MARATEA – CETRARO Grand Hotel Villa San Michele €€€

Località Bosco 8/9, 87022 **Tel** *0982 910 12* **Fax** *0982 914 30* **Quartos** *59*

Localizado no topo de um rochedo acima do mar, com vistas que vão até as Ilhas Eólias e o vulcão Etna. Terraços com aroma de mimosa, gesta e jasmim conduzem ao transporte para a praia particular. Luxo discreto em uma fazenda de cultivo orgânico com um campo de golfe de nove buracos. Há também uma residência particular. **www.sanmichele.it**

MATERA Hotel in Pietra €€

Via San Giovanni Vecchio 22, 75100 **Tel** *0835 34 40 40* **Fax** *0835 34 50 70* **Quartos** *8*

Hotel-butique instalado em uma das antigas casas de pedra de Matera, as Sassis. Tem design minimalista, com paredes de pedra sem adornos e itens arquitetônicos intrigantes. As acomodações variam de celas monásticas (com toques chiques) a suítes do outro mundo, com banheiras de pedra e terraço no campanário. Inesquecível. **www.hotelinpietra.it**

MATERA Palazzo Gattini €€€

Piazza Duomo 13, 75100 **Tel** *0835 33 43 58* **Fax** *0835 24 01 00* **Quartos** *20*

Este palazzo de pedra do século 18 foi transformado pelo editor da revista *Architectural Design* italiana em um hotel-butique impressionante. Ornamentos barrocos contrastam com a entrada contemporânea de vidro. Luz difusa e esculturas ajudam a criar o clima. Ainda tem piscina no terraço, spa e um elegante restaurante. **www.palazzogattini.it**

METAPONTO (PISTICCI) Agriturismo San Teodoro €€

Contrada San Teodoro, Marconia, 75020 **Tel/Fax** *0835 47 00 42* **Mob** *338 569 81 16* **Quartos** *9*

Agriturismo em uma casa de fazenda antiga e romântica, dirigida por uma família nobre. A apenas 5km do mar, em meio a laranjais, oliveiras e vinhedos. Comida excelente e cursos de culinária. Bicicletas, golfe, tênis e passeios são disponíveis, e há um spa por perto. **www.santeodoronuovo.com**

REGGIO CALABRIA Hotel Palace Masoanri's €€

Via Vittorio Veneto 95, 89121 **Tel** *0965 264 33* **Fax** *0965 264 36* **Quartos** *65*

Hotel moderno perto da estação ferroviária, da cidade antiga e do museu arqueológico. Os quartos grandes e confortáveis têm comodidades modernas como internet, ar-condicionado e TV por satélite. Muitos têm sacada com vista para o Estreito de Messina. Tem garagem. **www.montesanohotels.it**

ROCCELLA Parco dei Principi €€

Badessa, SS 106, 89047 **Tel** *0964 86 02 01* **Fax** *0964 860 26 20* **Quartos** *60*

Este moderno resort com toques clássicos e grandes interiores tem quartos funcionais. Há duas piscinas, um spa e academia, cinco restaurantes (entre eles o Il Laghetto) e um local intimista perto de um lago. O hotel pode ficar lotado com festas de casamento e convenções, então reserve com antecedência. **www.parcodeiprincipi-roccella.com**

ROCCELLA JONICA Le Giare €€

SS106, km 111, 89047 **Tel/Fax** *0964 851 70* **Quartos** *10*

Na Riviera Jasmine, a 4km de Gioiosa Jonica e a 8km de Locri, este agriturismo fica em meio a laranjais do lado oposto à praia privada. Os apartamentos são simples e alegres, e a comida deliciosa é feita com ingredientes cultivados na própria fazenda. Muitas atividades para crianças. **www.agriclublegiare.it**

ROSSANO Giardino d'Iti €€

Contrada Amica, 87068 **Tel/Fax** *0983 645 08* **Quartos** *11*

Pequeno e encantador agriturismo dirigido pela baronesa Cherubini, fica em um laranjal cercado por oliveiras, a 3km do Mar Jônico, porém perto das montanhas. Quartos confortáveis com decoração rústica. Comida deliciosa. Oferece vários cursos como culinária, tecelagem e fitoterapia. **www.giardinoiti.it**

STILO Casale Ceramida €

Contrada Cucudu, Stilo-Monasterace Marina, 89049 **Tel** *338 399 96 47* **Quartos** *3*

Em um ponto tranquilo fora de Stilo, este bed and breakfast bem decorado oferece quartos agradáveis. Há dois duplos, um com beliches e dois banheiros compartilhados. A casa tem uma atmosfera caseira e cordial. Animais são bem-vindos. **www.casaleceramida.it**

TROPEA Residenza Il Barone €€€

Largo Barone, 89861 **Tel/Fax** *0963 60 71 81* **Quartos** *6*

Esta residência do século 18 reformada fica em frente à animada Piazza Ercole. Os quartos são decorados com cores quentes e têm banheiros modernos cobertos por mosaicos. O terraço proporciona vistas incríveis do vulcão Stromboli no horizonte –um lugar especial para o café da manhã ou um petisco à tarde. **www.residenzailbarone.it**

TROPEA (ARREDORES) – CAPO VATICANA Hostel Costa Azzurra €

Viale Giuseppe Berto, Ricadi, 89865 **Tel** *0963 66 31 09* **Fax** *0963 66 39 56* **Quartos** *30*

Perto da estação de trem de Ricadi, a 9km de Tropea em Capo Vaticano na Costa degli Dei. Amplos jardins. Os quartos são limpos e claros, e há também apartamentos. Restaurante com boa cozinha calabresa. Jogos para crianças e barcos a remo na praia privada. **www.hotelcostazzurra.com**

TROPEA (ARREDORES) – ZAMBRONE Casa Isabella €

SS522, km 24, Contrada Conturella, 89868 **Tel** *0963 39 28 91* **Quartos** *4*

Encantadora pensione nas colinas acima da costa Tropea, em uma villa com jardins. Dirigida por uma senhora alemã, que mora na área há mais de 30 anos. O farto café da manhã é servido no pátio. Os quartos são belos e arejados, e a maioria têm banheiro. **www.villaisabella.info**

VENOSA Hotel Orazio €

Corso Vittorio Emanuele II 142, 85029 **Tel** *0972 311 35* **Fax** *0972 350 81* **Quartos** *14*

Charmoso palazzo no coração do bairro histórico, seu nome homenageia o poeta italiano Horácio, que nasceu na cidade. Belamente restaurado, o hotel oferece comodidades modernas a um preço muito acessível. Tem um terraço encantador voltado para o vale. Os quartos têm ar-condicionado, televisão e telefone. **www.hotelorazio.it**

SICÍLIA

AGRIGENTO Fattoria Mosè €€

Via M Pascal 4, Villaggio Mosè, 92100 **Tel** *0922 60 61 15* **Fax** *0922 60 61 15* **Quartos** *10*

Encantador agriturismo a 4km do Vale dos Templos e a 3km do mar. Em meio a oliveiras, laranjeiras, pistácias e amendoeiras, este antigo alojamento de caça e fazenda familiar tem quatro quartos e seis apartamentos pequenos. Estada mínima de duas noites. Fecha nov-mar. **www.fattoriamose.com**

AGRIGENTO Hotel Colleverde €€€

Via Panoramica dei Templi, 92100 **Tel** *0922 295 55* **Fax** *0922 290 12* **Quartos** *53*

Hotel moderno com belos jardins voltados para o Vale dos Templos. Os quartos são belos e confortáveis, sendo que dois são para deficientes. Os de luxo têm vistas maravilhosas e alguns têm hidromassagem. O restaurante tem um terraço. Perto do centro e da estação de trem de Agrigento. Internet sem fio. **www.colleverde-hotel.it**

CALTAGIRONE B&B La Pilozza Infiorata €

Via SS Salvatore 97, 95041 **Tel/Fax** *0933 221 62* **Quartos** *12*

Pequena pousada no centro storico de Caltagirone, que é conhecida por sua cerâmica. A dois minutos da famosa escadaria de Santa Maria del Monte, esta edificação do final do século 19 tem quartos charmosos (nem todos com banheiro ou ar-condicionado) e apartamentos. Dois terraços têm vistas para a cidade antiga. **www.lapilozzainfiorata.com**

CASTEL DI TUSA Hotel Atelier sul Mare €€€

Via Cesare Battisti 4, 98079 **Tel** *0921 33 42 95* **Fax** *0921 33 42 83* **Quartos** *40*

Edificação branca em um jardim com praia privada em uma aldeia de pescadores 20km a leste de Cefalù. Tem quartos duplos standard, 14 dos quais foram projetados por artistas italianos ou internacionais, sendo obviamente mais caros. Alguns têm vista para o mar. Há um terraço ao ar livre e um restaurante. **www.ateliersulmare.it**

CATÂNIA Residence La Ville €€

Via Monteverdi 15, 95131 **Tel** *095 746 52 30* **Fax** *095 746 51 89* **Quartos** *14*

Perto da Via Etnea e do ótimo mercado de alimentos, este hotel fica em um ensolarado palazzo amarelo. Perfeito para famílias, oferece quartos duplos, triplos e quádruplos, além de uma suíte, todos belamente decorados. Há também pequenos apartamentos para estadas semanais. A equipe é muito prestativa. **www.rhlaville.it**

CATÂNIA Hotel Katane Palace €€€

Via Finocchiaro April 110, 95129 **Tel** *095 747 07 02* **Fax** *095 747 01 72* **Quartos** *58*

Com bom acesso ao porto, à estação ferroviária e ao bairro antigo. Os quartos são espaçosos, elegantes e à prova de som; os banheiros são ótimos. Conta com o renomado restaurante Cuciniere e abriga uma série anual de concertos musicais. Internet sem fio. **www.katanepalace.it**

CEFALÙ Hotel Kalura €€

Via Vincenzo Cavallaro 13, 90015 **Tel** *0921 42 13 54* **Fax** *0921 42 31 22* **Quartos** *72*

Hotel familiar na Baía Caldura, a leste de Cefalù, é perfeito para entusiastas de esportes aquáticos. Tem uma praia privada e um centro de mergulho. Os quartos são modernos e espaçosos; a maioria tem sacadas com vistas do mar. Organiza muitas atividades e dispõe de piano-bar, aeróbica na piscina e massagem. Fecha nov-mar. **www.hotel-kalura.com**

CEFALÙ Hotel Alberi del Paradiso €€€€

Via dei Mulini 18–20, 90015 **Tel** *0921 42 39 00* **Fax** *0921 42 39 90* **Quartos** *55*

Localizado entre campos de laranja e oliveiras, este hotel oferece quartos com cerâmica rústica e acessórios simples. Por um pouco mais pode-se ter mais espaço, um terraço e vista para o mar. A suite principal tem jacuzzi e duas áreas externas privativas. Acesso à praia exclusiva, piscina, campo de golfe, spa e quadra de tênis. **www.alberidelparadiso.it**

EGADI – FAVIGNANA Albergo Ristorante Egadi €€

Via Cristoforo Colombo 17, 91023 **Tel** *0923 92 12 32* **Fax** *0923 92 16 36* **Quartos** *12*

Villa amarela no centro, perto da orla e do porto. Os quartos em tons pastel são decorados com antiguidades. Dois quartos no último andar compartilham um terraço –um deles tem banheira de hidromassagem e o outro uma ducha potente. Há uma suíte para famílias e uma villa separada para quatro pessoas chamada Casa Nenè. **www.albergoegadi.it**

ENNA Hotel Sicilia €€

Piazza N Colajanni 7, 94100 **Tel** *0935 50 08 50* **Fax** *0935 50 04 88* **Quartos** *60*

No coração de Enna no centro da Sicília, este hotel moderno é conveniente para visitar muitos pontos turísticos na ilha. Os quartos são compactos e alguns têm vistas para os campos ao redor. Há um belo terraço com bar no terraço, onde o café da manhã é servido em dias amenos. Elegantes áreas de uso comum com antiguidades. **www.hotelsiciliaenna.it**

ERICE Hotel Moderno €€

Via Vittoria Emanuele 63, 91016 **Tel** *0923 86 93 00* **Fax** *0923 86 91 39* **Quartos** *40*

Pequeno hotel no bairro antigo de Erice, tem um terraço com vista para os telhados, onde o café da manhã é servido, assim como aperitivos à noite. Os quartos espaçosos têm charme antiquado, apesar das comodidades modernas. O restaurante é excelente. Animais são bem-vindos. **www.hotelmodernoerice.it**

Categorias de preço *pág. 558* **Legenda dos símbolos** *no final do guia*

GIARDINI-NAXOS Hotel Arathena Rocks €€

Via Calcide Eubea 55, 98039 ***Tel*** *0942 513 49* ***Fax*** *0942 516 90* ***Quartos*** *49*

Hotel moderno em uma área calma de Giardini-Naxos, tem piscina e terraço ao ar livre sobre rochas vulcânicas que se projetam para o mar. Com interior confortável, a maioria dos quartos têm pátios próprios e vista para o mar. Bom restaurante, com mesas ao ar livre no verão. Traslado de ônibus para Taormina. Animais são bem-vindos. **www.hotelarathena.it**

ILHAS EÓLIAS – LIPARI Villa Diana €€

Via Tufo 1, 98055 ***Tel*** *090 981 14 03* ***Fax*** *090 981 14 03* ***Quartos*** *17*

Residência do pintor suíço Edwin Hunziker, fica em um belo jardim com laranjais e oliveiras. O terraço ensolarado tem vistas da cidade e do mar. Os quartos são de frente para o jardim. Local repousante e repleto de antiguidades, exibe a coleção de arte da família do pintor. Quadra de tênis e campo de golfe. Fecha nov-mar. **www.villadiana.com**

ILHAS EÓLIAS – PANAREA Hotel Quartara €€€€

Via San Pietro 15, 98050 ***Tel*** *090 98 30 27* ***Fax*** *090 98 36 21* ***Quartos*** *13*

Móveis de teca e cerâmica vibrante dão um clima caseiro a este refúgio rústico em frente ao porto. Os quartos são temáticos, de minimalista-zen a colonial-chique. Alguns têm varanda com vista para o mar. Também há belas vistas da jacuzzi no terraço caiado, e um excelente restaurante de frutos do mar, o Broccia. **www.quartarahotel.com**

ILHAS EÓLIAS – STROMBOLI La Locanda del Barbablu €€€

Via Vittorio Emanuele 17-19, 98050 ***Tel*** *090 98 61 18* ***Fax*** *090 98 63 23* ***Quartos*** *5*

Pequenas casas de pescadores em tons pastel e repletas de antiguidades e objets d'art. Os quartos são charmosos e têm banheiro. Bar e restaurante com cozinha criativa em um oásis verde, e terraço ao ar livre com vista do Estrómboli. Perto da praia em Fico Grande. Fecha nov-mar. **www.barbablu.it**

MARSALA Baglio Oneto €€

Contrada Baronazzo Amafi 55, 91025 ***Tel/Fax*** *0923 71 43 28* ***Quartos*** *48*

Casa fortificada em meio a vinhedos nas colinas em torno de Marsala, tem uma ótima piscina e um terraço aberto com vistas das Ilhas Egates. Os quartos são belos e espaçosos, todos com sacada ou terraço. O restaurante serve excelentes pratos regionais e há um fino bar de vinhos. Fecha 21 out-18 abr.

MESSINA Green Manors Country Hotel €€€

Via Porticato, Castroreale, 98053 ***Tel*** *090 974 65 15* ***Fax*** *090 974 65 07* ***Quartos*** *9*

Excelente hotel em meio ao campo. A biblioteca, o salão de jantar e os quartos são decorados com obras de arte e artefatos interessantes. Há concertos e eventos gastronômicos nos jardins. As áreas externas incluem uma piscina rodeada por palmeiras. Há um grande apartamento histórico disponível. Estada mínima de duas noites. **www.greenmanors.it**

MILAZZO Petit Hotel €€

Via Dei Mille 37, 98057 ***Tel*** *0909 28 67 84* ***Fax*** *0909 28 50 42* ***Quartos*** *9*

Hotel do lado oposto ao porto, conveniente para o transporte para as Ilhas Eólias. A equipe é muito gentil. Os quartos elegantes têm acessórios hipoalergênicos, desionizadores, isolamento acústico e aquecimento e ar-condicionado ambientalmente corretos. O terraço com azulejos de majólica é muito charmoso. **www.petithotel.it**

MÓDICA Hotel Relais €€

Via Tommaso Campailla 99, 97015 ***Tel*** *0932 75 44 51* ***Fax*** *0932 75 44 51* ***Quartos*** *10*

Pousada no coração de Módica Alta, perto do Teatro Garibaldi. Antiga residência de um conde siciliano, esta edificação medieval restaurada tem um terraço com lindas vistas da cidade barroca. Os quartos elegantes variam –alguns têm sacadas e vigas de madeira. Há quartos para famílias. **www.hotelrelaismodica.it**

NOTO Masseria degli Ulivi €€

Contrada Porcari, SS287, near Madonna della Scala, 96017 ***Tel*** *0931 81 30 19* ***Fax*** *0931 81 30 48* ***Quartos*** *34*

A 8km da velha Noto e cercada por alfarrobeiras e oliveiras, este bela villa é datada do final dos anos de 1800. Os quartos exibem pisos de terracota, móveis de madeira escura, teto com vigas e persianas. No verão o excelente restaurante e *enoteca* atende no lindo terraço. Fecha nov-mar. **www.masseriadegliulivi.com**

PALERMO Giorgio's House €

Via A Mongitore, 90100 ***Tel*** *091 52 50 57* ***Mob*** *347 221 48 23* ***Quartos*** *4*

Pousada simpática cujo dono, Giorgio, é extremamente hospitaleiro. No coração da área de Alberghiera, entre a estação e o Palazzo Reale, também é próxima à catedral. Oferece quatro quartos com dois banheiros, além de uma sala de estar onde os hóspedes podem se conhecer. Organiza excursões. **www.giorgioshouse.com**

PALERMO Grand Hotel Garibaldi €

Via Emerico Amari 146, 90139 ***Tel*** *091 601 70 11* ***Quartos*** *71*

Hotel voltado para executivos no centro de Palermo, também tem ótimo custo-benefício para turistas. Linhas simples e decoração despretensiosa animada por tecidos e estampas arrojados. As áreas comuns são um pouco sem graça. Alguns quartos são barulhentos –peça um silencioso ao reservar. **http://hotel-garibaldi-palermo.h-rez.com**

RAGUSA Eremo della Giubiliana €€€€

Contrada Giubiliana, 97100 ***Tel*** *0932 66 91 19* ***Fax*** *0932 66 91 29* ***Quartos*** *23*

O Eremo tem pista própria de aterrissagem e oferece passeios de avião. Fazenda feudal fortificada com mais de mil anos, é um oásis verde em meio a campos banhados pelo sol, com vistas maravilhosas do mar e uma praia particular. Os quartos e suítes são vedadeiramente esplêndidos. Comida deliciosa. Cães são bem-vindos. **www.eremodellagiubiliana.com**

SCIACCA Solaris B&B P €€

Via Marco Polo 2/a, 92019 ***Tel/Fax*** *0925 99 30 32* ***Quartos*** *4*

Situado em jardins luxuriantes, este simpático B&B familiar com quatro apartamentos tem ótimo custo-benefício para famílias, grupos e pessoas que procuram autonomia. A decoração é meio datada, e há algumas peças de mobília intrigantes da década de 1970. As áreas externas incluem um grande terraço com vista para o mar. **www.bbsolaris.com**

SCICLI Hotel Novecento P W €€

Via Duprè 11, 97018 ***Tel*** *0932 84 38 17* ***Fax*** *0932 83 52 13* ***Quartos*** *7*

Modernidade e toques originais são combinados neste palazzo restaurado. Os quartos têm mobília simples, com um ambiente relaxante. Os lindos banheiros com mosaicos são repletos de peças cromadas. Para quem prefere um clima de época, as suítes têm cenas celestiais pintadas no início do século 20 em seus tetos abobadados. **www.hotel900.it**

SIRACUSA Algilà Ortigia Charme P W €€€

Via Vittorio Veneto 93, 96100 ***Tel*** *0931 46 51 86* ***Fax*** *0931 46 38 89* ***Quartos*** *30*

Bem no coração da antiga Siracusa fica este imponente palácio barroco com lindas vistas para o mar. Foi reformado com bom gosto para revelar suas sedutoras características arquitetônicas. Os quartos têm mobília de época ornada, azulejos mouriscos e tecidos vibrantes. A suíte executiva tem um terraço com banheira de hidromassagem. **www.algila.it**

TAORMINA Hotel Condor P W €€

Via Dietro Cappuccini 25, 98039 ***Tel*** *0942 231 24* ***Fax*** *0942 62 57 26* ***Quartos*** *12*

Encantadora villa repleta de buganvílias, a cinco minutos do centro da cidade. Tem antiquadas áreas de uso comum e um terraço com espreguiçadeiras. Os quartos são acolhedores, muitos deles com sacada. Os econômicos são menores e sem sacada nem vista para o mar. Há uma suíte. Solarium. **www.condorhotel.com**

TAORMINA Villa Belvedere P €€€

Via Bagnoli Croce 79, 98039 ***Tel*** *0942 237 91* ***Fax*** *0942 62 58 30* ***Quartos*** *47*

Villa amarela em estilo Liberty, em um jardim com laranjeiras e limoeiros em volta de uma piscina voltada para o mar. A cinco minutos do bairro antigo e do funicular para a praia. As áreas de uso comum são acolhedoras e os quartos são arejados e claros, a maioria com sacada ou terraço. **www.villabelvedere.it**

TAORMINA Villa Ducale P W €€€

Via Leonardo da Vinci 60, 98039 ***Tel*** *0942 281 53* ***Fax*** *0942 287 10* ***Quartos*** *17*

Um dos hotéis mais românticos de Taormina, esta villa tem belos terraços e um jardim com banheira de hidromassagem. Todos os quartos têm sacada ou varanda, pisos de terracota, camas de ferro batido, paredes com afrescos e cerâmicas pintadas. Traslado de ônibus para a praia. Há também um spa termal. **www.villaducale.com**

TAORMINA Grand Hotel San Pietro P W €€€€

Via Pirandello 50, 98039 ***Tel*** *0942 62 07 11* ***Fax*** *0942 62 07 70* ***Quartos*** *63*

Este hotel luxuoso proporciona vistas de tirar o fôlego do mar e do monte Etna. As cores e obras de arte dos quartos são inspirados na vegetação da região. Há três restaurantes, entre eles o encantador Rotonda sul Mare, um terraço intimista sobre as ondas que oferece garçom particular. **www.grandhotelsanpietro.net**

TAORMINA Hotel Villa Carlotta P W €€€€

Via Pirandello 81, 98039 ***Tel*** *0942 62 60 58* ***Fax*** *0942 237 32* ***Quartos*** *23*

Construído em 1860, este retiro de pedra combina a grandeza do estilo Liberty com instalações contemporâneas. Essa temática também está presente nos quartos. Os bem-cuidados jardins contam com uma piscina e alguns vestígios romanos. Os terraços proporcionam vistas incríveis do mar e do monte Etna. **www.hotelvillacarlottataormina.com**

TRAPANI Tavernetta Ai Lumi W €

Corso Vittorio Emanuele 71, 91100 ***Tel*** *0923 54 09 22* ***Fax*** *0923 54 77 20* ***Quartos*** *12*

Pousada sobre uma taverna no centro de Trapani. Dentro do pátio de um palazzo, as salas de jantar se encontram em antigos estábulos. Os quartos charmosos têm cores vivas, móveis antiquados e banheiro. Apenas alguns têm ar-condicionado. Há também apartamentos. **www.ailumi.it**

ZAFFARANA-ETNEA Hotel Airone P €€€

Via Cassone 67, 95019 ***Tel*** *095 708 18 19* ***Fax*** *095 708 21 42* ***Quartos*** *62*

Nas encostas do vulcão Etna, em uma área renomada por seu mel, fica a cidade medieval de Zaffarana-Etnea. Este hotel de gestão familiar tem quartos charmosos, jardim com piscina, restaurante e um conhecido spa. Vistas inesquecíveis do Mar Jônico e de lavas. Organiza passeios guiados. **www.hotel-aferroe.it**

SARDENHA

ALGHERO Hotel Angedras P W €

Via Frank 2, 07041 ***Tel*** *079 973 50 34* ***Fax*** *079 973 50 34* ***Quartos*** *31*

Hotel elegante a dez minutos da velha Alghero, em uma pacata rua residencial. A decoração alia características sardas tradicionais a uma elegância moderna. O café da manhã é uma seleção de doces e massas folheadas regionais feita pela padaria da família. O serviço é cordial. Tem uma praia privada e dois quartos para deficientes. **www.angedras.it**

Categorias de preço *pág. 558* **Legenda dos símbolos** *no final do guia*

ALGHERO Villa Las Tronas €€€€€

Lungomare Valencia 1, 07041 ***Tel*** *079 98 18 18* ***Fax*** *079 98 10 44* ***Quartos*** *25*

Uma villa cor de mostarda do século 19, em um promontório voltado para o Capo Caccia, sedia este hotel confortável e elegante. As áreas de uso comum são repletas de peças douradas e belos móveis, ao passo que os quartos são mais simples, embora belos. O jardim e os terraços têm vista para o mar. **www.hotelvillalastronas.it**

ARBATAX Vecchio Mulino €€€

Via Parigi, 08041 ***Tel*** *0782 66 40 41* ***Fax*** *0782 66 43 80* ***Quartos*** *24*

Por trás da fachada em tons de rosa estão os quartos calorosos com paredes curvas e muitas obras de arte e livros peculiares. A natureza serena e generosa do dono está em todo lugar, e há deliciosos produtos assados aqui. Passeios de barco para o Golfo di Orosei e outros lugares podem ser combinados. **www.hotelilvecchiomulino.it**

BOSA Hotel al Gabbiano €€

Viale Mediterraneo, 5, 08013 ***Tel*** *0785 37 41 23* ***Fax*** *0785 37 41 09* ***Quartos*** *32*

Em local ideal, este hotel tem lindas vistas da baía. Conta com uma praia privada e a equipe organiza passeios de bicicleta, mergulhos e outras excursões. Os quartos são claros e arejados. O restaurante é especializado em pratos locais. Conta também com villas junto ao mar ou nos campos. Meia-pensão em ago. **www.hotelgabbiano.it**

CAGLIARI Hotel Aurora €

Piazza Yenne, Salita Santa Chiara 19, 09124 ***Tel*** *070 65 86 25* ***Fax*** *070 64 050 50* ***Quartos*** *8*

Hotel pequeno em uma edificação do século 19, perto da movimentada Piazza Yenne. Dois quartos foram redecorados com murais. Os da frente são mais barulhentos, já que o hotel fica defronte a um mercado matinal. Embora seja um dos mais baratos, tem localização próxima às principais atrações. **www.hotelcagliariaurora.it**

CAGLIARI T Hotel €€

Via Dei Giudicati 66, 09131 ***Tel*** *070 474 00* ***Fax*** *070 47 40 16* ***Quartos*** *207*

A reforma com estilo de um prédio sem graça fez do T Hotel um símbolo do emergente Parco della Musica, um novo centro cultural na região de Villanova. O elegante saguão do hotel, com seu bar em desnível, abriga exposições temporárias. A maioria dos quartos e suítes têm belas vistas da cidade. A equipe é muito cordial. **www.thotel.com**

CHIA Aquadulci €€€€

Località Capo Spartivento, Domus de Maria, 09010 ***Tel*** *070 923 05 55* ***Fax*** *070 923 05 16* ***Quartos*** *41*

As dunas de Chia são apropriadas para um hotel dedicado à simplicidade e ao relaxamento. As áreas comuns e os quartos têm esculturas e interiores minimalistas, com madeira clara e toques de cor. Conta com uma piscina, um centro com tratamentos de spa e um restaurante. Há atividades como equitação e vela, entre outras. **www.aquadulci.com**

ILHA DE SAN PIETRO Hotel Paola e Primo Maggio €

Località Tacca Rossa, 09014 ***Tel*** *0781 85 00 98* ***Fax*** *0781 85 01 04* ***Quartos*** *21*

Moderna pensione de gestão familiar cercada de verde e voltada para o mar. Tem um terraço sombreado para refeições ao ar livre no restaurante, que se orgulha de sua cozinha Carloforte de boa qualidade. Os quartos simples têm decoração de ar caseiro. A área principal é rústica e aconchegante. Fecha nov-mar. **www.hotelpaolacarloforte.it**

OLIENA Su Gologone €€€

Località Su Gologone, 08025 ***Tel*** *0784 28 75 12* ***Fax*** *0784 28 76 68* ***Quartos*** *68*

Villa espalhada pelo Sopramonte, a região montanhosa de Barbagia. Tranquilo, exala a cálida hospitalidade da Sardenha. As edificações de pedra ficam em uma área verde sob a sombra de oliveiras. Além de um excelente restaurante, o hotel também oferece vários esportes, atividades e excursões. **www.sugologone.it**

PORTO CERVO Colonna Pevero €€€€€

Località Golfo del Pevero, 07020 ***Tel*** *0789 90 70 09* ***Fax*** *0789 920 64* ***Quartos*** *102*

Grande resort de luxo nos jardins luxuriantes que atravessam as enseadas e as praias do Golfo del Pevero. A decoração das relaxantes áreas comuns, dos restaurantes e das calmas suítes é minimalista e de bom gosto. Oferece diversos tratamentos de spa e atividades. **www.colonnapeverohotel.com**

PORTO ROTONDO Sporting €€€€

Via Clelia Donadalle Rose 16, Porto Rotondo, 07020 ***Tel*** *0789 340 05* ***Fax*** *0789 343 83* ***Quartos*** *47*

Oásis de conforto na Costa Smeralda, este hotel é um complexo com praia própria e numerosas atividades. A arquitetura e o jardim são mediterrâneos. Os quartos são arejados, confortáveis, e têm terraços floridos voltados para a praia. Há um piano-bar. **www.sportingportorotondo.it**

SASSARI Vittorio Emmanuele €

Corso Vittorio Emanuele 100–102, 07100 ***Tel*** *070 23 55 38* ***Fax*** *079 200 66 96* ***Quartos*** *80*

Este palazzo do início do século 20 é uma boa opção perto das atrações principais de Sassari. Oferece decoração moderna sem exageros e algumas surpresas: uma adega para degustação de vinhos com paredes de pedra, um bar relaxante e terraços panorâmicos. Procurado por executivos e com acessibilidade. **www.hotelvittorioemanuele.ss.it**

VILLAGRANDE (NR LANUSEI) Orlando Village €€

Villagrande Strisaili, 08049 ***Tel*** *0782 328 23* ***Fax*** *0782 325 32* ***Quartos*** *30*

Resort rústico na floresta de Santa Barbara, nas montanhas Sopramonte. A charmosa proprietária Pietrina Lecca organiza eventos culturais e gastronômicos que atraem moradores da região e visitantes. Quartos e suítes com decoração simples. A elogiada e centenária dieta de Ogliastra é a estrela do incrível restaurante. **www.orlandovillage.it**

ONDE COMER

Comida é assunto sério na Itália. Os italianos têm motivos para se orgulhar de sua cozinha e seus vinhos, e passam muitas horas ao redor da mesa. Um dos grandes prazeres de viajar pelo país é provar as variações regionais de massas, pães e queijos. Quer seja *tortelloni* com recheio de espinafre no Norte ou pimentão vermelho recheado no Sul, os restaurantes italianos raramente servem pratos que não sejam típicos. E não é necessário ir aos lugares mais caros para comer bem. Uma simples *trattoria* pode superar a comida do restaurante internacional mais próximo. A seguir, algumas dicas práticas sobre os tipos de restaurantes, serviços e pratos podem ajudar a desfrutar melhor as delícias da cozinha italiana. Confira também as páginas introdutórias de cada região, que apresentam as especialidades locais.

Garçom do Alberto Ciarla ***(pág. 601)***

TIPOS DE RESTAURANTES E LANCHONETES

Tradicionalmente, uma *trattoria* ou uma *osteria* são opções mais baratas e informais do que os elegantes *ristorantes*.

As *pizzerie* em geral são uma opção barata (até 12 euros, incluindo cerveja). Além de pizzas, muitas servem pratos de massa, carne e peixe. Mas costumam funcionar só à noite, especialmente as que possuem *forno a legna*.

As *birrerie* também têm, geralmente, preços acessíveis e servem massas e lanches, como cachorro-quente e hambúrguer. Uma *enoteca,* ou *vineria,* é o local certo para provar vinhos. Mas, como os italianos raramente bebem sem comer, esses lugares costumam servir, além da soberba seleção de vinhos, diversos pratos leves. Os preços variam e não tendem a ser baratos. Na hora do almoço e no início da noite, as *rosticcerie* vendem frango assado, fatias de pizza *(pizza al taglio)* e outros lanches para viagem. Uma *pizza al taglio* também pode ser comprada diretamente do padeiro. Os bares costumam servir pães recheados *(panini)* e sanduíches *(tramezzini)*, e alguns têm balcão de *tavola calda*, onde servem pratos quentes por menos de 6 euros.

Não deixe de entrar em uma *gelateria* e provar as infinitas opções de sorvete *(gelato)* ou em uma *pasticceria* para se deliciar com os muitos doces, tortas, bolos e biscoitos.

Villa Crespi em Piemonte, inspirada nas Mil e Uma Noites ***(pág. 621)***

Restaurante que oferece um aconchegante salão com teto abobadado

HORÁRIOS

O almoço geralmente é servido entre 12h30 e 14h30, e, no Sul, todas as outras atividades param nesse horário. O jantar começa ao redor de 19h30 e vai até 23h (no Sul, em geral até mais tarde). Não é raro ver as pessoas ao redor da mesa do almoço até as 16h ou bebendo *digestivi* após o jantar, muito além da meia-noite.

RESERVAS

Os bons restaurantes italianos costumam ser bastante procurados, portanto, se puder, reserve uma mesa. Se não, chegue cedo para evitar filas. Muitos restaurantes fecham uma vez por semana e por algumas semanas no inverno ou nas férias de verão. É aconselhável telefonar antes de ir.

CARDÁPIO

As refeições italianas consistem em três ou quatro pratos e, nos restaurantes, espera-se que sejam pedidos no mínimo dois, mas não é obrigatório. O *antipasto* (entrada) é seguido pelo *primo piato* (primeiro prato) –massa, arroz ou sopa. O *secondo piato* é o prato principal de carne ou peixe com vegetais ou salada (os *contorni*). Fruta, queijo ou doces vêm em seguida, com café e um *digestivo*, bebida como *grappa* ou *amaro* para terminar a refeição.

Os cardápios geralmente mudam conforme a estação

para incluir os produtos locais mais frescos. Os pratos do dia podem não constar do cardápio, mas são informados pelo garçom. Evite os restaurantes que nnao mostram os preços no menu.

VEGETARIANOS

Poucos locais destacam em seus cardápios os pratos vegetarianos, mas há várias opções "perdidas" entre os pratos em geral. Muitas massas e entradas não têm carne e, para prato principal, pode-se pedir uma seleção de vegetais dos *contorni*. Os vegetarianos comem especialmente bem na primavera, quando os primeiros produtos chegam aos mercados, e no outono, estação em que não faltam cogumelos.

VINHOS E BEBIDAS

Muitas regiões têm seu próprio *aperitivo* para antes da refeição e um *digestivo* para depois. As alternativas universais são *prosecco* (vinho branco seco espumante) ou um aperitivo *analcolico* (não-alcoólico) para começar e *grappa* como digestivo. O vinho da casa (tinto ou branco) é um vinho local, simples, servido por litro (ou meio-litro) e costuma ser bom. Além disso, a maioria dos lugares conta com grande variedade de outros vinhos locais e regionais, especialmente selecionados para acompanhar os pratos do cardápio. Por isso, é raro encontrar muitos vinhos de outras nacionalidades.

Sempre se pode beber a água da torneira *(acqua del rubinetto)*, geralmente boa. Se preferir, experimente as variadas águas minerais italianas. As espumantes *(frizzante)* podem ter dióxido de carbono, enquanto a *naturale* tem gás natural. Se quiser água sem gás, peça *non gassata*. Os *espresso bars* cobram o serviço.

A Badia a Coltibuono, em Gaiole in Chianti, é do século 11

CONTA

O serviço e o imposto estão normalmente incluídos nos preços do cardápio, mas costuma-se deixar uma pequena gorjeta de 1 a 3 euros. A taxa de couvert *(coperto)*, embora ilegal, ainda é cobrada, e inclui pão –quer você coma ou não.

Cartões de crédito nem sempre são aceitos na Itália, especialmente nas cidades menores. Vale checar antes de pedir.

O QUE VESTIR

Os italianos costumam vestir-se de forma elegante, mas não necessariamente esperam o mesmo dos turistas. Mas uma aparência muito relaxada pode interferir no atendimento.

Restaurante La Marinella, com vista para a costa de Amalfi *(pág. 643)*

CRIANÇAS

Crianças são bem recebidas em todos os estabelecimentos, exceto nos mais luxuosos. No país inteiro, os restaurantes costumam ficar cheios de famílias no almoço de domingo. Cadeirões ou cardápios especiais são raros, mas a maioria dos locais tem almofadas e porções pequenas.

A trattoria romana Sora Lella, na ilha do rio Tibre

FUMANTES

Fumar é um hábito muito difundido na Itália. Entretanto, há leis que proíbem o fumo em todos os restaurantes do país. Se você estiver num restaurante sem área especial para fumantes e quiser acender um cigarro, terá de ir até a calçada.

DEFICIENTES FÍSICOS

Poucos restaurantes estão preparados para receber usuários de cadeiras de rodas. Mas, se você avisar com antecedência, é possível que lhe reservem uma mesa adequada e o ajudem, se necessário.

Como Escolher um Restaurante

Os restaurantes neste guia foram selecionados dentro de uma ampla gama de preços devido a sua comida excepcional, preço compatível e localização. Estão agrupados por região, começando pelo norte e seguindo para o sul. As indicações de mapa referem--se aos guias de ruas de Veneza, Florença e Roma.

CATEGORIAS DE PREÇO
As seguintes faixas de preço são para refeição individual com três pratos e meia garrafa de vinho da casa, incluindo taxas de consumação, serviço e impostos.
€ menos de 25 euros
€€ 25-35 euros
€€€ 35-45 euros
€€€€ 45-55 euros
€€€€€ mais de 55 euros

VENEZA

BURANO Ai Pescatori — €€€
Via Galuppi 371, 30012 ***Tel*** *041 73 06 50*

O menu deste hospitaleiro restaurante enfoca antigas receitas locais, como broeddo (sopa de peixe) e frutos do mar frescos como pitu ou siba servidos com massa tagliolini e molho negro, com saborosas alcachofras de acompanhamento. No inverno também há pratos à base de caça. Extensa carta de vinhos. Fecha ter; 2 semanas jan.

BURANO Da Romano — €€€€
Piazza Galuppi 221, 30012 ***Tel*** *041 73 00 30*

É aconselhável reservar antes para evitar decepções, já que este é o principal restaurante da ilha de Burano. Uma ampla variedade de peixes é servida à moda veneziana tradicional, sob o olhar atento de um descendente do dono original do século 19. Fecha dom jantar, ter; meados dez-jan.

CANNAREGIO Brek — €
Lista di Spagna 124, 30121 ***Tel*** *041 244 01 58* — **Mapa** *2 D4*

Perto da estação ferroviária, este vibrante restaurante self-service serve o dia inteiro pratos preparados na hora. É prático para um sanduíche ou um café com torta e mesmo para refeições demoradas, e tem preços razoáveis para todos os bolsos. Oferece saborosos pratos de massa e carne.

CANNAREGIO La Cantina — €€
Strada Nuova 3689, 30121 ***Tel*** *041 522 82 58* — **Mapa** *2 F4*

Este jovial bar de vinhos fica defronte à agitada Strada Nuova. Lanches apetitosos e pratos substanciosos são preparados na hora com frutos do mar frescos, carnes assadas, queijos e frios, acompanhados por diversos vinhos excelentes. Fecha dom; 2 primeiras semanas jan, última semana jul, primeira semana ago.

CANNAREGIO Trattoria da Gigio — €€
Rio Terrà San Leonardo 1594, 30121 ***Tel*** *041 71 75 74* — **Mapa** *2 D3*

Durante a semana esta requisitada trattoria fica lotada com o pessoal das barracas do mercado da vizinhança, o que aumenta a animação. O menu apresenta pratos à base de frutos do mar e imensos steaks. O serviço simpático é outro diferencial. Fecha dom, seg jantar.

CANNAREGIO Osteria Giorgione — €€€
Calle Larga dei Proverbi 4582A, 30121 ***Tel*** *041 522 17 25* — **Mapa** *3 B4*

Osteria aconchegante e sofisticada com uma boa carta de vinhos. Serve especialidades sazonais à base de peixe como carpaccio de atum, mas os carnívoros podem optar pelo fegato alla veneziana (fígado com cebolas à moda veneziana). É aconselhável guardar espaço para as ótimas sobremesas, como flan de chocolate quente com sorvete. Fecha seg.

CANNAREGIO Osteria l'Orto dei Mori — €€€
Campo dei Mori 3386, 30121 ***Tel/Fax*** *041 524 36 77* — **Mapa** *2 F3*

Fora da rota turística, esta inspiradora osteria se espalha pela praça adjacente no verão. Serve refinada culinária local de acordo com as estações. Um delicioso antepasto é a insalata tiepida di carciofini e mazzancolle (salada quente de alcachofra e camarão). Serviço excelente e uma boa carta de vinhos. Fecha ter; 2 semanas jan.

CANNAREGIO Fiaschetteria Toscana — €€€€
Salizzada San Giovanni Grisostomo 5719, 30131 ***Tel*** *041 528 52 81* ***Fax*** *041 528 55 21* — **Mapa** *3 B5*

Além da ótima carta de vinhos, a família Busatto serve frutos do mar frescos como na deliciosa salada quente de polvo e no rodovalho ao molho de alcaparras. Reserve antes, pois este é um dos melhores restaurantes de Veneza. Fecha ter e qua almoço, fim jul-ago, 1 semana dez.

CANNAREGIO Vini Da Gigio — €€€€
Fondamenta della Chiesa 3628A, 30121 ***Tel*** *041 528 51 40* — **Mapa** *3 A4*

Clima elegante e pratos refinados à base de produtos sazonais. Risoto com pitus e siba grelhado volta e meia estão no menu, assim como um delicioso pato e alcachofras locais. A carta de vinhos é ampla. É aconselhável reservar antes. Fecha seg, ter; meados jan-primeira semana fev, 3 semanas ago.

Legenda dos símbolos *no final do guia*

CASTELLO Aciugheta €€

Campo SS Filippo e Giacomo 4357, 30122 **Tel** *041 522 42 92* **Fax** *041 520 82 22* **Mapa** *7 C2*

Frequentado pela juventude local para aperitivos, este lugar fica lotado até o início da madrugada. Bonito e moderno, serve saladas e lanches leves no almoço, assim como excelentes massas. A área ao ar livre é perfeita para observar o movimento. A poucos minutos da Piazza San Marco. Fecha jan.

CASTELLO Trattoria Giorgione €€

Via Garibaldi 1533, 30122 **Tel** *041 522 87 27*

Ótima trattoria de bairro, serve saborosas refeições tradicionais à base de peixe (como lasanha de peixe) e um delicioso risoto. O dono jovial distrai a clientela tocando músicas folclóricas venezianas no violão. Fica em uma avenida movimentada adiante do Arsenale. Fecha qua; 2 semanas nov.

CASTELLO Da Remigio €€€€

Salizzada dei Greci 3416, 30122 **Tel** *041 523 00 89* **Mapa** *8 D2*

Reserve antes, pois este favorito dos venezianos tem espaço limitado. Garante uma memorável refeição de frutos do mar, a qual deve incluir o cremoso risoto ai frutti di mare. Encerre com o sgroppino, um sorbet de limão regado com prosecco. Fecha seg jantar, ter; Natal-20 jan, 2 semanas jul-ago.

CASTELLO Al Coro €€€€€

Campiello della Pescaria 3968, 30122 **Tel** *041 522 38 12* **Mapa** *8 E2*

Esta pérola escondida atrás do ponto de parada de barcos Arsenale é comandada pelo time de marido e esposa Cesare e Diane Benelli. Cesare é o chef e o foco é em pratos de peixe da melhor qualidade. Deixe espaço para uma das sobremesas de Diane. Fecha qua e qui; 2 semanas jan; 1 semana ago.

CASTELLO Osteria di Santa Marina €€€€€

Campo Santa Marina 5911, 30122 **Tel** *041 528 52 39* **Mapa** *3 B5*

Este restaurante construiu sua reputação com o enfoque criativo da culinária tradicional. A sopa de feijão vem com confit apimentado de tomate, e o raviól preto de robalo é servido com molho de frutos do mar. Deliciosas sobremesas, como o millefoglie di cioccolato croccante (torta crocante de chocolate). Fecha seg almoço, dom, 2 semanas jan, 2 semanas ago.

DORSODURO Taverna San Trovaso €

Fondamenta Priuli 1016, 30123 **Tel** *041 520 37 03* **Fax** *041 523 45 83* **Mapa** *6 E3*

Este agitado restaurante na virada da esquina da galeria Accademia é muito frequentado por turistas de língua inglesa, então se você não reservar uma mesa antes prepare-se para enfrentar fila. O menu apresenta pizzas, massas simples, porém saborosas, e pratos de peixe e carne. Boas opções de sobremesa.

DORSODURO La Rivista €€€

Rio Terrà Foscarini 979/A, 30123 **Tel** *041 240 14 25* **Fax** *041 277 10 61* **Mapa** *6 E4*

Perto da Accademia, este lugar moderno e hospitaleiro oferece saladas leves e pratos frios no almoço. Este atraente "bar de queijos e vinhos" também oferece sobremesas divinas como creme de framboesa. Não é surpresa que haja uma invejada carta de vinhos com rótulos de toda a Itália, muitos deles vendidos por taça. Fecha seg.

DORSODURO Ai Gondolieri €€€€

San Vio 366, 30123 **Tel** *041 528 63 96* **Fax** *041 521 00 75* **Mapa** *6 F4*

Perto do Museu Guggenheim, este restaurante tem ambiente elegante revestido de madeira no qual especialidades regionais de carne e legumes são servidas com distinção. O cozido de galinha com polenta e trufas brancas do Piemonte é especialmente recomendado. Reserve antes. Fecha ter; almoço ago.

DORSODURO L'Avogaria €€€€

Calle dell'Avogaria 1629, 30123 **Tel** *041 296 04 91* **Fax** *041 520 57 41* **Mapa** *5 C3*

Perto do Zattere, este moderno restaurante conta com uma equipe jovem e criativa. É especializado em pratos de Puglia, como o delicioso calamar recheado e o saboroso tiedda, prato de verão que leva arroz, mexilhões e batatas. Vinhos de toda a Itália. Tem também três quartos. Fecha ter; 1 semanas jan, 2 semanas jul-ago.

GIUDECCA Cipriani €€€€€

Giudecca 10, 30122 **Tel** *041 520 77 44* **Fax** *041 529 39 30*

Uma lancha de cortesia sai da frente da San Marco levando os clientes a este exclusivo hotel-restaurante em uma ilha para uma refeição memorável. São dois restaurantes: uma mais formal e outro casual. A comida e o serviço são impecáveis, e as vistas estupendas. Exige traje formal. Fecha nov-mar.

GIUDECCA Harry's Dolci €€€€€

Fondamenta San Biagio 773, 30133 **Tel** *041 522 48 44* **Fax** *041 522 23 22*

Longe do burburinho da San Marco e com uma varanda divina diante das águas de Giudecca, daqui os clientes têm uma ampla vista dos barcos circulando pelo canal. Famoso por seus doces e gelati (sorvetes), este elegante restaurante também serve excelentes refeições. Recomenda reservas. Fecha seg jantar, ter; nov-abr.

MAZZORBO Ai Cacciatori €

Mazzorbo 23, 30012 **Tel** *041 73 01 18*

Tradicional trattoria com preços razoáveis na ilha perto de Burano, serve saborosos pratos com peixes frescos, como nhoque com caranguejo. No outono, pato e carne de caça destacam-se no menu. A poucos minutos da parada de ferryboat em Mazzorbo. Fecha seg; 8 jan-início fev.

SAN MARCO Bar all'Angolo €

Campo Santo Stefano 3465, 30124 **Tel** *041 522 07 10* **Mapa** *6 F3*

Especializado em sanduíches de todos os tipos, este divertido bar também oferece pratos leves, como saladas. É um ótimo lugar para relaxar e tomar um refresco depois de horas de passeio, e certamente um dos lugares mais baratos para comer na praça. Se você conseguir uma mesa na calçada pode assistir o movimento da rua. Fecha dom; jan.

SAN MARCO Da Raffaelle €€€€

Ponte delle Ostreghe 2347, 30124 **Tel** *041 523 23 17* **Fax** *041 241 65 46* **Mapa** *7 A3*

Restaurante tradicional e agitado, oferece uma ampla gama de pratos regionais em um cenário especialmente romântico. Vale a pena provar o granseola (siri) como antepasto e o risoto com camarão-pistola e rodovalho como prato principal. Fecha qui no inverno; dez-fim jan.

SAN MARCO Antico Martini €€€€€

Campiello della Fenice 2007, 30124 **Tel** *041 522 41 21* **Fax** *041 528 98 57* **Mapa** *7 A2*

Ao lado do teatro Fenice, é o destino perfeito para jantares mais tardios. Oferece cozinha de alta qualidade, ampla opção de vinhos e serviço impecável. O cordeiro ao molho balsâmico é um dos muitos pratos recomendados no cardápio.

SAN MARCO Harry's Bar €€€€€

Calle Vallaresso 1322, 30124 **Tel** *041 528 57 77* **Fax** *041 520 88 22* **Mapa** *7 B3*

Conhecido mundialmente como o bar favorito de Ernest Hemingway em Veneza, o Harry's Bar é uma instituição consagrada e aconchegante. Além do drinque Bellini, você pode pedir sanduíches quentes e café. O menu renomado inclui carpaccio, uma invenção do dono que também ganhou o mundo.

SAN MARCO La Caravella €€€€€

Calle Larga XXII Marzo 2397, 30124 **Tel** *041 520 89 01* **Fax** *041 520 58 58* **Mapa** *7 A3*

Perto da Piazza San Marco, este notável restaurante no Hotel Saturnia tem serviço excelente e seu interior lembra uma galé veneziana do século 16. Sopa de peixe ou robalo com nozes de pinho tostadas, alho-poró e manjericão estão entre os pratos tentadores do menu. Carta de vinhos de alto padrão.

SAN MARCO Ristorante La Colomba €€€€€

Piscina di Frezzeria 1665, 30124 **Tel** *041 522 11 75* **Mapa** *7 A2*

Refeições sofisticadas entre obras-primas de nomes como Picasso e De Chirico. Pratos tradicionais são preparados com muito talento. Experimente o pasticcio di tagliolini gratinati con scampi e calamari alla Buranella (massa com frutos do mar ao estilo de Burano), ou o tiramisù com cookies e molho de café. Várias opções de vinhos. Fecha qua, jan, 2 semanas ago.

SAN POLO Muro €€€

Rio Terà dei Frari, 30125 **Tel** *041 524 53 10* **Mapa** *6 E1*

Uma filial das pizzarias da moda Muro, muito populares entre os jovens da região. No menu, pizzas com mussarela de búfala e recheios exóticos, como nozes e atum defumado. Também há muitas opções de frutos do mar, peixes frescos e deliciosas carnes grelhadas. Para acompanhar tudo isso, cervejas da Bavária e vinhos italianos. Fecha qui.

SAN POLO Trattoria alla Madonna €€€

Calle della Madonna 594, 30123 **Tel** *041 522 38 24* **Fax** *041 521 01 67* **Mapa** *7 A1*

Neste conhecido restaurante de peixes na área de Rialto, os garçons circulam com travessas de frutos do mar, como o delicado granseola (siri) e o seppie in nero (lula ao molho de tinta preta). Chegue cedo para não ter que esperar por uma mesa. Fecha qua; fim dez-fim jan, 5-20 ago.

SAN POLO Poste Vecie €€€€

Rialto Pescheria 1608, 30125 **Tel** *041 72 18 22* **Fax** *041 72 10 37* **Mapa** *3 A5*

Com entrada pelo mercado de peixes de Rialto, o Poste Vecie alega ser o restaurante mais antigo da cidade, com uma história que remonta aos anos de 1500. Há peixes excelentes como rodovalho assado, além de massas caseiras como ravióli e tagliolini. A carta de vinhos e o carrinho de sobremesas sempre impressionam. Fecha ter.

SAN POLO Da Fiore €€€€€

Calle del Scaleter 2202, 30125 **Tel** *041 72 13 08* **Fax** *041 72 13 43* **Mapa** *6 D1*

Escondido atrás do Campo San Polo, este é provavelmente o melhor restaurante da cidade. Produtos sazonais imperam. Gourmets apreciam o robalo com vinagre balsâmico, atum com alecrim e o molecche (caranguejo de casca macia). Reserve espaço para um delicado sorbet de frutas. Fecha dom, seg; 8-27 jan; 3 semanas ago.

SANTA CROCE Al Nono Risorto €€

Sottoportego di Sior Bettina 2338, 30135 **Tel** *041 524 11 69* **Mapa** *2 F5*

Animada até tarde da noite, esta pizzaria e restaurante modesto tem um belo pátio sombreado para refeições no verão. Próxima à area do mercado de Rialto, é frequentada pelos locais e recomenda reservas no fim de semana. Fecha qua, qui almoço; 3 semanas jan, 1 semana meados ago.

SANTA CROCE Enoteca Al Prosecco €€

Campo San Giacomo dell'Orio 1503, 30135 **Tel** *041 524 02 22* **Mapa** *2 E3*

Saboreie pratos leves no salão simples ou do lado de fora, em uma praça arborizada. Como o nome sugere, vinho branco frizzante Prosecco do Vêneto é a bebida principal aqui, acompanhado por cichetti (petiscos) de queijos especiais, presunto ou linguiça aromatizada com javali. Fecha dom, jan, ago.

Categorias de preço *pág. 606* **Legenda dos símbolos** *no final do guia*

SANTA CROCE La Zucca €€

Calle del Megio 1762, 30135 ***Tel*** *041 524 15 70* ***Mapa*** *2 E5*

Este belo restaurante à beira do canal é adorado por locais e turistas. Com pratos vegetarianos e de carne, o cardápio concentra-se em comida tradicional do Veneto com alguma variação internacional. O flan de abóbora é famoso e as tortas são deliciosas. Convém reservar. Fecha domingo.

SANTA CROCE Il Réfolo €€€

Campo del Piovan 1459, 30135 ***Tel*** *041 524 00 16* ***Fax*** *041 72 13 43* ***Mapa*** *2 E5*

Em uma praça pitoresca junto a um canal perto da San Giacomo dell'Orio, este moderno estabelecimento serve inovadoras pizzas e refeições simples à base de massas. Pertence à família que dirige a Osteria da Fiore. Fecha seg, ter almoço; meados dez-jan.

SANTA CROCE Antiche Carampane €€€€€

Rio Terà Carampane 1911, 30125 ***Tel*** *041 524 01 65* ***Mapa*** *2 F5*

Reserve bastante tempo para procurar este restaurante escondido em um labirinto de becos. O menu é dedicado aos peixes frescos, com pratos como bigoi cassapipa (espaguete grosso com frutos do mar apimentados) e rombo con arancio (linguado com laranja). Sobremesas inesquecíveis de chocolate. Fecha dom, seg; 10 dias jan, 3 semanas ago.

TORCELLO Locanda Cipriani €€€€

Piazza Santa Fosca 29, 30012 ***Tel*** *041 73 01 50* ***Fax*** *041 73 54 33*

Estalagem de um pescador na década de 1930, este charmoso e exclusivo restaurante em uma ilha tem um encantador pátio sombreado onde os clientes podem degustar pratos feitos com produtos cultivados na horta da cozinha. O risoto e o fritto misto (com peixes e frutos do mar) são excelentes. Fecha ter; jan.

VÊNETO E FRIÚLI

ASOLO Hostaria Ca Derton €€

Piazza D'Annunzio 11, 31011 ***Tel*** *042 352 96 48* ***Fax*** *042 352 03 08*

Este atraente restaurante em um palácio medieval no centro de Asolo oferece um menu sazonal que muda regularmente. Tem inovadoras interpretações de pratos tradicionais, como porco com vinagre balsâmico, massa com aspargos e cabra assada com ervas. As opções de sobremesa são divinas. Fecha dom jantar, seg almoço.

ASOLO Villa Cipriani €€€€€

Via Canova 298, 31011 ***Tel*** *042 352 34 11* ***Fax*** *042 395 20 95*

Em um dos grandes hotéis do Vêneto, este restaurante conduz a jardins com maravilhosas vistas das colinas verdejantes mais abaixo. A cozinha criativa utiliza ingredientes locais e sazonais em pratos como nhoque de ricota ao molho de alecrim.

BASSANO DEL GRAPPA Alla Riviera €

Via San Giorgio 17, 36061 ***Tel/Fax*** *0424 50 37 00*

Tradicional osteria de pratos venezianos típicos como pasta e fagioli, uma sopa de massa e feijão servida morna. No antepasto o baccalà (bacalhau) surge em forma de patê para comer com pão. Sobremesas caseiras e uma boa seleção de vinhos, incluindo um bom local vendido como vino sfuso (na taça). Fecha dom jantar, seg; 2 semanas meados ago.

BELLUNO Terracotta €€

Via Garibaldi 61, 32100 ***Tel*** *0437 94 26 44* ***Fax*** *0437 94 26 44*

As especialidades regionais neste simpático restaurante incluem porco envolto em presunto de Parma ao molho de mostarda em grão, embora o menu varie mensalmente. As vistas do restaurante são limitadas, mas há uma bela pérgula coberta de glicínias. A extensa carta de vinhos atende a todos os bolsos. Fecha ter.

BREGANZE Al Toresan €€

Via Zabarella 1, 36042 ***Tel*** *0445 87 32 60* ***Fax*** *0445 30 76 51*

No outono os locais vêm aqui atrás dos deliciosos pratos com cogumelos selvagens. Os cogumelos aparecem não só grelhados, como em forma de recheio no raviôli. Os pratos substanciosos são complementados pelos vinhos locais, sendo que os tintos são particularmente bons. Fecha qui; 3 semanas ago.

CAORLE Duilio €€

Via Strada Nuova 19, 30021 ***Tel*** *0421 810 87* ***Fax*** *0421 21 00 89*

Espaçoso restaurante de decoração náutica, é especializado em cozinha regional à base de peixe. Prove o broeto alla Duilio, sopa de diversos peixes que também leva vinho. Já o linguado grelhado é mais leve. Aqui vinho e peixe predominam. Fecha seg no inverno; início jan-início fev.

CASTELFRANCO Barbesin €€

Via Circonvallazione Est 41, 31033 ***Tel*** *0423 49 04 46* ***Fax*** *0423 49 02 61*

Restaurante de especialidades regionais, incluindo risoto com aspargos ou cogumelos porcini. No entanto, é o radicchio local que predomina. Há outros pratos como um farto grelhado misto e baccalà alla vicentina (bacalhau preparado segundo uma receita local). Fecha qua jantar, qui; 1º-15 jan; 3 semanas ago.

CHIOGGIA La Taverna €€€

Via Felice Cavallotti 348, 30015 ***Tel/Fax*** *041 40 18 06*

Cozinha clássica com frutos do mar em um cenário elegante. Um dos mais antigos da cidade, este restaurante fica ao lado de um campanário do século 14 e suas mesas ao ar livre têm vista para a praça principal de Chioggia. Conta ainda com três salões de jantar. Fecha qua; 2 semanas fev.

CHIOGGIA Osteria Penzo €€€

Calle Larga Bersaglio 526, 30015 ***Tel/Fax*** *041 40 09 92*

No centro de Chioggia, esta tradicional trattoria serve uma ampla variedade de pratos de peixe, incluindo lula com ervilhas, talharim com tinta de lula, pitus e tomate, e vieiras com cogumelos porcini. Carta de vinhos locais e serviço bons. Fecha 25 dez-6 jan: seg jantar, ter; verão: ter.

CIVIDALE DEL FRIULI Alla Speranza €

Via Foro Giulio Cesare 15, 33043 ***Tel*** *0432 73 11 31*

Oferece um interior aconchegante revestido de madeira, ideal para o inverno, ao passo que o pátio sombreado é ótimo para um almoço leve no verão. O menu enxuto se baseia em ingredientes locais e muda mensalmente. Embora limitada, a seleção de vinhos é boa sendo possível pedir apenas uma taça. Frequentado pelos locais. Fecha ter; 1 semana jan, fim set.

CIVIDALE DEL FRIULI Zorutti €

Borgo di Ponte 9, 33043 ***Tel*** *0432 73 11 00* ***Fax*** *043 273 11 00*

Este restaurante de gestão familiar conquistou uma merecida reputação por sua boa cozinha regional servida em porções fartas. A especialidade da casa é a buzara, prato local de espaguete com frutos do mar, que inclui pitus ou lagosta. Há também um bom menu de preço fixo que muda sazonalmente. Fecha seg; 2 semanas jan.

CONEGLIANO Al Salisa €€

Via XX Settembre 4, 31015 ***Tel*** *0438 242 88*

Elegante restaurante em uma casa medieval, com uma bela varanda para refeições ao ar livre. O menu tradicional inclui escargots e massas caseiras servidas com vários molhos vegetarianos. O guanciale di vitello (vitela), os escargots e a exemplar carta de vinhos rendem um banquete. Fecha ter jantar, qua.

CORMONS Trattoria al Cacciatore – La Subida €€€€

Località Monte 22, 34071 ***Tel*** *0481 605 31*

O criativo menu friúlico-esloveno muda de acordo com as estações. Experimente o gnocchi con susine agrodolci (nhoque com ameixas silvestres) no verão, e a substanciosa sopa jota (com repolho e feijão) no inverno. A maioria dos ótimos vinhos, como o Ribolla Gialla, é da região. Fecha almoço seg, qui, sex; ter, qua; 3 semanas fev, 1 semana mar.

CORTINA D'AMPEZZO Ristorante El Zoco €€

Cademai 18, 32043 ***Tel*** *0436 86 00 41*

Restaurante pequeno e aconchegante nos arredores de Cortina. Como entrada, peça o canederli ai porcini, um delicado bolinho de cogumelo do tamanho de uma bola de golfe aromatizado com molho de cebolinha. Carnes grelhadas e legumes frescos da estação também estão no menu. A lendária adega tem rótulos italianos raros. Fecha seg; mai, nov.

CORTINA D'AMPEZZO Baita Fraina €€€€

Località Fraina 1, 32043 ***Tel*** *0436 36 34* ***Fax*** *0436 87 62 35*

Este encantador restaurante montanhês revestido de madeira tem um terraço panorâmico e uma grande área de recreação para crianças. As massas são boas, assim como as carnes de caça, a exemplo da tagliata di cervo (veado). Há uma excelente carta de vinhos e mais de cem tipos de grappa. Fecha seg baixa temporada; Páscoa-jun, out-nov.

DOLO Alla Posta €€€€

Via Ca' Tron 33, 30031 ***Tel*** *041 41 07 40* ***Fax*** *041 41 07 40*

Em uma antiga estalagem veneziana com vista para o principal canal da cidade, este ótimo restaurante de peixes prepara especialidades regionais com ingredientes frescos e sabores bem equilibrados. O menu exibe pratos como peixe grelhado e especialidades venezianas. Fecha qua.

GRADO Trattoria de Toni €€€

Piazza Duca d'Aosta 37, 34073 ***Tel*** *0431 801 04* ***Fax*** *0431 87 78 58*

Bela trattoria no centro histórico. A especialidade da casa é boreto alla gradese, um delicioso peixe cozido em azeite e vinagre. Embora conquiste fãs devido aos peixes e vinhos excelentes, seu cenário também é especial, com alguns trechos de piso transparente mostrando vestígios romanos por baixo. Fecha qua; dez-fev.

GRANCONA Isetta €€

Via Pederiva 96, 36040 ***Tel*** *0444 88 99 92* ***Fax*** *0444 88 99 92*

Nas Colinas Berici e a 15 minutos de Vicenza, este pequeno e belo restaurante serve comida regional, com ênfase em carnes grelhadas e bons pudins. A base de tudo são receitas ensinadas por Isetta, a avó do dono. O local também oferece hospedagem em dez quartos. Fecha ter jantar, qua. 2 semanas jan, 2 semanas ago.

LAGO GARDA Antica Locanda Mincio €€

Via Michelangelo Buonarroti 12, Valeggio sul Mincio, 37067 ***Tel*** *045 795 00 59* ***Fax*** *045 637 04 55*

Em uma antiga parada de viagem com paredes com afrescos e lareiras, este restaurante encantador serve boa comida regional. As mesas sombreadas ao ar livre têm vista para um rio próximo. Há especialidades como truta e enguias pescadas no Lago Garda. Fecha qua, qui; 2 semanas fev, 2 semanas nov.

Categorias de preço *pág. 606* **Legenda dos símbolos** *no final do guia*

LAGO GARDA Locanda San Vigilio €€€€€

Località San Vigilio, Garda, 37016 ***Tel*** *045 725 66 88* ***Fax*** *045 725 65 51*

Este excelente restaurante com vista para o Lago Garda oferece vinho e comida há cinco séculos. Hoje em dia, tem uma ampla variadade de pratos de peixes de água doce e frutos do mar. O espaçoso jardim fica sob a sombra de oliveiras. Fecha meados nov-meados mar.

MIANE Da Gigetto €€€

Via De Gaspari 5, 31050 ***Tel*** *043 896 00 20* ***Fax*** *043 896 01 11*

Este restaurante serve tradicional cozinha veneziana com distinção. O menu é sazonal, sendo que no outono os pratos de moranga e cogumelo são particularmente bons. No inverno há carne de caça como lebre e veado. A adega é enorme e o serviço muito bom. Fecha seg jantar, ter; 2 semanas jan, 3 semanas ago.

MONTECCHIO DI CROSARA Alpone €€€

Località Pergola 17, 37030 ***Tel*** *045 617 53 87*

Refinado restaurante com menu degustação sazonal. Na primavera, prove pratos à base de cogumelos ou cerejas. Há também um menu à la carte com nhoque, crespelle (panquecas) e legumes grelhados. Encerre a refeição com um prato de queijos locais servidos com chutneys e geleias. Fecha dom jantar, ter; 2 semanas jan, 2 semanas ago.

MONTECCHIO DI CROSARA Baba Jaga €€€€

Via Cabalao 12, 37030 ***Tel*** *045 745 02 22*

Risoto de trufa negra é uma boa opção neste restaurante no coração da área vinícola que produz o Soave. Outros pratos neste cenário simpático e informal incluem coxa de pato recheada ao molho de vinho Amarone ou tagliatelle ao molho de codorna. Fecha dom jantar, seg; 3 semanas jan, 3 semanas ago.

NOVENTA PADOVANA Boccadoro €€€€

Via della Resistenza 49, 35027 ***Tel*** *049 62 50 29* ***Fax*** *049 62 57 82*

Boa comida de Pádua é servida neste restaurante de gestão familiar. O ambiente tem um ar de elegância descontraída e o serviço é exemplar. Vale a pena provar a massa bigoli ao molho de ganso e a galinha-d'angola com radicchio gratinada. Fecha ter jantar, qua; 3 semanas ago, 27 dez-6 jan.

ODERZO Dussin €€

Via Maggiore 60, Località Piavon, 31046 ***Tel*** *0422 75 21 30* ***Fax*** *0422 75 38 67*

Aqui é servida cozinha tradicional a bom preço. A especialidade é peixe, a exemplo do risoto de frutos do mar e o atum grelhado. As sobremesas caseiras são imperdíveis. O restaurante fica fora do centro da cidade em um ambiente tranquilo. Fecha seg jantar, ter; 2 semanas ago.

PÁDUA Osteria L'Anfora €

Via dei Soncin 13, 35122 ***Tel*** *049 65 66 29*

Este animado restaurante no coração de Pádua serve cozinha tradicional do Vêneto, com elementos trazidos de longe por mercadores renascentistas. As especialidades locais são o peixe cozido e os eternos massa e favas. Fecha dom; 1º-7 jan, 1 semana ago.

PÁDUA Antico Brolo €€

Corso Milano 22, 35100 ***Tel*** *049 66 45 55* ***Fax*** *049 65 60 88*

Este restaurante chique e discreto serve comida apropriadamente elegante como ravióli recheado com flores de abobrinha. A cabeça de vitela com vinagre e cebola é o destaque da casa, que também tem uma boa carta de vinhos. Bom para famílias e grupos. Fecha seg almoço.

PÁDUA San Pietro €€

Via San Pietro 95, 35100 ***Tel*** *049 876 03 30*

Lugar perfeito para pratos regionais preparados com ingredientes locais frescos. Este tradicional restaurante de Pádua oferece serviço atento, embora nem sempre simpático, em um clima informal. Muitos pratos provêm da região da Lombardia. Fecha dom; verão sáb e dom; jul.

PÁDUA Zairo €€

Prato della Valle 51, 35121 ***Tel*** *049 66 38 03*

Com vista para o famoso Prato della Valle, este animado restaurante tem um salão ricamente decorado com estátuas, afrescos e candelabros de Murano. No cardápio, diversas opções de massas, carnes e peixes, além de um grande menu de pizzas. Aberto até tarde, o Zairo é muito procurado pelos moradores da região. Fecha seg.

PORDENONE Vecia Osteria del Moro €€

Via Castello 2, 33170 ***Tel*** *0434 286 58* ***Fax*** *0434 206 71*

Refinado restaurante em um convento do século 13 belamente restaurado, o qual serve de belo pano de fundo enquanto você aprecia a comida regional. A extensa carta de vinhos tem muitas marcas da região do Friuli. Pratos do dia incluem coelho com polenta. Fecha dom.

PREPOTTO Il Tinello di San Urbano €€

Via XXIV Maggio 30, 33040 ***Tel/Fax*** *0432 71 30 80*

Este belo agriturismo fica em uma linda localização entre montanhas e vinhedos, a 10 minutos de carro de Cividale del Friuli. O chef cozinha com ingredientes frescos do jardim. Entre as especialidades, massas frescas com linguiças da região e alho-poró. Há salas privativas disponíveis. Abre sex-dom. Fecha jan-mar.

REFRONTOLO Antica Osteria al Forno €€

Via Degli Alpini 15, 31020 ***Tel*** *0438 89 44 96* ***Fax*** *0438 89 44 96*

Esta trattoria é dirigida pela família Piol há 150 anos. A decoração é rústica, com uma grande lareira no centro do salão de jantar. As massas são notáveis e a maioria dos legumes é orgânica. A extensa carta de vinhos inclui um bom exemplar local. Há também um pátio sombreado para refeições no verão. Fecha seg, ter; 2 semanas jan, ago.

STREGNA La Casa delle Rondini €€

Frazione Dughe 2, 33040 ***Tel*** *0432 72 41 77*

Este restaurante serve boa comida caseira, preparada principalmente com ingredientes locais, além de fazer seus próprios queijos e salames. Os clientes podem saborear suas refeições no terraço panorâmico, com vistas esplêndidas. Sex e seg somente jantar, sab e dom almoço e jantar. Fecha jan-fev.

TREVISO Osteria all'Antica Torre €€€

Via Inferiore 55, 31100 ***Tel*** *0422 58 36 94*

Ótimos vinhos acompanham a excelente cozinha local. Na temporada, o radicchio é usado de várias maneiras, inclusive no preparo de grappa. Peixe, porém, é a estrela do menu que tem pratos imaginativos como risoto de siba. O local também promove exposições de arte. Fecha seg jantar, dom; 3 semanas ago.

TREVISO Ristorante Beccherie €€€

Piazza Ancillotto 9, 31100 ***Tel*** *0422 54 08 71* ***Fax*** *0422 54 08 71*

Instalado em uma encantadora edificação remanescente do esplendor veneziano. O nome deriva do dialeto local e significa "do açougueiro", sendo que carne é a especialidade daqui. A galinha-d'angola ao molho de pimentão e o ganso assado com aipo branco são excelentes. Fecha dom jantar, seg; 2 últimas semanas jul.

TREVISO Toni del Spin €€€

Via Inferiore 7, 31100 ***Tel*** *0422 54 38 29* ***Fax*** *0422 58 31 10*

Restaurante caseiro de comida regional. Na hora do almoço fica lotado de funcionários de escritórios, mas à noite é mais tranquilo, proporcionando uma experiência mais intimista. As especialidades da casa incluem massa e fagioli (favas), o ubíquio risoto de radicchio, dobradinha e tiramisù. Fecha dom e seg almoço; 20 jun-20 jul.

TRIESTE All'Antica Ghiacceretta €€

Via dei Fornelli 2, 34100 ***Tel*** *040 322 03 07* ***Fax*** *040 322 03 07*

No centro de Trieste, esta trattoria de gestão familiar serve pratos locais, como a Jota (sopa de repolho e favas) e diversas opções de peixe, em geral grelhado. Prove o baccalà (bacalhau) com polenta. A comida boa, substanciosa e a preço razoável é equiparada pelos bons vinhos locais disponíveis. Fecha dom; 1 semana fev, 1 semana nov.

TRIESTE Al Bragozzo €€€

Riva Nazario Sauro 22, 34124 ***Tel*** *040 31 41 11* ***Fax*** *040 31 41 11*

O menu sazonal muda a cada semana, dependendo dos produtos locais disponíveis. Peixe, porém, é o principal ingrediente, sendo utilizado em pratos tradicionais e contemporâneos. Muito animado, o restaurante é frequentado pelos locais. Fecha seg.

TRIESTE Harry's Grill €€€€

Piazza Unità d'Italia 2, 34121 ***Tel*** *040 66 06 06* ***Fax*** *040 36 60 92*

Este restaurante se distingue por sua localização central e cozinha de alta classe. Prove o ravióli recheado com berinjela e ao molho de pitu. O menu também oferece pratos mais tradicionais com trufa. A adega tem 11 mil garrafas de vinho, assim satisfazendo a todos os paladares. Fecha dom.

UDINE Da Raffaele €

Via Cividale 11, 33100 ***Tel*** *0432 29 58 31*

Esta pizzaria oferece uma ampla gama de pratos. Pizzas e calzones preparados em forno a lenha são a especialidade, mas as massas e peixes também são bons. Há cerveja de barril e um bom vinho da casa. O clima informal e o serviço simpático atraem os locais. Os preços são acessíveis. Fecha qui jantar; 3 semanas jul-ago.

UDINE Agli Amici €€€

Via Liguria 250, Località Godia, 33100 ***Tel*** *0432 56 54 11* ***Fax*** *0432 56 55 55*

Pratos de Friuli como capesante all'aglio orsino (vieiras com alho) ou lombo de cordeiro com gengibre são preparados com habilidade. A extensa carta de vinhos é excelente e a bela pérgula torna as refeições ao ar livre muito agradáveis. Fecha dom jantar (o dia todo no verão), seg; ter almoço inverno.

VERONA Ristorante Greppia €€€

Vicolo Samaritana 3, 37121 ***Tel*** *045 800 45 77*

Dirigido pela família Guizzardi desde 1975, este restaurante, cujo nome deriva da palavra local para comedouro, oferece comida excelente. Há deliciosas massas frescas e o memorável bollito misto (travessa com carnes cozidas), que é servido em um carrinho para que os clientes escolham a carne. Recomenda reservas. Fecha seg; 2 semanas jun.

VERONA Arche €€€€€

Via Arche Scaligere 6, 37121 ***Tel/Fax*** *045 800 74 15*

Este restaurante de peixes funciona desde 1879. Ao lado da casa de Romeu, sua localização é um charme adicional. O menu apresenta ostras defumadas com rábano picante e caviar, e lagosta marinada. Fecha dom, seg almoço; 3 semanas jan.

Categorias de preço *pág. 606* **Legenda dos símbolos** *no final do guia*

VERONA Il Desco €€€€€

Via Dietro San Sebastiano 5-7, 37121 ***Tel*** *045 59 53 58* ***Fax*** *045 59 02 36*

Um dos melhores restaurantes da Itália, fica em um palazzo do século 16 e ganhou duas estrelas do *Michelin*. É romântico e discreto. Tem pratos como risoto de moranga ao vinho Amarone, e o risoto de berinjela. Um menu gastronômico abrange sete pratos. Fecha dom, seg (aberto seg à noite jul, ago, dez); 2 semanas Natal, 2 semanas jun.

VICENZA Antica Casa della Malvasia €€

Contrà delle Morette 5, 36100 ***Tel*** *0444 54 37 04*

Esta osteria tradicional ao lado da basílica funciona desde o século 13, quando era um ponto de encontro de mercadores de vinho. Hoje ainda é um ótimo local para almoçar. As massas são altamente recomendadas, assim como a extensa carta de vinhos. Fecha dom, seg.

VICENZA Antica Trattoria Tre Visi €€€

Corso Palladio 25, 36100 ***Tel*** *0444 32 48 68* ***Fax*** *0444 32 03 15*

Situada no centro histórico da cidade, esta edificação é datada de 1483. Seu pátio externo é agradável para refeições ao ar livre no verão. Os clientes podem ver o interior da cozinha, onde os excelentes pratos locais são preparados. Fecha dom jantar, seg; 2 semanas jul.

VICENZA Taverna Aeolia €€€€

Piazza Conte da Schio 1, Costozza di Longare, 36023 ***Tel*** *0444 55 50 36* ***Fax*** *0444 180 33 01*

Este restaurante fica em uma elegante villa com belos afrescos no teto. O menu exibe criativos pratos à base de carne, incluindo canguru, bisão e rã. Vegetarianos contam com o risoto de limão e há também um menu para crianças. Fecha ter; 1º-15 nov.

TRENTINO-ALTO ADIGE

ARCO Alla Lega €

Via Vergolano 8, 38062 ***Tel*** *0464 51 62 05* ***Fax*** *0464 51 08 96*

Animado restaurante de gestão familiar, fica em uma edificação rusticamente elegante do século 18 que conta com um belo pátio. Algumas salas de jantar têm tetos com afrescos. A comida tradicional abrange pratos como risoto de cogumelo selvagem, carnes maturadas, truta com polenta e coelho assado com fígado. Fecha qua; fim jan-meados mar.

BOLZANO (BOZEN) Castel Roncolo Osteria €

Sentiero Imperatore Francesco Giuseppe, 39100 ***Tel*** *0471 32 40 73*

Uma agradável caminhada à beira do rio leva a esta taberna, que fica no pátio de um castelo medieval e é uma ótima opção para o almoço. Serve pratos tiroleses como o schlutzkrapfen (massa fresca recheada com espinafre e ricota), carnes assadas e sobremesas como sorvete de baunilha com framboesa quente. Somente almoço. Fecha seg; 2 semanas fev.

BOLZANO (BOZEN) L'Aquila Rossa / Vogele €

Via Goethe 3, 39100 ***Tel*** *0471 97 39 38* ***Fax*** *0471 32 57 50*

Este tradicional restaurante fica em uma das edificações mais antigas do centro histórico de Bolzano. Prove o nhoque tirolês e o veado assado, e encerre com uma das sobremesas preparadas no local. A extensa carta de vinhos apresenta mais de 200 opções locais e internacionais. Fecha dom.

BOLZANO (BOZEN) Castel Flavon €€€

Via Castel Flavon 48, 39100 ***Tel*** *0471 40 21 30* ***Fax*** *0471 27 98 30*

Em um castelo datado do século 12, este charmoso restaurante oferece vistas espetaculares em um cenário histórico. Pratos sul-tiroleses são servidos em paralelo a outros mais ousados, como ragu de atum com abacate e limão-doce. Extensa variedade de vinhos locais. Fecha dom jantar; seg; 3 semanas em jan; 2 semanas em ago.

BRESSANONE (BRIXEN) Fink €€€

Via Portici Minori 4, 39042 ***Tel*** *0472 83 48 83* ***Fax*** *0472 83 52 68*

A nora do dono original agora é a chef do Fink. Os locais vêm atraídos por pratos finamente preparados como polenta preta, knödel (um tipo de bolinho) ou massa recheada com rabada. Há também vários pratos de carne de caça. A carta de vinhos inclui muitas opções locais. Fecha ter jantar; qua.

BRESSANONE (BRIXEN) Oste Scuro-Finsterwirt €€€

Vicolo Duomo 3, 39042 ***Tel*** *0472 83 53 43* ***Fax*** *0472 83 56 24*

Em uma das edificações mais antigas da cidade, o Finsterwirt serve imaginativa cozinha regional. Pratos como carpaccio de salmão e speck (presunto defumado) acompanhado de pães regionais e creme de aspargos são servidos por uma equipe atenciosa. Fecha dom jantar; seg; 2 semanas jan, 2 semanas jun-jul.

BRUNICO (BRUNECK) Agnello Bianco €

Via Stuck 5, 39031 ***Tel*** *0474 41 13 50*

A comida daqui é típica do sul do Tirol e servida em porções grandes. O menu muda a cada semana, mas sempre há canederli (bolinhos), embora o recheio varie conforme a estação. No outono, prove os cogumelos com polenta. A omelete doce com geleia de frutas silvestres também é típica. Fecha dom; 21 abr-6 mai; 3 semanas jun.

BRUNICO (BRUNECK) Oberraut €€

Via Ameto 1, Località Amaten, 39031 ***Tel*** *0474 55 99 77* ***Fax*** *0474 55 99 97*

Em meio a bosques, este restaurante em estilo tirolês é especializado em pratos sazonais e carnes de caça, como ravióli de moranga e o delicioso speck (presunto defumado). A tentadora lista de sobremesas inclui strudel de maçã e há uma extensa carta de vinhos. O serviço é agradável e o clima informal. Fecha qui; 2 semanas jan.

CALDARO Castel Ringberg €€€

San Giuseppe al Lago 1, 39045 ***Tel*** *0471 96 00 10* ***Fax*** *0471 96 08 03*

Este deslumbrante restaurante fica em um castelo do século 17, entre vinhedos que produzem o vinho da casa. O terraço tem vista panorâmica do lago, abaixo. O cardápio excelente é atualizado mensalmente. As sobremesas são para comer de joelhos. Fecha ter; jan-meados fev.

CARZANO Le Rose €€

Via XVIII Settembre 35, 38050 ***Tel*** *0461 76 61 77* ***Fax*** *0461 76 79 42*

Este popular restaurante valsugano se concentra em peixes e produtos sazonais. Há uma travessa mista de peixes frescos, assim como tortelli de peixe com cogumelos porcini. Tem um jardim com encantadoras vistas panorâmicas onde há mesas no verão. Fecha seg.

CASTELBELLO CIARDES Schlosswirt Juval €

Località Juval 2, 39021 ***Tel*** *0473 66 80 56*

Este restaurante fica em uma fazenda no alto das montanhas. Aqui a maior parte da comida é orgânica, assim como os vinhos e a grappa. Vale a pena provar o excelente goulash, carnes assadas e a truta. Há também queijos montanheses, inclusive de cabra, e sobremesas como strudel de maçã e bolo de trigo sarraceno. Fecha qua; nov-mar.

CAURIA Fichtenhof €€

Cauria 23, Salorno 39040 ***Tel*** *0471 88 90 28*

Restaurante e hotel de gestão familiar, fica em uma ótima posição com vista para o vale Adige. O menu apresenta legumes cultivados no local, geleias, pães e bolos caseiros, e pratos deliciosos como uma delicada pasta con teroldego e ragù (ao molho de carne e vinho). Fecha seg; 7 nov-25 dez.

CAVALESE Costa Salici €€

Via Costa dei Salici 10, 38033 ***Tel*** *0462 34 01 40*

Popular restaurante com vistas panorâmicas das Dolomitas. Tem pratos como tiras de massa com calamar e tomates frescos e veado marinado. De sobremesa, uma terrine de frutas cítricas com sorvete e calda de limoncello (licor de limão). É aconselhável reservar antes. Fecha seg e ter almoço (exceto ago e Natal).

CIVEZZANO Maso Cantanghel €€€

Via della Madonnina 33, 38045 ***Tel/Fax*** *0461 85 87 14*

Neste excelente restaurante fora de Trento, a decoração é confusa e pitoresca. A comida muda conforme a estação para aproveitar os melhores produtos de cada uma. Prove as flores de abobrinha recheadas com molho de tomate, carnes assadas, flans de legumes e massas. Fecha sáb e dom; 2 semanas ago, 1 semana Natal.

CORTACCIA Gasthaus Zur Rose €€€

Indergasse 2, 39040 ***Tel*** *0471 88 01 16*

Esta osteria de 200 anos oferece pratos típicos tiroleses, vinhos finos e varanda com mesas no verão. Há bons antepastos como speck (presunto defumado) ao molho de rábano picante e grostl (bolo de carne e batata acompanhado de cebolinhas). Os bolinhos de maçã são ótimos. Fecha almoço, seg, dom; 1 semana Carnaval, jul.

LEVICO TERME Boivin €

Via Garibaldi 9, 38056 ***Tel*** *0461 70 16 70*

Esta excelente trattoria, com uma aconchegante sala de jantar, é um dos melhores lugares para saborear a autêntica cozinha local, como polenta de batata, strangolapreti (um tipo de bolinho) e strudel de maçã e pera. Dá ênfase a produtos sazonais. Recomenda reserva. Fecha para almoço (exceto dom, jul e ago), seg.

MADONNA DI CAMPIGLIO Hermitage €€€€€

Via Castelletto Inferiore 63, 38084 ***Tel*** *0465 44 15 58* ***Fax*** *0465 44 16 18*

Em um parque privado no sopé das Dolomitas, tem vistas incríveis das montanhas. O restaurante serve imaginativa cozinha de Trento –saborosos pratos feitos na hora com produtos orgânicos. Há também uma bem elaborada e extensa carta de vinhos. Fecha almoço; seg; abr-jun, out-nov.

MALLES VENOSTA (MALS IM VINSCHGAU) Greif €

Via Generale Verdross 40a, 39024 ***Tel*** *0473 83 14 29* ***Fax*** *0473 83 19 06*

Aqui o chef residente cria pratos típicos tiroleses usando produtos orgânicos. Há um amplo menu do agrado de vegetarianos e os enófilos são recompensados com uma boa seleção de vinhos antigos. No verão, há mesas ao ar livre. Fecha ter; 2 semanas nov.

MERANO (MERAN) Rainer €

Via Portici 266, 39012 ***Tel*** *0473 236 149*

Este atraente restaurante fica na parte antiga da cidade, sob o pórtico medieval. Três salões revestidos de madeira são uma boa pedida no inverno. O menu tem pratos tradicionais como bollito misto (várias carnes cozidas) servido com vários molhos e carne de caça. Sobremesas caseiras e bom serviço. Fecha dom; 3 semanas fev, 1 semana jun.

Categorias de preço *pág. 606* **Legenda dos símbolos** *no final do guia*

MERANO (MERAN) Artemis €€

Via Giuseppe Verdi 72, 39012 ***Tel*** *0473 44 62 82* ***Fax*** *0473 44 68 49*

Voltado para um parque com um encantador jardim de inverno, serve refinada cozinha italiana e internacional à base de produtos naturais locais e caseiros. A adega tem uma grande variedade de vinhos escolhidos pelo dono e sommelier Carl de Franceschi. Eventualmente tem música clássica ao vivo. Fecha meados nov-meados mar.

MOENA Malga Panna €€€€

Strada de Sort 64, 38035 ***Tel*** *0462 57 34 89*

Decorado no estilo típico da região, este romântico restaurante em um cenário rústico fica a cerca de 1km do centro da cidade. Serve pratos à base de cogumelo e de carne de caça. A adega dispõe de cerca de 700 vinhos locais, nacionais e internacionais. Fecha seg (dez-abr); mai, jun, out, nov.

MOLVENO Antica Bosnia €€

Via Paganella 7b, 38018 ***Tel*** *0461 58 61 23*

Este rústico restaurante montanhês oferece bons antepastos como speck (presunto defumado), peito de pato defumado e salame caseiro. Como prato principal, prove alguma massa como bolinhos ao molho de cogumelo ou o stinco di maiale (pernil de porco). Tortas de frutas e tiramisù de sobremesa. Boa carta de vinhos regionais. Fecha qua; nov.

ROVERETO Novecento €€

Corso Rosmini 82d, 38068 ***Tel*** *0464 43 54 54*

Parte de um hotel no meio de Rovereto, este restaurante refinado tem salas de jantar elegantes e serviço atencioso. Preparados com capricho, os pratos locais incluem salmão marinado em dill, strangolapreti alle ortiche (bolinhos de urtiga) e uma excelente seleção de sobremesas caseiras. Fecha dom; 3 semanas jan, 3 semanas ago.

SAN CASSIANO St Hubertus €€€€€

Str Micura de Ru 20, 39030 ***Tel*** *0471 84 95 00* ***Fax*** *0471 84 93 77*

O chef Norbert Niederkofler cria pratos imaginativos usando os ingredientes locais mais frescos. O variado menu apresenta peixes e carnes, inclusive de caça. O serviço é atencioso e o ambiente elegante. A abrangente carta de vinhos tem opções nacionais e internacionais. Um dos melhores restaurantes da Itália. Fecha ter; abr-meados jun, out-nov.

TRENTO Osteria Alle Due Spade €€€€

Via Don Rizzi 11, 38100 ***Tel*** *0461 23 43 43*

Em uma aconchegante adega, este restaurante serve cozinha tradicional, incluindo carne de caça e peixes de água doce. Prove a lasanhatte com batata e pitus de água doce ou o queijo de cabra com ervas e legumes sazonais. De sobremesa, há doces de maçã e geleia de damasco. Fecha dom, seg almoço; 1 semana fev, 2 semana jun.

VAL DI VIZZE (PFITSCH) Pretzhof €€

Località Tulve 259, 39040 ***Tel*** *0472 76 44 55*

Karl e Ulli Mair dirigem esta tranquila estalagem campestre citada em muitos guias de gastronomia. Eles usam produtos frescos da propriedade para criar especialidades tirolesas. O menu simples tem pratos com carne de caça, frios e uma grande seleção de queijos e pães locais. A carta de vinhos destaca produtores locais. Fecha seg, ter (exceto feriados).

VIPITENO Kleine Flamme €€€

Città Nuova 31, 39049 ***Tel*** *0472 76 60 65*

O alto padrão da cozinha criativa é equiparado pelo bom serviço e a atenção aos detalhes neste restaurante chique em uma edificação do século 16. O chef faz uma combinação ótima e incomum de cozinha italiana e tailandesa. Há pratos como pitus assados com molho de tomate e abacaxi, embora o menu mude diariamente. Fecha seg, dom noite.

LOMBARDIA

BELLAGIO La Busciona €€€

Via Valassina 161, 22021 ***Tel*** *031 96 48 31*

Peixe é a grande pedida neste restaurante simples e agradável, com um clima familiar e espetaculares vistas panorâmicas do Lago Como acima de Bellagio. Uma das especialidades é agoni (pequeno peixe do lago, grelhado ou salteado em manteiga e sálvia). Há estacionamento. Fecha ter.

BELLAGIO Albergo Ristorante Silvio €€

Via Carcano 12, 22021 ***Tel*** *031 95 03 22*

O dono Silvio Ponzini e seu filho Cristian são os pescadores profissionais que abastecem o restaurante com ótimos peixes de água doce. Os clientes podem até combinar uma pescaria com eles. As vistas do Lago Como são encantadoras, especialmente do terraço com parreiras. Fecha meados nov-fev (exceto 20 dez-10 jan).

BERGAMO Vineria Cozzi €€

Via Colleoni 22, 24100 ***Tel*** *035 23 88 36*

Maravilhosa loja de vinhos datada de 1848, mantém parte da edificação intacta e tem um pátio encantador nos fundos. Os ricos pratos tradicionais, que utilizam muita trufa e polenta, são perfeitamente complementados pelos vinhos. Fecha qua; 2 semanas jan, 2 semanas jul.

BERGAMO Taverna del Colleoni dell'Angelo €€€€

Piazza Vecchia 7, 24100 ***Tel*** *035 23 25 96*

Dominando uma bela praça no coração de Bérgamo, este maravilhoso restaurante é igualmente frequentado por executivos locais, intelectuais e turistas. O serviço é excelente e a cozinha dá um toque imaginativo a pratos do norte da Itália, como tartar de atum vermelho sobre legumes com molho de curry verde. Fecha seg; 2 semanas ago.

BERGAMO Roof Garden €€€€€

Hotel San Marco, Piazza della Repubblica 6, 24122 ***Tel*** *035 36 61 59*

Premiado com uma estrela do guia *Michelin* em 2010, este restaurante no oitavo andar do Hotel San Marco mistura sabores do mundo com a culinária mediterrânea. Pratos criativos como risoto de alcachofra com baunilha do Taiti são servidos ao lado de outros mais tradicionais. Oferece vistas incríveis da cidade. Fecha dom; 10 dias ago.

BORMIO Al Filò €€

Via Dante 6, 23032 ***Tel*** *034 290 17 32*

Este restaurante oferece pratos locais à base de carne de caça, cogumelos e carnes maturadas num celeiro adaptado. Pratos do dia incluem veado recheado com polenta, bresaola (carne bovina maturada) com salada de cogumelo, e massa de trigo sarraceno assada com legumes. Fecha seg e ter almoço; 2 pimeiras semanas jun, 2 últimas semanas nov.

BRESCIA Trattoria Mezzeria €€

Via Trieste 66, 25121 ***Tel*** *030 403 06*

O menu daqui tem pratos regionais típicos como substanciosos cozidos de coelho, carnes maturadas e nhoque di zucca (moranga) caseiro. Não há antepastos, pois o dono alega que eles estragam o apetite. Sempre lotada, esta pequena trattoria tem clima familiar e é próxima ao centro de Brescia. Fecha dom; ago.

CASTELVECCANA Sant'Antonio €€

Località Sant'Antonio, 21010 ***Tel*** *335 541 44 80*

Restaurante tradicional, com charme de fazenda e vista para o Lago Maggiore. No verão aproveite as vistas do terraço e, no inverno, acomode-se perto da lareira. Os pratos típicos incluem polenta e receitas que usam o queijo e as carnes maturadas regionais. Obrigatório reservar. Fecha verão: seg jantar; meados dez-meados jan.

COMO Al Giardino €€€

Via Monte Grappa 52, 22100 ***Tel*** *031 26 50 16*

No bairro residencial de Como, este restaurante familiar serve especialidades locais e regionais. Destacam-se as carnes curadas e os queijos. O interior arejado é muito agradável, o serviço é cordial e descontraído e há um jardim que agrada famílias e crianças. Reserve com alguma antecedência. Fecha seg; 2 semanas jan, 2 semanas ago.

COMO L'Angolo del Silenzio €€€

Viale Lecco 25, 22100 ***Tel*** *031 337 21 57*

Um dos preferidos dos moradores da região, este restaurante charmoso fica no coração de Como, a alguns minutos da catedral. O extenso menu com pratos regionais e nacionais é dividido igualmente em peixes e carnes. É necessário reservar. Fecha seg e ter no almoço; 2 semanas jan, ago.

COMO Sant'Anna 1907 €€€€€

Via Turati 3, 22100 ***Tel*** *031 50 52 66*

Criativa cozinha local é servida neste restaurante tradicional perto da Piazza Camerlata. Entre os pratos típicos destacam-se vitela com azeitonas, filé de atum vermelho com chicória e azeitonas, e risoto de peixe e açafrão. Alcachofras e polenta são outros destaques. Excelente seleção de vinhos. Fecha sáb almoço, dom.

CREMONA Il Violino €€€€

Via Sicardo 3, 26100 ***Tel*** *0372 46 10 10*

Elegante restaurante no coração da antiga Cremona, sua entrada tem colunatas em arco. O menu oferece cozinha tradicional local e pratos internacionais. O arroz com moranga, a massa negra recheada com robalo, os steaks e os peixes são altamente recomendados. Os vinhos e as sobremesas também são excelentes. Fecha seg jantar, ter.

GARGNANO DEL GARDA La Tortuga €€€€€

Via XXIV Maggio 5, Porticciolo di Gargnano, 25084 ***Tel*** *0365 712 51*

Uma cozinha leve e imaginativa impera neste restaurante refinado e intimista ao lado de um lago. Embora sirva pratos como foie gras, lagosta e massas, as refeições são leves e de sabor delicado. O peixe é excelente e a carta de vinhos ótima. Clientes viajam quilômetros para vir aqui, então faça reserva antes. Fecha ter; 1º dez-1º mar.

LAGO COMO Locanda dell'Isola Comacina €€€€€

Isola Comacina, 22010 ***Tel*** *0344 567 55*

Uma experiência singular em um ilha deserta, onde só há este restaurante bem-sucedido que serve o mesmo menu de peixes desde 1947. Só há acesso por barco (pague direto a bordo) e a ilha é maravilhosa na primavera, no verão e no outono. Reserve antes por telefone ou e-mail (locanda@comacina.it). Fecha ter (primavera); 2 nov-1º mar.

LECCO Antica Osteria Casa di Lucia €€€

Via Lucia 27, località Acquate, 23900 ***Tel*** *0341 49 45 94*

Restaurante de gastronomia com boa reputação e uma clientela fiel. Fica em uma casa característica do século 17 que também sedia exposições fotográficas. Linguine de ervas, costeletas de cordeiro, coelho assado e uma deliciosa torta caseira de chocolate estão entre os pratos especiais de Slow Food. Boa carta de vinhos. Fecha sáb almoço, dom.

Categorias de preço *pág. 606* **Legenda dos símbolos** *no final do guia*

MANERBA DEL GARDA Capriccio €€€€€

Piazza S. Bernardo 6, Località Montinelle 25080 ***Tel*** *0365 55 11 24*

Este refinado estabelecimento com vistas do Lago Garda oferece cozinha de alta qualidade como robalo, vieiras em creme de funcho ao molho de grapefruit ou medalhões de ricciola (um tipo de peixe) e pitus ao molho de funcho. Fecha ter; jan-fev.

MÂNTUA Antica Osteria Ai Ranari €€

Via Trieste 11, 46100 ***Tel*** *0376 32 84 31*

O menu deste restaurante no centro histórico, perto do antigo portão da cidade, adota produtos sazonais em seus pratos tradicionais de Mântua. Isso inclui o localmente famoso tortelli di zucca (massa recheada com abóbora ao molho de noz--moscada, manteiga e mostarda), macarrão e ricos molhos apurados lentamente. Fecha seg; meados jul-meados ago.

MÂNTUA L'Ochina Bianca €€

Via Finzi 2, 46100 ***Tel*** *0376 32 70 77*

Especialidades locais como tortelli de moranga (massa recheada) e risoto de peixe são pratos regionais que aqui ganham um toque mais leve e contemporâneo. Prove também a Sbrisolona, clássica sobremesa regional que desmancha ao ser cortada e vem acompanhada de calda de framboesa. Fecha dom jantar; seg; 3 últimas semanas ago.

MÂNTUA Il Cigno Trattoria dei Martini €€€€€

Piazza Carlo d'Arco 1, 46100 ***Tel*** *0376 32 71 01*

Este foi um precursor da nova cozinha de Mântua que simplificou pesados pratos tradicionais e reduziu preços. Seu carro-chefe, o cappone in agrodolce (frango capão agridoce), continua requisitado. Os ótimos pratos são complementados por uma boa carta de vinhos. Fecha seg, ter; 1ª semana jan, ago.

MILÃO Geppo €

Via GB Morgagni 37, 20100 ***Tel*** *02 29514862*

Pizzaria clássica e pequena com mais de 50 variedades de cobertura. Uma especial em estilo milanês vem com rúcula, açafrão e cogumelos porcini. A atmosfera alegre a torna uma boa opção econômica. Paralela ao Corso Buenos Aires, a agitada ruas de compras. Fecha dom; 2 semanas ago.

MILÃO Premiata Pizzeria €

Via Alzaia Naviglio Grande 2, 20144 ***Tel*** *02 89 40 06 48*

Pizzaria ótima e acessível em um ponto central perto dos canais. Em dias quentes há mesas em um encantador pátio nos fundos. O serviço pode ser apressado e as longas mesas são comunitárias. Boas pizzas e massas ou prove a focaccia de presunto de Parma e a salada de rúcula.

MILÃO Be Bop Pizzeria €€

Viale Col di Lana 4, 20136 ***Tel*** *02 837 69 72*

Uma das pizzarias mais populares de Milão, perto do bairro de Navigli. Os clientes com dietas especiais, que não podem comer trigo ou glúten, assim como os vegetarianos, também são bem servidos. Além das pizzas, o Be Bop também conta com pratos de inspiração mediterrânea no cardápio. Abre diariam.

MILÃO Trattoria Aurora €€€

Via Savona 23, 20144 ***Tel*** *02 89 40 49 78*

Esta sofisticada brasserie no bairro de Navigli oferece substanciosa comida caseira do Piemonte. Prove os antepastos, o ótimo agnolotti del plin (raviòli recheado e salteado em manteiga e sálvia) ou a sopa de cebola caramelizada apurada lentamente. Tem uma vasta carta de vinhos do Piemonte. Cálido clima rústico, ideal em qualquer época. Fecha seg.

MILÃO Osteria di via Pre €€€€

Via Casale 4, 20144 ***Tel*** *366 159 74 78*

Histórica osteria que serve pratos de frutos do mar da Ligúria, com os delicados sabores da costa. Prove os antepastos de legumes recheados, o carpaccio de espadarte, pesto orgânico de Albenga, pansotti (massa recheada com ricota, limão e ervas) ao molho de nozes ou o raviòli de peixe. O melhor endereço de Milão para frutos do mar. Fecha seg.

MILÃO Alla Cucina delle Langhe €€€€

Corso Como 6, 20154 ***Tel*** *02 655 42 79*

Poucas portas depois da fabulosa loja 10 Corso Como, este restaurante tem dois salões: o de cima para refeições casuais e o de baixo para ocasiões mais formais. Clássicos do Piemonte e vinhos, um ótimo risoto Barolo e tomini alle erbe (queijo de cabra curtido em ervas). Fecha dom; últimas 3 semanas ago.

MILÃO Da Giacomo €€€€€

Via B Cellini, esquina Via Sottocorno 6, 20129 ***Tel*** *02 76 02 33 13*

Estabelecimento elegante de gestão familiar, é frequentado pelos ricos e famosos de Milão. O salão de jantar é decorado com luminárias Art Déco e fotos de celebridades. A especialidades é peixes, a exemplo do steak de espadarte alla Giacomo. A carta de vinhos tem muitos vintages de qualidade. Fecha ago, 2 semanas Natal.

MILÃO Giglio Rosso €€€€€

Piazza Luigi di Savoia 2, 20124 ***Tel*** *02 669 41 74*

A alguns passos da estação de trem, este elegante restaurante, decorado com tons neutros contemporâneos, é muito procurado pelos moradores da região. Oferece culinária de inspiração toscana de alta qualidade, em pratos tradicionais e inovadores com massas, peixes e carnes. Os vegetarianos também são bem tratados. Fecha almoço sáb-dom; ago.

MILÃO Il Ristorante, Bulgari Hotel — €€€€€

Via Privata Fratelli Gabba 7b, 20122 ***Tel*** *02 805 80 51*

Faça como o pessoal da moda e usufrua uma experiência gastronômica luxuosa e cara. O restaurante fica em um espaço cheio de curvas em dois níveis e tem um pátio ao ar livre, na orla dos Jardins Botânicos. Uma boa pedida é o risoto de limão com flores de baunilha, acompanhado por excelentes opções de vinho.

MILÃO Rigolo — €€€€€

Largo Treves, esquina Via Solferino 11, 20121 ***Tel*** *02 86 46 32 20*

Perto do belo bairro boêmio de Brera, serve um menu predominantemente toscano para a alta sociedade milanesa. Escolha entre a massa pappardelle com javali, ricas linguiças locais e o fumegante bolliti (carnes cozidas), que são servidos na quinta-feira. O serviço é excelente. Fecha seg; ago.

MONTE ISOLA La Foresta — €€€€

Località Pescheria Maraglio 174, 25050 ***Tel*** *030 988 62 10*

A popularidade deste lugar se deve ao excelente menu, repleto de peixes do Lago Iseo. Bons vinhos também, especialmente o champagne Franciacorta. Uma das especialidades é o peixe prensado que seca ao sol e é marinado em azeite de oliva. Talvez você até possa ver sua preparação na praia defronte ao restaurante. Fecha qua; 20 dez-1º mar.

PAVIA Locanda Vecchia Pavia al Mulino — €€€€€

Via al Monumento 5c, Località Certosa, 27012 ***Tel*** *0382 92 58 94*

No moinho de um mosteiro do 6º século, este é um dos melhores restaurantes da Itália. As opções incluem fiori di zucca (flores de abóbora fritas com queijo taleggio e trufas) e maialino da latte (porco assado no leite, com maçãs, foie gras e trufas). Fecha seg, ter almoço; 3 primeiras semanas jan, 3 últimas semanas ago.

SALÒ Alla Campagnola — €€€

Via Brunati 11, 25087 ***Tel*** *0365 221 53*

Um dos estabelecimentos mais antigos em torno do Lago Garda, tornou-se um dos mais conhecidos da região, graças a Angelo del Bon, conhecido por seu conceito de Slow Food. Ele só usa ingredientes frescos em seus refinados pratos regionais, nacionais e internacionais. Há também cerca de 600 vinhos. Reserve antes. Fecha seg, ter almoço; jan.

SALÒ Trattoria alle Rose — €€€€

Via Gasparo da Salo 33, 25087 ***Tel*** *036 54 32 20*

Esta velha trattoria atrai uma clientela jovem devido à sua cozinha inovadora. Oferece produtos frescos sazonais locais do mercado, peixe do lago e pratos como carpaccio de cogumelos porcini, coelho e um delicioso espaguete com rúcula, tomates e lagostins. Fecha qua.

SALÒ Osteria dell'Orologio — €€€€

Via Butturini 26, 25087 ***Tel*** *0365 29 01 58*

Local descontraído que se orgulha de servir culinária tradicional simples, como massas e grelhados de carne e peixe. As deliciosas sobremesas incluem tiramisù e creme de chocolate com Amaretto. O clima do piso inferior é mais europeu, com azulejos Art Nouveau e madeira escura, enquanto o andar de cima é mais contemporâneo. Reserve. Fecha qua; nov.

VALLE D'AOSTA E PIEMONTE

ACQUI TERME La Schiavia — €€€

Vicolo della Schiavia, 15011 ***Tel*** *0144 559 39*

Hospitaleiro restaurante familiar em um velho palácio reformado perto da catedral. Serve uma mistura das cozinhas da Ligúria e do Piemonte com pratos imaginativos à base de peixes e legumes. Tem boa carta de vinhos com cerca de 350 tipos italianos e franceses. É aconselhável reservar. Fecha dom; ter; 3 semanas ago.

ALBA Ristorante Madonna di Como — €€€€

Frazione Madonna di Como 31, 12051 ***Tel*** *335 534 91 53*

No centro histórico de Alba, este restaurante tem tradicionais especialidades do Piemonte no menu. A comida é preparada com capricho e utiliza apenas os ingredientes sazonais mais frescos, incluindo trufas no outono. Fecha ter, qua almoço; 1 semana ago.

ALBA Piazza Duomo — €€€€€

Piazza Risorgimento 4, 12051 ***Tel*** *0173 36 61 67*

Além do à la carte, o Piazza Duomo oferece três menus fixos: piemontês tradicional (€90), vegetariano (€100) e degustação (€110). Todos mostram as melhores influências do chef Enrico Crippa, da culinária japonesa às criações do catalão Ferran Adrià. Fecha jantar dom (exceto meados out-meados nov), dom (em jul), seg, 2 semanas jan, 2 semanas ago.

ALESSANDRIA Il Grappolo — €€€€

Via Casale 28, 15100 ***Tel*** *0131 25 32 17*

Em um antigo palácio cor de pêssego do século 17 que sediou a Prefeitura de Alessandria, este restaurante exibe uma elegância rústica. Conta com dois salões de jantar, uma vinícola e um pátio no verão. A comida é típica do Piemonte com um toque moderno e a carta de vinhos é extensa. Fecha seg noite, ter.

Categorias de preço *pág. 606* **Legenda dos símbolos** *no final do guia*

AOSTA Trattoria degli Artisti €€

Via Maillet 5-7, 11100 ***Tel*** *0165 409 60*

Em uma rua de pedra no centro da cidade, esta trattoria oferece uma seleção rústica de pratos regionais, incluindo nhoque com nozes ou ervas. Há também diversas carnes maturadas e, para quem gosta de doces, deliciosos bolos e sobremesas caseiros. Fecha seg, dom; 2 semanas jun, 2 semanas nov.

AOSTA Grotta Azzurra €€€

Via Croix de Ville 97, 11100 ***Tel*** *0165 26 24 74*

Perto do centro de Aosta, esta pizzaria de preços razoáveis e ambiente informal tem mesas ao ar livre no verão. O menu tradicional exibe uma boa variedade de pratos italianos, pizzas, peixes e massas. O risoto e a sopa de peixe também são recomendados. Fecha qua; 3 semanas jul.

AOSTA Vecchia Aosta €€€

Piazza Porte Pretoriane 4, 11100 ***Tel*** *0165 36 11 86*

Para um cenário único, vá ao Vecchia Aosta, que se encontra dentro dos antigos muros romanos da cidade, em uma piazza centralmente localizada. Serve comida típica da região, com favoritos como ravióli e terrine de legumes. O clima é descontraído e simpático. Fecha seg; 2 semanas fev, 2 semanas out.

ARONA La Vecchia Arona €€€

Lungolago Marconi 17, 28041 ***Tel*** *0322 24 24 69*

Neste restaurante na beira do lago, o menu à la carte de Franco Carrera apresenta pratos tradicionais com enfoque criativo. Há opções como massas caseiras, peixes e excelentes pratos de carne, como a de carneiro e bovina do Piemonte. Para os vegetarianos, terrine de berinjela. Tem apenas 30 lugares, então é essencial reservar. Fecha sex.

ASTI Osteria del Castello (ex Dirce) €€€

Piazza Castello 1, Castel'Alfero, 14100 ***Tel*** *0141 20 41 15*

O lugar certo para saborear a melhor comida regional. Em um castelo do século 18 conhecido como "uma das cinco joias do Piemonte", este restaurante oferece excelente massa maltagliati com favas e uma imbatível mousse de chocolate. O terraço com mesas tem vista para as colinas de Monferrato. Fecha seg, ter; jan.

ASTI Gener Neuv €€€€€

Lungo Tanaro dei Pescatori 4, 14100 ***Tel*** *0141 55 72 70*

Em um cenário tranquilo fora do centro e perto do rio, este restaurante oferece a nobre cozinha local e uma ótima carta de vinhos. Há pratos como pombo agridoce e agnolotti recheado com vitela assada, seguidos de castanhas recobertas de chocolate. Tem uma lareira, vigas e decoração heráldica. Reserve. Fecha dom jantar, seg; 3 semanas ago.

BRA Battaglino €€

Piazza Roma 18, 12042 ***Tel*** *0172 41 25 09*

No coração de Bra, este restaurante animado oferece boas massas caseiras como nhoque de castanha e substanciosos pratos locais, com destaque para o ótimo bollito misto, uma mistura fumegante de sete tipos de carnes cozidas, legumes e condimentos. Fecha dom noite, seg; 1 semana jan, 2 semanas ago.

BRA Osteria Boccondivino €€

Via Mendicità 14, 12042 ***Tel*** *0172 425674*

Excelente restaurante de Slow Food com 12 tipos de queijos piemonteses e ótimos pratos de carne, inclusive de caça, como coelho assado e vaca cozida no bafo com vinho Barolo. Fica em uma velha casa de charme rústico, com uma entrada em arco e balaustradas de ferro. O serviço é competente e oferece bons vinhos. Fecha seg, dom.

BREUIL-CERVINIA Al Solito Posto €€

Via Meynet 11, 11021 ***Tel*** *0166 94 91 26*

Restaurante simples e charmoso de cozinha do Vale da Aosta com um interior de elegância rústica. O menu de preço fixo inclui polenta, lasanha, panquecas, paella (sob pedido com antecedência) e outros pratos montanheses especiais da área. Fecha qui na baixa temporada; mai, out.

BREUIL-CERVINIA Les Neiges d'Antan €€

Frazione Cret de Perrères 10, 11021 ***Tel*** *0166 94 87 75*

Com seu ar elegante de cabana de madeira, este restaurante serve refinados pratos rústicos montanheses de influência italiana e francesa, acompanhados por ótimos vinhos. Sua seuppa alla Valpellinentze (sopa regional gratinada que leva pão, repolho, queijo fontina local e caldo de carne) é lendária. Fecha 1º mai-1º jul.

CANNOBIO Osteria VinoDivino €€

Strada Valle Cannobina 1, 28822 ***Tel*** *0321 719 19*

Esta aconchegante e jovial osteria fica em um estábulo do século 19 reformado. Especializada em queijos e vinhos, tem cerca de 350 rótulos em sua carta. Também serve pratos tradicionais reinventados com um toque criativo. Quando o clima permite, serve em mesas ao ar livre no belo pátio. Abre mar-dez.

CANNOBIO Del Lago €€€€€

Via Nazionale 2, Località Carmine Inferiore, 28822 ***Tel*** *0323 705 95*

Com refinada cozinha italiana e internacional, e vistas panorâmicas do Lago Maggiore, este restaurante atrai uma clientela fiel. Os ingredientes mais frescos são usados em pratos simples e imaginativos, de forma a realçar aromas e sabores. No verão há mesas em um terraço encantador cercado por jardins verdejantes. Fecha ter, qua almoço; dez-fev.

CASALE MONFERRATO La Torre €€€€€

Via Candiani d'Olivola 36, 15033 ***Tel*** *0142 702 95*

Este restaurante fica no centro de Casale Monferrato. Serve uma cozinha regional criativa, com ingredientes sazonais e pratos como coelho empanado com pão e ervas, e tartar de truta. Boa carta de vinhos. Mesas ao ar livre no verão. Fecha ter jantar, qua; 1 semana jan, 3 semanas ago, 1 semana dez.

COGNE Lou Ressignon €€

Rue des Mines 22, 11012 ***Tel*** *0165 740 34*

Esta aconchegante taberna montanhesa tem uma ampla carta de vinhos. Oferece pratos substanciosos como polenta, carnes maturadas e salames. A especialidade é a seupetta a la Cogneintze (risoto com pão, queijo fontina, polenta e cordeiro assado ao molho de vinho tinto). Fecha seg (baixa temporada), ter; 2 últimas semanas mai, nov.

COSSANO BELBO Trattoria della Posta €€

Corso Fratelli Negro 3 ***Tel*** *0141 881 26*

Esta simpática trattoria serve deliciosa culinária italiana e internacional desde 1875. Experimente o fritto misto piemontês (frutos do mar fritos), as especialidades sazonais e as massas caseiras, servidas com ragu de carne. Fecha jantar dom-seg, meados dez-meados jan, meados jul-meados ago.

COSTIGLIOLE D'ASTI Cascina Collavini €€

Strada Traniera 24, 14037 ***Tel*** *0141 96 64 40*

Restaurante simples e elegante numa velha casa de fazenda que também oferece hospedagem. Tem clima descontraído e um menu de pratos piemonteses tradicionais que levam vitela, cordeiro, cogumelos e legumes. Há também boas opções de vinhos regionais, especialmente o Barbera d'Asti. Fecha ter jantar, qua; 3 semanas jan, 3 semanas ago.

COSTIGLIOLE D'ASTI Sinoira €€

Piazza Umberto 27, 14055 ***Tel*** *0141 96 60 12*

Novo restaurante e bar de vinhos de dois andares, sob a direção de Da Guido. Serve especialidades do Piemonte como pratos com vitela, coelho, cogumelos e massas caseiras, complementados pelos vinhos de sua ampla adega. O agnolotti ao molho de vinho Barbera é um dos destaques. Fecha seg, ter.

COURMAYEUR Du Tunnel €

Via Circonvallazione 80, 11013 ***Tel*** *0165 84 17 05*

Em uma parte agitada da cidade, este snack bar-pizzaria oferece uma boa variedade de pizzas enormes e baratas ao forno à lenha, assim como um ambiente animado. Como alternativa às pizzas, o menu também oferece massas, bresaola (carne maturada), steaks, sobremesas e queijos. Fecha qua (fora da temporada); jun-out.

COURMAYEUR Cadran Solaire €€€

Via Roma 122, 11013 ***Tel*** *0165 84 46 09*

Em um ambiente aconchegante e com um luxuoso interior de madeira escura e pedra, este restaurante serve substanciosos pratos locais tradicionais como risotto alla Valdostana, preparado com queijo fontina. O Cadran Solaire é muito procurado por esquiadores, que se reúnem no bar antes do jantar. Fecha ter; mai.

CUNEO La Ciau del Tornavento €€€

Piazza Baracco 7, 12050 ***Tel*** *0173 63 83 33*

Este restaurante parece austero, mas seu clima é caloroso e convidativo. É um ótimo local para experimentar a culinária regional: massas caseiras recheadas com carne, ravióli de abóbora, risotos e outros pratos criativos. Há também uma incrível seleção de queijos locais. Mesas ao ar livre no verão. Fecha qua; jan.

CUNEO Osteria della Chiocciola €€€

Via Fossano 1, 12100 ***Tel*** *0171 662 77*

Renomada por sua cozinha de alta qualidade, esta osteria tem uma adega com um rico estoque de vinhos vintage no piso térreo e salões de jantar em cima. Oferece um ambiente informal no qual a comida tem papel importante. Excelentes pratos sazonais e regionais, acompanhados pelos encorpados tintos locais. Fecha dom; 1as 2 semanas jan.

DOMODOSSOLA Piemonte da Sciolla €€€

Piazza della Convenzione 4, 28845 ***Tel*** *0324 24 26 33*

A comida regional daqui inclui pratos do dia como nhoque de centeio e castanhas ou receitas alpinas do Vale de Ossola, famoso por suas carnes maturadas. O menu pende para pratos de carne substanciosos com cogumelos, cebolas e castanhas. Mesas ao ar livre no verão. Fecha qua; 2 últimas semanas jan, meados ago-meados set.

IVREA Trattoria BoccondiVino €€

Via Aosta 47, 10015 ***Tel*** *0125 489 98*

A poucos passos da Porta Aosta no centro histórico de Ivrea, esta trattoria pequena e confortável tem ambiente cálido e cozinha regional tradicional que faz uso de produtos sazonais. O peixe defumado é muito bom. Há também uma boa seleção de vinhos da região. Fecha qui; 1 semana ago.

NOVARA I Due Ladroni €€€

Corso Cavallotti 15, 28100 ***Tel*** *0321 62 45 81*

Em um palazzo do século 16 no coração da cidade, é especializado em culinária tradicional. O menu muda regularmente e apresenta pratos como risotto com queijo taleggio, zuppa vigezzina (sopa com trigo-vermelho e presunto curado) e tapulon d'asino (carne de burro cozida no vinho tinto). Excelente carta de vinhos. Fecha sáb almoço, dom; ago.

Categorias de preço *pág. 606* **Legenda dos símbolos** *no final do guia*

NOVARA Osteria del Laghetto €€€€€
Via Case Sparse 11, Località Veveri, 28100 ***Tel*** *0321 47 29 62*

Instalado nos belos jardins de um parque, este restaurante tem salões de jantar repletos de flores perfumadas. Serve cozinha regional usando trufas e cogumelos, mas os destaques do menu são os pratos à base de peixe. Em dias quentes há mesas ao ar livre. Reserve antes. Fecha sáb almoço, dom; 2 semanas ago, dez-jan.

ORTA SAN GIULIO Villa Crespi €€€€€
Via Fava, 18, 28016 ***Tel*** *0322 91 19 02*

Extravagante edificação do século 19, foi transformada em um belo hotel com decoração inspirada nas Mil e Uma Noites. Sua cozinha clássica italiana, imaginativos pratos mediterrâneos e a carta com mais de mil vinhos franceses e italianos lhe valeram duas estrelas do *Michelin*. Fecha qua almoço; 1º jan-1º mar.

RIVOLI Combal.Zero €€€€€
Il Castello, Piazza Mafalda di Savoia, 10098 ***Tel*** *011 956 52 25*

Localizado no terreno do adorável Castello di Rivoli, este restaurante oferece um esplêndido e criativo menu italiano. Experimente o ravióli recheado com burrata (um tipo de mussarela), servido com manjericão e molho de tomate com limão, seguido de leitão com coco e aspargos. É essencial reservar. Fecha seg, ter; ago, Natal.

SAINT VINCENT Nuovo Batezar €€€
Via Marconi 1, 11027 ***Tel*** *0166 51 31 64*

Um dos melhores restaurantes da região, tem poucas mesas, clima intimista e móveis antigos típicos da região. A sinfonia di pesce (travessa de peixes) é deliciosa, assim como o tajarin (tagliatelle caseiro) ao molho de açafrão ou trufa, e pratos de carne alpinos. É preciso reservar antes. Fecha qua, seg-sex almoço; 3 semanas jun, 2 semanas nov.

SESTRIERE Al Braciere del Possetto €€€
Piazza Agnelli 2, 10058 ***Tel*** *0122 761 29*

Restaurante de médio porte e boa reputação no coração de Sestriere. Serve cozinha de alta qualidade como raclette (queijo fundido), bourguignonne (fondue de carne), ricas especialidades do Piemonte e pratos com muitos queijos da região e de toda a Itália. Fecha qua; 3 semanas mai, 3 semanas out.

SORRISO Al Sorriso €€€€€
Via Roma 18, 28016 ***Tel*** *0322 98 32 28*

Famoso em toda a Itália por sua cozinha de alta qualidade à base de produtos sazonais frescos, este refinado hotel-restaurante oferece pratos como risoto, massa com polvo e favas com nozes de pinho assadas. Os clientes podem visitar as cozinhas e as adegas. É aconselhável reservar. Fecha seg, ter; 2 semanas jan, 3 semanas ago.

STRESA Il Piemontese €€€
Via Mazzini 25, 28838 ***Tel*** *0323 302 35*

Este é o lugar para conhecer versões criativas da tradicional cozinha local. De gestão familiar, este restaurante intimista no centro de Stresa oferece elegância descontraída e serviço à altura. Há também uma excelente seleção de vinhos. No verão vale a pena ficar no terraço sob parreiras. Fecha seg; 1º dez-1º fev.

TORTONA Aurora Girarrosto €€€
S.S. per Genova 13, Tortona, 15057 ***Tel*** *0131 86 30 33*

Este restaurante, perto da pequena cidade de Tortona, é famoso pelo forno que lhe rendeu o nome. É especializado em churrasco feito com carnes orgânicas de produtores locais, como T-bone de gado Carru, uma importante raça piemontesa. Extensa carta de vinhos. Fecha seg; 2 semanas ago.

TURIM Birilli €€
Strada Val San Martino 6, 10131 ***Tel*** *011 819 05 67*

Aqui você encontra uma boa variedade de massas, peixes grelhados e espetos de carne, atum, vitela, risotos e legumes sazonais. Os irmãos Birilli fundaram uma rede de restaurantes em 1929 em Turim, abrindo outros depois em Hollywood, Paris e Nova Déli. Tem um belo pátio com jardim para refeições ao ar livre. Fecha dom (inverno); feriados Natal.

TURIM Dai Saletta €€
Via Belfiore 37, 10126 ***Tel*** *011 668 78 67*

Típica trattoria com clima simpático, tolhas de mesas em xadrez vermelho e branco, e um menu de clássicos piemonteses. Isso inclui agnolotti e tajarin (variedades locais de massa), bollito (carnes cozidas) e carne ao vinho Barolo. Há também um ótimo zabaglione e uma boa carta de vinhos. Fecha dom; ago.

TURIM Casa Vicina €€€€€
Via Nizza 24, 10126 ***Tel*** *011 19 50 68 40*

Situado no piso inferior da loja gastronômica Eataly, este restaurante premiado de alta gastronomia tem ambiente contemporâneo, quase minimalista. Serve pratos piemonteses apresentados artisticamente, como agnolotti recheado e bagna cauda (molho quente de anchovas). Fecha dom jantar, seg; ago, Natal.

TURIM Neuv Caval'd Brons €€€€€
Piazza San Carlo 155, 10123 ***Tel*** *011 54 53 54*

Restaurante elegante e espaçoso com cozinha de alta qualidade. Há excelentes opções vegetarianas como massa com limão, menta fresca e ervilhas. Os peixes também são ótimos. De sobremesa, peça o delicioso chocolate com menta e um bom vinho. Fecha ter, dom; ago.

VERBANIA PALLANZA Osteria Dell'Angolo €€€

Piazza Garibaldi 35, 28048 ***Tel*** *0323 55 63 62*

Em uma pracinha, esta típica taberna regional oferece uma variadade de refinados pratos de peixe, uma mistura das cozinhas do Piemonte e da Lombardia, e preço compatível. No verão há mesas externas na praça. Como o espaço é limitado, é melhor reservar antes. Fecha seg; 1 semanas jan; nov.

VERBANIA PALLANZA Milano €€€€€

Corso Zanitello 2, 28048 ***Tel*** *0323 55 68 16*

Fica em uma edificação neogótica no centro de Pallanza e tem um terraço encantador com vistas do Lago Maggiore. Serve ótimos peixes do lago, incluindo persico (perca) e salmerino (um tipo de truta), acompanhados por legumes orgânicos sazonais e vinhos excelentes. Fecha seg noite, ter; 1º nov-1º mar.

VERCELLI Il Paiolo €€

Viale Garibaldi 72, 13100 ***Tel*** *0161 25 05 77*

Trattoria descontraída em uma casa antiga no centro histórico de Vercelli. Aqui a cozinha local é bem representada e, como esta é a região do arroz na Itália, você deve provar os risotos e o panisse (prato de arroz de Vercelli). Ótimos vinhos acompanham o menu sazonal. Fecha qui; meados jul-meados ago, 24 dez-6 jan.

VERCELLI Il Giardinetto €€€

Via Sereno 3, 13100 ***Tel*** *0161 25 72 30*

Este refinado hotel-restaurante é parte de uma villa do século 19 e fica voltado para um jardim encantador. Serve uma rica variedade de pratos usando produtos do Piemonte, a exemplo de arroz, trufas, cogumelos, massa caseira, presunto de Parma, queijos locais e foie gras. Excelentes vinhos. Fecha seg; 3 semanas ago.

VILLARFOCCHIARDO La Giaconera €€€€

Via Antica di Francia 1, 10050 ***Tel*** *011 964 50 00*

Em uma antiga e elegante estalagem com vigas e lustres, oferece ricas opções regionais com trufas, carne de caça e ótimos legumes frescos da região. Os destaques são tagliatelle de castanha, medalhões de vitela com trufas, e cogumelos com tenros pitus. Excelentes vinhos locais. Fecha ter; 2 semanas ago.

LIGÚRIA

CAMOGLI La Cucina di Nonna Nina €€€

Via Molfino 126, San Rocco di Camogli, 16032 ***Tel*** *0185 77 38 35*

Do outro lado do promontório de Portofino, na tranquila aldeia de San Rocco, este restaurante ocupa duas salas de uma villa rústica com lindas vistas. Serve deliciosos pratos da Ligúria usando os ótimos frutos do mar e ervas da região. Prove o siba recheado ou a massa cozida com urtigas e pesto. Fecha qua; 2 últimas semanas jan, nov.

CAMOGLI Rosa €€€€

Via Rufini 13, 16032 ***Tel*** *0185 77 34 11*

Em uma villa em estilo Art Nouveau, este restaurante tem uma varanda com jardim de inverno e um terraço de verão com ótimas vistas da baía e do velho porto pesqueiro de Camogli. Frutos do mar e massas típicos incluem atum ao molho agridoce, massa ao molho de salmonete vermelho e siba cozido. Fecha ter, qua almoço; jan, 2 últimas semanas nov.

CERVO San Giorgio €€€€€

Via Volta 19, 18010 ***Tel*** *0183 40 01 75*

O dono deste lugar charmoso, em uma praça no centro histórico, mistura sabores locais e comida sazonal fresca. Em resultado, há pratos simples e criativos como pitus com brotos de alcachofra e o peixe do dia com pequenas azeitonas e manjerona fresca. Muito popular, portanto, reserve antes. Fecha seg jantar, ter.

GÊNOVA Da Genio €€

Salita San Leonardo 61r, 16128 ***Tel*** *010 58 84 63*

Uma das trattorias mais apreciadas de Gênova, fica no bairro antigo e atrai uma clientela fiel. O menu inclui peixes bem preparados, como espadarte recheado com anchovas e alcaparras, mas o prato de entrada mais famoso é o tradicional trenette al pesto (massa ao molho de pesto) da Ligúria. Fecha dom; 3 semanas ago.

GÊNOVA Da O'Colla €€

Via alla Chiesa di Murta 10, Località Bolzaneto, 16162 ***Tel*** *010 740 85 79*

Excelente cozinha caseira da Ligúria, com pratos como minestrone genovese (sopa de legumes com massa ou arroz e pesto) e focaccia servida com azeite de oliva local. Esta trattoria fica um pouco distante da cidade, mas vale a pena ir até lá. Fecha dom, seg; 3 semanas jan, ago.

GÊNOVA Pintori €€

Via San Bernardo 68 r, 16123 ***Tel*** *010 275 75 07*

Trattoria de gestão familiar com ótimo vinhos e influência sarda no menu. Os locais adoram sua cozinha acessível e ambiente elegante. Há especialidades vegetarianas como torte di verdura e maialino sardo (porco sardo) sob pedido. Os pratos de peixe, os queijos e as sobremesas também são bons. Fecha seg, dom.

Categorias de preço *pág. 606* **Legenda dos símbolos** *no final do guia*

GÊNOVA Cantine Squarciafico €€€

Piazza Invrea 3, 16123 ***Tel*** *010 247 08 23*

Numa antiga villa nobre com afrescos na fachada e pilares no interior, este tradicional bar de vinhos da Ligúria serve especialidades locais como stracci, um tipo de lasanha, e uma deliciosa torta de chocolate. Garrafas de vinho se alinham nas paredes da sala de jantar de teto abobadado. É aconselhável reservar antes. Fecha fim jul-início ago.

LEVANTO Due Lune €€

Corso Roma 2, 19015 ***Tel*** *0187 80 87 67*

Localizado logo depois da orla, este restaurante e pizzaria é muito procurado pelos moradores da região graças a seu peixe fresco de alta qualidade –o destaque aqui são os frutos do mar, principalmente os mexilhões, louvados pelos frequentadores. Costuma ficar cheio, por causa do bom custo-benefício e do serviço simpático. Reserve.

LEVANTO Cavour €€€

Piazza Cavour 1, 19015 ***Tel*** *0187 80 84 97*

Entre a estação e a praia, esta típica trattoria de cozinha local é especializada em peixes. O restaurante original remonta a 1800. O menu tem pratos como gattafin (ravióli frito com ervas, ovos, cebola e queijo), anchovas ao limão e a massa local trofiette ao molho de pesto. Fecha seg; dez-meados jan.

MANAROLA La Scogliera €€€

Via Birolli 101, 19017 ***Tel*** *0187 92 07 47*

Charmoso restaurante familiar com paredes de pedra e mobília rural, o La Scogliera é especializado em culinária da Ligúria e é particularmente renomado por seus pratos com frutos do mar. O ambiente é calmo, apesar de ser um local muito procurado neste movimentado vilarejo. Recomenda-se reservar.

NERVI Astor €€

Via delle Palme 16-18, 16167 ***Tel*** *010 32 90 11*

Este belo e despretensioso hotel e restaurante fica equidistante do calçadão de Nervi e do maravilhoso parque. Oferece boa cozinha da Ligúria e bons vinhos em um cenário simples e elegante. A especialidade é pansotti al sugo di noci (massa fresca recheada de ricota, ervas e raspas de casca de limão, servida com molho de nozes).

PORTOFINO Da Puny €€€€€

Piazza Martiri dell'Olivetta 5, 16034 ***Tel*** *0185 26 90 37*

Um dos melhores restaurantes junto à pracinha do porto. Muito simpático, o dono tem prazer em contar casos engraçados e adular os clientes. Peixes frescos, pasta in pesto corto (o rico molho de manjericão, queijo e nozes de pinho com uma pitada de tomate) e excelentes antepastos caseiros. Reserve. Fecha qui; meados dez-meados fev.

PORTOFINO Da U Batti €€€€€

Vico Nuovo 17, 16034 ***Tel*** *0185 26 93 79*

Um dos melhores restaurantes de peixe, e um dos mais elegantes da Ligúria. Situado em uma pequena praça no coração do vilarejo, o Da U Batti é um local chique e intimista que serve excelentes pescados com um serviço atencioso. Muito procurado por celebridades e amantes da gastronomia. Reserve. Fecha seg.

PORTOVENERE Da Iseo €€€€

Calata Doria 9, 19025 ***Tel*** *0187 79 06 10*

Encantadora trattoria pequena dirigida pelo hotel Locanda Lorena na Ilha Palmaria. Defronte ao mar, tem vistas para o porto e o Golfo dos Poetas. Os pratos de peixe incluem mexilhões da Ligúria recheados com carne, anchovas ao molho de limão e antepastos de frutos do mar. Fecha qua; nov.

PORTOVENERE Le Bocche €€€€€

Calata Doria 102, 19025 ***Tel*** *0187 79 06 22*

No promontório voltado para Portovenere, este restaurante fica abaixo da igreja de São Pedro e tem ótimas vistas. O design minimalista e as maravilhosas mesas sombreadas ao ar livre criam o cenário ideal para os delicados sabores dos pratos de peixes da Ligúria. Boa carta de vinhos. Fecha ter; meados dez-meados fev.

RAPALLO U' Giancu €€€

Via San Massimo 28, Località San Massimo, 16035 ***Tel*** *0185 26 05 05*

Nas montanhas do noroeste de Rapallo, entre oliveiras, este restaurante é o destino perfeito para quem ama boa comida e quadrinhos, já que o proprietário é um dos organizadores do Rapallo International Cartoon Festival. Verduras do jardim complementam os pratos típicos da Ligúria. Fecha almoço; qua; meados dez-meados jan.

SAN REMO Da Vittorio €€€€

Piazza Bresca 16, 18038 ***Tel*** *0184 50 19 24*

Perto da orla, o Da Vittorio é um restaurante tradicional especializado em peixes. Experimente o tagliolini caseiro com gallinella, um peixe local, ou a burridda, uma sopa de peixe com moluscos, servida com alcachofra –quando for época– ou ervilha. Fecha 1 semana início mar, 2 semanas nov.

SAN REMO Da Paolo e Barbara €€€€€

Via Roma 47, 18038 ***Tel*** *0184 53 16 53*

Excepcional restaurante de reputação internacional. O menu mistura legumes maravilhosos –abobrinhas, ervas e favas– com peixes frescos locais– tartar de cavala e camarões de San Remo. A habilidade de Barbara em pâtisserie fica evidente em sua cassata de ricota. Fecha qua, qui; 1 semana jan, 2 semanas jul, 2 semanas dez.

VERNAZZA Gambero Rosso €€€

Piazza Marconi 7, 19018 ***Tel*** *0187 81 22 65*

Criativas interpretações modernas de pratos de de frutos do mar da Ligúria são a especialidade daqui. O ravióli de peixe e o risoto de limão são deliciosos, assim como as originais sobremesas. Há menu degustação e serviço à la carte. Fecha seg; dez-fev.

EMÍLIA-ROMANHA

BOLOGNA Trattoria Fantoni €

Via del Pratello 11/A, 40122 ***Tel*** *051 23 63 58*

Uma das trattorias simples mais populares em uma rua repleta de restaurantes. O menu é bem tradicional, com muita carne de cavalo servida em forma de steak, além de linguiças grelhadas e deliciosos pratos de legumes como melanzane al forno (berinjela assada).

BOLONHA Antica Trattoria del Cacciatore €€

Via Caduti di Casteldebole 25, 40132 ***Tel*** *051 56 42 03* ***Fax*** *051 56 71 28*

Há mais de 200 anos a "velha trattoria do caçador" serve pratos tradicionais em uma antiga estalagem campestre junto a um parque perto do aeroporto. Além de massas e pães caseiros, há especialidades como tortellini em caldo; capriolo alla boscaiola (cabra cozida com porcini) e ravióli em um fondue de queijo com trufas.

BOLONHA Olindo Faccioli €€

Via Altabella 15/B, 40126 ***Tel*** *051 22 31 71* ***Fax*** *051 44 09 68*

Esta pequena trattoria tem orgulho de sua carta de vinhos com mais de 400 garrafas, as quais se perfilam em dois ambientes; o menu do dia é anunciado em um quadro-negro. A cozinha é bolonhesa com um toque mais leve e há muitas opções vegetarianas, incluindo crespellini (crepes recheados de queijo) e tagliatelle com pesto caseiro.

BOLONHA Gigina €€€

Via Stendhal 1, 40128 ***Tel*** *051 32 23 00*

Desde sua inauguração em 1956, este local se tornou um favorito para um jantar especial em uma cidade famosa pela qualidade de sua comida. Fanático pela culinária local, seu menu sempre inclui massas caseiras, como tortellini in brodo (massa recheada em molho) e tagliatelle no famoso ragu da casa. Fecha ago.

BOLONHA Pappagallo €€€€

Piazza Mercanzia 3c, 40125 ***Tel*** *051 23 28 07* ***Fax*** *051 23 28 07*

Desde 1919, príncipes, artistas e atores vêm deixando fotos autografadas para enfeitar as paredes deste elegante restaurante em um palazzo do século 14, praticamente debaixo das torres gêmeas de Bolonha. A cozinha tradicional bolonhesa inclui tortellini (em caldo ou ragu de carne), lasanha e vitela.

CASTELL'ARQUATO Da Faccini €€

Località Sant'Antonio, 29014 ***Tel*** *0523 89 63 40* ***Fax*** *0523 89 64 70*

Esta trattoria pertence à mesma família desde 1932. Não há menu fixo; o chef segue apenas as estações. Você pode encontrar nhoque com cenouras, ravióli de pato e trufas, agnellotti al culatello (massa recheada com um salame típico local) ou faraona alla creta (galinha-d'angola cozida em panela de terracota).

CASTELL'ARQUATO Maps €€€

Piazza Europa 3, 29014 ***Tel*** *0523 80 44 11*

No centro histórico da cidade, este moinho medieval restruturado oferece uma cozinha criativa de nível internacional à base de ingredientes locais. O menu, que muda diariamente conforme o que há de mais fresco no mercado, enfoca especialidades de peixes (embora o chef também produza maravilhas com carne).

FAENZA La Pavona €

Via Santa Lucia 45, 48018 ***Tel*** *0546 310 75* ***Fax*** *0546 636 419*

Em uma área bem tranquila fora de Faenza, este restaurante rústico e elegante tem ambiente hospitaleiro e uma profusão de tradicionais pratos regionais à sua escolha. O coniglio arrosto (coelho em forno à lenha) é recomendado. Fecha ter, sáb almoço; out.

FERRARA Antica Trattoria Il Cucco €€

Via Voltacasotto 3, 44100 ***Tel*** *0532 76 00 26* ***Fax*** *0532 76 00 26*

No centro histórico, perto da catedral, este restaurante animado existe desde o começo dos anos 1800. Experimente o al burrodi di salvia (massa recheada com abóbora na manteiga e molho de sálvia), complementado com vinho regional. Há um belo jardim onde é possível comer sob uma pérgola no verão.

FERRARA La Sgarbata €€

Via Sgarbata 84, 44046 ***Tel*** *0532 71 21 10* ***Fax*** *0532 71 21 10*

Esta trattoria campestre nas cercanias da cidade serve saborosos pratos locais como o emblemático cappellacci di zucca alla ferrarese (massa recheada de moranga), além de especialidades preparadas com peixes pescados no dia. Os locais marcam encontro aqui para saborear as boas pizzas. Ocasional música ao vivo no verão.

Categorias de preço *pág. 606* **Legenda dos símbolos** *no final do guia*

FERRARA Quel Fantastico Giovedì €€

Via Castelnuovo 9, 44100 ***Tel*** *0532 76 05 70* ***Fax*** *0532 76 05 70*

Este belo restaurante especializado em frutos do mar apresenta um menu variado e criativo que vai de pratos mais tradicionais –como o risoto con vongole veraci (arroz com mexilhões) e anguilla (enguia) no vapor –a outros mais criativos, como sushi de salmão em estilo japonês. Reserve antes.

FERRARA L'Oca Giuliva €€€

Via Boccacanale di Santo Stefano 38–40, 44100 ***Tel*** *0532 20 76 28*

No centro da cidade, cheio de restaurantes baratos, este pequeno e tranquilo restaurante é o melhor local para experimentar a refinada culinária local. O menu, que muda diariamente, tem pratos como faraona (galinha-d'angola), anguilla arrostita (enguia assada) e bife. A carta de vinhos é excelente. Fecha seg, almoço ter.

FIDENZA Il Duomo €

Via Micheli 27, 43036 ***Tel*** *0524 52 42 68*

O menu deste restaurante apresenta especialidades regionais como tortelli alla ricota (massa recheada com queijo), tagliatelle all'uovo con ragù (talharim ao ovo com molho de carne), cappelletti in brodo (sopa de massa) e trippa alla parmigiana (dobradinha com molho de tomate e queijo ralado). Fecha qua.

GORO Ferrari €€€

Via Antonio Brugnoli 244, 44020 ***Tel*** *0533 99 64 48* ***Fax*** *0533 99 65 46*

A uma curta caminhada do porto e do mercado de peixe, este restaurante é dirigido pela mesma família há 60 anos. O mercado determina o menu do dia que enfatiza especialidades do Delta do Pó, embora outra boa pedida seja o risoto di pesce (risoto de peixe). Há também pizzas no jantar às sextas, sábados e domingos. Fecha qua.

MODENA Al Boschetto da Loris €€

Via Due Canali Nord 202, 41100 ***Tel*** *059 25 17 59*

Em um vasto parque com árvores centenárias, fica na antiga cabana de caça do duque de Este. O menu é curto, mas repleto do que há de melhor na cozinha de Modena, incluindo tortellini ao caldo de frango capão, tagliatelle al ragù (ao molho de carne) e espetos de carnes grelhadas. No verão há mesas no jardim. Fecha qua e dom à tarde.

MODENA Fini €€€€€

Rua Frati Minori 54, 41100 ***Tel*** *059 22 33 14* ***Fax*** *059 22 02 47*

Pilar da cozinha local desde 1912, prepara maravilhosas especialidades tradicionais como tortellini di cappone in brodo (sopa com massa recheada de capão), pasticcio di maccheroni (ragu à base de vitela envolto em crepes) e um carrello (carrinho) de carnes cozidas em estilo inglês.

MODENA Giusti €€€€€

Vicolo Squallore 46/Via Farini 75, 41100 ***Tel*** *059 22 25 33* ***Fax*** *059 22 25 33*

Reserve antes uma das cinco mesas neste bastião da cozinha de Modena ligado a uma delicatessen. Os Galli (o casal de proprietários) gostam de usar capões em tudo, desde sopa de tortellini a saladas tenras, e o stinco (pernil assado) de vitela ou porco é excelente. Abre apenas para almoço. Fecha dom e seg.

PARMA Aldo €€

Piazzale Inzani 15, 43100 ***Tel*** *0521 20 60 01* ***Fax*** *0521 20 60 01*

Na cidade que está na base da cozinha italiana (com contribuições como o queijo parmesão e o presunto de Parma), esta trattoria serve clássicos com toques interessantes: rosbife defumado, tortellini al prosciutto (massa recheada de presunto) e galinha-d'angola ao molho de laranja. Fecha dom jantar; inverno.

PARMA Le Viole €€

Strada Nuova 60a, Località Castelnuovo Golese, 43100 ***Tel*** *0521 60 10 00* ***Fax*** *0521 60 16 73*

No subúrbio de Parma, este lugar encantador é dirigido por duas irmãs da cidade de Gorizia no limite entre Friuli e a Eslovênia. Seus toques inovadores e visão moderna sobre receitas locais resultam em saborosos petiscos como fagottini (trouxinhas) de peru com legumes. Excelentes sobremesas caseiras.

PARMA La Greppia €€€€

Strada Garibaldi 39A, 43100 ***Tel*** *0521 23 36 86* ***Fax*** *0521 22 13 15*

Escolha ideal para uma refeição de classe em uma cidade renomada por sua cozinha. Há uma profusão de opções tradicionais –aqui é feito o melhor stracotto (carne bovina no bafo) de Parma– e de pratos inovadores. Prove os rins de vitela com trufas, os aspargos cobertos de prosciutto com tortelli recheado com ervas e o scaloppinho (escalope) de vitela.

PIACENZA Antica Osteria del Teatro €€€€€

Via Verdi 16, 29100 ***Tel*** *0523 32 37 77* ***Fax*** *0523 30 49 34*

Entre os muros de tijolos e reboco de um palazzo do século 15, este restaurante elegante tem uma excelente carta de vinhos que acompanha um menu sazonal de pratos imaginativos com os melhores produtos locais. Prove o tortelli dei Farnesi (massa de ricota e espinafre ao molho de manteiga e sálvia). Fecha dom e seg.

RAVENNA Ca de Ven €

Via C. Ricci 24, 48100 ***Tel/Fax*** *0544 301 63*

Dizem que Dante morou em uma hospedaria que havia neste local, agora ocupado por um palazzo do século 16 perto do túmulo do poeta. Suas adegas com tetos de tijolo abobadados são repletas de garrafas de vinho e sediam uma das melhores trattorias de Ravena. A especialidade é o piadine, o pão chato local, coberto de carne, queijos ou legumes.

RAVENNA Villa Antica €

Via Faentina 136, 48100 ***Tel*** *0544 50 05 22*

Em uma villa do século 19 com uma tenda ligada a um gazebo no jardim nos fundos. O menu muda sazonalmente e inclui massas, carnes e peixes grelhados ou assados, e algumas opções incomuns como a massa garganelli all'indiana (com curry). Há também pizza e carne de caça na temporada.

RAVENNA Bella Venezia €€€

Via IV Novembre 16, 48100 ***Tel*** *0544 21 27 46*

Restaurante central bem-estabelecido com um menu variado para agradar todo mundo. Em sua maioria, os pratos são tradicionais locais e clássicos italianos. Entre eles, risoto da casa, uma variedade de massas caseiras, carne de porco, vitela e diversas carnes grelhadas. Fecha dom; jan.

RIMINI Europa €€€€

Via Roma 51, 47900 ***Tel/Fax*** *0541 287 61*

Há 70 anos a família Albani serve uma das melhores cozinhas de Rimini. A base do menu é peixe, com pratos como salada quente de peixe com radicchio, espaguete com frutos do mar e strozzapreti ai crostaci (bolinhos ao molho de crustáceos).

RIMINI Osteria dë Börg €€€

Via Forzieri 12, 47921 ***Tel*** *0541 560 74*

Duas décadas de sucesso estabeleceram a reputação do Börg como o melhor lugar para comer carne em uma cidade litorânea obcecada por peixe. Longe do mar, o menu oferece frios e queijo pecorino de entrada, seguidos por massas caseiras servidas de diversas formas, além de carne de boi e de carneiro assados na churrasqueira.

FLORENÇA

Angiolino €

Via Santo Spirito 36r, 50125 ***Tel*** *055 239 89 76* ***Mapa*** *3 B1*

A modernização não comprometeu o ambiente de Velho Mundo que havia nesta trattoria de Oltrarno que mantém um certo clima de bairro, embora os padrões nem sempre sejam consistentes. O menu tem especialidades como penne com cogumelos porcini e porco assado com espinafre ao alho.

Baldovino €

Via San Giuseppe 22r, 50122 ***Tel*** *055 24 17 73* ***Mapa*** *4 E1*

Grande, ruidoso e animado, este é um daqueles lugares onde você pode comer qualquer coisa, desde uma salada ou travessa de queijos a uma refeição completa. Há excelentes pizzas, boas massas, pratos à base de peixe ou carne e várias opções vegetarianas. Os pudins são particularmente bons e há uma extensa carta de vinhos.

Boccadama €

Piazza Santa Croce 25-26r, 50122 ***Tel*** *055 24 36 40* ***Mapa*** *6 F4*

Este bar de vinhos e restaurante é bem situado na Piazza Santa Croce e têm várias mesas externas; prateleiras de vinhos se alinham nas paredes do interior aconchegante. Os vinhos podem ser pedidos na taça ou na garrafa. Você pode petiscar uma seleção de queijos ou carnes frias ou optar por uma refeição completa; a comida é boa e bem imaginativa.

Da Mario €

Via Rosina 2r, 50123 ***Tel*** *055 21 85 50* ***Mapa*** *1 C4*

Esta animada trattoria está sempre lotada de donos de barracas do mercado, executivos e turistas, que são atraídos pela boa comida tradicional a preços bem razoáveis. O menu do dia é escrito a mão e afixado na parede perto da cozinha. Inclui sopas substanciosas, massas simples e vários pratos de carne e acompanhamentos.

Da Sergio €

Piazza San Lorenzo 8r, 50129 ***Tel*** *055 28 19 41* ***Fax*** *055 28 19 41* ***Mapa*** *1 C4*

Popular trattoria de gestão familiar, fica escondida atrás das barracas do mercado. Seus dois salões elevados têm mesas grandes (eventualmente comunitárias) com toalhas brancas. A comida toscana na linha casalinga (tradicional) é muito boa. Há sempre dobradinha às segundas e quintas, e peixes frescos na sexta-feira. Fecha dom.

Fuori Porta €

Via Monte alle Croci 10r, 50125 ***Tel*** *055 234 24 83* ***Fax*** *055 234 14 08* ***Mapa*** *4 E3*

Uma das clássicas enoteche de Florença, este é um bom lugar para tomar uma taça de vinho ou pedir algo mais substancioso. A carta de vinhos tem mais de 600 opções. Os crostini (sanduíches quentes abertos) são um bom acompanhamento, assim como as massas e saladas.

Il Pizzaiuolo €

Via de' Macci 113r, 50122 ***Tel*** *055 24 11 71* ***Mapa*** *4 E1*

Reserve lugar antes, pois esta animada pizzaria e restaurante de preço acessível vive cheia. As pizzas em estilo napolitano têm bases fofas e mussarela de búfala. Há também uma ótima seleção de antepastos (legumes grelhados e salada de frutos do mar) e massas excelentes do Sul da Itália.

Categorias de preço *pág. 606* **Legenda dos símbolos** *no final do guia*

Il Santo Bevitore €

Via Santo Spirito 64/66r, 50125 ***Tel*** *055 21 12 64* ***Mapa*** *5 A4*

Em um antigo estábulo, este descontraído restaurante e bar de vinhos apresenta pratos inovadores de sabor delicado. O menu é sazonal, mas há sempre uma seleção de sopas e massas caseiras, peixes e carnes grelhadas, além de ótimos queijos e carnes maturadas. A carta de vinhos também é interessante.

Il Vegetariano €

Via delle Ruote 30r, 50129 ***Tel*** *055 47 50 30* ***Mapa*** *2 D3*

Um dos poucos restaurantes vegetarianos de Florença, este lugar antigo mantém sua popularidade. A decoração é rústica e a comida saudável e barata; faça sua escolha lendo o menu escrito no quadro-negro, pague no caixa e leve o recibo ao balcão para pegar sua refeição. Tem também um ótimo bar de saladas.

La Casalinga €

Via del Michelozzo 9r, 50125 ***Tel*** *055 21 86 24* ***Mapa*** *5 B5*

Apesar da quantidade de turistas que aparecem, esta trattoria sem afetação continua com clima de bairro e uma cozinha saudável e generosa. Prefira os pratos locais –ribollita (sopa de pão e legumes), arista (porco assado) ou bollito misto (cozido de várias carnes). De sobremesa, prove o tiramisù caseiro.

Le Mossacce €

Via del Proconsolo 55r, 50122 ***Tel*** *055 29 43 61* ***Mapa*** *4 D1*

Não é fácil encontrar uma genuína trattoria florentina no centro da cidade. Este restaurante perto de Bargello é o mais autêntico que se pode conseguir. Pratos baratos de alta qualidade como ribollita (pão e sopa de legumes) e spezzatino (ensopado de vitela) são servidos em um ambiente movimentado e barulhento. Fecha sáb, dom; ago.

Nerbone €

Barraca 292, Mercato Centrale, Via dell'Ariento, 50123 ***Mapa*** *1 C4*

Não se engane pela primeira impressão: o sanduíche de carne do Nerbone está nos melhores guias gastronômicos do mundo. O lanche típico dos trabalhadores é acompanhado de um menu que inclui clássicos florentinos como pappa al pomodoro (sopa de pão e tomate) e, é claro, bucho. Somente almoço; fecha dom.

4 Leoni €€

Via dei Vellutini 1r, 50125 ***Tel*** *055 21 85 62* ***Fax*** *055 267 88 70* ***Mapa*** *5 B4*

Esta trattoria fica a cinco minutos do centro da cidade, perto da Ponte Vecchio. Quando o tempo está quente, coloca mesas na bela Piazza della Passera, mas o ambiente interno também é agradável. Embora não seja mais um lugar simples e tradicional, o serviço continua simpático e o cenário charmoso. Fecha qua almoço.

Antico Fattore €€

Via Lambertesca 1/3r, 50123 ***Tel*** *055 28 89 75* ***Fax*** *055 28 33 41* ***Mapa*** *6 D4*

Fundada em 1908, esta trattoria é ponto de encontro dos intelectuais de Florença. Embora tenha perdido parte de seu velho charme, a comida e o serviço mantêm a excelência de sempre. Prove a massa com javali e os involtini (trouxinhas de carne) com corações de alcachofra. Fecha dom.

Buca Mario €€

Piazza degli Ottaviani 16r, 50123 ***Tel*** *055 21 41 79* ***Fax*** *055 264 73 36* ***Mapa*** *5 B2*

Um dos tradicionais restaurantes de adega de Florença, é muito requisitado por turistas. Apesar de sua popularidade, mantém um ambiente florentino bem despretensioso e oferece clássicos locais como ribollita (sopa de legumes), ossobuco, carnes grelhadas e arista (porco assado).

Cavolo Nero €€

Via dell'Ardiglione 22, 50125 ***Tel/Fax*** *055 29 47 44* ***Mapa*** *3 B1*

Pequeno restaurante de Oltrarno com decoração elegante, é frequentado por artistas que apreciam o toque original dado à ensolarada cozinha toscana. Há especialidades como espaguete com mexilhões, robalo assado com berinjelas e tomates-cereja. Para os carnívoros, a pedida é pombo recheado com foie gras.

Coquinaros €€

Via delle Oche 15r, 50122 ***Tel*** *055 230 21 53* ***Mapa*** *6 E2*

Logo atrás do Duomo, este lugar pequeno e aconchegante funciona em quase todas as horas do dia e da noite. Há algumas massas deliciosas (prove o ravióli com pecorino e peras), assim como saladas, porções de queijos, carnes maturadas e sanduíches quentes abertos. Serve vinho na taça ou na garrafa.

Frescobaldi Wine Bar €€

Via dei Magazzini 2/4r, 50122 ***Tel*** *055 28 47 24* ***Fax*** *055 265 65 35* ***Mapa*** *6 E3*

Este bar de vinhos e restaurante pertence a um dos primeiros produtores de vinho da Toscana. O almoço é descontraído, mas o jantar é um pouco mais formal, com toalhas de mesa brancas e cristais reluzentes. A comida criativa e elegante é acompanhada pelos finos vinhos da casa. Caso você queira apenas um lanche e uma taça, vá ao Frescobaldino ao lado.

Il Guscio €€

Via dell'Orto 49, 50125 ***Tel/Fax*** *055 22 44 21* ***Mapa*** *3 A1*

Este animado restaurante em San Frediano costuma lotar. A comida é baseada em tradições toscanas, embora um pouco mais refinada do que nas trattorias em geral. Há também uma boa carta de vinhos. Os pratos incluem nhoque com aspargos, crespelle (finas panquecas) e o delicioso misto de frutos do mar al guazzetto (ao molho de tomate).

Ristorante Ricchi €€

Piazza Santo Spirito 8r, 50125 ***Tel*** *055 21 58 64* ***Fax*** *055 28 08 30* ***Mapa*** *3 B2*

Com decoração moderna e elegante e um terraço encantador, este pequeno restaurante de peixes fica em uma das praças mais belas de Florença. As influências orientais são evidentes em pratos como a massa com camarões e menta, espadarte com pimentão de Sichuan e bacalhau com praliné de especiarias. Há também algumas opções para carnívoros.

I Latini €€€

Via dei Palchetti 6r, 50123 ***Tel*** *055 21 09 16* ***Mapa*** *5 B3*

Há sempre uma multidão de estrangeiros e locais suplicando por uma mesa externa nesta trattoria grande e ruidosa que tem enormes presuntos pendurados no teto. A comida é tradicional e as porções enormes. Prove as suculentas carnes grelhadas e assadas; a bistecca alla fiorentina (na brasa) é uma experiência.

La Giostra €€€

Via Borgo Pinti 12r, 50122 ***Tel*** *055 24 13 41* ***Mapa*** *2 E5, 6 F2*

O salão de jantar abobadado com estilo de adega e a decoração tradicional fazem deste restaurante um dos melhores em Florença para um jantar romântico. No cardápio de influência austríaca, pratos como filé de capão, pombo assado, bife Chianina e Wienerschnitzel. Reserve no verão se quiser uma das mesas na calçada. Excelente carta de vinhos.

Osteria del Caffè Italiano €€€

V Isola delle Stinche 11/13r, 50122 ***Tel*** *055 28 93 68* ***Fax*** *055 28 89 50* ***Mapa*** *6 F3*

Você pode comer a qualquer hora do dia neste belo restaurante. Nos horários convencionais há um menu completo que destaca pratos toscanos, mas no restante do tempo você conta com excelentes queijos ou carnes maturadas, além de uma seleção de vinhos toscanos. A pizzaria ao lado é do mesmo dono.

Osteria Santo Spirito €€€

Piazza Santo Spirito 16r, 50125 ***Tel*** *055 238 23 83* ***Mapa*** *3 B2*

Atenção aos detalhes tanto na preparação como na apresentação dos pratos é o que coloca este elegante restaurante de Oltrarno à frente de seus concorrentes. Frutos do mar, carnes e massas vegetarianas são preparados a partir do zero e incluem ingredientes como baccalà (bacalhau). O terraço é especialmente agradável nas noites de verão.

Cantinetta Antinori €€€€

Piazza Antinori 3, 50123 ***Tel*** *055 235 98 27* ***Fax*** *055 235 98 77* ***Mapa*** *5 C2*

Mais que um bar de vinhos e menos que um restaurante completo, este salão no piso térreo de um dos mais belos palácios renascentistas de Florença é uma opção encantadora. Há pratos tradicionais florentinos como dobradinha e massa ao molho de pato, e uma fina seleção de vinhos Antinori. Fecha sáb e dom.

Garga €€€€

Via del Moro 48r, 50123 ***Tel*** *055 239 88 98* ***Mapa*** *5 B2*

Clássico florentino dirigido por Giuliano, figura estimada na cidade, o Garga é divertido e costuma lotar. As paredes têm afrescos deslumbrantes e há vários ambientes aconchegantes à sua escolha. Alguns pratos são melhores do que outros, mas o taglierini del Magnifico (massa com molho cremoso de laranja e menta) é divino.

Cibreo €€€€€

V Andrea del Verrocchio 8r, 50122 ***Tel*** *055 234 11 00* ***Fax*** *055 24 49 66* ***Mapa*** *4 F1*

Este restaurante oferece pratos tradicionais toscanos bem preparados em um cenário elegante. Embora não haja massas, oferece sopas sublimes e esmerados pratos florentinos como dobradinha, crista de galo e rins. Opções mais seguras incluem cordeiro com alcachofras e pombo recheado. Fabulosas sobremesas. Fecha dom e seg.

Enoteca Pinchiorri €€€€€

Via Ghibellina 87, 50122 ***Tel*** *055 24 27 77* ***Fax*** *055 24 49 83* ***Mapa*** *4 E1*

Frequentemente descrito como o melhor restaurante da Itália, tem uma das adegas mais completas da Europa, com mais de 80 mil garrafas. No piso térreo de um palazzo do século 15, o ambiente também é muito especial, mas a comida toscana e francesa ultrarrefinada e o serviço pomposo não agradam a todos. Fecha dom e seg.

Fuor d'Acqua €€€€€

Via Pisana 37r, 50143 (west of city centre) ***Tel*** *055 22 22 99*

Muitos locais dizem que este é o melhor restaurante de peixes de Florença; é também um dos mais caros. Sem dúvida, os peixes são muito frescos sendo entregues por barcos de Versilia e preparados sem muita invencionice. Alguns crustáceos são servidos crus. Prove a fina massa preta com calamar e sálvia. Fecha dom.

Oliviero €€€€€

Via delle Terme 51r, 50123 ***Tel*** *055 21 24 21* ***Mapa*** *5 C3*

Há uma atmosfera vagamente retrô neste elegante restaurante no centro da cidade, mas a comida toscana é o máximo em criatividade e sabor. Há pratos interessantes de peixe e carne –prove a galantine de coelho ou steak de atum salteado com gengibre e favas brancas. O serviço é profissional e há uma excelente carta de vinhos. Fecha dom.

Onice €€€€€

Viale Michelangelo 78, 50125 ***Tel*** *055 68 16 31* ***Fax*** *055 658 25 44* ***Mapa*** *4 F3*

Este restaurante premiado e dono de uma estrela do *Michelin* é parte do belo hotel Villa La Vedetta, voltado para a cidade e perto da Piazzale Michelangelo. O ambiente é elegante e contemporâneo, e a comida preparada com simplicidade é ótima. O menu muda a cada estação. Fecha seg.

Ora d'Aria €€€€€

Via dei Georgofili 9–11/r, 50125 ***Tel*** *055 200 16 99* ***Mapa*** *6 D4*

Venha ao Ora d'Aria para saborear culinária toscana moderna com influências californianas e francesas, servida em um ambiente elegante. O menu-degustação sazonal de cinco pratos (€60) é a melhor forma de conhecer a maneira moderna de utilizar ingredientes tradicionais do celebrado chef Marco Stabile. Reserve. Fecha dom; ago.

San Jacopo €€€€€

Borgo San Jacopo 62r, 50125 ***Tel*** *055 28 16 61* ***Fax*** *055 29 11 14* ***Mapa*** *5 C4*

Um dos restaurantes mais novos da cidade, fica em um fabuloso cenário na margem sul do Arno. Ao fazer a reserva, peça uma das mesas no pequeno terraço. Uma atmosfera chique e arejada se harmoniza com a comida despretensiosa, porém de bela apresentação. Fãs de peixe devem provar a sopa brodetto, uma especialidade do Adriático. Fecha ter à tarde.

TOSCANA

AREZZO Buca di San Francesco €

Via San Francesco 1, 52100 ***Tel*** *0575 232 71*

Ao lado da igreja de San Francesco no centro histórico, o Buca é ideal para quem esteve admirando os afrescos da igreja. Fica no porão de uma edificação do século 14. As sugestões são a famosa ribollita (sopa de repolho e pão) toscana ou a carne bovina cozida em Chianti.

AREZZO Miseria e Nobiltà €€

Piaggia San Bartolomeo 2, 52100 ***Tel*** *0575 212 45*

Tijolos à vista e trilha sonora de soft jazz mostram que este estabelecimento é um pouco diferente dos outros restaurantes desta bela cidade nas montanhas. O design moderno é complementado por um menu com combinações inovadoras de sabores. Depois do jantar o local se transforma em um bar que fica aberto até tarde. Fecha seg, ter almoço.

ARTIMINO Da Delfina €€€

Via della Chiesa 1, 59015 ***Tel*** *055 871 80 74* ***Fax*** *055 871 81 75*

Cercado por vinhedos e algumas villas históricas interessantes, este restaurante encantador fica em uma aldeia medieval murada a apenas 22km de Florença. O dono Carlo Cioni renova as tradições culinárias de sua mãe, Delfina. A galantine de coelho e o macarrão ao molho de pato são simplesmente divinos. Fecha dom à tarde, seg, ter almoço.

CAMALDOLI Il Cedro €€

Via di Camaldoli 20, Località Moggiona, 52010 ***Tel/Fax*** *0575 55 60 80*

Um dos restaurantes mais populares da região, é conhecido por suas especialidades meticulosamente preparadas como veado e javali, que são caçados nas matas das montanhas Casentino, das quais também se tem vistas estupendas. Na primavera e no verão, peça os delicados legumes fritos. É aconselhável fazer reserva. Fecha seg; no inverno só almoço.

CASTELNUOVO BERARDENGA La Bottega del 30 €€€€

Via Santa Caterina 2, Località Villa a Sesta, 53019 ***Tel/Fax*** *0577 35 92 26*

Este premiado restaurante é dirigido por Franco Camelia e sua mulher, a francesa Hélène. O menu inclui o renomado petto di anatra con il finocchio selvatico (peito de pato com funcho selvagem). As massas são preparadas de forma diferenciada, incluindo o excelente espaguete caseiro com urtiga, menta e porcini. Boa carta de vinhos.

COLLE VAL D'ELSA Arnolfo €€€€€

Via XX Settembre 50/52A, 53034 ***Tel*** *0577 92 05 49*

Chefs treinados na França ganharam uma das poucas estrelas do *Michelin* na região para este local intimista. Os vinhos, a comida e o serviço são impecáveis, apesar do silêncio um tanto estranho para a Itália. Oferece pratos como a ribollita (sopa toscana de pão com repolho) e pombo cozido em vinho, ameixas e nozes de pinho. Fecha ter e qua.

CORTONA Osteria del Teatro €€

Via Maffei 2, 52044 ***Tel*** *0575 63 05 56*

Esta clássica trattoria serve pratos tradicionais preparados com capricho. Além das sopas excelentes, prove o risoto com porcini e açafrão ou o caramelle al radicchio rosso (massa recheada com chicória vermelha e ricota). A galinha-d'angola com cogumelos também é boa. Há também alguns vinhos que ajudam a digestão. Fecha qua.

CORTONA Preludio €€

Via Guelfa 11, 52044 ***Tel*** *0575 63 01 04* ***Fax*** *0575 63 16 82*

Suflê de queijo com peras e trufas: esta combinação incomum de sabores é típica deste restaurante que faz misturas criativas de ingredientes locais para gratificar as papilas gustativas. Suculentos pratos de carne usam gado Chianina, a renomada raça local. O menu também oferece pratos do agrado de crianças. Fecha seg no inverno.

ELBA Osteria Libertaria €€

Calata Matteotti 12, Portoferraio, 57037 ***Tel*** *0565 91 49 78*

Neste restaurante informal no lado calmo do cais de Portoferraio o menu muda diariamente de acordo com o que há disponível. Frutos do mar grelhados na churrasqueira são servidos com cozidos tradicionais. O vinho branco seco da região é o acompanhamento perfeito. As mesas da frente oferecem belas vistas do porto. Fecha dez-mar.

ELBA Publius €€

Piazza del Castagneto, Località Poggio Marciana, 57030 ***Tel*** *0565 992 08* ***Fax*** *0565 90 41 74*

Comida com vista. Esta histórica trattoria tem não apenas a melhor adega da ilha, como também alternativas aos frutos do mar que imperam em todo lugar. Além de peixes, você pode optar por aves, carne de caça, cordeiro assado em ervas e uma ampla variedade de queijos. Fecha seg na baixa temporada.

GAIOLE IN CHIANTI Il Carlino D'Oro €

Via Brolio, località San Regolo, 53013 ***Tel*** *0577 74 71 36* ***Fax*** *0577 35 70 77*

Comida típica caseira toscana. Crostini neri (torradas com pasta de azeitonas pretas) são seguidos por panzanella (salada de pão) no verão ou por uma sopa de favas no inverno. A massa em tirinhas ao molho de lebre também é deliciosa. Guarde espaço para galinha e coelho fritos ou fígado de novilho com sálvia.

GAIOLE IN CHIANTI Castello di Spaltenna €€€€€

Località Pieve di Spaltenna, 53013 ***Tel*** *0577 74 94 83* ***Fax*** *0577 74 92 69*

Este encantador restaurante com paredes de pedra e repleto de flores é parte de um hotel sossegado em um castelo fora de Gaiole in Chianti. Frequentado por estrangeiros, oferece versões refinadas de clássicos toscanos como pombo cozido em Chianti, cogumelos porcini frescos, sopa de grão-de-bico e, às vezes, algumas inovações.

LIVORNO Da Galileo €€€

Via della Campana 20, 57122 ***Tel*** *0586 88 90 09*

Há duas gerações, a família Piagneri encanta a clientela com autêntica cozinha local neste restaurante agradavelmente simples. Mesmo depois de cinco décadas, sua paixão por gastronomia não arrefeceu. Os peixes imperam, incluindo várias sopas, fetuccine de frutos do mar e bacalhau cozido com cebolas à moda de Livorno. Fecha qua e dom à tarde.

LUCCA Da Giulio in Pelleria €

Via delle Conce 47, 55100 ***Tel*** *0583 559 48*

É preciso reservar antes e entrar no espírito deste restaurante de bairro sempre animado, tempestuoso e extremamente lotado. Este é o reino de substanciosos pratos locais como zuppa di farro (sopa toscana de favas brancas e espelta) e polenta, portanto, não há surpresas gastronômicas. Os preços são muito razoáveis.

LUCCA Vecchia Trattoria Buralli €

Piazza Sant'Agostino 10, 55100 ***Tel*** *0583 95 06 11*

Esta trattoria oferece um menu vegetariano completo nas noites de sexta-feira. Prove a zuppa alla frantoiana à base de legumes. De sobremesa, peça buccellato di Lucca, um pudim quente de pão frito, anis e passas regado com Vin Santo. A carta de vinhos apresenta receitas e vinhos locais. Fecha qua.

LUCCA Buca di Sant'Antonio €€

Via della Cervia 3, 55100 ***Tel*** *0583 558 81* ***Fax*** *0583 31 21 99*

Em um local excelente, esta taberna do século 19 restaurada serve pratos clássicos locais com um ocasional toque inovador. O coelho recheado en croute com cogumelos é excelente. No inverno, vários pratos contêm castanhas da região. Prove buccellato, o saboroso pudim local. Vinhos interessantes. Fecha dom à tarde e seg.

MASSA MARITTIMA Taverna Vecchio Borgo €€€

Via Norma Parenti 12, 58024 ***Tel/Fax*** *0566 90 39 50*

Antigos salões com abóbada cilíndrica e uma adega de vinhos tentadoramente bem abastecida. O menu geralmente apresenta massas recheadas com ricota e ao molho de nozes e ervas, assim como acquacotta (sopa de pão). O javali cozido com azeitonas e o peito de faisão ao Vin Santo também são recomendados. Fecha seg.

MONTALCINO Il Boccon Divino €€€

Via Traversa dei Monti 202, 53024 ***Tel*** *0577 84 82 33*

Perfeito para refeições ao ar livre no verão, este restaurante oferece alguns pratos interessantes e uma vista magnífica. A carabaccia (sopa de cebola) é imperdível e a scottiglia di cinghiale (javali cozido) excelente. A tábua de queijos não só de tipos locais também é interessante. Excelente carta de vinhos. Fecha ter.

MONTECATINI TERME Ristorante Montaccolle €€

Via Marlianese 27, 50016 ***Tel*** *0572 724 80*

Voltado para Montecatini e o vale abaixo, este restaurante é perfeito para usufruir sua refeição relaxadamente –as mesas externas têm vistas maravilhosas quando faz bom tempo. Excepcional hospitalidade e pratos tradicionais toscanos, como espaguete al Chianti, são as especialidades daqui. Fecha seg, almoço ter-sáb, dom, 10 dias em jul e nov.

MONTECATINI TERME Enoteca Giovanni €€€€€

Via Garibaldi 27, 51016 ***Tel*** *0572 716 95*

O tratamento inovador dado pelo chef Giovanni Rotti à cozinha local está à altura da fina coleção de vinhos em sua adega. Esta memorável experiência gastronômica é realçada pelo serviço excelente. Prove o pombo com uvas e nozes de pinho, e peça a Rotti uma sugestão da bebida mais adequada. Fecha seg.

MONTEPULCIANO Osteria Acquacheta €€

Via del Teatro 22, 53045 ***Tel*** *0578 71 70 86*

Esta rústica churrascaria toscana no coração de Montepulciano é o paraíso dos comedores de carne. Além da famosa bistecca alla fiorentina, há produtos locais como a pici, uma massa enrolada manualmente, e queijo pecorino. É pequeno e está sempre cheio, então é aconselhável reservar. Fecha ter; meados jan-meados mar.

Categorias de preço *pág. 606* **Legenda dos símbolos** *no final do guia*

MONTEPULCIANO La Grotta €€€€

Località San Biagio 15, 53045 ***Tel/Fax*** *0578 75 76 07*

Restaurante para clientes exigentes, fica defronte a uma das primeiras expressões da arquitetura renascentista na Toscana: a Igreja de San Biagio, de Sangallo, o Velho. Há especialidades como a excelente massa pici com pato e molho de açafrão. O filé de carne Chianina com aspargos e trufas também é bom. Fecha qua.

MONTERIGGIONI Il Pozzo €€€

Piazza Roma 20, 53035 ***Tel*** *0577 30 41 27*

Instalado em estábulos do século 13, este lugar é ideal para o almoço. A comida toscana é basicamente simples, mas nunca banal. Prove o tortelli al cartoccio com aroma de trufas, que é envolto em papel-alumínio para conservar melhor suas propriedades. O pombo recheado é igualmente delicioso. Fecha dom jantar, seg.

ORBETELLO Osteria del Lupacante €€

Corso Italia 103, 58015 ***Tel*** *0564 86 76 18* ***Fax*** *0564 86 05 85*

Esta agradável osteria à moda antiga fica em um lugar cada vez mais infestado por forasteiros com dinheiro. Baseada em frutos do mar, a cozinha tem um toque leve e um tanto ousado. A zuppa di pesce (sopa de peixe) é excelente. Há também um bom risoto com pitus e nozes de pinho, e linguado com amêndoas e cebolas. Fecha qua.

PESCIA Cecco €€

Via Francesco Forti 96/98, 51017 ***Tel*** *0572 47 79 55*

Este restaurante calmo e descontraído é o melhor lugar para saborear os famosos aspargos de Pescia. Outros exemplos de pratos tradicionais são o pollo al mattone (galinha cozida sob um tijolo) e fagioli al fiasco (favas cozidas em um recipiente de vidro). Em dias frios, prove o pudim cioncia, deliciosa especialidade da casa.

PIENZA Latte di Luna €€

Via San Carlo 2–4, 53026 ***Tel*** *0578 74 86 06*

Charmosa trattoria no portão oriental de Pienza, a Latte di Luna oferece comida confiável em ambiente familiar. O menu geralmente é baseado em pratos toscanos bem executados, como pici al cinghiale (massa com javali). Para experimentar um sabor típico, peça o pecorino di Pienza, o famoso queijo de ovelha da cidade. Fecha ter; fev, jul.

PISA Osteria dei Cavalieri €€

Via San Frediano 16, 56126 ***Tel*** *050 58 08 58*

Esta simpática taberna ocupa o piso térreo de uma casa medieval em forma de torre, a meio caminho entre os dois centros de ensino profissionalizante de maior renome em Pisa. É comum encontrar estudantes degustando os variados pratos especiais no almoço. O menu é maior à noite. Prove a carne bovina com favas e cogumelos. Fecha sáb almoço, dom

PISA Porton Rosso €€€

Vicolo del Porton Rosso 11, 56126 ***Tel*** *050 58 05 66*

Este restaurante no labirinto de ruas perto do mercado de Pisa tem grande fama pelos peixes. Uma refeição típica aqui inclui um antipasto di mare (antepasto de frutos do mar) seguido de gnocchi al branzino (nhoque com robalo), e baccalà (bacalhau) grelhado. Também há muitas opções de carnes. Fecha dom; ago.

PISA Ristorante V. Beni €€€

Piazza Gambacorti Chiara 22, 56125 ***Tel*** *050 25 067*

Em uma edificação do século 14, este restaurante fica a 15 minutos de caminhada da torre inclinada de Pisa, ou seja, um pouco fora da rota turística. É, porém, muito frequentado pelos locais, portanto, reserve antes. Pratos à base de peixe são a especialidade. Fecha dom.

PISTOIA La Bottegaia €€

Via del Lastrone 17, 51100 ***Tel*** *0573 36 56 02* ***Fax*** *0573 35 84 50*

Com um lado voltado para a antiga praça do mercado e outro para a catedral, este bar de vinhos animado e despretensioso conta com 300 dos melhores vinhos da Itália. O menu tem queijos, frios e outros petiscos que acompanham bem os vinhos. As sobremesas são ótimas e o serviço simpático. Fecha dom almoço, seg.

PORTO ERCOLE Osteria dei Nobili Santi €€€

Via dell'Ospizio 8, 58018 ***Tel/Fax*** *0564 83 30 15*

Não há muitas pechinchas disponíveis em Porto Ercole. Mas este pequeno restaurante de peixes oferece comida deliciosa a preço acessível. Os ótimos antipasti della casa (entradas da casa) o deixam quase saciado. Faça um esforço e poupe espaço para algum dos deliciosos pratos principais. Fecha almoço seg.

PRATO Osteria Cibbè €€

Piazza Mercatale 49, 59100 ***Tel*** *0574 60 75 09*

Em uma edificação medieval no centro da cidade, este restaurante aconchegante de gestão familiar serve bons frios locais e crostini de antepasto, seguidos por pratos toscanos clássicos como pappardelle ao molho de carne de caça. As sobremesas também são caseiras: prove as tortas de maçã e espelta. Carta de vinhos interessante. Fecha dom.

SAN GIMIGNANO Osteria delle Catene €€

Via Mainardi 18, 53037 ***Tel/Fax*** *0577 94 19 66*

Este pequeno restaurante é especializado em cozinha regional à qual imprime um toque especial. Comece com frios de javali e passe para a sopa de açafrão feita segundo uma receita medieval. A lebre cozida em vinho local também é boa, e as sobremesas caseiras merecem destaque.

SAN GIMIGNANO Dorandò €€€
Vicolo dell'Oro 2, 53037 ***Tel/Fax*** *0577 94 18 62*

Este restaurante é pequeno e muito seleto, então, reserve antes. A carta de vinhos é impressionante e os pratos estão à altura. A massa ao molho de pombo em um leito de cogumelos cremosos é deliciosa. Há várias especialidades de peixe, incluindo diabo-marinho com crosta de nozes e servido com alho-poró. Usufrua tudo sem pressa. Fecha seg no inverno.

SANSEPOLCRO Ristorante da Ventura €€
Via Aggiunti 30, 52037 ***Tel/Fax*** *0575 74 25 60*

Dirigido pela mesma família há mais de 50 anos, este charmoso restaurante serve um delicioso agnolotti al tartufo (massa recheada com trufas). Outro prato clássico é a vitela cozida lentamente em Chianti. Cogumelos também aparecem com frequência. Os biscoitos cantucci para molhar em Vin Santo são caseiros. Fecha seg e dom à noite.

SATURNIA Bacco e Cerere €€
Via Mazzini 4, 58050 ***Tel/Fax*** *0564 60 12 35*

A ampla variedade de entradas neste lugar pequeno e simpático é uma ótima introdução à cozinha tradicional de Maremma. A zuppa di ricota é uma ótima alternativa à tradicional acquacotta (sopa de legumes servida sobre torradas). A enoteca (bar de vinhos) de igual nome oferece garrafas interessantes. Fecha qua.

SIENA Enoteca I Terzi €€
Via dei Termini 7, 53100 ***Tel/Fax*** *0577 443 29*

Este restaurante tem um belo espaço abobadado e um clima simpático para saborear uma boa garrafa de vinho acompanhada de vários frios excelentes, carpaccio, carnes defumadas, steak tartare e queijos de toda a Itália. Diariamente há três pratos cozidos, que mudam confome a estação. Fecha dom.

SIENA La Compagnia dei Vinattieri €€
Via delle Terme 79, 53100 ***Tel*** *0577 23 65 68* ***Fax*** *0577 20 55 39*

Impressionante espaço subterrâneo abobadado com uma magnífica adega e alguns pratos interessantes. Você pode pedir vinho na taça e uma travessa de queijo e salame ou uma garrafa e uma refeição com pratos como sopa de bacalhau. Boas sobremesas e vinhos suaves incomuns. Apenas uma mesa externa.

SIENA La Taverna del Capitano €€
Via del Capitano 6/8, 53100 ***Tel/Fax*** *0577 28 80 94*

Perto do Duomo, este restaurante com tetos abobadados e acabamentos em madeira escura é típico de Siena. A ribollita (sopa de legumes), a tradicional massa pici com pecorino e pimentão, o ensopado de coelho e a saborosa travessa de carne recendem a antigas tradições. O vinho da casa também é bom. Fecha ter no inverno.

SIENA Osterie Le Logge €€€
Via del Porrione 33, 53100 ***Tel*** *0577 480 13* ***Fax*** *0577 22 47 97*

Em geral lotado, o restaurante mais belo de Siena tem um interior revestido de madeira escura e mármore. As mesas contam com toalhas de linho e plantas. Azeites produzidos na casa e vinhos Montalcino acompanham pratos que fogem levemente da usual cozinha toscana. A galinha-d'angola recheada é deliciosa. Fecha dom.

SIENA Cane e Gatto €€€€€
Via Pagliaresi 6, 53100 ***Tel*** *0577 28 75 45*

A culinária tradicional de Siena está presente neste restaurante familiar intimista, localizado no caminho para a Porta Romana. Não tem cardápio, somente pratos do dia com antipasto, primo, secondo e sobremesa, todos feitos com ingredientes disponíveis no mercado do dia. Não é bom para quem tem pressa. Fecha almoço, qui.

VIAREGGIO Cabreo €€€
Via Firenze 14, 55049 ***Tel*** *0584 546 43*

Em uma pequena rua lateral, este restaurante agradável se concentra em frutos do mar preparados de forma simples e servidos de forma a realçar seus aromas naturais. Há especialidades como espaguete com mexilhões, nhoque ao molho de lagosta e peixe assado. Guarde espaço para as deliciosas sobremesas caseiras. Fecha seg.

VOLTERRA Etruria €
Piazza dei Priory 6-8, 56048 ***Tel/Fax*** *0588 860 64*

Na praça principal de Volterra, o Etruria tem o interior decorado em estilo do século 19. No verão há mesas externas para refeições ao ar livre e a contemplação desta cidade antiga. Prove os antepastos, trufas ou a especialidade da casa –javali agridoce. Fecha qua.

VOLTERRA Osteria dei Poeti €€
Via Matteotti 54, 56048 ***Tel*** *0588 860 29*

Localizado em uma das principais vias da cidade, o Poeti é um ótimo local para experimentar a qualidade da culinária local. Pratos como zuppa Volterrana (sopa de pão e legumes) e massa com ragu de javali chegam rápido. Também é uma opção boa para crianças, pois começa a servir o jantar uma hora antes que a maioria dos restaurantes. Fecha qui.

VOLTERRA Del Duca €€€
Via di Castello 2, 56048 ***Tel*** *0588 815 10* ***Fax*** *0588 929 57*

Em um charmoso palazzo do século 16, este pequeno restaurante tem uma velha adega e um jardim secreto. Prove as flores de moranga fritas e recheadas com ricota e tomate. O peito de pombo cozido com açafrão e azeitonas da região é outra especialidade. Há também uma boa travessa de queijos. Fecha ter.

Categorias de preço *pág. 606* **Legenda dos símbolos** *no final do guia*

ÚMBRIA

AMELIA Anita €

Via Roma 31, 05022 ***Tel*** *0744 98 21 46* ***Fax*** *0744 98 30 79*

Fora do centro da cidade, este restaurante e hotel simples é dirigido pela família Pernazza desde 1938. Há comida da Úmbria sem invencionices, como crostini (pão ao forno com várias coberturas), carnes assadas, massa com cogumelos porcini e javali. Os doces são caseiros. Fecha seg.

ASSIS La Fortezza €

Vicolo della Fortezza/Piazza del Comune, 06081 ***Tel*** *075 81 29 93* ***Fax*** *075 819 80 35*

De gestão familiar há mais de 45 anos, este restaurante fica no meio de uma rua numa escadaria perto da piazza principal. Em geral, uma cozinha regional tão criativa quanto esta custa o dobro. Prove o canelone all'assisiana (com ragu de vitela e gratinado sob tomates e parmesão).

ASSIS Trattoria Pallotta €

Vicolo della Volta Pinta 3, 06081 ***Tel*** *075 81 26 49* ***Fax*** *075 81 23 07*

Lugar simples e caseiro, é uma das trattorias menos caras no centro da cidade. A travessa de antepastos mistos é bem grande. Opte por especialidades de Assis como torta al testo (pão recheado com diversos legumes ou pedaços de carne) e strangozzi (espaguete enrolado a mão com pesto de azeitona e cogumelo). Fecha ter.

ASSIS Medioevo €€

Via Arco dei Priori 4B, 06081 ***Tel/Fax*** *075 81 30 68*

Elegante restaurante sob as abóbadas de pedra medievais de um antigo palazzo no centro de Assis. Prove as massas caseiras (com trufas negras na estação). As carnes, como agnello al tartufo (cordeiro com trufas), seguem receitas tradicionais e o chef faz maravilhas com steaks. Ótimas sobremesas caseiras.

ASSIS Il Frantoio €€€

Vicolo Illuminati 12, 06081 ***Tel*** *075 81 29 77* ***Fax*** *075 81 29 41*

Uma fábrica de azeite do século 17 é o cenário deste refinado restaurante da Úmbria, com um encantador terraço ajardinado. O responsável pelos vinhos dirige a associação de sommeliers italianos. Prove o stringozzi paesani (fios espessos de espaguete feito a mão que levam tomates, alcachotras e lascas de pimenta).

BASCHI Vissani €€€€

Strada Statale 448, km. 606, Todi-Baschi, 05020 ***Tel*** *0744 95 02 06* ***Fax*** *0744 95 01 86*

Gianfranco Vissani é famoso em toda a Itália por seus sabores balanceados e haute cuisine de caça e carne servida em um ambiente elegante. As receitas inventivas e originais se baseiam em ingredientes regionais. A sobremesa é servida em outra sala, como na casa de uma família antiga.

CAMPIELLO SUL CLITUNNO Trattoria Pettino €€

Frazione Pettino 31, 06042 ***Tel/Fax*** *0743 27 60 21*

Ocupa uma velha casa restaurada no meio das montanhas. A bruschetta com várias coberturas é deliciosa e, na temporada, há uma série de pratos com trufas. Prove o stringozzi al tartufo (cordões de massa enrolados a mão acompanhados de trufas negras) e o agnello al tartufo (cordeiro com trufas). Fecha ter.

CITTÀ DEL CASTELLO Amici Miei €€

Via del Monte 2, 06012 ***Tel/Fax*** *075 85 59 904*

Nas despensas de tijolos abobadados de um palazzo do século 16 no centro histórico, este restaurante oferece um menu baseado em cozinha regional. Prove o strangozzi con baccalà (espaguete artesanal com bacalhau) e o cinghiale in umido con fagioli (cozido de nacos de javali servido com favas). Fecha qua.

CITTÀ DEL CASTELLO Il Bersaglio €€

Via Vittorio Emanuele Orlando 14, 06012 ***Tel*** *075 85 55 534* ***Fax*** *075 85 82 07 66*

Tradicional restaurante da Úmbria com especialidades que variam sazonalmente. O chef gosta de usar cogumelos, trufas e carne de caça. Prove o gnocchetti (pequeno nhoque) com trufas ou opte por um menu degustação de porcini preparado de várias maneiras.

FOLIGNO Villa Roncalli €€€

Via Roma 25, 06034 ***Tel*** *0742 39 10 91* ***Fax*** *0742 39 10 01*

Esta charmosa estalagem campestre do século 17 fica em meio a um jardim a cerca de 1km de Foligno. Prepara especialidades regionais usando ingredientes frescos. Prove o ravióli ou o fettucine com trufas, cordeiro no bafo, aspargos selvagens e chateaubriand com ervas do campo. Fecha seg.

GUBBIO Taverna del Lupo €

Via Ansidei 21, 06024 ***Tel*** *075 92 74 368* ***Fax*** *075 92 71 269*

Metade dos hotéis e restaurantes de Gubbio são dirigidos pela família Mencarelli, incluindo este romântico conjunto medieval de salas de jantar no centro. Peça um dos maravilhosos menus degustação que trazem uma série de pratos regionais tradicionais. Fecha seg, mas aberto seg em ago-set.

GUBBIO Locanda del Cantiniere €€

Via Dante 30, 06024 ***Tel*** *075 927 59 99*

Tijolo aparente e vigas de madeira originais acrescentam um charme rústico a este restaurante. Os ingredientes da culinária clássica da Úmbria, inclusive todas as carnes, vêm de produtores da região. O pão é assado no forno do próprio restaurante e a massa é feita todas as manhãs. Ótimo custo-benefício. Fecha ter.

MAGIONE Al Coccio €€

Via del Quadrifoglio 12a, 06063 ***Tel*** *075 84 18 29*

Este restaurante estabelecido em uma ruela tranquila fora do centro de Magione tem devoção quase fanática a ingredientes e receitas locais –até o chocolate aqui é da Perugina, uma marca famosa da capital da Úmbria. A massa caseira é feita manualmente e os pratos principais sempre incluem carnes tradicionais da região, como javali, coelho e boi. Fecha seg.

MONTEFALCO Coccorone €€

Largo Tempestivi, 06036 ***Tel*** *0742 37 95 35*

Serviço impecável e ingredientes tradicionais são as marcas registradas deste restaurante rústico na "varanda da Úmbria". Especialidades locais são apresentadas com elegância e quase sempre incluem carne cozida em vinho Sagrantino, massa com cogumelos porcini (quando for época) e trufas de diversas maneiras. Fecha qua (exceto no verão).

NARNI Cavallino €

Via Flaminia Romana 220, Località Testaccio, 05035 ***Tel/Fax*** *0744 76 10 20*

Atmosfera familiar e cozinha caseira dentro da tradição da Úmbria, incluindo massas interessantes como manfricoli e ciriole (ambas sem ovo) servidas com molho de tomate, javali ou porcini. Há também um bom scallopinho al limone (escalope de vitela ao molho de limão), carnes grelhadas e pombo. Fecha ter.

NORCIA Dal Francese €€

Via Riguardati 16, 06046 ***Tel/Fax*** *0743 81 62 90*

Esta trattoria em estilo campestre no centro de Norcia oferece um menu degustação baseado em trufas na temporada, assim como pappardelle alla norcina (talharim largo em um molho cremoso com linguiça) e agnello scottadito (cordeiro tão suculento que, como o nome diz, queima seus dedos na ânsia de comê-lo). Fecha sex.

ORVIETO La Volpe e l'Uva €

Via Ripa Corsica 1, 05018 ***Tel/Fax*** *0763 34 16 12*

Popular trattoria no centro de Orvieto, oferece vários pratos regionais a preços razoáveis. Os pratos mudam com a estação e, em paralelo às receitas de carne e caça, há uma boa seleção de peixes do lago e muitos pratos à base de ovos, em um esforço para atender aos vegetarianos. Fecha seg e ter.

ORVIETO I Sette Consoli €€€

Piazza Sant'Angelo 1A, 05018 ***Tel/Fax*** *0763 34 39 11*

Restaurante confortável e simpático instalado na sacristia de uma velha igreja, com um jardim que ganha mesas no verão. Prove o baccalà (bacalhau) marinado em vinagre de maçã com salada de batata, coelho recheado, ravióli di anatra (recheado com pato) e zuppa di fave con finocchio (sopa de favas com funcho). Fecha qua e dom à tarde.

ORVIETO Le Grotte del Funaro €€€

Via Ripa Serancia 41, 05018 ***Tel*** *0763 34 32 76* ***Fax*** *0763 34 28 98*

Impressionante sucessão de salões escavados no calcário na ponta do rochedo, que foram a oficina de um funaro (artesão que faz cordas) no século 12. Os ombrechelli del Funaro são um espaguete artesanal com tomates, linguiça, alcachofras e cogumelos. A travessa mista de carnes grelhadas é saborosa. Fecha seg.

PASSIGNANO SUL TRASIMENO Cacciatori da Luciano €€€€

Via Lungolago 3, 06065 ***Tel*** *075 82 72 10*

O menu é baseado em peixes do lago e do mar. O restaurante fica junto ao lago e os donos saem da mediterrânea Úmbria três vezes por semana para comprar frutos do mar em um mercado no litoral. Há um carpaccio com vários peixes, um risoto com diferentes tipos de pitu e camarão, e linguado grelhado. Fecha qua.

PERÚGIA Il Falchetto €

Via Bartolo 20, 06100 ***Tel*** *075 573 17 75* ***Fax*** *075 572 90 57*

Cozinha de Perúgia brilhantemente preparada em um palazzo do século 14 a poucos passos da praça principal, com mesas na piazza no verão. Independente do seu pedido, comece com o falchetti verdi (rico nhoque de espinafre e ricota que vai ao forno, com molho de tomate e queijo), seguido de vitela ou cordeiro. Fecha seg.

PERÚGIA Giò Arte e Vini €€

Via Ruggero d'Andreotto 19, 06124 ***Tel/Fax*** *075 573 11 00*

Este moderno hotel e restaurante nas cercanias da cidade é famoso por sua espetacular seleção de 1.200 vinhos, arte moderna nas paredes e pratos regionais preparados com toques especiais. O raviólí de moranga e a treccia di agnello (cordeiro) são particularmente bons. Fecha dom à tarde.

PERÚGIA La Taverna €€

Via delle Streghe 8, 06123 ***Tel*** *075 572 41 28* ***Fax*** *075 573 25 36*

O lugar ideal na cidade para um jantar à luz de velas com música romântica. Os pratos de entrada são clássicos da Úmbria –tagliatelle em ragu de pato, ravióli, sopa de favas–, mas o chef fica mais inventivo nos pratos principais. Prove o baccalà (bacalhau) com ameixas, nozes de pinho e passas. Excelentes sobremesas.

Categorias de preço *pág. 606* **Legenda dos símbolos** *no final do guia*

PERÚGIA Osteria del Gambero €€€€

Via Baldeschi 8a, 01623 ***Tel*** *075 573 54 61*

É bom reservar antes neste restaurante altamente conceituado que dá toques inovadores a pratos tradicionais da Úmbria. Prove, por exemplo, o pappardelle di crusca con lardo di colonnata (talharim largo com lardo curado, grão-de-bico, cantalupo e menta). Fecha seg.

SPOLETO Il Panciolle €€

Vicolo degli Eroi 1, 06049 ***Tel*** *0743 22 12 41* ***Fax*** *0743 22 42 89*

Os destaques deste restaurante são o grande terraço sombreado por um grande pinheiro com mesas no verão, e a sala interna com paredes de pedra onde há um forno aberto no qual são preparadas as carnes para os pratos principais. Prove o strangozzi alla montanara (massa artesanal com legumes picados e pimenta). Em geral, fechado qua.

SPOLETO Il Tartufo €€

Piazza Garibaldi 24, 06049 ***Tel*** *0743 402 36*

O piso da sala de jantar no subsolo deste restaurante especializado em trufas é datado da antiga Roma. As especialidades regionais bem escolhidas incluem delícias como zuppa di farro (sopa de espelta), flores de abobrinha recheadas com queijo, berinjela e trufas, e pato ao molho de vinho Sagrantino. Fecha seg.

SPOLETO Le Casaline €€

Località Poreta di Spoleto, Frazione Casaline, 06042 ***Tel*** *0743 52 11 13* ***Fax*** *0743 27 50 99*

Um oásis de calma em um moinho do século 18 restaurado. Prove o nhoque recheado com cogumelos, rigatoni alla norcina (tubos de massa com cogumelos, ervilhas, trufas e linguiça) ou cinghiale alla cacciatora (javali ao molho de vinho e tomate). Há também muitos pratos de ganso com inspiração campestre. Fecha seg.

TERNI Da Carlino €

Via Piemonte 1, 05100 ***Tel*** *0744 42 01 63*

Robusta comida rústica em uma edificação histórica da cidade. Comece com as crostini (torradas) servidas com salame local, seguidas talvez de tagliatelle com trufas, cordeiro ou um peixe. A especialidade da casa é stracci (massa caseira com um molho de vitela e mussarela fresca). Fecha qua.

TODI La Mulinella €

Località Pontenaia 29, 06059 ***Tel*** *075 894 47 79* ***Fax*** *075 894 82 35*

No campo a cerca de 2km de Todi, este restaurante serve pratos simples e confiáveis. Os pães feitos em forno à lenha e as massas e sobremesas caseiras são excelentes. As carni alle brace (carnes na brasa) com legumes sazonais e a pasta in ragù di anatra (pato) ou oca (ganso) são recomendadas. Fecha qua.

TODI La Torre €

Via Cortesi 57, 06059 ***Tel/Fax*** *075 894 26 94*

Na linda cidade de Todi, este restaurante serve pratos regionais de peixe, carne e caça (incluindo lebre, pato e cordeiro), muitas vezes enfeitando-os com trufas da estação. Há pudins divinos, como a crema (creme) com calda de chocolate quente. Fecha dom.

TREVI La Taverna del Pescatore €€€

Via Flaminia Vecchia 50, 06039 ***Tel/Fax*** *0742 78 09 20*

Os produtos locais mais frescos são combinados e preparados segundo ótimas receitas simples, que se baseiam em tradições da Úmbria e usam peixes de rio. Prove o gamberi di fiume alle brace ou all'arrabbiata (pitu na brasa ou apimentado). O clima e descontraído e o serviço atencioso. Fecha dom à tarde e seg à noite.

MARCHE

LORETO Andreina €€

Via Buffolareccia 14, 60025 ***Tel*** *071 97 01 24* ***Fax*** *071 750 10 51*

Uma dupla de avó e neto prepara pratos tradicionais. Massas caseiras incluem tagliatelle con ragù (talharim ao molho de carne) e há opções de caça como codorna, javali e tordo, piccione allo spiedo (pombo assado no espeto), seguidas por tentadoras sobremesas. Fecha ter.

MACERATA Osteria dei Fiori €€

Via Lauro Rossi 61, 62100 ***Tel*** *0733 26 01 42* ***Fax*** *0733 24 09 37*

Neste lugar popular a cozinha é regional e substanciosa –a exemplo do coniglio in porchetta (porco recheado com coelho). Baseada em tradições camponesas, tem receitas inspiradas pela escassez de recursos como se vê no tagliulì pelusi al sugo finto, talharim em um "molho falso" que parece ragu, mas não contém carnes caras. Fecha dom.

MACERATA Da Secondo €€€

Via Pescheria Vecchia 26-28, 62100 ***Tel/Fax*** *0733 26 09 12*

Um clima elegante e especialidades regionais bem preparadas contribuem para a popularidade deste restaurante. Não deixe de provar a lasanha local conhecida como vincigrassi alla Macerata, frittura mista (peixe frito empanado ou carne e legumes) e o maialino da latte allo spiedo (leitão assado no espeto). Fecha seg.

NUMANA La Costarella €€€€

Via IV Novembre 35, 60026 ***Tel/Fax*** *071 736 02 97*

Este restaurante especializado em peixes leva o nome da rua de 150 degraus na qual se encontra. Prove o tagliatelle fatte a mano alle seppie (talharim caseiro com tinta de lula em um ragu de siba e lula) e o peixe frito com flores de abobrinha. É aconselhável fazer reserva. Fecha ter (no inverno).

PESARO Da Gennaro €€

Via Santa Marina Alta 30, Località Santa Marina Alta, 61100 ***Tel*** *0721 273 21*

Bom lugar de cozinha genuína entre os restaurantes geralmente banais desta costa repleta de resorts. A 7km do centro da cidade, junto a uma estrada panorâmica que leva às montanhas e com ótimas vistas do litoral, o Da Gennaro serve pratos rigorosamente tradicionais de peixes e frutos do mar há 40 anos. Fecha seg.

PESARO Da Alceo €€€€€

Via Panoramica Ardizio 121, 61100 ***Tel*** *0721 39 03 18* ***Fax*** *0721 39 17 82*

Famoso restaurante de peixes com um espetacular terraço panorâmico. Vale a pena provar o nhoque ou tagliolini (talharim) com mariscos, o risoto de peixe e os scampi del Conero al vapore (pitus locais ao vapor). As sobremesas caseiras são saborosas.

SENIGALLIA Uliassi €€€€€

Via Banchina di Levante 6, 60019 ***Tel*** *071 654 63* ***Fax*** *071 65 93 27*

Este simpático restaurante dirigido pelos irmãos Mauro e Catia Uliassi oferece cozinha de alto padrão. Prove a especialidade de massa com pitus e aspargos, o robalo assado com alcachofras no bafo ao molho de soja e o stoccafisso mantecato (bacalhau) servido com purê de alho-poró.

URBANIA Big Ben €€

Corso Vittorio Emanuele 61, 61049 ***Tel/Fax*** *0722 31 97 95*

Restaurante intimista em um palazzo do século 17 no centro da cidade, tem mesas em um jardim encantador. Entre as especialidades regionais estão o tagliolini (talharim fino) com trufas, lumache (escargots) com funcho selvagem e tomates, cordeiro grelhado, bons queijos e sobremesas caseiras.

URBINO Taverna degli Artisti €

Via Bramante 52, 61029 ***Tel/Fax*** *0722 26 76*

O salão de jantar, com piso de terracota e teto adornado por afrescos renascentistas, é tão estupendo quanto a cozinha simples e boa. O menu baseado em substanciosas tradições regionais apresenta massas caseiras, cogumelos porcini, carnes grelhadas e deliciosas pizzas.

URBINO L'Angolo Divino €€

Via S. Andrea 14, 61029 ***Tel/Fax*** *0722 32 75 59*

No coração do centro histórico, este lugar rústico em um porão de paredes de tijolos e vigas de madeira serve substanciosa cozinha regional. Metade do menu é escrito no dialeto local. Prove a pasta nel sacco (com queijo, ovos e pão, e que vai ao forno) e a costarelle tla gradella (costeletas de porco grelhadas).

URBINO Cà Andreana €€€

Via Cà Andreana 2, 61029 ***Tel*** *0722 32 78 45*

Para experimentar a autêntica culinária local, dirija-se a esta fazenda a 5km dos muros de Urbino. Muitos dos ingredientes, inclusive os diversos queijos e o salame, são caseiros e orgânicos. As massas são feitas à mão. É essencial reservar. Somente jantar ter-sáb; somente almoço dom. Fecha jan-fev.

URBINO Vecchia Urbino €€€

Via dei Vasari 3-5, 61029 ***Tel/Fax*** *0722 44 47*

Restaurante elegantemente rústico em uma edificação do século 16, serve pratos tradicionais preparados de maneira simples, incluindo vincigrassi (lasanha de galinha, presunto e vitela), raviolone al tartufo (recheado com ricota e acompanhado de trufas negras), coelho e polenta com cogumelos.

ROMA

AVENTINO Felice €€€

Via Mastro Giorgio 29, 00153 ***Tel*** *06 574 68 00* ***Mapa*** *5 C3*

Um restaurante merecidamente popular que serve culinária romana tradicional. O spaghetti alla carbonara ou cacio e pepe (com queijo com pimenta) é ótima entrada, e o abbacchio arrosto (carneiro assado) e a torta di ricotta completam o banquete. É sempre bom reservar. Fecha dom jantar.

AVENTINO Checchino dal 1887 €€€€€

Via di Monte Testaccio 30, 00153 ***Tel*** *06 574 38 16* ***Mapa*** *6 D4*

Especializado em cozinha romana tradicional, usa o quinto quarto (vísceras). Originalmente descartadas pelo matadouro em frente, as vísceras viraram iguarias para a classe trabalhadora. O menu inclui rigatoni alla pajata (intestinos de bezerro), coda alla vaccinara (rabada) e carciofi alla romana (alcachofras com menta).

CAMPO DE' FIORI Ar Galletto €€€

Vicolo del Gallo, 00186 ***Tel*** *06 686 1714* ***Mapa*** *9 C4*

Esta popular trattoria serve pratos italianos honestos e seu penne all'arrabbiata (massa ao molho de tomate picante) merece uma menção especial. Mas sua principal atração é a localização. Em meses mais quentes, há mesas externas na esquina da Piazza Farnese, com vista para as fontes e o vasto Palácio Farnese. Fecha dom; 1 semana ago.

CAMPO DE' FIORI Ditirambo €€€

Piazza della Cancelleria 75, 00186 ***Tel*** *06 687 16 26* ***Mapa*** *2 E4*

Este pequeno restaurante, uma mistura de bistrô francês e osteria romana, é especializado em pães, massas e sobremesas, tudo caseiro. Também oferece uma das maiores seleções de vinhos e queijos da cidade. A culinária é estritamente italiana e o menu criativo muda frequentemente. O serviço é simpático e relativamente rápido.

CAMPO DE' FIORI Monserrato €€€

Via Monserrato 96, 00186 ***Tel*** *06 687 33 86* ***Mapa*** *2 D4, 9 B4*

Popular e bem localizado, com mesas ao ar livre no verão, o Monserrato é renomado pela qualidade de seus peixes e frutos do mar. O serviço é impecável e os peixes chegam frescos todo dia. A massa bigoli com pitus e aspargos e o robalo são excelentes. Há também apetitosos steaks e pratos de carne.

CAMPO DE' FIORI Sora Lella €€€€

Via Ponte Quattro Capi 16, 00186 ***Tel*** *06 686 16 01* ***Mapa*** *6 D1*

Com localização invejável na encantadora Isola Tiberina, o Sora Lella foi fundado pela famosa atriz Lella Fabrizi em 1959. Os excelentes pratos incluem tonnarelli alla cuccagna (massa fresca com linguiça, presunto e nozes) e quiche de alcachofra, batata e queijo defumado, além de deliciosos menus vegetarianos e de peixe. Serviço simpático.

CAMPO DE' FIORI Camponeschi €€€€€

Piazza Farnese 50, 00186 ***Tel*** *06 687 49 27* ***Fax*** *06 686 52 44* ***Mapa*** *2 E5, 9 C4*

Um dos melhores restaurantes de Roma, oferece vistas maravilhosas da Piazza Farnese. A cozinha refinada faz uma fusão criativa de influências italianas e mediterrâneas. Excelentes pratos de peixe e carne. Sua cantina tem mais de 400 vinhos, incluindo uma marca própria da vinícola da família. Abre apenas à noite.

CAMPO DE' FIORI Piperno €€€€€

Via Monte de' Cenci 9, 00186 ***Tel*** *06 68 80 66 29* ***Mapa*** *2 F5, 10 D5*

Este restaurante foi aberto em meados dos anos de 1800. Embora a versão original não mais exista, seu nome ainda mantém prestígio como uma das melhores cozinhas judaico-romanas. A massa artesanal é feita todo dia; o peixe chega diariamente. O vinho da casa é um delicioso Frascati. Prove o carciofi alla giudia (alcachofras fritas). Reserve antes.

CARACALLA Tramonti & Muffati €€

Via di Santa Maria Ausiliatrice 105, 00181 ***Tel*** *06 780 13 42*

Agradável enoteca próxima à Via Appia e à estação de metrô Furio Camillo. Vinhos excelentes complementam os pratos do dia e os bem selecionados salames e queijos. As combinações criativas de ingredientes locais funciona. Abre apenas à noite. Recomenda reservas.

ESQUILINO Scoglio di Frisio €€

Via Merulana 256, 00185 ***Tel*** *06 487 27 65* ***Mapa*** *7 C1*

Frequentado por turistas, este animado restaurante napolitano oferece cozinha autêntica em um ambiente animado. Excelentes pizzas e frutos do mar. Prove o spigola all'acqua pazza (robalo aferventado com ervas), servido com vinho da Campanha, seguido da deliciosa babà de sobremesa. Cantoria napolitana à noite.

ESQUILINO Monti €€€

Via di San Vito 13a, 00185 ***Tel*** *06 446 65 73* ***Mapa*** *4 D4*

Muito popular, esta trattoria oferece cozinha sazonal do Marche, a exemplo da lasanhatte de legumes, coelho ou galinha cozidos com ervas e peru ao vinagre balsâmico. O serviço é competente, a carta de vinhos excelente e as sobremesas deliciosas. Serve peixe frescos do Adriático às sextas-feiras. Recomenda reservas.

ESQUILINO Agata e Romeo €€€€€

Via Carlo Alberto 45, 00185 ***Tel*** *06 446 61 15* ***Mapa*** *4 D4*

Originalmente uma trattoria, agora este restaurante tem renome internacional. A chef Agata usa os melhores ingredientes em um menu sempre inovador, baseado na cozinha romana e do sul da Itália. Seu marido, o sommelier Romeo, se ocupa da harmonização entre os vinhos e os pratos. O menu degustação é excepcional.

JANICULUM Lo Scarpone €€€

Via San Pancrazio 15, 00152 ***Tel*** *06 581 40 94* ***Fax*** *06 58 33 27 02* ***Mapa*** *5 A1*

Entre a cidade e o campo, no topo da colina Janículo, este restaurante elegante faz você ter Roma a seus pés. Seu jardim é muito agradável no verão. A decoração interna é encantadoramente rústica. Boa comida tradicional, com pratos à base de peixe e carnes grelhadas.

LATERANO Hostaria Isidoro €€

Via di San Giovanni in Laterano 59a, 00184 ***Tel*** *06 700 82 66* ***Mapa*** *7 B1*

Este restaurante, localizado em um ex-convento do século 17 na mesma rua do Coliseu, é um dos preferidos dos romanos nos últimos 50 anos. É famoso pelo seu assaggini, um prato com pequenas porções de todos os tipos diferentes de pratos vegetarianos do menu. A outra especialidade da casa é para quem gosta de carne: bife grelhado.

LATERANO I Clementini €€

Via San Giovanni in Laterano 106, 00184 ***Tel*** *06 454 263 95* ***Mapa*** *7 B1*

Frequentado por seminaristas irlandeses do vizinho mosteiro San Clemente, assim como por locais, esta trattoria de bairro serve cozinha clássica romana. Espaguete alla carbonara, bucatini all'amatriciana (um molho picante de tomate e bacon), carciofi alla romana (alcachofras com menta), coelho e cordeiro são pratos típicos.

LATERANO San Lollo €€€

Via dei Sabelli 51, 00185 ***Tel*** *06 494 07 26* ***Mapa*** *4 F4*

O dono desta trattoria siciliana é de Palermo e serve pizza, grelhados e pratos clássicos com um toque criativo. Os exemplos são caponata (ratatouille), vermicelli con la mollica (anchovas, raspas de casca de laranja e miolo de pão) e paccheri alla norma (massa com ricota). Excelentes sobremesas.

LATERANO Primo €€€€

Via del Pigneto 46, 00176 ***Tel*** *06 701 38 27* ***Mapa*** *8 F1*

Este restaurante chique-minimalista serve pratos de alta gastronomia preparados com ingredientes de primeira, como a minilasanha com aspargo, queijo castelmagno e ovo pochê. Os sommeliers da casa aconselham os melhores vinhos para acompanhar os pratos. Reserve. Fecha seg.

PIAZZA DELLA ROTONDA Da Gino €€

Vicolo Rosini 4, 00186 ***Tel*** *06 687 34 34* ***Mapa*** *2 F3, 10 D1*

Simpático restaurante sempre lotado de políticos e jornalistas. O interior antiquado com afrescos é voltado para uma charmosa pérgula utilizada quando faz bom tempo. Pratos clássicos romanos incluem espaguete alla carbonara, abbacchio alla cacciatora (prato de cordeiro), seppie con piselli (siba com ervilhas) e coelho.

PIAZZA DELLA ROTONDA Grano €€

Piazza Rondanini 53, 00186 ***Tel*** *06 68 19 20 96* ***Mapa*** *10 D2*

O Grano serve culinária mediterrânea clássica para uma clientela variada. Pratos grandes de especialidades locais, como spaghetti alla carbonara e bucatini all'amatriciana (molho apimentado de tomate com bacon) são servidos de entrada, seguidos de leitão assado. Nos meses mais quentes há mesas ao ar livre.

PIAZZA DELLA ROTONDA Maccheroni €€

Piazza delle Coppelle 44, 00186 ***Tel*** *06 68 30 78 95* ***Mapa*** *2 F3*

Este restaurante adiciona um charme moderno à classica trattoria. A comida é similar, misturando pratos romanos tradicionais (o spaghetti alla carbonara é muito bom) com alguns mais incomuns, como fettuccine al tartufo (com trufas). As carnes grelhadas são boas opções de pratos principais. Mesas ao ar livre, mas reserve nos fins de semana.

PIAZZA DELLA ROTONDA Obika €€€

Piazza Firenze 28, 00186 ***Tel*** *06 683 26 30* ***Mapa*** *10 D1*

Este local ultramoderno é o equivalente italiano ao sushi bar –sem o sushi e com uma grande variedade de queijos, servidos de diversas maneiras: com prosciutto, como ingrediente principal em massas, grelhados, defumados ou puros. A carta de vinhos inclui rótulos do sul da Itália também servidos por taça. Serviço simpático e ótima localização.

PIAZZA DELLA ROTONDA Clemente alla Maddalena €€€€

Piazza della Maddalena 4/5, 00186 ***Tel*** *06 683 36 33* ***Mapa*** *2 F3, 10 D2*

Defronte à igreja de Maddalena, este palazzo do século 16 tem salas de jantar revestidas de madeira e um belo terraço no verão. Sua cozinha criativa produz torta de anchova, orégano e tomate; massa paccheri com mexilhões e nabo; espaguete com pesto de chicória; e galinha-d'angola com polenta. Excelente carta de vinhos e serviço atencioso.

PIAZZA DELLA ROTONDA Riccioli Café €€€€

Via delle Coppelle 13, 00186 ***Tel*** *06 68 21 03 13* ***Mapa*** *2 F3*

Este local da moda serve frutos do mar em abundância. O proprietário e chef criou uma fusão da culinária mediterrânea clássica com sushis e sashimis. Também há bons pratos de peixes e queijos grelhados, além de uma ampla carta de vinhos estrangeiros e de um bar de ostras. Abre para almoço (bufê) e happy-hour.

PIAZZA DELLA ROTONDA Da Fortunato al Pantheon €€€€€

Via del Pantheon 55, 00186 ***Tel*** *06 679 27 88* ***Mapa*** *2 F3*

Popular entre políticos e atores italianos, o elegante Da Fortunato também é procurado por turistas e moradores da região. O menu apresenta peixes e frutos do mar frescos –um dos preferidos é o linguado assado com batatas–, além de outros clássicos italianos. De outubro a meados de dezembro as trufas de Alba roubam a cena.

PIAZZA DI SPAGNA Tad Café €

Via del Babuino 155a, 00187 ***Tel*** *06 95 06 14 82* ***Mapa*** *3 A2*

Perto da Piazza del Popolo, este café moderno tem um pitoresco pátio com jardim onde serve pratos do dia e refeições leves. Muito frequentado por romanos endinheirados após uma manhã de compras. A comida tem inspiração italiana e oriental. Recomendado para o brunch de domingo.

PIAZZA DI SPAGNA Margutta Vegetariana €€€

Via Margutta 118, 00187 ***Tel*** *06 32 65 05 77* ***Mapa*** *2 F1*

Primeiro e melhor restaurante vegetariano de Roma, seu salão de jantar é repleto de cores, plantas e obras de arte moderna, e a trilha sonora é jazz. Oferece um bufê de almoço com bom preço e um brunch domingueiro a um preço excelente. O restaurante adjacente prepara criativos pratos vegetarianos a preços bem mais altos.

Categorias de preço *pág. 606* **Legenda dos símbolos** *no final do guia*

PIAZZA DI SPAGNA Le Sorelle €€€€

Via Belsiana 30, 00187 ***Tel*** *06 679 49 69* ***Mapa*** *2 F2*

Dirigido por duas irmãs, tem uma clientela fiel e uma filial no Laterano. A atmosfera é aconchegante e a criativa cozinha é mediterrânea. Há pratos como purê de moranga com pitus; sopa de farro (espelta) com trufas; massa com bacon e radicchio; e patê de rabada. Boa carta de vinhos.

PIAZZA DI SPAGNA Casina Valadier €€€€€

Piazza Bucarest, 00187 ***Tel*** *06 69 92 20 90* ***Fax*** *06 679 12 80* ***Mapa*** *2 F1*

Este palácio histórico situado dentro da Villa Borghese fica a 10 minutos de caminhada do alto da Scalinata di Spagna. A criativa comida italiana é servida nos salões em dois andares. Há também um espaçoso terraço com vistas espetaculares da cidade.

PIAZZA DI SPAGNA Hassler-Roof Garden €€€€€

Piazza Trinità dei Monti 6, 00187 ***Tel*** *06 69 93 40* ***Fax*** *06 69 94 16 07* ***Mapa*** *3 A2*

No terraço do Hotel Hassler Roma, este restaurante voltado para a Scalinata di Spagna proporciona um panorama dos telhados da velha Roma. Com serviço impecável e comida deliciosa com um toque criativo, é ideal para uma refeição romântica ou um momento de pura extravagência.

PIAZZA DI SPAGNA Le Jardin de Russie €€€€€

Via del Babuino 9, 00187 ***Tel*** *06 32 88 88 70* ***Mapa*** *2 F1*

Cercado por belos jardins, serve boa comida italiana. Sempre mudando, o menu oferece pratos tentadores como foie gras com chutney de tangerina, fettuccine com cogumelos porcini, dourado com trufas e endívia, e mel com peras ao vinho tinto. Tem um menu para crianças.

PIAZZA DI SPAGNA Porto Maltese €€€€€

Via San Sebastianello 6B, 00187 ***Tel*** *06 678 05 46* ***Mapa*** *3 A2*

Agitado e simpático de dia e hipnotizante à noite, o Porto tem uma rampa de entrada que leva a um enorme aquário com lagostas, pitus e peixes. Há pratos como strozzapreti all'amatriciana di mare (massa com peixe defumado e tomate), e o sistema de cobrança é pelo peso das porções.

PIAZZA NAVONA Da Baffetto €

Via del Governo Vecchio 114, 00186 ***Tel*** *06 686 16 17* ***Mapa*** *9 B3*

A pizzaria mais requisitada da cidade. Não aceita reservas, a fila é sempre longa e conseguir uma mesa aqui é um desafio –mesmo quando você consegue, tem que sentar junto a desconhecidos. O ambiente é animado e barulhento e a pizza é fina e leve, do jeito que os romanos gostam.

PIAZZA NAVONA Cul de Sac €€

Piazza Pasquino 73, 00186 ***Tel*** *06 6880 1094* ***Mapa*** *2 E4, 9 C3*

Com 30 anos de experiência, este é o bar de vinhos mais antigo de Roma. Oferece milhares de vinhos da Itália e de outros países, e o menu é igualmente rico em opções. Espadarte defumado, creme de lentilhas vermelhas, tomates secos, linguiças de grão-de-bico, queijos, salames e patês compõem substanciosas refeições.

PIAZZA NAVONA Da Luigi €€€

Piazza Sforza Cesarini 24, 00186 ***Tel*** *06 686 5946* ***Mapa*** *9 B3*

O chef daqui oferece tradicional cozinha romana em um menu extremamente abrangente que agrada a todos os paladares. Há várias saladas, carpaccio de peixe, ostras frescas, massas, peixes grelhados, carnes e clássicos romanos como miolos fritos e cordeiro assado.

PIAZZA NAVONA Il Cantuccio €€€€

Corso Rinascimento 71, 00186 ***Tel*** *06 68 80 29 82* ***Mapa*** *2 E3, 9 C2*

Deslumbrante à noite com seus espelhos e luz de velas, é frequentado por ricos e famosos. Prove as massas e a sopa de batata, saboreadas com ovas de bacalhau e queijo pecorino; rodovalho assado envolto em batatas, tomates e azeitonas; e encerre com profiteroles ou Vin Santo com biscoitos cantuccini. Ótimo serviço e funciona até tarde.

QUIRINAL Antica Birreria Peroni €

Via di San Marcello 19, 00187 ***Tel*** *06 679 53 10* ***Mapa*** *3 A4, 10 F3*

Lotado no almoço e frequentado por grupos grandes, esta cervejaria Art Nouveau oferece boa comida em porções fartas. Travessas de queijo e salame, saladas, massas, linguiças, hambúrgueres e goulash são acompanhados pela excelente cerveja Peroni. Serviço eficiente.

QUIRINAL Ristorante del Giglio €€€

Via Torino 137, 00184 ***Tel*** *06 488 16 06* ***Mapa*** *3 C3*

Perto da Casa de Ópera e da Via Nazionale, este antigo restaurante familiar é um favorito dos locais devido ao serviço eficiente, aos bons vinhos e à cozinha clássica. Prove o fettucine alla Tosca (com ricota e tomates frescos) ou o delicioso rodovalho ao forno com batatas e tomates.

QUIRINAL F.I.S.H. €€€€

Via dei Serpenti 16, 00184 ***Tel*** *06 47 82 49 62* ***Mapa*** *3 B4*

Um dos restaurantes mais em voga na cidade, é dirigido por dois irmãos italianos que viveram muitos anos na Austrália. Decorado em preto e vermelho, o L'Aqua Bar é ideal para um aperitivo com ostras. O Sushi Bar oferece cerveja japonesa com sushi e sashimi, ao passo que o Grill Lounge prepara tentadores peixes frescos. Somente jantar.

QUIRINAL Al Presidente €€€€

Via in Arcione 95, 00187 ***Tel*** *06 679 73 42* ***Mapa*** *3 A3*

Um dos melhores restaurantes de Roma, oferece cozinha moderna, decoração elegante e ótimos vinhos. É ideal para conversas íntimas. A poucos passos da Fontana di Trevi, tem também um terraço ao ar livre. Os ingredientes são bem pesquisados antes de qualquer mudança no menu, em que prevalecem os pratos de peixe. Menus degustação no jantar.

TERMINI Da Vincenzo €€€

Via Castelfidardo 4/6, 00185 ***Tel*** *06 48 45 96* ***Mapa*** *4 D2*

Peixes são a especialidade deste antigo restaurante de bairro, perto de Termini. Comece com os excelentes antepastos de frutos do mar ou com espadarte defumado. Como prato principal, peça tonnarelli all'astice (massa com lagosta), robalo assado ou rodovalho com batatas. Carnívoros apreciam o cordeiro assado. Deliciosas sobremesas caseiras.

TERMINI Vivendo €€€€

Via V Emanuele Orlando 3, 00185 ***Tel*** *06 47 09 27 36* ***Mapa*** *3 C3*

Recentemente reformado, agora é um dos melhores restaurantes de Roma. Elegante e moderno, serve comida italiana e internacional em uma deliciosa combinação de pratos tradicionais com ingredientes incomuns. Há um menu degustação e outro para crianças. O serviço é impecável e a carta de vinhos extensa.

TRASTEVERE Da Lucia €€

Vicolo del Mattonato 2b, 00153 ***Tel*** *06 580 3601* ***Fax*** *06 58 31 06 49* ***Mapa*** *5 B1*

Pequena trattoria familiar em uma bela viela de Trastevere, tem poucas mesas internas e outras externas no verão. A cozinha é excelente, apesar da opção limitada de pratos. Isso inclui alici al limone (anchovas ao suco de limão), massa com brócoli e arraia-lixa, coelho, dobradinha e carne com cebola.

TRASTEVERE Ripa 12 €€€

Via di San Francesco a Ripa 12, 00153 ***Tel*** *06 580 9093* ***Mapa*** *5 C2*

No sul de Trastevere, longe da agitação turística, o Ripa 12 serve excelente cozinha mediterrânea enfocada em peixes. Carpaccio de robalo marinado é a entrada da casa, seguido do peixe fresco do dia ou uma travessa de frutos do mar fritos. Um grande favorito dos locais.

TRASTEVERE Antica Pesa €€€€€

Via Garibaldi 18, 00153 ***Tel*** *06 580 92 36* ***Mapa*** *2 D5, 5 B1, 9 B5*

Dentro da antiga alfândega do Estado Papal do século 17, o Antica Pesa tem um belo pátio ajardinado, no qual se jogava boliche no século 19. O menu de excelente cozinha mediterrânea muda de acordo com a inspiração do chef e as estações. Extensa carta de vinhos. Ótimo lugar para refeições sem pressa.

TRASTEVERE Enoteca Ferrara €€€€€

Via del Moro 1a, 00153 ***Tel*** *06 58 33 39 20* ***Mapa*** *2 E5, 9 B5*

Em um palazzo do século 17 atrás da Piazza Trilussa, a Enoteca Ferrara fica próxima à Ponte Sisto. Bar de vinhos, loja e restaurante, oferece serviço hospitaleiro em seus cinco salões. A cozinha é extremamente boa e criativa, e a carta de vinhos tem mais de mil exemplares.

TRASTEVERE La Gensola €€€€€

Piazza della Gensola 15, 00153 ***Tel*** *06 581 63 12* ***Mapa*** *6 D1*

Importante ponto de encontro de artistas no final do século 19, o La Gensola agora é um baluarte da culinária siciliana baseada em peixes frescos e aromas mediterrâneos. Claudio e Irene, o casal proprietário, criaram um ambiente informal, onde servem especialidades como o delicioso atum tártaro com molho de raiz-forte. Boa adega e sobremesas caseiras.

VATICANO Osteria dell'Angelo €€

Via G Bettolo 24-32, 00195 ***Tel*** *06 372 94 70* ***Mapa*** *1 B1*

Cozinha atemporal em um cenário informal e agitado. No menu há espaguete cacio e pepe (pecorino e pimentão), alla gricia (pecorino e bacon), torta de anchova, baccalà (bacalhau) e outros clássicos do repertório romano, seguidos por Vin Santo e biscoitos. Excelente menu a um preço acessível. É essencial reservar.

VATICANO Taverna Angelica €€€

Piazza A. Capponi 6, 00193 ***Tel*** *06 687 45 14* ***Mapa*** *3 C2*

Criativa cozinha regional é servida neste moderno restaurante, com especialidades como carpaccio de peixe, massa strangozzi com pitus e pimentões, peito de pato cozido em laranja; rodovalho e ervas assados em papel-alumínio. Sobremesas, como sorvete de pera e coentro, seduzem até as almas mais frugais.

VATICANO Dal Toscano €€€€

Via Germanico 58, 00192 ***Tel*** *06 39 72 57 17* ***Mapa*** *1 B2*

Restaurante popular e sempre confiável, tem mesas externas no verão e um salão revestido de madeira. Há pratos de carne excelentes e ótimos vinhos tintos. O menu apresenta pappardelle sulla lepre (massa ao molho de lebre), polenta e cogumelos porcini, e bistecca alla Fiorentina (steak com osso).

VATICANO Da Benito e Gilberto €€€€€

Via del Falco 19, 00193 ***Tel*** *06 686 77 69* ***Mapa*** *1 C2*

Restaurante pequeno e elegante com pinturas enfeitando as paredes. O menu muito bom serve apenas os frutos do mar e peixes mais frescos, exibidos em um balcão frigorífico. Embora simples, os pratos são bem preparados, a carta de vinhos é boa e o serviço extremamente cordial. Recomenda reservas. Fecha dom e seg.

VATICANO La Pergola €€€€€

Via A Cadlolo 101, 00136 ***Tel*** *06 35 09 21 52* ***Fax*** *06 35 09 21 34*

Vale a corrida de táxi nas colinas acima do Vaticano para ir a este restaurante que é tido como o melhor de Roma. Dirigido pelo famoso chef alemão Heinz Beck, serve uma comida maravilhosa em um terraço panorâmico conquistando até os críticos mais empedernidos. Há um excelente menu degustação e vinhos que se harmonizam com os pratos.

VIA VENETO Taverna Flavia €€€

Via Flavia 9, 00187 ***Tel*** *06 474 52 14* ***Mapa*** *3 C2*

Perto da Via XX Settembre, esta velha e celebrada taberna evoca nostalgia, com fotos autografadas de astros de cinema norte-americanos nas paredes. Elizabeth Taylor e Richard Burton sempre comiam aqui quando estavam filmando *Cleópatra*. A comida continua excelente e altamente requisitada, com pratos que têm o nome de musas famosas.

VIA VENETO La Terrazza, Hotel Eden €€€€€

Via Ludovisi 49, 00187 ***Tel*** *06 47 81 27 52* ***Fax*** *06 481 44 73* ***Mapa*** *3 B2*

Com uma linda vista da cidade, este é um dos restaurantes mais atraentes de Roma e, para algumas pessoas, seus preços elevados compensam. O serviço é primoroso e o jovem chef combina cozinha internacional com toques mediterrâneos. Há também um menu degustação com vinho incluído.

VIA VENETO Mirabelle €€€€€

Via di Porta Pinciana 14, 00187 ***Tel*** *06 42 16 88 38* ***Mapa*** *3 B1*

No sétimo andar de um hotel elegante, o Mirabelle tem um lindo terraço panorâmico, uma agradável sala de jantar e serviço de primeira. A carta de vinhos bem compilada complementa a cozinha memorável, a exemplo de risoto com açafrão e aspargo, pato com laranja e spigola al vapore (perca ao vapor). Reserve antes.

VILLA BORGHESE Caffè delle Arti €€€

Via A Gramsci 73, 00197 ***Tel*** *06 32 65 12 36*

Lugar sereno para dar uma boa pausa, este café-restaurante fica na área do Museu de Arte Moderna, no alto da Villa Borghese. As belas salas de jantar e os jardins são perfeitos não só para um café ou um aperitivo, como também para lanches leves e alguns pratos a qualquer hora do dia. Serve um bom brunch aos domingos.

VILLA BORGHESE Duke's €€€€

Viale Parioli 200, 00197 ***Tel*** *06 8066 2455*

Atraindo os ricos e famosos de Roma todas as noites, funciona como bar para um aperitivo com petiscos, ponto noturno e excelente restaurante. A cozinha é fusion californiana, com influências do Oriente, México e Mediterrâneo. O serviço é bem profissional e o terraço externo encantador.

VILLA BORGHESE Baby €€€€€

Via Ulisse Aldrovandi 15, 00197 ***Tel*** *06 321 61 26*

É dirigido pela renomada dupla de marido e mulher por trás do Don Alfonso (um dos melhores restaurantes da Itália) na Costa Amalfitana. Notável cozinha de inspiração napolitana é servida em um belo salão de jantar e em um terraço do Hotel Aldrovandi Palace, um dos melhores de Roma.

LÁCIO

ALATRI La Rosetta €

Via del Duomo 39, 03011 ***Tel*** *0775 43 45 68*

Restaurante calmo perto da acrópole do 6º século a.C. O menu muda sazonalmente, mas todas as massas são feitas diariamente no local. Prove a lasanha da casa ou a especialidade maccheroni alla ciociara (massa com um molho de vinho, ervas, bacon e carne).

AMATRICE Roma €

Via dei Bastioni 29, 02012 ***Tel*** *0746 82 57 77*

Desde 1896 este hotel e restaurante produz o que é tido como a melhor versão do famoso prato típico desta cidade montanhesa: spaghetti all'amatriciana (massa com tomates, pimentão vermelho e bacon por cima). Mesas no terraço nos meses mais quentes.

BRACCIANO Vino e Camino €€€

Piazza Mazzini 11, 00062 ***Tel*** *06 99 80 34 33*

Na praça principal da cidade e com mesas externas que têm vista para o imponente Castello Odescalchi, este restaurante oferece uma mistura de tradições desta e de outras regiões da Itália. O chef faz bom uso do lago adjacente, embora haja também muitos pratos de carne e legumes. Normalmente, jazz ao vivo na primeira quinta-feira do mês.

CERVETERI Da Fiore €€

Via San Paolo 4, Località Procoio di Ceri, 00052 ***Tel*** *06 99 20 72 75*

Trattoria campestre simples com especialidades como massas caseiras com ragu, penne al padellaccio (com linguiça, presunto de Parma, tomates secos, porcini e queijo), coelho e carnes grelhadas. As bruschette (torradas) com várias coberturas e as pizzas também são boas.

FRASCATI Domus Park Hotel Taberna €€€

Via Tuscolana km. 18, 00044 ***Tel*** *06 940 85 87*

Com salões modernos e iluminados rodeados por verde, este restaurante fica na estrada que liga Roma a Frascati. Oferece diversas opções de comida e vinhos, inclusive o Frascati local. Especializado em peixes, serve o clássico antepasto de frutos do mar seguido por linguine riviera (com molho de peixe-espada, robalo e legumes da estação).

FRASCATI Nuova Enoteca Frascati €€€€

Via Diaz 42, 00044 ***Tel*** *06 941 74 49*

Mais de 400 vinhos acompanham a excelente gama de pratos de frutos do mar neste bar de vinhos e restaurante. A cozinha produz a chamada "new country", mistura de tradição e inovação que resulta em um antepasto de peixes crus sortidos e em astice (lagosta) aferventada com tomate, batata e abobrinhas.

GAETA Antico Vico €€€€€

Vico del Cavallo 2, 04024 ***Tel*** *0771 46 51 16*

No lugar onde funcionava um estábulo fica este restaurante fino que serve pratos clássicos e criações inovadoras, como carpaccio de lula e ravióli recheado com crustáceos. O jardim é perfeito para as noites quentes de verão, e a localização é pitoresca e conveniente.

NETTUNO Cacciatori dal 1896 €€€€

Via Matteotti 27, 00048 ***Tel*** *06 988 03 30*

Este grande restaurante rusticamente decorado fica na despensa do palazzo do século 17 da família Colonna. A varanda tem vista para o porto e o mar. O peixe vem da pesca diária e os pratos seguem receitas regionais do início dos idos de 1900. O carro-chefe é a minestra di pesce (sopa de peixe).

OSTIA ANTICA Il Monumento €€€

Piazza Umberto I 8, 00119 ***Tel*** *06 565 00 21*

Este restaurante no principal resort praiano de Roma, perto do antigo porto, tem um menu baseado em peixes. A especialidade da casa, espaguete al Monumento, é servida com molho de frutos do mar. Como segundo prato, uma boa pedida é seu patenteado manzancolle al coccio, um tipo de camarão local cozido em conhaque.

SPERLONGA Gli Archi €€€€€

Via Ottaviano 17, 04029 ***Tel*** *0771 54 83 00*

Em uma pitoresca rua no coração de Sperlonga, este restaurante oferece um ambiente romântico, especialmente nas mesas ao ar livre, em uma pequena praça rodeada por arcos. Obrigatório para quem gosta de frutos do mar, o Gli Archi serve pratos como o fusilli caseiro com abobrinha e frutos do mar, e o clássico espaguete com marisco.

TIVOLI Villa Esedra €€

Via di Villa Adriana 51, 00010 ***Tel*** *0774 53 47 16*

O menu deste especialista em peixes é típico da região, apresentando antespastos frescos como insalata ai frutti di mare (salada de frutos do mar), seguidos de linguine all'astice vivo (talharim com lagosta local) ou nhoque com radicchio e nozes, e o peixe do dia grelhado. Oferece pizzas somente à noite.

TIVOLI Adriano €€€€

Largo Yourcenar 2, 00010 ***Tel*** *0774 38 22 35* ***Fax*** *0774 53 51 22*

Charmoso restaurante em um jardim, tem fácil acesso para a Villa Adriana e outras atrações de Tivoli. A cozinha é tradicional e os vinhos vêm de vinícolas locais. Fettucine com ervas aromáticas, scrigno di venere (massa ao forno com cogumelos e ragu) ou filé de coelho ao forno são alguns pratos. Recomenda reservas.

TIVOLI Avec 55 €€€€

Via D Giuliani 55, 00019 ***Tel*** *0774 31 72 43*

Tradição revisitada e interior moderno definem este agradável restaurante escondido no centro histórico de Tivoli. No menu, pratos com uma fusão étnica e diversos clássicos com toques criativos. A cuidadosa seleção dos ingredientes é uma das prioridades aqui. Entre as sobremesas, suflê quente de chocolate com baunilha de Madagascar. Ótima carta de vinhos.

TREVIGNANO La Grotta Azzurra €€€

Piazza Vittorio Emanuele 18, 00069 ***Tel*** *069 99 94 20*

Localizado na praça central de Trevignano, com vistas espetaculares do lago, este restaurante familiar serve deliciosa culinária regional, com destaque para os peixes de água doce preparados de diversas maneiras. As mesas no jardim proporcionam refeições agradáveis nos meses mais quentes.

TUSCANIA Palazzo Ranucci €€€

Via della Torretta 8, 01017 ***Tel*** *0761 44 50 67*

Instalado em uma construção do século 15, este restaurante é renomado por seu enfoque criativo para pratos tradicionais. A especialidade da casa, agnolotti di patate e manzo (massa recheada com batata e carne), é uma entrada substanciosa, seguida por carne de javali ou filé com alecrim. Terraço com ótima vista. Reserve. Fecha sáb; dom jantar.

VITERBO Il Richiastro €€

Via della Marrocca 18, 01100 ***Tel*** *0761 22 80 09*

Em um encantador palazzo do século 13, Il Richiastro serve comida baseada em receitas camponesas medievais. Prove a sopa de farro (espelta), favas, cogumelos e endívia, seguida de carnes agridoces, mas o cardápio muda toda semana. Abre apenas de sexta-feira até o almoço de domingo; fechado no verão.

Categorias de preço *pág. 606* **Legenda dos símbolos** *no final do guia*

VITERBO Porta Romana €€

Via della Bontà 12, 01100 ***Tel*** *0761 30 71 18*

Trattoria simples com uma ampla variedade de pratos clássicos. Os ombrichelli all'amatriciana (espaguete artesanal com molho de bacon e tomate) são excelentes. No inverno, prove pignataccia, especialidade de Viterbo com vitela, carne bovina e porco cozidos em fogo lento com aipo, cenouras e batatas.

NÁPOLES E CAMPANHA

AGROPOLI Il Ceppo €€€€

Via Madonna del Carmine 31, 84043 ***Tel*** *0974 84 30 36*

Clássico restaurante mediterrâneo que serve uma maravilhosa gama de peixes locais, massas e pizzas caseiras. A especialidade da casa é tagliolini (talharim) com pitus, flores de abobrinha e mexilhões, mas o espaguete com frutos do mar, pitus ao molho de limão e a zuppa di pesce (sopa de peixe) também valem a pena.

AMALFI Il Tarì €€

Via Pietro Capuano 9-11, 84011 ***Tel*** *089 87 18 32*

Sempre lotada, esta trattoria na rua principal de Amalfi serve fabulosas pizzas como a pizza à la Tarì (com mussarela, presunto de Parma, parmesão e rúcula), boas massas e decentes pratos principais de carne e frutos do mar, dos quais o melhor é o pesce al cartoccio (a pesca do dia assada em papel-alumínio).

AMALFI La Marinella €€

Via Lungomare dei Cavalieri 1, 84011 ***Tel*** *089 87 10 43*

Restaurante animado e simpático voltado para a Costa Amalfitana e a apenas dois metros do mar. Além de peixes, serve tradicionais especialidades locais como scialatelli ai frutti di mare (massa caseira com frutos do mar e crustáceos). Abre apenas para almoço, exceto na alta temporada.

AMALFI Eolo €€€€

Via Pantalone Comite 3, 84011 ***Tel*** *089 87 12 41*

Na praia no final do calçadão da beira-mar, este restaurante muda o menu a cada 15 dias para fazer uso de ingredientes sazonais. Há somente dez mesas, mais outras três no terraço, portanto, é melhor fazer reserva. Prove o filetto di sarago (um tipo de salmão defumado e grelhado, acompanhado por um molho de ervas). Fecha jan, fev.

AMALFI La Caravella €€€€€

Via Matteo Camera 12, 84011 ***Tel*** *089 87 10 29*

Frequentado por celebridades como Andy Warhol na década de 1960, o La Caravella oferece espaços intimistas com cerâmicas coloridas e tetos pintados. As massas dividem o cardápio com pratos de frutos do mar inovadores e tradicionais. Excelente carta de vinhos e queijos das montanhas da região. Fecha ter; início jan-meados fev, nov.

AVELLINO La Maschera €€€

Rampa San Modestino 1, 83100 ***Tel*** *0825 376 03*

A decoração em vermelho e branco é apimentada com citações literárias e obras de arte notáveis. A culinária é baseada em produtos sazonais das montanhas da região. Os pratos incluem massa com molho de bacalhau e brócolis. Peça gentilmente e os funcionários vão lhe mostrar os queijos maravilhosos e a adega. Fecha 2 semanas jan.

BENEVENTO Da Gino e Pina €€€

Viale dell'Università 1, 82100 ***Tel*** *0824 249 47*

No coração do centro histórico, este restaurante oferece um menu equitativamente dividido entre pratos de carne e peixe. Prove o cardone (um tipo de cardo), o pampanelle alla Gino e Pina (massa com aspargos e mariscos), filetto di maiale con patate (filé de porco com batatas), zuppa di pesce (sopa de peixe) ou uma clássica pizza. Excelente carta de vinhos.

CAPRI La Savardina da Eduardo €€€

Via Lo Capo 8, 80073 ***Tel*** *081 837 63 00*

Um dos restaurantes mais tradicionais de Capri, tem uma pérgula ao ar livre, laranjeiras, vistas do mar e saborosas especialidades regionais como ravioli alla caprese (ravióli de queijo ao molho de tomate e mussarela), linguini all'Eduardo (talharim com anchovas e alcaparras) e coelho cozido.

CAPRI Da Gioia €€€€

Marina Piccola, 80073 ***Tel*** *081 837 7702*

Restaurante mágico em uma plataforma com diversas mesas sobre as ondas da Marina Piccola. É o lugar perfeito para almoçar peixes em pratos como o linguine ai frutti di mare (massa fina com molho de tomate e frutos do mar) ou o risotto alla pescatora (com frutos do mar). Fecha no inverno.

CAPRI La Pergola €€€€

Traversa Lo Palazzo 2, 80073 ***Tel*** *081 837 74 14*

A agradável atmosfera familiar, o grande terraço com vistas do mar e a comida deliciosa deste lugar conquistaram uma clientela fiel. Os limões têm destaque, inclusive no ravióli al limone (massa recheada com queijo, limão e coberta por molho cremoso de limão) e na torta caseira de limão. Bons peixes frescos também.

CAPRI Quisi del Grand Hotel Quisisana €€€€€

Via Camerelle 2, 80073 ***Tel*** *081 83 70 788* ***Fax*** *081 837 60 80*

Instalado no melhor hotel de Capri, este restaurante tem atmosfera elegante e um delicioso menu que muda sazonalmente. Prove o suculento pato assado com pêssegos, as massas caseiras como espaguete com frutos do mar, rodovalho com capim-limão e tâmaras, codorna com ervilhas e pistache ou o fritto misto (travessa de frutos do mar).

CAPRI (ANACAPRI) Il Solitario €€€

Via G Orlandi 96, 80071 ***Tel*** *081 837 13 82*

Desfrute o charme e a descontração desta taberna transformada em restaurante, com salões rústicos e um jardim arborizado com estátuas coloridas que representam as estações do ano. Delícias simples, como a pizza bianca e o raviôli capresi, são servidas para uma clientela internacional. Fecha qua; inverno.

CASERTA Le Colonne €€€€

Viale G. Douhet 7, 81100 ***Tel*** *0823 46 74 94*

Em uma elegante casa com jardins perto do palácio real, este restaurante de gestão familiar serve típica cozinha regional com toques inovadores. A carne, que é usada para macios steaks grelhados, é de búfalos locais (que normalmente é usado na produção de mussarela de búfala). Os melhores produtos da Campanha são usados.

ISCHIA Da Peppina di Renato €€€

Via Montecorvo 42, Località Forio, 80075 ***Tel*** *081 99 83 12*

Na encosta de uma colina, esta trattoria rústica tem um grande terraço à luz de velas, do qual se descortina panoramas da Baía Citara. Serve pratos simples como coniglio alla cacciatora (coelho à caçadora), pasta e fagioli (sopa de massa e favas com linguiça e limão), carnes e peixes grelhados, e pizzas ao forno à lenha.

ISCHIA La Conchiglia €€€

Via N. Sauro 6/Via Chiaia delle Rose 3, Località Sant'Angelo, 80070 ***Tel*** *081 99 92 70*

Grande e antiga edificação rosa no coração da aldeia de pescadores. Serve frutos do mar frescos sob um abóbada cilíndrica ou no pátio externo logo acima das ondas, com vistas para o litoral. As especialidades da casa são linguine ai frutti di mare (talharim com frutos do mar) e a frittura (fritada) de lula e camarão-pistola.

ISCHIA Miramare €€€€€

Via Pontano 5, 80077 ***Tel*** *081 99 13 33*

Este luxuoso restaurante de hotel com mesas no terraço oferece incrível vista do Castello Aragonese. A culinária mostra um toque de leveza em combinações criativas de sabores de Ischia, como o coelho servido al pistacchio con polenta e paté di fegatini (com molho de pistache, polenta e patê de fígado). Fecha nov-mar.

ISCHIA Umberto a Mare €€€€€

Via Soccorso 2, Forio d'Ischia, 80075 ***Tel*** *081 99 71 71*

Restaurante histórico na parte mais alta da Soccorso, oferece vistas estupendas do mar através das janelas panorâmicas do elegante salão e do pequeno terraço. Criações sofisticadas como peixe ricciola servido com manjericão, alcachofra e limão. É um ótimo lugar para jantar ao pôr do sol –reserve com antecedência a melhor mesa. Fecha nov-mar.

MONTEPERTUSO (PERTO DE POSITANO) La Tagliata €€

Via Tagliata 22, 84017 ***Tel*** *089 87 58 72*

Genuína hospitalidade amalfitana e um menu substancioso. As janelas panorâmicas ficam abertas no verão, proporcionando vistas incríveis do Li Galli. Escolha o menu-degustação para beliscar uma grande variedade de vegetais e carnes, mas deixe espaço para o semifreddi (bolo cremoso). Ligue com antecedência e eles irão buscá-lo em Positano.

NÁPOLES Da Ettore €

Via Santa Lucia 56, 80132 ***Tel*** *081 76 404 98*

Despretensiosa e popular trattoria e pizzaria de bairro que serve típica cozinha napolitana. Boas pizzas e excelentes massas com frutos do mar e mexilhões. Prove também a parmigiana di melanzane (berinjelas, mussarela e tomates ao forno). Excelente antepasto de mussarela de búfala.

NÁPOLES Pizzeria Brandi €

Salita S. Anna di Palazzo 1–2/Via Chiaia, 80132 ***Tel*** *081 41 69 28*

Esta histórica pizzaria fundada em 1780 afirma ter inventado a clássica pizza Margherita em 1889 para homenagear a visita da rainha Margherita. Os tomates vermelhos, a mussarela branca e o manjericão verde representavam as cores da então nova bandeira da Itália. Há boas massas também.

NÁPOLES Sorbillo €

Via dei Tribunali 32, 80138 ***Tel*** *081 44 66 43*

Inaugurada em 1935, esta pizzaria familiar agrada a grupos, estudantes e turistas. Luzes de discoteca piscam nas paredes –é um pouco espalhafatoso, mas divertido. As excelentes pizzas levam nomes de membros da família e vêm em grandes pratos. Um vinho da casa decente e cerveja de garrafa são servidos em copos de plástico. Fecha dom.

NÁPOLES Amici Miei €€€

Via Monte di Dio 78, 80132 ***Tel*** *081 764 60 63*

Menu clássico, embora se concentre em pratos de carne (uma raridade em Nápoles, que é tão voltada a peixes). Excelentes massas com legumes e grãos, e pratos principais, com destaque para as carnes grelhadas no carvão e a braciola di maiale al ragù (costeleta de porco ao molho de nozes de pinho). Clima aconchegante e uma excelente carta de vinhos.

Categorias de preço *pág. 606* **Legenda dos símbolos** *no final do guia*

NÁPOLES Hosteria Toledo €€€

Vico Giardinetti a Toledo 78A, 80133 ***Tel*** *081 42 12 57*

Esta tradicional osteria no coração do bairro Quartieri Spagnoli serve clássicas especialidades napolitanas de carne e peixe desde 1951. Prove o maccheroni al ragù, frittura di paranza (frutos do mar fritos) e zucchine alla scapece (um tipo de gaspacho feito com abobrinhas).

NÁPOLES Umberto €€€

Via Alabardieri 30–31, 80121 ***Tel*** *081 41 85 55*

Esta venerada pizzeria ristorante foi inaugurada em 1916 pela família Di Porzio. Hoje é administrada pelo charmoso descendente Massimo, presidente da Associazione Verace Pizza Napoletana, que promove a pizza de Nápoles. Deliciosas variedades são servidas juntamente com massas clássicas, carnes, peixes e saladas. Fecha seg.

NÁPOLES La Cantinella €€€€€

Via Cuma 42, 80132 ***Tel*** *081 764 86 84* ***Fax*** *081 764 87 69*

Um dos restaurantes mais famosos de Nápoles, tem um ar distintamente colonial. Os clientes são atraídos pelas vistas do mar, pelo serviço impecável e pela reputação da cozinha regional e internacional muito bem preparada e à base de frutos do mar e pratos tradicionais.

NÁPOLES Rosiello €€€€€

Via Santo Strato 10, 80123 ***Tel*** *081 769 12 88*

Reserve uma mesa no terraço deste sublime mirante no arborizado bairro de Posillipo. O Rosiello oferece uma experiência gastronômica especial com vistas da baía e do Vesúvio. Serve clássicos napolitanos como frittura di paranza (mistura de frutos do mar fritos) e salsiccia con friarelli (linguiça com a saborosa couve da região). Fecha 2 semanas ago.

NERANO Taverna del Capitano €€€€€

Piazza delle Sirene 10, Località Marina del Cantone 10, 80061 ***Tel*** *081 808 10 28*

Em uma velha casa de pescador na praia, tem um terraço ao ar livre de onde se aprecia as vistas do mar. Serve excelente comida regional com alguns toques criativos. Prove os cornetti di massa con gamberi (massa recheada com camarão e coberta por um molho de frutos do mar) e millefeuille di San Pietro (dourado com massa folhada).

PESTO La Pergola €€

Via Magna Grecia 51, Capaccio Scalo, 84047 ***Tel*** *0828 72 33 77*

A 3km das ruínas de Pesto, este restaurante rústico oferece inovadora cozinha regional que utiliza produtos sazonais. A especialidade da casa é susciello, uma sopa de aspargos e cebolas selvagens, ovos mexidos e ervas aromáticas. Mas vale a pena provar o peixe frito com alcachofras. Serve maravilhosa mussarela de búfala local. Fecha seg (não no verão).

POMPEIA Il Principe €€€€€

Piazza B. Longo 1, 80045 ***Tel*** *081 850 55 66*

Próximo às escavações, este restaurante de elegância refinada tem um menu que muda sazonalmente. A cozinha é baseada em peixes, incluindo ravióli recheado com peixe e rodovalho com legumes. Os pratos podem se inspirar em receitas napolitanas do século 17, antigas especiarias romanas ou em sobremesas pintadas em afrescos de Pompeia.

POSITANO Lo Guarracino €€

Via Positanesi d'America 12, 84017 ***Tel*** *089 87 59 74*

Uma caminhada de cinco minutos por uma trilha na encosta de um rochedo leva a este restaurante em um terraço panorâmico com vista para uma baía e ilhas distantes. Há excelentes pizzas, além de linguine ai ricci di mare (talharim com ouriço do mar), pesce spada (espadarte) grelhado e escalopes de vitela com limão.

POSITANO La Sponda €€€€€

Via Cristoforo Colombo 30, 84017 ***Tel*** *089 87 50 66*

Suntuoso restaurante em um dos hotéis mais elegantes da Itália, no qual os hóspedes são tratados como amigos da família. Há uma gama tentadora de pratos modernos e tradicionais à base de peixes frescos e ingredientes sazonais. Prove o gragnano paccheri (grande tubos de massa com anchovas, pimentões assados e manjericão).

PROCIDA Caracalè €€€

Via Marina Corricella 62, 80079 ***Tel*** *081 896 91 92*

O nome deste restaurante de frutos do mar, que fica no cais do pitoresco porto de Corricella, deriva do equivalente em grego para "belo local". Diversos pratos com peixes e vegetais frescos são acompanhados por bons vinhos da Campanha. Abre fim de semana somente na baixa temporada. Fecha ter; nov-25 dez.

RAVELLO Villa Maria €€€€€

Via Santa Chiara 2, 84010 ***Tel*** *089 85 72 55*

Casa elegante transformada em hotel e restaurante. Reserve uma mesa no terraço com vista para o Vale Dragon e peça o trittico, trio de pratos do dia do chef, talvez incluindo soffatini (crepes com queijo e espinafre) ou ravióli recheado com frutos do mar em um molho de mexilhões vermelhos. Peixes frescos e carne de caça local.

SALERNO Pizzeria Vicolo della Neve €

Vicolo della Neve 24, 84121 ***Tel*** *089 22 57 05*

Uma pizzaria localizada bem no centro histórico da cidade, que, além de excelentes pizzas e calzones, também serve pratos como pasta e fagioli (massa com favas), baccalà (bacalhau) ao forno e linguiças com brócoli. Abre somente para o jantar.

SANT'AGATA SUI DUE GOLFI Don Alfonso 1890 €€€€€

Corso Sant'Agata 11–13, 80064 ***Tel*** *081 87 80 026* ***Fax*** *081 53 30 226*

Um dos restaurantes da Itália com mais estrelas do *Michelin*, fica em elegantes jardins. Os modernos pratos mediterrâneos incluem especialidades de frutos do mar e peixes, e deliciosas sobremesas. Há tanto empenho em criar a melhor cozinha possível que a família proprietária comprou uma fazenda para cultivar seus próprios ingredientes.

SORRENTO Ristorante della Favorita O'Parrucchiano €€

Corso Italia 71-73, 80067 ***Tel*** *081 878 13 21* ***Fax*** *081 532 40 35*

Este restaurante secular tem um terraço ao ar livre sob parreiras, limoeiros e laranjeiras. É igualmente frequentado pelos locais, turistas e celebridades, graças à sua excelente cozinha local: scialatielli ai frutti di mare (massa com frutos do mar) e steak com grãos de pimenta são dois dos destaques.

SORRENTO Il Buco €€€€€

Il Rampa Marina Piccola 5 (Piazza Sant'Antonino), 80067 ***Tel*** *081 878 23 54*

Toalhas de algodão, flores frescas e tetos abobadados de pedra fazem desta antiga cantina um local refinado. Além do pescato del giorno (peixe do dia), há cordeiro temperado com tomilho, carne assada com tomate e molho de orégano. Fecha qua; jan-meados fev.

ABRUZOS, MOLISE E PUGLIA

ALBEROBELLO La Cantina €€

Vico Lippolis 9/Corso Vittorio Emanuele, 70011 ***Tel*** *080 432 34 73*

Funcionando desde 1958 perto da rua principal, esta pequena trattoria de apenas 32 lugares fica sob as abóbadas de pedra de uma sala subterrânea. Os pratos são rigorosamente tradicionais da Puglia, como os orecchiette (discos de massa conhecidos como "pequenas orelhas") servidas em um molho de tomate com ricota e nabiças.

ALBEROBELLO Trullo d'Oro €€€

Via Felice Cavallotti 27, 70011 ***Tel*** *080 432 18 20*

Este trullo (a típica casa pontuda deste área) tem excelente cozinha regional. Invista em três pratos principais: o assaggini dello chef, pequenas porções de espaguete com rúcula e tomates frescos, o orecchiette in ragù (massa em um molho de carne coberto por bolinhas de pão com ervas) e purê de favas com endívia.

ALBEROBELLO Il Poeta Contadino €€€€

Via Indipendenza 21, 70011 ***Tel*** *080 432 19 17*

Elegante restaurante de esquina, com paredes de pedra e um piano. O serviço excelente está à altura do alto padrão da comida e dos vinhos. A cozinha usa de forma imaginativa ingredientes locais frescos para produzir pratos de peixe e carne em um menu que ressalta a poesia de cada um deles.

BARI Terranima €€

Via Putignani 213-215, 70123 ***Tel*** *080 521 97 25*

Popular trattoria, serve um menu sazonal de pratos típicos de Puglia que muda a cada duas semanas equilibrando pratos de frutos do mar e carne. Prove os orecchiette (discos de massa) com anjo-do-mar ou a arista di maiale in salsa di agrumi (porco assado com molho de frutas cítricas). Equipe simpática e cenário agradável.

ÁQUILA Ernesto €€

Piazza Palazzo 22, 67100 ***Tel*** *0862 210 94*

Lugar tranquilo e sofisticado com um pátio que ganha mesas no verão. O menu é uma mistura criativa e saborosa que toma por base a típica cozinha montanhesa de Abruzzo. Prove o sagnarelle alla pastora (nhoque com presunto, cogumelos, ricota, trufas e queijo pecorino por cima).

BARI Perbacco €€€

Via Francesco Saverio Abbrescia 99, 70121 ***Tel*** *080 558 01 79*

Mobília de madeira escura e paredes de pedra criam neste local um ambiente rústico e descontraído. Na adega há mais de mil tipos de vinho. A culinária criativa regional inclui ravióli recheado com uma combinação de bacalhau e grapefruit, além do dulcíssimo bolo de torrone. Fecha sáb almoço, dom; entre jul-ago.

BARI Bacco €€€€€

Corso Vittorio Emanuele II 126, 70122 ***Tel*** *080 527 58 71*

O Bacco é conhecido no país inteiro por suas versões de clássicos da Puglia. Luz ambiente, obras de arte coloridas e uma incrível adega dão um ar de sofisticação. Destaque para o orecchiette con cime di rapa (massa com pedaços de couve), os stuzzichini (aperitivos) de frutos do mar e a tiella (torta de peixe) ao estilo de Bari. Fecha dom jantar, seg; ago.

GALLIPOLI Il Bastione €€€€€

Via Sauro Nazario, 28, 73014 ***Tel*** *0833 26 38 36*

As cintilantes luzes do farol fazem deste restaurante em um terraço do forte de Gallipoli um ótimo local para jantar. As grandes janelas panorâmicas proporcionam belas vistas do mar. No menu, pratos de frutos do mar tradicionais muito bem-preparados, como tubettini al sugo di pescatrice (massa cilíndrica com molho de peixe). Fecha seg; jan.

Categorias de preço *pág. 606* **Legenda dos símbolos** *no final do guia*

ISOLE TREMITI Al Gabbiano €€

Piazza Belvedere San Domino, 71040 ***Tel*** *0882 46 34 10*

Em um terraço em uma ilha, este restaurante serve uma cozinha baseada nos melhores peixe do mar, que fica a poucos metros. Prove a tradicional sopa de peixe e peixe fresco assado em um recipiente com sal. Há também um bom troccoli gabbiano al mare (massa caseira com mexilhões, camarões, mariscos, calamar e pitus).

LECCE Guido e Figli €

Via XXV Luglio 14, 73100 ***Tel*** *0832 30 58 68*

Há duas opções de ambientes neste lugar perto da praça principal de Lecce: no restaurante sob abóbadas de pedra ou –pagando metade do preço pelos mesmos pratos de Puglia– na tavola calda (self service) nos fundos. Você pega a comida e acomoda-se em uma mesa ao ar livre para observar o movimento dos pedestres à noite.

LECCE Alle Due Corti €€

Corte dei Giugni 1/Via Leonardo Prato 42, 73100 ***Tel*** *0832 24 22 23* ***Fax*** *0832 39 78 65*

A elegância dos salões e do serviço contrastam com os preços baixos e os excelentes pratos tradicionais salentinos. Prove o turcinieddhi (coração, fígado e pulmões de cabrito tostados), ciceri e tria (massa semifrita/semiaferventada com grão-de-bico), e pezzetti te cavallu (nacos de carne de cavalo em um molho de tomate condimentado).

LOCOROTONDO Trattoria Centro Storico €€€

Via Eroi di Dogali 6, 70010 ***Tel*** *080 431 54 73*

Simpático restaurante no centro desta aldeia toda caiada. A marca própria de vinho combina com os pratos tradicionais de Puglia como o pennette della casa (massa em um molho de tomate com pimenta, cebola e presunto) e o portafoglio (costeleta de cordeiro recheada com queijo, salsa e ervas). Fecha qua.

MANFREDONIA Coppolarossa €€

Via dei Celestini 13, 71043 ***Tel*** *0884 58 25 22 ou 58 20 58*

Atmosfera jovial e decoração antiquada (pratos de cerâmica pintados nas paredes de estuque) convivem neste restaurante que serve pratos tradicionais de frutos do mar. Prove a especialidade da casa, troccoli ai frutti di mare (macarrão artesanal com frutos do mar), ou a grigliata di pesce (grelhado misto de camarão, peixe e lula).

MARTINA FRANCA Ritrovo degli Amici €€€€

Corso Messapia 8, 74015 ***Tel*** *080 483 92 49*

A elegante decoração deste subestimado restaurante combina com os pratos feitos com perfeição. Moradores e visitantes vêm saborear as famosas crespelles (panquecas salgadas) servidas com tomates e berinjela. Há um assado de cordeiro para os carnívoros e deliciosos dolci, como bolo de chocolate e laranja. Fecha dom jantar, seg; jan-fev.

OSTUNI Osteria del Tempo Perso €€€

Via Gateano Tanzarella Vitale 47, 72017 ***Tel*** *0831 30 48 19*

No coração de uma cidade toda caiada em uma colina, esta osteria exibe implementos agrícolas nas paredes de uma sala, ao passo que outra, de aparência cavernosa, é escavada diretamente na rocha. A cozinha é regional e usa os ingredientes locais mais frescos. O serviço é impecável e há uma ótima carta de vinhos locais.

OTRANTO Vecchia Otranto €€€€

Corso Garibaldi 96, 73028 ***Tel*** *0836 80 15 75*

Boas especialidades regionais e marinhas nesta tradicional trattoria no coração da cidade incluem massa com ricci di mare (com ouriço-do-mar) e zuppa di pesce all'otrantina (rica sopa de peixe). Prove também o arroz com batatas, a cozze gratinate (mexilhões gratinados) e a anguilla allo spiedo (enguias assadas no espeto).

OVINDOLI Il Pozzo €€

Via Monumento dell'Alpino 5, 67046 ***Tel*** *0863 71 01 91*

No centro histórico da cidade, este restaurante conta com um maravilhoso cenário montanhês. A comida é tradicional e robusta –embora com um toque mais leve e moderno–, e os pratos são preparados com produtos locais, especialmente zafferano (açafrão) e cogumelos selvagens. Fecha qua.

POLIGNANO AL MARE Grotta Palazzese €€€€€

Via Narciso 59, 70044 ***Tel*** *080 424 06 77* ***Fax*** *080 424 07 67*

Uma grande caverna na encosta de um rochedo acima das águas do Adriático foi transformada em um salão de jantar para turistas no Grand Tour dos idos de 1700. A localização é espetacular. O menu se concentra em peixes, mas há também muitas opções de carne. A cozinha é de alto nível. Fecha nov-abr.

SULMONA Rigoletto €€

Via Stazione Introdacqua 46/Strada dei Confetti Pellino, 67039 ***Tel*** *0864 555 29*

A uma curta caminhada do centro da cidade, serve massas caseiras com favas, scamorza (macio queijo defumado), coelho e trufas. O raviòli ripieni di scamorza e zafferano (recheado com queijo e açafrão) e o agnello al forno (cordeiro assado) são particularmente bons.

TARANTO Da Mimmo €€

Via C. Giovinazzi 18, 74100 ***Tel*** *099 459 37 33*

Os locais costumam esperar pacientemente por uma mesa ao ar livre neste lugar. O pizzaiolo costuma cantar músicas de Elvis e outras do folclore napolitano enquanto trabalha. Suas pizzas deixam espaço para um um segundo prato que pode ser frutos do mar fritos, almôndegas ou rolê de vitela cozida em molho de tomate.

TARANTO Canale €€€

Discesa Vasto, 74100 ***Tel*** *099 476 42 01*

Localizado perto do antigo mercado de peixe, este moderno e iluminado restaurante oferece entradas clássicas, como salada de frutos do mar e legumes da estação fritos. Pule para o prato principal escolhendo, por exemplo, o peixe do dia, geralmente servido com batata e alcachofra. Carta de vinhos pequena, mas ótima. Fecha ter; 2 semanas nov.

TARANTO Al Faro Masseria Saracena €€€€

Via della Pineta 3/5, Strada Vicinale Fonte delle Citrezze 4000, 74100 ***Tel*** *099 471 44 44*

Casa rural caiada do século 18 no subúrbio, tem um jardim repleto de mesas e uma vista das águas até a cidade no ponto extremo da baía. O menu baseado em frutos do mar utiliza os pescados localmente no preparo de antepastos, sopas, risotos e grelhados.

TERMOLI Z' Bass €€€€

Via Oberdan 8, 86039 ***Tel*** *0875 70 67 03*

Esta trattoria simpática e hospitaleira oferece cozinha de alto nível à base de ingredientes sazonais frescos, pães e sobremesas feitas no local. As especialidades da casa incluem uma suculenta zuppa di pesce (sopa de peixe). Tem uma extensa carta de vinhos.

TRANI Torrente Antico €€€€€

Via Fusco 3, 70059 ***Tel*** *0883 48 79 11*

Excelentes pratos leves baseados na cozinha regional tradicional com toques modernos. Prove o raviolo di pesce (grande porção de massa recheada com pedaços de robalo e coberta com uma mistura de frutos do mar e crustáceos). A carta de vinhos também é impressionante.

VIESTE Il Trabucco dell'Hotel Pizzomunno €€€€

Lungomare Enrico Mattei, Km 1, 71019 ***Tel*** *0884 70 87 41*

Cercado por jardins e bem próximo ao mar, este resort tem mesas externas sob buganvíleas junto à piscina. Sua fina cozinha regional e italiana exibe alguns toques criativos e, em geral, os pratos são leves e saborosos. Prove o troccoli alla garganica (massa com camarão, ricota e abobrinhas).

VILLETTA BARREA Trattoria del Pescatore €

Via B. Virgilio 175, 67030 ***Tel*** *0864 891 52* ***Fax*** *0864 892 55*

No Parque Nacional de Abruzos e ao lado do rio, esta trattoria simples oferece pratos regionais como trota al vino bianco (truta ao vinho branco), chitarrini ai gamberi di fiume (massa de "cordas de violão" com pitus) caseiro e zuppa di orati e fagioli (sopa de favas com uma folha montanhesa que parece espinafre).

BASILICATA E CALÁBRIA

ACQUAFREDDA, MARATEA, BASILICATA Villa Cheta Elite €€€

Via Timpone 46, località Acquafredda, 85046 ***Tel*** *0973 87 81 34* ***Fax*** *0973 87 81 35*

Romântico hotel e restaurante em uma villa Art Nouveau no alto de um rochedo voltado para o mar. No verão serve refeições em um terraço. Os peixes predominam, sendo acompanhados por excelentes vinhos de produtores locais. Involtini di sogliola (farci de linguado ao limão) e espaguete com sardinhas são destaques. Deliciosas sobremesas.

BIVONGI, CALÁBRIA La Vecchia Miniera €

Contrada Perrocalli, 89040 ***Tel*** *0964 73 18 69* ***Fax*** *0964 73 18 69*

Fora de Bivongi e perto da bela Cascate di Marmorico, esta trattoria oferece excelente cozinha local em um cenário atemporal. Especialidades incluem salumi (carnes maturadas) locais, massa caseira com molho de cabrito ou sardinhas, truta da montanha ou porco grelhado, galinha e coelho. Bom vinho da casa e tiramisù.

CASTROVILLARI (PARCO POLLINO), CALÁBRIA La Locanda di Alia €€€€

Contrada Letticelle 55, 87012 ***Tel/Fax*** *0981 463 70*

Um dos melhores restaurantes da Calábria, dá um toque criativo a receitas tradicionais feitas com ingredientes sazonais. Os destaques são o panzerotti com ervas, ricota e anis, carne n'cartate (carne com mel e pimenta), espadarte com cebolas vermelhas e torta de batata. Excelente carta de vinhos e cerveja local.

COSENZA, CALÁBRIA L'Arco Vecchio €€

Piazza Archi di Ciaccio 21, 87100 ***Tel/Fax*** *0984 725 64*

Cozinha regional em um elegante palazzo antigo com um belo terraço com pérgula. Prove as fiori di zucca (flores de abobrinha fritas), a parmigiana di melanzane (flã de berinjela) ou lagane (massa com grão-de-bico). A seguir, peça costeleta de porco com maçã ou cabrito assado com batatas fritas. Excelente carta de vinhos.

GERACE, CALÁBRIA La Tavernetta €

Strada Provinciale Locri-Antonimina 112, 89040 ***Tel*** *0964 35 60 20*

Perto da Terme di Antonimina, a 4km do centro histórico de Gerace, este restaurante tem um interior aconchegante com um charme antiquado. Entre as especialidades há massa strozzapreti com linguiça e funcho selvagem, e cordeiro ou javali grelhado. É muito popular, portanto, é aconselhável fazer reserva.

Categorias de preço *pág. 606* **Legenda dos símbolos** *no final do guia*

MARATEA, BASILICATA Taverna Rovita €€€€

Via Rovita 13, 85046 ***Tel/Fax*** *0973 876 588*

Descendo uma bela viela, este lugar antiquado com paredes brancas e piso azulejado serve massas caseiras, peixes e frutos do mar frescos, e pratos de carne locais preparados com legumes e ervas sazonais. Prove a massa com grão-de-bico e mexilhões ou o bocconotto Rovita (massa com linguiça).

MARINA DI GIOIOSA JONICA, CALÁBRIA Gambero Rosso €€€€

Via Montezemolo 65, 89046 ***Tel*** *0964 41 58 06* ***Fax*** *0964 41 55 81*

Este belo restaurante oferece fartas porções de peixes e frutos do mar frescos, e uma boa carta de vinhos. Tem especialidades como antepastos de peixe marinado, ricota e legumes ou de espadarte, massa ou risoto com frutos do mar, massa orecchiette assada envolta em papel-alumínio, e peixes mistos fritos, bacalhau e lagostim. Há também menus fixos.

MATERA, BASILICATA Il Terrazzino sui Sassi €€

Vicolo San Giuseppe 7, 75100 ***Tel/Fax*** *0835 33 25 03*

No coração da Sassi e com um maravilhoso terraço panorâmico, este restaurante serve cozinha local, como sopa de grão-de-bico, cordeiro grelhado ou cozido, carne assada, e orecchiette al tegamino (massa com linguiça, mussarela e tomate preparada em um recipiente de terracota). Prove strazzate de sobremesa. Bons vinhos locais.

MATERA, BASILICATA Don Matteo €€€€

Via San Biagio 12, 75100 ***Tel*** *0835 34 41 45*

O Don Matteo tem muita atmosfera, graças ao local cavernoso e à iluminação. Bem no coração de Matera, oferece vistas do Sassi. Serve criações sofisticadas como millefoglie di melanzane (mil-folhas de berinjela) e porco com vinho Malvasia e molho de gengibre. Vale a pena experimentar o excelente menu di degustazione. Fecha seg.

MELFI, BASILICATA Novecento €€€

Via Pertini, 85025 ***Tel/Fax*** *0972 23 74 70*

Restaurante antiquado, serve cozinha regional preparada com os melhores ingredientes locais. Opções clássicas incluem agnello a cutturidde (prato local de cordeiro), carnes grelhadas e tegami (legumes e cogumelos assados em travessa de terracota). Encerre com o delicioso mousse de chocolate e castanha. Refinada carta de vinhos.

REGGIO DI CALÁBRIA, CALÁBRIA Baylik €€€

Vico Leone 1, 89100 ***Tel*** *0965 486 24* ***Fax*** *0965 455 25*

"Casa de peixe" no idioma turco, o Baylik foi fundado em 1950. A moderna decoração minimalista contrabalança a cozinha eminentemente tradicional. O menu tem opções de entradas sazonais e peixes frescos. Na temporada prove o espaguete com tinta de siba ou com espadarte e melão. Vistas panorâmicas do Estreito de Messina.

ROSSANO, CALÁBRIA Paridò €€

Via dei Normanni, 87067 ***Tel*** *0983 29 07 31*

Receitas tradicionais locais reinterpretadas com criatividade compõem o menu deste restaurante. Entre as especialidades há cozido de siba, espadarte com cebolas vermelhas, sopa de peixe, peixe grelhado com frutas cítricas, além de almôndegas com ricota frita e berinjela. Excelente seleção de vinhos do sul.

SCILLA, CALÁBRIA La Grotta Azzurra U'Bais €€€€

Via Cristofero Colombo, 89058 ***Tel*** *0965 75 48 89* ***Fax*** *0965 70 42 98*

Maravilhoso cenário na praia em que, segundo a lenda, Ulisses voltou à terra firme. Oferece peixes e frutos do mar frescos, preparados de maneira simples, porém perfeita. Massa com mariscos ou ouriço-do-mar; espadarte grelhado, filé de aguglia imperiale (um peixe local) ou risoles de peixe em molho de tomate. De sobremesa, prove o sorbet de limão com prosecco.

TROPEA, CALÁBRIA Pimm's €€€

Corso Vittorio Emanuele 60, 88038 ***Tel*** *0963 66 61 05*

Elegante opção no coração do centro histórico. Comece com as crostini (torradas) com frutos do mar ou com espadarte defumado; a seguir, peça massa com ouriço-do-mar ou sardinhas, ou a especialidade da casa: pitus, ovas de atum e as famosas cebolas vermelhas locais. Há também uma lula deliciosa e espadarte com alcaparras de Lipari.

VENOSA, BASILICATA Il Grifo €€

Via Fornaci 21, 85029 ***Tel/Fax*** *0972 351 88*

Ao lado do castelo, esta charmosa trattoria foi fundada por um chef local que trabalhou muitos anos em Roma. A decoração romântica conta com antigas paredes de pedra e também há um agradável terraço no verão. A cozinha tradicional inclui pizzas e pratos de peixe e carne, acompanhados pelo excelente vinho Aglianico del Vulture.

SICÍLIA

AGRIGENTO Kókalos €€€

Via Cavalieri Magazzeni 3, 92100 ***Tel*** *0922 60 64 27*

Trattoria rústica e simpática com um amplo terraço voltado para o Templo de Juno. Prove o fettuccine ao molho de laranja, peixe fresco grelhado, o involtini valle dei templi (finas camadas de vitela contendo uma mistura de berinjela, queijo e tomates secos) e o parfait de amêndoas. A Sicília é famosa por suas amêndoas.

BAGHERIA Don Ciccio €€

Via del Cavaliere 87c, 90011 ***Tel*** *091 93 24 42*

No centro da cidade, esta trattoria oferece especialidades regionais e cozinha tradicional local. Há opções como massa com sardinhas, ragù di pesce spada (ragu de espadarte), peixe grelhado, gamberi ripieni (camarão recheado e assado) e involtini di pesce spada (farci de espadarte).

CATÂNIA Osteria Antica Marina €€

Via Pardo 29, 95121 ***Tel*** *095 34 81 97*

Trattoria muito popular em uma esquina do mercado diário de peixe. O serviço é rápido e a cozinha –obviamente baseada em frutos do mar– é divina. Prove o clássico espaguete con ricci (com ouriço-do-mar) ou al nero di seppia (com tinta de siba). É aconselhável fazer reserva.

CATANIA Ambasciata del Mare €€€

Piazza Duomo 6, 92121 ***Tel*** *095 34 10 03*

Perto do Duomo, no coração do centro histórico, fica este restaurante com interior amplo e elegante, paredes com cores quentes e mesas prefeitamente postas. Pratos clássicos com um toque de criatividade como a frittura di paranza (frutos do mar fritos com uma casca crocante) e linguine ai ricci di mare (com ouriços-do-mar). Fecha seg; set.

CEFALÙ L'Antica Corte €€€

Ct Pepe 7, 90015 ***Tel*** *0921 42 32 28*

Trattoria e pizzaria em um velho pátio no centro histórico da cidade. A cozinha é local com influências de velhas receitas sicilianas quase esquecidas. Prove o couscous di pesce (cuscuz de peixe), involtini di pesce spada (farci de espadarte) e a pasta con le sarde (massa com sardinhas). Há pizza apenas no jantar. Fecha qui jantar.

CEFALÙ La Brace €€€

Via 25 Novembre 10, 90015 ***Tel*** *0921 42 35 70*

O dono atual deste restaurante, que é o mais antigo de Cefalù, é holandês, o que pode explicar o toque original dado à cozinha siciliana, incluindo involtini di melanzane (berinjela com tagliatelle e ricota que vai ao forno com molho de tomate). As sobremesas maravilhosas compensam as longas esperas por uma mesa e um garçom. Fecha seg jantar.

ENNA Ariston €€

Via Roma 353, 94100 ***Tel*** *0935 260 38*

No coração de Enna, este restaurante oferece uma seleção de pratos de frutos do mar, além de especialidades como cavatti (massa caseira fresca) coberta com tomates e pimentas, cordeiro recheado, sopa de favas e ervilhas, azeitonas fritas recheadas e pizzas. Fecha dom jantar.

ERICE Monte San Giuliano €€

Vicolo San Rocco 7, 91016 ***Tel*** *0923 86 95 95*

Fica em um pátio tranquilo depois do portão medieval no centro da cidade. O menu se baseia em tradições sicilianas e inclui busati di San Giuliano (especialidade local de massa fresca com tomate, alho, manjericão, amêndoas e azeite de oliva), massa com sardinhas e cuscuz com peixe.

ERICE Osteria di Venere €€€

Via Roma 6, 91016 ***Tel*** *0923 86 93 62*

Refinado restaurante em uma bela edificação do século 17. O menu é basicamente siciliano e mediterrâneo, com destaque para a casarecce alla Venere (massa caseira fresca com espadarte, tomates, berinjela e menta) e o peixe do dia servido grelhado.

ILHAS EÓLIAS – LIPARI Filippino €€€

Piazza del Municipio, Lipari, 98055 ***Tel*** *090 981 10 02*

Um dos melhores restaurantes de Lipari desde 1910. O menu essencialmente siciliano e baseado em peixes inclui espadarte, macarrão caseiro e uma excelente cassata siciliana. Há especialidades como trecette delle Eolie (massa com alcaparras, tomate, manjericão, amêndoas, alho, menta, anchovas e pecorino).

ILHAS EÓLIAS – LIPARI La Ginestra €€€€€

Via Stradale 10, Pianoconte, Lipari, 98055 ***Tel*** *090 982 22 85*

Na encosta de uma colina na estrada que sai de Lipari, este restaurante oferece mesas em um terraço ajardinado. Fica bem vazio durante o almoço, quando a maioria das pessoas está na cidade ou na praia, mas é melhor fazer reserva para o jantar. Prove o tagliolini com ovas de espadarte, raviói recehado com lagosta, coelho agridoce ou o cordeiro grelhado.

ILHAS EÓLIAS – PANAREA Pina €€€€€

Via San Pietro 3, 98050 ***Tel*** *090 98 30 32*

Muito procurado por VIPs, o Pina tem colunas brancas e paredes de pedra nos grandes salões. Reserve uma mesa perto das grandes janelas ou no terraço arborizado, e peça um dos pratos com frutos do mar frescos como o fritto misto di mare (frutos do mar fritos) e as deliciosas sobremesas como cassata Siciliana. Fecha vários dias no inverno.

AGRIGENTO Al Porticciolo €€€

Lungomare Falcone Borsellino 28, 92100 ***Tel*** *0922 42 36 31*

Restaurante de frutos do mar muito requisitado em um terraço coberto no calçadão à beira-mar. Pratos tradicionais como spaghetti bottarga e tonno (com ovas e atum), scampi grigliati (lagostim grelhado) e risotto ai gamberoni e asparagi (com camarão e aspargo). A incrível carta de vinhos inclui diversos rótulos regionais. Fecha ter.

Categorias de preço *pág. 606* **Legenda dos símbolos** *no final do guia*

MARSALA Mothia €

Contrada Ettore Inversa 13, 91025 ***Tel*** *0923 74 52 55* ***Fax*** *3487 22 05 39*

Perto das salinas ao norte de Marsala. A cozinha simples e deliciosa tem menus de preço fixo com peixes e carnes, pão caseiro, massas, pizzas, sobremesas e bolos. O tagliatelle com molho de lagosta é particularmente bom, assim como a busiata alla trapanese (massa coberta com tomates crus e manjericão).

MARSALA Garibaldi €€

Piazza Addolorata 36, 91025 ***Tel*** *0923 95 30 06*

O Garibaldi oferece quatro salões coloridos temáticos com gravuras e obras de arte interessantes, além de mesas ao ar livre. O menu tem peixes (tainha e peixe-espada assados e fritos) e opções de carne como vitela cozida em vinho de Marsala. De sobremesa, frutas da estação e cassata. Fecha sáb almoço, dom jantar; 2 semanas inverno.

MESSINA Piero €€€€

Via Ghibellina 121, 98123 ***Tel*** *090 640 93 54*

Uma antiga e rústica trattoria transformada em restaurante elegante no centro de Messina. Verifique a placa com o peixe do dia e quais delícias com frutos do mar estão disponíveis. A frittura di paranza (crocantes frutos do mar fritos com uma fatia de limão) é muito pedida pelos frequentadores. Fecha dom; 1 semana ago.

PALERMO Trattoria Temptation €€

Via Torretta 94, Località Sferracavallo, 90148 ***Tel*** *091 691 11 04*

Com vista para o mar e perto de uma das principais áreas de resorts litorâneos de Palermo (ao norte da cidade), esta trattoria oferece um menu completo de frutos do mar, incluindo uma suculenta série de entradas. A massa com berinjelas e peixe frito é particularmente recomendada.

PALERMO Antica Focacceria San Francesco €€€

Via Alessandro Paternostro 58/Piazza San Francesco d'Assisi, 90133 ***Tel*** *091 32 02 64*

O lugar mais histórico, climático e barato do centro da cidade para um almoço rápido. Aberto em 1834, é decorado em estilo Art Nouveau e oferece massas e pizzas. Mas a grande pedida é a clássica focaccia recheada com queijo, carne e legumes. Serve os tradicionais cannolis de sobremesa.

PALERMO Santandrea €€€

Piazza Sant'Andrea 4, 90133 ***Tel*** *091 33 49 99*

Elegante restaurante de gestão familiar, com mesas à luz de velas, fica em uma pequena piazza no coração da cidade. O garçom explica todos os inovadores pratos sicilianos produzidos pelo chef com base nas compras matinais. Pode ser espaguete com lagosta e ovas de peixe ou atum agridoce com menta e cebolas. Fecha dom. Somente jantar

PALERMO Trattoria Sympaty €€€€

Via Piano Gallo 18, Località Mondello, 90151 ***Tel*** *091 45 44 70*

O salão daqui tem boas vistas da baía de Mondello –o balneário mais popular de Palermo– e o menu, apropriadamente, se baseia quase que exclusivamente em peixes. Prove o fettuccini all'aragosta (talharim com lagosta), espaguete alle sarde (com sardinhas), ricci (ouriço-do-mar), polvo ou lula.

PALERMO La Scuderia €€€€€

Viale del Fante 9, 90146 ***Tel*** *091 52 03 23* ***Fax*** *091 52 04 67*

Este elegante restaurante no Parco della Favorita, na ponta norte de Palermo, oferece deliciosa cozinha tradicional siciliana, minuciosamente preparada. Peça o merluzzetti alla ghiotta (merluza cozida com alcaparras, batata, açafrão e tomates-cereja).

RAGUSA La Ciotola €€€

Via Archimede 23, 97100 ***Tel*** *0932 22 89 44*

Este restaurante moderno e elegante no centro da cidade prepara ótimas especialidades sicilianas como maccheroni alla ciotola (massa caseira servida com molho de berinjela, cogumelos e tomates). O chef é sempre convidado para preparar pratos locais em eventos gastronômicos nacionais.

SCIACCA Hostaria del Vicolo €€€€

Vicolo Sammartino 10, 92019 ***Tel*** *0925 230 71*

No centro da cidade, tem menu siciliano. Há pratos como espaguete alla bottarga (com ovas de peixe, menta e nozes de pinho), casareccie con cacio, gamberi e ciliegino (massa caseira com queijo de ovelha, camarão e tomates-cereja), e coda di rospo con patate (cauda de diabo-marinho com batatas).

SIRACUSA Don Camillo €€€€

Via della Maestranza 96, 96100 ***Tel*** *0931 671 33*

Em um palazzo do século 19 na pitoresca Ortigia (centro histórico da ilha de Siracusa), este restaurante de frutos do mar prepara espadarte de várias maneiras, assim como simples steaks de atum. De entrada, prove o espaguete alla sirena (com camarão e ouriço-do-mar frescos).

SIRACUSA Des Etrangers Et Miramare €€€€€

Passeggio Adorno 10–12, 96100 ***Tel*** *0931 31 91 00*

Este restaurante de hotel de luxo tem um grande jardim na cobertura com vistas incríveis do porto de Siracusa e de mais longe. Pratos elaborados combinam pescados frescos e produtos sicilianos com toques inovadores. A excelente carta de vinhos e o ambiente refinado têm um preço –este é o lugar para uma ocasião especial e pode estourar seu orçamento.

TAORMINA Al Duomo €€€
Via degli Ebrei 11, 98039 ***Tel*** *0942 62 56 56*

Típico restaurante siciliano com um terraço ao ar livre. Os pratos fazem bom uso de duas especialidades da Sicília: atum e espadarte. Mas o prato que leva a assinatura do chef é a massa ca 'nocca (macarrão caseiro com anchovas frescas, miolo de pão e funcho selvagem), seguida de agnello (cordeiro) grelhado.

TAORMINA La Giara €€€€€
Via La Floresta Livia 1, 98039 ***Tel*** *0942 233 60*

Belo restaurante com colunas, arcos e belas vistas da baía descortinadas das mesas no terraço. Prove o coquetel de lagosta, o petto d'oca affumicato (peito de ganso defumado), ravióli com berinjela e pesce alla eoliana (garoupa ao forno com batatas, tomates e alcaparras). Tem também um piano-bar e clube noturno. Fecha no almoço.

TRAPANI Tra... Pani & Vini €
Via Carolina 42, 91100 ***Tel*** *0923 276 25*

Trattoria sem frescura em uma região cheia de personalidade perto da orla de Trapani. O serviço amistoso e a comida com bom custo-benefício são um achado. Comece com uma seleção de queijos e frios sicilianos, e talvez uma zuppa del giorno (sopa do dia). Há diversas opções de vinhos a preços razoáveis e sobremesas caseiras.

TRAPANI Cantina Siciliana €€
Via Giudecca, 32, 91100 ***Tel*** *0923 286 73*

Na movimentada região portuária e antigo gueto judeu, este local atrai com sua fina cucina marinara (culinária com frutos do mar). O menu depende do que está fresco no dia, mas há crustáceos de todos os tamanhos, anchova, tainha, cavala e peixe-espada, todos acompanhados de legumes da estação, massa e cuscuz.

SARDENHA

ALGHERO Al Tuguri €€€
Via Maiorca 113, 07041 ***Tel*** *079 97 67 72*

Uma joia de restaurante com decoração despretensiosa e clima aconchegante. Excelente nouvelle cuisine mediterrânea à base de receitas catalãs e sardas, como crème catalan. O espaguete com açafrão e pecorino é recomendado. É imprescindível fazer reserva. Fecha 20 dez-fim fev.

ALGHERO Il Pavone €€€
Piazza Sulis 3-4, 07041 ***Tel*** *079 97 95 84*

Belo restaurante na orla da cidade antiga, tem vista para a animada Piazza Sulis. Cozinha sazonal mediterrânea e sarda inovadora, a exemplo de figos frescos com anchovas e pimenta, massa com tinta de lula e ricota defumada, e sorbet de limão com chocolate. Pratos de peixe são a especialidade. O serviço é bom.

ALGHERO/FERTILIA Sa Mandra €€€
Strada Aeroporto Civile 21-22, 07041 ***Tel*** *079 99 91 50*

Clássico agriturismo sardo. O cenário é rústico, mas a comida é digna de um rei. O menu fixo de tradicionais pratos campestres inclui uma seleção de queijo pecorino, presuntos e salames, várias massas caseiras, leitão ao forno e cordeiro com legumes frescos, seguidos de doces sardos. O preço é ótimo.

BOSA Mannu da Giancarlo e Rita €€€
Viale Alghero 28, 08013 ***Tel*** *0785 37 507* ***Fax*** *0785 37 53 08*

Restaurante moderno em um hotel de gestão familiar, oferece especialidades de peixes locais extremamente boas. Bosa é famosa pela lagosta fresca, que aqui é preparada de várias maneiras e com diferentes molhos. Há também pratos de carne, leitão assado e nhoque com cordeiro. O restaurante se orgulha do frescor de seus ingredientes.

CAGLIARI Lillicu €€
Via Sardegna 78, 09214 ***Tel*** *070 65 29 70*

Inaugurado na década de 1940, este restaurante familiar é uma instituição de Cagliari. Sente-se em uma das mesas de refeitório e deixe os garçons trazerem os pratos de frittura (frutos do mar fritos) e arselle (pequenos moluscos). O Lillicu é um lugar mágico para conversar com moradores da região e beber uma taça do excelente vinho da casa. Fecha dom.

CAGLIARI Antica Hostaria €€€
Via Cavour 60, 09124 ***Tel*** *070 66 58 70*

Confortável restaurante em uma antiga edificação em uma rua escondida no bairro da Marina. A cozinha é boa e se baseia em produtos locais tradicionais. Há especialidades sazonais como risoto com radicchio e pappardelle Antica Hostaria (tiras de massa caseira com camarão e molho pesto). Tem uma boa carta de vinhos.

CAGLIARI Luigi Pomata €€€
Viale Regina Margherita 18, 9214 ***Tel*** *070 67 20 58*

O chef Luigi, da Sardenha, traz sua influência genovesa para este sofisticado estabelecimento perto do porto. Coma um sushi fresco de entrada, seguido de massas frescas, carnes grelhadas e peixes de secondi. Pratos criativos, como atum tártaro com maçã verde e purê de aipo e limão. O menu executivo de dois pratos no almoço vale a pena. Fecha dom.

Categorias de preço *pág. 606* **Legenda dos símbolos** *no final do guia*

CAGLIARI Dal Corsaro €€€€€

Viale Regina Margherita 28, 09124 ***Tel*** *070 66 43 18* ***Fax*** *070 65 34 39*

Restaurante elegante com clima agradável e serviço refinado. Serve pratos regionais como ravióli de peixe, criações originais (perca com berinjela e manjericão ou steak de filé all' Angelu Ruju) e alguns clássicos locais. Há também pratos vegetarianos e uma boa carta de vinhos.

CALASETTA Da Pasqualino €€€

Via Regina Margherita 85, 09011 ***Tel/Fax*** *0781 884 73*

Deliciosas especialidades de peixes, particularmente atum, são servidas nesta trattoria familiar simples e informal, no bairro antigo da cidade. O menu inclui sopas de peixe, bottarga (ovas de atum), musciame (atum seco), espaguete com atum fresco e uma versão local de cuscuz e lagosta. Os vinhos são locais.

CARLOFORTE Al Tonno di Corsa €€€€

Via G Marconi 47, 09014 ***Tel*** *0781 85 51 06*

Em uma colina atrás da orla na cidade antiga, este restaurante oferece excelente cozinha local com algumas influências tunisianas, antepastos de frutos do mar, cuscuz, massa fresca com manjericão e manjerona ou molho de frutos do mar, e vários pratos de atum, incluindo estômago de atum com batatas. A decoração é interessante.

OLBIA Gallura €€€€€

Corso Umberto 145, 07126 ***Tel*** *0789 246 48*

Do forno a lenha do Gallura saem saborosos pratos preparados com ingredientes sazonais da região. Mexilhões e sopa de legumes têm lugar cativo no cardápio. O frue del Gennargentu (queijo de cabra da montanha, parecido com o feta) com tomate e pane carasau (pão crocante da Sardenha) representa os prazeres simples da região. Fecha seg; Natal.

OLIENA CK €€€

Corso M L King 2-4, 08025 ***Tel*** *0784 28 80 24*

Este restaurante (cujo nome tem a pronúncia "tchi capa") fica em uma villa no centro histórico da cidade. Oferece cozinha local preparada em um forno à lenha. Há massas caseiras (incluindo busa, tradicionalmente feita com o uso de arame) com molho de nozes, carnes assadas, uma fina seleção de queijos e uma boa carta de vinhos.

OLIENA Su Gologone €€€€

Località Su Gologone, 08025 ***Tel*** *0784 28 75 12* ***Fax*** *0784 28 76 68*

Cercado de verde, o o hotel de luxo Su Gologone fica a apenas 12km de Nuoro. O restaurante é conhecido por seus pratos de carne (leitão assado, cordeiro e cabra), pane frattau (pão sardo assado com carne, queijo, tomates e ovo), ravióli, malloredus (massa sarda em geral com molho de tomate com linguiça) e seadas (pastéis fritos).

ORISTANO Craf da Banana €€€

Via de Castro 34, 09170 ***Tel*** *0783 706 69*

Restaurante muito concorrido no centro de Oristano, renomado por servir a melhor carne da ilha. Tem todos os tipos de carne, de boi a javali –ou uma seleção da churrasqueira, se tiver dificuldade em escolher. Experimente as famosas sebadas –pastel de queijo frito coberto com mel silvestre. Recomenda-se reservar nos fins de semana. Fecha dom.

PORTO CERVO Gianni Pedrinelli €€€€€

Località Piccolo Pevero, 07020 ***Tel*** *0789 924 36*

O menu regional deste restaurante oferece diversos pratos de peixe, como massa com lagosta, massa e peixe ao sal grosso, mas a grande especialidade é porcettu allo spiedo (leitão assado no espeto) e perna de carneiro. Combina estilo e tradição em um salão todo caiado com uma entrada em arco, teto com vigas de madeira e piso azulejado. Fecha nov-fev.

PORTO ROTONDO Da Giovannino €€€€€

Piazza Quadrata 1, 07026 ***Tel*** *0789 352 80*

Sofisticado restaurante decorado nos mínimos detalhes e com um jardim encantador. É frequentado por políticos e profissionais da mídia que pedem caras iguarias mediterrâneas, como sushi de camarão ao sumo de limão, espadarte com tomates e alcaparras, e lula grelhada. Maravilhosa carta de vinhos.

PORTOSCUSO La Ghinghetta €€€€€

Via Cavour 26, Località Sa Caletta, 09010 ***Tel*** *0781 50 81 43*

Pequeno e elegante, fica em uma charmosa aldeia de pescadores voltada para a ilha de San Pietro. O menu quase que exclusivamente à base de peixes dá um toque próprio a especialidades locais. Há tartare de peixe e pitu com ovos de codorna e caviar, peixe defumado, terrine de lagosta, sorvete com frutas carameladas. Reserve antes.

SASSARI Il Cenacolo €€€

Via Ozieri 2, 07100 ***Tel*** *079 23 62 51*

O menu tradicional daqui oferece as melhores especialidades regionais do mar e da terra, de acordo com a estação: há cogumelos no outono, frutos do mar no verão e legumes o ano todo. Local elegante com clima agradável no centro da cidade.

SASSARI Liberty €€€€

Piazza N Sauro 3 (corso Vittorio Emanuele), 07100 ***Tel/Fax*** *079 23 63 61*

Elegante e refinado, este restaurante cuja base é peixe se supera em tudo. Comece com o antepasto Liberty, deliciosa mistura de peixes e frutos do mar, e continue com gnocchetti camustia (bolinhos de ricota defumada e calamar), espaguete com lagosta ou peixe ao forno com batatas e alcachofras. Excelente carta de vinhos.

COMPRAS NA ITÁLIA

Famosa pelo design de seus produtos, a Itália oferece enorme variedade de roupas e carros sofisticados, além de charmosos eletrodomésticos. Apresenta também forte tradição em artesanato, além de mercados diversos repletos de especialidades regionais. Os preços em geral não são muito atraentes, mas podem ser compensados pelo prazer da boa compra. Quem é de fora da União Europeia pode pedir reembolso do imposto sobre valor agregado (IVA) embutido no preço das mercadorias. Reserve um tempo no aeroporto antes da partida para preencher os formulários administrativos.

Barraca de verduras, em um mercado de Veneza

HORÁRIO COMERCIAL

As lojas costumam funcionar das 9h30 às 13h e de cerca de 15h30 às 20h, de terça a sábado –nas segundas, só à tarde. Mas esses horários são flexíveis. Não há muitas lojas de departamentos, mas as principais cidades contam com Standa, Upim, Coin ou Rinascente. Estas, geralmente, funcionam das 9h às 20h *(orario continuato)*, de segunda a sábado. As lojas de CD's e livros costumam funcionar além das 20h e também aos domingos.

ALIMENTOS

Embora haja supermercados espalhados por todo o país, as casas especializadas, apesar de mais caras, ainda são a melhor opção. Na loja chamada de *forno*, encontra-se o pão mais gostoso, e na *macellaio*, ótimas carnes (para derivados de suíno, vá a uma *norcineria*). As verduras mais frescas estão no mercado e na *fruttivendolo*. Na *pasticceria*, ficam os doces e bolos; na *latteria*, leite e derivados; e nos *alimentari*, massas e frios. Os *alimentari* também vendem bons vinhos, porém maior variedade é oferecida pela *enoteca, vineria* ou *vinaio*.

MERCADOS

Todas as cidades italianas têm mercados semanais. Nas maiores, há vários outros, menores e diários. Aos domingos também são comuns os mercados-de-pulgas. No decorrer deste guia, o símbolo ⊜, na ficha prática de cada cidade, informa o dia certo do mercado. Os comerciantes montam as barracas às 5h e começam a desarmá-las por volta das 13h30. Os produtos são vendidos por unidade ou peso: um *etto* corresponde a 100g e um *chilo* é 1kg. Os produtos da estação costumam ser mais frescos e baratos que nas lojas. Não é muito comum pechinchar, mas vale pedir um desconto *(sconto)* para roupas.

PRODUTOS DA ESTAÇÃO

Para aproveitar o melhor dos produtos italianos, procure as opções da estação. Uvas e cogumelos são melhores no outono, enquanto aspargos e morangos, na primavera. Verduras, como brócoli, couve-flor e alcachofras devem ser preferidas no inverno, assim como o limão de Amalfi e a laranja siciliana. O verão é a melhor estação para ameixa, pera e cereja, além de berinjela, tomate e melão.

ROUPAS E GRIFES

As roupas italianas são muito famosas e Milão é a capital da moda do país. As lojas dos estilistas ficam no centro, na Via Monte. Em todas as cidades grandes, você encontra filiais dessas grifes, geralmente uma ao lado da outra. Preços mais acessíveis são encontrados nos mercados e nas ruas comer-

Loja de suvenires em Ostuni, perto de Brindisi, Puglia

ciais, mas as roupas tendem a ser mais convencionais. Sapatos e bolsas de couro também são famosos. As liquidações *(saldi)* acontecem no verão e no inverno. Os brechós são caros, mas podem oferecer artigos de boa qualidade. Os grandes mercados contam com barracas de roupas usadas. Procure com atenção e poderá achar boas ofertas. Falsificações de óculos Rayban, camisetas Lacoste e jeans Levi's estão por toda parte. Algumas lojas exibem placas de *ingresso libero*, o que significa que curiosos são bem-vindos, mas não se surpreenda se um vendedor o abordar assim que você entrar.

Bolsas de couro colorem uma das vitrines de Florença

JOIAS E ANTIGUIDADES

Joias douradas e vistosas são apreciadas na Itália, e toda joalheria *(gioielleria)* oferece boa variedade de desenhos. Para peças mais diferenciadas, procure uma *oreficeria* (ourives) ou *bigiotteria*. A loja de antiguidades, como a *antichità* e o *antiquariato*, vende móveis e objetos de decoração com preços e qualidade variados. As promoções são raras no país, exceto talvez nas *fiere dell'Antiquariato* (feiras de antiguidades), realizadas durante o ano todo.

DECORAÇÃO E ARTIGOS DOMÉSTICOS

A Itália também se destaca por seu design de interiores. As lojas de decoração mais conceituadas são caríssimas e muitas seguem o estilo moderno ou hi-tech. Lojas de aparelhos e utensílios domésticos são encontradas no país inteiro. Apetrechos para cozinha, como potes, panelas e travessas de inox ou cobre, são muitos apreciados. Para obter bons preços, fuja das lojas para turistas e procure os fabricantes. Entre os itens mais em conta, estão as típicas xícaras para café, vendidas em todos os mercados.

Elegante loja de grife em Treviso

PRODUTOS TÍPICOS

Muitas especialidades regionais da Itália –presunto de Parma, vinho Chianti, azeite de oliva e *grappa*– são famosas no mundo todo. Doces regionais, como o *panforte* de Siena e o marzipã da Sicília, também são muito apreciados, assim como os queijos –o gorgonzola da Lombardia e o parmesão da Emília-Romanha. O país também continua fazendo um variado artesanato, como as delicadas rendas e vidrarias do Vêneto e os artigos de couro, joias e papéis marmorizados típicos de Florença. Entre as cerâmicas, destacam-se as peças da Toscana, os pratos pintados a mão de Amalfi e as peças De Simone, da Sicília.

Peças de cerâmica decorada produzidas na Toscana

TABELAS DE TAMANHOS

Vestidos, casacos e saias para mulheres

Brasileiro	38	40	42	44	46	48
Italiano	40	42	44	46	48	50

Calçados para mulheres

Brasileiro	36	37	38	38½	39	40
Italiano	37	38	39	40	41	42

Ternos para homens

Brasileiro	46	48	50	52	54
Italiano	36	38	40	42	44

Camisas para homens (tamanho de colarinho, centímetros)

Brasileiro	36	37	38	39	40
Italiano	36	37	38	39	40

Calçados para homens

Brasileiro	39	40	41	42	43	44	45
Italiano	39	40	41	42	43	44	45

Observação: Esta é uma conversão de manequins aproximada; sempre se deve provar a peça antes de comprar.

DIVERSÃO NA ITÁLIA

Os italianos têm muito orgulho de seu país e paixão por todos os aspectos de seu legado cultural. Um dos polos de cultura da Europa desde os tempos romanos, a Itália foi o berço do Renascimento e hoje é conhecida como a terra da ópera e de uma profusão de música folclórica de cunho regional. O país sedia um dos festivais cinematográficos mais importantes do mundo e toda cidade tem um teatro bem equipado com programação variada abarcando manifestações da cultura clássica e tradicional. Há também muitas festas e feiras de rua, em geral ligadas a comida, vinhos e à *dolce vita*. Isso significa que aqui você jamais sentirá monotonia.

INFORMAÇÕES ÚTEIS

A maioria dos lugares tem serviço de reserva por telefone ou internet. Mas, como grandes eventos tendem a ter os ingressos esgotados antes da estreia, é melhor garantir seu ingresso com antecedência através de agências especializadas, a exemplo da **Liaisons Abroad**. Mesmo em caso de ingressos esgotados, às vezes tais agências ainda têm alguns sobrando.

Para saber o que está acontecendo durante sua estada na Itália, consulte o site oficial de turismo (www.italiantourism.com), ou a *Dove*, publicação mensal sobre cultura, turismo e gastronomia que também destaca os eventos do mês em Roma e Milão.

Il Corriere della Sera, o jornal mais antigo da Itália, tem seções sobre eventos e cultura; seu website Vivimilano (www.corriere.it/vivimilano) é uma mina de informações sobre eventos em curso na capital da moda. Outro website (www.romaturismo.it) oferece o mesmo serviço para Roma.

Escritórios de informações turísticas *(pág. 665)* também orientam sobre programas, eventos e locais, assim como a **Ente Nazionale Italiano per il Turismo (Enit)**. Poucos lugares no país têm fácil acesso para pessoas com mobilidade restrita. A situação só melhora um pouco no verão, quando há muitos eventos ao ar livre.

ÓPERA E MÚSICA CLÁSSICA

A Itália tem algumas das casas de ópera mais belas e históricas do mundo. Em Veneza, **La Fenice**, destruída por um incêndio em 1996, foi restaurada recuperando seu antigo esplendor, e o **Teatro alla Scala** *(pág. 193)* de Milão também passou por uma reforma. Além do edifício original, agora conta com o **Teatro degli Arcimboldi**, o que permite que o Scala abrigue mais apresentações.

No verão há uma temporada de ópera e música clássica na **Arena di Verona** *(pág. 147)* a céu aberto, ao passo que Roma tem locais como os **Banhos de Caracala** ao ar livre *(pág. 437)*, o estupendo auditório **Parco della Musica**, projetado por Renzo Piano, e o **Teatro dell'Opera**.

Em maio e junho, o **Maggio Musicale** *(pág. 66)* de Florença oferece ópera, balé e apresentações clássicas.

O festival de ópera em Verona atrai multidões à arena romana

Pôster do Festival de Cinema de Veneza

ROCK, JAZZ E MÚSICA CONTEMPORÂNEA

Em geral, grandes concertos são realizados em teatros clássicos ou em estádios esportivos. A **Arena di Verona** recebe nomes famosos no verão, assim como o **Stadio Olimpico** de Roma. Em Milão, o estádio esportivo **Forum di Assago** abriga shows de música ao vivo. Algumas vezes, os ingressos para concertos são vendidos em lojas de discos.

Astros de renome mundial reúnem-se anualmente na Perugia para o festival de Jazz da **Úmbria** em julho. O website dá detalhes sobre reservas e outras informações.

TEATRO E BALÉ

A Itália tem a maior concentração de teatros tradicionais da Europa, nos quais há apresentações de teatro, balé e música clássica. Grupos internacionais de balé sempre passam pelo país em suas turnês. A companhia de balé do **Scala** tem fama internacional. Tradição e inovação marcam o festival internacional de balé realizado em julho no **Teatro Carlo Felice** de Gênova.

CINEMA

Um dos destaques do calendário é o **Festival de Veneza** *(pág. 67)*, em agosto e setembro. O Festival Internacional de Roma *(pág. 68)* atrai grandes astros. Há o Festival Cinematográfico Internacional de Taormina *(pág. 67)*, na Sicília, menor; no inverno, Florença sedia a Festa dei Popoli *(pág. 68)*.

Momento eletrizante na corrida Sienese Palio na Piazza del Campo

DANÇA, MÚSICA E FESTAS REGIONAIS

Festas sazonais são relacionadas a santos padroeiros ou a gastronomia. A mais conhecida é o *Carnevale* (literalmente "despedida da carne") *(pág. 69)*, celebrado no fim do inverno antecedendo a Quaresma. Veneza realiza a festa de máscaras mais antiga e opulenta, enquanto Viareggio, na Toscana, tem fama por seus carros alegóricos temáticos.

Outro destaque é o *Sienese Palio* *(pág. 67)*, uma corrida de cavalo sem arreios que acontece duas vezes por ano em uma das praças mais belas da Itália. Mais detalhes sobre festas populares da Itália nas *págs. 66-9*.

Elaborada máscara de Carnaval

Todas as regiões têm suas próprias músicas e danças antigas, porém a mais conhecida é a *tarantela* de Puglia, uma dança animada movida a canções ritmadas *(pág. 511)*. Segundo a lenda, seu nome deriva da tarântula, já que quem é mordido por essa aranha se sacode freneticamente para expelir o veneno.

CULTURA

Seja em eventos esportivos, festas rurais ou grandes eventos, a diversão tem a ver com observar. E isto, naturalmente, envolve um passatempo típico dos italianos –ver e ser visto. Você nota esse hábito cotidianamente na cultura dos cafés, assim como nas praças populares de cidades grandes. Seja na Piazza di Spagna ou na Piazza Navona em Roma, na Piazza del Duomo em Milão ou na Piazza San Marco em Veneza, você verá pessoas de todas as idades desfilando com suas melhores roupas. Esta circulada chamada de *passeggiata* vira um ritual nos fins de semana em calçadões à beira-mar ou à margem de lagos no verão e no centro das cidades.

Outro aspecto da vida cotidiana é o aperitivo. Este ritual de sair do trabalho e encontrar amigos para um drink ao cair da noite, talvez seguido de um jantar ou de uma ida a um clube noturno, voltou à moda. Os bares servem fartos petiscos como acompanhamento para os drinks, que em geral custam mais caro do que em outras horas do dia. Esta tendência gerou um aumento no número de bares nas grandes cidades.

AGENDA

INFORMAÇÕES ÚTEIS

Ente Nazionale Italiano per Il Turismo
Av. Paulista, 2073 - 24° and. CEP 01311-940 - São Paulo **Tel** *(11) 3179 0146 ou (11) 3179 0131 (fax)*
enit@italcam.com.br

Liaisons Abroad
www.liaisonsabroad.com
Tel *0870 421 4020.*

ÓPERA E MÚSICA CLÁSSICA

Arena di Verona
Piazza Brà, Verona.
Tel *045 800 32 04.*
www.arena.it

Banhos de Caracalla
Via delle Terme di Caracalla 52, Roma.
Mapa 7 A3.

La Fenice
Campo San Fantin, Veneza. **Mapa** 7 A2.
Tel *041 24 24.*
www.teatrolafenice.it

Maggio Musicale
Florença. **Tel** *055 2779350.*
www.maggiofiorentino.com

Parco della Musica
Viale de Coubertin 30, Roma. **Tel** *068 024 12 81.*
www.auditoriumroma.com

Teatro alla Scala
Piazza della Scala, Milão.
Tel *02 7200 3744.*
www.teatroallascala.org

Teatro degli Arcimboldi
Viale dell'Innovazione, 20 Milão. **Tel** *02 641142212.*
www.teatroarcimboldi.it

Teatro dell'Opera
Piazza B Gigli 7, Roma.
Mapa 3 C3.
Tel *06 481 60255.*
www.operaroma.it

ROCK, JAZZ E MÚSICA CONTEMPORÂNEA

Forum di Assago
Via G Di Vittorio 6, Assago, Milão.
Tel *199 128 800.*
www.forumnet.it

Stadio Olimpico
Viale dei Gladiatori, Roma.

Umbria Jazz
Tel *075 573 24 32.*
www.umbriajazz.com

TEATRO E BALÉ

Teatro Carlo Felice
Passo E Montale 4, Genova. **Tel** *010 53 811.*
www.carlofelice.it

CINEMA

Festival de Veneza
Tel *041 521 87 11.*
www.labiennale.org

Interesses Especiais e Atividades ao Ar Livre

Passeios a cavalo são comuns no interior

Uma incrível variedade de atividades culturais, esportivas e de lazer costuma fazer parte das atrações italianas. Muitas escolas e instituições, entretanto, aceitam apenas associados, e, às vezes, é difícil ou caro encontrar programas de curta duração. Os centros de informação turística de cada região podem dar mais detalhes sobre as opções de lazer e os eventos esportivos locais. Para saber mais sobre as festas anuais, veja a seção *Itália Mês a Mês (págs. 68-9)*. A seguir, estão os programas mais conhecidos e também alguns bastante criativos.

Agradável passeio de bicicleta na plana região do delta do rio Pó

CAMINHADAS, CICLISMO E EQUITAÇÃO

Várias caminhadas são organizadas pelos escritórios italianos da **World Wide Fund for Nature (WWF)**. O **Club Alpino Italiano (CAI)** oferece excursões com trilhas e escaladas, e a **Liga Italiana de Proteção às Aves (LIPU)** passeios e viagens para observação de aves. Os mapas militares *IGM* são os mais detalhados, mas só podem ser adquiridos em lojas especializadas.

O ciclismo é popular, apesar do terreno montanhoso. As livrarias especializadas vendem livros com sugestões de rotas, como o *Delta de Po,* com milhas de lindas paisagens.

Muitas escolas de equitação promovem passeios e excursões, geralmente divulgadas pela imprensa local. Procure a **Federazione Italiana Sport Equestri.**

ESQUI E MONTANHISMO

As estações de esqui mais famosas e equipadas da Itália ficam nas Dolomitas, nos Alpes italianos e ao redor de Turim (cidade que sediou os Jogos Olímpicos de Inverno de 2006). Há opções mais simples e baratas nos Apeninos e na Sicília. Pacotes vendidos fora da Itália podem ter preços melhores. A **Federazione Arrampicata Sportiva Italiana** tem uma lista de escolas de montanhismo que organizam passeios para todos os níveis.

Caminhada em grupo nas Dolomitas de Trentino-Alto Adige *(págs. 82-3)*

Teleférico leva esquiadores perto da passagem Falzarego, nas Dolomitas

ESCAVAÇÕES ARQUEOLÓGICAS

Vir à Itália pode significar a oportunidade de participar de explorações e escavações arqueológicas. O **Gruppo Archeologico Romano** realiza escavações com duas semanas de duração em diversas regiões. Há atividades no inverno e no verão, para adultos e crianças. Os turistas-arqueólogos têm contato com especialistas locais.

IDIOMA E CULTURA

A **Società Dante Alighieri** oferece cursos em italiano sobre história da arte, literatura e cultura em diversos níveis. Há opção de aula o dia inteiro ou apenas por algumas horas. Nas cidades maiores, funcionam muitas escolas de idiomas (procure nas listas telefônicas, *Pagine Gialle*). Jovens estudantes podem recorrer ao **Intercultura**, que organiza intercâmbios semanais, mensais ou até mesmo anuais, incluindo aulas de idioma, hospedagem em casa de uma família local e matrícula em uma escola italiana.

Nos últimos anos, aumentou também a procura por cursos de culinária ministrados por especialistas em cozinha

Aula de culinária, na Sicília

italiana. Há agências que promovem degustação de vinhos e cursos de culinária com duração de uma semana, incluindo acomodação. Há cursos desse tipo em Vêneto, Sicília, Toscana e Piemonte. Tours de degustação de vinhos são organizados pelos centros locais de informação turística. A CIT *(pág. 665)* e, no Brasil, o STB oferecem diversos cursos (idioma, história, culinária etc.), providenciando hospedagem.

ESPORTES AQUÁTICOS

É possível alugar veleiros, canoas e equipamentos para windsurf na maioria dos lagos e balneários marítimos do país. Aulas e cursos são oferecidos por vários clubes, mas em geral é necessário ser sócio. Para obter uma lista das entidades credenciadas, procure a **Federazione Italiana Vela**. A revista *Avventure nel Mondo* e a maioria das agências de viagens divulgam cursos e excursões para prática de esportes náuticos com duração de um fim de semana ou de sete dias. A **Federazione Italiana di Attività Subacquee**, por sua vez, organiza cursos de mergulho. Informe-se nos escritórios locais.

As piscinas são caras e muitas não aceitam frequentadores de um dia. Em geral, é preciso pagar uma taxa de associação e uma tarifa mensal. Alguns hotéis de luxo abrem as piscinas ao público no verão, mas cobram caro. Os parques aquáticos, bastante procurados, oferecem piscinas, escorregadores e ondas artificiais. Antes de entrar em lagos, rios ou praias urbanas, verifique se a água não está poluída.

VOO E ASA-DELTA

Em todo o país, há escolas que promovem cursos de voo e de asa-delta, mas a duração mínima é de um mês. Para mais informações, contate o **Aeroclub Italia**. Vale lembrar que é preciso ter licença para voar e que todos os aparelhos devem estar registrados no aeroclube.

FUTEBOL, GOLFE E TÊNIS

Não perca a oportunidade de assistir a um jogo da liga profissional de futebol italiana. Os lugares podem ser poucos, portanto reserve os ingressos com antecedência no estádio. A maioria dos jogos da primeira divisão acontece aos domingos, e os internacionais às terças e quartas-feiras. O golfe é outro esporte bastante popular na Itália, e não faltam campos para praticá-lo. Mas, para se ter acesso diário aos clubes, geralmente é necessário ser sócio. Os clubes de tênis também aceitam apenas os associados, que podem levar convidados. Na **Federazione Italiana di Tennis** encontra-se uma lista dos clubes de tênis do país.

Iatismo, uma opção de lazer bastante difundida na Itália

AGENDA

Aeroclub Italia
Via Cesare Beccaria 35a, 00196 Roma. ***Tel*** *06 36 08 46 00.* **www**.aeci.it

Club Alpino Italiano
Via E Petrella 19, Milão. ***Tel*** *02 205 72 31.* **www**.cai.it

Federazione Arrampicata Sportiva Italiana
Via del Terrapieno 27, 40127 Bolonha. ***Tel*** *051 601 48 90.* **www**.federclimb.it

Federazione Italiana di Attività Subacquee
Via Flaminia Nuova 830, 00191 Roma. ***Tel*** *06 36 85 63 02.* **www**.fipsasroma.it

Federazione Italiana Canoa Kayak
Viale Tiziano 70, 00196 Roma. ***Tel*** *06 36 85 85 25.* **www**.federcanoa.it

Federazione Italiana Sport Equestri
Stadio Olimpico, 00196 Roma. ***Tel*** *06 36 85 84 11.* **www**.fise.it

Federazione Italiana di Tennis
Viale Tiziano 74, Roma. ***Tel*** *06 36 85 85 98.* **www**.federtennis.it

Federazione Italiana Vela
Piazza Borgo Pila 40, Genova. ***Tel*** *010 544 541.* **www**.federvela.it

Gruppo Archeologico Romano
Via Baldi degli Ubaldi 168, 00167 Roma. ***Tel*** *06 638 52 56.* **www**.gruppoarcheologico.it

Intercultura
Via Venezia 25, 00184 Roma. ***Tel*** *06 48 88 24 01.* **www**.intercultura.it

Liga Italiana de Proteção às Aves (LIPU)
Via Trento 49, 43100 Parma. ***Tel*** *0521 27 30 43.* **www**.lipu.it

Società Dante Alighieri
Via Gino Capponi 4, 50121 Florença. ***Tel*** *055 247 8981.* **www**.dantealighieri.it

Student Travel Bureau
R. Estados Unidos, 136, São Paulo. ***Tel*** *(11) 3526 4200.* **www**.stb.com.br

World Wide Fund for Nature
Via Po 25c, 00198 Roma. ***Tel*** *06 84 49 71.* **www**.wwf.it

GELATERIA BA
CONFEZIONI ELY
BIANCHERIA
ORIA
STICCERIA

MANUAL DE SOBREVIVÊNCIA

INFORMAÇÕES ÚTEIS

Pergunte a um italiano qual o país mais bonito do mundo e ele certamente lhe dirá que é a Itália –e provavelmente não estará longe da verdade. Mas o charme do país acaba ajudando a encobrir alguns de seus inúmeros problemas práticos. Obter informação, por exemplo, não é fácil; as repartições públicas e os bancos costumam ter longas filas e muita burocracia, e o correio é famoso por sua ineficiência. Esta seção, aliada a um bom planejamento prévio e a um pouco de paciência, deverão ajudá-lo a lidar melhor com as idiossincrasias do país.

ENTE NAZIONALE ITALIANO PER IL TURISMO

Escritório de turismo

Turistas atravessam a Ponte della Paglia, em Veneza *(pág. 109)*

QUANDO VISITAR

O norte da Itália costuma ser mais temperado do que o sul, que tem clima mais mediterrâneo. De junho a setembro o clima é quente no país todo, e no auge do verão também é úmido. As estâncias do litoral tendem a ficar lotadas. A primavera e o outono são ideais para visitar as cidades pois as temperaturas são mais suaves, e é menos cansativo visitar as atrações, mas podem ocorrer pancadas de chuva.

As cidades e localidades históricas da Itália são atrações muito populares e é bom levar isso em conta ao planejar sua viagem. A maioria das atrações fica aberta o ano todo, exceto em alguns feriados *(pág. 69)*, e em geral elas fecham um dia por semana. Roma, Florença e Veneza ficam lotadas da primavera até outubro e é bom reservar hotel com antecedência. Em agosto as cidades costumam ficar um pouco menos cheias de gente, pois os residentes saem para as férias de verão.

Em fevereiro, Veneza triplica sua população durante o Carnevale *(pág. 69)* e na Páscoa, Roma fica cheia de peregrinos e turistas. O inverno pode ser muito frio, especialmente no norte, e de dezembro a março é a época do ano para esquiar nas estâncias de grande altitude dos Alpes italianos. *O Clima da Itália,* nas págs. 72-3 mostra em detalhes o clima do país.

VISTOS E PERMESSO DI SOGGIORNO

Cidadãos brasileiros não precisam de visto para entrar na Itália se forem ficar até três meses no país. Ao chegar, o turista deve apresentar passaporte válido. A maioria dos visitantes da União Europeia precisam apenas de um documento de identidade válido com foto, mas visitantes do Reino Unido, Irlanda, Dinamarca e Suécia devem ter passaporte.

É importante checar quais são as exigências na embaixada italiana antes de viajar, e declarar sua entrada à polícia italiana no prazo de oito dias após a chegada. Se estiver em hotel ou camping, isso será feito pelo próprio pessoal, se não, entre em contato com a *Questura* (delegacia de polícia).

Quem quiser ficar na Itália mais de três meses deve obter o *permesso di soggiorno* (permissão para estadia ou residência). Você pode pedir permissão de residência em qualquer delegacia de polícia, a *Questura di Provincia.* Em alguns casos, você obtém um kit com o formulário nas grandes agências dos correios. Deve pedir a permissão correta, seja para trabalhar *(lavoro)* ou para estudar *(studio)*. A documentação necessária está no site da *Questura (pág. 665).*

Para obter uma permissão de estudo, é preciso ter uma carta da escola ou universidade em que se deseja estudar, dando detalhes do seu curso. Isto então deve ser enviado ao consulado italiano do Brasil que irá providenciar uma carta ou declaração oficial.

Você irá precisar também de algum tipo de garantia de que suas despesas médicas serão pagas caso você fique doente ou tenha algum acidente que exija tratamento médico. Um seguro que abranja o período de sua estadia *(pág. 667)* geralmente é suficiente.

O café Tazza d'Oro em Roma, ideal para uma parada entre as atrações

◁ A bonita Piazza del Campo, em Siena, ponto de encontro de visitantes e locais

ALFÂNDEGA

Em 30 de junho de 1999, as Isenções e Deduções de Impostos da UE, referentes principalmente a itens como bebidas alcoólicas, perfumes e tabaco, foram abolidas. Mas aumentou-se a quantidade que os residentes da UE podem importar para uso pessoal.

Em geral os consulados podem fornecer informação atualizada sobre as normas de alfândega. Para descobrir o que você pode trazer da Itália para países fora da UE, contate a embaixada ou os consulados italianos no Brasil, que poderão orientá-lo.

Placa de informação ao turista

ISENÇÃO DE IMPOSTOS

O Imposto sobre Valor Agregado (IVA na Itália) é de 20%, com uma alíquota menor, de 4-10%, para alguns artigos. Cidadãos de fora da UE que comprarem na Itália podem requerer a devolução do IVA, em despesas maiores do que €155 em apenas uma loja. É um processo longo, e é mais fácil obter o reembolso se você comprar em alguma loja que exiba a placa "Euro Free Tax", e não em bancas de mercado. Você mostra seu passaporte ao balconista, preenche um formulário e o IVA é descontado do valor da compra. Outra opção é mostrar as compras ao oficial da alfândega e as respectivas notas ao sair da Itália. Ele irá carimbar as notas, que você então irá enviar ao lojista. O reembolso será enviado a você.

INFORMAÇÃO TURÍSTICA

O órgão nacional de turismo, **ENIT**, tem um bom site e filiais nas grandes cidades do mundo todo, e oferece informações gerais sobre a Itália. Para questões específicas, entre em contato com os escritórios locais de turismo. Os endereços e números de telefone são listados para cada cidade, logo abaixo do título, e aparecem também nos mapas. Cada EPT *(Ente Provinciale di Turismo)* tem informações sobre sua cidade e a região vizinha, e a APT *(Azienda di Promozione Turistica)* lida exclusivamente com cidades individuais. Ambos dão informações práticas, como reserva de hotel e passeios. Também fornecem mapas e guias gratuitos em várias línguas. Os EPTs e APTs podem indicar guias locais de viagem e sugerir passeios e excursões.

Cidades pequenas têm o seu *Pro Loco*, um escritório de turismo da administração local, que muitas vezes só abre na estação turística. Geralmente fica na prefeitura da cidade.

EXCURSÕES E PASSEIOS

Muitas operadoras de viagens organizam passeios, com guias que falam inglês, para as principais atrações turísticas da Itália. Empresas como a **Leger Holidays**, sediada no Reino Unido, oferecem passeios guiados no país inteiro. Se quiser algo um pouco mais personalizado e fora do padrão, procure nos jornais locais ou nacionais anúncios de empresas especializadas. Os escritórios locais de turismo também dão orientação. Recorra de preferência a guias oficiais e combine sempre o preço antes. Para férias especializadas, como as que incluem esportes ou atividades culturais, ver págs. 658-9.

Um grupo de turistas em passeio guiado por Florença

Visita às atrações, por um tranquilo canal de Veneza

HORÁRIOS DE VISITA ÀS ATRAÇÕES

Os museus italianos estão aos poucos se enquadrando às normas, particularmente nas regiões norte e centro do país, abrindo de 9h-19h diariamente, exceto às segundas. No inverno, porém, muitos museus fecham mais cedo, especialmente aos domingos, mas é sempre bom confirmar.

Museus privados e museus menores fixam seus próprios horários, por isso ligue antes para evitar decepções. Sítios arqueológicos geralmente abrem de 9h até uma hora antes do pôr do sol, de terça a domingo. As igrejas costumam abrir de 7h-12h30 e de 16h-19h. No entanto, elas com frequência preferem não dar acesso a turistas durante as missas, por isso o domingo não é o melhor dia para programar sua visita.

INGRESSOS

Os preços dos ingressos variam entre €2 e €9. As igrejas em geral não cobram ingresso, mas algumas esperam donativos, e você precisará de moedas para iluminar obras de arte. Nem sempre há descontos para estudantes, mas muitos museus estatais e sítios arqueológicos permitem entrada gratuita a residentes da UE menores de 18 anos e maiores de 60. Grupos têm às vezes direito a desconto, mas é preciso mostrar algum documento de identidade.

ETIQUETA E GORJETAS

As pessoas na Itália mostram-se amistosas com estrangeiros em visita. Ao entrar em lojas ou bares costuma-se dizer *buon giorno* (bom-dia) ou *buona sera* (boa-noite), e a mesma coisa ao sair. Os italianos também se mostram solícitos quando perguntados sobre endereços na rua. Se o seu italiano é precário, em geral basta dizer *scusi,* seguido pelo nome do lugar aonde deseja ir. Ao dizer *grazie* (obrigado) eles respondem com *prego* (de nada).

Quando o serviço de 10-15% não está incluído, a gorjeta é de praxe. Dar 10% é considerado generoso e em restaurantes administrados por famílias não se espera receber gorjeta. Taxistas e carregadores de hotéis esperam receber alguns euros pela sua ajuda. Você pode simplesmente arredondar para o valor mais próximo de €2.

Italianos dão muita atenção ao vestir, e roupas incomuns não passam despercebidas. Em locais de culto procure usar decotes discretos e cobrir os braços; shorts e saias devem ficar abaixo do joelho.

O fumo é proibido em todos os edifícios abertos ao público (incluindo escritórios, lojas, bares e restaurantes). No entanto, é tolerado em locais ao ar livre. Apresentar-se alcoolizado é sempre algo muito mal visto.

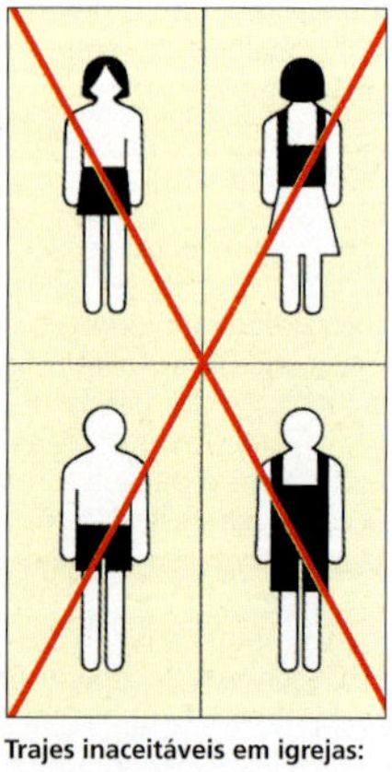

Trajes inaceitáveis em igrejas: homens e mulheres devem cobrir o torso e os braços

Uma estudante relaxa ao sol em Gaiole, no Chianti

LOCAIS DE CULTO

Cerca de 35% da população do país é católica praticante. A missa de domingo é celebrada em toda a Itália, e nas principais igrejas também se reza missa durante a semana. Em grandes cidades, algumas igrejas, como a de Santa Susanna (Via XX Settembre 14) em Roma, oferecem missa e confissões em inglês. Para alguns visitantes, a viagem a Roma pode incluir uma entrevista com o papa *(pág. 419)*.

Como há cada vez mais estrangeiros que decidem fixar residência no país, a maioria dos cultos religiosos está representada. Para detalhes, entre em contato com os principais centros em Roma.

ESTUDANTES

O órgão nacional de viagens de estudantes, o **CTS** (Centro Turistico Studentesco), tem filiais em toda a Itália e Europa. Eles expedem o International Student Identity Card (ISIC) e o Youth International Educational Exchange Card (YIEE). Ambos podem ser usados, junto com o passaporte, para obter descontos em museus e outras atrações turísticas. O cartão ISIC também dá acesso à linha de telefone 24 horas que fornece orientações gerais. Além de emitir cartões, a CTS oferece descontos no aluguel de carro e organiza férias e cursos. Para detalhes sobre albergues para jovens, contate a **Associazione Italiana Alberghi per la Gioventù**, desde que seja membro associado. No Brasil, informações no site do **STB** (www.stb.com.br).

Carteira ISIC

VIAJAR COM CRIANÇAS

A maioria dos italianos adora crianças, e às vezes parece ter atitudes até excessivas com elas. Elas são bem recebidas em trattorias e pizzarias e não há regras que as excluam dos bares; mas é raro haver cadeirões. Os hotéis também recebem bem as crianças, mas estabelecimentos menores podem ter poucas instalações próprias para elas. Alguns hotéis mais finos têm serviço de babá. Por outro lado, são poucos os museus que oferecem atividades especiais para as crianças. É comum ver os pequenos brincando na rua até tarde da noite, especialmente no verão. A maioria das cidades tem playgrounds e parques de diversões. Há bom número de sorveterias *(gelaterias),* sempre cheias de jovens. Para crianças e adolescentes, as águas calmas do Mediterrâneo são boas para nadar, sempre com a devida prudência.

NECESSIDADES ESPECIAIS

Aumenta no país a consciência quanto às necessidades de deficientes físicos, em especial nas grandes cidades, com rampas nos museus e em algumas igrejas. Trens e ônibus também vêm se atualizando nesse sentido. A **AIAS** (Associazione Italiana Assistenza Spastici) em Milão, e a **CO.IN.Sociale** e a **Roma per Tutti**, em Roma, dão informações e assistência. Quem viaja de trem com a **Trenitalia** em trajetos domésticos ou internacionais tem reservas especiais e assistência nas estações.

BANHEIROS PÚBLICOS

Gabinetto significa banheiro público, embora as placas geralmente indiquem WC. Cidades turísticas têm banheiros públicos bem sinalizados, que cobram €1. Alguns têm pessoal de limpeza e deve-se deixar gorjeta. Os cafés em geral têm um banheiro para clientes. Ainda há privadas antigas, para usar agachado.

ELETRICIDADE

A voltagem na Itália é de 220 volts, com tomadas de dois pinos redondos, por isso traga os adaptadores necessários ou compre-os na Itália. A maioria dos hotéis de três ou mais estrelas tem tomadas para secador de cabelo e barbeador nos quartos, mas para garantir, cheque a voltagem.

HORÁRIO NA ITÁLIA

Os ponteiros italianos estão quatro horas adiantados em relação aos de Brasília. No horário de verão italiano, que vai de março a outubro, a diferença sobe para cinco horas e, durante o horário de verão brasileiro, cai para três horas de diferença.

O relógio de San Giacomo di Rialto em Veneza *(pág. 97)*

TURISMO CONSCIENTE

A consciência ambiental entre os italianos ainda é precária, apesar dos esforços de vários grupos, como o partido Verdi. No entanto, há oportunidades para viagens de baixo impacto e alternativas verdes.

Ficar em pousadas geridas por famílias em vez de nas grandes redes de hotéis é um modo de apoiar a economia local. Parques nacionais e regionais conferem rótulos ecológicos a hotéis e pousadas que aderem às regras da UE sobre turismo sustentável, e cobrem tópicos como economia de energia e água, tratamento de dejetos e uso de produtos locais. A **National Association for Agritourism** e a **Agriturismo** *(pág. 556)* oferecem estadia em fazendas no país inteiro. São uma ótima maneira de curtir o interior e de ter contato com tradições locais, além de complementar a renda de pequenos proprietários rurais. As instalações variam e em alguns locais os visitantes têm a oportunidade de ajudar nos trabalhos.

Mercados rurais que vendem produtos direto ao público são agora mais comuns, e garantem produtos frescos. Tente localizar a etiqueta *biologico* ao procurar produtos orgânicos.

TABELA DE CONVERSÃO

Imperial para métrico
1 polegada = 2,54 cm
1 pé = 30 cm
1 milha = 1,6 km
1 onça = 28 gramas
1 libra = 454 gramas
1 pint = 0,57 litro
1 galão = 4,6 litros

Métrico para Imperial
1 cm = 0,4 polegada
1 metro = 3 pés e 3 pols
1 km = 0,6 milha
1 grama = 0,04 onça
1 kilo = 2,2 libras
1 litro = 1,8 pints

AGENDA

QUESTURA E PERMISSÕES

www.poliziadistato.it
www.portaleimmigrazione.it
www.esteri.it/visti

ALFÂNDEGA E IMPOSTOS

www.agenziadogane.it

INFORMAÇÕES E PASSEIOS

APT Florence
Via Cavour 1r. **Mapa** 2 D4. ***Tel*** *055 29 08 32.*
www.firenzeturismo.it

APT Siena
Piazza del Campo 56.
Tel *0577 28 05 51.*
www.terresiena.it

APT Venice
Piazza San Marco 71f.
Mapa 7 B2.
Tel *041 529 87 11.*
www.turismovenezia.it

Leger Holidays
Tel *0844 686 2424 (RU).*
www.leger.co.uk

ENIT
www.enit.it.

IAT Milan
Piazza Duomo 19a.
Tel *02 72 52 43 01.*
www.turismo.milano.it

Rome Tourist Office
Estação Termini, Plataforma 24. **Mapa** 4 D3. ***Tel*** *06 06 08.*
www.060608.it

ORGANIZAÇÕES RELIGIOSAS

Católica
Ufficio Informazioni Vaticano, Piazza San Pietro, Vaticano, Roma.
Mapa 1 B3.
Tel *06 69 88 16 62.*

Judaica
Unione delle Comunità Ebraiche Italiane, Lungotevere Sanzio 9, Roma. **Mapa** 6 D1.
Tel *06 580 36 70.*
www.ucei.it

Muçulmana
Centro Islamico Culturale d'Italia, Viale della Moschea 85, Roma.
Tel *06 808 22 58.*

INFORMAÇÕES PARA ESTUDANTES

Associazione Italiana Alberghi per la Gioventù
Via Cavour 44 (3º andar), Roma. **Mapa** 3 C5.
Tel *06 487 11 52.*
www.aighostels.com

CTS
Via Solferino 6A, Roma.
Mapa 4 D3. ***Tel*** *06 462 04 31.* **www**.cts.it

DEFICIENTES

AIAS
Via P Mantegazza 10, Milão.
Tel *02 330 20 21.*
www.aiasmilano.it

CO.IN.Sociale
Via E Giglioli 54A, Roma.
www.coinsociale.it

Roma per Tutti
Tel *06 57 17 70 94.*
www.romapertutti.it

TURISMO RESPONSÁVEL

National Association for Agritourism
www.agriturist.it

Segurança e Saúde

Embora a Itália seja em geral um local seguro para visitantes, é bom estar atento a seus pertences pessoais, especialmente nas grandes cidades. A polícia está sempre presente em todo o país, e na eventualidade de uma emergência ou crime, qualquer dos policiais descritos nesta seção poderá auxiliá-lo e lhe dizer aonde ir para dar queixa. Se você adoecer, as farmácias são um bom ponto de partida, pois o pessoal tem treino médico básico e pode orientá-lo ou indicar-lhe um local mais adequado. Em emergências, o pronto-socorro *(Pronto Soccorso)* de qualquer hospital poderá cuidar de você e nas grandes cidades é bem provável que você encontre gente que fale inglês.

***Commissariato di Polizia* – a delegacia de polícia**

Viatura policial

Ambulância da Cruz Verde em Veneza

Carro de bombeiros em Roma

PERDAS E FURTOS

Pequenos furtos, como bater carteira, levar a bolsa e roubar objetos do interior de carros são comuns nas cidades italianas. Em caso de furto, dê queixa no prazo de 24 horas à *questura* ou *commissariato di polizia* (delegacia policial). Se possível, leve seu documento de identidade.

Evite deixar objetos visíveis ao deixar o carro estacionado, inclusive o rádio. Se tiver que deixar bagagem no carro, procure um hotel com estacionamento. Ao fazer compras, sempre confira o troco e não carregue a carteira no bolso de trás, especialmente em ônibus ou em locais cheios de gente. Pochetes e cintos para dinheiro e passaporte são muito visados por ladrões, por isso mantenha-os não visíveis. Ao andar, deixe a bolsa e a câmera na sua frente e ande pela parte interna da calçada para evitar ladrões de moto. Fora das áreas turísticas, não exiba câmeras e projetores.

Ao ser atacado, não tente segurar suas coisas, pois pode ser agredido e arrastado pela rua.

Evite carregar grandes somas de dinheiro –leve apenas o que vai precisar gastar no dia. É bom contar com um seguro viagem abrangente, que cubra furtos de objetos pessoais além de cancelamentos e atrasos de voos, perdas e danos em bagagem, dinheiro e outros valores, além de seguro de responsabilidade pessoal e acidentes, e de assistência e orientação jurídica.

Se tiver que recorrer ao seguro para reclamar perda ou furto de objetos, terá que apresentar uma cópia do boletim de ocorrência *(denuncia)* da delegacia onde registrou queixa. Em caso de perda de passaporte, vá até sua embaixada ou consulado; em caso de perda de cartões ou travellers' cheques, contate o escritório mais próximo da seguradora.

Se não tiver seguro, contate a embaixada o mais rápido possível após a ocorrência de algum incidente ou acidente. Ela poderá dar orientação e indicar algum advogado que seja bilíngue e que conheça bem o sistema legal tanto da Itália como do seu país de origem.

SEGURANÇA PESSOAL

Embora pequenos crimes sejam frequentes nas cidades, os crimes violentos são raros no país. Mas é comum as pessoas gritarem umas com as outras durante uma discussão. Em geral, manter a calma e ser educado ajuda sempre a contornar as situações.

Cuidado com guias não oficiais, taxistas ou estranhos que queiram orientá-lo a respeito de hospedagem, alimentação ou compras, pois podem querer algo em troca. Evite-os com educação, mas seja firme.

Um grupo de *carabinieri* no uniforme da polícia de trânsito

MULHERES DESACOMPANHADAS

Mulheres viajando sozinhas na Itália quase sempre recebem muita atenção. Isso pode ser fonte de irritação mais do que um perigo, mas é sempre bom evitar ruas solitárias, com pouca luz, e áreas perto de estações de trem à noite. Carregue um alarme ou apito, e tenha o telefone do hotel e dos táxis locais. Andar depressa e decidida é um bom modo de evitar atenção indesejada. Em hotéis e restaurantes, as mulheres sozinhas são geralmente tratadas com atenções e cuidados adicionais.

A POLÍCIA

Há diversas forças policiais na Itália, cada uma com sua atribuição. A polícia estatal, *la polizia*, usa uniforme azul e viaturas azuis. Eles lidam com a maioria dos crimes. Os *carabinieri* são treinados militarmente e usam uniforme azul-escuro e preto e calças com listras vermelhas. Eles lidam com vários tipos de transgressões, do crime organizado a excesso de velocidade, e podem fazer batidas policiais.

A *guardia di finanza* é a força policial para crimes financeiros, e usa uniforme cinza com calça de listras amarelas. Os *vigili urbani*, ou polícia municipal de trânsito, usa uniformes em azul e branco no inverno e brancos durante o verão.

Policial municipal

Embora não sejam policiais oficialmente, os *vigili urbani* podem aplicar pesadas multas por infrações de trânsito e estacionamento. É comum vê-los patrulhando as ruas, fazendo cumprir as leis ou organizando o trânsito. Qualquer um dos policiais dessas forças poderá ajudá-lo em caso de emergência.

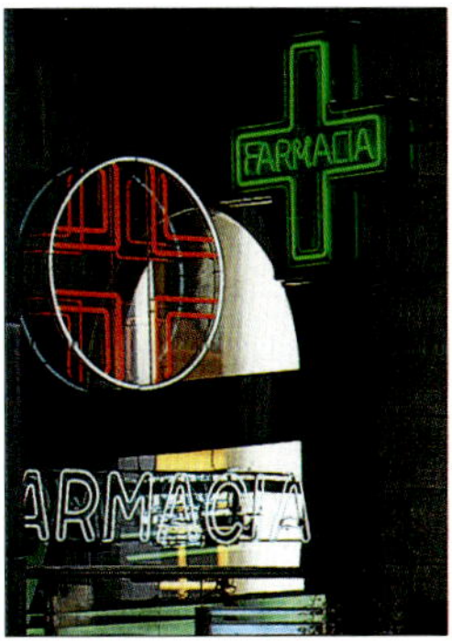

Fachada de farmácia florentina com o sinal da cruz verde

TRATAMENTO MÉDICO

O Brasil e a Itália mantêm convênio que dá aos brasileiros direito ao serviço público de saúde daquele país. O turista precisa apresentar o passaporte e o Certificado de Direito a Assistência Médica (CDAM), que deve ser obtido antes da viagem, nos escritórios de representação do Ministério da Saúde, nas capitais brasileiras. Para obter o documento é preciso apresentar o passaporte, a passagem aérea e os comprovantes de contribuição à Previdência. No site http://sna.saude.gov.br/cdam você encontra endereços e uma lista dos documentos necessários para obter o certificado.

Outra opção interessante é chegar à Itália com um seguro médico privado abrangente, que cubra todas as eventualidades. Se precisar de tratamento de emergência, procure um *Pronto Soccorso* no hospital mais próximo. Se necessário, você será encaminhado ao especialista ou departamento adequado dentro do mesmo hospital. Como alternativa, peça ao seu hotel para chamar o médico de plantão – *guardia medica* – que pode ser consultado por telefone.

Não é preciso tomar nenhuma vacina para entrar na Itália, mas é bom levar repelente de mosquitos no verão. Você pode comprar em farmácias, como creme, spray ou do tipo elétrico, que queima drágeas anti-insetos.

FARMÁCIAS

Produtos médicos, incluindo homeopáticos, são encontrados em qualquer farmácia (*farmacia*), mas em geral elas pedem receita. Funcionários qualificados dão orientação para pequenas ocorrências e doenças comuns e sugerem os remédios adequados. Um sistema de plantão noturno (*servizio notturno*) permite achar uma farmácia aberta a qualquer hora em quase todas as cidades. As farmácias 24h constam das páginas dos jornais locais e de listas na porta de todas as farmácias.

As farmácias também vendem produtos de higiene e de beleza. Produtos farmacêuticos comuns como aspirinas também são vendidos por preços baixos em vários supermercados.

AGENDA

EMBAIXADAS E CONSULADOS

Embaixada da Itália no Brasil
SES Av. das Nações Qd 807 Lt 30. Brasília, DF. **Tel** *(61) 3442-9900.*
www.ambbrasilia.esteri.it

Embaixada do Brasil em Roma
Piazza Navona 14, Roma.
Tel *06 6839811.*
www.ambasciatadelbrasile.it

Consulado-Geral da Itália em São Paulo
Av. Paulista 1963.
São Paulo SP
Tel *(11) 3549-5699*

Consulado da Itália no Rio de Janeiro
Pres. Antonio Carlos 40, Rio de Janeiro RJ. **Tel** *(21) 3534-1315.*
www.consriodejaneiro,esteri.it

TELEFONES ÚTEIS

Emergências Gerais
Tel *113.*

Polícia (Carabinieri)
Tel *112.*

Bombeiros
Tel *115.*

Emergências Médicas
Tel *118.*

TRATAMENTO MÉDICO

Sistema Nacional de Auditoria
http://sna.saude.gov.br

Bancos e Moeda Local

Quase todos os hotéis italianos, muitas lojas, grandes restaurantes e postos de combustível aceitam os principais cartões de crédito. Só em locais mais afastados é que você pode ter problemas se não tiver euros no bolso, e alguns locais dão desconto para pagamento em dinheiro, especialmente na baixa estação. Ao pagar com cartão de crédito, podem lhe pedir identidade ou passaporte. Você pode trocar moeda estrangeira em bancos, mas estes costumam estar lotados e seu atendimento é lento. Todos os bancos descontam travellers' cheques, e os caixas eletrônicos *(bancomat)* aceitam cartões como MasterCard, VISA e American Express. Embora os bancos tenham a melhor taxa de câmbio, as agências de câmbio e as máquinas de câmbio podem ser mais práticas.

Caixa automático, que também aceita VISA e MasterCard

CÂMBIO

Os expedientes bancários podem ser inconvenientes e às vezes sofrem alterações, por isso é mais seguro viajar com uma pequena quantia em moeda local. As taxas de câmbio variam.

Travellers' cheques ainda são um meio seguro de carregar dinheiro, embora as taxas possam ser pesadas. Escolha uma empresa bem conhecida.

Ao chegar, o jeito mais prático de trocar dinheiro é usar os caixas automáticos de câmbio, situados nos grandes aeroportos, estações de trem e em alguns bancos. As máquinas têm instruções em vários idiomas e a taxa de câmbio consta na tela. Basta introduzir notas da mesma moeda estrangeira para receber o valor correspondente em euros.

Há casas de câmbio em todas as grandes cidades. Embora mais fáceis de usar, eles em geral têm taxas de câmbio mais altas e cobram mais comissão que os bancos.

DIFERENÇAS REGIONAIS NO CUSTO DE VIDA

No norte as coisas são mais caras do que no sul, mas há exceções. Restaurantes e hotéis fora do circuito principal têm melhor custo-benefício, e compensa comprar produtos locais se você evitar as armadilhas para turistas.

EXPEDIENTE BANCÁRIO

Os bancos costumam funcionar de 8h30 a 13h30, de seg a sex. A maioria também abre por uma hora à tarde, em geral de 14h15 a 15h ou de 14h30 a 15h30, dependendo do banco. Todos fecham nos fins de semana e feriados, e fecham mais cedo na véspera de um feriado prolongado.

Portas detectoras de metal são encontradas na maioria dos bancos

Mas as agências de câmbio costumam ficar abertas o dia inteiro, e em alguns locais ficam abertas até tarde da noite.

COMO USAR OS BANCOS

Por questão de segurança, a maioria dos bancos tem portas eletrônicas duplas com detectores de metal, e permitem entrar só uma pessoa por vez. Objetos de metal e bolsas devem ser guardados em armários na entrada. Aperte o botão para abrir a porta externa, e aguarde que ela se feche atrás de você. Só então é que a porta interna se abre automaticamente. Não se assuste com os guardas armados que patrulham a maioria dos bancos na Itália.

Trocar dinheiro num banco pode ser uma experiência frustrante, com muita papelada para preencher e filas. Primeiro você vai ao guichê com a placa *cambio* e depois até a *cassa* para pegar o dinheiro. Na dúvida, pergunte, para evitar entrar na fila errada.

Se precisar de dinheiro na Itália, os bancos de seu país podem transferi-lo para um banco local, mas pode demorar uma semana. Alguns transferem dinheiro mais rápido, e cobram taxa de quem envia. O Banco do Brasil possui uma agência em Milão.

CAIXAS AUTOMÁTICOS

Tirar dinheiro de um caixa automático com um cartão de crédito é uma opção mais fácil. Escolha o idioma na tela e siga as instruções. Você terá de introduzir sua senha, por isso tenha-a à mão. Se a máquina engolir seu cartão por qualquer motivo (por exemplo, porque você digitou a senha errada), ele pode ser mandado de volta para o banco emissor. Mas se o banco estiver aberto, pergunte lá dentro. Os custos dos saques em dinheiro são definidos pelo seu banco, por isso confira antes de viajar. Pode valer mais a pena fazer saques de maior valor, e leve em conta que muitos caixas podem ficar sem notas nos fins de semana.

O EURO

O Euro (€) é a moeda comum da União Europeia. Ele entrou em circulação em 1º de janeiro de 2002, de início apenas em doze países. A Itália foi um deles, e a lira foi desativada em março de 2002.

Os países-membros da UE que usam o euro como única moeda oficial compõem a chamada Eurozona. Vários países-membros optaram pela adoção dessa moeda comum. As notas de euro são idênticas em todos os países da Eurozona, e cada uma delas tem desenhos de estruturas arquitetônicas fictícias.

As moedas, no entanto, têm um dos lados idêntico (o lado do valor) e o outro lado com imagens únicas para cada país. As notas e moedas valem para todos os países participantes.

Cédulas

As cédulas do euro têm sete denominações. A nota de €5 (de cor cinza) é a menor, seguida pelas de €10 (cor-de-rosa), €20 (azul), €50 (laranja), €100 (verde), €200 (amarela) e €500 (uva). Todas as notas mostram as doze estrelas da União Europeia.

5 euros

10 euros

20 euros

50 euros

100 euros

200 euros

500 euros

2 euros

1 euro

50 centavos

20 centavos

10 centavos

Moedas

O euro tem cinco valores de moedas: €1 e €2; 50 centavos, 20, 10, 5, 2 e 1 centavo. As moedas de 2 e de 1 euro podem ser de cor dourada ou prateada. As moedas de 50, 20 e 10 centavos são douradas. As moedas de 5, 2 e 1 centavo são de bronze.

5 centavos

2 centavos

1 centavo

Comunicações

Embora os correios italianos sejam famosos por sua lentidão, as outras formas de comunicação da Itália, pelos menos nas cidades, são mais eficientes. Máquinas de fax, serviços de entrega e telefones estão por toda parte, e há pontos de internet pelo país inteiro. Vendem-se jornais e revistas em língua estrangeira em todas as capitais e na maioria das grandes cidades. Existem televisões estatais e privadas, mas apenas as tevês por satélite e as estações de rádio transmitem programas em língua estrangeira.

Logotipo de companhia telefônica

TELEFONES PÚBLICOS

A empresa italiana estatal de telefonia é a Telecom Italia. Os aparelhos operados por moedas ficaram obsoletos e foram trocados por máquinas operadas por cartão. A maior parte tem instruções em cinco idiomas (italiano, inglês, francês, espanhol e alemão). Para selecionar um deles, pressione o botão do alto à direita. Para usar um telefone público você precisa de um cartão telefônico da Telecom Italia *(carta* ou *scheda telefonica)*, que você compra em bares, bancas de jornal, correios e *tabacchi* que tenham a placa T em branco e preto.

Placa de telefone

Cartões internacionais de telefone, à venda em *tabacchi* e bancas de jornal, são um meio barato de ligar para o exterior. Alguns permitem até 3 horas de ligações por €10, dependendo do país chamado. Digite o número gratuito que aparece no cartão e o código secreto escrito sob a faixa prateada que você raspa no verso do cartão. Você saberá quantos créditos tem e será instruído a digitar o número que deseja chamar. A tarifa é um pouco maior ao ligar de um celular ou telefone público. Confirme no hotel antes de ligar do quarto usando cartão pois eles podem cobrar uma taxa adicional.

E-MAIL E INTERNET

Serviços de internet e e-mail são disponíveis em toda a Itália, em especial nas áreas urbanas, por isso não será difícil acessar contas de e-mail ou conectar-se à internet. A Telecom Italia, a empresa estatal de telefonia, tem serviços de internet nas principais estações de trem do país e nas centrais de telefones públicos. Pode-se pagar o tempo de uso da internet com um cartão de telefone.

Algumas grandes redes de acesso à internet vendem cartões magnéticos válidos para qualquer uma de suas lojas na Itália. A **Internet Train**, com filiais em quase 90 cidades, é a mais conhecida. Visite seu site para obter a lista de suas lojas. Além disso, são muito comuns os pequenos pontos de internet. Eles geralmente ficam nos arredores das estações de trem, em hotéis baratos, em áreas de universidades, nos fundos de uma mercearia local ou num canto de um café ou bar. Os usuários podem adquirir tempo de computador em pacotes de 15 minutos. Em geral dá-se desconto a estudantes, e o custo por minuto cai à medida que aumenta o tempo adquirido.

Muitos hotéis têm Wi-Fi, por isso se você for com seu laptop terá acesso fácil. É provável também que você precise de um adaptador. Lembre-se de que com o **Skype** ou o **Voip Stunt** instalado você pode ligar pela internet com auxílio de um pequeno microfone. As ligações são gratuitas entre usuários do Skype.

CELULARES

Há quatro principais frequências de GSM (Global System for Mobile Communications) em uso no mundo. Assim, para que seu celular funcione ele terá de ser do tipo quadriband. Contate seu provedor para se informar melhor e verificar se o seu aparelho é compatível com a frequência utilizada na Itália.

Para poder usar seu celular no exterior você precisa de uma "autorização" da sua operadora, pois muitas vezes elas têm que habilitar o "roaming" para o seu celular. Hoje você paga pelas chamadas que recebe e pelas que faz, além de um adicional pela parte internacional da ligação.

Uma opção popular é comprar um cartão local SIM –o chip eletrônico que liga seu aparelho a uma determinada rede– que você preenche então com créditos, para poder usar a rede local de telefonia celular. Você só pode fazer isso se o seu celular estiver "desbloqueado"

Ligação de um telefone público da Telecom Italia

–algumas operadoras restringem seus aparelhos a redes específicas.

Cheque seu seguro para ver o que diz sobre roubo de celular. Tenha à mão o número da linha de ajuda de sua operadora para emergências.

Uma alternativa pode ser alugar um celular ao chegar no país, no aeroporto, por exemplo, mas esta pode ser uma opção mais cara.

TEVÊ E RÁDIO

Os canais de televisão estatais na Itália são a RAI (Uno, Due e Tre) e a Mediaset (Retequattro, Canale Cinque e Italia Uno). Também há muitas estações locais. A maior parte da programação estrangeira é dublada em italiano, mas os canais de satélite, como BBC World News, Sky e CNN, passam notícias e esportes em inglês. Existem três estações nacionais de rádio e centenas de estações locais.

Vários jornais italianos disponíveis numa banca

JORNAIS

Há vários jornais diários de circulação nacional, como *La Stampa*, *Il Corriere della Sera* e *La Repubblica*. Outros trazem notícias específicas das principais cidades da Itália, como *Il Mattino*, em Nápoles, *Il Messaggero*, em Roma, *La Nazione*, em Florença e *Il Giornale*, em Milão.

Todos os jornais têm páginas locais com roteiros de cinema, teatro, concertos e outros eventos culturais. Em Roma e Milão, o *La Repubblica* também publica suplementos com roteiros de artes e espetáculos, chamados *Trova-Roma* e *ViviMilano*. Existem revistas semanais com roteiros de diversões, como a *Firenze Spettacolo*, em Florença, e a *Roma C'è*, em Roma. Esta última também tem uma seção sobre restaurantes e um sumário em inglês na contracapa.

Jornais ingleses e americanos, como *International Herald Tribune*, *International Guardian* e *USA Today*, são fáceis de encontrar e a edição do dia chega nas principais cidades perto do meio-dia.

CORREIOS

Os correios funcionam de 8h25 às 13h50 em dias de semana, e de 8h25 às 12h aos sábados. As principais agências abrem de 8h25 às 19h, sem intervalo. Muitas tabacarias vendem selos.

A Cidade do Vaticano e o estado de San Marino têm seu próprio sistema postal e selos. Cartas com selos de San Marino ou do Vaticano só podem ser postadas em caixas dessas duas localidades.

As caixas de correio vermelhas (azuis no Vaticano) têm duas aberturas: *per la città* (cartas locais) e *tutte le altre destinazioni* (todos os demais destinos).

O correio italiano é lento e as cartas levam de quatro a quinze dias para chegar.

Para um serviço mais rápido mande a carta pelo correio expresso *(posta prioritaria)*. Uma opção melhor é a carta registrada *(raccomandata)*. Coisas de valor devem ser mandadas pelo correio com seguro *(assicurata)*.

Para comunicações urgentes use os serviços estatais de entrega *Postacelere* e *Paccocelere*, disponíveis nas agências de correio. A entrega é feita dentro de 24-72 horas e o preço é bem mais baixo do que os dos serviços de entrega particulares.

Caixa de correio italiana

AGENDA

Lembre-se de digitar sempre o código de área completo (incluindo o primeiro zero), mesmo ao ligar dentro da própria cidade.

NÚMEROS ÚTEIS

Auxílio à Lista
Tel *1254 (Opção 1).*

Auxílio à Lista Multilingue
Tel *1254 (Opção 2).*

Operador
Tel *170* (também para ligações a cobrar e com cartão).

Operadoras do Brasil
Brasil Telecom
www.brasiltelecom.com.br

Vivo
www.vivo.com.br

Oi
www.oi.com.br

TIM
www.timbrasil.com.br

LIGAÇÕES BRASIL-ITÁLIA

Para ligar do Brasil para a Itália digite 00 + código da operadora + 39 + código da cidade sem o zero e o número do telefone.

Para ligar da Itália para o Brasil tecle 00 + 55 + código da cidade sem o zero + número do telefone.

E-MAIL E INTERNET

Internet Train
www.internettrain.it

Skype
www.skypebrasil.com.br

Voip Stunt
www.voipstunt.com

CORREIOS

Italian Post Office
www.poste.it

SERVIÇOS DE ENTREGA

UPS
Tel *02 3030 3039.*
www.ups.com

Fedex
Tel *199 151 119.*
www.fedex.com

DHL
Tel *199 199 345.*
www.dhl.com

INFORMAÇÃO DE VIAGEM

A eficiência dos sistemas de transporte da Itália varia, das modernas estradas, ônibus e trens do norte aos sistemas mais lentos do sul. São muitas as companhias aéreas que operam voos para os diversos aeroportos do país, e há muitos voos domésticos a cargo da Alitalia e outras empresas menores. As conexões por estrada com o resto da Europa são boas, embora as estradas alpinas possam ser afetadas pelo clima no inverno. As rodovias e outras estradas do país também têm bom nível, mas podem ficar congestionadas nos fins de semana e nas horas de pico. A Itália tem um sistema de barcos eficiente ligando o continente à Sicília, Sardenha e às pequenas ilhas do litoral. Muitos desses barcos transportam carros, e ficam lotados no verão.

Avião da Alitalia

TURISMO ECOLÓGICO

É possível viajar pela Itália sem voos de alto impacto ou longas viagens de carro, graças à ótima rede de transporte público. Os sistemas de trem e ônibus têm serviços regulares e confiáveis e preço razoável. As conexões com grandes cidades europeias são boas e os viajantes podem em geral escolher entre viajar de dia pelos trens Eurocity ou de noite pelos da EuroNight. Também há trens de alta velocidade, conhecidos como *Alta Velocita* (*pág. 676-7*).

Quando poucas pessoas usam um serviço (como para aldeias afastadas nos Alpes ou nos Apeninos), algumas autoridades implantam um *servizio a chiamata* (sob requisição), em que os passageiros fazem uma ligação (gratuita) para agendar um veículo. Isso traz economia para os cofres do município e reduz as emissões de carbono, além de oferecer aos passageiros um táxi pelo preço de uma passagem. Dentro das cidades foram introduzidos veículos menos poluentes, como ônibus elétricos ou a gás e *vaporetti*.

Há cada vez mais ciclovias e bicicletários, e várias cidades, como Milão e Roma têm muitos locais de aluguel de bicicleta e ciclovias bem sinalizadas. As regiões do Trentino-Alto Adige são muito bem servidas de ciclovias de longo curso. Paga-se uma taxa pequena para transportar bicicletas em muitos trens regionais e internacionais.

Chegando de avião

Os aeroportos Leonardo da Vinci (Fiumicino) em Roma e Malpensa, em Milão, recebem voos internacionais. Em Linate, Milão, pousam alguns voos de outros países da Europa, e a maioria das empresas aéreas europeias também voa para Veneza, Turim, Nápoles e Pisa (para Florença). Muitas linhas aéreas têm hoje voos regulares para cidades menores (Florença, Gênova, Bolonha, Verona e Bergamo), e há voos charter para destinos de verão, como Catania, Olbia e Rimini, na alta estação.

Parte da ampliação do aeroporto de Fiumicino, Roma

VOOS DE LONGA DISTÂNCIA

A **Alitalia** e a **TAM** oferecem voos regulares ligando Brasil e Itália. Os aviões partem dos aeroportos de São Paulo ou do Rio de Janeiro, mas as empresas providenciam conexões internas para quem mora em outras cidades brasileiras.

Outras empresas que oferecem voos regulares do Brasil para Milão ou Roma com escalas são **Air France**, **Tap Air Portugual**, **KLM**, **Lufthansa** e **American Lines**, entre outras.

Uma opção que pode ser mais prática e barata para passageiros de longa distância é pegar um voo econômico para Londres, Frankfurt, Paris, Atenas ou Amsterdã e depois continuar até a Itália.

VOOS ECONÔMICOS

Nunca foi tão fácil chegar à Itália de avião. A **Alitalia** e seus diversos parceiros voam para os principais destinos da Itália saindo das grandes cidades da Europa e outras cidades do mundo inteiro. Mas as empresas "econômicas" oferecem muitos mais destinos.

A **Ryanair** voa até mais de 20 aeroportos (Gênova, Roma-Ciampino, Turim e Veneza-Treviso) desde Stansted; e a **easyJet**, de Gatwick ou Stansted, serve Roma-Ciampino, Milão, Veneza, Pisa, Palermo e Nápoles, e também Roma, Veneza e Pisa, de Bristol. A **BMI British Midland** voa até Milão e Veneza desde Heathrow; a **Meridiana** atende vários destinos na Itália partindo de Gatwick.

Saguão do aeroporto de Pisa

BILHETES E TARIFAS

As tarifas variam muito de acordo com a estação e com a oferta e a demanda. Você consegue as melhores opções agendando online com bastante antecedência.

Consulte um bom agente de viagens ou cheque a disponibilidade pela internet. Pode valer a pena procurar nos pequenos anúncios dos jornais voos charter e com desconto para os trajetos principais. Se estiver em Londres, a maioria dos charter sai de Gatwick ou Luton, e pode pousar em algum aeroporto secundário da cidade (e com frequência menos prático). As tarifas variam muito ao longo do ano, e o pico é no verão e nas festas de Natal e Semana Santa. Quando possível, aproveite os descontos para estudantes.

PACOTES DE FÉRIAS

Viajar num pacotes de férias para a Itália costuma ser mais barato do que ir por conta, a não ser que você esteja com pouco dinheiro e decida encarar albergues e campings. Roma, Florença e Veneza costumam ser oferecidos como pacotes separados ou conjugados, e muitas operadoras têm pacotes para o interior da Toscana e da Úmbria, Sicília e Lagos Italianos, a Riviera italiana, Nápoles e a costa Amalfitana. No inverno, há pacotes de esqui para várias estâncias alpinas. São comuns pacotes especializados, como os de culinária, caminhadas e arte.

Nas cidades, as operadoras podem usar hotéis diferentes, por isso vale a pena pesquisar quais são os que têm acomodações mais agradáveis (e centrais). Muitas operadoras incluem os traslados do aeroporto até o hotel. Alguns incluem guias turísticos .

AGENDA

TURISMO ECOLÓGICO

Bicicleta no Trentino
www.trentino.to

EMPRESAS AÉREAS

Air France
www.airfrance.com.br

Alitalia
www.alitalia.com.br

American Airlines
www.aa.com.br

British Airways
www.britishairways.com

easyJet
www.easyjet.com

KLM
www.klm.com

Lufthansa
www.lufthansa.com

Meridiana
www.meridiana.it

Ryanair
www.ryanair.com

TAM
www.tam.com.br

Tap Air Portugual
www.flytap.com

AEROPORTO	INFORMAÇÕES	DISTÂNCIA ATÉ O CENTRO	TÁXI ATÉ O CENTRO	TRANSPORTE PÚBLICO ATÉ O CENTRO
Roma (Fiumicino)	06 659 51 www.adr.it	35 km	€40	FS 30 min
Roma (Ciampino)	06 659 51 www.adr.it	15 km	€30	M 45 min
Milão (Linate)	02 74 85 22 00 www.sea-aeroportimilano.it	8 km	€15–€20	15 min
Milão (Malpensa)	02 74 85 22 00 www.sea-aeroportimilano.it	50 km	€65–€75	FS M 60 min
Pisa (Galileo Galilei)	050 84 91 11 www.pisa-airport.it	2 km	€10	FS até Pisa: 5 min FS até Florença: 80 min
Veneza (Marco Polo)	041 260 92 60 www.veniceairport.it	13 km	€35 (€90 no canal)	60 min 20 min
Veneza (Treviso)	0422 31 51 11 www.trevisoairport.it	25 km	€70 até Veneza	até Treviso: 20 min até Veneza: 45 min
Verona	045 809 56 66 www.aeroportoverona.it	12 km	€22	20 min
Bergamo	035 32 63 23 www.orioaeroporto.it	5 km	€18	15 min
Turim	011 567 63 61 www.turin-airport.com	15 km	€30	20 min
Nápoles	081 789 61 11 www.naples-airport.com	7 km	€20	30 min
Palermo	091 702 02 73 www.gesap.it	35 km	€40-€45	1 hora 1 hora

Chegar de barco, trem e carro

Logotipo do Orient-Express

A Itália é servida por uma extensa rede de estradas, ferrovias e linhas marítimas. Rodovias e ferrovias cruzam o país vindo da França, Suíça, Áustria e Eslovênia, e há linhas de trens que vem de locais distantes como Budapeste, Londres e Barcelona. As estradas do interior têm bom padrão, embora possam ocorrer atrasos em alguns pontos e túneis dos Alpes quando há mau tempo ou durante o pico da estação de férias.

Bilheteria na estação de Santa Maria Novella, em Florença

CHEGANDO DE CARRO

A maioria das estradas que chega à Itália vindo do resto da Europa tem que atravessar os Alpes, por túnel ou por estreitas passagens. As exceções são o acesso que vem da Eslovênia no nordeste (pela rodovia A4) e a estrada pela Riviera Francesa, que entra na Itália como rodovia A10 em Ventimiglia.

O trajeto mais popular para vir de Genebra e sudeste da França é via túnel Mont Blanc e rodovia A5, entrando na Itália perto de Aosta e Turim. Outra opção bastante utilizada (vindo da Suíça) é pela passagem e túnel St. Bernard.

Mais a leste, a principal rota vindo da Áustria e do sul da Alemanha cruza a Passagem Brenner e desce até Verona pela rodovia A22, via Trento e vale do Adige. As condições do tempo raramente fecham as passagens, mas a neve e a neblina podem tornar o tráfego lento nas sinuosas estradas de montanha.

A maior parte das estradas é pedagiada; você paga ao sair delas.

CHEGANDO DE TREM

Depois do avião, o trem é o jeito mais confortável de chegar à Itália.

Muitas linhas diretas (várias com vagões-dormitório) ligam as cidades do país a locais distantes como Bruxelas, Budapeste e Barcelona. Conexões de Paris (e Londres, via Eurostar) vão até Turim, Milão, Veneza, Bolonha, Florença ou até o litoral oeste da Itália, via Gênova e Pisa, até Roma e Nápoles. Também há linhas que vêm da Alemanha, Suíça e outros países do norte da Europa até Milão, Turim, Veneza e Verona, além de linhas diretas de Viena, Espanha e do sul da França. Você pode levar o seu carro no trem a partir de vários centros do norte da Europa e de portos do Canal.

Terminais computadorizados informam sobre os trens

Com a popularidade das empresas aéreas "econômicas" as viagens internacionais de trem tiveram que ficar mais competitivas – por reserva online. Mas há também tarifas especiais para idosos e menores de 26 anos.

Os trens podem ficar muito lotados nos horários de pico, particularmente às noites de sexta e sábado, e durante os feriados de Natal e Páscoa. Julho e agosto também podem ser muito agitados, em especial nos trajetos que vêm da Alemanha e de portos que recebem barcos gregos no sul. É bom reservar sempre com antecedência.

Placa de plataforma

Placa de saída

O vagão-dormitório de um trem internacional Eurocity

CHEGANDO DE BARCO

A maioria das pessoas que chega à Itália de barco faz isso vindo da Grécia, pelas linhas que vêm de Corfu e Patras até Brindisi e outros portos do sul. Os barcos ficam lotados no verão, assim como as linhas de trem de Brindisi para o resto da Itália.

Também há barcos que vêm de Malta e do Norte da África até Palermo, Nápoles e vários outros portos italianos do sul. Do sul da França partem barcos para Gênova, Livorno e outros portos da Riviera Italiana, e da costa da Croácia há barcos que cruzam o Adriático até Veneza.

CHEGANDO DE ÔNIBUS

Ir de ônibus para a Itália saindo de Londres é relativamente barato, mas o tempo longo de viagem torna a opção uma das menos confortáveis. O tempo de viagem de Londres a Milão é de 24 horas, e até Roma, de cerca de 33 horas. Dormir uma noite na estrada, portanto, é inevitável. A **Eurolines** tem ônibus da Victoria Coach Station em Londres para todas as principais cidades da Itália, incluindo Roma e Nápoles. Os ônibus seguem via Dover, Calais, Paris e Dijon (leve euros para as prováveis paradas no caminho). Na Itália há os ônibus de longa distância da **SITA**.

Ônibus da SITA chega à estação de Florença

Viajando de Barco pela Itália

Com suas muitas ilhas do litoral, a Itália acabou desenvolvendo uma boa rede de transporte marítimo, além de linhas para o resto da Europa e Norte da África.

Barco da Moby Lines para carros e passageiros, no Mediterrâneo

BARCOS

Barcos para transporte de carros e passageiros são uma boa opção para chegar às belas ilhas do litoral do país. Os barcos para a Sardenha saem de Civitavecchia (norte de Roma), Livorno e Gênova. Os que vão para a Sicília saem de Nápoles e de Reggio di Calabria. Dos portos da Sicília partem barcos para as ilhas Égadi e Eólias, e também para inúmeras outras pequenas ilhas em volta da Sicília (barcos para as ilhas menores nem sempre levam carros).

Também há linhas de barcos entre Elba e Piombino, e para as ilhas menores do arquipélago Toscano, como Capraia, assim como dos portos próximos a Roma até Ponza e ilhas próximas, e de Nápoles até Capri e Ischia. A costa leste das ilhas Tremiti é ligada aos portos da península de Gargano. Há cada vez mais aerobarcos operando, principalmente em trajetos movimentados como os de Capri e Ischia. Barcos e aerobarcos também operam nos lagos da Itália, entre eles os de Como e Garda.

É comum haver filas para os barcos no verão, por isso agende com antecedência se for viajar em julho ou agosto, especialmente se for de carro. Os ferryboats são mais frequentes e confiáveis no verão do que no inverno.

As reservas podem ser feitas na internet, em agências de viagem ou nas operadoras de barcos de seu país. Os preços das passagens podem variar conforme a época do ano, mas em geral são razoáveis. Confira horários e tarifas consultando o respectivo site.

AGENDA

EMPRESAS DE ÔNIBUS

Eurolines
www.eurolines.com

SITA
www.sitabus.it

FERROVIAS

Ferrovie dello Stato
www.trenitalia.com

BARCOS

Barcos para Córsega e Sardenha
Tel 199 400 500.
www.corsicaferries.com
Civitavecchia/Livorno – Golfo Aranci

Grandi Navi Veloci
Tel 010 209 45 91.
www.gnv.it
Gênova/Civitavecchia – Palermo
Gênova – Porto Torres/Olbia

Moby Lines
Tel 199 303 040; 06 4201 1455.
www.mobylines.com
Piombino – Elba
Genova/Livorno – Olbia

SNAV
Tel 081 428 55 55.
www.snav.it
Pescara – Hvat/Split
Nápoles – Capri/Ischia
Nápoles – Ilhas Eólias/Palermo

Tirrenia
Tel 892 123; 02 26 30 28 03. www.tirrenia.it
Bari – Durazzo
Gênova – Olbia
Civitavecchia – Golfo Aranci
Nápoles – Palermo/Cagliari
Cagliari – Palermo

Venezia Lines
Tel 041 272 2647.
www.venezialines.com
Veneza – Piran
Veneza – Porec/Rovinj/Pula
Bari – Durazzo

Viajar de Trem

Logo da Trenitalia

Viajar de trem é uma ótima maneira de explorar a Itália. Com passagens baratas, partidas frequentes e trens modernos, é grande o movimento nas estações, mas os dias de superlotação ficaram para trás. Os trajetos passam por lindas paisagens, de lagos de montanha a planaltos ondulantes, e as conexões de trem entre uma cidade e outra são mais práticas do que de carro ou avião. Só no sul ou em áreas bem rurais é que os trens ficam mais lentos e raros.

O Eurostar, um dos mais rápidos do país

O saguão da Stazione Termini, em Roma

A REDE FERROVIÁRIA

A maior parte da rede de trens do país é formada por um sistema integrado estatal operado pela Trenitalia, da Ferrovie dello Stato (FS), mas o consórcio privado NTV promete introduzir serviços super-rápidos em 2011. Linhas privadas menores também completam as da FS, e em geral há passagens integradas para as viagens que usam as duas redes. Linhas estatais e privadas usam quase sempre a mesma estação *(stazione)* e têm tarifas similares.

OS TRENS

A Trenitalia está mudando as categorias dos seus trens, e já construiu uma rede de *Alta Velocità* (AV) entre as grandes cidades do norte, e mais ao sul até Nápoles. Estas linhas, o rápido Eurostar (ES) e um punhado de outros trens especiais de alta velocidade sempre exigem reserva de assentos. Os trens Intercity (IC) e Eurocity (EC) só param nas principais estações e implicam pagar um adicional *(un supplemento)* sobre o bilhete padrão (pode ser comprado no trem, mas fica mais caro). Os trens *regionali* e *interregionali* fazem mais paradas mas dispensam o adicional.

Todos os trens AV, ES, EC e Intercity costumam ter ar-condicionado. Os vagões de linhas ramais são mais antigos.

Há instalações para deficientes nas linhas de trens rápidos e internacionais, que incluem assistência nas estações. Para assistência, procure as *Sale Blu* (Salas Azuis) nas grandes estações.

PASSAGENS E TARIFAS

Os bilhetes *(biglietti)* podem ser de ida *(andata)* ou ida e volta *(andata e ritorno)*, em primeira *(prima)* ou segunda classe *(seconda classe)*. São comprados em agências de viagens ou nas bilheterias *(biglietteria)* das estações.

As grandes estações têm máquinas de emissão de bilhetes e você também pode comprar bilhetes para viagens de até 250km nas bancas ou tabacarias (tais bilhetes são chamados *biglietti a fascia chilometrica*). Lembre de validar todos os bilhetes tanto na ida como na volta, se não poderá receber uma multa. A validade de um bilhete em geral começa no dia da compra, por isso não deixe de especificar o dia da viagem ao comprar bilhetes antecipados. Reservar e comprar bilhetes pela internet é prático e dá direito a desconto.

As tarifas são calculadas com base na quilometragem e estão entre as mais baratas da Europa ocidental. São oferecidos vários descontos, como os bilhetes familiares.

Os reembolsos envolvem um processo complicado e são difíceis de obter –vá até o balcão da *Assistenza* nas grandes estações. Por isso é importante procurar comprar o bilhete certo.

PASSES ITALIANOS

Para turistas, o passe mais útil é o **Interrail Pass**, que permite viagens ilimitadas, em dias consecutivos ou não, por períodos variáveis de tempo, com desconto especial para menores de 26 anos. Pode ser comprado pela internet, nas grandes estações e em várias agências fora da Itália.

HORÁRIOS

Se você pretende usar muito o trem, é uma boa ideia pegar um horário oficial da Trenitalia *(un orario)* na estação ou nas bancas de jornais. É atualizado todo ano. Como opção, consulte no site www.trenitalia.com o horário online.

VALIDADE E RESERVAS

Bilhetes de ida ou de volta são válidos por até dois meses a partir da data da compra. Mas se ao comprá-lo for feita uma reserva de assento, a data da viagem será impressa automaticamente no bilhete. As reservas são automáticas nas linhas AV e Eurostar, e são uma boa opção para todos os trens nos feriados ou dias próximos a eles. Você pode fazer reservas nas principais estações ou então pela internet.

DESCONTOS

A promoção Smart Price dá desconto em trens internacionais entre a Itália e vários países europeus. Bilhetes de ida custam de €15 a €49, mas cobra-se adicional por leitos e cabines. Pode-se comprar bilhetes nas principais estações ou no site da Trenitalia, mas é bom sempre fazer a reserva com antecedência, pois podem estar lotados.

GUARDA VOLUMES

As principais estações têm guarda-volumes. A maioria conta com pessoal para atender (estações menores têm armários tipo self-service), e você talvez tenha que mostrar passaporte ou identidade ao deixar ou recolher bagagem. O preço é por volume.

Logotipo do guarda-volumes

PAISAGENS

A variada geografia da Itália permite fazer algumas viagens de trem memoráveis pelo país. O glacial vale do Adige entre Bolzano e Verona no norte é cheio de bosques de macieiras e rodeado de picos alpinos, e a linda linha Trento-Male parte daqui. O interior da Toscana ao sul de Florença tem magníficas vistas de aldeias na montanha e campos de trigo, e perto de Lazio a linha Roma Nord-Viterbo passa por belos cenários rurais. Mais para o sul, os trens atravessam os Estreitos de Messina para chegar à Sicília numa balsa especial, e uma ferrovia de bitola estreita circunda o monte Etna.

Para os fãs de trens a vapor há viagens operadas pela **FTI (Ferrovie Turistiche Italiane)** no norte, passando por cenários alpinos e pitorescos lagos, e também pelos arredores da cidade de Siena.

AGENDA

INFORMAÇÕES

Escritório de Informações da Ferrovia Estatal
Informaçõs sobre viagens pela Itália.
Tel 89 20 21.
www.ferroviedellostato.it

Interrail Pass
www.interrailnet.com

European Rail Ltd
Tel 020 7619 1083 (RU).
www.europeanrail.com

FTI (Ferrovie Turistiche Italiane)
www.ferrovieturistiche.it

MÁQUINAS DE BILHETES DA TRENITALIA

Estas máquinas são fáceis de operar, e a maioria tem instruções na tela em seis idiomas. Elas aceitam moedas, notas e cartões de crédito.

1 Selecione seu destino.

2 O preço é exibido na tela.

3 Insira o cartão VISA, AmEx, Diners.

4 Pegue seu bilhete.

5 Insira o bilhete aqui para validá-lo para a viagem, se você for embarcar no trem imediatamente.

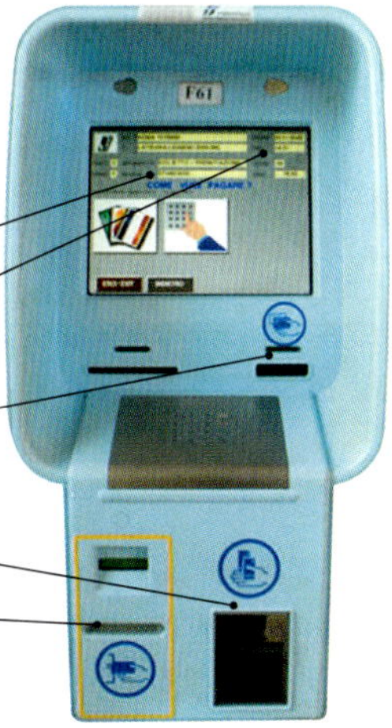

A REDE FS, A PRINCIPAL DA ITÁLIA

A rede ferroviária italiana estatal opera linhas de diversos tipos. Confira o que ela oferece antes de comprar o bilhete.

Viajar de Carro

Fiat 500, clássico

Viajar de carro é um modo prático de conhecer o país, apesar do alto preço do combustível, das dificuldades para estacionar, das restrições à circulação de veículos nas cidades medievais e do jeito imprevisível de dirigir dos italianos. O carro é ótimo para conhecer o interior e para viagens longas, mas menos útil nas grandes cidades, devido aos congestionamentos e a restrições para carros estrangeiros.

Pedágio automático na rodovia à saída de Florença

CARTEIRA DE HABILITAÇÃO E O QUE LEVAR NO CARRO

Quem entra na Itália com carro registrado em outro país deve vir com o Cartão Verde (para efeitos de seguro), todos os documentos de registro do veículo e a carteira de habilitação (*patente* em italiano). Para dirigir na Itália, o motorista brasileiro deve providenciar, antes de viajar, uma carteira de habilitação internacional. Procure por mais informações no site do Detran de seu estado ou no Touring Club do Brasil (www.touring.com.br)

Triângulo de segurança e vestes fluorescentes devem também ser levados no carro, para uso em emergências.

COMBUSTÍVEL

A gasolina *(benzina)* na Itália é uma das mais caras da Europa (o diesel, ou *gasolio*, é um pouco mais barato). Embora muitos postos sejam hoje self-service, ainda é comum ser atendido por um frentista. A maioria dos postos fica aberta no horário comercial, por isso verifique o tanque antes do almoço e nas vésperas de feriados. Nas rodovias os postos ficam abertos 24 horas. Em geral, aceitam-se cartões de crédito.

ESTRADAS

A Itália tem boas estradas, a maioria com apenas quatro pistas no total, o que gera congestionamentos. As mais movimentadas são a A1 de Bolonha a Florença, e entre Bologna, Parma e Milão. A maioria das rodovias *(autostrade)* é pedagiada, com congestionamentos nas cabines

Normas e sinalização

Dirija pela direita e permita ultrapassagem pela sua esquerda. O cinto de segurança é obrigatório para todos os passageiros. A multa pelo uso do celular é pesada. Nas rodovias e fora de áreas urbanas, dirija com farol aceso mesmo de dia. O limite de velocidade em áreas urbanas é de 50km/h; fora delas é de 110km/h em estradas de pista dupla e de 90km/h em estradas vicinais. Nas rodovias o limite de velocidade é de 130km/h para veículos com mais de 1100cc, e de 110 km/h para veículos com menos de 1100cc.

Placa de rua de mão única

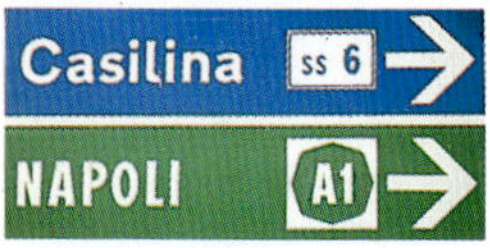

As placas azuis indicam estradas principais; as verdes, rodovias

(Alt Stazione) nos períodos de pico. O pagamento é feito no final de cada viagem, em dinheiro, cartão de crédito ou com os cartões magnéticos pré-pagos VIA, à venda nas tabacarias e nos **ACI**. O pico de congestionamento em Milão é de 7h30-19h30 de seg-sex; ligue 800 437 437 ou acesse www.comunemilano.it/ecopass antes de entrar na cidade.

As estradas secundárias são conhecidas como *Nazionali* (N) ou *Strade Statali* (SS), e variam muito de qualidade. As estradas de montanha em geral são boas. No invermo, em muitas delas é obrigatório usar correntes para neve. Algumas estradas vicinais (as *strade bianche*, ou "estradas brancas") são de cascalho.

Não pare

Fim da restrição de velocidade

Rua para pedestres

Dê a preferência

Não estacione

Perigo (em geral, com explicação)

Logotipo de locadora de automóveis internacional

LOCAÇÃO DE CARROS

É caro o aluguel de carro *(autonoleggio)* na Itália. Você pode utilizar os pacotes do tipo avião-e-carro ou pré-agendar com locadoras que têm filiais na Itália. As locadoras italianas em geral têm preço melhor que as redes internacionais. Procure nas páginas amarelas *(Pagine Gialle)* no item Autonoleggio. A maioria dos aeroportos tem guichês de locadoras. Para alugar um carro na Itália é preciso ter mais de 21 anos e ter habilitação há pelo menos um ano. Visitantes de fora da União Europeia precisam de habilitação internacional, embora na prática nem todas as locadoras façam esta exigência. Cheque as cláusulas do contrato para ver qual é a cobertura de seguro.

ACIDENTES E QUEBRAS

Se tiver um acidente ou seu carro quebrar, ligue o pisca-alerta e coloque o triângulo 50m atrás do seu carro. Para quebras ligue para o número de emergência da **ACI** (803 116) ou para os serviços de emergência (112 ou 113). A ACI irá rebocar qualquer carro com placa do exterior de graça para a oficina ACI mais próxima. Eles também fazem consertos de graça para membros de associações afiliadas, como a AA e a RAC da Grã-Bretanha.

Se tiver um acidente fique calmo, e não admita a culpa nem faça qualquer declaração que possa incriminá-lo mais tarde. Simplesmente troque informações sobre os carros, seguros, nomes e endereços.

ESTACIONAMENTO

Estacionar é um problema nas cidades italianas. Muitos centros históricos têm restrições ao trânsito de veículos, e confusos sistemas de mão única. Outras áreas são reservadas a moradores (com a placa *riservato ai residenti*). Muitas cidades têm parquímetros, pagos com moedas ou cartões comprados nos *tabacchi*. Os carros podem ser guinchados ou grampeados, em especial nas áreas indicadas como *zona rimozione*, particularmente nos dias de limpeza das ruas. Ligue para a guarda municipal *(Vigili)* para recuperar o carro.

Área para estacionamento fiscalizada por guarda

SEGURANÇA

É comum o roubo de carros na Itália. Nunca deixe nada no veículo, e se possível remova o rádio ou CD player. Deixe o carro no estacionamento sempre que possível. Tenha cuidado especial ao dirigir à noite, quando as pessoas são mais imprudentes ao volante e muitos semáforos ficam no amarelo piscante. Pedir carona *(autostop)* não é uma boa idéia (e não é comum), ainda menos para mulheres desacompanhadas.

AGENDA

ALUGUEL DE CARRO

Avis
Tel *0800 725 2847.*
www.avis.com.br

Europcar
Tel *199 307030.*
www.europcar.it

Hertz
Tel *06 65 011553 (Aeroporto de Roma).* **www**.hertz.com.br

Maggiore
Tel *199 151120*
www.maggiore.it

Sixt
Tel *06 652111 (Roma).*
www.sixt.it

EMERGÊNCIAS

Emergência ACI
Tel *803 116.*
www.aci.it

Polícia
Tel *112 or 113.*

Ambulância
Tel *118.*

TABELA DE DISTÂNCIAS

Distância em quilômetros

	ROMA	ANCONA	AOSTA	BOLONHA	BOLZANO	FLORENÇA	GÊNOVA	LECCE	MILÃO	NÁPOLES	TURIM
ANCONA	286										
AOSTA	748	617									
BOLONHA	383	219	401								
BOLZANO	645	494	449	280							
FLORENÇA	278	262	470	106	367						
GÊNOVA	510	506	245	291	422	225					
LECCE	601	614	1220	822	1097	871	1103				
MILÃO	575	426	181	210	295	299	145	1029			
NÁPOLES	219	409	959	594	856	489	714	393	786		
TURIM	673	547	110	332	410	395	170	1150	138	884	
VENEZA	530	364	442	154	214	255	397	967	273	741	402

Como Circular nas Cidades

Área de pedestres

O melhor meio de transporte para você circular pelas cidades italianas varia de local para local. Em Roma, os ônibus são bastante úteis; em Milão, o metrô é mais eficiente; em Veneza, os barcos são essenciais. Em algumas cidades, como Milão e Roma, ainda circulam bondes. Uma vez que dirigir e estacionar nas ruas italianas pode significar dor de cabeça, principalmente nos centros históricos, prefira andar a pé. Muitas cidades, aliás, têm atualmente áreas exclusivas para pedestres, como Florença.

Ônibus em Roma, com as características cores vermelha e cinza da ATAC

Típico ônibus urbano cor-de-laranja, no centro de Verona

ÔNIBUS E BONDES

Quase todas as cidades italianas contam com sistema de ônibus –na maioria delas, bastante amplo e eficiente. As tarifas em geral não são caras.

Os pontos de ônibus *(fermate)* cada vez mais trazem informações detalhadas sobre o percurso, sobretudo em Roma. Os ônibus *(autobus)* circulam em geral entre 6h e meia-noite, mas, nas cidades maiores, há linhas noturnas *(servizio notturno)*. Ao chegar à cidade de trem, o turista não tem dificuldades para ir ao centro, pois há ônibus especiais que fazem essa conexão (em geral os bilhetes podem ser comprados no bar da estação ou nas *tabacchi)*.

BILHETES

Os bilhetes *(biglietti)* devem ser comprados antes de embarcar, nos quiosques da empresa de ônibus (ATAC em Roma e ATAF em Florença) e em bares, bancas de jornal e *tabacchi* que exibam a placa da empresa. Algumas cidades contam com máquinas de venda espalhadas pela cidade. Os pontos-de-venda costumam fechar após o almoço ou à tarde, portanto, previna-se e compre mais de um bilhete. Outra opção são os bilhetes promocionais *(un blocchetto)* ou passes com validade de um dia ou uma semana *(una tessera* ou *tesserino)*. Em algumas cidades, sobretudo Roma e Florença, os bilhetes valem para diversas viagens em um limite de tempo. O site da ATAC, www.atac.roma.it, tem informações mais detalhadas dos trajetos em Roma.

ATAC
www.atac.roma.it

COMO PEGAR UM ÔNIBUS

Entre pela porta dianteira ou traseira do ônibus e saia pela do meio. Normalmente, há apenas o motorista, embora algumas linhas noturnas contem com um cobrador, que também vende bilhetes.

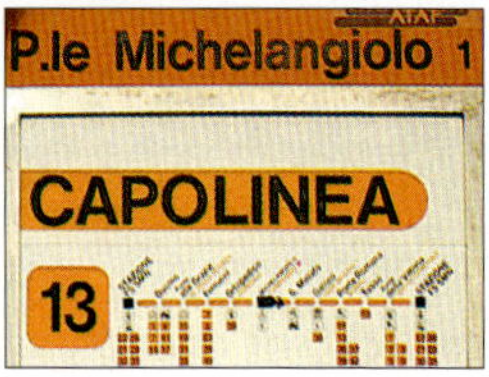

Trajeto exposto no ponto de ônibus

É preciso validar o bilhete nas máquinas, que ficam na parte da frente e de trás do ônibus –as multas são severas para quem não o fizer. Os assentos da frente e do fim são para deficientes, idosos e pessoas com criança de colo.

Nas principais estações de trem e *piazze* das grandes cidades, os postos de informação vendem passagens, fornecem mapas e tabelas de horários.

A maioria dos ônibus urbanos é cor-de-laranja e exibe o nome do destino *(capolinea)* na parte da frente.

METRÔ

Há metrô apenas em Roma e Milão, e os italianos o chamam de *metropolitana* (ou apenas *la metro*). Roma conta com duas linhas, A e B, que se unem na Stazione Termini, que também é estação de trem. Muitas estações do metrô estão bem posicionadas, e nas horas do rush, o metrô é o meio mais rápido de cruzar a cidade. Em geral, as estações são feias, mas raramente perigosas. Os trens, por sua vez, podem ser bastante quentes no verão.

Metrô

Em Milão, a rede é mais ampla e conta com três linhas principais –MM1 (vermelha), MM2 (verde) e MM3 (amarela)– que se cruzam nas estações Centrale, Duomo, Cadorna e Lima. Com essas linhas, chega-se facilmente às principais atrações locais.

Estação Termini, em Roma

Ponto de táxi oficial de Florença

Os bilhetes de metrô podem ser comprados nos mesmos locais que vendem os de ônibus e bondes, como também em máquinas e guichês das próprias estações. Em Roma, os bilhetes valem apenas para uma viagem, mas o turista pode comprar o *BIG*, que dá direito a viajar livremente de ônibus, metrô e bonde durante um dia. Em Milão, os bilhetes comuns de metrô valem por 75 minutos e um número ilimitado de viagens, e também podem ser usado no ônibus e bonde. Fique atento e nunca compre bilhetes fora da estação, pois podem ser usados ou inválidos.

Espere na calçada

Atravesse, mas com cuidado

ANDAR A PÉ

Umas das melhores maneiras de conhecer as cidades históricas da Itália é, sem dúvida, andando. Na maioria delas, o centro não é tão grande, e os caminhos são muito bonitos. O trânsito pode incomodar, sobretudo em ruas estreitas (em Roma, o problema é maior), mas em muitas cidades há áreas exclusivas de pedestres. Em alguns domingos *(Domenica a piedi)*, os centros das cidades ficam livres dos carros.

Não faltam praças com sombra nem agradáveis cafés para fugir do sol do verão e as igrejas e catedrais também oferecem ótimo refúgio no meio de um passeio.

A maior parte das atrações turísticas está bem sinalizada (igrejas, museus e locais de interesse em geral são indicados com placas amarelas).

Tome cuidado com seus pertences, tente não exibi-los. As melhores horas para andar pela cidade são de manhã ou no final da tarde, quando muitos italianos fazem sua habitual caminhada *(passeggiata)* antes de jantar.

TÁXIS

Use apenas os táxis oficiais. Apesar da fama em contrário, a maioria dos motoristas italianos é honesta e até amigável, mas cobra uma série de extras como uma taxa para cada volume colocado no porta-malas ou um acréscimo nas corridas entre 10h e 19h, aos domingos e feriados ou em percursos com destino ou saída de aeroportos.

Teoricamente, táxis não podem ser parados nas ruas. Vá até um ponto oficial (geralmente em estações, praças principais ou perto das atrações turísticas) ou ligue. Neste caso, anote o código, por exemplo Napoli 18, e lembre-se de que a corrida contará a partir de sua ligação.

VESPAS E BICICLETAS

Em muitas cidades, sobretudo as mais turísticas, há lojas e barracas que alugam bicicletas e scooters-vespas. Você pode alugá-las por uma hora ou um dia inteiro. Algumas pedem que você deixe seu passaporte na loja como garantia. Tome cuidado com os carros, principalmente nas vias movimentadas das cidades grandes.

Roman's Bike (www.romanbike.it, tel 800 910 658), na capital, dá acesso a vários lugares no centro da cidade. Você faz um depósito de €30 para se associar, e depois precisa carregar seu "smartcard" antes de usar as bicicletas.Os custos ficam altos se você usar a bicicleta por mais de duas horas.

ÔNIBUS INTERURBANOS

Os ônibus interurbanos *(pullman* ou *corriere)* funcionam de modo parecido com os ônibus locais, embora vendam passagens a bordo. As linhas são administradas por empresas variadas, e cada uma pinta seus ônibus com uma cor diferente (o azul é a cor mais comum para os *pullman*, e o laranja para os ônibus urbanos). As empresas podem variar inclusive em uma mesma área (sobretudo nos arredores de Florença e na Toscana), podendo haver vários terminais. Em geral, os ônibus saem das estações de trem ou da *piazza* principal. Nos fins de semana, costumam circular menos linhas. Em caso de dúvida, procure os centros de informação turística.

Roma a Gubbio

Roma
COTRAL **www**.cotralspa.it
Lazzi ***Tel*** *06 884 0840.*
Appian
Tel *06 48 78 66 04.*
www.appianline.it

Toscana
Lazzi ***Tel*** *055 512 8286.* **www**.lazzi.it
Sita ***Tel*** *800 37 37 60.*
www.sitabus.it
Tra-In ***Tel*** *0577 204 111* **www**.trainspa.it

Nacional e Internacional
Eurolines
Tel *899 325 264.*
www.eurolines.it

Como Circular em Veneza

Para quem visita Veneza, os *vaporetti* ou ônibus aquáticos *(págs. 136-7)* são uma forma divertida de transporte público, embora a maioria dos trajetos dentro da cidade geralmente possa ser feita a pé. A principal via de trânsito de Veneza para os *vaporetti* é o Grande Canal. Eles também são úteis para ligar a cidade a pontos da periferia, e também para a conexão de Veneza com as ilhas da laguna. A linha mais importante para os visitantes é a No. 1. Ela vai de um extremo a outro do Grande Canal e viaja a uma velocidade ideal para que se possa apreciar o desfile de palácios situados às suas margens *(pág. 88-91)*.

Um *vaporetto* ou ônibus aquático

O *motoscafos*, menor e mais ágil

OS BARCOS

Os *vaporetti* originais eram a vapor (*vaporetto* significa pequeno vapor); hoje a maioria é a diesel, e há alguns elétricos, a bateria. Embora geralmente sejam todos chamados de *vaporetti*, a palavra só se aplica aos grandes barcos usados em trajetos lentos, como o No. 1. São os barcos que permitem as melhores vistas. Os *motoscafi* são barcos mais delgados e menores, que parecem velhos mas andam a uma boa velocidade, e os *motonavi* são barcos de dois níveis que vão até as ilhas. Para as ilhas de Murano, Burano ou Torcello, pegue a linha LN, que parte de San Zaccaria e Fondamente Nuove.

TIPOS DE BILHETES

Se as cabines nos embarcadouros estiverem fechadas, você pode comprar bilhetes simples a bordo pelo mesmo preço –valem por uma hora a partir da compra. Um bom modo de economizar é comprar um cartão de viagem, para 12, 24, 36, 48 ou 72 horas. Ele permite viagens ilimitadas na maioria das linhas. O Venice Card é um passe prático que dá acesso às principais atrações e aos barcos. Pode ser comprado em www.hellovenezia.com. Também há descontos em bilhetes comprados com antecedência (www.veniceconnected.com).

Se for ficar mais do que alguns dias você pode economizar comprando um bilhete semanal *(abbonamento)*, à venda nas bilheterias, mas os não residentes pagam €50 a mais por ele. Quem tem o cartões Rolling Venice (com informações e descontos para jovens de 14-29 anos) pode comprar o passe de três dias. Ele inclui transporte para um só volume de bagagem, por isso talvez seja preciso comprar bilhetes adicionais.

Parada de *vaporetto* nos Giardini Pubblici, Veneza

HORÁRIOS

As linhas principais partem a cada 10 ou 20 minutos, até o início da noite. Depois da meia-noite as linhas rareiam, mas circularm a noite toda. De junho a setembro o serviço é mais frequente e certos trajetos são estendidos. Os horários estão disponíveis nas principais paradas. Lembre-se: de maio a setembro as linhas principais e os barcos para as ilhas ficam lotados.

INFORMAÇÕES SOBRE O VAPORETTO

ACTV (Informações)
Piazzale Roma, Veneza. **Mapa** 5 B1.
Tel *041 2424.* **www**.actv.it

TRAGHETTI

Traghetti são gôndolas que cruzam o Canal Grande em sete pontos, oferecendo um valioso serviço para os pedestres. Apesar de barato (cerca de 50 cents por viagem) e constante, é pouco usado por turistas. Os locais de travessia estão marcados no Guia de Ruas *(págs. 126-35)*. Nas ruas, as paradas são indicadas por placas amarelas com uma gôndola.

Um barco do tipo *motonave*, de dois andares

GÔNDOLAS

As gôndolas são transporte de luxo, usado apenas por turistas e por venezianos em casamentos. Antes de embarcar, verifique a tarifa oficial e acerte o preço com o gondoleiro. O preço oficial é de €80 por 40 minutes, e sobe para €100 após as 19h. Na baixa estação, você talvez consiga negociar um preço menor, e um trajeto mais curto do que o usual, de 40 minutos.

Travessia do Grande Canal num *traghetto*

BARCO-TÁXIS

Para quem tem pouco tempo e dinheiro suficiente, o meio mais prático e rápido de se deslocar em Veneza são os barcos-táxis. São barcos a motor estreitos, brancos ou de madeira envernizada, todos equipados com cabine.

Eles ligam a cidade ao aeroporto em apenas 20 minutos. Há 16 pontos de barcos-táxis, incluindo o do aeroporto e o do Lido. Atenção com as taxas adicionais de bagagem, espera, serviço noturno e chamada de táxi por telefone. Quando os *vaporetti* entram em greve, os barcos-táxis são muito disputados.

Um táxi aquático

PONTOS DE BARCOS-TÁXIS

Radio Taxi (Veneza inteira)
Tel *041 240 67 12.*

Piazzale Roma
Mapa 5 B1.
Tel *041 71 69 22.*

ROTAS PRINCIPAIS

① Este barco é lento e pára em todas as plataformas. A viagem começa na Piazzale Roma, percorre o Canal Grande e em San Marco dirige-se para leste até o Lido.

② Esta rota é a mais rápida entre as do Grande Canal com uma extensão para o Lido durante os meses do verão. Serve San Zacaria, seguindo a oeste, pelo canal de Giudecca para Tronchetto e Pizzale Roma, e daí desce para o Canal Grande de volta a San Zacaria.

(41)(42)(51)(52)(61)(62) Todas estas linhas vão até o Lido. As linhas criculares *Giracittà* 41-42 oferecem um passeio por Veneza e Murano, e as linhas 51-52 e 61-62 também vão até o Lido.

(LN) Esta linha parte de Fondamente Nuove e vai até as principais ilhas no norte da laguna –Murano, Mazzorbo e Burano (com conexão para Torcello)–, indo depois até Punta Sabbioni e o Lido, antes de terminar o percurso em San Zaccaria.

COMO USAR OS VAPORETTI

1 Os bilhetes são vendidos na maioria das plataformas de embarque e em alguns bares, lojas e *tabacchi* que exibam a placa ACTV. Pode-se também comprar o bilhete a bordo. O preço é o mesmo para o percurso inteiro ou para parte dele.

2 Placas nas plataformas indicam os destinos dos barcos que param nelas.

3 Os bilhetes eletrônicos com chip devem ser validados antes de cada viagem nas máquinas que ficam nas plataformas. Os fiscais raramente fazem o controle, e portanto alguns acham tentador viajar sem validar o bilhete. No entanto, há multas bastante severas para quem for flagrado sem o bilhete.

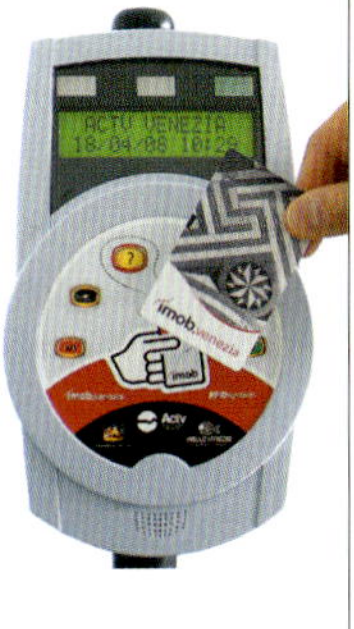

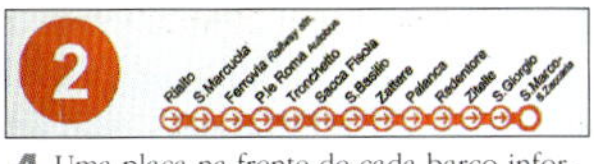

4 Uma placa na frente de cada barco informa o número da linha e as principais paradas (ignore os números em preto nas laterais dos barcos.)

5 Cada plataforma tem o seu nome bem visível escrito em uma placa. A maioria das paradas tem duas plataformas e é fácil pegar a embarcação errada, para destino oposto, principalmente quando há muita gente e você não consegue ver bem para que direção o barco está virado. Procure ver de que direção o barco vem. Na dúvida, pergunte ao barqueiro.

Índice Geral

Os números em **negrito** referem-se às páginas em que o assunto aparece com mais destaque.

A

D

E

F

M

N

O

Q

R

T

Agradecimentos

A PUBLIFOHA gostaria de agradecer a Simone Conradt Pandolfi, guia de turismo brasileira na Itália, pela contribuição à edição deste guia.

A DORLING KINDERSLEY gostaria de agradecer aos seguintes profissionais, cuja contribuição e assistência tornaram possível a preparação deste guia.

Colaboradores

Paul Duncan é especialista em arte e história da arquitetura e publicou um guia da Sicília e outro sobre as cidades das colinas italianas.

Tim Jepson, ex-correspondente do *Sunday Telegraph*, escreveu guias da Toscana, Umbria, Roma e Veneza, um guia completo da Itália, *Italy by Train* e *Wild Italy*, um guia das reservas naturais da Itália.

Andrew Gumbel, ex-correspondente da Reuters em Roma, escreveu vários guias e é o correspondente do *Independent* em Roma.

Christopher Catling escreveu guias de Florença e da Toscana, do Vêneto e dos Lagos Italianos e tem interesse especial por arquelogia.

Sam Cole trabalha para a Reuters em Roma, onde mora há alguns anos, e contribui regularmente para guias de Roma e da região do Lácio.

Outros Colaboradores

Dominic Robertson, Mick Hamer, Richard Langham Smith.

Fotografias Adicionais

Giuseppe Carfagna & Associati, Peter Chadwick, Andy Crawford, Philip Dowell, Mike Dunning, Philip Enticknap, Steve Gorton, Dave King, Neil Mersh, Roger Moss, Poppy, Kim Sayer, James Stevenson, Clive Streeter, Jo-Ann Titmarsh, David e Matthew Ward.

Ilustrações Adicionais

Andrea Corbella, Richard Draper, Kevin Jones Associates, Chris Orr and Associates, Robbie Polley, Simon Roulstone, Martin Woodward.

Pesquisa Cartográfica

Jane Hugill, Samantha James, Jennifer Skelley.

Projeto e Assistência Editorial

Beverley Ager, Gillian Allan, Gaye Allen, Douglas Amrine, Emily Anderson, Peter Bently, Sonal Bhatt, Uma Bhattacharya, Tessa Bindloss, Hilary Bird, Sally-Ann Bloomfield, Samantha Borland, Isabel Boucher, Hugo Bowles, Reid Bramblett, Caroline Brooke, Nick Bruno, Paola Cacucciola, Stefano Cavedoni, Margaret Chang, Susi Cheshire, Elspeth Collier, Sherry Collins, Lucinda Cooke, Cooling Brown, Michelle Crane, Gary Cross, Felicity Crowe, Peter Douglas, Mandy Dredge, Stephanie Driver, Julia Dunn, Michael Ellis, Adele Evans, Mariana Evmolpidou, Danny Farnham, Karen Fitzpatrick, Anna Freiberger, Jackie Gordon, Angela-Marie Graham, Caroline Greene, Vanessa Hamilton, Amy Harrison, Sally-Ann Hibbard, Elinor Hodgson, Tim Hollis, Paul Jackson, Gail Jones, Roberta Kedzierski, Amy Knauff, Steve Knowlden, Suresh Kumar, Leonie Loudon, Siri Lowe, Carly Madden, Hayley Maher, Nicola Malone, Sarah Martin, Georgina Matthews, Ferdie McDonald, Sam Merrell, Ian Midson, Rebecca Milner, Adam Moore, Cherrye Moore, John Murphy, Cristina Murroni, Jennifer Mussett, Catherine Palmi, Helen Partington, Alok Pathak, Alice Peebles, Tamsin Pender, Marianne Petrou, Gillian Price, David Pugh, Rada Radojicic, Jake Reimann, Catherine Richards, David Roberts, Evelyn Robertson, Carolyn Ryden, Simon Ryder, Giuseppina Russo, Collette Sadler, Sands Publishing Solutions, Baishakhee Sengupta, Kunal Singh, Ellie Smith, Alison Stace, Solveig Steinhardt, Donald Strachan, Hugh Thompson, Jo-Ann Titmarsh, Conrad Van Dyk, Elaine Verweymeren, Ingrid Vienings, Karen Villabona, Stewart J Wild, Veronica Wood.

A DORLING KINDERSLEY também agradece às seguintes instituições pela assistência: Azienda Autonoma di Soggiorno Cura e Turismo, Nápoles; Azienda Promozione Turistica del Trentino, Trento; Osservatorio Geofisico dell'Università di Modena; Bell'Italia; Enotria Winecellars.

Permissão de Fotografia

A DORLING KINDERSLEY também agradece às seguintes instituições por sua assistência e permissão para fotografar em suas dependências: Assessorato Beni Culturali Comune di Padova. Le Soprintendenze Archeologiche di Agrigento, di Enna, di Etruria Meridionale, per il Lazio, di Napoli, di Pompei, di Reggio Calabria e di Roma. Le Soprintendenze per i Beni Ambientali e Architettonici di Bolzano, di Napoli, di Potenza, della Provincia di Firenze e Pistoia, di Ravenna, di Roma, di Siena e di Urbino. Le Soprintendenze per i Beni Ambientali, Architettonici, Artistici e Storici di Caserta, di Cosenza, di Palermo, di Pisa, di Salerno e di Venezia. Le Soprintendenze per i Beni Artistici e Storici della Provincia di Firenze e Pistoia, di Milano e di Roma e todas as outras igrejas, museus, hotéis, restaurantes, galerias e pontos turísticos, muito numerosos para citar individualmente.

Créditos das Fotos

a = alto; ae = alto, à esquerda; ac = alto, centro; ad = alto, à direita; cea = centro, à esquerda, acima; ca = centro, acima; cda = centro, à direita, acima; ce = centro, à esquerda; c = centro; cd = centro, à direita; cbe = centro, embaixo, à esquerda; cb = centro, embaixo; cbd = centro, embaixo, à direita; be = embaixo, à esquerda; b = embaixo; bc = embaixo, centro; bd = embaixo, à direita.

As obras de arte foram reproduzidas com a permissão dos seguintes detentores de direitos autorais: © ADAGP, Paris e DACS, Londres 1996 *Pássaro no Espaço* de Constantin Brancusi 101ce; © DACS, 1996 *Mãe e Filho* de Carlo Carrà 190a.

A Dorling Kindersley agradece aos seguintes profissionais pela assistência: Eric Crighton: 83cda, FIAT: 220c, Gucci Ltd: 39cd, Prada, Milão: 39c, National Archaeological Museum, Nápoles: 495b, National Maritime Museum 40c, Royal Botanic Gardens, Kew: 83ca, Science Museum: 40cea, Telecom Italia: 670ac.

O editor agradece também às seguintes pessoas, companhias e bancos de imagens pela permissão para reproduzir suas fotos:

Accademia Italiana: Sue Bond 495c; AFE, Roma: 38cbe, 38cb, 39ae; Giuseppe Carfagna 194b, 202b, 218ae, 218b, 222ae, 224b, 225a, 235a; Claudio Cerquetti 68a, 69be, 69a; Enrico Martino 58ce, 66ad; Roberto Merlo 236b, 239a, 239b; Piero Servo 267a, 269b; Gustavo Tomsich 227b; Archivio APT Monregalese 229a; Action Plus: Mike Hewitt 70ca; Glyn Kirk 71ad; Alamy Images: Krys Bailey 666cl, CuboImages srl 11be, /Adriano Bacchella 181ad, / Enrico Caracciolo 249c; Bluered 325 te; gkphotography 79ce; Goodshoot 12ad; Steven May 682 cea; Theodore Liasi 666cla, vario images GmbH & Co.KG /Ulrich Baumgarten 668cl, 670bl; Alitalia: 672a, 672b; Allsport: Mark Thompson: 71ce; Simon Bruty: 71ae; Ancient Art and Architecture: 43a, 481bd; Archiv für Kunst und Geschichte, Londres: 28be, 34b, *Rossini* (1820), Camuccini, Museo Teatrale alla Scala, Milão 36bd, 37be, 41bd, *Papa Sisto IV Nomeando Platina Guardião da Biblioteca*, Melozzo da Forlì (1477), Pinacoteca Vaticana, Rome 43, 44ae, *Estátua de Augusto de Prima Porta* (século 1° d.C.) 41ae, *O Dom de Constantino* (1246), Oratorio di San Silvestro, Roma 50ce, *Frederico I Barba-Roxa como um Cruzado* (1188), Biblioteca Apostolica Vaticana, Roma 53be, 56ae, *Dando as Chaves a São Pedro*, Perugino (1482), Capela Sistina, Vaticano, Roma 56cea, 56be, *Maquiavel,* Santi di Tito, Palazzo Vecchio, Florença 57bd, *Andrea Palladio*, Meyer 58cb, *Goethe na Campanha*, Tischbein (1787), Stadelsches Kunstinstitut, Frankfurt 60ce, *Carnaval Veneziano no Século 18,* Anon (século 19) 60cbe, *Bonaparte Cruzando os Alpes*, David, Schloss Charlottenburg, Berlim 61cd, 61be, 106a, 106b, 199b, 366-7, 466b, *Arquimedes*, Museo Capitolino, Roma 481be, 505t, 509c; Stefan Diller *Aparição de São Francisco aos Irmãos em Arles* (1295-1300), San Francesco, Assis 53ae; Erich Lessing *Margrave Gualtieri de Saluzzo Escolhe a Filha do Pobre Agricultor, Griseldis, Para Esposa,* di Stefano, Galleria dell'Accademia Carrara, Bergamo 38cbd, *A Visão de Santo Agostinho* (1502), Carpaccio, Chiesa di San Giorgio degli Schiavoni, Veneza 57cd, 222b, 268b, 491b; Archivio IGDA, Milão: 204a, 204c, 205b, 521be, 521bd; Emporio Armani: 24ce, 39ac; Artemide, GB Ltd: 39cbe.

Mario Bettella 535c, 542c; La Biennale di Venezia: 656cda; Frank Blackburn: 267c; Osvaldo Böhm, Veneza: 89a, 94c, 111a; Bridgeman Art Library, Londres/Nova York: 46c, Ambrosiana, Milão 183a; Bargello, Florença 279b, 283c; Bibliothèque Nationale, Paris: *Marco Polo com Elefantes e Camelos Chegando a Ormuz, Golfo Pérsico, da Índia,* Livre des Merveilles Fr 2810 f.14v 41a; British Museum, Londres Vaso *Etrusco Mostrando Lutadores Lutando* 45ae, *Frasco Decorado com Símbolos Cristãos* 50ae, Vaso Greco-Ático *Figura Vermelha Retratando Odisseu com as Sereias,* Stamnos 481cb; Galleria dell'Accademia Carrara, Bergamo 201a; Galleria Borghese, Roma 439ce; Galleria degli Uffizi, Florence 26ae, 29ae, 29bd, *Auto Retrato,* Raphael Sanzio de Urbino 57be, 287b, 289b: K & B News Photo, Florença 276ae; Santa Maria Novella, Florença 297b; Museo Civico, Prato 328b; Louvre, Paris *Estatueta de Herácles Brandindo seu Bastão,* Grego Clássico, período Argive 480a; Mausoleo di Galla Placidia, Ravenna 268ad; Museo di San Marco, Florença 297b; Musée d'Orsay, Paris - Giraudon *Os Romanos da Decadência,* Thomas Couture 395a; Museo delle Sinopie, Camposanto, Pisa 27cbe; Palazzo dei Normanni, Palermo *Cena com Centauros do Quarto do Rei Ruggero* 523b; Pinacoteca di Brera, Milão 198c, 198b, 199a, Coleção Particular *Teodorico I* (455-526) *Rei Ostrogodo da Itália* 50b; San Francesco, Arezzo 27ad; San Francesco, Assis 355c; San Sebastiano, Veneza 29cbd; San Zaccaria, Veneza 33c, 33ad, 99c; Santa Croce, Florença 284be, 285cb; Santa Maria Gloriosa dei Frari, Veneza 28ad; Santa Maria Novella, Florença 27cea; Capela Scrovegni (Arena), Pádua 27ad; Scuola di San Giorgio degli Schiavoni, Veneza 120b; Staatliche Museen, *Berlim Sétimo Severo e Família* 49b; Museus e Galerias do Vaticano, Roma 421b; Walker Art Gallery, Liverpool *Ésquilo e Hygieia* 480b; British Museum, Londres: 46ce.

Museu Capitolino, Roma: 387cd; Demetrio Carrasco: 102bd, 682ad; Cephas Picture Library Mick Rock: 2-3, 23a, 24a, 182ad, 183b, 183ad, 242-3, 251ad, 251ad, 472-3, 660-1; JL Charmet, Paris: 353bd, 495a; Ciga Hotels: 91cb; Foto Elio e Stefano Ciol: 77cda, 164be, 164bd, 165be, 165bc, 165bd; Comune di Asti: 68ce; Stephani Colasanti: 76be; Consorcio Mostoscafi Venezia: 682ceb; Corbis: Assignments Photographers/Bryn Colton 180cea; Dave Bartruff 476cea; Gerard Degeorge 11cda; Owen Franken 248cea, 249t, 477c; Michelle Garrett 477a; John Heseltine 378cea; Robert Holmes 79a; Reuters/Tony Gentile 379a; ML Sinibaldi 13bd; Hubert Stadler 539cdb; Joe Cornish: 22a, 74ad, 138, 160a, 244-5, 314, 364, 461b, 537b; Giancarlo Costa: 9c, 34a, 35cd, 35ad, 35ae, 75c, 177c, 182ae, 473c, 553c, 661c.

Il Dagherrotipo: 676ce; Archivio Arte 207a; Archivio Storico 35b, 206b, 261b; Salvatore Barba 506a; Alberto Berni 225be; Riccardo Catani 501b; Marco Cerruti 178a, 213b, 215b, 216b; Antonio Cittadini 189b, 192b, 202a; Gianni Dolfini 550b; Riccardo d'Errico 70ad, 247a, 268c; Maurizio Fraschetti 496; Diane Haines 173bd, 659bd; Maurizio Leoni 67c; Marco Melodia 507b, 547a, 658ae, 658ce; Stefano Occhibelli 69c, 254, 401be; Giorgio Oddi 247cd, 252a, 513ad; Bruno Pantaloni

71be; Donato Fierro Perez 533cb; Marco Ravasini 170a, 549c; Giovanni Rinaldi 25a, 66be, 67ae, 179be, 231b, 398c, 367a, 373a, 466c, 482, 499a, 474be, 506bd, 507c, 533cd, 551a, 551c; Lorenzo Scaramella 468c; Stefania Servili 172a; James Darell: 348; CM Dixon: 421cb; Chris Donaghue The Oxford Photo Library: 117a.

Electa: 156c, 157c, 157t; Empics: 70cda, 70cbe; John Marsh 70b; ET Archive: 36bc, 45c, 46ae, 49cd, 52cd-3ce, 57ae, 59ae, 63b, 481a, 531b; Mary Evans Picture Library: 34cbe, 35ce, 41ca, 62b, 62cbd, 63cd, 64cb, 80ad, 245c, 320a, 326a, 391ca, 393be, 409b, 442c, 511cd, 550a.

Archivio Storico Fiat, Turim: 64ad; Ferrari: 38b; APT Folignate e Nocera Umbra: 361a; com a coridal permissão da Fondazione Arena di Verona: Gianfranco Fainello 656b; Werner Forman Archive: 45bd, 51ad, 435bd; Consorzio Frasassi: 372b.

Studio Gavirati, Gubbio: 352c; APT Genova: Roberto Merlo 238be; Getty Images: The Image Bank/Andrea Pistolesi 78cea; Stone/Simone Huber 657a; Giraudon, Paris: *Afrodite Persuadindo Helena a Seguir Páris até Troia,* Museo Nazionale di Villa Giulia, Roma 45cbe, *Farmácia,* Museo della Civiltà Romana 48cb, *Grandes Crônicas da França; Coroação de Carlos Magno em São Pedro por Leão III,* Musée Goya, Castres 51ae, *Tomada de Constantinopla,* Basilica de São João Evangelista, Ravenna 53cd, *O Inferno de Dante com Comentário de Guiniforte delli Bargigi* (Ms2017 fol 245), Bibliothèque Nationale, Paris 54cb, *Retrato de Santo Inácio de Loyola,* Rubens, Musée Brukenthal, Sibiu 59ca, *A Esquadra de Carlos III em Nápoles em 6 de Outubro de 1759,* Joli de Dipi, Museu do Prado, Madri 60ad, *Inauguração da Ferrovia Nápoles-Portici,* Fergola (1839), Museo Nazionale di San Martino, Nápoles 62cbe, *Piemonteses e Franceses na Batalha de San Martino em 1859* Anon, Museo Centrale del Risorgimento, Rome 63ae, 106c, 107a, 199c, 268ae; Alinari-Giraudon: *Aparição de São Marcos aos Venezianos que Procuram seu Corpo,* Tintoretto (1568), Brera Art Gallery, Milão 29ad, *Templo,* Casa dos Vettii, Pompeia 49cb, *São Gregório em seu Estúdio* (Inv 285), Pinacoteca Nazionale, Bologna 51be, *Retrato de Vitor Emanuel II,* Dugoni (1866), Galleria d'Arte Moderna, Palazzo Pitti, Florença 62ae, 107b, 198a, *Luís II de Gonzaga e sua Corte,* Andrea Mantegna (1466-74), Museo di Palazzo Ducale, Mantova 200-1, 287ae-ad, *História do Papa Alexandre III: Construção da Cidade de Alexandria,* Aretino Spinello (1407), Palazzo Pubblico, Siena 55cd; Alinari-Seat-Giraudon: 227c; Flammarion-Giraudon: *Poema de Donizo em Homenagem à Rainha Matilda,* Biblioteca Apostolica, Vaticano 52ca; Lauros-Giraudon: *Retrato de Francisco Petrarca* 54b, *Liber notabilium Philippi Septimi, francorum regis a libris Galieni extractus* (Ms 334 569 fig17), Guy of Pavia (1345), Musée Condé, Chantilly 55b, *Galeria de Vistas da Roma Antiga,* Pannini (1758), Musée du Louvre, Paris 60cd, 61ce, *Retrato do Artista,* Bernini, Coleção Particular 58ae, *Quatro Anjos e Símbolos dos Evangelistas,* 32ad-33cda; Orsi-Battaglini-Giraudon: *Madona da Sombra,* Museu de San Marco, Florença 32c, *Suplício de Savonarola* Anon 56ce; Jackie Gordon: 677; The Ronald Grant Archive: 65b; Paramount *O Poderoso Chefão, Parte III* (1990) 535b; Riama *La Dolce Vita* (1960) 65ae; TCF *Boccaccio '70* (1962) 23ce, *O Nome da Rosa* (1986) 34cla; Palazzo Venier dei Leoni, Peggy Guggenheim Collection, Veneza: 91cla.

Photo Halupka: 120a; Robert Harding Picture Library: 1c, 70ae, 191b, 270, 390ce, 414, 419b, 665b, 658b; Dumrath 216c, 269c; Gavin Hellier 12cbd; HP Merton 166, 658ad; Roy Rainford 499cd; John Heseltine: 467a; Michael Holford: 47ca, 384b; Hotel Porta Rossa: 556a; Hotel Villa Pagoda: 555a; The Hulton Deutsch Collection: 64bd, 89cea, 90cea, 90bd, 157bd, 375c; Keystone 64ca.

The Image Bank, Londres: 334b; Marcella Pedone 187b; Andrea Pistolesi 255b; Guido Rossi 14b, 47cb; The Image Bank, Milão. 195b; Impact: 315b; Index, Florença: 282c, 327t, 327cr; Istituto e Museo di Storia della Scienza di Firenze: Franca Principe 40b, 285c; Stockphoto.com: Roberto Caucino 396.

Tim Jepson: 351a.

Frank Lane Picture Agency: 216a, 217a, 217c, 217b; M Melodia/Panda 506ca.

Magnum, Londres: Abbas 65cbc, The Mansell Collection: 52ce, 393ae; Marconi Ltd 40a; Marka: L Barbazza 97ad; E Cerretelli 121b; M Motta 667a; Masterstudio, Pescara: 504c; su concessione del Ministero per i Beni Culturali e Ambientali: *A Última Ceia*; Leonardo da Vinci 200b; Mirror Syndication International: 40cbe; Moby Lines: 675b; Foto Modena: 266a, 371c; Tony Mott: 465b, 470a; Museo Diocesano di Rossano 520a; Museus Capitolinos, Roma: 387cd.

NHPA: Laurie Campbell 83cbd; Gerard Lacz 83bd; Silvestris Fotoservice 83cd; Cortesia da National Portrait Gallery, Londres: (detalhe) *Percy Bysshe Shelley,* Amelia Curran (1819) 60ae; Grazia Neri: 52ae; Roberta Krasnig 670be; Marco Bruzzo 68bd; Cameraphoto 108be; Marcello Mencarini 88bd; Nippon Television Network: 424c-425c, 424d, 424b-425be, 425a, 425bd, 426b; Peter Noble: 318a, 336-7, 341b, 666b.

L'Occhio di Cristallo/Studio Fotografico di Giorgio Olivero: 229b; APT Orvieto: Massimo Roncella 358a; Oxford Scientific Films: Stan Osolinski 347c.

PADOVA - MUSEI CIVICI - CAPPELLA SCROVEGNI: 77cd, 156a, 156cea, 156cbe, 157cda, 157cbd, 157be; PADOVA - MUSEI CIVICI AGLI EREMITANI: 158a, 158c; LUCIANO PEDICINI - ARCHIVIO DELL'ARTE: 362b, 404a, 475a, 486ae, 490a, 490ca, 490cb, 490b, 491a, 491ca, 491cd, 493a, 530b; APT PESARO - LE MARCHE: 554c; PICTURES COLOUR LIBRARY: 546b, 548e; ANDREA PISTOLESI: 20; PNALM ARCHIVE: em associação com www.abruzzonatura.com 506bc; POLIS PHOTO LIBRARY, Milão: Eugenio Bersani 11a; POPPERFOTO: 64tael, 65ca, 65cb.

SARAH QUILL, Veneza: 90a, 94b, 100ae.

RETROGRAPH ARCHIVE: 37c; REX FEATURES: 37a; Steve Wood 39ad.

SCALA GROUP SPA: 26b, 27b, 28bd, 29ca, 29be, 36ae, 388cea, *Retrato de Claudio Monteverdi,* Domenico Feti, Accademia, Veneza 36be, *Portolan da Itália* (século 16), Loggia dei Lanzi, Firenze 291be, Museo Correr, Veneza 43b, *Fígado Etrusco de Bronze,* Museo Civico, Piacenza 44ce, *Brincos,* Museo Etrusco Guarnacci, Volterra 44be, 44cd-45cl, *Cratera de Pesca Romana,* Museo Archeologico, Grosseto 45bc, *Vaso de Terracota com Forma de um Elefante,* Museo Nazionale, Nápoles 46cd, *Cicero Denuncia Catilina,* Palazzo Madama, Roma 47ae, 47be, *Cena de Mosaico de Circo - Luta de Gladiadores,* Galleria Borghese, Roma 48a, 48bd, *Teodolinda Derrete o Ouro para a Nova Igreja* (século 15), Famiglia Zavattari, Duomo, Monza 50cbe, 50cd-51ce, 51b, *Túmulo Retratando uma Escola,* Matteo Gandoni, Museo Civico, Bolonha 52b, *Detalhe de um Púlpito de Frederico II* (século 13), Cattedrale, Bitonto 53cb, *Guidoriccio da Fogliano no Cerco de Note Massi,* Simone Martini, Palazzo Pubblico, Siena 54ce 55ae, *Retorno de Gregório XI de Avignon* Giorgio Vasari, Sala Regia, Vaticano 55cb, 56be, 56cd-57ce, 57cbd, *Clemente VII em Conversação com Carlos V,* Giorgio Vasari, Palazzo Vecchio, Florença 58cea, *Retrato de Pierluigi da Palestrina,* Istituto dei Padri dell'Oratorio, Roma 58bd, *Revolta em Masaniello,* Domenico Gargiulo, Museo di San Martino, Nápoles 59cbd, 60bd, 61ae, 61cbd, 62cea, 62cd-63ce, 63cbd, 95c, 100c, 118bd, 146c, 222ad, 226b, 260a, 263a, 265a, 269a, 274c, 274b, 275a, 276c, 276b, 277a, 277b, 280, 282ad, 283ad, 283b, 286a, 286c, 286b, 287ca, 287cb, 288a, 288b, 289a, 290c, 291be, 292a, 292b, 293a, 293b, 294a, 294c, 295a, 296be, 298a, 298ce, 298cda, 298cbd, 298b, 299a, 299cea, 299ceb, 299cd, 299be, 299bd, 301be, 302ad, 302ae, 302c, 303t, 303ce, 303b, 325c, 325b, 330a, 330cea, 330c, 330ca, 330cd-331ce, 330cb, 330b, 331cd, 331cb, 331cda, 331a, 331b, 332a, 332b, 338b, 340a, 341ce, 344cea, 345b, 354a, 354c, 355b, 358b, 359c, 370a, 370b, 371a, 371be, 377bd, 384c, 400be, 402a, 404c, 411c, 416ae, 416c, 416b, 417a, 418b, 419a, 420a, 420cb, 421c, 423a, 423c, 423b, 427a, 427b, 511c, 513ae, 529b, 530ad, 536a, 537a, 538b, 549b; SCIENCE PHOTO LIBRARY: 15a; Argonne National Laboratory 41cd; JOHN FERRO SIMS: 24b, 25b, 84, 176-7, 365b, 374-5, 460, 542b; AGENZIA SINTESI, ROMA: 666ae; MARIO SOSTER DI ALAGNA: 557c; FRANK SPOONER PICTURES: Diffidenti 548b; Gamma 65cd, 65ac; SPORTING PICTURES: 70cbd, 71cb, 71cda; TONY STONE IMAGES: 83cea; Stephen Studd 31ad, 185cd; AGENZIA FOTOGRAFICA STRADELLA, Milão: Bersanetti 191c; Lamberto Caenazzo 546a; Francesco Gavazzini 216c; F Giaccone 526c; Mozzati 370ceb; Massimo Pacifico 507a; Ettore Re 499cbd; Ghigo Roli 499b; Giulio Vegi 533a; Amedeo Vergani 210, 214b, 234a, 257a; SUPERSTOCK: age fotostock 379c; SYGMA: 67ad.

TASTING ITALY: Martin Brigdale 659a; TATE GALLERY PUBLICATIONS: 64be; APT DELL'ALTA VALLE DEL TEVERE: Museo del Duomo 54ae; TOURING CLUB OF ITALY: 204b, Cresci 534a; ARCHIVIO CITTÀ DI TORINO Settore Turismo: 221a, 221b; Davide Bogliacino 213a; FOTOTECA APT del TRENTINO: Foto di Banal 174a; Foto di Faganello 173a, 175c.

VENICE SIMPLON-ORIENT-EXPRESS: 674ae; VILLA CRESPI: 604b.

CHARLIE WAITE: 21b; EDIZIONE WHITE STAR: Marcello Bertinetti 85b; Giulio Veggi 8-9, 74-5, 139b; FIONA WILD: 540-1; PETER WILSON: 5a, 92-3; WORLD PICTURES: 552-3.

Guarda Anterior:
JOE CORNISH: Ecbd, Ec, Dcad; IL DAGHERROTIPO: Marco Melodia Ebe; Stefano Occhibelli Dae; Giovanni Rinaldi Dae; JAMES DARELL: Dce; ROBERT HARDING PICTURE LIBRARY: Ec, H. P. Merton Dcae; JOHN FERRO SIMS: Ead, Dbc; AGENZIA FOTOGRAFICA STRADELLA, Milão: Amadeo Vergani Eae.

Guarda Posterior:
ISTOCKPHOTO.COM: Roberto Caucino ce; ROBERT HARDING PICTURE LIBRARY: Rolf Richardson ae.

PRIMEIRA CAPA
PHOTOLIBRARY: De Agostini Editore/C Sappa.

QUARTA CAPA
DORLING KINDERSLEY: Demetrio Carrasco cea; Paul Harris and Anne Heslope t; John Heseltine be; Linda Whitwam ceb.

LOMBADA
PHOTOLIBRARY: De Agostini Editore/C Sappa t

Para informações adicionais acesse: www.dkimages.com

Frases

Emergências

Socorro!	**Aiuto!**	*ai-**ú**-to!*
Pare (o sr./a sra.)!	**Fermate!**	***fêr**-ma-te!*
Chame um médico	**Chiama un medico**	*ki-**a**-ma un **mé**-di-ko*
Chame uma ambulância	**Chiama un' ambulanza**	*ki-**a**-ma un' am-bu-**lan**-tsa*
Chame a polícia	**Chiama la polizia**	*ki-**a**-ma la po-li-**tsí**-a*
Chame os bombeiros	**Chiama i pompieri**	*ki-**a**-ma i pom-pi-**e**-ri*
Onde há um telefone?	**Dov'è il telefono?**	*dové-il te-**lé**-fo-no?*
O hospital mais próximo?	**L'ospedale più vicino?**	*los-pe-**da**-le pi-**ú** vi-**tchi**-no?*

Comunicação Essencial

Sim/Não	**Si/No**	***si/no***
Por favor	**Per favore**	*per fa-**vo**-re*
Obrigado	**Grazie**	***gra**-tsi-e*
Desculpe	**Mi scusi**	*mis**kuzi***
Olá	**Buon giorno**	*buon **djior**-no*
Até logo	**Arrivederci**	*a-rri-ve-**der**-tchi*
Boa noite	**Buona sera**	***buo**-na **ce**-ra*
manhã	**La mattina**	*la ma-**ti**-na*
tarde	**Il pomeriggio**	*il po-me-**ri**-djio*
noite	**La sera**	*la **ce**-ra*
ontem	**Ieri**	*i-**é**-ri*
hoje	**Oggi**	***o**-dji*
amanhã	**Domani**	*do-**má**-ni*
aqui	**Qui**	***kuí***
ali	**La**	***la***
O quê?	**Quale?**	***kua**-le?*
Quando?	**Quando?**	***kuan**-do?*
Por quê?	**Perchè?**	*per-**kê**?*
Onde?	**Dove?**	***do**-ve*

Frases Úteis

Como vai (sr/sra)?	**Come stà?**	***ko**-me stá?*
Bem, obrigado.	**Molto bene, grazie.**	***moll**-to **be**-ne **gra**-tsi-e*
Prazer em conhecê-lo.	**Piacere di conoscerla.**	*pi-a-**tche**-re di co-**nó**-sher-la*
Até mais tarde.	**A più tardi.**	*a pi-ú **tar**-di*
Está bem.	**Va bene.**	*vá **be**-ne*
Onde está/estão?	**Dov'è/Dove sono...?**	*do-vé/do-ve **so**-no?*
Quanto tempo leva para...?	**Quanto tempo ci vuole per andare a...?**	***kuan**-to **tem**-po tchi **vuó**-le per an-**da**-re a...?*
Como eu faço para chegar a...?	**Come faccio per arrivare a ...?**	*ko-me **fá**-tchio per arri-**va**-re a..?*
(O sr./sra.) fala português?	**Parla portoghese?**	***par**-la por-to-**gue**-ze?*
Eu não entendo.	**Non capisco.**	*non ka-**pis**-ko*
Poderia falar mais devagar, por favor?	**Può parlare più lentamente, per favore?**	*puó par-**lá**-re pi-**ú** len-ta-**men**-te, per fa-**vo**-re?*
Sinto muito.	**Mi dispiace.**	*mi dis-pi-**á**-tche*

Palavras Úteis

pequeno	**piccolo**	***pí**-ko-lo*
quente	**caldo**	***kal**-do*
frio	**freddo**	***fre**-do*
bom	**buono**	***buo**-no*
ruim	**cattivo**	*ka-**ti**-vo*
suficiente	**basta**	***bas**-ta*
bem	**bene**	***be**-ne*
aberto	**aperto**	*a-**pér**-to*
fechado	**chiuso**	*ki-**ú**-zo*
à esquerda	**a sinistra**	*a ssi-**nis**-tra*
à direita	**a destra**	*a **dés**-tra*
sempre reto	**sempre dritto**	***sem**-pre **dri**-to*
perto	**vicino**	*vi-**tchi**-no*
longe	**lontano**	*lon-**tá**-no*
para cima	**su**	***su***
para baixo	**giù**	***djiú***
cedo	**presto**	***prés**-to*
tarde	**tardi**	***tar**-di*
entrada	**entrata**	*en-**trá**-ta*
saída	**uscita**	*u-**shi**-ta*
banheiro	**il gabinetto**	*il ga-bi-**ne**-to*
livre, vago	**libero**	***lí**-be-ro*
grátis	**gratuito**	*gra-**tui**-to*

Usando o Telefone

Queria fazer um interurbano.	**Vorrei fare una interurbana.**	*vo-**rrei** **fa**-re una in-te-rur-**ba**-na.*
Queria fazer uma chamada a cobrar.	**Vorrei fare una telefonata a carico del destinatario.**	*vo-**rrei** **fa**-re una te-le-fo-**ná**-ta a **ká**-ri-ko dell des-ti-na-**tá**-ri-o.*
Eu ligo mais tarde.	**Ritelefono più tardi.**	*ri-te-**lé**-fo-no pi-**ú** **tar**-di.*
Posso deixar um recado?	**Posso lasciare un messaggio?**	***pó**-sso la-shi-**á**-re un me-**ssá**-djio?*
Um momento por favor	**Un attimo, per favore**	*un**á**-ti-mo, per fa-**vo**-re*
Pode falar mais alto, por favor?	**Può parlare più forte, per favore?**	*pu-ó par-**la**-re pi-**ú** **for**-te, per fa-**vo**-re?*
chamada local	**telefonata locale**	*la te-le-fo-**ná**-ta lo-**ka**-le*

Compras

Quanto custa, por favor?	**Quant'è, per favore?**	*kuan-**té**, per fa-**vo**-re?*
Eu queria...	**Vorrei...**	*vo-**rrei***
Vocês têm...?	**Avete...?**	*a-**vê**-te...?*
Estou só olhando.	**Sto soltanto guardando.**	*stô sol-**tan**-to guar-**dan**-do*
Aceitam cartões de crédito?	**Accettate carte di credito?**	*a-tche-**tá**-te **kar**-te di **kré**-di-to?*
A que horas abre/fecha?	**A che ora apre/ chiude?**	*a ke **ó**-ra **a**-pre/ki-**ú**-de?*
este	**questo**	***kues**-to*
aquele	**quello**	***kue**-lo*
caro	**caro**	***ka**-ro*
barato	**a buon prezzo**	*a buon **pre**-tso*
tamanho	**la taglia**	*la **tá**-lhia*
número	**il numero**	*il **nú**-me-ro*
branco	**bianco**	*bi-**an**-ko*
preto	**nero**	***ne**-ro*
vermelho	**rosso**	***ro**-sso*
amarelo	**giallo**	***djia**-lo*
verde	**verde**	***ver**-de*
azul	**blu**	***blu***
marrom	**marrone**	*ma-**rro**-ne*

Tipos de Loja

açougue	**macelleria**	*ma-tchê-le-**rí-a***
agência de viagens	**agenzia di viaggi**	*a-djên-**tsí**-a di **viá**-dji*
antiquário	**antiquario**	*an-ti-**kuá**-rio*
banca de frutas	**fruttivendolo**	*fru-ti-**vên**-do-lo*
banca de jornais	**edicola**	*e-**dí**-ko-la*
banco	**banca**	***ban**-ka*
cabeleireiro	**parrucchiere**	*par-ru-ki-**ére***
correio	**ufficio postale**	*u-**fí**-tchio pos-**ta**-le*
doçaria	**pasticceria**	*pas-ti-tchê-**ría***
farmácia	**farmacia**	*far-ma-**tchí**-a*
feira/mercado	**mercato**	*mer-**ca**-to*
floricultura	**fioraio**	*fio-**rai**-o*
livraria	**libreria**	*li-bre-**rí**-a*
loja de departamento	**grande magazzino**	***gran**-de ma-ga-**dzi**-no*
loja de frios	**salumeria**	*sa-lu-me-**rí**-a*
loja de sapatos	**calzature**	*cal-tsa-**tu**-re*
padaria	**panetteria**	*pa-ne-tê-**rí**-a*
peixaria	**pescheria**	*pes-ke-**rí**-a*
quitanda	**alimentari**	*a-li-men-**ta**-ri*
sorveteria	**gelateria**	*djê-la-te-**rí**-a*
supermercado	**supermercato**	*su-per-mer-**ca**-to*
tabacaria	**tabaccaio**	*ta-ba-**kái**-o*

Em Passeios

biblioteca	**biblioteca**	*bi-blio-**té**-ka*
catedral	**duomo**	*du**ô**-mo*
estação de trem	**stazione**	*sta-**tsiô**-ne*
fechado para o feriado	**chiuso per festa**	*ki-**úso** per **fes**-ta*
galeria de arte	**pinacoteca**	*pi-na-co-**té**-ka*
igreja	**chiesa**	*ki-**ê**-za*
informações turísticas	**informazioni turistiche**	*in-for-ma-**tsiô**-ni tu-**rís**-ti-ke*
jardim	**giardino**	*djiar-**di**-no*
mansão	**villa**	***vi**-la*
museu	**museo**	*mu-**zê**-o*
ponto de ônibus	**fermata dell'autobus**	*fer-**ma**-ta de-**láu**-to-bus*

No Hotel

Vocês têm algum quarto vago?	Avete camere libere?	a-**vê**-te **ká**-me-re **lí**-be-re?
um quarto duplo	una camera doppia	una **ká**-me-ra **dô**-pi-a
com cama de casal	con letto matrimoniale	kon **le**-to ma-tri-mo-ni-**á**-le
com duas camas de solteiro	una camera con due letti	una **ká**-me-ra kon **du**-e **lé**-ti
quarto de solteiro	una camera singola	una **ká**-me-ra **sín**-go-la
quarto com banheiro/ chuveiro	una camera con bagno/ con doccia	una **ká**-me-ra kon **ba**-nho, kon **do**-tchia
carregador	il facchino	il fa-**ki**-no
chave	la chiave	la ki-**á**-ve
Eu tenho uma reserva.	Ho fatto una prenotazione.	ô **fa**-to una prê-no-ta-tsi-**o**-ne.

Comer Fora

Tem uma mesa para...?	Avete una tavola per... ?	a-**vê**-te una **tá**-vo-la per...?
Queria reservar uma mesa.	Vorrei riservare una tavola.	vo-**rrei** ri-zer-**va**-re una **tá**-vo-la.
café da manhã	colazione	ko-la-tsi-**ô**-ne
almoço	pranzo	**pran**-tso
jantar	cena	**tchê**-na
A conta, por favor.	Il conto, per favore.	il **kon**-to, per fa-**vo**-re.
Sou vegetariano/a	Sono vegetariano/a.	**so**-no **ve**-dje-ta-ri-**a**-no/na.
garçonete	cameriera	ka-me-ri-**e**-ra
garçon	cameriere	ka-me-ri-**e**-re
cardápio com preço fixo	il menù a prezzo fisso	il me-**nú** a **pre**-tso **fi**-sso
prato do dia	piatto del giorno	pi-**a**-to dell **djior**-no
entrada	antipasto	an-ti-**pas**-to
primeiro prato	il primo	il **pri**-mo
segundo prato	il secondo	il se-**kon**-do
acompanhamento	il contorno	il kon-**tor**-no
sobremesa	il dolce	il **doll**-tche
couvert	il coperto	il ko-**pér**-to
carta de vinhos	la lista dei vini	la **lis**-ta dei **vi**-ni
mal passado	al sangue	al **san**-gu-e
ao ponto	al puntino	al pun-**ti**-no
bem passado	ben cotto	ben **ko**-to
copo	il bicchiere	il bi-ki-**é**-re
garrafa	la bottiglia	la bo-**ti**-lhia
faca	il coltello	il kol-**te**-lo
garfo	la forchetta	la for-**kê**-ta
colher	il cucchiaio	il ku-ki-**ai**-o

Cardápio

abobrinhas	zucchine	dzu-**ki**-ne
açúcar	zucchero	**dzu**-que-ro
água	acqua	**á**-kua
água mineral com gás/ natural	acqua minerale gasata/ naturale	**á**-kua mi-ne-**ra**-le ga-**za**-ta/ na-tu **ra**-le
alcachofra	carciofo	car-**tchió**-fo
alho	aglio	**a**-lho
ao forno	al forno	**al for**-no
arroz	riso	**ri**-zo
assado	arrosto	a-**rrós**-to
atum	tonno	**tô**-no
azeitona	oliva	o-**li**-va
batatas	patate	pa-**ta**-te
batatas fritas	patatine fritte	pa-ta-**ti**-ne **fri**-te
berinjela	melanzane	me-lan-**tsa**-ne
bife	fettina	fe-**ti**-na
bisteca	bistecca	bis-**te**-ka
café	caffé	ka-**fé**
caldo	brodo	**bró**-do
camarões	gamberi	**gâm**-be-ri
carne	carne	**kar**-ne
carne de porco	carne di maiale	**kar**-ne di ma-**iá**-le
cebola	cipolla	tchi-**pô**-la
cerveja	birra	**bi**-rra
chá preto	té	**té**
chá de ervas	tisana	ti-**sa**-na
cogumelos	funghi	**fun**-gui
cordeiro	abbacchio	a-**bá**-kio
cozido	lesso	**lê**-sso
feijões	fagioli	fa-**djió**-li
frango	pollo	**pô**-lo
fruta fresca	frutta fresca	**fru**-ta **fres**-ca
frutos do mar	frutti di mare	**fru**-ti di **ma**-re
grelhado	alla griglia	a la **gri**-lha
lagosta	aragosta	a-ra-**gos**-ta
laranja	arancia	a-**ran**-tchia
legumes	ortaggi	or-**ta**-dji
leite	latte	**la**-te
linguiça	salsiccia	sall-**si**-tchia
maçã	mela	**mê**-la
manteiga	burro	**bu**-rro
morangos	fragole	**frá**-go-le
óleo	olio	**ó**-lio
ovo	uovo	u-**o**-vo
pão	pane	**pa**-ne
pato	anatra	**á**-na-tra
peixe	pesce	**pê**-she
pêssego	pèsca	**pés**-ka
pimenta	pepe	**pê**-pe
presunto cozido/cru	prosciutto cotto/crudo	pro-**shiu**-to **ko**-to/**kru**-do
queijo	formaggio	for-**ma**-djio
sal	sale	**sa**-le
salada	insalata	in-sa-**la**-ta
sanduíche	panino	pa-**ni**-no
seco	secco	**se**-ko
sopa	zuppa, minestra	**dzu**-pa, mi-**nés**-tra
sorvete	gelato	dje-**la**-to
suco de laranja/ limão	spremuta d'arancia/ di limone	spre-**mu**-ta da-**ran**-tchia/ di li-**mô**-ne
tomate	pomodoro	po-mô-**dó**-ro
torta/bolo	torta	**tor**-ta
uva	uva	**u**-va
vinagre	aceto	a-**tche**-to
vinho tinto	vino rosso	**vi**-no **ro**-sso
vinho branco	vino bianco	**vi**-no bi-**an**-co
vitela	vitella	vi-**te**-la
vôngole	vongole	**vôn**-go-le

Números

1	uno	**u**-no
2	due	**du**-e
3	tre	trê
4	quattro	**kua**-tro
5	cinque	**tchin**-kue
6	sei	**sei**
7	sette	**sé**-te
8	otto	**ó**-to
9	nove	**nó**-ve
10	dieci	di-**é**-tchi
11	undici	**ún**-di-tchi
12	dodici	**dô**-di-tchi
13	tredici	**trê**-di-tchi
14	quattordici	kua-**tôr**-di-tchi
15	quindici	**kuín**-di-tchi
16	sedici	**sê**-di-tchi
17	diciassette	di-tchia-**sé**-te
18	diciotto	di-tchi-**o**-to
19	diciannove	di-tchia-**nó**-ve
20	venti	**ven**-ti
30	trenta	**tren**-ta
40	quaranta	kua-**ran**-ta
50	cinquanta	tchin-**kuan**-ta
60	sessanta	se-**ssan**-ta
70	settanta	se-**tan**-ta
80	ottanta	ô-**tan**-ta
90	novanta	no-**van**-ta
100	cento	**tchien**-to
1.000	mille	**mi**-le
2.000	duemila	**du**-e **mi**-la
5.000	cinquemila	**tchin**-kue **mi**-la
1.000.000	un milione	un mi- li-**o**-ne

Tempo

um minuto	un minuto	un mi-**nu**-to
uma hora	un'ora	un**ó**-ra
meia hora	mezz'ora	me-**dzó**-ra
um dia	un giorno	un **djior**-no
uma semana	una settimana	una se-ti-**ma**-na
segunda-feira	lunedì	lu-ne-**dí**
terça-feira	martedì	mar-te-**dí**
quarta-feira	mercoledì	mer-ko-le-**dí**
quinta-feria	giovedì	djiô-ve-**dí**
sexta-feira	venerdì	ve-ner-**dí**
sábado	sabato	**sá**-ba-to
domingo	domenica	do-**mê**-ni-ka

GUIA VISUAL FOLHA DE S.PAULO

TÍTULOS PUBLICADOS

Guias Visuais

Os guias que mostram o que os outros só contam

África do Sul • Alemanha • Argentina • Austrália • Áustria • Barcelona e Catalunha • Brasil
Califórnia • Canadá • Caribe • Chile • China • Costa Rica • Croácia • Cuba • Egito
Espanha • Estados Unidos • Estônia, Letônia e Lituânia • Europa • Flórida • França
Holanda • Ilhas Gregas e Atenas • Índia • Inglaterra, Escócia e País de Gales • Irlanda
Istambul • Itália • Japão • Jerusalém e a Terra Santa • Londres • Madri • México
Nova York • Nova Zelândia • Paris • Peru • Portugal, Madeira e Açores • Praga
Roma • Suíça • Turquia • Vietnã e Angkor Wat • Walt Disney World® Resort & Orlando

Guias Visuais de Bolso

Guia e mapa – A cidade na palma da mão

Amsterdã • Berlim • Boston • Edimburgo • Londres • Madri • Melbourne • Nova York
Paris • Praga • Roma • São Francisco • Sevilha • Sydney • Toronto • Vancouver • Veneza

Guias de Conversação para Viagens

Manual prático para você se comunicar

Alemão • Árabe • Chinês • Espanhol • Europa • Francês • Grego • Holandês
Inglês • Italiano • Japonês • Portuguese • Russo • Tailandês • Tcheco • Turco

Guias de Conversação Ilustrado

Essencial para a comunicação – Livro e CD

Alemão • Chinês • Espanhol • Francês • Inglês • Italiano

Acompanhe os próximos lançamentos no site da Publifolha
www.publifolha.com.br

Centro de Roma

VATICANO E TRASTEVERE
Págs. 414-429
Guia de Ruas, 1, 5-6

PIAZZA NAVONA
Págs. 396-405
Guia de Ruas, 2, 3

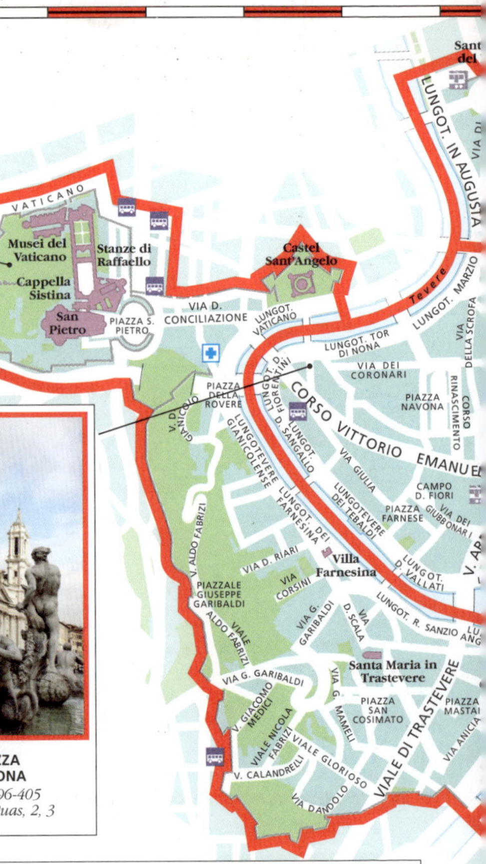

LINHAS DE ÔNIBUS E BONDES

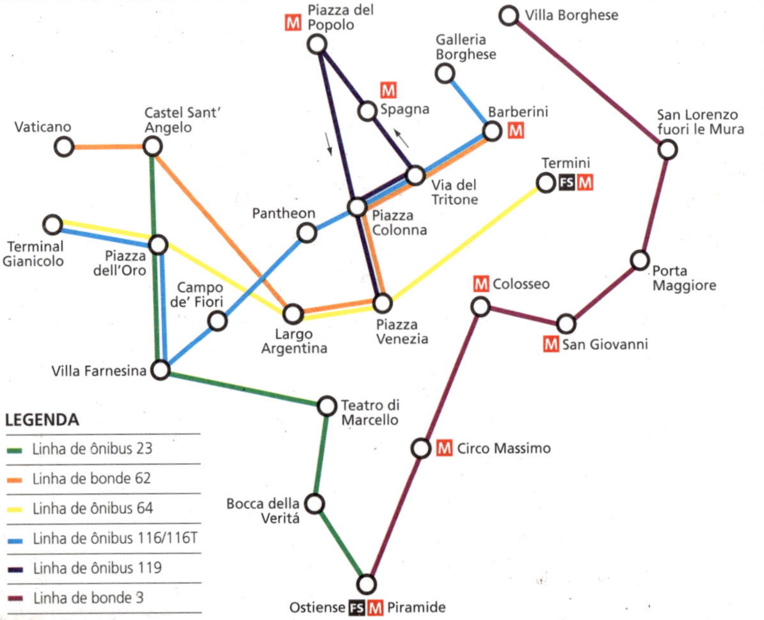